期表（2023）

10	11	12	13	14	15	16	17	18	族/周期
								2 He ヘリウム 4.002 602	1
			5 B ホウ素 10.806～ 10.821	6 C 炭素 12.0096～ 12.0116	7 N 窒素 14.006 43～ 14.007 28	8 O 酸素 15.999 03～ 15.999 77	9 F フッ素 18.998 403 162	10 Ne ネオン 20.1797	2
			13 Al アルミニウム 26.981 538 4	14 Si ケイ素 28.084～ 28.086	15 P リン 30.973 761 998	16 S 硫黄 32.059～ 32.076	17 Cl 塩素 35.446～ 35.457	18 Ar アルゴン 39.792～ 39.963	3
Ni ッケル .6934	29 Cu 銅 63.546	30 Zn 亜鉛 65.38	31 Ga ガリウム 69.723	32 Ge ゲルマニウム 72.630	33 As ヒ素 74.921 595	34 Se セレン 78.971	35 Br 臭素 79.901～ 79.907	36 Kr クリプトン 83.798	4
Pd ジウム 06.42	47 Ag 銀 107.8682	48 Cd カドミウム 112.414	49 In インジウム 114.818	50 Sn スズ 118.710	51 Sb アンチモン 121.760	52 Te テルル 127.60	53 I ヨウ素 126.904 47	54 Xe キセノン 131.293	5
Pt 白金 5.084	79 Au 金 196.966 570	80 Hg 水銀 200.592	81 Tl タリウム 204.382～ 204.385	82 Pb 鉛 206.14～ 207.94	83 Bi* ビスマス 208.980 40	84 Po* ポロニウム (210)	85 At* アスタチン (210)	86 Rn* ラドン (222)	6
Ds* スタチウム 281)	111 Rg* レントゲニウム (280)	112 Cn* コペルニシウム (285)	113 Nh* ニホニウム (278)	114 Fl* フレロビウム (289)	115 Mc* モスコビウム (289)	116 Lv* リバモリウム (293)	117 Ts* テネシン (293)	118 Og* オガネソン (294)	7

Gd リニウム 57.25	65 Tb テルビウム 158.925 354	66 Dy ジスプロシウム 162.500	67 Ho ホルミウム 164.930 329	68 Er エルビウム 167.259	69 Tm ツリウム 168.934 219	70 Yb イッテルビウム 173.045	71 Lu ルテチウム 174.9668
Cm* リウム 247)	97 Bk* バークリウム (247)	98 Cf* カリホルニウム (252)	99 Es* アインスタイニウム (252)	100 Fm* フェルミウム (257)	101 Md* メンデレビウム (258)	102 No* ノーベリウム (259)	103 Lr* ローレンシウム (262)

そのような元素については放射性同位体の質量数の一例を（　）内に示した．ただし，Bi, Th,
.

量は単一の数値あるいは変動範囲で示されている．原子量が範囲で示されている14元素には複数
の数値で原子量が与えられない．その他の70元素については，原子量の不確かさは示された数値

奥山 格・石井昭彦・箕浦真生 著

ORGANIC CHEMISTRY

有機化学

丸善出版

初版への巻頭言

20 世紀の後半 50 年間における科学の急激な発展は“知の爆発”ともいえるものであり，その目覚ましい進歩は有機化学にも質的な転換と領域の著しい拡大をもたらした．それまでの有機化学は事実を積み重ねて整理する博物学の域を出なかったが，20 世紀前半に確立された量子力学による有機化学の体系化が進められ，真の科学論理に基づく展開がなされ，加速度的な発展が可能となった．有機化学は分子や分子集合体の構造と機能を原子レベルの精度で取り扱うが，現代では分子量 1000 以下の小分子だけでなく，核酸，タンパク質，多糖類などの巨大生体分子の精密構造をも手に入れることができる．1962 年ノーベル医学生理学賞受賞者ジェームス・ワトソンは“Life is simply a matter of chemistry.”という．生命現象の多くは巨大生体分子と小さな有機分子のかかわりで起こり，制御されるからである．したがって，有機化学の論理は生物科学にも適用され，生命科学の基礎となっている．一方で，有機化学は物質科学の中心にあって，応用面は，身のまわりの生活を支える工業製品や医薬，食品だけでなく液晶やデバイスなど機能性物質まで幅広い範囲に及んでいる．重要なことは，化学の知識はこれらの有用物質を自由につくり出す根源であり，文明社会の礎となっていることである．21 世紀の科学を担う若者たちは，さらにその先端科学を切り拓いていかなければならない．このような時代に合った教科書の出現が待たれていた所以である．

ここに新しい有機化学の教科書が日本人の手で編まれたことは，まことに喜ばしいかぎりである．これまでの主流をなしてきた官能基別の教科書と違って，有機反応を軸にして化学を展開し，軌道相互作用の概念も取り入れて，全巻が一貫した論理で貫かれており，ストーリー性をもった教科書となっている．博物学の時代の教科書から脱却して，21 世紀に相応しい教科書が出現したといえる．

本書は初心者向けに有機化学の論理をわかりやすく導入し，それに基づいて有機反応機構を理解させ，多様な有機反応を関係づけて無理なく理解できるように構成している．すなわち，有機反応にひそむ共通点を明瞭かつ簡明に示した上で，それらがいかに有機化学の多様性につながるかを示すことに成功している．また，現代有機化学の二つの潮流を念頭において記述されている．一つは有機化学学習の目標を有機合成において有機反応を理解することであり，もう一つは生命科学の基礎としての有機化学に留意していることである．折にふれてそれまでに学んだ有機反応が生体内反応にどのようにかかわっているかを説明している．若い諸君は教わるだけでなく，自ら考えてその論理性を納得してほしい．

2007 年 12 月

野依　良治

改訂3版への序

本書は，2008年に初版，そして2016年に改訂2版を出版し，重版を重ねてきた．その経緯は改訂2版の序に述べたが，今回6回目の重版を進めるにあたり，版を改めて改訂3版とし，不適切な用語を訂正し，新しい内容を積極的に取り込むこととした．改訂2版への序に説明したことはすべて改訂3版にも反映されているので，改訂2版への序も併せて読んでいただきたい．

今回の改訂で内容的に大きな変更を加えたのは，共鳴構造式および求電子種・求核種に関する用語・用法を変更し，ノートとウェブノートの番号をそれぞれ別建てに直したことである．下に列挙した変更点のうち，上から4項目は化学的内容を新しくしたところである．とくに最初の2項目，芳香族ニトロ化と芳香族求核置換の反応機構，は最近になって確立されたものであり，ほかの教科書に先んじてわかりやすく解説している．

- pp. 267～268： 16.3.2項(ニトロ化)を全面的に書き直した．ベンゼンのニトロ化は，芳香族求電子置換反応の代表例として，内外の有機化学教科書に取り上げられてきた．しかし，その反応機構には1,2-ジカチオン構造を含む不合理な中間体(プロトン化硝酸)が書かれている．今回の改訂では，最新の化学に基づいてより合理的な反応機構を提案している．
- pp. 314～315： 芳香族求核置換反応の機構に関する最新の情報を反映して，付加-脱離機構の協奏反応性とその遷移状態について説明した．さらに詳しい解説をウェブノート18.1とした．
- p. 6とp. 259： SDGsとクリックケミストリーの最新の話題について留意し，ウェブノートを追加した．
- pp. 207～209(p. 208はノート12.4)： 隣接基関与の例としてあげた反応12.3を改訂し，説明を改良した．これは参照文献の誤りを反映したミスであったが，原著論文に基づいて数値を訂正し，説明もわかりやすく直した．
- 共鳴構造式については，一世代前の教科書で共鳴寄与体とされ，共鳴寄与式(resonance contributor)の用語が共鳴の事象を的確に表現するものとして使われてきたが，内外の教科書で共鳴構造式(resonance structure)の用語が一般化してきたので，本書でもこの用語を使うことにした．
- 求電子種と求核種は表裏一体の用語であり，求電子剤が活性な反応剤としてアルケンのような求核種を攻撃するというイメージがわかりやすいと考えて，そのような表現を使っていたが，分子レベルで反応の現象を考えると，求核種の電子対が陽性の求電子種を攻撃して結合をつくり，反応している．この問題点を踏まえて，求核種と求電子種の反応に関する表現を修正した．
- 当初，ノートのうち，印刷ページの制約のためにウェブサイトにアップしたものをウェブノートとしたため，両者を併せて通し番号にしていたが，ノートやウェブノートに欠番があるように見られることがあったため，それぞれを独立した番号にした．

- なお，化合物命名法の IUPAC2013 勧告において，置換ベンゼンのオルト，メタ，パラの表現は優先 IUPAC 名(PIN)では廃止され，一般 IUPAC 名(GIN)でも極力使用を控えることが推奨されている．しかし，反応や配向性についてはオルト，メタ，パラを用いたほうが的確な表現ができるので，この表現も残している．

この改訂版は共著者 3 名でまとめたものであるが，初版から引き続いて多くの方々から貴重なご意見やご指摘を賜った．このようなご協力が改訂版作成の原動力になっている．また，本書の出版にあたっては丸善出版株式会社企画・編集部の小野栄美子氏をはじめとする関係者に大変お世話になった．ここに併せて深く謝意を表する．

2023 年 8 月

著 者 一 同

改訂２版への序

初版の緒言で本書の出版のいきさつとねらいを次のように述べたが，改訂２版もこの方針を踏襲している．

すでに多くの教科書が出版されているにもかかわらず，ここに“有機化学”を新しくお届けすることになった．有機化学は，炭素化合物の化学として，生命体を支える生体物質から最先端科学技術を支える高機能性物質まで幅広い範囲におよんでいる．その多様性のゆえに，教科書も多様である．本格的な教科書は1000ページを超え1600ページにおよぶものもあるが，いずれも欧米の教科書を翻訳したものである．600ページ程度に抑えたコンパクトなものもあるが，スペクトルから生体物質の化学までカバーすると記述は淡白になり，有機化学の学問を理解するには不満足な点も少なくない．しかも，多くの教科書が官能基別の化学によって構成されており，化学原理の一貫性を論理的に理解するためには適していない．いわゆる，有機化学を“暗記もの”の科目にしてしまう恐れがある．

有機化学の講義を担当してきた私たちは，有機化学全般をカバーするために翻訳版の大型の教科書を採用して内容を取捨選択しながら講義したり，コンパクト版を使って内容を補充したり読み飛ばしたりしながら講義してきた．このようなことから，私たちはかねてから，日本のカリキュラムに合った学生にも学習しやすい教科書を編纂したいという希望をもっていた．このたび，次のような方針を立て，新しい時代に相応しい内容を精選してまとめたのが本書である．

- 有機化学の本質がその反応にあることに鑑み，反応を軸にした論理体系に基づいて有機化学を構成する．
- 反応機構を電子の流れに従って記述するために，“巻矢印”による反応表記を正確に徹底的に用いる．
- 500ページにおさめるために，スペクトルの記述を割愛する．
- 1～2年間の基礎有機化学から化学専攻の学生のための有機化学コースに対応する．
- 本書独自のホームページによって，教科書を補完し，学生の学習を助けるとともに，教師に対する支援を行う．

なお，内容を精選するためには，共著者の間で協議するだけではなく，全国規模で有機化学講義担当者の意見を伺い，原稿の段階で何人かの先生に査読していただいたことも付記しておきたい．また，野依良治先生には巻頭言を著していただいた．

幸いなことに，初版に対しては色々とご指摘をいただき 10 回にわたる重版に際して訂正・改善していくことができた．その後，オックスフォード大学出版局から英語版（T. Okuyama and H. Maskill, "Organic Chemistry : a mechanistic approach", 2014）を上梓した機会に，本書の改訂を計画したところ，初版を教科書に採用していただいている先生方からさらに貴重なご意見をいただくことができた．これらのご意見も取り入れ，ここに改訂 2 版をお届けする．改訂の要点は次の通りである．

- B5 判サイズに変更し，欄外スペースを設け欄外注や参照項目を付け加え，理解しやすくした．
- カラー印刷の利点を生かして図や反応式を視覚的にもわかりやすくするとともに，魅力的な写真で内容に色づけした．
- 「問題の解き方」を副読本として新しく編纂し，本書の問題解答に加えて 423 題の演習問題と解答を掲載した．
- ウェブサイトをさらに充実し，オンラインテスト，ウェブチャプター，ウェブノートだけでなく，約 500 題の補充問題と解答の手引きを掲載した．
- 電子の非局在化（5 章）と酸・塩基（6 章）を前に出し，有機化学反応を 7 章とした．
- カルボニル反応を 8～10 章にまとめた．
- ハロアルカンの求核置換反応と脱離反応を分けて 12・13 章とした．
- 酸化還元反応を 14 章内にまとめて説明した．
- 求電子性アルケンへの求核付加と芳香族求核置換を合わせて 18 章とした．
- 生体物質の化学は一つの章（23 章）にまとめたが，ウェブチャプター 23A～23E の 5 章に炭水化物，アミノ酸とタンパク質，核酸，脂質，代謝の化学をそれぞれ詳しく解説する．

改訂 2 版は共著者 3 名でまとめたが，執筆協力者には初版から引き続いて助言をいただいた．ここに名前をあげて謝意を表する．

上村　明男	山口大学大学院医学系研究科	西山　　繁	慶應義塾大学名誉教授
北川　敏一	三重大学大学院工学研究科	村井　利昭	岐阜大学工学部
杉村　高志	兵庫県立大学大学院物質理学研究科	山高　　博	元立教大学理学部
中辻　慎一	兵庫県立大学名誉教授		

また，上でも述べたように初版に対して種々のご指摘をいただき，さらに改訂に当たりご意見をいただいた先生方や学生諸君にも併わせて謝意を表したい．英語版の刊行に協力いただいた Howard Maskill 教授（New Castle 大学）は新しい視点を持ち込んで下さった．今回，写真画像を収集するに当たってご協力いただいた作者の皆様にも厚くお礼申し上げる．

最後に，本書の出版にあたり初版から引き続きお世話になっている丸善出版株式会社企画・編集部の小野栄美子・長見裕子・糠塚さやかの各氏にも心からお礼を申し上げる．

2015 年 11 月

著者を代表して
奥 山　格

学生のみなさんへ

皆さんは高等学校で化学をどのように学んで来られたでしょうか．最近の化学の教科書によれば，有機化学についてもかなり詳しく学ぶことができるようになっています．しかし，限られた時間内で，その基礎となる部分が割愛されているために，科学の学習に重要な“なぜ”が説明されていないようです．多くの有機反応が取り上げられていますが，なぜそのように反応が起こるのかについて踏み込む時間がなかったのではないでしょうか．受験のためには，個別の事象を“暗記”せざるを得なかったかもしれません．

有機化学は多様な学問である．生命現象の基盤になっているのは有機反応であり，身のまわりで生活を支えている有機物質をつくり上げるのも有機反応である．有機化学は最先端の機能性物質までを含め物質科学の中心になっている．この多様な有機化学を“暗記もの”として覚えようと思っても，それは不可能である．しかし，有機化合物は官能基で分類され，その種類は限られている．有機反応はその官能基で起こり，“反応機構”に基づいて数種類に分類できる．したがって，系統的に反応機構に従って学べば有機化学は論理的な科学になり，暗記に頼ることなく理解できるようになる．

すなわち，有機分子をつくり上げる結合の基本原理を理解すれば官能基の性質がわかり，反応を支配する電子の流れによって反応機構が理解できる．本書は，この考え方に基づいて構成され，“電子の流れに基づいて反応を理解する”ことに重点をおいた教科書である．この原理さえ理解すれば，生命のしくみと物質の世界を支配する有機化学を，興味をもって学ぶことができる．有機化学学習の目標は，有機反応の応用として目的化合物を効率よくつくること(有機合成)と生命科学の基礎としての有機反応のしくみを理解することである．

有機化学を学ぶためには，**自分の手を動かして考えることが重要である．化学構造式と反応式を書いて納得すること．**問題を書いて考えることが重要であることを肝に銘じてほしい．

有機化学は化学構造式で表現される学問でもあるので，化合物の構造を決定することは研究の過程では非常に重要なことである．したがって，構造決定の中心手段となる分光法(スペクトル)を理解することは，有機化学研究のためには欠くことができない．しかし，これは重要な実験手法ではあるが，有機化学の枠組みを構成しているわけではないので，本書では思いきって割愛しウェブチャプター 25 としたので，このチャプターを参照してほしい．有機化学を専攻しようとする諸君は，おそらく別建ての講義でスペクトルを学ぶことになるだろう．学生諸君が本書を常に携行し，折にふれてひもとくためには，コンパクトなサイズにおさえることも重要であると考えた．

また，近代有機化学 150 年の歴史を担ってきた著名な化学者の写真を関連ページの欄外に掲載し，序章には有機化学発展の流れを簡単に紹介した．これらは有機化学の枠組みを構成するものではないが，どのような先達がこの学問をつくり上げてきたかを知ることは興味引かれることであろう．これらの化学者は人名反応や人名規則に名前を残している場合が多いが，それを記憶することはそれほど大事なことではない．その反応がなぜ起こるのか，その規則がどういう原理で成り立つのかを理解することのほうが重要である．

2022年度に高校に入学されたみなさんは新しい教科書で学習されるようになり，環境問題にも留意された授業を受けて来られたことと思います．私たちの有機化学でも折に触れて，環境との関わりについて述べています．さらに“環境の基礎科学”という別冊を準備しています．

用語について

化学用語は原則として“文部省学術用語集(化学編)”に従ったが，いくつかの用語はわかりやすいように工夫を加えたものもある．国際化時代においては英語による表現も重要になっているが，本文中には敢えて英語を入れることを避け，欄外に重要な用語をあげ，英語を付した．また索引に英語を加えたので必要に応じて参考にしてほしい．外国人名は英語綴りを用い，各章の初出で一般的な読みかなをつけた．人名索引にも読みかなをつけているので利用してほしい．

高校教科書では“電離”という用語が幅広く使われており，カルボン酸のような中性の酸の“解離”も“電離”と表されているが，溶媒和についても学んでいるのでわかるように，水溶液におけるカルボン酸の“電離”で生じた H^+ は水和されるので H_3O^+ になる．この反応は，カルボン酸が電離して生じた H^+ が水和されて H_3O^+(オキソニウムイオン)になる反応であり，H^+ は電離して離れるというよりも，溶媒の H_2O 分子に受け渡される反応になっている．このような反応は酸解離反応といわれる．

$$\text{電離：}\quad RCOOH \rightleftarrows RCOO^- + H^+$$

$$\text{酸解離：}\quad RCOOH + H_2O \rightleftarrows RCOO^- + H_3O^+$$

反応式について

反応式の注目すべきところに色を用いた．本文からとった反応式の例によって，反応機構をどのように表すか説明する．原則としてすべての非共有電子対を示し，電子対の動きを巻矢印で表している．色によって重要な変化や反応推進力となる部位を明らかにしてある．電子豊富(求核的)な位置は赤色系のオレンジで，電子不足(求電子的)な位置は青色系の色を使い，反応推進力としてとくに電子押込み効果(プッシュ)と電子引出し効果(プル)に注目している．しかし多段階反応では，赤色の求核種が次の段階では脱離基に変わったり，緑色の脱離基が求核種に変わったりすることもあるので注意する必要がある．このように反応式には多くの情報が含まれているので，注意深くみれば多くのことが視覚的にも学べる．また，ここで示すような反応は原理的にすべて可逆であるが，電子対の動きを示す巻矢印は左から右へ反応が進む場合を表すものとする．

本書の構成

1 章で化学結合について説明し，結合の分極について理解するように，また Lewis 構造式が正しく書けるように強調している．**2 章**では有機化合物が官能基で分類されることを述べ，命名法の基本的な考え方を説明する．さらに，分子間相互作用により物質の性質が決まることを示す．**3 章**で分子のかたちが電子分布で決まり分子軌道で表されることを学ぶ．**4 章**ではアルカンとシクロアルカンの立体配座について述べ，分子のひずみについても説明する．**5 章**で電子の非局在化と共役，共鳴の考え方を導入し，芳香族性についても学ぶ．これらの応用として，**6 章**では酸塩基反応，そして酸性度を決める因子について説明する．**7 章**では有機反応がどのように起こるか，巻矢印による表し方を解説する．7 章までに有機化学の基本事項を学んだことになるので，8 章から順次有機反応を学んでいく．**8～10 章**は主としてカルボニル基の化学を取り扱う．**11 章**で飽和炭素の立体化学について学び，**12～14 章**でハロアルカンとアルコールを中心に，飽和炭素における置換と脱離反応について学ぶ．酸化還元反応を **14 章**(14.6 節)にまとめている．**15 章**はアルケン，**16 章**はベンゼンの求電子的な反応を取り扱う．**17 章**でエノラートイオンの反応を調べ，**18 章**では求電子的なアルケンと芳香族化合物の求核反応について学ぶ．**19 章**で芳香族化合物をヘテロ環にまで広げて説明する．**20 章**では電子が 1 個ずつ動いて進むラジカル反応，**21 章**ではおもな転位反応について学び，基本的な有機反応の学習を終了する．**22 章**で有機合成への応用，**23 章**で生体物質の化学の概略について述べ，本書を完結する．最後に**付録**として官能基合成反応，官能基の反応，炭素-炭素結合形成反応，酸性度定数をまとめてある．

ウェブサイトについて

ウェブサイト“有機化学 plus on web”を開くと，各章ごとに**ウェブノート**，**ショートノート**(欄外注に相当するような簡単な内容で，ウェブ S*x.x* の番号で示している)，**反応例**などがあるので学習の参考にしてほしい．**オンラインテスト**は各章の基本事項を選択問題として直接答えるようになっている．解答を入力すると採点結果が戻ってくるようになっているので，その章の理解度を確かめることができる．**三次元分子モデル**を使って，いろいろな角度から三次元の分子構造を眺めることができる．**補充問題**とその解き方の手引きも活用して学習を深めよう．IUPAC 命名法の詳細はウェブチャプターを参考にしてほしい．他の**ウェブチャプター**もさらに幅広く有機化学の勉強を進めるときに活用できるだろう．質問箱をもうけているので，ここに投稿すれば質問に答えてもらうことができる．

分子模型について

分子模型は化学構造，そして反応の立体化学を理解するために大変役立つので，丸善出版株式会社の HGS 分子構造模型 有機化学学生用セット（本体 2,400 円）の購入をお勧めする．ウェブ S1.3 “分子模型について” を参考にしてほしい．

“ワークブック” と “問題の解き方”

本書に付随する副教材としてワークブックとスタディガイドがある．有機化学を学ぶにあたっては，巻矢印による反応の表し方に習熟することが重要である．“『有機化学』ワークブック：巻矢印をつかって反応機構が書ける！”（丸善出版，本体 780 円）と “『有機反応機構』ワークブック：巻矢印で有機反応を学ぶ！”（丸善出版，本体 880 円）が出版されているので活用するとよい．

問題は鉛筆と紙で化学構造式を書いて自分で考え，解くことが重要である．本書には章内と章末に 500 題を超える問題があるので，これを解いたうえでスタディガイド “『有機化学 改訂 3 版』問題の解き方”（丸善出版，本体 2,900 円）で，正解を確認して理解を深めよう．このスタディガイドにはさらに演習問題とその解答も掲載してあるので，これも利用して学習してほしい．

教科書を採用される先生方へ

本書のウェブサイトには約 500 題の補充問題が MS Word 文書として収載されているので，容易に編集して演習や宿題に利用することができる．非公開の教師用のページには補充問題の解答があり，本書の図表をもとにしたパワーポイントがダウンロードして利用できるようになっている．また，次のような補充ノートが資料として載せてある（番号の最初の数字は章番号に対応する）．

- T1.1　電気陰性度はどう決められたか
- T6.1　酸・塩基の用語について
- T6.2　酸解離定数の定義と水の酸性度ならびに pK_a データについて
- T6.3　共役の意味するところ
- T6.4　共役効果と共鳴効果の用語について
- T6.5　強酸媒質の酸性度
- T6.6　超強酸
- T6.7　水とアルコールの酸性度の比較
- T7.1　副生成物と副生物について
- T8.1　イミンの生成と加水分解の pH 依存性
- T12.1　超強酸とカルボカチオン：Olah の発見
- T13.1　アンチ共平面とアンチペリプラナー
- T13.2　人名表記について
- T15.1　オキシ水銀化の中間体
- T15.2　ブタジエンへの 1,2-付加
- T16.1　置換基の電子効果：Hammett 則と置換基定数
- T16.2　部分速度比：芳香族求電子置換反応の速度と配向性
- T18.1　芳香族求核置換反応の付加-脱離機構：協奏反応の可能性

また，ご意見箱からご意見やお気づきの点を投稿していただくこともできる．このページへのアクセスについては，丸善出版株式会社に相談されたい．

略 号 表

ABS	4-アルキルベンゼンスルホン酸塩	4-alkylbenzenesulfonate
Ac	アセチル (エタノイル)	acetyl (ethanoyl) $CH_3C(O)-$
ADP	アデノシン二リン酸	adenosine diphosphate
AIBN	アゾビスイソブチロニトリル	azobisisobutyronitrile
AO	原子軌道	atomic orbital
Ar	アリール	aryl
ATP	アデノシン三リン酸	adenosine triphosphate
BHA	ブチル化ヒドロキシアニソール	butylated hydroxyanisole
BHT	ブチル化ヒドロキシトルエン	butylated hydroxytoluene
BINAP	2,2′-ビス(ジフェニルホスフィノ)-1,1′-ビナフチル	2,2′-bis(diphenylphosphino)-1,1′-binaphthyl
Boc	*t*-ブトキシカルボニル	*t*-butoxycarbonyl *t*-BuOC(O)-
bp	沸点	boiling point
BPO	過酸化ベンゾイル	dibenzoyl peroxide
Bu	ブチル	butyl $CH_3CH_2CH_2CH_2-$
Cbz	ベンジルオキシカルボニル	benzyloxycarbonyl $PhCH_2OC(O)-$
CFC	クロロフルオロカーボン	chlorofluorocarbon
CIP	カーン-インゴールド-プレローグ(順位則)	Cahn-Ingold-Prelog (rule)
CoA, CoASH	補酵素 A	coenzyme A
DBN	1,5-ジアザビシクロ[4.3.0]ノナ-5-エン	1,5-diazabicyclo[4.3.0]non-5-ene
DBU	1,8-ジアザビシクロ[5.4.0]ウンデカ-7-エン	1,8-diazabicyclo[5.4.0]undec-7-ene
DCC	*N,N*-ジシクロヘキシルカルボジイミド	*N,N*-dicyclohexylcarbodiimide
DDT	ジクロロジフェニルトリクロロエタン	dichlorodiphenyltrichloroethane
DEAD	アゾジカルボン酸ジエチル	diethyl azodicarboxylate
DH	結合解離エネルギー	bond dissociation energy
DMAP	4-ジメチルアミノピリジン	4-dimethylaminopyridine
DMF	*N,N*-ジメチルホルムアミド	*N,N*-dimethylformamide
DMSO	ジメチルスルホキシド	dimethyl sulfoxide
DNA	デオキシリボ核酸	deoxyribonucleic acid
E1	単分子脱離	unimolecular elimination
E1cB	共役塩基経由単分子脱離	unimolecular elimination *via* conjugate base
E2	二分子脱離	bimolecular elimination
E.A.	電子親和力	electron affinity
ee	エナンチオマー過剰率	enantiomeric excess
EPM	静電ポテンシャル図	electrostatic potential map
Et	エチル	ethyl CH_3CH_2-
FGI	官能基相互変換	functional group interconversion
Fmoc	フルオレニルメチルオキシカルボニル	fluorenylmethyloxycarbonyl
GIN	一般 IUPAC 名	general IUPAC name
HOMO	最高被占分子軌道	highest occupied molecular orbital
I.E.	イオン化エネルギー	ionization energy, ionization potential
i-Pr	イソプロピル	isopropyl $(CH_3)_2CH-$
IR	赤外(吸収スペクトル)	infrared (absorption spectrum)
IUPAC	国際純正・応用化学連合	International Union of Pure and Applied Chemistry
K_a	酸解離定数	acid dissociation constant
LAH	水素化リチウムアルミニウム	lithium aluminum hydride $LiAlH_4$
LAS	直鎖 4-アルキルベンゼンスルホン酸塩	linear 4-alkylbenzenesulfonate

(つづく)

（つづき）

LDA	リチウムジイソプロピルアミド	lithium diisopropylamide
LUMO	最低空分子軌道	lowest unoccupied molecular orbital
MCPBA	*m*-クロロ過安息香酸	*m*-chloroperoxybenzoic acid
Me	メチル	methyl　CH_3–
MO	分子軌道	molecular orbital
mp	融点	melting point
MS	質量スペクトル	mass spectrum
NAD^+	ニコチンアミドアデニンジヌクレオチド	nicotinamide adenine dinucleotide
NADH	還元型 NAD	reduced form of NAD
NBS	*N*-ブロモスクシンイミド	*N*-bromosuccinimide
NMF	*N*-メチルホルムアミド	*N*-methylformamide
NMR	核磁気共鳴	nuclear magnetic resonance
PCB	ポリクロロビフェニル	polychlorobiphenyl
PCC	クロロクロム酸ピリジニウム	pyridinium chlorochromate
PET	ポリエチレンテレフタラート	polyethylene terephthalate
PG	プロスタグランジン	prostaglandin
Ph	フェニル	phenyl　C_6H_5–
p*I*	等電点	isoelectric point
PIN	優先 IUPAC 名	preferred IUPAC name
pK_a	酸性度を表す定数	
pK_{BH^+}	塩基性度を表す定数	
PQQ	ピロロキノリンキノン	pyrroloquinoline quinone
Pr	プロピル	propyl　$CH_3CH_2CH_2$–
py	ピリジン	pyridine
RNA	リボ核酸	ribonucleic acid
SAM	*S*-アデノシルメチオニン	*S*-adenosylmethionine
SET	一電子移動	single electron transfer
S_N1	単分子求核置換	unimolecular nucleophilic substitution
S_N2	二分子求核置換	bimolecular nucleophilic substitution
S_Ni	分子内求核置換	internal nucleophilic substitution
SOMO	半占分子軌道	singly occupied molecular orbital
$S_{RN}1$	ラジカル介在求核置換	radical-mediated nucleophilic substitution
Tf	トリフルオロメタンスルホニル（トリフリル）	trifluoromethanesulfonyl（triflyl）
THF	テトラヒドロフラン	tetrahydrofuran
THP	テトラヒドロピラニル	tetrahydropyranyl
TBS	*t*-ブチルジメチルシリル	*t*-butyldimethylsilyl　*t*-$BuMe_2Si$–
t-Bu	*t*-ブチル	*t*-butyl　$(CH_3)_3C$–
TMS	テトラメチルシラン	tetramethylsilane　Me_4Si
TMS	トリメチルシリル	trimethylsilyl　Me_3Si–
TS	遷移状態（遷移構造）	transition state, transition structure
Ts	4-トルエンスルホニル（トシル）	4-toluenesulfonyl（tosyl）
UV	紫外（吸収スペクトル）	ultraviolet（absorption spectrum）
VSEPR	原子価殻電子対反発（モデル）	valence shell electron pair repulsion（model）

目　次

3　分子のかたちと混成軌道　47

17　エノラートイオンとその反応　285

18 求電子性アルケンと芳香族化合物の求核反応　307

ウェブ S18.1　有機金属反応剤に対する銅塩の効果

19 多環芳香族化合物と芳香族ヘテロ環化合物　321

ウェブノート 19.1　多環芳香族化合物と発がん性

ウェブノート 19.2　芳香族ヘテロ環化合物の合成

序

有機化学：その歴史と領域

有機化学(organic chemistry)は炭素化合物の化学であるといわれるが，かつては生命体(living organism)が生み出す化合物を扱う学問とされてきた．有機化合物は生命を養うものとして人類の誕生以来利用されてきたが，無機化合物と違って生命力(vital force)がないとつくれないものと考えられ，実験室のフラスコの中では合成できないとされていた．この考え方は生気説(vitalism)とよばれるが，19世紀半ばまでには F. Wöhler(ウェーラー)と A. W. H. Kolbe(コルベ)らの発見によって否定された．それ以来，本書で学ぶ近代的有機化学が発展してきたのである．

アカキナノキの樹皮にはキニーネが含まれる

有機化合物の化学

有機化合物に分類されてきたのは生物がつくる天然物であり，フラスコで合成される有機化合物の原料も究極的には古代の生物からできた石油や石炭に由来する．

色　素　古代から，身にまとうものは植物や動物から得られる繊維でつくられ，生物から抽出された色素で染められていた．タデアイからとられるインジゴの藍色やアカネの根からとれるアリザリンの赤色がその例であり，ロイヤルパープルとよばれる紫色の色素(貝紫ともいう)は地中海の貴重な巻貝からとられ，身分を象徴するものとされていた．

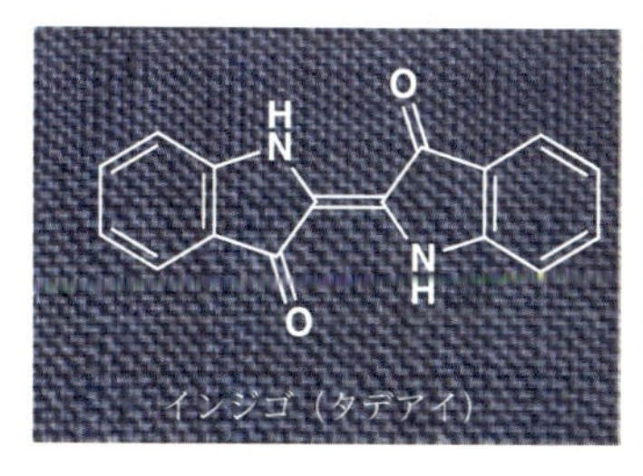

インジゴ（タデアイ）

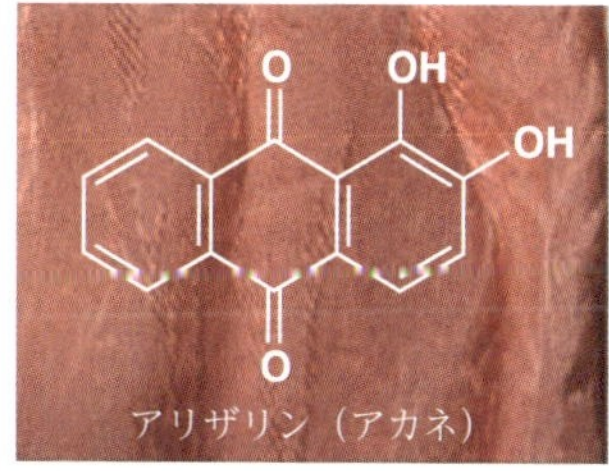

アリザリン（アカネ）

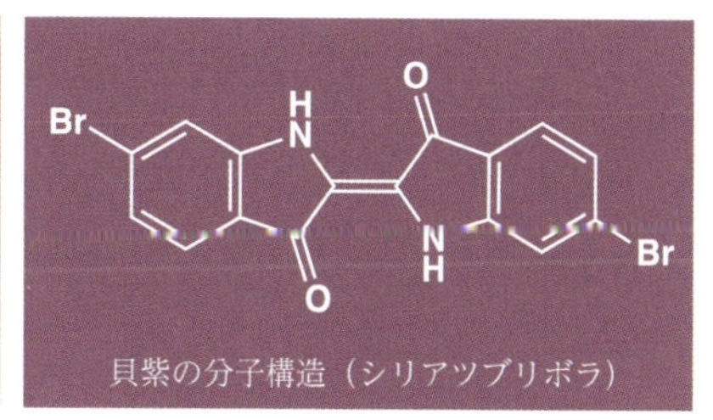

貝紫の分子構造（シリアツブリボラ）

タデアイ

アカネ

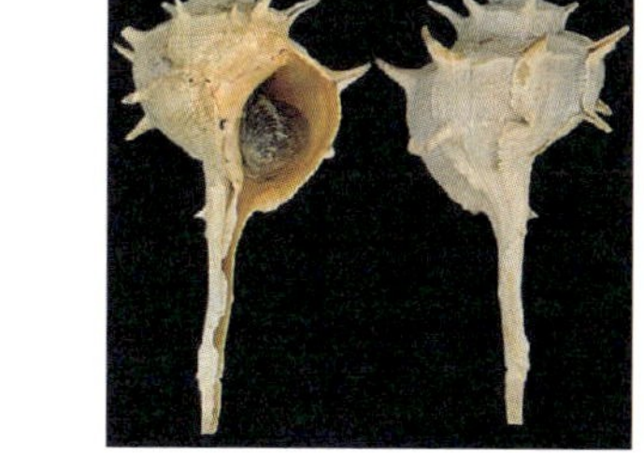
シリアツブリボラ

ヤナギ

ドクニンジン

ジギタリス

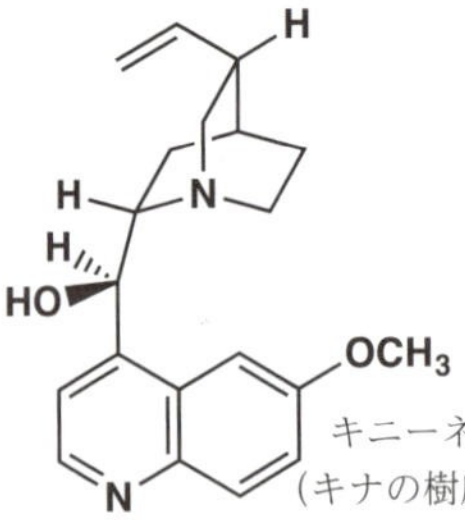

抗生物質 antibiotics という名称は，微生物が産生し他の微生物（おもに細菌）の殺菌に有効な物質として Waksman によって命名された．

キニーネ（キナの樹皮）

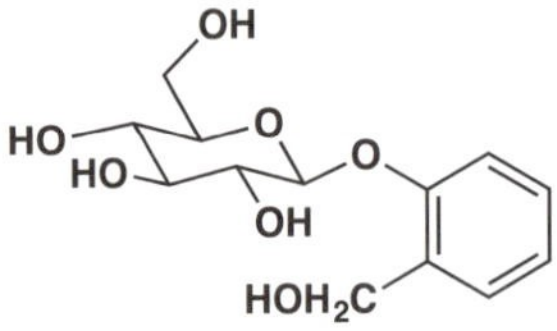

サリシン（ヤナギの樹皮）

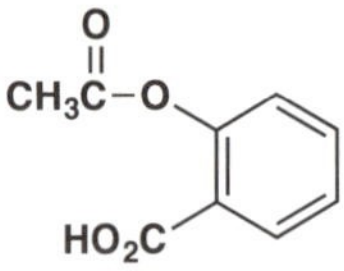

アセチルサリチル酸（アスピリン）

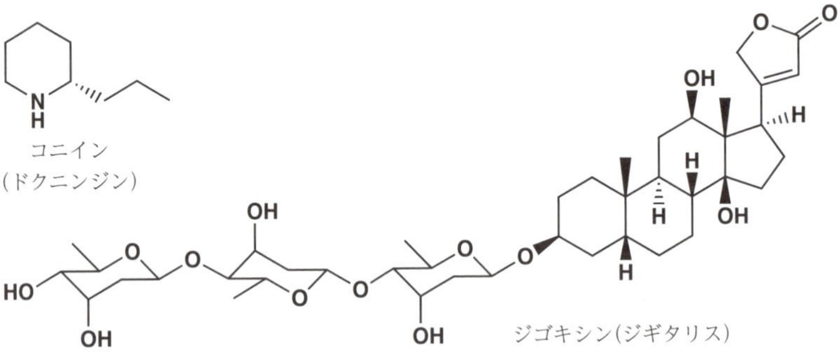

コニイン（ドクニンジン）

ジゴキシン（ジギタリス）

医薬と毒薬　医薬の中にはもともと天然物成分として発見され，現在でも用いられているものもある．たとえば，キナの樹皮は中南米の原住民の間で痛み止めや解熱のために用いられていたが，16 世紀にイエズス会の宣教師によってヨーロッパに持ち帰られた．その有効成分がキニーネであり，マラリヤの治療薬となった．

現在でも広く用いられるアスピリンは，古代ギリシャで痛み止めに用いられたヤナギの樹皮に由来する．その有効成分が後にサリシンであることがわかり，その構造から発展してドイツのバイエル社により 1897 年にアスピリンが開発された．

植物成分には毒物もある．紀元前 399 年，ソクラテスの毒殺に用いられたとされるドクニンジンの有毒成分はコニインである．毒物も適切な量を用いれば有効な治療薬になる．ジギタリス（キツネノテブクロ）に含まれる有毒成分ジゴキシンは心臓病の治療に使われている．

抗生物質　抗生物質は比較的新しい医薬であり，微生物によって産生される．1928 年に A. Fleming（フレミング）は，アオカビが黄色ブドウ球菌の増殖を抑えることを発見し，その有効成分としてペニシリンが開発された（1940 年）．

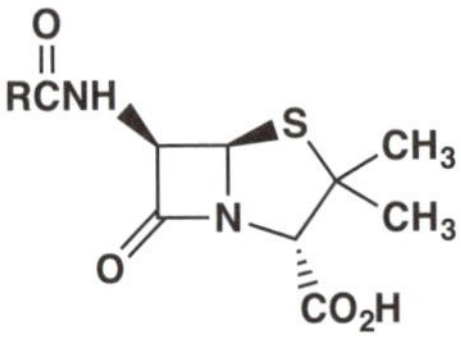

ペニシリン

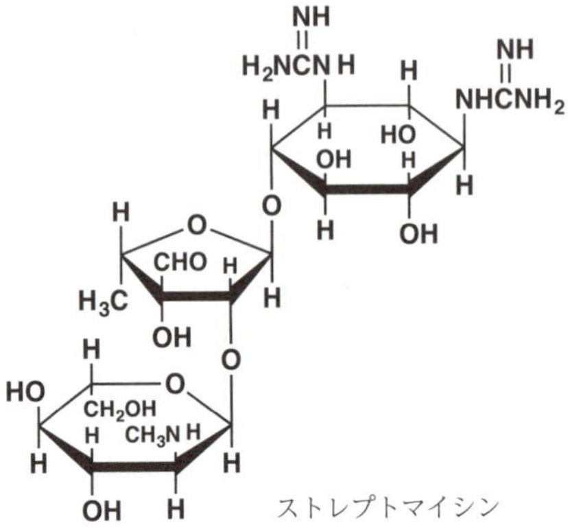

ストレプトマイシン

今では類似の構造をもつ抗生物質がペニシリン類として知られている．1943 年には米国の S. Waksman（ワックスマン）によって結核に有効な別のタイプの抗生物質ストレプトマイシンが発見された．その後，ほかにも多くの抗生物質が発見されている．

科学としての有機化学の発展

Friedrich Wöhler
(1800～1882)

生気説の終焉（しゅうえん）　1828 年に Wöhler は，無機化合物のシアン酸アンモニウム塩の水溶液を乾固するまで加熱すると，有機化合物である尿素が生成することを発見した．このことから生気説に疑問がもたれるようになった．

$$NH_4^+ NCO^- \xrightarrow{\text{加熱}} H_2N-C(=O)-NH_2$$

シアン酸アンモニウム　　尿素

1844 年には Kolbe は二硫化炭素から酢酸が合成できることを示した．二硫化炭素は硫化鉄と炭素から合成できることから，完全に無機物から有機物が合成できることが証明されたことになり，生気説は否定された．

$$FeS_2 + C \longrightarrow CS_2 \longrightarrow\longrightarrow CH_3CO_2H$$

二硫化炭素　　酢酸

A. W. Hermann Kolbe
(1818～1884)

有機化合物が実験室のフラスコの中で合成されることになり，それ以来，19 世紀後半から本書で学んでいく近代的な有機化学が急速に発展してきたのである．

“ラジカル”の概念とギーセン大学の化学教室　1830 年までには，同じ組成でありながら異なる物質（異性体）があることがわかっていた．Wöhler のシアン酸アンモニウムと尿素もその例である．1830 年代に，Wöhler は J. von Liebig（リービッヒ）との協力によって“ラジカル（radical）”の概念を提案した．この“ラジカル”は現在のフリーラジカルのことではなく，有機分子の中の一定の構造をもつグループ（基）のことである．単純な分子が原子で組み立てられているように，複雑な有機分子は“ラジカル”（“有機元素”といってもよい）で組み立てられていると考えたのである．

Justus von Liebig
(1803～1873)

Liebig は 1824 年からドイツのギーセン大学の教授を務めており，1820 年代から 1830 年代にわたって，有機化学分析と実験法を改良し，有機化学の教育と研究のための教室をつくり，次の時代の有機化学の発展の基礎を築くとともに，多くの有機化学者をその担い手として育てた．その中には，本書にも出てくる Kekulé, Hofmann（13 章），Williamson（12 章）らがいる．

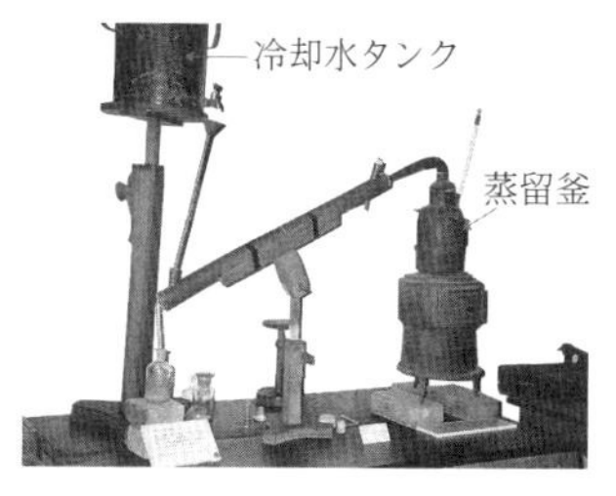

Liebig が使った冷却管
（リービッヒ博物館）

リービッヒ冷却管は今でも使われている．

近代初期の有機化学　19 世紀半ばから原子価の概念が発展し，1858 年には A. Kekulé（ケクレ）と A. Couper（クーパー）によって独立に炭素原子の四価説が発表され，Kekulé はさらに 1865 年にベンゼンの六員環構造を提案した（ノート 5.1）．

1874 年には，J. H. van't Hoff（ファント・ホッフ）と J. A. Le Bel（ル・ベル）が独立に炭素の四面体形構造を提案した．これは L. Pasteur（パスツール）の酒石酸の光学活性の発見（1848 年，ノート 11.3）に基づいており，このようにして有機化合物の三次元構造（立体化学）が明らかになっていった．

19 世紀末までには有機化合物の構造に関する基礎が築かれ，世紀の変わり目をはさんで多くの新しい有機反応が発見された．その多くが今でも人名反応として教科書を飾っている．20 世紀の初期にはこれらの有機化合物の構造と反応が系統的に整理され，古典的な有機化学が確立されていった．

化学結合理論と有機反応の新しい見方　　20 世紀の初頭には原子構造に関する物理が発展し，それに続いて G. Lewis（ルイス）と I. Langmuir（ラングミュア）は 1916 年にオクテット則と共有結合の考え方（1 章）を発表した．1930 年代には L. Pauling（ポーリング，ノート 3.1）により，電気陰性度（1 章），軌道混成（3 章），共鳴（5 章）などの有機化学の重要な概念が提案された．この時期には，化学結合の電子論に基づいて，有機反応がどのように起こるか（反応機構）が説明されるようになった．R. Robinson（ロビンソン）と C. K. Ingold（インゴールド）らは，反応における結合の切断と生成が電子の動きによって説明できることを示し，巻矢印による表現が考案された（7 章）．このような有機反応の表現は定性的ではあるが，紙と鉛筆に基づく簡単な書き方として有機化学者の標準的手法となり，今でも使われている．

1920 年代に確立された量子力学は化学結合理論の基礎となったが，有機化合物への適用はその膨大な計算のために遅れ，1931 年に E. Hückel（ヒュッケル，5 章）によって分子軌道法に大胆な近似が導入されてはじめて有機分子の π 電子系のエネルギーが計算できるようになった（5 章）．さらに，1952 年には福井謙一（7 章）によってフロンティア軌道理論が発表され，有機反応も分子軌道法に基づいて説明されるようになった．最近ではコンピュータの高速化が格段に進み，量子力学による化学現象の解明が大きく発展している．

Sir William H. Perkin
(1838～1907)

化学工業　　有機化学は工業の始まりとともに常に生活の向上に役立ってきた．最初の大きな化学工業は合成染料の生産であり英国とドイツで発展した．これは英国の化学者 W. H. Perkin（パーキン）の偶然の発見に基づいている．すなわち，1856 年 Perkin は不純なアニリンから紫色染料（モーブ）が生成することを見つけた．ドイツでは J. F. W. A. von Baeyer（バイヤー）が 1880 年にインジゴの合成に成功し，染料工業を興した．

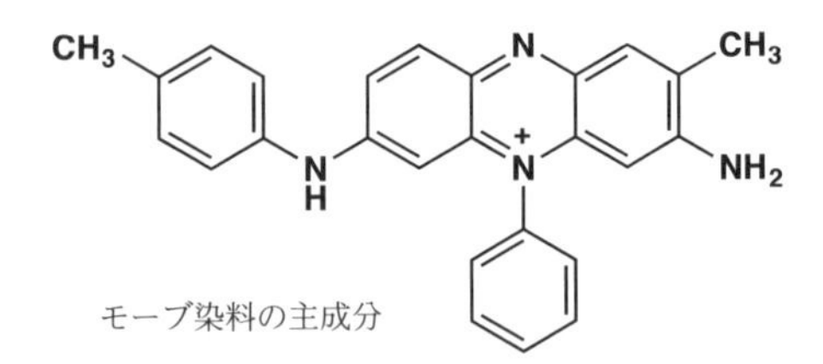

モーブ染料の主成分

Wallace H. Carothers
(1896～1937)

20 世紀になると石炭，さらに石油を原料とする化学工業が発展し，医薬や肥料, 合成繊維, プラスチックなどの分野に急速な広がりを見せた．W. H. Carothers（カロザース）によるナイロンの発見（1935 年）を契機に，20 世紀半ばから合成繊維とプラスチックが身近なものとなり，現代生活に欠かせないものとなった．

有機合成の力　　有機反応化学の進歩は有機合成の力量に反映され，複雑な構造をもった化合物を効率的に合成できるようになり，医薬品の開発にも応用されている．20 世紀の半ばに有機合成の金字塔を建てたのは R. B. Woodward（ウッドワード）であろう．有機合成のターゲットになったのは，おもに天然物であり，Woodward はキニーネ（1944 年），コレステロール（1952 年），クロロフィル（1960 年），ビタミン B_{12}（1972 年）などの合成に成功し，それに続く有機化学者に大きな刺激を与えた．

Robert B. Woodward
(1917～1979)

このような化合物は単に大きな分子であるというだけでなく，立体化学的にも複雑である．現在までに合成された最も複雑な天然物の一つはパリトキシンであり，立体選択的な合成法の開発が大きなテーマになっている．

コレステロール　クロロフィル *a*　ビタミン B_{12}

パリトキシン

パリトキシン

71 個の立体要素（64 個のキラル中心とシス・トランス異性の可能な 7 箇所の二重結合）をもち，2^{71} の立体異性体が可能である．この化合物は，1971 年にハワイに生息するイワスナギンチャクからはじめて単離された猛毒であり，ある種の海藻によって生産される．細胞膜のナトリウムチャネルに作用して Na^+ の透過性を増すことによって毒性を示す．その全合成は，1994 年にハーバード大学の岸義人らによって達成された．

マウイイワスナギンチャク

2001 年には，それを象徴するように，“キラル触媒による水素化と酸化反応”の業績に対して，野依良治らにノーベル化学賞が授与された．さらに 2010 年のノーベル化学賞は，“パラジウム触媒クロスカップリングを用いる有機合成”に対して鈴木章と根岸英一らに授与され，この分野における日本の研究水準の高さを示した．

有機化学の現在と未来

有機化学は生命体がつくる物質の化学からスタートし，フラスコの化学として一般化し，再び生命の謎を解くための基礎科学になっている．とくに，有機反応機構の理解が分子レベルで生命現象を理解することを可能にし，生命科学の急激な進歩を担っている．

有機化学の歴史は，ここで見てきたように 200 年にもならないが，20 世紀を通して大きな発展を遂げ，私たちの生活を支えるためになくてはならないものになっている．衣食住にかかわるものだけをみても，合成繊維，染料，農薬，プラスチック，塗料，接着剤など，いずれも有機化学工業の産物である．液晶材料や半導体など，エレクトロニクスにも有機材料が使われている．医薬品は精密有機合成の産物である．

有機化学工業は私たちが必要とする有用な物質をつくることができるが，それだけではなかったことを私たちは知っている．大規模な工業の副産物として環境汚染や廃棄物処理の問題，また薬害などの問題も生み出した．これらの問題は，化学に対する知識の未熟さや過度の経済性の優先などから生じたものであり，これらの問題を解決することも化学の責務である．

21 世紀の有機化学の課題の一つは，環境と調和した有機化学工業の構築であり，また再生可能な炭素資源やエネルギーの利用と効率的な物質循環システムの開発も重要な課題となっている．このように，有機化学は物質科学の中心にあり，また上で述べたように生命科学の基礎科学としてもますます重要性を増してきている．

➡ ウェブノート 0.1　有機化学における SDGs

1 化学結合と分子の成り立ち

【本章で学ぶこと】
- 殻と原子軌道：s 軌道と p 軌道
- 原子の電子配置
- 価電子とは何か
- イオン結合と共有結合
- 電気陰性度と極性結合
- Lewis 構造式
- 分子の表し方

現在知られている有機化合物は，天然のものも人工的に合成されたものも含めて，優に一千万種を超えている．有機化合物は炭素の化合物であり，炭素原子の特性が有機化合物の多様性を生み出している．ほかに水素，窒素，酸素，ハロゲン，硫黄，リンなどが有機化合物を構成している．

炭素は周期表の第 2 周期の中ほどにあって，炭素よりも左にある元素は電子を与える傾向があり，右にある元素は電子を受け入れる傾向がある．炭素はその中間にあって，電子を完全に与えたり受け入れたりしないで，相手原子と電子を共有する傾向をもっている．炭素は，電子を共有することによって他の原子と結合を生成することができる．その結合によって，多種多様な炭素化合物，すなわち有機化合物がつくられている．結合の生成しやすさやその強さは，結合する原子の電子構造によって決まってくる．したがって，有機化合物の化学（有機化学）を学ぶにあたって，まず原子の中の電子について理解しておく必要がある．

1.1 原子の構造

1.1.1 原子構造

原子は原子核と電子からなり，原子核は陽子と中性子からできている．そして，元素の種類は**原子番号**で特定される．原子番号は原子核に含まれる陽子の数（正電荷数）あるいは原子核のまわりの電子の数に相当する．陽子の数と中性子の数の和は**質量数**とよばれ，ほぼ原子量に等しい（図 1.1）．電子の質量は陽子や中性子に比べてきわめて小さく（約 1/2000），実際の質量は下に示す通りである．

質量数の異なる同一元素（原子番号すなわち陽子の数は同一であるが，中性子の数が異なる）は**同位体**（同位元素ともいう）とよばれ，天然にも一定の割合で存在する．天然に存在する元素の**原子量**として使われているのは，同位体の天然存在度による原子質量の加重平均である．**相対原子質量**が ^{12}C の原子質量を基準に

質量数
（陽子の数＋中性子の数）

$^{12}_{6}$C

原子番号
（陽子の数）

図 1.1　元素の表し方

➡ ウェブノート 1.1　放射性炭素年代測定

➡ ウェブ S1.1　質量欠損

陽子 (proton)：1.672 623 1×10^{-27} kg　中性子 (neutron)：1.674 928 6×10^{-27} kg
電子 (electron)：9.109 389 7×10^{-31} kg　原子質量単位：1.660 540 2×10^{-27} kg

原子 atom
原子核 nucleus
原子番号 atomic number
質量数 mass number
同位体 isotope
原子量 atomic weight
相対原子質量 relative atomic mass
原子質量単位 atomic mass unit

して決められており，^{12}C の原子質量を 12.0000 としている(その 1/12 を原子質量単位といい，原子量はこの単位で表す)．同位体の ^{13}C の原子質量は 13.0034 となり，天然に約 1.11% 存在するので，炭素の原子量は 12.011 である．

問題 1.1　次の元素は，それぞれ陽子と中性子をいくつずつもっているか．

(a) $^{11}_{5}$B　(b) $^{23}_{11}$Na　(c) $^{14}_{7}$N　(d) $^{19}_{9}$F

問題 1.2　炭素の同位体 $^{12}_{6}$C，$^{13}_{6}$C，$^{14}_{6}$C は，それぞれ陽子と中性子をいくつずつもっているか．

1.1.2　原 子 軌 道

電子は原子核のまわりの殻(かく)とよばれる一定の空間に存在する．殻は主量子数 n(1，2，3……)で規定され，電子はそれぞれの殻において s，p，d，f というアルファベットで区別される軌道に所属する．

軌道 orbital
軌道は，三次元空間における電子の存在確率として量子力学の波動関数で表される．惑星の“軌道(orbit)”とはまったく異なるものであることに注意．初期の数学的表現が惑星の軌道の数学的表現と似ていたので orbit の形容詞“orbital”を用いて“軌道のようなもの”と表現したのである．

- **軌道とは，一定のエネルギー状態の電子が存在できる空間領域のことであり，一つの軌道に 2 電子まで収容できる．**
- **同じ軌道に収容される 2 電子のスピン状態は異なっていなければならない***．

* 電子のスピン(spin)状態とは，電子の回転状態をいい，±1/2 の 2 種類がある．同じ軌道に入る 2 電子は逆スピンである，またはスピン対になっている(spin-paired)という．

第 1 殻(n=1)にはただ一つ 1s 軌道があり，2 電子収容できる．第 2 殻(n=2)には，2s 軌道一つと 2p 軌道三つがあり，合わせて 8 電子まで収容できる．三つの p 軌道は p_x，p_y，p_z と区別されるが，エネルギーの高さ(エネルギー準位)は等しい．軌道のエネルギーが同じであることを，軌道が縮退しているという．第 3 殻(n=3)には，3s 軌道一つ，3p 軌道三つ，3d 軌道五つがあり，18 電子まで収容できる．

三つの p 軌道は互いに直交しており，p_x，p_y，p_z の x，y，z は直交座標を表しているが，その向きは任意にとることができる．原子軌道のかたちについては 3.2.1 項で説明する．

原子軌道の相対的なエネルギー準位を図 1.2 に示す．同じタイプの軌道(s 軌道や p 軌道)はそれぞれ，主量子数が大きくなるに従って，エネルギー準位も高くなる．p 軌道には三つ，d 軌道には五つ縮退した軌道があることにも注意してほしい．

殻における原子軌道
第 1 殻：1s
第 2 殻：2s，2p
第 3 殻：3s，3p，3d
第 4 殻：4s，4p，4d，4f

各原子軌道に入った電子は波動関数で規定される確率で三次元空間に分布し，軌道のかたちをつくっている．s 軌道は球形であり，p 軌道は二つの球が接したようなかたちをしているが，詳しくは 3.2 節で述べる．

原子軌道 atomic orbital
殻 shell
(電子殻 electron shell ともいう)
縮退 degenerate (縮重ともいう)
エネルギー準位 energy level

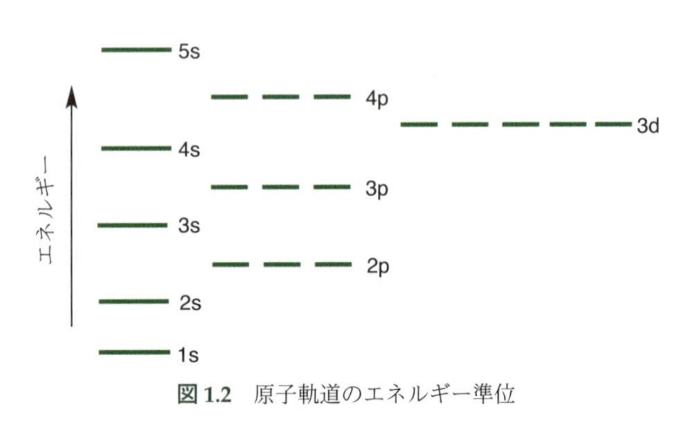

図 1.2　原子軌道のエネルギー準位

1.1.3 電子配置

原子の**電子配置**は，原子に所属する電子がどの軌道にあるかを示すものであり，エネルギー状態の低いものから高いものまで原理的にはいくらでも可能である．しかし，重要なのは最も安定な(エネルギーの低い)電子配置であり，この電子配置は**基底状態電子配置**とよばれる．電子はエネルギーの低い軌道から順に入っていく(図 1.2 および図 1.3)．

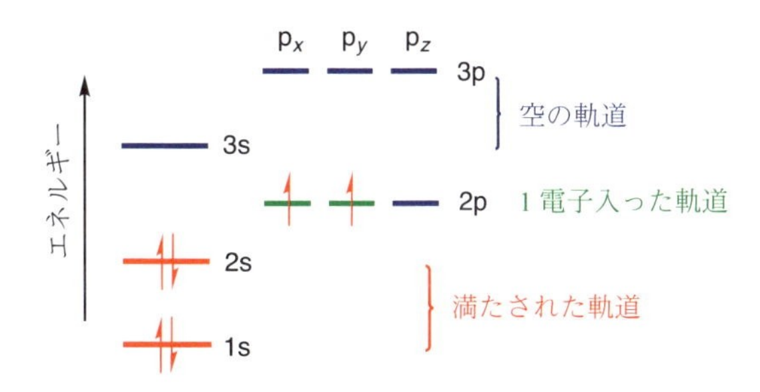

図 1.3 炭素の基底状態電子配置($1s^2 2s^2 2p^2$)

矢印で各軌道のエネルギー準位に電子が入っていることを示す．スピンの違いを矢印の上向きと下向きで表している．

各軌道はスピンの異なる 2 個の電子を収容することができ(Pauli の排他原理)，それ以上は収容できないので，各軌道は電子 2 個で“満たされる(filled)”という．周期表の第 3 周期までの元素の基底状態電子配置を表 1.1 に示す．

Pauli(パウリ)の排他原理
同一の量子数をもつ電子は同時に存在し得ないという原理であり，同じ軌道に同じスピンの電子は存在できないことを意味する(量子数には主量子数，方位量子数，磁気量子数，スピン量子数がある)．

電子配置は，軌道の記号の右肩に 1 または 2 の収容電子数を添字で示して表す．たとえば，C はその原子番号からわかるように 6 個の電子をもっており，電子配置は $1s^2 2s^2 2p_x^1 2p_y^1$ である(図 1.3)．$1s^2$ は直前の貴ガス元素 He の電子配置に相当するので[He]で表してもよい．この満たされた内殻[He]の上に，2s 軌道に 2 電子，$2p_x$ と $2p_y$ 軌道に 1 電子ずつがあることを示している．

2p 軌道のように軌道がいくつか縮退しているときには，まずそれぞれに 1 個ずつ電子が入っていき(Hund の規則)，すべての軌道に 1 電子入ってからはじめて，2 個目の電子が(たとえば $2p_x$ 軌道に)入る．このことを了解したうえで，2p 軌道の電子をまとめて表してもよい．たとえば，C の場合 $1s^2 2s^2 2p^2$ あるいは $[He]2s^2 2p^2$ と書く．

Hund(フント)の規則
縮退した軌道に電子が入るとき，2 電子間の静電反発をできるだけ避けるために，まず(平行なスピンの)電子が 1 個ずつ別の軌道に入っていき，全軌道に 1 電子が入った後で逆スピンの 2 電子目が入っていくという規則．

問題 1.3 次の元素の基底状態電子配置を示せ．
(a) $_{20}Ca$ (b) $_{35}Br$ (c) $_{50}Sn$

表 1.1 元素の基底状態電子配置

第 1 周期		第 2 周期		第 3 周期	
$_1H$	$1s^1$	$_3Li$	$[He]2s^1$	$_{11}Na$	$[Ne]3s^1$
$_2He$	$1s^2$	$_4Be$	$[He]2s^2$	$_{12}Mg$	$[Ne]3s^2$
		$_5B$	$[He]2s^2 2p_x^1$	$_{13}Al$	$[Ne]3s^2 3p_x^1$
		$_6C$	$[He]2s^2 2p_x^1 2p_y^1$	$_{14}Si$	$[Ne]3s^2 3p_x^1 3p_y^1$
		$_7N$	$[He]2s^2 2_x^1 2p_y^1 2p_z^1$	$_{15}P$	$[Ne]3s^2 3p_x^1 3p_y^1 3p_z^1$
		$_8O$	$[He]2s^2 2p_x^2 2p_y^1 2p_z^1$	$_{16}S$	$[Ne]3s^2 3p_x^2 3p_y^1 3p_z^1$
		$_9F$	$[He]2s^2 2p_x^2 2p_y^2 2p_z^1$	$_{17}Cl$	$[Ne]3s^2 3p_x^2 3p_y^2 3p_z^1$
		$_{10}Ne$	$[He]2s^2 2p_x^2 2p_y^2 2p_z^2$	$_{18}Ar$	$[Ne]3s^2 3p_x^2 3p_y^2 3p_z^2$

元素記号には原子番号をつけてある．第 2 周期と第 3 周期の元素の完全に満たされた内殻は，直前の貴ガス元素の記号で[He]あるいは[Ne]のように表している．

電子配置 electronic configuration
基底状態電子配置 ground-state electronic configuration
排他原理 exclusion principle

Gilbert N. Lewis (1875～1946)
米国の化学者．1902 年に価電子を点で表す原子の Lewis 表記を提案し，1916 年にはオクテット則を提案し共有結合の概念を発表した．これに基づいて Lewis 構造式が書かれる．さらに 1923 年には，電子対に基づく酸塩基の概念を提案した (6 章)．

第 2 周期の元素では，第 1 殻が完全に満たされており，第 2 殻に順々に電子が収容されている．第 3 周期の元素では，第 2 殻まで電子で満たされた Ne と同じ型の内殻に加えて，第 3 殻に電子が入っていく．このように第 2 周期元素では第 2 殻の電子配置，第 3 周期元素では第 3 殻の電子配置が変化しており，各元素の性質に大きく影響している．この最外殻を**原子価殻**といい，その電子を**原子価電子**あるいは単に**価電子**という．

■ **価電子は化学結合の形成や化学反応に関係しており，元素の物理的な性質や化学的な性質は主として価電子によって決まっている．**

問題 1.4　次の原子の価電子の数はいくつか．
(a) C　(b) Cl　(c) B　(d) N　(e) Mg

1.1.4　原子の Lewis 表記

原子の振舞いを考えるうえで価電子が非常に重要であることから，G. N. Lewis (ルイス) は，**元素記号のまわりに価電子を点で表す表記法**を提案した．この表記法は **Lewis 表記**とよばれ，元素記号のまわりに価電子の数だけ点をつけて原子を表す．このとき元素記号は原子核と満たされた内殻電子すべてを表していると考えてもよい．表 1.2 の周期表に代表的な原子を Lewis 表記で示す．

表 1.2　原子の Lewis 表記

族番号	1	2	13	14	15	16	17	18
価電子数	1	2	3	4	5	6	7	8
第 1 周期	H·							He:
第 2 周期	Li·	Be:	·B:	·C:	·N:	:O:	:F:	:Ne:
第 3 周期	Na·	Mg:	·Al:	·Si:	·P:	:S:	:Cl:	:Ar:

高校教科書では 18 族原子の価電子数を 0 としているが，その根拠は明らかでなく，価電子の定義に従って最外殻に収容されている電子の数 8 を価電子数とする．

表 1.1 の基底状態電子配置と比べると，たとえば，炭素の Lewis 表記の 4 個の点は 2s 軌道の 2 電子と $2p_x$ と $2p_y$ 軌道の 1 電子ずつに相当することがわかる．酸素原子には，2s 電子 2 個と 2p 電子 4 個が価電子として 6 個の点で示される．

典型元素 (main-group element) とは，周期表の 1，2，12～18 族の元素のことである．3～11 族の元素は遷移元素という．

■ **典型元素の価電子は s と p 軌道に収容され，最大 8 個である．**

問題 1.5　次の原子の Lewis 表記に示される点は，それぞれどの原子軌道に所属しているものか．
(a) Mg:　(b) :N·　(c) :P·　(d) :S·　(e) :Br·

1.2　化 学 結 合

1.2.1　イオンの生成

Lewis は，貴ガス元素 (18 族) が化学的に不活性であるのは，これらの元素の電子配置の高い安定性によると考えた．貴ガス元素は，He を除いて，最外殻に電子を 8 個 (s^2p^6) もっている．

原子価殻 valence shell
(最外殻 outermost shell のこと)
価電子 (原子価電子) valence electron
Lewis 表記 Lewis representation

■ **原子は，最外殻に 8 個の価電子が入って，貴ガス元素と同じ電子配置になったときに最も安定であり，電子を与えたり，受け取ったり，共有することによってその状態を達成する傾向がある．この理論はオクテット則とよばれる．**

周期表の左のほうの原子は，電子を 1 個あるいは 2 個失って 8 電子をもつ内側の殻が原子価殻となり，オクテットを満たした**カチオン**になる．一方，右のほうの原子は電子を 1 個あるいは 2 個受け取って**アニオン**になりオクテットを達成する．

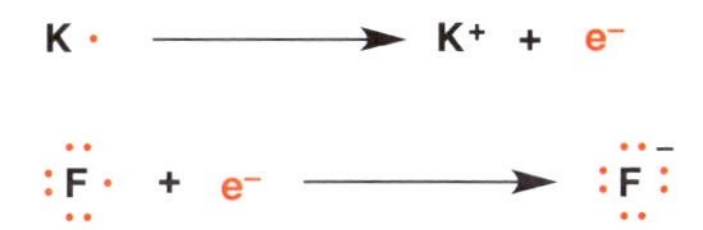

a. イオン化エネルギーと電子親和力

原子から 1 電子取り去ってカチオンにするのに要するエネルギーを**イオン化エネルギー**という．一般に原子核の正電荷が小さく，価電子のエネルギーが高くて原子核から離れているほど電子は取り去りやすいので，イオン化エネルギーは小さい．イオン化エネルギーが小さくカチオンになりやすい原子は**電気的に陽性**であるという．

> イオン化エネルギーはイオン化ポテンシャルまたはイオン化電位 (ionization potential) ともいい，イオン化するときにこのエネルギーが吸収される．

> 単位の eV は電子ボルトを意味し，1 eV＝96.485 kJ mol^{-1}．

$$\mathrm{Na}\cdot \longrightarrow \mathrm{Na}^{+} + e^{-} \qquad I.E. = 5.14\ \mathrm{eV}\ （イオン化エネルギー）$$

一方，原子に 1 電子が付加してアニオンを生成するときに放出されるエネルギーを**電子親和力**という．電子親和力が大きくてアニオンになりやすい原子は，**電気的に陰性**であるという．表 1.3 におもな元素のイオン化エネルギーと電子親和力を示す．

> 中性の Na と Cl から Na^{+} と Cl^{-} が生成する反応を合わせて Na から Cl に電子が移動する反応を考えると吸熱的である(不利な反応)という計算になる．しかし，それぞれの反応は孤立した系での結果であり，イオン対になったり溶液中で溶媒和されることは考えていない．

$$:\!\ddot{\underset{..}{\mathrm{Cl}}}\cdot + e^{-} \longrightarrow :\!\ddot{\underset{..}{\mathrm{Cl}}}\!:^{-} \qquad E.A. = 3.61\ \mathrm{eV}\ （電子親和力）$$

表 1.3　イオン化エネルギーと電子親和力

族 1	2	13	14	15	16	17	18
H 13.60 0.75							He 24.59 ~0
Li 5.39 0.62	Be 9.32 ~0	B 8.30 0.24	C 11.26 1.27	N 14.53 ~0	O 13.62 1.47	F 17.42 3.34	Ne 21.56 0
Na 5.14 0.55	Mg 7.65 ~0	Al 5.99 0.46	Si 8.15 1.24	P 10.49 0.77	S 10.36 2.08	Cl 12.97 3.61	Ar 15.76 0

上段の数値がイオン化エネルギー，下段の数値が電子親和力(単位は eV)．

> オクテット則 octet rule
> カチオン(陽イオン) cation
> アニオン(陰イオン) anion
> イオン化エネルギー ionization energy (*I.E.* と略す)
> 電子親和力 electron affinity (*E.A.* と略す)

例題 1.1

Li^+ と F^- の基底状態電子配置を示せ．

解答　Li から 1 電子が失われて Li^+ になると，He と同じ電子配置になり，F が 1 電子を受け取って F^- になると，Ne と同じ電子配置になる．
Li^+ : $1s^2$　　F^- : $1s^2 2s^2 2p_x^2 2p_y^2 2p_z^2$（$1s^2 2s^2 2p^6$ と書いてもよい）

問題 1.6　Na^+ と Cl^- の基底状態電子配置を示せ．

b.　電気陰性度

Linus Pauling（1901〜1994）
ノート 3.1 参照

原子の電気的陽性と陰性の程度を表すパラメーターとして**電気陰性度**がある．最も広く用いられている電気陰性度の尺度は，L. Pauling（ポーリング）によって 1930 年代に提案されたものである（表 1.4）．

電気陰性度 electronegativity
電子親和力と電気陰性度はともに，原子が電子を引きつける程度を表している．電子親和力は，孤立した 1 個の原子が電子を受け入れる傾向，電子の受け入れやすさを示す尺度になる．一方，電気陰性度は分子内の結合している原子が周囲の電子を引きつける程度を表すパラメーターであり，最も電気的に陰性な元素であるフッ素を基準にして決められている．

■ **電気陰性度は，周期表で同じ周期の元素では左から右にいくに従って，また同じ族の元素では下から上にいくに従って大きくなっている．**
電気陰性度：Li ＜ B ＜ C ＜ N ＜ O ＜ F　（同じ周期）
I ＜ Br ＜ Cl ＜ F　（同じ族）

左から右にいくに従って，原子核の正電荷が大きくなり価電子を強く引きつけている．一方，下から上にいくに従って，原子核と価電子の間の距離が小さくなるために静電引力が強くなり，価電子が原子核に強く引きつけられているのである．

表 1.4　電気陰性度

族 1	2	13	14	15	16	17
H 2.20						
Li 0.98	Be 1.57	B 2.04	C 2.55	N 3.04	O 3.44	F 3.98
Na 0.93	Mg 1.31	Al 1.61	Si 1.90	P 2.19	S 2.58	Cl 3.16
K 0.82	Ca 1.00					Br 2.96
						I 2.66

数値は Allred の改良値（1961）

（縦軸：大 ↑↓ 小）（横軸：小 ←→ 大）

1.2.2　イオン結合と共有結合

2 個の原子が近づくと互いに相互作用を起こして，それぞれ原子番号の最も近い貴ガス元素の電子配置をもとうとする．電気的に陽性な原子と陰性な原子は，電気陰性度の差が十分あれば，一方からもう一方に電子を受け渡してカチオンとアニオンになる．両者は原子価殻を満たし，静電引力によって互いに引き合った結合状態になる．この結合は**イオン結合**とよばれる．NaCl がその一例である．

イオン結合 ionic bond

$$Na\cdot + \cdot\ddot{Cl}: \longrightarrow Na^+ :\ddot{Cl}:^-$$

2原子の電気陰性度にあまり差がないときには，電子を共有することによって互いに原子価殻を満たし合うこともできる．

■ **2電子を共有することによってできる結合を共有結合という．共有された2電子は共有電子対あるいは結合電子対とよばれる*．**

* 結合に関与していない電子対(たとえば，Cl^- 上の電子対)は非共有電子対 unshared electron pair (非結合性電子対 nonbonding pair または孤立電子対 lone pair ともいう)とよばれる．

原子価殻を満たすために一つの原子が複数の原子と複数の電子対を共有して結合をつくることもできる．たとえば，炭素は価電子を4個しかもたないので4組の共有電子対をもつことによって，すなわち四つの結合をつくることによって，はじめて炭素のまわりの価電子は8個になり，原子価殻が満たされオクテットを形成する．次に示す例では，共有結合をつくっている原子を円で囲み，共有電子対を含めて価電子が8個あることを示す．水素は例外で，2電子で第1殻が満たされる．

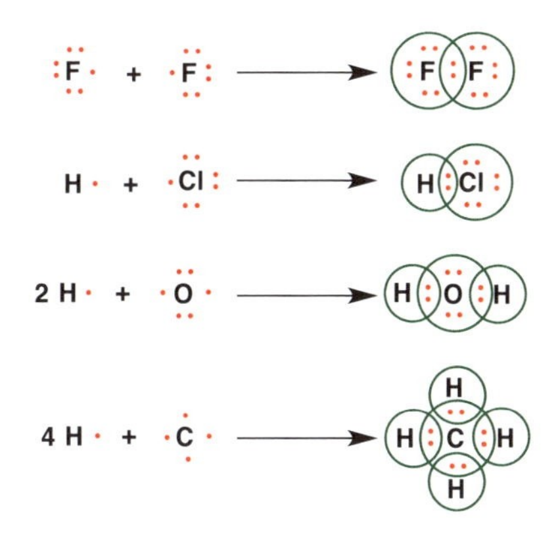

1.2.3 極性結合と双極子

共有結合している原子の電気陰性度が異なる場合には，結合電子対が電気的により陰性な原子，すなわち電気陰性度の大きい原子のほうに偏っている．

■ **結合電子対に偏りがあるとき，結合は分極しているという．そしてそのような結合を極性結合という．**

1.2.2項の最初に述べたように，電気陰性度の差が十分に大きいと，電子は電気的に陰性な原子に完全に移り，カチオンとアニオンを形成してイオン結合をつくる．しかし，極性結合とイオン結合の境界は明瞭ではない**．

** 電気陰性度の差が1.8以上あると，イオン結合性が主になると考えられている．

例題 1.2

次の二つの原子が結合すると，共有結合になるか，それともイオン結合になるか．
(a) O，H　(b) C，F　(c) Li，F　(d) C，Mg

解 答　電気陰性度の差を調べ，1.8以上になるものがイオン結合性になると考える．
(a) 共有結合(電気陰性度の差 1.24)　(b) 共有結合(1.43)
(c) イオン結合(3.00)　(d) 共有結合(1.24)

問題 1.7　次の2原子が結合すると，共有結合になるか，それともイオン結合になるか．
(a) N，H　(b) C，Cl　(c) Li，C　(d) Mg，Cl

共有結合 covalent bond
共有電子対 shared (electron) pair
結合電子対 bonding (electron) pair
分極 polarization
極性結合 polar (covalent) bond
極性 polarity

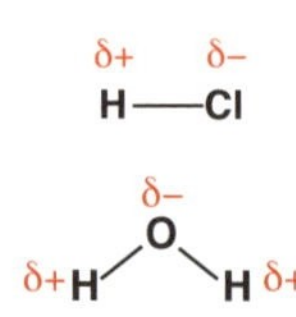

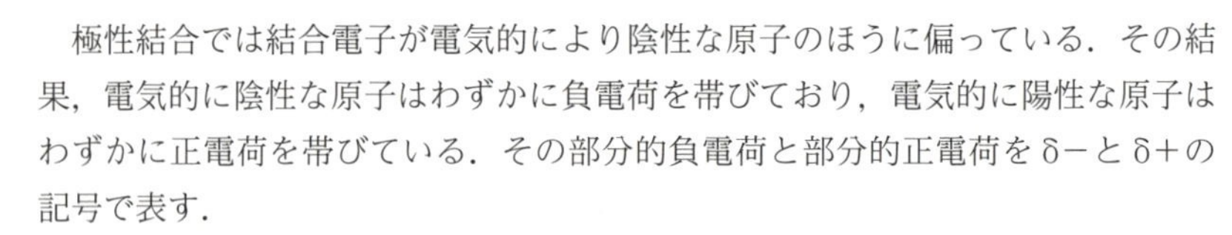

極性結合では結合電子が電気的により陰性な原子のほうに偏っている．その結果，電気的に陰性な原子はわずかに負電荷を帯びており，電気的に陽性な原子はわずかに正電荷を帯びている．その部分的負電荷と部分的正電荷をδ−とδ+の記号で表す．

また，極性の向きを矢印で示すこともある．矢印は電子が引かれる向きに書く．すなわち，矢印の先を負電荷のほうに向け，矢印のもとは正電荷をもつ結合末端のほうにおき，矢印に直交する短い線を入れてプラスの末端であることを示す．極性結合は電荷が負と正に分離しており，この状態を**双極子**が生じているという．極性を表す矢印は双極子を表しているといってもよい．双極子の大きさは，電荷の大きさ e と電荷間の距離 d の積で表し，**双極子モーメント** μ（$\mu = e \times d$）という．結合の双極子モーメントを**結合モーメント**という．

有機化学で使われている極性を表す矢印（双極子の矢印）は，電磁気学（そして物理化学）における電気双極子モーメントの定義とは逆向きになるので注意すること（ウェブ S1.2 参照）．

➡ ウェブ S1.2　電気双極子モーメントについて

➡ ウェブ S1.3　分子模型について

結合モーメント

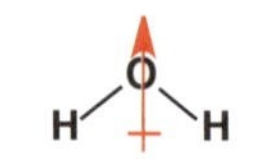

水分子の双極子モーメント

分子全体としても電荷に偏りがある場合には双極子が生じ，負電荷と正電荷の重心間の距離と電荷によって双極子モーメントが決まる．あるいは，結合モーメントのベクトル和として表せる．双極子をもつ分子は**極性分子**である．

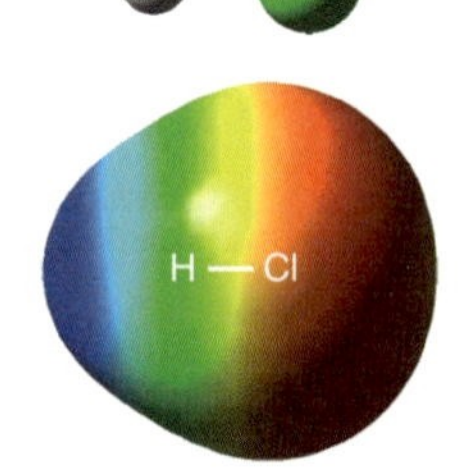

HCl の分子模型と EPM

問題 1.8　次の共有結合の分極を部分電荷で示し，さらに双極子の矢印を書け．
(a) O−H　(b) C−O　(c) C−Mg　(d) B−H

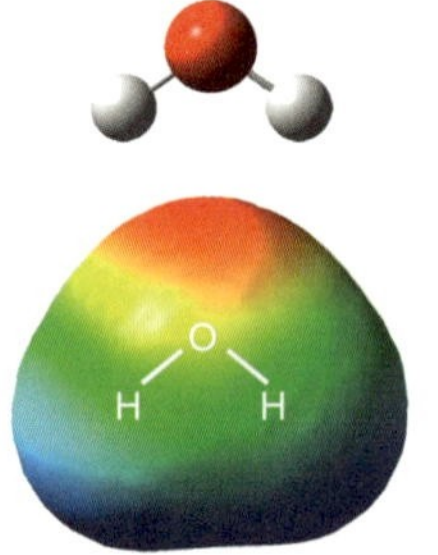

H_2O の分子模型と EPM

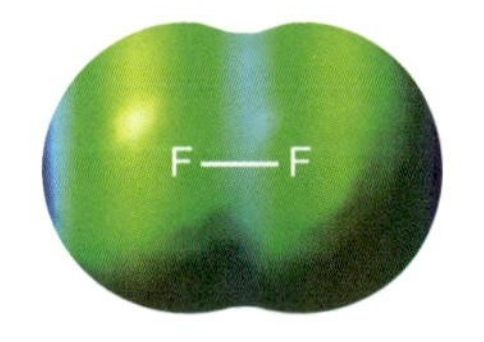

F_2 の EPM

分子模型と静電ポテンシャル図

元素記号で原子を表し，それを線でつないで分子の構造を表すこれまで見てきたような表現法では，その分子の実際のかたちはわからないし，電子の分布状態もわからない．実際の分子構造は実験的に決めることもできるが，量子力学に基づく理論計算によって求めることもできる．分子のかたちや電子分布を視覚的に，端的に表すためにそのような理論計算で得られた結果を，分子模型あるいは静電ポテンシャル図（EPM）として示すことにしよう．EPM は分子表面（van der Waals 表面とよばれる）の電荷分布を赤（負電荷の領域）から青（正電荷の領域）まで色の変化で表す．下にはメタンの 2 種類の分子模型（球-棒分子模型と空間充塡模型：ウェブ S1.3 参照）と EPM を示す．欄外に HCl と H_2O の分子模型と EPM，F_2 分子の EPM を示すので分子における電子の偏り，分極の状態を分子構造と比べて考えることができる．赤（負）→黄→緑（中性）→青（正）という色の変化で，電荷分布を表している．

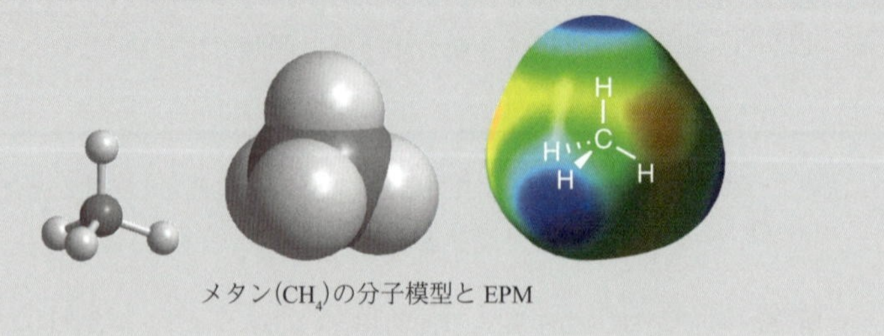

メタン（CH_4）の分子模型と EPM

双極子　dipole
双極子モーメント　dipole moment
結合モーメント　bond moment
極性分子　polar molecule
分子模型　molecular model
静電ポテンシャル図　electrostatic potential map（EPM）

1.3　分子とイオンの Lewis 構造式

1.3.1　Lewis 構造式の書き方

価電子を点で示す原子の書き方を Lewis 表記といい，1.2 節ではその書き方で共有結合を表した．そして，Lewis 表記で表した分子の例をいくつか示した．このような分子やイオンの表し方を **Lewis 構造式**という．しかし，すべての電子を点で表すと，煩雑で見にくい．共有結合電子対を 1 本の線で示し，非共有電子対(および不対電子)だけを点で示すことが多い．本書では，この簡略法で Lewis 構造式を書くことにする．上に出てきた分子の Lewis 構造式を次にまとめる．

F_2	:F̤̈:F̤̈:	:F̤̈—F̤̈:	HCl	H:C̤̈l:	H—C̤̈l:
H_2O	H:Ö:H	H—Ö—H	CH_4	H:C:H（上下に H）	H—C—H（上下に H）

Lewis 構造式の例
すべての価電子を点で表した式と共有結合を線で表した式を示す．

■ **Lewis 構造式では非共有電子対(と不対電子)を点で表す．**

安定な分子やイオンにおいては，電子がすべて対になっていることに注意しよう(対になっていない電子，すなわち不対電子をもっている化学種はラジカルとよばれる，20 章参照)．電子対は結合電子対か，結合に関与していない電子対(非共有電子対)である．

不対電子 unpaired electron
ラジカル radical

■ **有機反応は価電子の動きによって起こるので，Lewis 構造式を正しく書けることは有機化学を学ぶうえで非常に重要である．**

例題 1.3

次の化合物を Lewis 構造式で表せ．まず，すべての価電子を点で示した構造式を書き，さらに共有結合をもつ場合には，その結合を線で表した Lewis 構造式も書け．
(a) NH_3　(b) BH_3　(c) NaCl

解 答　N と B の価電子はそれぞれ 5 個と 3 個であり，N はオクテットになるが，B のまわりには 6 電子しかない．NaCl の結合はイオン性である．

(a)
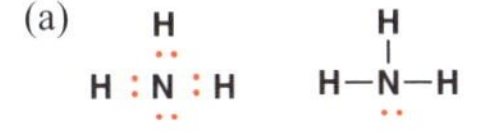
(b)　H:B:H（上に H）　H—B—H（上に H）　(c)　Na^+　:C̤̈l:$^-$

問題 1.9　次の化合物を Lewis 構造式で表せ．まず，すべての価電子を点で示した構造式を書き，さらに共有結合をもつ場合には，結合を線で表した Lewis 構造式も書け．
(a) CH_3OH　(b) C_2H_4　(c) BF_3　(d) LiF

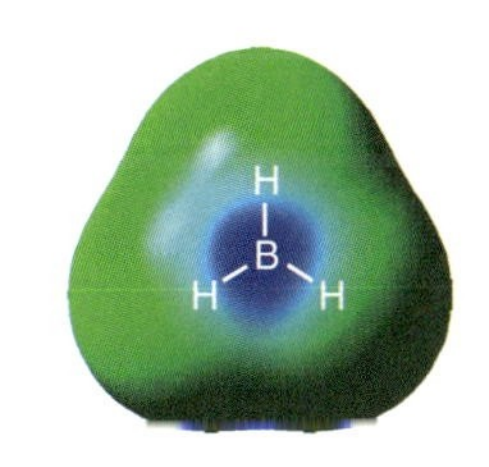

NH_3 と BH_3 の EPM
NH_3 分子の構造は非平面状で N には部分的負電荷(赤)が，BH_3 分子の構造は平面状で B には部分的正電荷(青)がある．

もう少し複雑な分子やイオンの Lewis 構造式を間違いなく書くためには，次のような手順を踏むとよい．結合電子対は線で表すことにする．

1. 分子あるいはイオンを構成する原子を配列* に従って並べ，各原子に価電子の数だけ電子の点をつける．このとき，アニオンには余分の価電子を負電荷数だけ加え，カチオンは価電子を正電荷数だけ少なくする．

　例として，水分子 H_2O，水酸化物イオン HO^-，オキソニウムイオン H_3O^+ の Lewis 構造式をどう書くかみていこう．H−O 結合では H と O が 2 電子を共有している．アニオンの O は価電子を 1 個余分にもち，カチオンの O は価電子が 1 個少ない．

* 原子配列は，非常に単純なもの以外，実験によって決める必要があるが，ここでは述べない．

H_3O^+ の IUPAC 名はオキソニウムイオン (oxonium ion) である．ヒドロニウムイオン (hydronium ion) ともよばれていた．

H_2O	HO^-	H_3O^+
H : Ö : H	H : Ö :	H : Ö : H (上に H)

2. 結合を線で示し，すべての原子がオクテット (8 電子) を超えていないことを確かめる．このとき，多重結合も可能であり，結合の線 1 本は 2 電子に相当する．

H—Ö—H	H—Ö:	H—Ö—H (上に H)

・　できるだけ多くの原子がオクテットになっていることが望ましい．ただし，H は 2 電子で満たされる．6 電子しかない原子は Lewis 酸の中心になる (6.1.2 項参照)．

・　非共有電子対はヘテロ原子 (N，O，ハロゲンなど) とアニオンにだけみられ，対になっていない電子 (不対電子) はラジカルにだけみられる．

・　例外的に，S や P のような高周期元素ではオクテットを超えることも可能である．

3. **形式電荷**を決めて，必要ならば＋または － 符号を原子上に書き加える．

・　形式電荷を決めるには，各原子に割り当てられる価電子数を数え，中性原子の価電子数と比べる*．原子には，非共有電子全部と共有結合電子の 1/2 (これは結合の数に相当する) を割り当てる．中性原子の価電子数よりも割り当てられた電子数が小さければ，その原子は正の形式電荷をもち，大きければ負の形式電荷をもつことになる．すなわち，

* 形式電荷 (formal charge) は，原子核の正電荷数 (陽子数) からその原子に割り当てられる全電子数を差し引いて得られる．しかし，最外殻の価電子だけを考えるために，対応する正電荷として "中性原子の価電子数" を用いる．

形式電荷＝中性原子の価電子数－(非共有電子の数＋結合電子数の 1/2)

ここで見ている例では，酸素原子の形式電荷を計算すると次のようになる．

	H—Ö—H	H—Ö:	H—Ö—H (上に H)
中性の O の価電子数	6	6	6
非共有電子数	4	6	2
結合電子数の 1/2 (結合の数)	2	1	3
O の形式電荷	0	−1	＋1

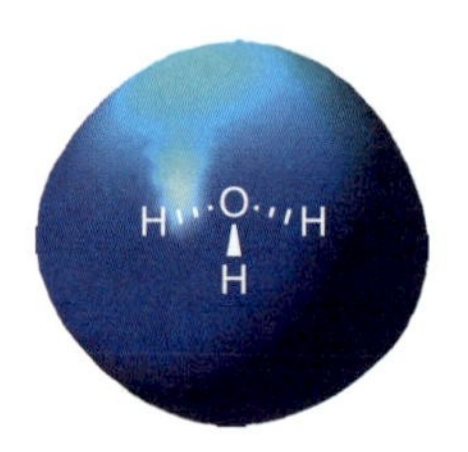

H_3O^+ の EPM
オキソニウムイオンの形式電荷は O にあるが，実際には大部分の正電荷は 3 個の H に分布していることがわかる．

したがって，正しい Lewis 構造式は，

H—Ö—H	H—Ö:⁻	H—Ö⁺—H (上に H)

1.3.2　Lewis 構造式の例

上のルールに従って，いくつかの分子とイオンの Lewis 構造式を書いてみよう．

電荷をもたない有機化合物については，一般的に各原子が次のようになっていることも参考になる．

- H(価電子 1 個)は結合 1 本
- C(価電子 4 個)は結合 4 本
- N(価電子 5 個)は結合 3 本と非共有電子対 1 組
- O(価電子 6 個)は結合 2 本と非共有電子対 2 組
- F，Cl，Br，I(価電子 7 個)は結合 1 本と非共有電子対 3 組

メタノール(CH_3OH)：まず各構成原子を配置し，価電子を点で示して(a)のように書く．念のために各原子の価電子数を左にあげてある．対になっていない電子を対にして結合をつくると(b)のように Lewis 構造式ができる．この構造では，炭素も酸素もオクテットになっていることが確認できる．各原子に割り当てられる価電子数は，炭素に四つの結合から 4 個，酸素に二つの結合から 2 個と 2 組の非共有電子対から 4 個の計 6 個で，それぞれ中性原子の価電子数に等しいので形式電荷は現れない．

メタノール(methanol)はメチルアルコール(methyl alcohol)ともいう．

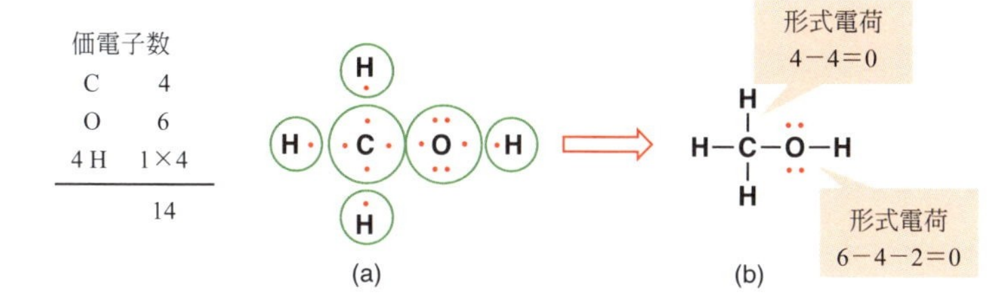

メタナール(CH_2O)：同様に，C−O を結合 1 本だけでつなぐと C と O に対になっていない電子が 1 個ずつ残る．これを共有電子対として二重結合にすると，ともにオクテットになる．形式電荷が現れてこないことも確かめられる．

メタナール(methanal)は最も小さいアルデヒドで，慣用名でホルムアルデヒド(formaldehyde)とよばれることが多い．

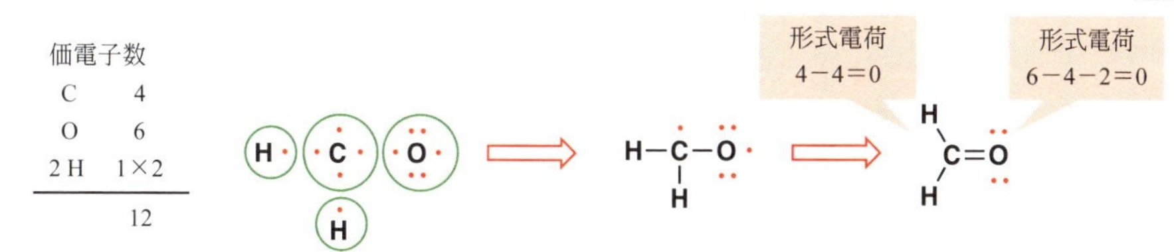

三フッ化ホウ素(BF_3)：B が 3 個しか価電子をもたないので，結合は三つしかつくれない．その結果，F はオクテットになっているが B は 6 電子しかもっていないことに注意しよう(BF_3 は Lewis 酸である．6.1.2 項参照)．

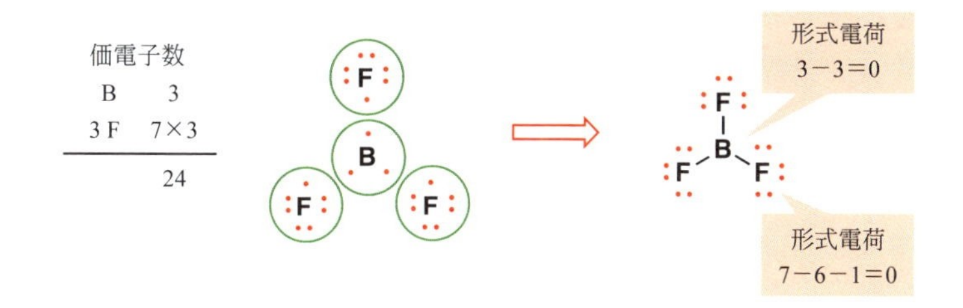

三フッ化ホウ素 boron trifluoride

アンモニウムイオン(NH_4^+)：正電荷を1個もっているので，Nに価電子を1個少なく，4個配置しよう．Nは4価でオクテットになっているが，形式電荷はN上にあるとしてよいだろうか．Nの形式電荷を構造式に従って計算すると，中性窒素の価電子数5から結合数4を引いて，確かに＋1になる．

価電子数	
N	5
4 H	1×4
正電荷	−1
	8

形式電荷
5−4＝＋1

メチルアニオン (methyl anion) はIUPAC名でメタニドイオン (methanide ion) ともいう．

メチルアニオン(CH_3^-)：負電荷をもっているので炭素に価電子を5個割り当てよう．結合を線に直して最後に形式電荷を確認する．Cに非共有電子対が残り，価電子数4に対して割り当てられる電子数は，非共有電子2＋結合数3＝5で，形式電荷−1になる．

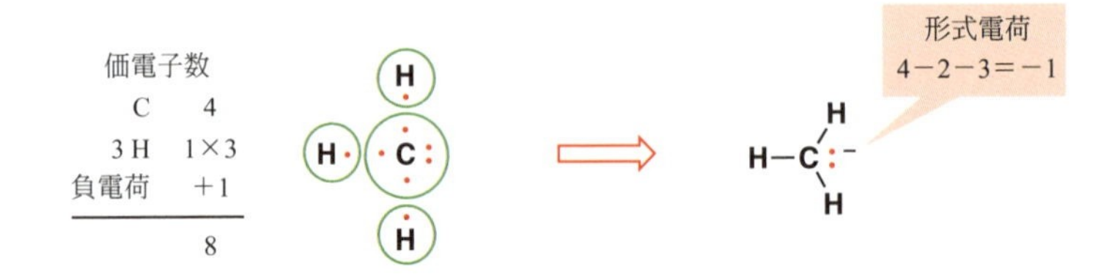

エタン酸 (ethanoic acid) の慣用名は酢酸 (acetic acid) である．

エタン酸アニオン$(CH_3CO_2^-)$：負電荷を一つもっているので酸素の一つに価電子7個を割り当てておく．単結合で原子をつないだ構造において，二つの酸素のうち余分の電子をおいたほうはオクテットになるが，もう一つの酸素には7電子しかない．この酸素に結合する炭素にも不対電子が残っているのでC＝O二重結合をつくるとすべてのCとOがオクテットになる．形式電荷を調べてみると，単結合でつながった酸素に7電子が割り当てられ負電荷をもつことがわかる．他のOとCはいずれも形式電荷をもたないでオクテットになっている．

価電子数	
2 C	4×2
2 O	6×2
3 H	1×3
負電荷	+1
	24

形式電荷
6−4−2＝0

形式電荷
6−6−1＝−1

ここで，二つの酸素の一方に余分の価電子を配置したが，これには任意性があってどちらの酸素を選んでもよい．すなわち，エタン酸アニオンのLewis構造式として**1a**と**1b**の二つの構造が書けることになる．どちらもLewis構造式としては正しい．

1a　　**1b**

アンモニウムイオン　ammonium ion
エタン酸アニオン　ethanoate ion

ニトロメタン(CH_3NO_2)：ニトロ(NO_2)基の原子の配列はわかりにくいかもしれないが，O−N−O と並んでメチル基が N に結合している．単結合でつなぐと O は二つとも 7 電子ということになり，不対電子が生じてしまう．二つの O の不対電子を対にして O−O 結合をつくると三員環ができるが，このように小さい環構造は 4 章で述べるように不安定である．また，N の非共有電子 2 個と O の不対電子を使って N=O 二重結合を二つつくると，N は 10 電子を受けもつことになり，オクテットを超えてしまう．これは不可能な構造である．一方の N−O だけを二重結合にしてもう一つの O に 3 組の非共有電子対をもたせると，H 以外の原子がすべて 8 電子になり，オクテット則からみると合理的な構造である．

ここで形式電荷を計算する必要がある．N は 4 本の結合をもつので，形式電荷は 5−4＝＋1 である．単結合でつながった O は，非共有電子 6 個と結合一つをもつので 6−(6+1)＝−1 である．もう一つの二重結合酸素は，非共有電子 4 個と結合二つをもつので 6−(4+2)＝0 となる．したがって，ニトロメタンは電荷をもたないにもかかわらず，分子内で電荷が N と O に分離した構造になっていると考えられる．

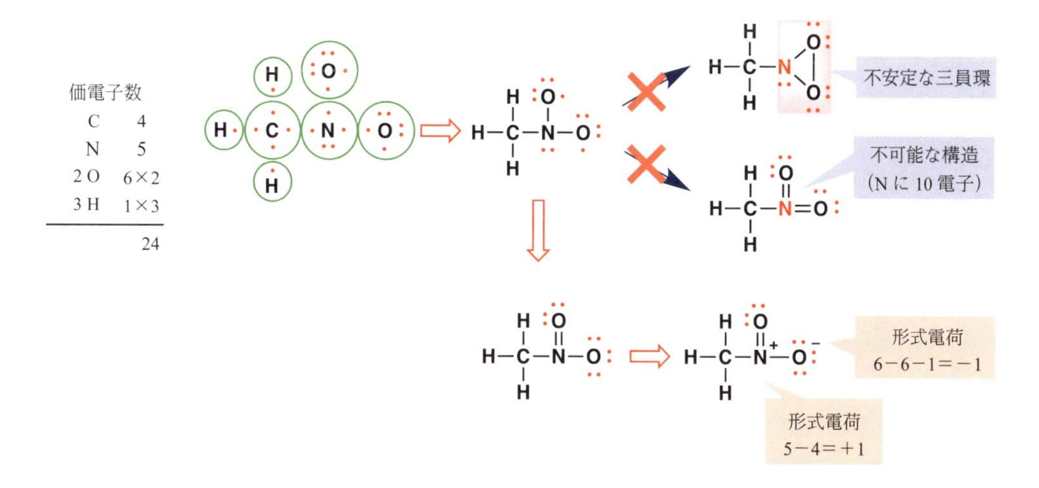

ここでも，エタン酸アニオンの場合と同じような問題が生じる．二つの酸素原子の一つを二重結合にし，もう一方はアニオンにしたが，これはどちらになってもよいので任意性が生じる．すなわち，**2a** と **2b** の Lewis 構造式が書けることになる．

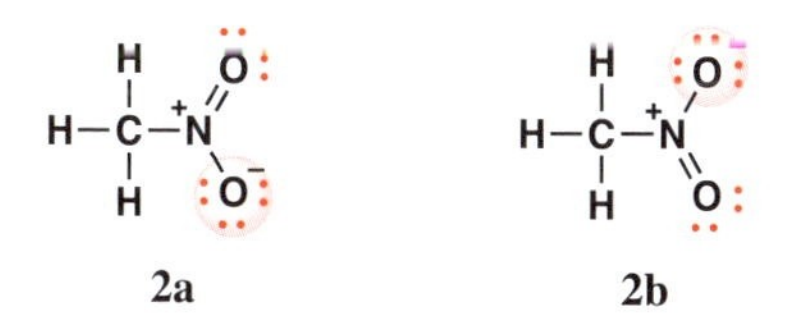

ここでニトロメタンとエタン酸アニオンの Lewis 構造式をよく比べてみると，C と N^+ を入れ替えると同じ構造になることがわかる．C と N^+ はともに 4 個の価電子をもち，類似の電子構造をもっている(このような関係を**等電子的**であるという)．

ニトロメタン nitromethane
等電子的 isoelectronic

問題 1.10　次のイオンに含まれる水素以外の原子がすべてオクテットになるように非共有電子対を書き加え，さらに形式電荷を計算せよ．

(a) 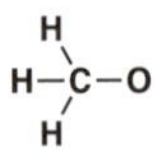　(b) 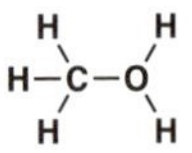　(c) 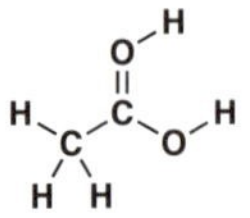　(d)

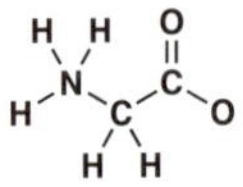

問題 1.11　次の分子またはイオンを Lewis 構造式で表せ．

(a) HCN　(b) H_3O^+　(c) HO^-　(d) HCO_2H

1.3.3 共鳴構造

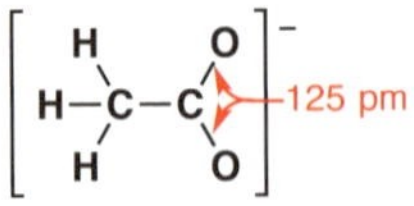

前項でみたエタン酸アニオンやニトロメタンの例のように，一つの分子やイオンに Lewis 構造式が二つ以上書けることがある．エタン酸アニオンは **1a** と **1b** の二つの Lewis 構造式で表せた．それぞれの構造式で二つの C−O 結合が異なっている．一方が単結合で他方は二重結合であり，結合の長さも異なることを示唆している．しかし，実際のエタン酸アニオンでは C−O 結合の長さは二つとも同一であり(欄外図参照)，単結合と二重結合の中間の長さになっている．このような実際の構造は，二つの Lewis 構造式の中間的な構造であり，単一の Lewis 構造式では適切に表すことができない．破線を使って **1c** あるいは **1d** のように表すことも可能であるが，二つの Lewis 構造式を**双頭の矢印**(↔)で結んで表す方法が広く使われている．

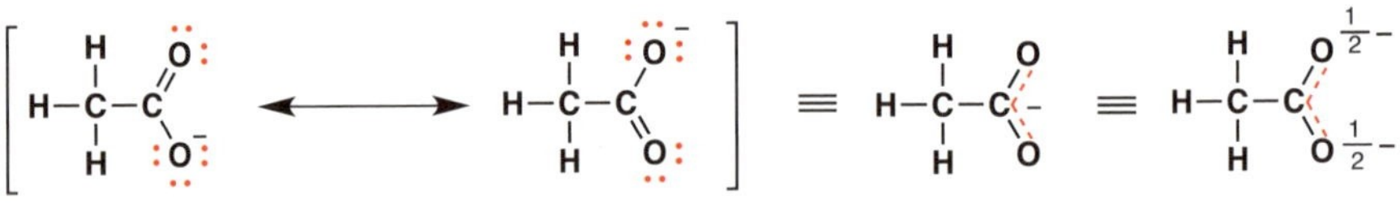

125 pm

エタン酸アニオンにおける C−O 結合距離 ($1\ \mathrm{pm} = 10^{-12}\ \mathrm{m}$)

1a　**1b**　**1c**　**1d**

この方法は**共鳴法**とよばれ，それぞれの Lewis 構造式を**共鳴構造式**(共鳴寄与式あるいは極限構造式ともいう)という．実際の分子は複数の共鳴構造式の平均的構造とみなされ，**共鳴混成体**といわれる．共鳴法については 5.4 節で詳しく述べる．

共鳴法は Pauling によって 1930 年代に提案された．

■ **共鳴法は実際の分子構造を Lewis 構造式(共鳴構造式)の混成体として表す方法である．**

共鳴構造式は，電子対の位置が異なっているだけで，全価電子数は保たれており，原子の配置も変化していない．エタン酸アニオンの二つの共鳴構造式 **1a** と **1b** をみると，二重結合の位置と非共有電子対 1 組の位置が変わっている．ここにかかわる 4 電子は O−C−O 部分に広がっており，そのことが構造 **1c** あるいは **1d** では破線で示されている．この状態を，二重結合の 1 組の電子対と酸素の 1 組の非共有電子対が O−C−O 部分に**非局在化**しているという．電子の非局在化と共鳴法については 5 章で詳しく述べる．

■ **共鳴法は電子の非局在化を Lewis 構造式で表す方法であるといえる．このような電子の非局在化は，その分子を安定化する．**

共鳴法　resonance method
共鳴構造式　resonance structure
共鳴寄与式　resonance contributor
極限構造式　canonical structure
共鳴混成体　resonance hybrid
非局在化　delocalization

ニトロメタンの場合も事情はまったく同じで，実際の分子構造ではニトロ基の二つの酸素は等価であり，共鳴構造式 **2a** と **2b** の共鳴混成体として表される．破線を使って **2c** や **2d** のように表してもよい．4 電子が O－N$^+$－O 部分に非局在化しており，N は正電荷をもち，二つの O が負電荷を半分ずつ分担している．

$H_3C{-}N$　121.1 pm

ニトロメタンにおける
N–O 結合距離

2a　**2b**　**2c**　**2d**

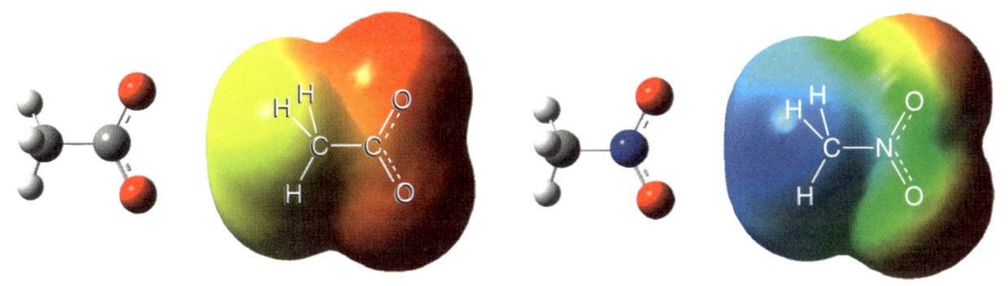

エタン酸アニオンとニトロメタンの分子模型と EPM
両方とも負電荷が二つの酸素原子に等しく分布していることがわかる．

例題 1.4

次の分子またはイオンの Lewis 構造式を二つ以上書け．
（a）CO_3^{2-}（炭酸イオン）　（b）$HONO_2$（硝酸）

解 答　炭酸イオンでは三つの酸素原子が等価で，硝酸では二つの酸素原子が等価である．それぞれ 3 個と 2 個の Lewis 構造式が書ける．

(a)

(b)

問題 1.12　次のイオンの Lewis 構造式を二つ以上書け．
（a）NO_3^-　（b）$CH_3OCH_2^+$

1.4　分子の表し方

前節で有機分子が複数の原子からなり，Lewis 構造式で表せることを述べたが，一般に分子の構造を表すためには，結合を線で書いて原子の並び方を示せば十分である．しかし，それでも煩雑で，書くにも手間がかかりスペースも広がってしまう．そこで，分子構造がわかる範囲で省略した**簡略化式**や**線形表記**で書くことが多い．次ページにいくつかの例を示す．

簡略化式は示性式とよばれることもあり，原子の原子価の知識があれば構造式を正しく表せるだけの情報を含んでいる．線形表記は炭素原子と炭素に結合している水素原子をすべて省略している．

➡ ウェブ S1.4　科学用語の使い分け：元素と原子，分子と化合物，分子種と化学種

構造式 structural formula
簡略化式 condensed formula

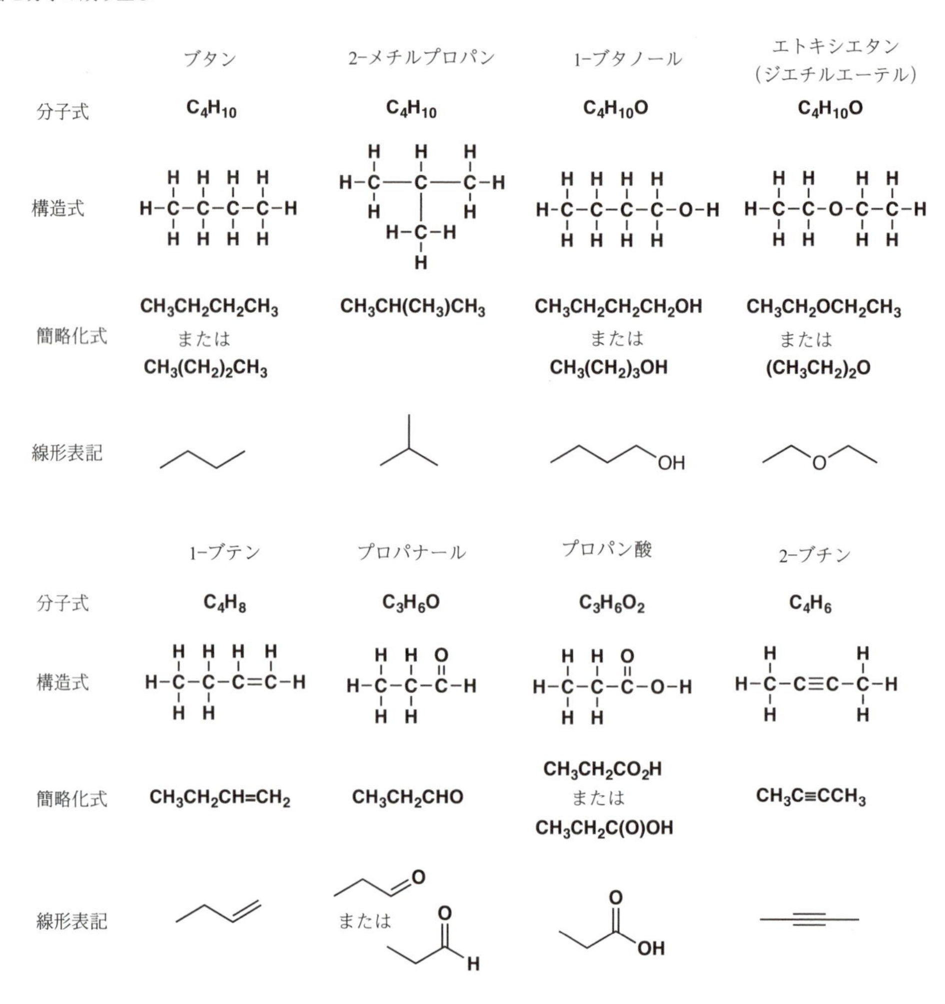

■ 線形表記では，線の末端と角(かど)に炭素があるものとし，その炭素の原子価を満たすだけの水素が結合しているものとする．

> **線形表記** line-angle drawing
> 炭素以外の原子に結合しているHはすべて書く．また，炭素に結合していても，とくに注目するHを書くことがある(たとえば，アルデヒドのH)．線形表記では，ほかに原子価を満たすだけのHが結合していることに注意しよう．

このように簡略化することによって，炭素骨格が見やすくなり，重要な基が強調されるので，有機化学者は好んで線形表記法を用いる．

原子の三次元的な配置が問題になる場合には，くさび形の実線や点線(くさび形結合)を用いて紙面から手前に出ている結合と後方に出ている結合を区別して，次のような**三次元式**で表す．

> 分子の三次元構造については3章および11章で詳しく述べる．

問題 1.13　次の分子の分子式を書け．

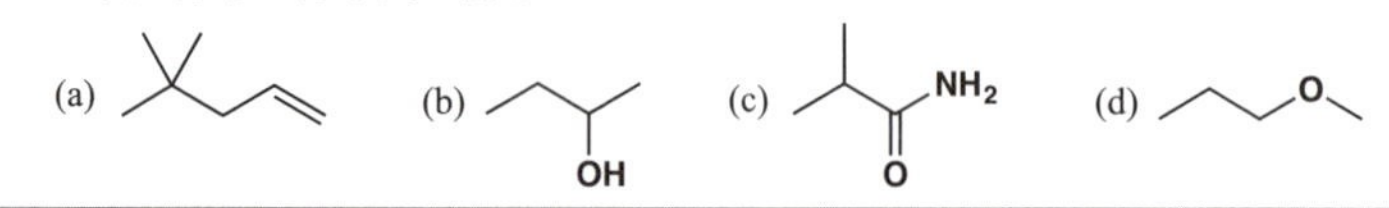

> 分子式 molecular formula
> 三次元式 three-dimensional formula

まとめ

- 原子のさまざまな性質は，おもに原子核のまわりにある電子の振舞いに基づく．その中でも最外殻にある価電子が最も重要である．
- 電子は2個が対になって存在する傾向が強く，分子では共有電子対(結合電子対)か非共有電子対(非結合性電子対)になっている．
- 有機分子に含まれる原子の価電子は通常s軌道とp軌道に入っており，オクテット(8電子)で満たされた状態になる．
- 原子は価電子のオクテットを達成するように電子を出したり，受け取ったりしてイオンを生成する．また電子を共有することによって共有結合をつくり，オクテットを達成する(オクテット則)．
- 原子の電気陰性度の違いによって共有結合に極性(双極子)が生じる．
- 分子やイオンを表すために，価電子を点で示したLewis構造式が用いられる．ただし，結合電子対は線で表し，形式電荷を表示する．
- 分子の構造を表すとき，炭素と水素を省略した線形表記を用いることが多い．

章末問題

問題 1.14　次の基底状態電子配置をもつ元素は何か．

(a) $1s^22s^22p^3$　(b) $1s^22s^22p^63s^1$
(c) $1s^22s^22p^63s^23p^2$　(d) $1s^22s^22p^63s^23p^5$

問題 1.15　次の原子の価電子の数はいくつか．

(a) Li　(b) O　(c) F　(d) S　(e) Al

問題 1.16　塩素には質量数35と37の同位体があり，天然存在比は75.8：24.2である．

(a) それぞれの同位体は，陽子と中性子を何個ずつもっているか．
(b) 質量数からおよその原子量を計算せよ．

問題 1.17　次の二つの原子が結合すると，共有結合性になるか，それともイオン結合性になるか．

(a) C，O　(b) C，N　(c) B，H　(d) O，Mg
(e) C，P

問題 1.18　次の結合の極性を部分電荷で示し，双極子の矢印を書け．

(a) H−F　(b) N−H　(c) C−N　(d) C−Cl
(e) Li−C

問題 1.19　次の分子のうち，分子全体として双極子をもつものを選び，その双極子を矢印で示せ．

(a) CH_3Cl　(b) CO_2　(c) H(Cl)C=C(Cl)H（H, H上；Cl, Cl下）　(d) H(Cl)C=C(Cl)(H)（H, Cl上；Cl, H下）

問題 1.20　次の分子をLewis構造式で表せ．

(a) H_2O_2　(b) CH_3Cl　(c) CH_3NH_2
(d) CH_3CN　(e) CS_2

問題 1.21　次の分子をLewis構造式で表せ．

(a) N_2　(b) CH_2NH　(c) CH_2NOH
(d) $CH_3C(O)Cl$　(e) H_2CO_3

問題 1.22　次のイオンをLewis構造式で表せ．

(a) $CH_3NH_3^+$　(b) NH_2^-　(c) $[H_2C=OH]^+$
(d) HOO^-　(e) CH_3^+

問題 1.23　ニトロメタン CH_3NO_2 と亜硝酸メチル CH_3-ONOは同じ分子式をもっているが，原子の結合順が異なる(互いに構造異性体という：2章参照)．それぞれのLewis構造式を書け．

問題 1.24　次のイオンのLewis構造式を二つ以上書け．

(a) NO_2^-(亜硝酸イオン)
(b) $[H_3CCO]^+$(アセチルカチオン)

問題 1.25　次の簡略化式(示性式)で表した分子を線形表記で表せ．

(a) $(CH_3)_2C=C(CH_3)CH_2CH_3$（二重結合の右側のCに CH_3）
(b) $CH_3CH(OH)CH_2CH(CH(CH_3)_2)CH_3$（$CH_3\overset{OH}{C}HCH_2\overset{CH(CH_3)_2}{C}HCH_3$）
(c) $CH_3CH_2OCH_2CO_2H$
(d) $CH_3CH_2CH(CH_2CH_3)CH_2CHO$（$CH_3CH_2\overset{CH_2CH_3}{C}HCH_2CHO$）

ノート 1.1　原子の大きさ

原子の大きさをどう考えるかは簡単ではない．原子核はその直径 10^{-14}～10^{-15} m ほどの小ささであるが，そのまわりに存在する電子は量子力学的にはその存在確率で表現され，無限に広がっているということもできる．しかし，電子の存在確率を 90～95% の範囲に限って電子雲の広がりで考えると，半径 10^{-10} m 程度の領域がおおよその原子の大きさといえる．もっと具体的には，原子どうしが近づいたときに互いに排除しあう範囲をそれぞれの原子の大きさということができる．その範囲を球とみなして半径で表すと**原子半径**ということになる．互いに原子が近づいた状態はいろいろあるので，いくつかの原子半径が定義できる．共有結合した原子の大きさは共有結合半径で表され，結合しないで近づける範囲は van der Waals 半径で表される．また金属の場合には金属の中での原子間距離から金属結合半径，カチオンとアニオンがイオン結晶を形成するときの距離からイオン半径という数値も出てくる．共有結合半径は同一原子の二原子分子の結合距離の 1/2 とすればわかりやすいが，実際には結合距離が相手原子によって変わるため単純ではなく，多くの単結合の距離から推算された値が提案されている．

そのような共有結合半径を van der Waals 半径の値とともに下の周期表に示す．共有結合半径は，周期表の同じ周期では右にいくほど小さくなり，同じ族では下にいくほど大きくなっている．周期表の右にいくほど原子核の正電荷が大きくなって電子を強く引きつけるために原子は小さくなり，高周期になるほど電子数が多くなり，原子価殻が大きく広がるので原子が大きくなるのである．

共有結合半径と van der Waals 半径

族　1	2	13	14	15	16	17	18
H 32 120							He – 140
Li 134 182	Be 89 –	B 82 –	C 77 170	N 73 155	O 70 152	F 68 147	Ne – 154
Na 154 227	Mg 137 173	Al 126 –	Si 117 210	P 111 180	S 105 180	Cl 99 175	Ar – 188
K 196 275	Ca 174 –	Ga 126 187	Ge 122 –	As 119 185	Se 117 190	Br 114 185	Kr – 202
Rb 216 –	Sr 191 –	In 146 193	Sn 142 217	Sb 139 –	Te 136 206	I 133 198	Xe – 216

上段の数値が共有結合半径（R. T. Sanderson, *J. Am. Chem. Soc.*, **105**, 2259（1983）），下段の数値が van der Waals 半径（日本化学会 編，“化学便覧 基礎編 改訂 6 版”，丸善出版（2021））であり，それぞれを pm 単位で示す．

2 有機化合物：官能基と分子間相互作用

【基礎となる事項】
- 化学結合（1.2 節）
- Lewis 構造式（1.3 節）
- 分子の表し方（1.4 節）

【本章で学ぶこと】
- 官能基とは何か
- 官能基の種類
- 有機化合物の分類
- 酸化数による官能基の分類
- 命名法の考え方
- 分子間相互作用と物理的性質

有機化合物はその性質に従って分類される．その化学的性質を決めているのは，主として官能基とよばれる特徴的な部分構造であり，ごく少数の原子と結合で構成されている．したがって，化合物は官能基に基づいて分類され，その名称も官能基に基づいて決められている．この章では，本書で学ぶおもな有機化合物がどのようなものか，官能基の種類ごとに見ていく．官能基はその酸化状態によっても分類できる．また，化合物の物理的ならびに化学的性質は，1 分子だけで決まるものではなく，分子間の相互作用が大きくかかわっており，集合体になってはじめて発現する性質が多い．分子間相互作用にはどのような力がはたらいているのか，そして物理的・化学的性質とどう関係しているのか説明する．

2.1 官能基

■ 官能基は，有機分子の中で化学反応の中心になり，化学的・物理的性質の主たる原因になる原子の集まりである

化合物は官能基に基づいて分類されるので，主要な有機化合物の種類とその官能基を表 2.1 にまとめておく．

官能基 functional group

問題 2.1 次の化合物に含まれる官能基は何か．

(a) グリセルアルデヒド glyceraldehyde（最小の炭水化物）

(b) トレオニン threonine（アミノ酸）

(c) カルボン carvon（スペアミントの香り）

(d) アテノロール atenolol（心臓選択性 β 遮断薬）

表 2.1　有機化合物の種類と官能基

種　類	一般式	官能基		例	
アルカン	C_nH_{2n+2}(RH)	なし(C−C, C−H 単結合)		CH_3CH_3	エタン
アルケン	C_nH_{2n}	$>C=C<$	二重結合	$CH_2=CH_2$	エテン
アルキン	C_nH_{2n-2}	$-C \equiv C-$	三重結合	$HC \equiv CH$	エチン
アレーン	ArH		ベンゼン環		ベンゼン
アルコール	R−OH	−OH	ヒドロキシ	CH_3CH_2OH	エタノール
エーテル	R−O−R	−OR	アルコキシ	$(C_2H_5)_2O$	エトキシエタン(ジエチルエーテル)
ハロアルカン	R−X (X=F, Cl, Br, I)	−X	ハロゲノ	CH_3CH_2Cl	クロロエタン(塩化エチル)
アミン	$R-NH_2$, R_2NH, R_3N	$-NH_2$	アミノ	$CH_3CH_2NH_2$	エタンアミン(エチルアミン)
アルデヒド	RCHO	$>C=O$ $-C(=O)-H$	カルボニル ホルミル	CH_3CHO	エタナール(アセトアルデヒド)
ケトン	R_2CO	$>C=O$ $=O$	カルボニル オキソ	$CH_3C(O)CH_3$	プロパノン(アセトン)
カルボン酸	R−C(O)OH	$-C(=O)-OH$	カルボキシ	$CH_3C(O)OH$	エタン酸(酢酸)
エステル	R−C(O)OR	$-C(=O)-OR$	アルコキシカルボニル	$CH_3C(O)OC_2H_5$	エタン酸エチル(酢酸エチル)
酸無水物	$(RCO)_2O$	$-C(=O)-O-C(=O)-$		$(CH_3CO)_2O$	無水酢酸
ハロゲン化アシル	R−C(O)X (X=F, Cl, Br, I)	$-C(=O)-X$	ハロホルミル	$CH_3C(O)Cl$	塩化アセチル
アミド	$R-C(O)NH_2$ R−C(O)NHR $R-C(O)NR_2$	$-C(=O)-NR_2$	カルバモイル	$CH_3C(O)NH_2$	エタンアミド(アセトアミド)
ニトリル	R−CN	$-C \equiv N$	シアノ	CH_3CN	エタンニトリル(アセトニトリル)
ニトロ化合物	$R-NO_2$	$-N^{+}(=O)-O^{-}$	ニトロ	CH_3NO_2	ニトロメタン
チオール	R−SH	−SH	メルカプト	CH_3CH_2SH	エタンチオール
スルフィド	R−S−R	−SR	アルキルチオ	CH_3SCH_3	ジメチルスルフィド

表 2.2　おもな直鎖アルカンの名称と沸点

炭素数	分子式	名　称	英語名	沸点/℃	炭素数	分子式	名　称	英語名	沸点/℃
1	CH_4	メタン	methane	−167.7	8	C_8H_{18}	オクタン	octane	127.7
2	C_2H_6	エタン	ethane	−88.6	9	C_9H_{20}	ノナン	nonane	150.8
3	C_3H_8	プロパン	propane	−42.1	10	$C_{10}H_{22}$	デカン	decane	174.0
4	C_4H_{10}	ブタン	butane	−0.5	11	$C_{11}H_{24}$	ウンデカン	undecane	195.8
5	C_5H_{12}	ペンタン	pentane	36.1	12	$C_{12}H_{26}$	ドデカン	dodecane	216.3
6	C_6H_{14}	ヘキサン	hexane	68.7	20	$C_{20}H_{42}$	イコサン	icosane	343.0
7	C_7H_{16}	ヘプタン	heptane	98.4	30	$C_{30}H_{62}$	トリアコンタン	triacontane	449.7

2.2 炭 化 水 素

炭素と水素だけからなる化合物を**炭化水素**という．一般に，化合物に含まれる結合の種類によって**飽和化合物**と**不飽和化合物**に分類される．単結合だけで組み立てられている化合物は飽和であり，不飽和結合(二重結合と三重結合)を含むものは不飽和であるという．

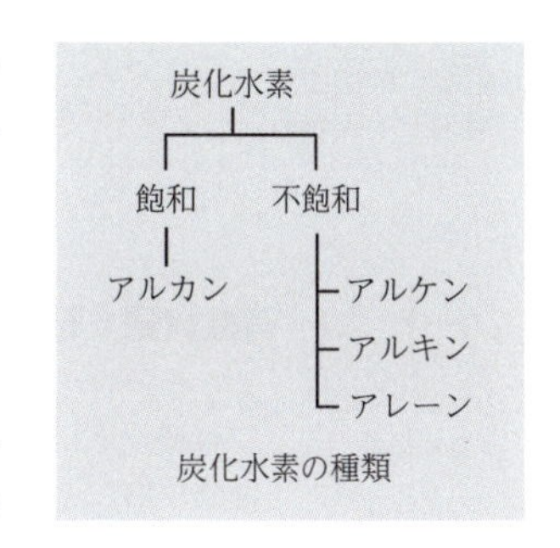

炭化水素の種類

2.2.1 アルカンとシクロアルカン

アルカンは**飽和炭化水素**であり，石油の主成分である．C−C と C−H 単結合からなるので官能基をもたず，反応性も低い．非環状アルカンは一般式で C_nH_{2n+2} と表され，直鎖状のアルカンの名称は炭素数に基づいている(表 2.2)．

表 2.2 には，直鎖状のアルカンとその名称を記したが，炭素数が 4 以上になると，同じ分子式でも炭素の結合順が異なり，構造の異なるものが可能である．このように，含まれる原子が同じ(分子式が同じ)で，その結合順が異なる化合物を**構造異性体**という．

炭素数 4 のアルカン(C_4H_{10})：(構造異性体)

$CH_3CH_2CH_2CH_3$ ブタン butane

CH_3CHCH_3 (2位に CH_3) 2−メチルプロパン 2−methylpropane

2−メチルプロパンや 2−メチルブタンのように位置番号をつけなくても，分子構造が一義的に特定できる場合には，位置番号を省略してもよい．

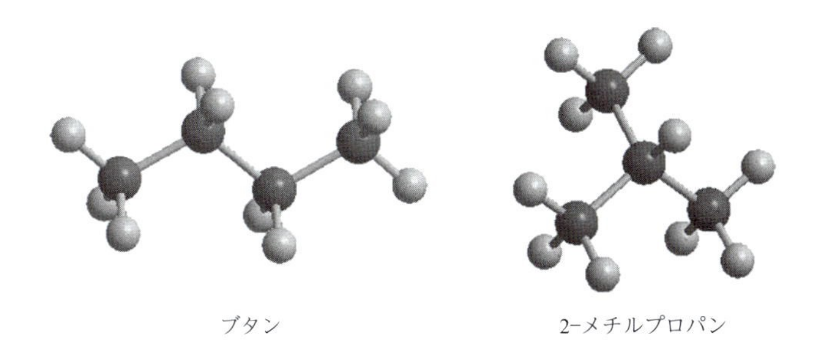

ブタン　　2−メチルプロパン

例題 2.1

分子式 C_5H_{12} のアルカンのすべての構造異性体を簡略化式と線形表記で示せ．

解 答　炭素数 5 の非環状アルカンには三つの構造異性体がある．

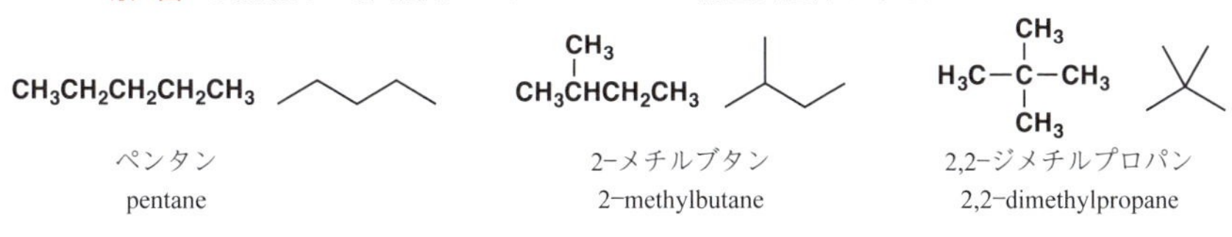

ペンタン pentane　　2−メチルブタン 2−methylbutane　　2,2−ジメチルプロパン 2,2−dimethylpropane

線形表記においては，主鎖を横に伸びたジグザグ鎖で示す．

問題 2.2　C_6H_{14} の分子式をもつアルカンの異性体の構造をすべて線形表記で示せ．

炭化水素 hydrocarbon
飽和化合物 saturated compound
不飽和化合物 unsaturated compound
アルカン alkane
飽和炭化水素 saturated hydrocarbon
構造異性体 constitutional isomer または structural isomer

分枝をもつ化合物には置換基をもつ炭素原子が含まれ，その置換の程度によって化学反応性も異なるので，次のように“級”によって炭素を区別する．

第一級 primary
第二級 secondary
第三級 tertiary
第四級 quaternary

■ **ある炭素原子に別の炭素がいくつ結合しているかによって，第一級，第二級，第三級，第四級炭素と区別する．その炭素原子に結合している水素原子も同じように区別してよばれる．**

ノート 2.1　有機資源：石炭，石油，天然ガス

有機反応によって新しい人工の有機化合物を合成することはできるが，その原料となるのは天然の有機物である．天然の有機原料は，すべて生物によってつくられたものといってよい．化石燃料といわれる石油，天然ガス，石炭は古代の生物がつくったものであり，再生不可能なので，その枯渇が心配されている．これらが現代生活を支えるエネルギー源になるとともに，化学工業の原料となり，種々の有機物質の製造を可能にしている．一方，再生可能な有機資源として現生生物体(バイオマス)を利用する取組みも行われている．

天然ガスの主成分はメタンであり，エタン，プロパン，ブタンも含まれるが，おもに燃料として使われている．石炭は芳香族化合物を多く含むが，現代の有機化学工業のおもな原料は石油になっている．

石油の利用は，まず原油を蒸留して沸点によって表に示すような留分に分けることから始める．需要の多いガソリン留分を増やすために，高沸点成分は**クラッキング**(cracking)によってより小さいアルカンとアルケンに分解し，さらに触媒を用いた**改質**(reforming)によってアルカンをガソリンに適した枝分かれの多いものに変える．

蒸留によって得られる石油成分

沸点/℃	体積%	炭素数	生成物
<30	1～2	C_1～C_4	天然ガス，液化石油ガス
30～200	15～30	C_4～C_{12}	石油エーテル，リグロイン，ナフサ，ガソリン
200～300	5～20	C_{12}～C_{15}	灯油，燃料油
300～400	10～40	C_{15}～C_{25}	ディーゼル油，潤滑剤
>400	8～60	>C_{25}	パラフィンワックス，アスファルト

ガソリンはC_6～C_{12}の炭化水素の混合物であり，その品質は**オクタン価**(octane rating)で表される．オクタン価の低いガソリンはエンジンのノッキングを起こしやすい．イソオクタン(2,2,4-トリメチルペンタン)とヘプタンをオクタン価の基準物質とし，それぞれのオクタン価を100と0とする．あるガソリンのオクタン価は，同等のノック性を示すイソオクタン-ヘプタン混合物のイソオクタン%で示す．オクタン自体はヘプタンよりもノッキングを起こしやすく，オクタン価は−20である．エタノール，ベンゼン，トルエンのオクタン価はイソオクタンよりも高く，それぞれ105，106，120と見積もられている．バイオマスから得られるバイオエタノールをガソリンに混ぜたバイオガソリンが，自動車用燃料として実用化されようとしている．

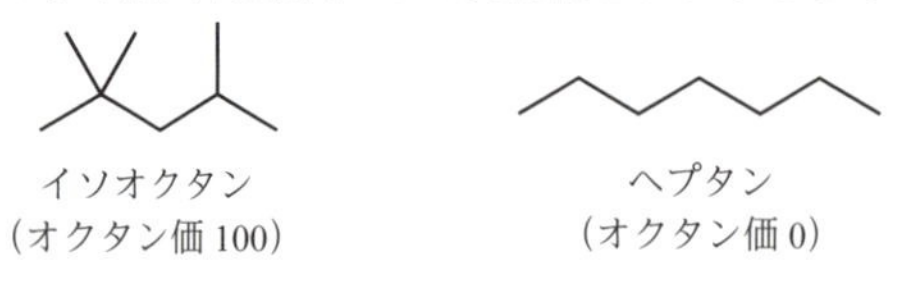

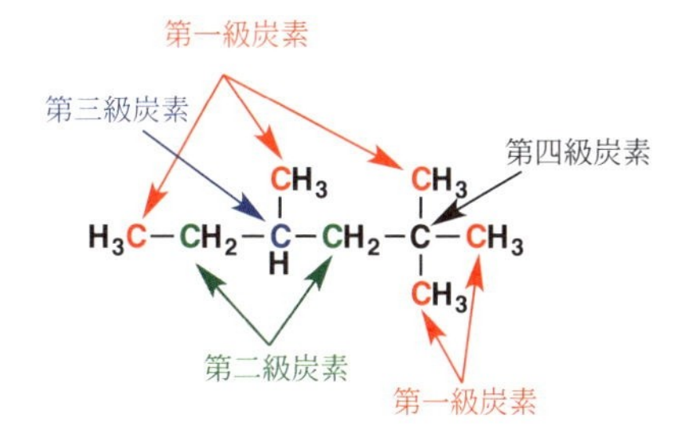

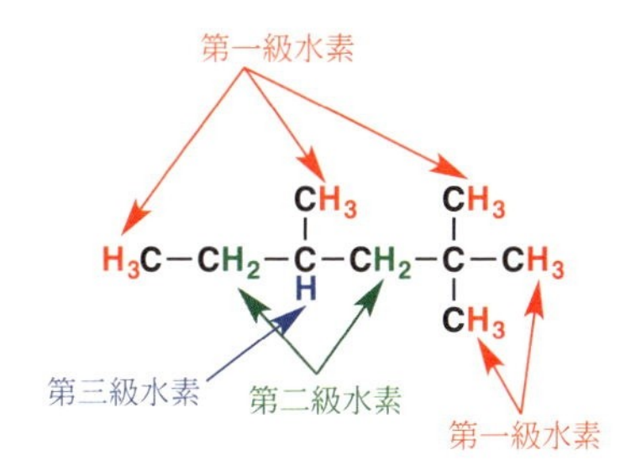

環状構造をもつものは**シクロアルカン**とよばれ，C_nH_{2n} [$(CH_2)_n$] の分子式をもつ．

シクロプロパン
cyclopropane

シクロブタン
cyclobutane

シクロペンタン
cyclopentane

シクロヘキサン
cyclohexane

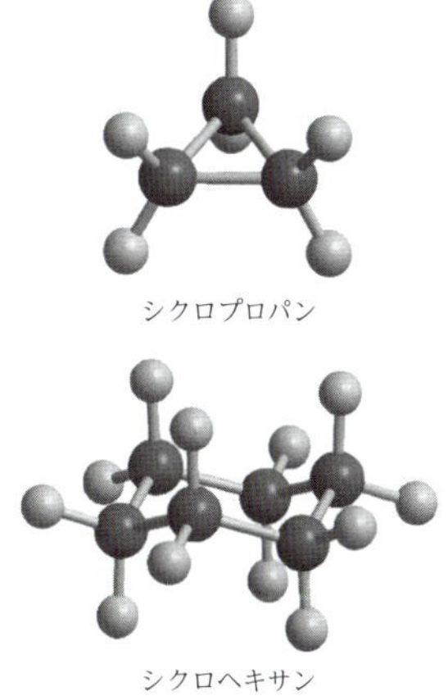
シクロプロパン

シクロヘキサン

問題 2.3　C_5H_{10} の分子式をもつシクロアルカンの構造異性体をすべて示せ．

2.2.2　アルケンとアルキン

アルケンは二重結合 C=C をもち，**アルキン**は三重結合 C≡C をもつ．物理的性質はアルカンと似ているが，二重結合や三重結合は官能基の一つであり，付加反応を受ける．

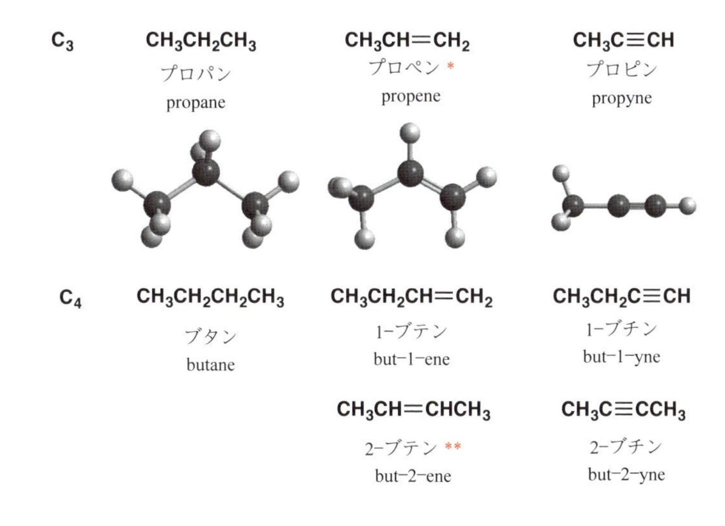

問題 2.4　C_5H_{10} の分子式をもつアルケンの構造異性体は 5 種類ある．それらの構造を示せ．

イエバエの性誘因物質（フェロモン）のムスカルアは C_{23} アルケンのシス異性体である．

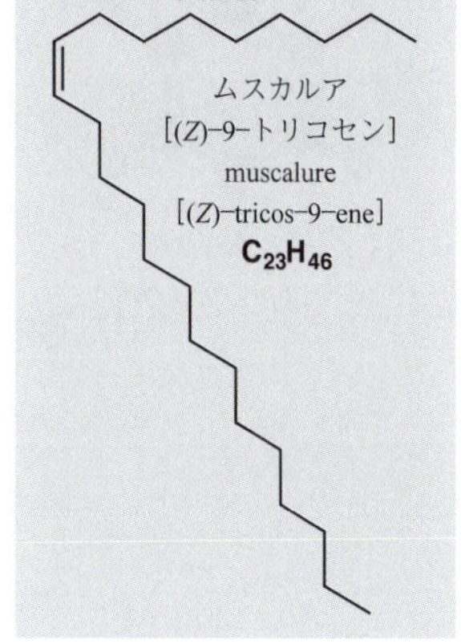

*　かつてプロペンをプロピレンとよんでいたが，プロピレン（propylene）は炭化水素基 $-CH(CH_3)CH_2-$ の名称として用いられる．

**　2-ブテンにはシスとトランスの立体異性体がある（3.7 節参照）．

シクロアルカン　cycloalkane
アルケン　alkene
アルキン　alkyne

工業原料としてのエテン

エテン(旧名：エチレン)は化学工業原料として最も生産量の多い物質であり，その生産量は全世界で1.5億トン(2012年)に達する．日本では2010年の700万トンから減少傾向にあり，2012年は約500万トンの生産量であった．主として石油のクラッキングで得られ，ポリエチレンのほか，次のような工業的中間体の製造に使われている．

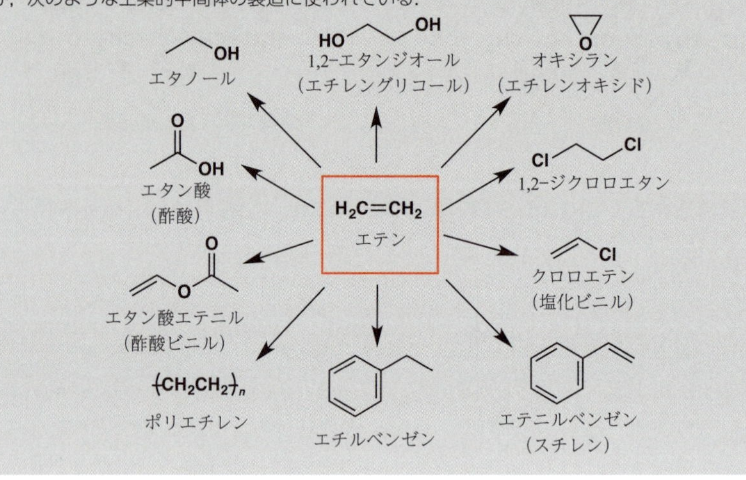

2.2.3　芳香族化合物

芳香族化合物でない化合物を，一般に脂肪族化合物(aliphatic compound)という．

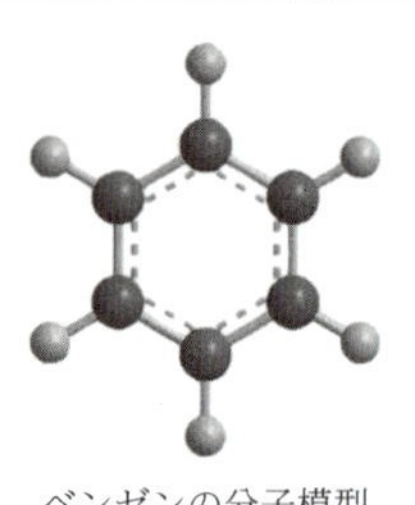
ベンゼンの分子模型

ベンゼンとその誘導体は，環状不飽和化合物であるが，アルケンやアルキンとはまったく異なる特性をもっているので，別のグループに分類され**芳香族化合物**(芳香族炭化水素は**アレーン**という)とよばれている．平面構造上に環状に並んだπ電子をもち，その非局在化が芳香族化合物の物理的・化学的性質を特徴づけているが，詳しくは5章で述べる．

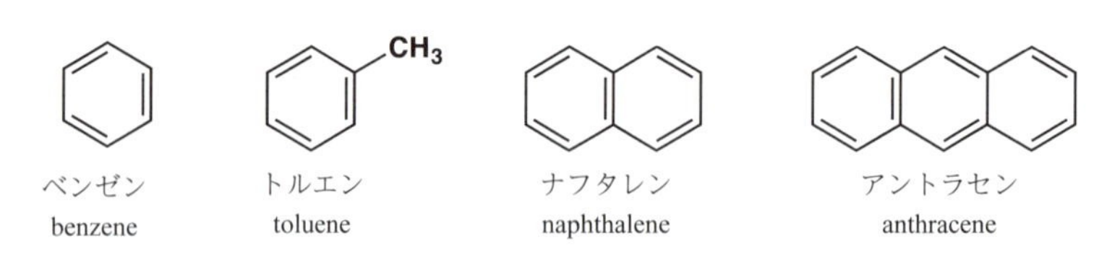

2.3　アルコールとエーテルおよびチオールとスルフィド

アルコールの官能基は，**ヒドロキシ基**OHであり，水分子のHが一つ炭素(アルキル基R)に置き換わったものといえる．すなわち，アルコールは水の誘導体と考えることもでき，低分子量のアルコールは水と似た性質をもつ．アルコールのヒドロキシ基のHをさらにアルキル基(またはアリール基)に置き換えたものが**エーテル**である．Oを同族のSに置き換えると**チオール**と**スルフィド**になる(14.7節参照)．

H_2O	ROH	R_2O	RSH	R_2S
水	アルコール	エーテル	チオール	スルフィド

芳香族化合物 aromatic compound
アレーン arene
アルコール alcohol
ヒドロキシ基 hydroxy group
エーテル ether
チオール thiol
スルフィド sulfide

表2.3に示すように，最も簡単なアルコールはメタノールである．エタノールはアルコール飲料に含まれ，最も代表的なアルコールとして単にアルコールといえばエタノールをさすこともある．アルコールは，ヒドロキシ基が結合している炭素によって第一級，第二級，第三級に分類される．

表 2.3　おもなアルコールの名称と物理的性質

示性式	名　称	英語名	沸点/℃	溶解度[a]
CH_3OH	メタノール	methanol	64	∞
CH_3CH_2OH	エタノール	ethanol	78	∞
$CH_3CH_2CH_2OH$	1-プロパノール	propan-1-ol	97.4	∞
$CH_3CH_2CH_2CH_2OH$	1-ブタノール	butan-1-ol	118	7.9
$CH_3CH_2CH_2CH_2CH_2OH$	1-ペンタノール	pentan-1-ol	138	2.3
$CH_3CH(OH)CH_3$	2-プロパノール	propan-2-ol	82	∞
$(CH_3)_3COH$	2-メチル-2-プロパノール	2-methylpropan-2-ol	83	∞

[a] 25 °C における水への溶解度(g/100 g H_2O).

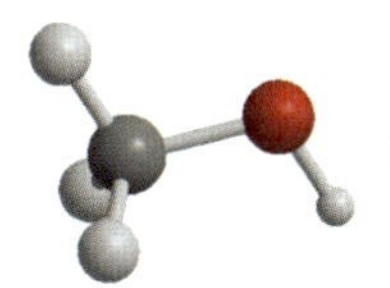

CH_3OH
メタノール
(メチルアルコール)
methanol
(methly alcohol)

CH_3CH_2OH
エタノール
(エチルアルコール)
ethanol
(ethly alcohol)

メタノールは人体に有害であり，失明や生命への危険もある．工業用エタノールにはメタノールが添加されている．

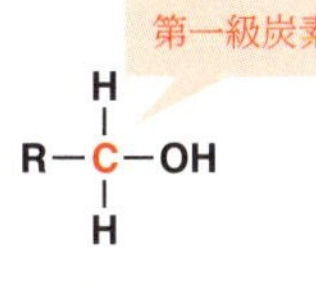

第一級アルコール

第二級炭素

R—C—OH (R, H)

第二級アルコール

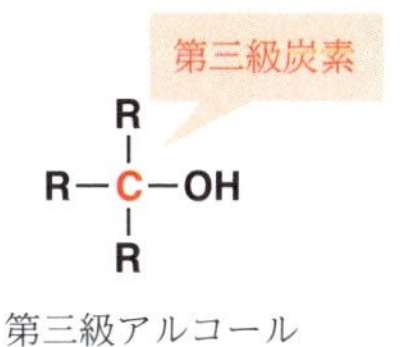

第三級アルコール

問題 2.5　分子式 $C_4H_{10}O$ のアルコールは 4 種類ある．それぞれの構造を示し，第一級，第二級，または第三級に分類せよ．

アルコールには，ヒドロキシ基を 2 個以上もつものもある．

$HOCH_2CH_2OH$
1,2-エタンジオール(エチレングリコール)
1,2-ethanediol(ethylene glycol)
(自動車などの不凍液に使われる)

$HOCH_2CH(OH)CH_2OH$
1,2,3-プロパントリオール(グリセリン)
1,2,3-propanetriol(glycerol)
(油脂はこのアルコールのエステルである)

β-D-グルコース
糖類はポリアルコールである

エーテルの代表はジエチルエーテル(系統的名称はエトキシエタン)であり，単にエーテルとよばれることもある．かつては麻酔薬に用いられた．

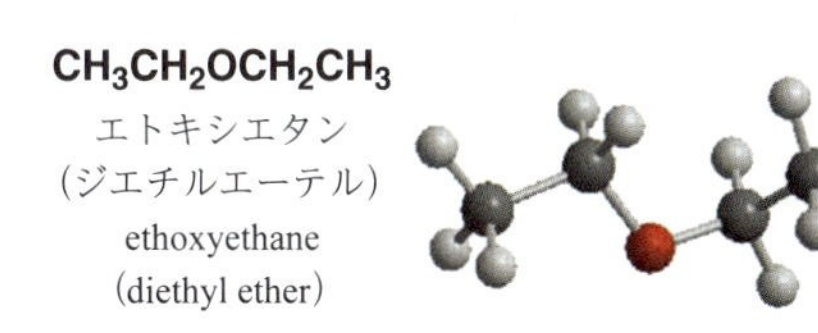

エトキシエタン
(ジエチルエーテル)
ethoxyethane
(diethyl ether)

t-ブチルメチルエーテル*
t-butyl methyl ether

＊ 系統的名称は，2-メトキシ-2-メチルプロパンとなる．

ポリエーテルや環状エーテルもあり，溶剤にも使われる．

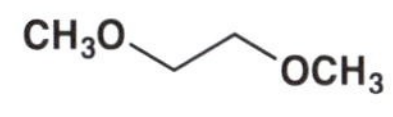

1,2-ジメトキシエタン
1,2-dimethoxyethane

テトラヒドロフラン
tetrahydrofuran

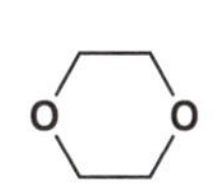

1,4-ジオキサン
1,4-dioxane

グレープフルーツの香りは次のチオールによるという．

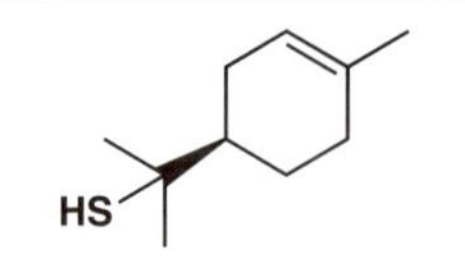

チオール類はその悪臭で知られているが，アミノ酸など生体物質にも含まれ，重要な役割を担っている．硫黄化合物は有機合成でもよく用いられる．

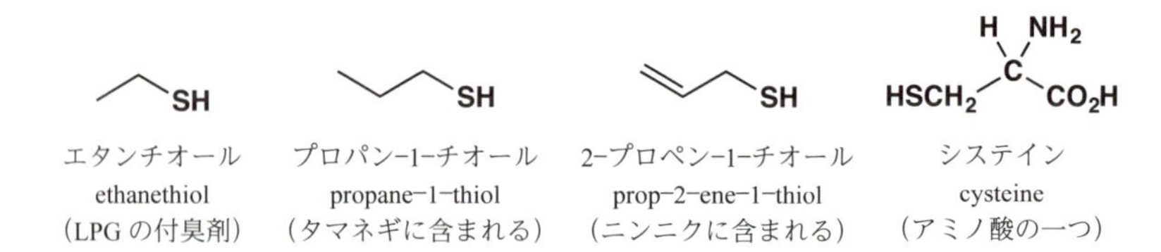

エタンチオール
ethanethiol
（LPG の付臭剤）

プロパン-1-チオール
propane-1-thiol
（タマネギに含まれる）

2-プロペン-1-チオール
prop-2-ene-1-thiol
（ニンニクに含まれる）

システイン
cysteine
（アミノ酸の一つ）

2.4　ハロアルカン

アルカンの H が 1 個以上ハロゲン原子と置き換わった化合物を**ハロアルカン**あるいは**ハロゲン化アルキル**という．次の例に示すように，ハロゲン化アルキルはハロゲン原子が結合している炭素によって，第一級，第二級，および第三級に分類される．

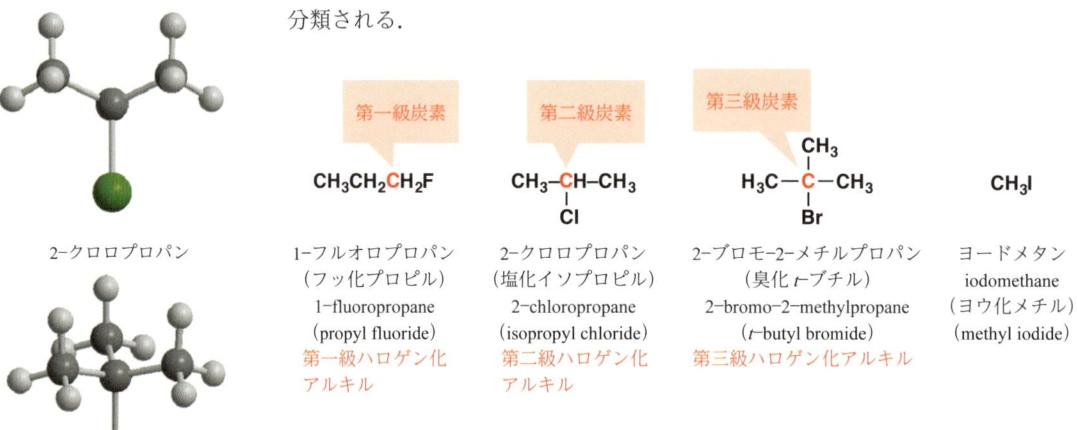

2-クロロプロパン

1-フルオロプロパン
（フッ化プロピル）
1-fluoropropane
（propyl fluoride）
第一級ハロゲン化アルキル

2-クロロプロパン
（塩化イソプロピル）
2-chloropropane
（isopropyl chloride）
第二級ハロゲン化アルキル

2-ブロモ-2-メチルプロパン
（臭化 *t*-ブチル）
2-bromo-2-methylpropane
（*t*-butyl bromide）
第三級ハロゲン化アルキル

ヨードメタン
iodomethane
（ヨウ化メチル）
（methyl iodide）

2-ブロモ-2-メチルプロパン

ハロアルカンの物理的性質はアルカンに似ているが，化学反応性は大きく異なる．ハロゲン X の電気陰性度は大きいので C−X 結合は極性をもち，置換や脱離の反応中心になる（12 章，13 章）．

2.5　窒素化合物

2.5.1　アミン

アミンはアンモニア NH_3 の炭素置換体であり，塩基性を示す（6.5.2 項）．単純なものは RNH_2，R_2NH，R_3N と表せるが，環状構造をもつものもよく知られている．アミンはアミノ酸にも含まれ，天然物には環状アミンが多い．天然のアミンはアルカロイドとよばれる（ノート 19.2 参照）．

アミンは，窒素原子に結合している水素の数が 2 個，1 個あるいはゼロかによって，**第一級**，**第二級**，**第三級アミン**に分類される．アルキル基の炭素の級と混同しないように注意しよう．たとえば，*t*-ブチルアミン $(CH_3)_3CNH_2$ は第三級アルキル基をもつ第一級アミンである．

ハロアルカン　haloalkane
ハロゲン化アルキル　alkyl halide
アミン　amine

第一級窒素	第二級窒素	第三級窒素	第二級窒素	第三級窒素
$CH_3CH_2NH_2$	$(CH_3CH_2)_2NH$	$(CH_3CH_2)_3N$	NH	N
エチルアミン	ジエチルアミン	トリエチルアミン	ピペリジン	ピリジン
ethylamine	diethylamine	triethylamine	piperidine	pyridine
第一級アミン	第二級アミン	第三級アミン	環状第二級アミン	環状第三級アミン

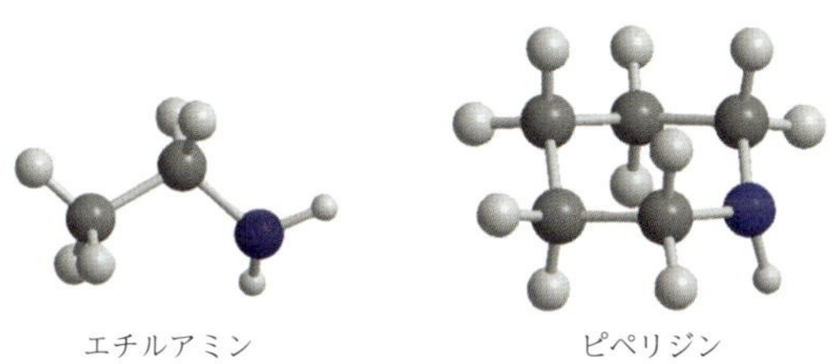

例題 2.2

C_3H_9N の分子式をもつ第一級アミン 2 種類，第二級アミン 1 種類，および第三級アミン 1 種類の構造を示せ．

解 答

第一級アミン：$CH_3CH_2CH_2–NH_2$ と $(CH_3)_2CH–NH_2$

第二級アミン：$CH_3CH_2–NH–CH_3$

第三級アミン：$(CH_3)_3N$

問題 2.6 $C_4H_{11}N$ の分子式をもつ第二級アミン 3 種類の構造を示せ．

2.5.2 ニトロ化合物

ニトロアルカンとニトロアレーンは有機合成の前駆体として重要である．ニトロアルカンの構造は 1.3 節でみたが，極性溶媒としても用いられる．トリニトロトルエンやニトログリセリンのようなポリニトロ化合物は代表的な爆薬である．

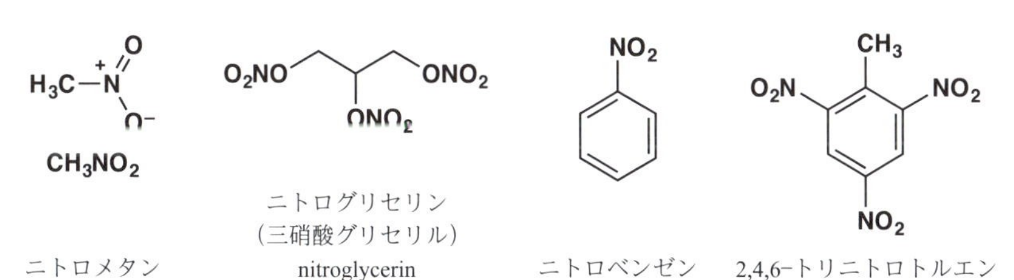

ニトロメタン nitromethane

ニトログリセリン（三硝酸グリセリル） nitroglycerin（glyceryl trinitrate）

ニトロベンゼン nitrobenzene

2,4,6-トリニトロトルエン 2,4,6-trinitrotoluene（TNT）

ニトロ

ニトログリセリンはダイナマイトの主成分であり，爆薬として広く用いられる．もっとも，この化合物は厳密な意味ではニトロ化合物ではなく，硝酸エステルで三硝酸グリセリルとよぶべきである．この化合物は，単に“ニトロ”ともよばれ，狭心症治療薬として用いられる．体内で加水分解され，還元により一酸化窒素 NO となり，血管拡張作用を示す．ダイナマイトを発明したのはスウェーデンの化学者・実業家の A. B. Nobel（ノーベル）であり，その遺産によってノーベル賞が創設された．

Alfred B. Nobel
（1833～1896）

ニトロ化合物 nitro compound

2.6　アルデヒドとケトン

アルデヒドとケトンはともにカルボニル基をもつので，カルボニル化合物とよばれる．

$R-C(=O)-H$　　アルデヒド

$R-C(=O)-R'$　　ケトン

（**R, R'** ＝アルキル基）

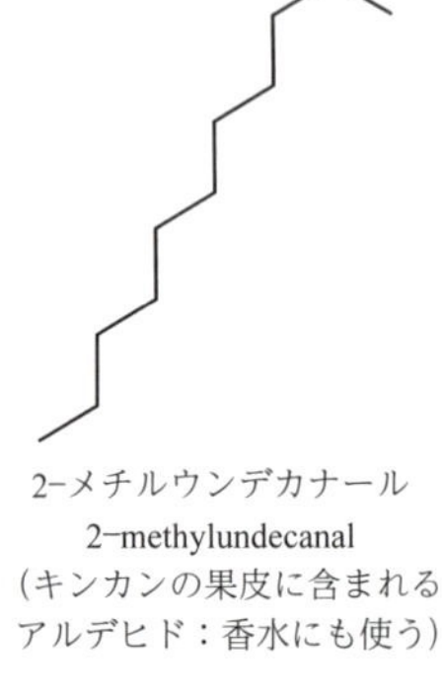

2−メチルウンデカナール
2−methylundecanal
（キンカンの果皮に含まれるアルデヒド：香水にも使う）

カルボニル結合 C＝O は分極した不飽和結合の代表例であり，高い反応性を示す（8 章）．アルデヒドのカルボニル炭素には H が結合しているので，容易に酸化されてカルボン酸になる．グルコースなどの糖類もアルデヒドの性質をもっている．

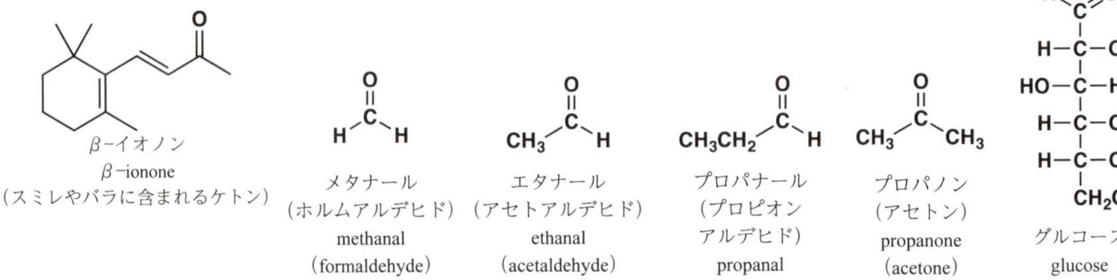

β−イオノン
β−ionone
（スミレやバラに含まれるケトン）

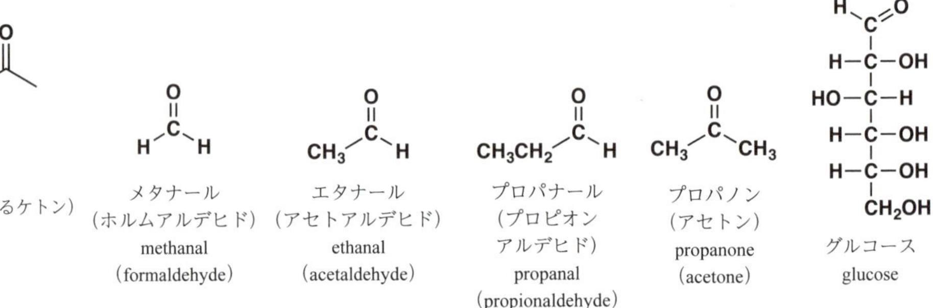

メタナール（ホルムアルデヒド）
methanal (formaldehyde)

エタナール（アセトアルデヒド）
ethanal (acetaldehyde)

プロパナール（プロピオンアルデヒド）
propanal (propionaldehyde)

プロパノン（アセトン）
propanone (acetone)

グルコース
glucose

問題 2.7　$C_5H_{10}O$ の分子式をもつケトン 3 種類の構造を示せ．

2.7　カルボン酸

カルボキシ基 C(O)OH の OH は酸性を示すので，この官能基をもつ化合物はカルボン酸とよばれる．エタン酸は食酢の成分である．

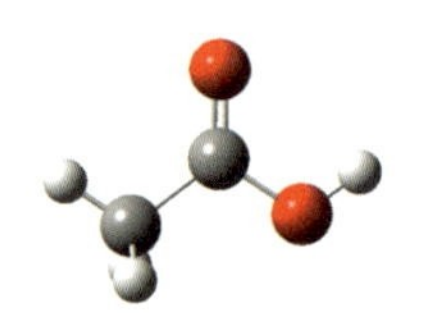

エタン酸の分子模型

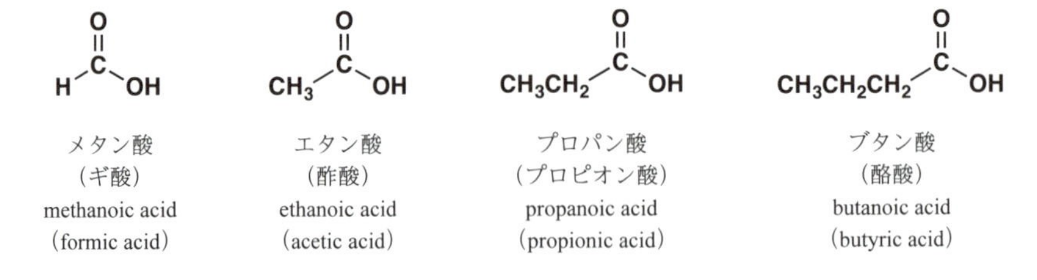

メタン酸（ギ酸）
methanoic acid (formic acid)

エタン酸（酢酸）
ethanoic acid (acetic acid)

プロパン酸（プロピオン酸）
propanoic acid (propionic acid)

ブタン酸（酪酸）
butanoic acid (butyric acid)

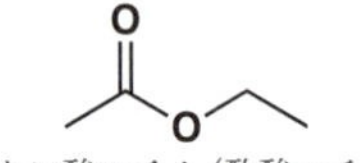

エタン酸エチル（酢酸エチル）
ethyl ethanoate (ethyl acetate)
（洋ナシの香りをもち，接着剤の溶剤やマニキュアの除光液に用いられる）

問題 2.8　$C_4H_8O_2$ の分子式をもつカルボン酸 2 種類の構造を示せ．

カルボン酸の OH 基が，他の酸素基，窒素基，ハロゲンなどと置き換わったものをカルボン酸誘導体という（9 章）．その代表はエステルであり，果物の香りをもつものも多い．欄外に示したエタン酸エチルは洋ナシの香りをもつが，次ペー

アルデヒド aldehyde
ケトン ketone
カルボニル基 carbonyl group
カルボニル化合物 carbonyl compound
カルボン酸 carboxylic acid
カルボキシ基 carboxy group
カルボン酸誘導体 carboxylic acid derivative

ジにも例をあげてある．油脂は高分子量のカルボン酸(脂肪酸という)とグリセリンのエステルであり，アミノ酸はアミノ基をもつカルボン酸である(23章)．

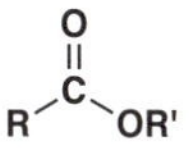

$H_2C-OC(O)CH_2(CH_2)_nCH_3$
$HC-OC(O)CH_2(CH_2)_nCH_3$
$H_2C-OC(O)CH_2(CH_2)_nCH_3$

エステル　ester　　油脂の一つ　oil and fat　　アミノ酸　amino acid

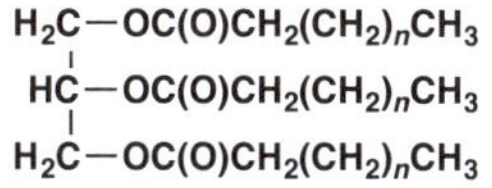

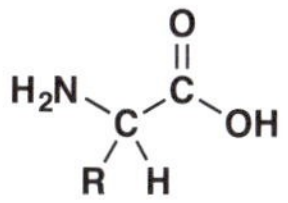

果物の香りをもつエステルの例は9.2節にあげているが，次の構造異性体はそれぞれバナナとリンゴの香りがする．

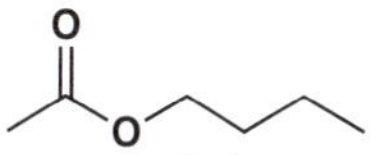

エタン酸ブチル
butyl ethanoate
(バナナ)

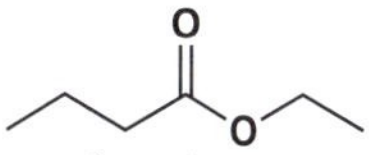

ブタン酸エチル
ethyl butanoate
(リンゴ)

2.8　官能基の酸化状態

これまで種々の官能基をみてきたが，その違いはまちまちであり**酸化状態**の違いによるところもある．酸化状態といえば，おそらく，金属イオンの酸化状態のことを思い出すだろう．金属イオンの酸化状態は，その価数により，電子のやり取りによって決まる．では，電荷をもたない有機分子の場合はどう考えたらよいのか．金属イオンと同じように考えるために有機化合物にも適用できる酸化数を定義する．

2.8.1　酸　化　数

分子の中の原子の酸化数は，共有結合がイオン的に開裂してできる仮想的なイオンの電荷に相当するものとする．通常，第2周期の元素を考えるときには次のようにいえる．

- **共有電子対が2個とも電気陰性度の大きいほうの原子に所属するものとして，計算した原子の電荷を酸化数という．**

第3周期以降の元素は同じ族の第2周期元素に準じるものとする．

次に代表的な有機化合物の中心炭素(赤)の酸化数を示す．

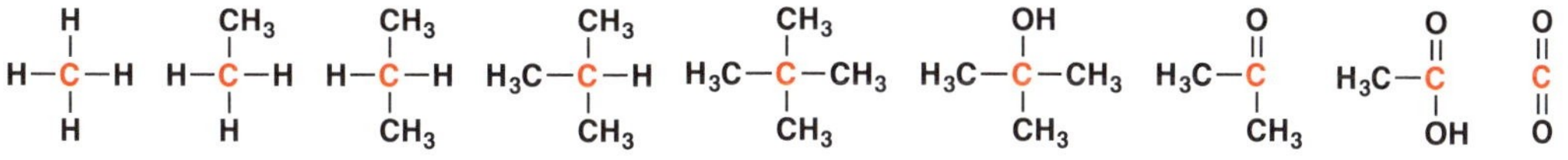

酸化数

Lewis構造式における形式電荷は，共有電子対の2電子を結合原子に1個ずつ割り当てて計算したことを思い出そう．極性結合を共鳴で表すと電荷分離してイオンになった共鳴構造を書くことができるが，そのイオンの電荷が酸化数になるといってもよい．

CH_4	CH_3-CH_3	$CH_3-CH_2-CH_3$	$(CH_3)_3CH$	$C(CH_3)_4$	$(CH_3)_3C-OH$	$CH_3-CO-CH_3$	$CH_3-CO-OH$	$O=C=O$
−4	−3	−2	−1	0	+1	+2	+3	+4

中心となる炭素の酸化数に基づいて有機化合物の酸化状態を区別することもあるが，この区別にはあいまいな点も生じる．アルカンではメタンとエタン，カルボン酸ではメタン酸とエタン酸で酸化状態が異なることになるし，たとえば，2-メチルプロパン$(CH_3)_2CH-CH_3$のように枝分かれしていると，第三級炭素(−1)と第一級炭素(−3)では酸化数が異なるので，化合物全体としての酸化状態は定義できない．

2.8.2　官能基の酸化状態による分類

そこでメタンから第三級炭素までアルカンの炭素の級数に応じて酸化状態の増えていく順に，アルカン，アルコール，アルデヒド(ケトン)，カルボン酸，二酸化炭素と並べて表2.4のように示す．一つの枠の中では赤の炭素の酸化数は同一である．これを縦にみると同じ酸化状態の官能基が並んでいる．同じ官能基が同じ酸化状態にあると考えるためには，酸化数の定義とは違って，CとHを区別

酸化状態　oxidation state
酸化数　oxidation number

表 2.4　官能基の酸化状態による比較

	アルカン	アルコール	アルデヒド（ケトン）	カルボン酸	二酸化炭素
メタン	CH_4	$H_3C{-}OH$ $H_3C{-}Y$	$H_2C{=}O$ H_2CY_2	$H{-}C({=}O){-}OH$ $H{-}CY_3$	$O{=}C{=}O$ CY_4
第一級炭素	$R{-}CH_3$	$R{-}CH_2{-}OH$ $R{-}CH_2{-}Y$	$R{-}C({=}O){-}H$ $R{-}CHY_2$	$R{-}C({=}O){-}OH$ $R{-}CY_3$	
第二級炭素	$R{-}CH_2{-}R$	$R{-}CH(R){-}OH$ $R{-}CH(R){-}Y$	$R{-}C({=}O){-}R$ $R{-}CY_2{-}R$		
第三級炭素	$R{-}CH(R){-}R$	$R{-}C(R)(R){-}OH$ $R{-}C(R)(R){-}Y$			

R はアルキル基，Y はハロゲンのような電気的に陰性な原子を表す．

しないことにすればよい．ジクロロメタン CH_2Cl_2 やアセタール $RCH(OR)_2$ はアルデヒドの酸化状態にあり，クロロホルム $CHCl_3$ はカルボン酸の酸化状態にあることがわかる．

問題 2.9　次の化合物の赤で示した炭素の酸化数を計算せよ．

(a) H_3CCHCl_2　(b) $H_3C{-}C({=}O){-}CH_3$　(c) $H_3C{-}C({=}O){-}NH_2$

(d) $H_3CC{\equiv}CH$　(e) $H_3CC{\equiv}CH$　(d) $H_3CC{\equiv}N$

2.9　命名法の基本的考え方

2.9.1　IUPAC 命名法

➡ ウェブチャプター 26 有機化合物命名法
本節の命名法は必要に応じて勉強すればよい．ウェブサイトにもっと詳しい解説がある．

有機化合物の名称は，かつてはその原料や分子のかたちなどに基づいて任意につけられていた．複雑な構造をもった天然物などは今でもそのような慣用名でよばれているが，多種多様な化合物のすべてを一つずつ命名するためには系統的な方法が必要である．

世界中の化学者が共通に使える系統的命名法が考案され，化学者の国際組織である IUPAC の委員会によって認められている．これは IUPAC 命名法あるいは IUPAC 規則とよばれる方法であり，その基本的な考え方を説明しておく．本書でも，その規則に従ってつけられた IUPAC 名を主として用い，必要に応じて慣用的な名称をかっこ内に示す．

IUPAC（アイユーパックと読む）
国際純正・応用化学連合（International Union of Pure and Applied Chemistry）の略称．

この規則は，基本となるアルカンを炭素数に従って命名し，その置換誘導体として名前をつけるという考え方に基づいている（図 2.1）．官能基をもつ有機化合物は主となる官能基を接尾語で示し，H と置き換わった置換基は接頭語として示す．

命名法 nomenclature

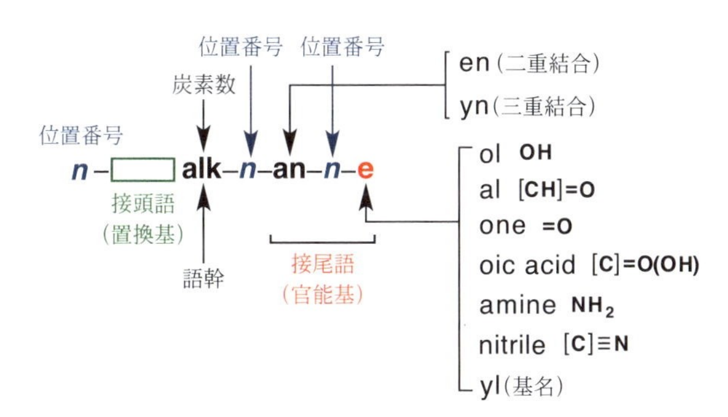

図 2.1 IUPAC 名の成り立ち
化合物名は“接頭語–語幹–挿入語–接尾語”からなる．それぞれの部分は，置換基，炭素数，C=C または C≡C 結合の有無，官能基を示し，必要に応じて位置番号をつける．また，アルデヒド(al)，カルボン酸(oic acid)，ニトリル(nitrile)の官能基を表す接尾語に対応する式中で[ ]に入れた C は母体化合物名(語幹)に含まれていることを意味する(後述)．

たとえば，3-methylbut-2-en-1-ol(3-メチル-2-ブテン-1-オール)は，メチル置換 C_4 アルケンから誘導されたアルコールであることを示している．

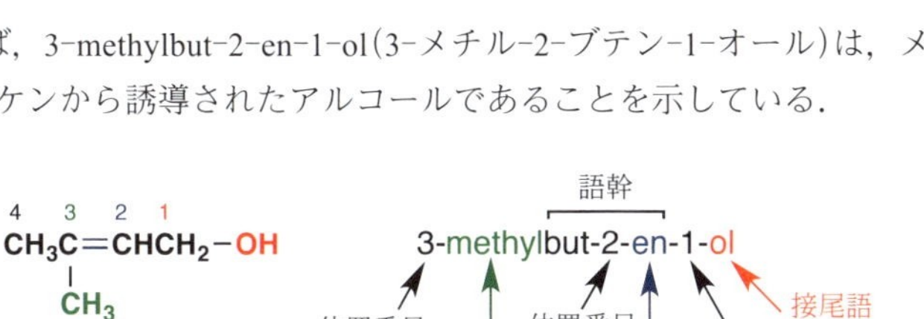

2.9.2 脂肪族炭化水素の命名

まず芳香族化合物以外の炭化水素の命名を考える．

(1) アルカン(alkane)の命名：最も長い炭素鎖を基本鎖(主鎖)とし，その炭素数に従って母体アルカンを命名する(表 2.2)．分枝はアルキル置換基(アルキル基名は(5)項参照)として接頭語になる．このとき置換位置が最も小さくなるように主鎖の末端炭素から数えて位置番号をつける．次に示す例では主鎖を赤色で示している．構造をどのように書いてあっても，いずれも炭素数 6 のヘキサンを基本アルカンとした同一化合物である．

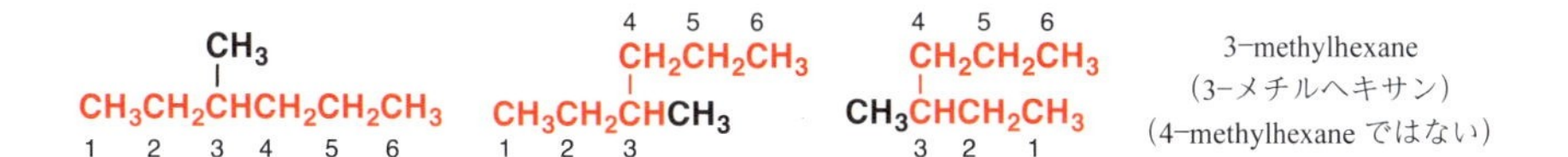

(2) アルケン(alkene)とアルキン(alkyne)の命名：不飽和結合をできるだけ多く含み，最も長くなるように主鎖を決め，炭素数に対応する alkane の語幹を決める．ついで，alk-ane の語尾 -ane(アン)を，二重結合をもつアルケンの場合には -ene(エン)に，三重結合をもつアルキンの場合には -yne(イン)に変える．二重結合と三重結合の両方をもつときには，enyne(エンイン)という．位置番号は不飽和結合，ついで置換基の位置ができるだけ小さくなるように決めて，語尾の直前に入れる．

英語名では，IUPAC 1993 年規則に従って，接尾語で表す主官能基や挿入語で表す C=C または C≡C 結合の位置番号をそれぞれの直前に示しているが，一つは語幹の前に出してもよい．本書では，日本語名は発音しやすいように位置番号の一つを語幹の前に出すようにしている．

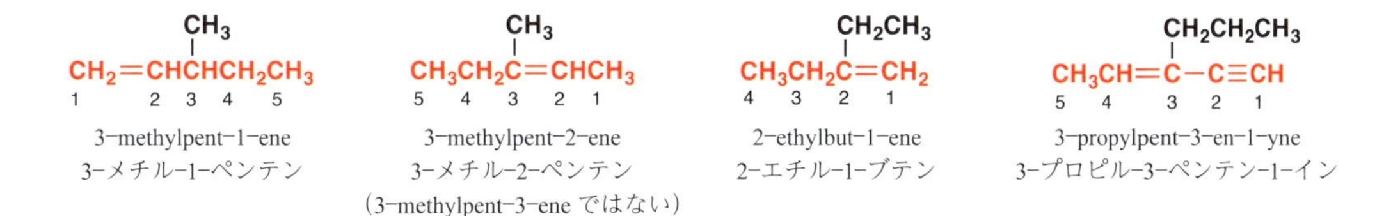

(3) 脂環系炭化水素は，環に含まれる炭素数に従って母体名を決め，cyclo-(シクロ)を語頭につける．

シクロアルカンに官能基あるいは置換基が一つだけしかないときには位置番号は不要である（例：cyclohexene, methylcyclohexane）

二環性化合物の命名についてはウェブチャプター 26 を参照すること．

cyclopentene
シクロペンテン

CH_3CH_2（3位，二重結合 1–2 位のシクロヘキセン）

3-ethylcyclohexene
3-エチルシクロヘキセン
（6-ethylcyclohexene ではない）

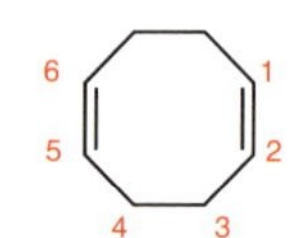

cycloocta-1,5-diene
シクロオクタ-1,5-ジエン

(4)　複数の置換基がある場合，置換基をアルファベット順に並べてその前に番号をつける．同じものがあるときは di-(ジ)，tri-(トリ)，tetra-(テトラ)…… で数を示す．

4-ethyl-1-methylcyclohexene
4-エチル-1-メチルシクロヘキセン
（1-methyl-4-ethylcyclohexene ではない）

$CH_3C{\equiv}CC(CH_3)_2CH_3$（1 2 3）

4,4-dimethylpent-2-yne
4,4-ジメチル-2-ペンチン

よく使われるアルキル基には慣用名も認められている（表 2.5）．

(5)　アルキル基の名称は alk-ane の語尾 -ane を -yl に換えて alkyl（アルキル）とすればよい．二重結合あるいは三重結合があるときには alkenyl（アルケニル）または alkynyl（アルキニル）とする．これらの基名においては，常に遊離原子価をもつ炭素が 1 になるので，たとえば，表 2.5 の isopropyl を 2-propyl ということはできない．正しい IUPAC 名は 1-methylethyl である．

表 2.5　よく使われるアルキル基の慣用名

構造	名称
$(CH_3)_2CH-$	isopropyl イソプロピル
$(CH_3)_2CH-CH_2-$	isobutyl イソブチル
$CH_3CH_2(CH_3)CH-$	*s*-butyl *s*-ブチル
$(CH_3)_3C-$	*t*-butyl *t*-ブチル
$(CH_3)_3C-CH_2-$	neopentyl ネオペンチル
$CH_2{=}CH-CH_2-$	allyl アリル
$C_6H_5-CH_2-$	benzyl ベンジル

表 2.5 に示した分枝アルキル基などを IUPAC 名で表すと次のようになる．
isobutyl＝2-methylpropyl
s-butyl＝1-methylpropyl
t-butyl＝1,1-dimethylethyl
neopentyl＝2,2-dimethylpropyl
allyl＝prop-2-enyl

s- は *sec*-，*t*- は *tert*- と書くこともあり，それぞれ第二級，第三級を意味する．

例題 2.3

次のアルカンの IUPAC 名を書け．

$CH_3CH(CH_3)CH_2CH_2CH(CH_2CH_3)CH_3$

解 答　まず，最も長い炭素鎖を探して，置換基のついている位置の番号が小さくなるように炭素に番号をつける．この場合ヘプタンの 2 と 5 位にメチル基がついた構造になっている．したがって，IUPAC 名は 2,5-ジメチルヘプタン（2,5-dimethylheptane）となる．

$CH_3CH(CH_3)CH_2CH_2CH(CH_2CH_3)CH_3$（主鎖の番号 1 2 3 4 5 6 7）

問題 2.10 次の化合物の IUPAC 名を書け.

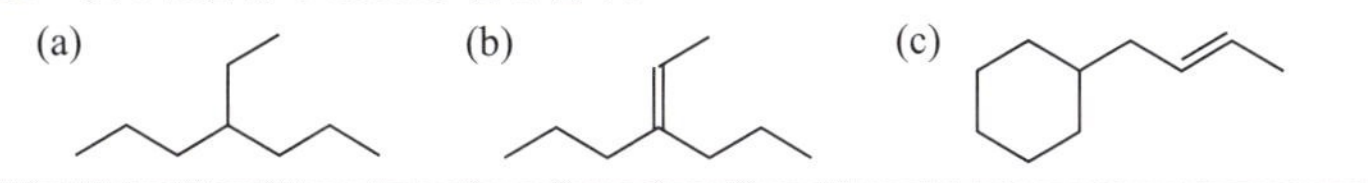

よく使われる置換基の略号
Me : methyl
Et : ethyl
Pr : propyl
i-Pr : isopropyl
Bu : butyl
t-Bu : *t*-butyl
Ph : phenyl
Bn : benzyl, $PhCH_2$
Ac : acetyl, $CH_3C(O)$

2.9.3 官能基をもつ化合物の命名

官能基をもつ化合物は，接尾語となる主官能基を(C=C と C≡C のほかに)一つだけ選び，その主官能基を含めて最も長い炭素鎖を基本構造とする．複数の官能基があるときには，表 2.6 に示す優先順の高いものを主官能基とし，ほかは置換基として接頭語で示す．位置番号は主官能基の位置が最小になるように選ぶ．ハロゲンやアルコキシ基は，常に接頭語として命名される(接尾語とはならない)．表 2.7 にそのような官能基の名称を示す．

優先 IUPAC 名

本書の化合物名は原則的に 1993 年の IUPAC 規則に基づいているが，改訂 3 版では IUPAC 2013 年規則も混乱の生じない範囲で取り入れている．1993 年規則はかなり自由度が大きいので，IUPAC は 2013 年に，一つの化合物に一つの名称が対応するように優先 IUPAC 名(preferred IUPAC name : PIN)という概念を導入した．ただし，これまで使われてきた名称の一部も一般 IUPAC 名(general IUPAC name : GIN)として認められている．その詳細はウェブノート 2.1 とウェブチャプター 26 を参照するとよい．

➡ ウェブノート 2.1 命名に関する 2,3 の問題点

表 2.6 官能基の優先順と命名法

優先順と名称	式[a]	接尾語	接頭語
1. カルボン酸	C(O)OH	-oic acid (酸)[b]	
	C(O)OH	-carboxylic acid (カルボン酸)	carboxy- (カルボキシ)
2. ニトリル	C≡N	-nitrile (ニトリル)	
	C≡N	-carbonitrile (カルボニトリル)	cyano- (シアノ)
3. アルデヒド	CHO	-al (アール)	oxo- (オキソ)
	CHO	-carbaldehyde (カルボアルデヒド)	formyl- (ホルミル)
4. ケトン	C=O	-one (オン)	oxo- (オキソ)
5. アルコール	OH	-ol (オール)	hydroxy- (ヒドロキシ)
チオール	SH	-thiol (チオール)	mercapto- (メルカプト)[c]
6. アミン	NH_2	-amine (アミン)	amino- (アミノ)

[a] 赤色の C は主鎖に含まれる炭素であることを示す．C(O)はカルボニル基を表す．
[b] ジカルボン酸は alkanedioic acid(アルカン二酸)のように命名する．カルボン酸誘導体の優先順はカルボン酸に続く．
[c] sulfanyl(スルファニル)基ともいう．

表 2.7 置換基の名称

置換基	接頭語	置換基	接頭語
C_nH_{2n+1}(R)	alkyl- (アルキル)	F	fluoro- (フルオロ)
C_6H_5(Ph)	phenyl- (フェニル)	Cl	chloro- (クロロ)
RO	alkoxy- (アルコキシ)	Br	bromo- (ブロモ)
RS	alkylthio- (アルキルチオ)	I	iodo- (ヨード)
NO_2	nitro- (ニトロ)		

次に示す例から，主官能基をどのように選び，どのように位置番号を決めて命名するか読み取ることができるであろう．

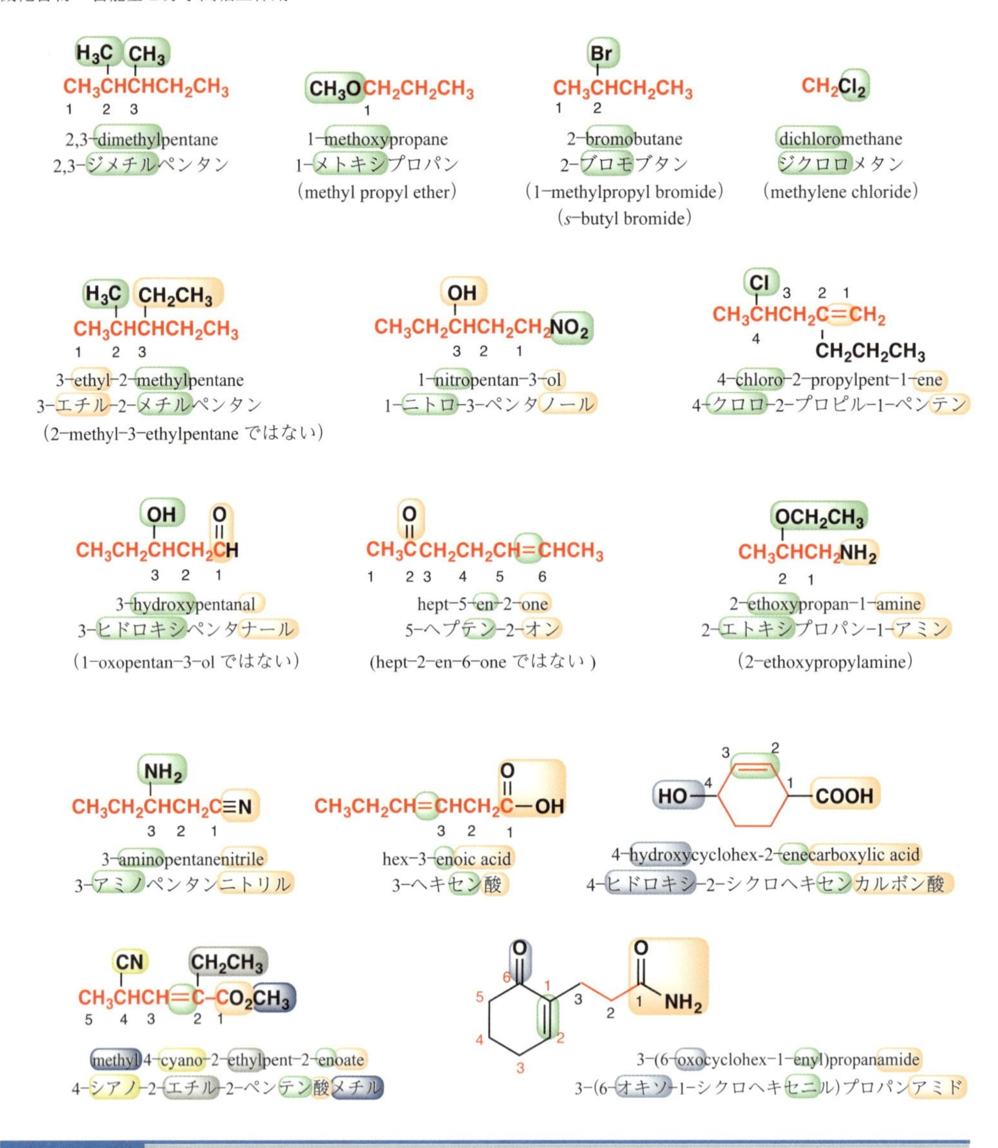

例題 2.4

4-クロロ-2-ヘキサノールの構造を示せ.

解 答　まず母体アルカン(ヘキサン)の炭素骨格を書き，2位に官能基 OH，4位に置換基 Cl をつけ，さらに H を付け加えて構造を完成する．線形表記で書いてもよい．

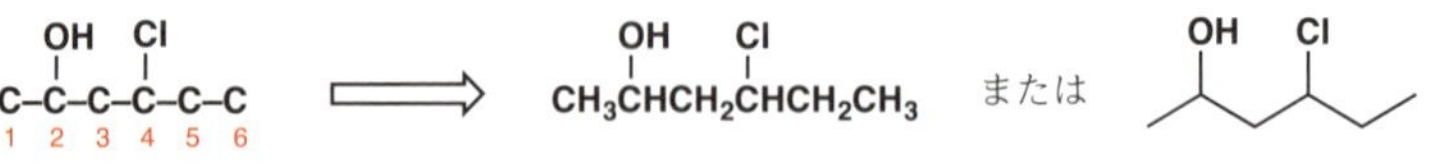

問題 2.11　次の化合物の構造を示せ.

(a) 3-メチル-2-ヘキサノール　　(b) 2-クロロブタナール
(c) 2-アミノブタン酸　　(d) 2-シクロペンテンカルボン酸エチル
(e) 4-オクテン-6-イン-3-オン

2.9.4 芳香族化合物の命名

すべての母体アレーンは個別に IUPAC 名をもっている．benzene（ベンゼン），naphthalene（ナフタレン），anthracene（アントラセン），pyridine（ピリジン）などがすでに出てきた．また，よくみられるベンゼン誘導体には IUPAC で認められた慣用名がある．その例を欄外に示す．

置換基は接頭語としてつけられるが，二置換ベンゼンの 1,2-，1,3-，1,4-の位置関係を示す慣用的な接頭語 *o*-（オルト），*m*-（メタ），*p*-（パラ）もよく使われる．

phenol
フェノール

aniline
アニリン

toluene
トルエン

1,2-, 1,3-, 1,4-
xylene
（*o*-, *m*-, *p*-キシレン）

1,2-diethylbenzene
1,2-ジエチルベンゼン
（*o*-ジエチルベンゼン）

1,3-dichlorobenzene
1,3-ジクロロベンゼン
（*m*-ジクロロベンゼン）

1,4-dimethoxybenzene
1,4-ジメトキシベンゼン
（*p*-ジメトキシベンゼン）

1,2,4-trimethylbenzene
1,2,4-トリメチルベンゼン

p. 39 に記した 2013 年の IUPAC 勧告において，オルト，メタ，パラの表現が PIN では廃止され，GIN においても極力使用を控えるように推奨されている．しかし，この表現はまだ幅広く使われており，この表現のほうがわかりやすい場合も多いので改訂 3 版でも必要に応じて用いることとする．

4-bromotoluene
4-ブロモトルエン
（*p*-ブロモトルエン）

3-nitrophenol
3-ニトロフェノール
（*m*-ニトロフェノール）

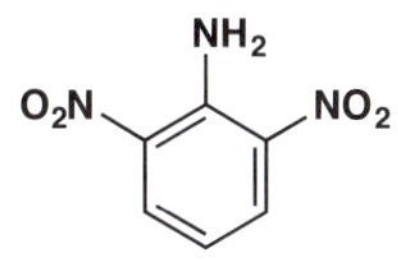

2,6-dinitroaniline
2,6-ジニトロアニリン

1-chloro-2-ethylbenzene
1-クロロ-2-エチルベンゼン

有機化合物は，以上のような基本的な考えに従って命名されている．例にあげた化合物の名称がなぜそう命名されるのかを考えてみれば，命名の規則はおおよそ理解できると思う．

今のところ命名法の細かい点にこだわる必要はない．一般的には，化合物の構造と名称が対応するように命名でき，化合物名からその構造式が書ければ十分である．厳密に IUPAC 規則に従った名称が必要ならば，そのとき専門書を参照すればよいし，命名のためのコンピュータソフトもある．

問題 2.12　次のベンゼン誘導体を命名せよ．

(a)　(b)　(c)　(d)

2.10 分子間相互作用と物理的性質

沸点や溶解度のような物理的性質が，アルカンとアルコールでは大きく異なる．このような物理的性質は，個別の分子としてではなく，その集合体として観測されるものであり，分子間の相互作用の結果として現れている．電荷をもたない分子の間にはたらく相互作用には，van der Waals 力と水素結合がある．これらの相互作用は非結合性相互作用ともいわれる．

分子間相互作用 intermolecular interaction
van der Waals（ファンデルワールス）力 van der Waals force
水素結合 hydrogen bond
非結合性相互作用 non-bonded interaction

2.10.1 van der Waals 力

J. D. van der Waals (1837〜1923)
オランダの物理学者．気体と液体の状態方程式を提案し，1910 年にノーベル物理学賞を受賞した．

すべての分子間力(分子間相互作用)は究極的には**静電力**である．イオン間には**クーロン相互作用**がはたらいている．しかし，電荷をもたない分子でも極性分子は双極子をもっており，その正電荷末端と負電荷末端の間に静電引力が生じる．この相互作用を**双極子-双極子相互作用**という．極性分子の双極子は，近くにある無極性分子の電子雲をひずませ，誘起双極子をつくり出す．その結果，**双極子-誘起双極子相互作用**が生じる．さらに，無極性分子どうしの間にも，電子のはたらきによって**分散力**とよばれる引力が生じる．

原子や分子を考えるとき，価電子の状態が重要であるとしていろいろと考察してきたが，これは時間的に平均化された結果に基づいている．電子はいかなる瞬間においても互いにできるだけ遠ざかった位置をとり，その位置は分子の中で時々刻々と変化している．したがって，ある瞬間をとらえると無極性分子においても瞬間的な電子の偏りがみられ，その一時的に生じた双極子は近接する分子に作用して電子を偏らせ，双極子を誘起する．このような瞬間双極子と誘起双極子の間に静電引力が生じる．この引力相互作用が**分散力**であり，分子間の接触面積が大きく，分極率が大きいほど大きい．すなわち，分子内の電子が動きやすくひずみやすいほど相互作用が大きくなるが，一つの分子間力としては小さく，0.1〜8 kJ mol^{-1} 程度である．しかし，あらゆる分子間ではたらくので集合体全体に対しては大きなはたらきをしている．

■ 双極子-双極子相互作用，双極子-誘起双極子相互作用，および分散力をまとめて **van der Waals 力**という．

しかし，結合していない原子があまり近づきすぎると電子間の反発が生じ，不安定化の要因になる．この相互作用は **van der Waals 反発**あるいは**障害斥力**といわれる．

2.10.2 水 素 結 合

図 2.2 アルコールの水素結合

アルコールのヒドロキシ基のように，電気陰性度の大きい原子に結合している水素原子は，結合電子対の偏りによって電気的に陽性になっており，別の原子の非共有電子対と強い相互作用をもつことができる．このような分子間の引力相互作用を**水素結合**という(図 2.2)．水素結合の強さは 5〜40 kJ mol^{-1} 程度であり，分散力よりは大きいが，共有結合の強さ(210〜420 kJ mol^{-1})に比べればずっと小さい．

2.10.3 沸　点

物質は，分子間の相互作用の大きさと個別の分子の熱運動エネルギーの大きさの違いによって，固体，液体，気体の状態をとる．物質の沸点は，液体が気体に変化する温度である．液体状態では分子は互いに引力相互作用をもちながら運動しているが，気体になると分子間引力よりも分子の熱運動エネルギーのほうが大きくなり，分子はバラバラになって分子間相互作用はみられなくなる．

分子間引力が大きいほど，その結合を切って分子をバラバラにするのに大きなエネルギーを要する．大きい熱運動エネルギーを得るには温度を上げる必要がある．したがって，分子間引力が大きいほど沸点は高くなる．

静電力 electrostatic force
クーロン相互作用 Coulombic interaction
双極子-双極子相互作用 dipole-dipole interaction
双極子-誘起双極子相互作用 dipole-induced dipole interaction
分散力 dispersion force (London 分散力ともいう)
van der Waals 反発 van der Waals repulsion
障害斥力 repulsive force
沸点 boiling point

沸点の定義として，物質の蒸気圧が外部の圧力(ふつうは 1 atm)に等しくなる温度であるという表現もあるが，それに則していえば，液体状態で分子間引力が大きいほど気化しにくいので，蒸気圧は小さくなり沸点は高くなるといってもよい．

1 atm = 101 325 Pa

アルカンの沸点が分子量とともに高くなるのは，分子が大きくなるに従って分散力が大きくなるせいである．アルコールは液体状態では，分散力よりもずっと強く水素結合で**会合**しているので，同等の分子量をもつアルカンに比べて沸点が高い．水も水素結合によって強く会合しているために，その低分子量(18)に似合わず高沸点(100 °C)である．

会合 association
2 分子以上が分子間引力によって結合し，ゆるい規則性をもった集合体をつくること．アルコールは会合して図 2.2 のような集合体をつくる．

表 2.8 に，分子量 72～76 の有機化合物の沸点を比較してある．極性の比較的小さい化合物はペンタンとほぼ等しい沸点をもつが，強い水素結合をつくれるカルボン酸やアルコールの沸点は高い．

表 2.8　分子量のほぼ等しい有機化合物の沸点

化合物名	示性式	分子量	沸点/℃
ペンタン	$CH_3CH_2CH_2CH_2CH_3$	72	36.1
ジエチルエーテル	$CH_3CH_2OCH_2CH_3$	74	34.5
1-フルオロブタン	$CH_3CH_2CH_2CH_2F$	76	32.5
1-ブタノール	$CH_3CH_2CH_2CH_2OH$	74	117.3
プロパン酸	$CH_3CH_2CO_2H$	74	141
ブチルアミン	$CH_3CH_2CH_2CH_2NH_2$	73	77.8
ブタナール	$CH_3CH_2CH_2CHO$	72	75

例題 2.5

プロパン酸の沸点が，分子量のほぼ等しい 1-ブタノールの沸点よりも高いのはなぜか．

解 答　カルボン酸は，その O−H 結合がアルコールよりも強く分極しており，強い水素結合をつくることができるので沸点が高くなる．カルボン酸にはカルボニル酸素の非共有電子対もあるので，次のような二量体を形成することもできる．

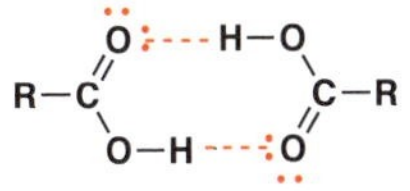

R−C(=O)−O−H ···· O=C(R)−O−H ···· (二量体構造式)

問題 2.13　炭素数 5 のアルカン C_5H_{12} の構造異性体の沸点は，$CH_3CH_2CH_2CH_2CH_3$ 36.1 °C，$(CH_3)_2CHCH_2CH_3$ 27.9 °C，$(CH_3)_4C$ 9.5 °C である．この沸点の違いを説明せよ．

2.10.4　溶 解 度

溶解度の一般的な規則として“似たものどうしはよく溶け合う”といわれている．極性分子は極性溶媒に溶けやすく，無極性分子は無極性溶媒に溶けやすい．純粋な液体では同じ種類の分子の間で相互作用をもっている．すなわち，溶ける前には**溶質**分子どうしの相互作用と**溶媒**分子どうしの相互作用で別々の純粋な液体(あるいは固体)を形成しているが，溶けた状態(**溶液**)ではそれらの相互作用に

溶解度 solubility
溶質 solute（溶ける物質）
溶媒 solvent（溶かす物質）
溶液 solution

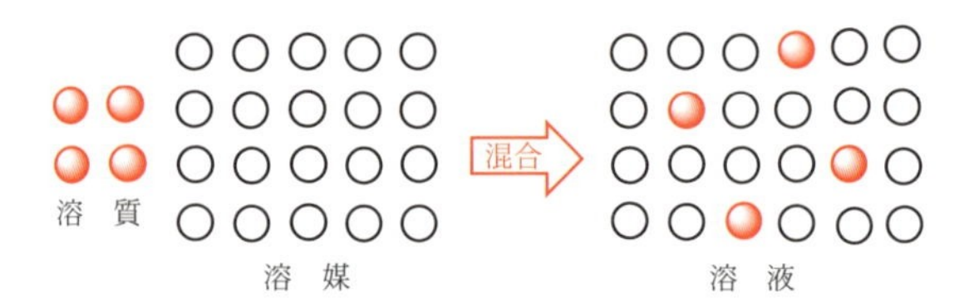

図 2.3　溶解の模式的表現

代わって新しく溶質分子と溶媒分子の間の相互作用が生じる(図 2.3).

したがって，よく溶けるということは，溶質分子と溶媒分子の引力相互作用が，溶質分子どうしおよび溶媒分子どうしの相互作用に匹敵するかそれよりも大きいということである．似たものどうしは，相手を替えても同じような相互作用をもつことができるので，よく溶け合うといえる．

ここで，図 2.4 に示すように，無極性分子が極性溶媒に溶ける場合のことを考えてみよう．極性溶媒では，極性分子どうしが双極子–双極子相互作用あるいは水素結合の強い相互作用によって液体を形成している．無極性分子は分散力しかもたないが,それが極性溶媒に溶けるときには,溶媒分子間の強い相互作用を切って無極性溶質分子と新しい相互作用をつくらなければならない．しかし，それは弱く，極性溶媒分子どうしの強い相互作用に代わることはできない．無極性分子は極性分子に対しても分散力しかもてないからであり，これが溶解性の乏しい理由である．アルカンが水と混ざり合わないのは，無極性のアルカンが水分子間の水素結合に代わる強い相互作用を水分子に対してもつことができないからである．

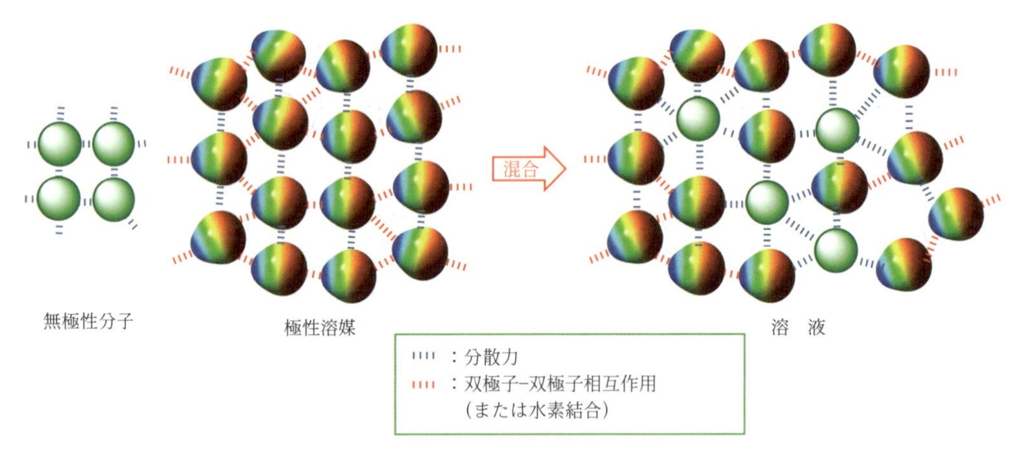

図 2.4　無極性分子が極性溶媒に溶けた場合の相互作用

無極性分子が極性溶媒中に入ると，もとの極性溶媒分子どうしの強い相互作用を部分的に切断することになり，エネルギー的に不利な過程となるので，実際にはあまり溶けない．

アルコールのアルキル部分はアルカンと似た無極性の性質をもっているが，ヒドロキシ基は水と同じように水素結合を形成できる．分子量の小さいアルコールはおもに OH の性質が現れて水に溶けるが，アルキル基が大きくなるとアルキル部分がアルコールの主要部分になり，アルカンの性質に似てくる．すなわち水に溶けにくくなる．

問題 2.14　最も小さいケトンのプロパノンは水とよく混ざる．その理由を説明せよ．

2.10.5　イオン性化合物の溶解

イオン性化合物は，溶液中ではカチオンとアニオンに解離する(**解離イオン**)か，静電引力によって**イオン対**になっている．静電引力は溶媒の**誘電率**によって弱まるので，誘電率の大きい(極性の)溶媒中では，イオン対は解離する傾向になる．

解離したイオンは極性溶媒とイオン–双極子相互作用をもつ．この相互作用によって溶媒分子の極性がさらに大きくなるので，他の溶媒分子との双極子–双極子相互作用は強められる．また，カチオンは Lewis 酸として，アニオンは Lewis 塩基として溶媒分子と相互作用し，いわゆる**溶媒和**によって安定化される．図 2.5 に水溶液における溶媒和のようすを示す．アニオンは，プロトン性溶媒によって水素結合で強く安定化される．

誘電率 ε が大きいと，クーロンポテンシャルを表す次式からわかるように，静電相互作用が弱まる．

$$u=Z_1Z_2e^2/\varepsilon r$$

(分母の r は電荷間距離，分子は電荷の積を表す．)

Lewis 酸・塩基については 6.1.2 項参照．

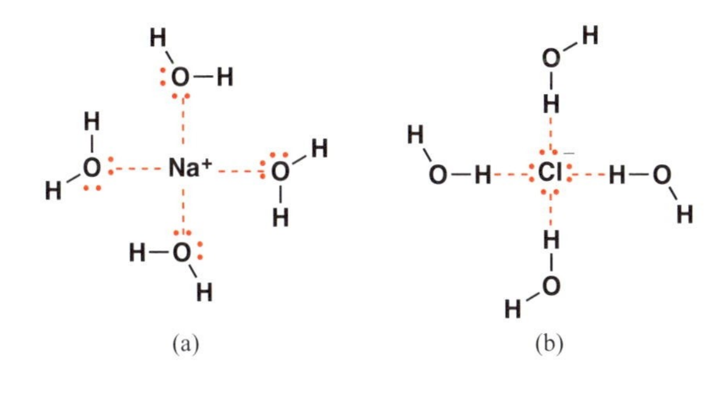

図 2.5　カチオン(Na^+)とアニオン(Cl^-)の水による溶媒和
(a) 電子対供与によるカチオンの溶媒和，(b) 水素結合によるアニオンの溶媒和．溶媒分子はイオンのまわりを三次元的に取り囲んでいる．

➡ ウェブノート 2.2　クロマトグラフィー
分子間相互作用の違いにより混合物を分離する方法

問題 2.15　ホルムアミド $HCONH_2$ がイオン性化合物のよい溶媒になるのはなぜか．

解離イオン　dissociated ion
イオン対　ion pair
誘電率　dielectric constant
溶媒和　solvation

ま　と　め

- 有機分子の特性を決める原子の集まりを**官能基**といい，それに基づいて有機化合物を分類する．官能基は化学反応を起こす部位でもある．
- **酸化数**は，共有結合電子対が 2 個とも電気的に陰性な原子のほうに所属するものとして計算した，原子の電荷に相当する．
- 有機化合物の系統的名称は **IUPAC 規則**に基づいてつける．**IUPAC 名**は図 2.1 に示したように組み立てられており，炭素数と主官能基によって基本名をつけ，その置換体として命名する．
- 分子は分子間の弱い相互作用によって集合体として存在する．おもな**分子間相互作用**は van der Waals 力と水素結合である．
- 分子間相互作用によって化合物は液体や固体の状態をとり，沸点や溶解性も分子間相互作用に依存する．

章末問題

問題 2.16　問題 2.1 にあげた化合物の分子式を書け．

問題 2.17　次の記述にあう化合物の構造を示し，それぞれの IUPAC 名を書け．

(a)　分子式 C_4H_{10} の直鎖アルカン

(b)　分子式 C_4H_{10} の分枝アルカン

(c)　分子式 C_4H_8 のシクロアルカン

(d)　分子式 C_4H_8 のアルケン

問題 2.18　次の記述にあう化合物の構造を示し，それぞれの IUPAC 名を書け．

(a)　分子式 C_3H_8O のアルコール

(b)　分子式 C_3H_8O のエーテル

(c)　分子式 C_3H_6O のアルデヒド

(d)　分子式 C_3H_6O のケトン

問題 2.19　次の記述にあう化合物の構造を示し，それぞれの IUPAC 名を書け．

(a)　分子式 $C_3H_6O_2$ のカルボン酸

(b)　分子式 $C_3H_6O_2$ のエステル

問題 2.20　分子式 C_4H_9Cl をもつハロアルカンの構造をすべて示し，第一級，第二級，または第三級に分類せよ．さらに，それぞれの IUPAC 名を書け．

問題 2.21　問題 2.6 で答えた分子式 $C_4H_{11}N$ の第二級アミンの構造異性体となる第一級アミンと第三級アミンの構造を示せ．

問題 2.22　次の記述にあう化合物の構造を示せ．

(a)　分子式 C_5H_8 のジエン

(b)　分子式 C_5H_8 の環状アルケン

(c)　分子式 C_5H_8 のアルキン

問題 2.23　次の化合物には慣用名がつけてある．それぞれ正しい IUPAC 名を書け．

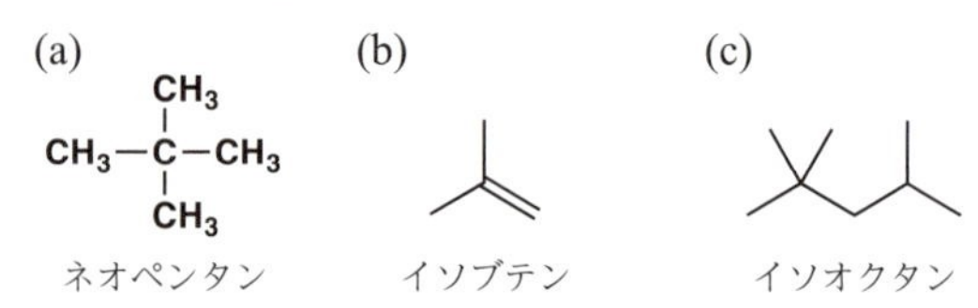

ネオペンタン　　イソブテン　　イソオクタン

(d)　　(e)　　(f)

OH　　O　　Cl　Cl—C—Cl　Cl

イソブチルアルコール　　メチルエチルケトン　　四塩化炭素

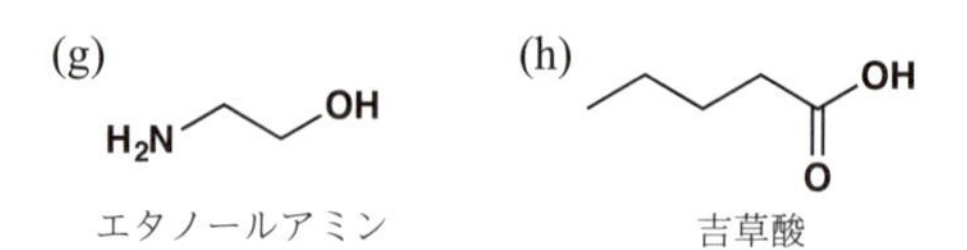

エタノールアミン　　吉草酸

問題 2.24　炭素数 4 の二つのアルコールのうち，2-メチル-2-プロパノールは水とよく混ざるが，1-ブタノールは水に少し溶けるだけである（表 2.3 参照）．この違いを説明せよ．

問題 2.25　エタン酸とメタン酸メチルは構造異性体であるが，その沸点は大きく異なり 32 °C と 118 °C である．沸点の高い異性体はどちらか．沸点が高い理由とともに答えよ．

3 分子のかたちと混成軌道

ダイアモンド構造(後藤良二作・美ヶ原高原美術館)

【基礎となる事項】
・原子軌道(1.1 節)
・共有結合(1.2 節)
・Lewis 構造式(1.3 節)
・官能基と有機化合物の種類(2 章)
・構造異性体(2.2 節)

【本章で学ぶこと】
・有機分子のかたちを決めるもの：VSEPR モデル
・分子軌道による結合の表現
・混成軌道
・メタン，エテン，エチンの結合
・σ 結合と π 結合
・アルケンのシス・トランス異性体

これまで有機分子の構造を Lewis 構造式で表し，単に原子を結合線で結んだ平面的なかたちで示してきた．しかし実際には，これまでも分子模型で示したように，分子は三次元的なかたちをしている．そのかたちはどのようなもので，なぜそのようなかたちになるのだろうか．2 章で述べたように，非結合性相互作用は本質的に静電力に基づいている．分子の三次元構造も主として電子対間の静電反発に基づいて決まっており，結合は軌道の重なりでできる．その軌道のかたちによって分子のかたちが説明できる．s 原子軌道と p 原子軌道が混成して新しいかたちの原子軌道をつくり，2 種類の共有結合，σ 結合と π 結合を形成し，有機分子の多様な構造を組み立てている．

四配位の炭素を男性像で表せば，ダイヤモンドの構造はこの彫刻のようなかたちになる

3.1 分子のかたち

一つの原子に二つ以上の原子が結合すると，それらの結合のなす角度(結合角という)が分子のかたちを決めることになる．結合角を予想する簡単なモデルがある．原子価殻電子対反発(VSEPR)モデルである．

■ 原子の価電子は，単結合，二重結合あるいは三重結合を形成するのに使われるか，非共有電子対として残っている．これらの電子密度の高い空間領域は，互いに静電的に反発するので，原子のまわりでできるだけ遠ざかろうとする．これが有機分子のかたちを決定する．

VSEPR モデルは 1939 年に槌田龍太郎(大阪大学)によってはじめて提案された．1940 年に英国の N. Sidgwick と H. Powell によっても独立に同じような考え方が出され，1950 代に R. Gillespie や R. S. Nyholm によって改良され，広められた．

結合角 bond angle
原子価殻電子対反発モデル
valence-shell electron-pair repulsion (VSEPR) model

3.1.1　四面体形構造

■　ある原子のまわりに電子密度の高い領域が四つあると四面体形になる.

メタンの予想されたかたちは，実際に観測されたものと一致している．C−H 単結合の長さは 110 pm であり，1.1 Å（オングストローム）と表すことも多い．原子を球で表し，結合を棒で表してつないだ分子のモデルは球棒分子模型（ball-and-stick molecular model）といわれ，電子の広がりを考慮して表したモデルは空間充填模型（space-filling molecular model）とよばれる．

メタンの EPM

たとえば，メタン CH_4 は炭素のまわりに四つの単結合をもつので，結合電子対からなる四つの電子密度の高い領域をもっている．VSEPR モデルによると，これらの 4 領域は炭素を中心にして放射状に三次元的に広がる．その結果，メタン分子は正四面体形になると予想され，結合角は 109.5° になり，図 3.1 のように表される．

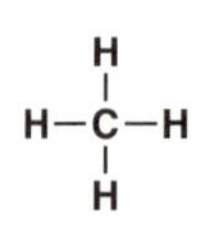

(a) Lewis 構造式

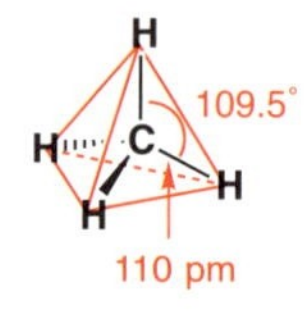

(b) 三次元式

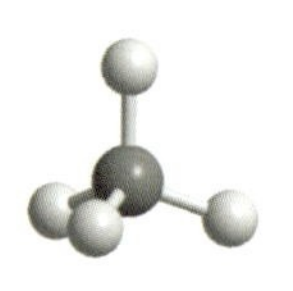
(c) 球棒分子模型

(d) 空間充填模型

図 3.1　メタン CH_4 の分子構造

このように，Lewis 構造式から電子密度の高い領域が四つあることがわかれば，その 4 領域は四面体形になると予想できる．

3.1.2　平面三方形構造

■　ある原子のまわりに電子密度の高い領域が三つあると平面三方形になる.

VSEPR モデルによれば，三つの電子密度の高い領域は平面状に 120° の角度をなして広がるのが好都合である．このようなかたちを平面三方形という．エテンやメタナール（ホルムアルデヒド）の炭素がこのかたちになっている（図 3.2）．ただ，非対称性のために H−C−H 結合角は 120° より小さくなっている．二重結合には 4 個の電子が関与しているが，VSEPR モデルでは一つの電子密度領域として扱う．また，非共有電子対も一つの電子密度領域になる．

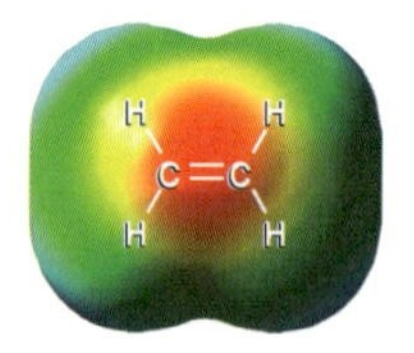

エテンの EPM

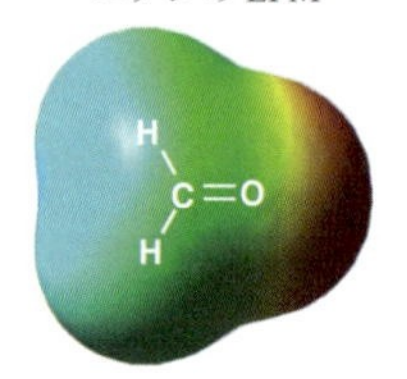

メタナールの EPM

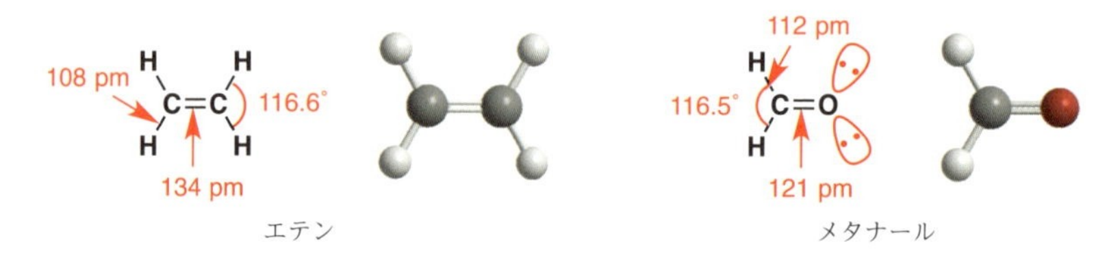

図 3.2　エテンとメタナールの分子構造

3.1.3　直 線 構 造

■　ある原子のまわりに電子密度の高い領域が二つだけあるときには直線形になる.

エチン（アセチレン）や二酸化炭素の炭素のまわりには電子密度の高い領域が二つだけある．この 2 領域は 180° の角度で直線形になるはずである（図 3.3）．エチンの場合には三重結合が一つの電子密度領域となり C−H 結合と直線状になっている．二酸化炭素では二つの C=O 二重結合が電子密度の高い 2 領域になっている．

四面体形（または正四面体形）　tetrahedral
平面三方形　trigonal planar
直線形　linear

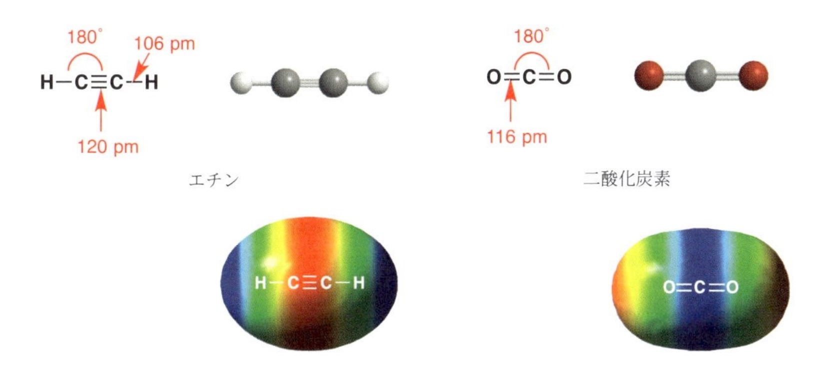

図 3.3 エチンと二酸化炭素の分子構造

例題 3.1

VSEPR モデルによって (a) アンモニア NH_3 と (b) メチルカチオンのかたちを予想せよ.

解 答 (a) NH_3 の Lewis 構造式によると，N のまわりには三つの N−H 結合と 1 組の非共有電子対があるので，四つの電子密度の高い領域をもつ．したがって，VSEPR モデルによれば，アンモニア分子は非共有電子対も含めて四面体形になると予想される．実際には電子対は観測されないので，NH_3 は三角錐形であるというべきであろう．H−N−H 結合角は約 109.5° と予想されるが，測定値は 106.7° である．この結合角が予想値よりも小さいのは，四面体の一角を占める N 上の非共有電子対が隣接の電子対と，結合電子対どうしよりも強く反発するからであると説明される．

分子模型に非共有電子対を書き入れたが，これは実際には観測できるものではない．

アンモニアの EPM

(b) メチルカチオン CH_3^+ の炭素のまわりの電子密度の高い領域は，三つの結合をつくる 3 領域だけである．したがって，この炭素カチオンは平面三方形であり，結合角は 120° になる．

問題 3.1 次の分子の炭素原子の結合角を予想せよ.
(a) CH_2Cl_2 (b) CH_3OH (c) HCO_2^- (d) HCN

3.2 共有結合の軌道モデル

これまで，Lewis のモデルに従って共有結合が 2 電子を共有してできることを説明し，VSEPR モデルを使って結合角も予想できることを示した．しかし，これらのモデルでは二重結合の 2 組の結合電子対を区別することはできないし，その化学反応性の違いも説明できない．

共有された 2 組の結合電子対はどのようになっているのか．この節では，共有結合の軌道モデルについて説明する．

- **二つの原子は，原子軌道の重なりによって分子軌道を形成し，結合性分子軌道と反結合性分子軌道をつくる．結合性分子軌道に 2 電子収容することによって共有結合ができる．**

3.2.1 原子軌道のかたち

1.1.2 項で，原子の電子は s 軌道や p 軌道の原子軌道(AO)に入っていると述べた．そして，軌道とは電子の存在可能な空間領域のことであると説明した．

では，軌道のかたちを表すにはどうしたらよいのだろうか．軌道に含まれる電子の存在確率を図の濃淡で示した**電子雲**として描くか，その 95% を含む空間領域の境界表面を書いて表すことが多い．このように表すと，**s 軌道**は原子核を中心とする球形になる(図 3.4)．1s 軌道が一番小さく，2s 軌道，3s 軌道となるに従って大きい球形になる．しかし，元素によって中心の原子核の正電荷が大きくなるほど電子が引きつけられて，電子の存在領域は小さくなり，軌道は小さくみえる．

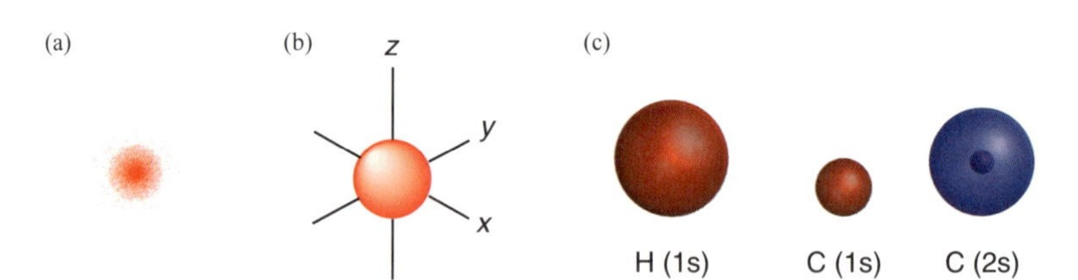

図 3.4 s 軌道
(a) 電子雲による表示．(b) s 軌道の球形モデル．(c) H の 1s 軌道と C の 1s および 2s 軌道の理論計算に基づく相対的な大きさ．2s 軌道には，価電子の広がりの内側に球状の節面がある．

p 軌道は二つの球が接したようなかたちをしている．3 種類の縮退した p 軌道(p_x，p_y，p_z 軌道)があり，互いに直交している(図 3.5)．それぞれのローブは，電子の存在確率を表す数学的な表現(波動関数)において符号が異なる(位相が異なる)ので違う色で表してある．符号の切り替わる境界は**節面**(あるいは節*)とよばれ，電子の分布はゼロである．符号の異なる軌道の領域は**逆位相**であるといわれ，同じ符号の領域は**同位相**であるといわれる．

* 化学者はふつう“せつ”と読むが，物理・数学分野では“ふし”と読まれている．

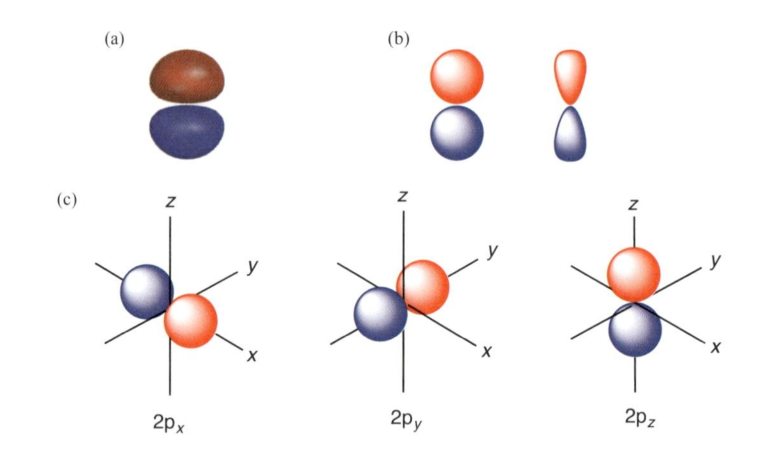

図 3.5 2p 軌道
(a) 理論計算によって得られた 2p 軌道のかたち．(b) 2 種類のモデル表現．(c) 互いに直交した三つの 2p 軌道のモデル表現．

(b)の右のように縦に伸びたモデル表現がよく用いられるが，実際のかたちとはかなり異なる．

3.2.2 原子軌道の重なりと分子軌道

軌道モデルによると，ある原子の AO が別の原子の AO と部分的に重なり合うことによって共有結合ができる．

■ **二つの AO が重なり合って結合ができると分子軌道(MO)よばれる新しい軌道が二つ形成される．**

そのうちエネルギーの低い軌道に 2 電子(逆スピンをもつ)が収容される．

最も簡単な例で示すと，水素分子 H_2 が水素原子からできるときには 2 個の H の 1s 軌道が重なり合って H_2 の MO ができる．すなわち，二つの軌道から二つ

原子軌道 atomic orbital (AO と略す)
電子雲 electron cloud
s 軌道 s orbital
p 軌道 p orbital
位相 phase
節，節面 node (nodal plane)
逆位相 out-of-phase
同位相 in-phase
分子軌道 molecular orbital (MO と略す)

の新しい MO ができる．一つはもとの AO のエネルギーよりも低エネルギーの MO であり，その MO に 2 電子が入ることによって安定になった分だけ，結合エネルギーが生じる(図 3.6)．

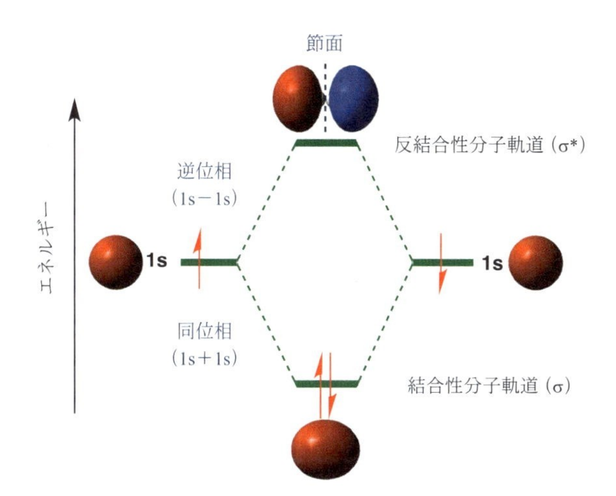

図 3.6　原子軌道の重なりによる H−H 結合の形成

- エネルギーの低いほうの MO を**結合性分子軌道**といい，電子が詰まっている軌道は**被占軌道**という．もう一つの不安定な MO は**反結合性分子軌道**とよばれ，電子は入っていないので**空軌道**である．

空軌道は，電子が入っていないので，結合エネルギーには影響しない．

結合性 MO ができるのは，**同位相**の AO の組合せであり，できた軌道に含まれる電子は 2 原子の間に分布している．すなわち，AO の重なりによって結合ができるといえる．一方，反結合性 MO をつくる AO の組合せは**逆位相**であり，2 原子間に電子の存在確率がゼロの領域(節面)をもつ．この軌道に電子が入ると不安定化し反発相互作用が生じ，結合切断の原因になる．

このように二つの原子核を結ぶ軸に沿って軌道が重なってできた MO は，結合軸を対称軸として円筒対称になっている(図 3.7)．

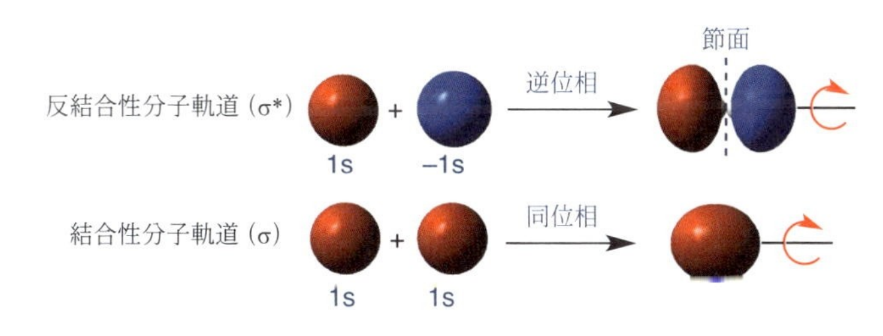

図 3.7　σ 結合
結合軸のまわりに回転しても分子軌道のかたちは変化しない．

- 円筒対称の MO を **σ(シグマ)軌道**といい，その結合性軌道に 2 電子が入ってできる結合を **σ 結合**という．

He_2 分子ができない理由

2 個のヘリウム原子が互いに近づいてその 1s 軌道が相互作用を起こすと，H_2 分子の場合と同じような MO ができるはずである．しかし，He 原子はもともと 2 電子もっているので，その MO に 4 電子を収容することになる．図に示すように，結合性 MO だけでなく反結合性 MO も電子で満たされてしまうので不安定になり，He−He 結合はできないことになる．すなわち，He_2 分子は不安定で形成されない．

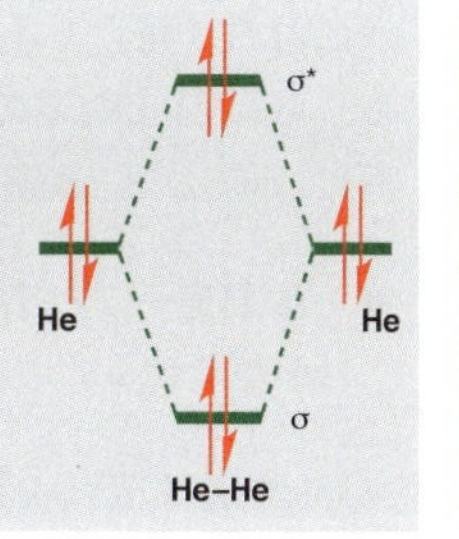

結合性(分子)軌道　bonding (molecular) orbital
反結合性(分子)軌道　antibonding (molecular) orbital
被占軌道　occupied orbital
空軌道　vacant orbital (unoccupied orbital)
σ 軌道　σ orbital
σ 結合　σ bond

＊ 結合は熱運動によって常に伸び縮み（伸縮振動）している（ノート 4.1 参照）．その平均値を結合距離とする．

軌道の重なりによる結合力と原子核どうしの反発との釣合いで，共有結合している原子核間の距離はほぼ一定の範囲にあり，その平均値＊を結合距離という．H－H の結合距離は 74 pm である．

3.3　原子軌道の混成

分子中の結合を，わかりやすく二つの原子の AO の重なりで表現するときに，孤立した原子の AO で表すことができない場合にも"混成軌道"を用いれば表すことができる．その混成軌道がもとの 2s 軌道や 2p 軌道が混ざり合ったかたちになるというのが，Pauling の提案した混成の原理である．混成軌道は，孤立した状態の原子には存在しないが，分子中の σ 結合を AO の重なりで表すために考えられた仮想的な原子軌道（AO）の一つとみることができる．

炭素や酸素のような第 2 周期の原子が結合をつくるときには，2s と 2p AO を使う．三つの 2p 軌道は互いに 90° の角度をなしている（図 3.5）ので，これらの軌道を使って結合をつくった場合には，その原子のまわりの結合角は 90° になるはずである．しかし，有機分子の構造には 90° の結合角はほとんどみられない．メタン，エテン，エチンの結合角は，それぞれ 109.5°，約 120°，180° である．

これらの結合角を説明するために，Pauling は混成軌道という考え方を提案した（1931 年）．分子の中で結合をつくっている原子軌道は，孤立した原子の s や p 軌道とは違うかたちになっており，その新しい AO をもとの s 軌道と p 軌道で表現すると，それらが混じり合って（混成して）できたものと考えることができる．

3.3.1　3 種類の混成軌道

混成軌道は同じ殻の AO からできる．3s と 3p 軌道も混成軌道をつくる（さらに 3d 軌道が含まれることもある）．

■ 2s 軌道一つと 2p 軌道一つが組み合わさって混成すると，二つの sp 混成軌道ができる．

二つの sp 混成軌道は等価であり，エネルギーもかたちも等しい．しかし，図 3.8 に示すように，直線上で逆向きになっている．p 軌道と同じように位相の違う二つのローブからできているが，その大きさは大きく異なる．sp 混成炭素にはもう二つ直交した 2p 軌道が残っていることに注意しよう．

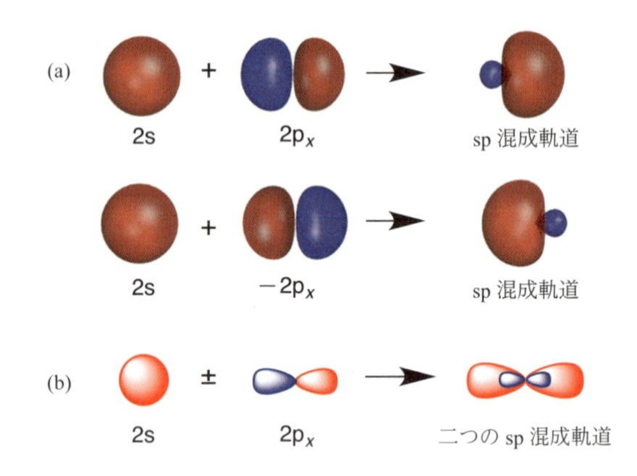

図 3.8　sp 混成軌道のかたち　(a) 理論計算によって得られた sp 軌道．(b) 模式的な表現．

3 種類の混成軌道のかたちはよく似ているが，二つのローブの相対的な大きさが違う．

■ 2s 軌道一つと 2p 軌道二つが混じり合うと三つの等価な sp^2 混成軌道ができる．

これら 3 個セットの軌道は 120° の角度で平面をなしている（図 3.9a）．すなわち，この混成軌道によって，平面三方形の結合が説明できる．その平面（xy 平面）に垂直な 2p 軌道が一つ（$2p_z$）残っている．

■ 2s 軌道一つと 2p 軌道三つすべてが組み合わさると，四つの等価な sp^3 混成軌道ができる．

結合距離　bond distance
（結合長　bond length ともいう）
混成軌道　hybrid orbital
混成　hybridization

sp^3 軌道は常に 4 個セットで各軌道は等価なので，109.5° の角度をなして三次元空間に広がっており(図 3.9b)，四面体形の結合をつくる．理論計算で求めた sp^2 混成軌道と sp^3 混成軌道のかたちを一つずつ前ページの欄外に示す．

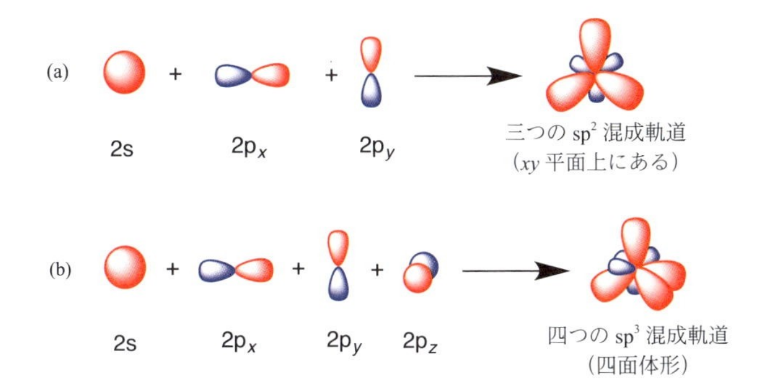

図 3.9 sp^2 混成軌道(a)と sp^3 混成軌道(b)の模式図

3.3.2 混成軌道の s 性とエネルギー

それぞれの混成軌道のエネルギーは，その成分となっている 2s と 2p 軌道の加重平均になる(図 3.10).

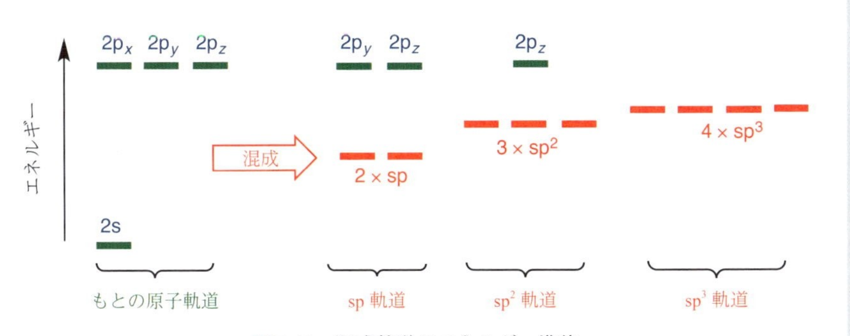

図 3.10 混成軌道のエネルギー準位

混成軌道のエネルギー
2 原子間の AO の重なりによって結合性と反結合性の MO を形成して結合をつくり，結合性軌道だけに電子が入る場合と違って，一つの原子内で AO が混じり合って混成軌道をつくる場合には全エネルギーの変化はない．したがって，孤立した原子の中で混成軌道を考える意味はない．AO の重なりによる σ 共有結合を別々に考えて分子を組み立てて，正しい分子のかたちをつくるために考案された原子軌道が混成軌道であり，一つの単純化された理論であるといえる．

■ **混成軌道に対する s 軌道の割合を軌道の s 性(または s 軌道性)といい，s 性が大きいほど混成軌道のエネルギーは低く，軌道の広がりも小さくなっている．**

s 性が大きいほど混成軌道は原子核からの平均距離が短いので，結合距離にも影響を及ぼす．たとえば，3.1 節にも出てきたように，エタン，エテン，エチンの C−H 結合は，sp^3 C−H(110 pm) > sp^2 C−H(108 pm) > sp C−H(106 pm)の順に短い．炭素の s 性が大きいほど結合距離は短くなっている．C−C 単結合にも同様の影響がみられる(章末問題 3.14 参照).

結合距離

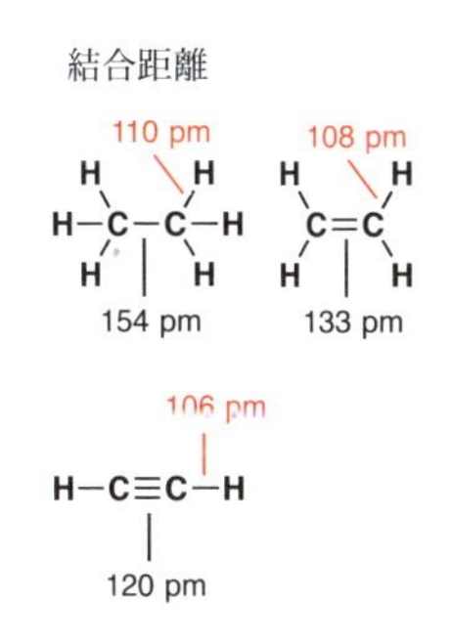

問題 3.2 混成軌道の s 性は % で表すこともできる．sp^3，sp^2，sp 混成軌道の s 性はそれぞれ何 % といえるか．

3.4 メタンの結合

メタンは正四面体構造をもっており，炭素の sp^3 混成軌道を使って結合を形成している．C−H 結合は C の sp^3 混成軌道と H の 1s 軌道の重なりででき，正四面体形になる(図 3.11).

s 性 s character

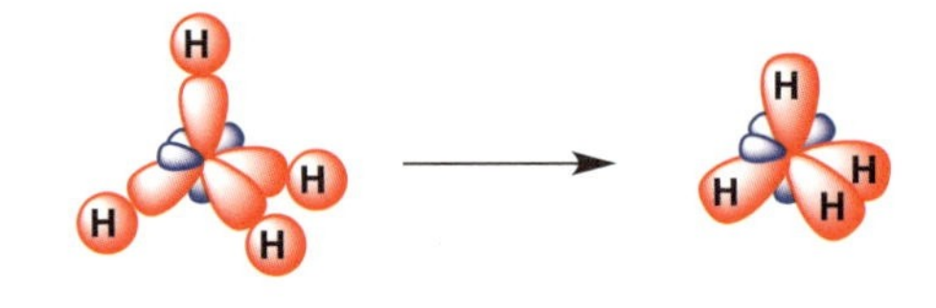

図 3.11　メタンの分子軌道
四つの sp^3 混成軌道と 4 個の H の 1s 軌道の重なりでメタンの分子軌道ができる．

メタンの分子模型と EPM

四つの C−H 結合はそれぞれ σ 結合であり，同位相の重なりによってできた結合性 σ MO に 2 電子が入って形成される．同時に，逆位相の重なりによってできた反結合性 σ* MO がある．理論的に計算された軌道のかたちを図 3.12 に示す．結合性 σ MO には節面が一つしかないが，反結合性 σ* MO には二つある．

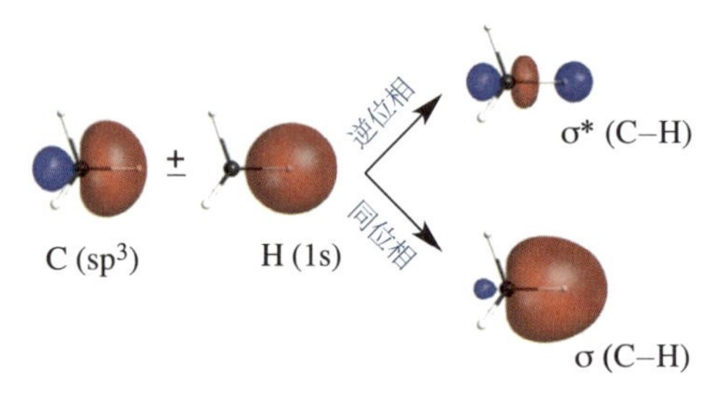

図 3.12　メタンの C−H σ 結合の分子軌道
分子模型の上に軌道を示してある．

問題 3.3　エタンと四塩化炭素 CCl_4 の結合をつくる MO は，それぞれどのような AO (混成軌道あるいは混成していない軌道)の重なりによって形成されているか．

3.5　エテンの結合

エテンの二つの炭素は平面三方形であり，その結合は平面内に 120° の角度で広がっている **sp^2 混成軌道**(図 3.9a)を使ってできる．混成に使われた軌道が $2p_x$ と $2p_y$ 軌道であれば混成軌道は xy 平面にあり，混成に使われなかった $2p_z$ 軌道が，その平面に垂直な軌道として残っている．

エテンにおいては，それぞれの炭素の sp^2 軌道どうしが正面(軸方向)から重なることによって C−C σ 結合を形成し，残りの二つの sp^2 混成軌道と水素の 1s 軌道の重なりで C−H σ 結合を二つずつ形成している(図 3.13)．

こうしてできた二つの平面三方形炭素(CH_2)が同一平面(xy 面)になると，それぞれの $2p_z$ 軌道が平行に並んで側面から重なり合うことができる．この重なりに

ノート 3.1　ライナス・ポーリングの業績

Linus C. Pauling(1901～1994)は米国オレゴン州に生まれた．1920 年代後半から 1930 年代，量子力学に基づいて化学結合の性質に関する研究を進め，共有結合の軌道表現，電気陰性度，混成軌道，共鳴理論など有機化学の基礎となる概念を提唱し，1939 年に『化学結合論(The Nature of Chemical Bond)』の著作にまとめた．これらの業績に対して 1954 年度ノーベル化学賞が授与された．また，X 線結晶構造解析に基づく生体分子の構造にも興味をもち，タンパク質の二次構造，α ヘリックスと β シート構造を発見したことでも有名である．核兵器廃絶の運動にもかかわり，1981 年にはノーベル平和賞を受賞した．

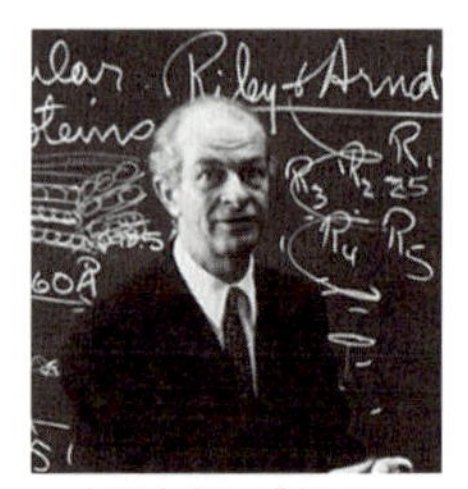

大阪大学で講義する Pauling(1955 年)

図 3.13 エテンの結合と分子軌道

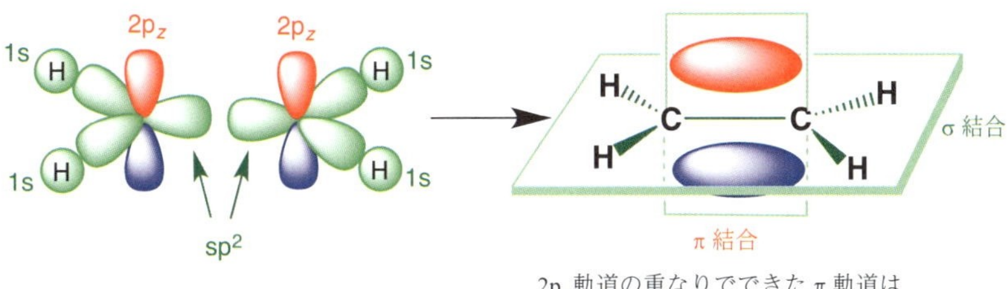

2p$_z$ 軌道の重なりでできた π 軌道は
分子平面の上下に広がっている.

よってできた分子軌道は xy 面に節面をもっており，結合性 MO に電子が入ると，図 3.13 の右に示すようにこの節面の上下に広がる.

■ **このように節面をもつ MO は π (パイ) 軌道とよばれ，生成した結合を π 結合という.**

結合性 π MO に入った 2 電子は，1 電子が上面のローブに入り，もう 1 電子が下面のローブに入るというように区別されるわけではない. 2 電子は等しく分子面の上下に分布している.

したがって，エテンの二つの炭素は sp^2–sp^2 軌道の重なりによる σ 結合と 2p$_z$–2p$_z$ 軌道の重なりによる π 結合の二つからなる**二重結合**を形成している.

図 3.14 エテンの π 分子軌道のエネルギー図

2p −2p π* 節面
節面
反結合性
π* MO
逆位相
エネルギー
2p 2p
非結合性
反結合性
結合性
同位相
結合性
π MO
節面
2p 2p π

二つの 2p$_z$ 軌道の側面からの重なりでできた二つの MO は図 3.14 のようになる.

2p$_z$ 軌道の側面からの重なりは，二つが平行のときに最も大きい. 図 3.15 に示すように，C−C 結合まわりの回転が起こると π 結合は弱くなり，90° 回転する

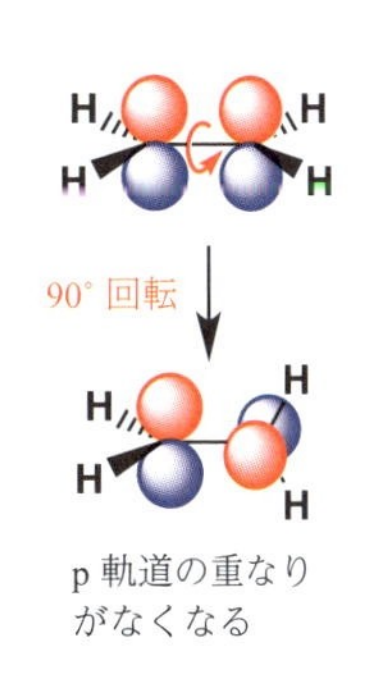

図 3.15 二重結合の回転

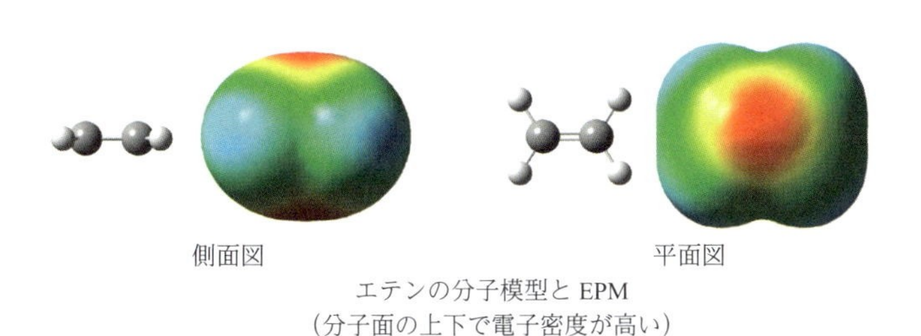

エテンの分子模型と EPM
(分子面の上下で電子密度が高い)

π 軌道 π orbital
π 結合 π bond
二重結合 double bond

と 2p 軌道の重なりはなくなる．この回転には π 結合エネルギーに相当する約 280 kJ mol^{-1} を要する．これは大きなエネルギーであり，通常の条件では二重結合の回転は起こらない．

例題 3.2

エタナール（アセトアルデヒド）分子に含まれる炭素の混成状態を示し，結合を形成している原子軌道の種類を明らかにせよ．また，結合の種類についても述べよ．

解 答　Lewis 構造式を書いて VSEPR モデルによって結合角と混成状態を予想する．p 軌道どうしの結合は π 結合であり，その他の結合は σ 結合になる．

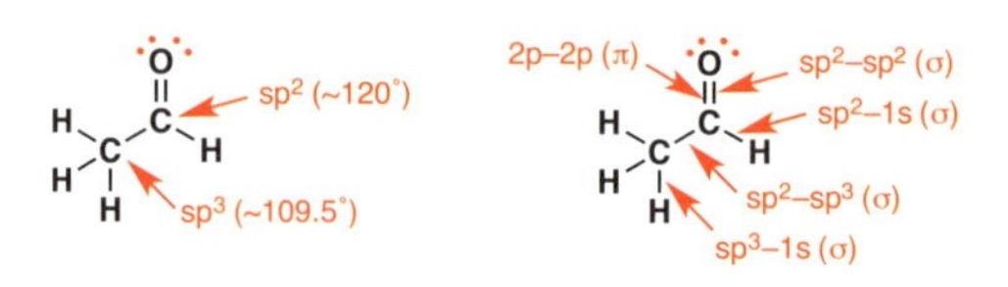

問題 3.4　メタナール（ホルムアルデヒド）の分子軌道が原子軌道からどのようにできているか説明せよ．

3.6　エチンの結合

エチンは直線形の分子であり，sp 混成軌道（図 3.8）を使って H−C−C−H の骨格をつくっている．二つの炭素には混成に使われなかった互いに直交した 2p 軌道が 2 組あり，sp 混成軌道とも直交している．

エチンの C−C 結合は，sp 混成軌道どうしの重なりでできた σ 結合と直交した二つの π 結合からなる三重結合である（図 3.16）．二つの π 結合は 2 組の直交した 2p 軌道（たとえば，平行な二つの $2p_y$ 軌道と二つの $2p_z$ 軌道）の重なりで形成されている．$2p_y$ 軌道で形成された π 軌道は *xz* 面（図 3.16 では紙面）に，$2p_z$ 軌道で形成された π 軌道は *xy* 面内に節面をもっている．C−H 結合は，炭素のもう一つの sp 混成軌道と H の 1s 軌道の重なりでできた σ 結合である．

図 3.16　エチンの結合と分子軌道

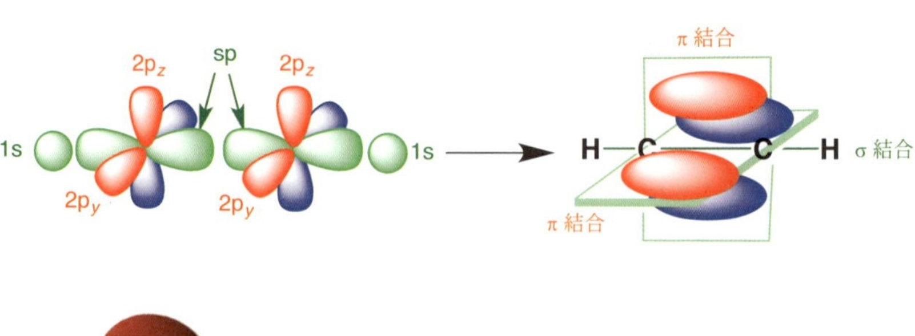

エチンの直交した二つの π 軌道（理論計算による）

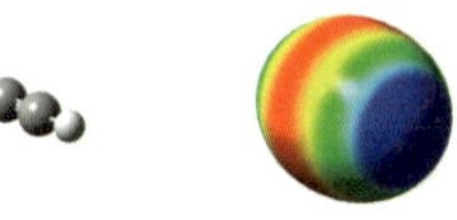

エチンの分子模型と EPM
EPM は分子軸まわりに対称に電子が分布していることを示している．

三重結合 triple bond

例題 3.3

プロパジエン(アレン)$CH_2=C=CH_2$ の結合を説明せよ．

解 答 二つの末端炭素は sp^2 混成で，真ん中の炭素は sp 混成である．真ん中の炭素は sp 軌道を使って両端の炭素の sp^2 軌道と重なって σ 結合をつくり，2 組の直交した 2p 軌道で直交した π 結合をつくる．末端の CH 結合は C の sp^2 軌道と H の 1s 軌道の重なりで形成された σ 結合である．両端の CH_2 基は互いに 90° の平面をつくっている(欄外の分子模型はそのようすを示している)．

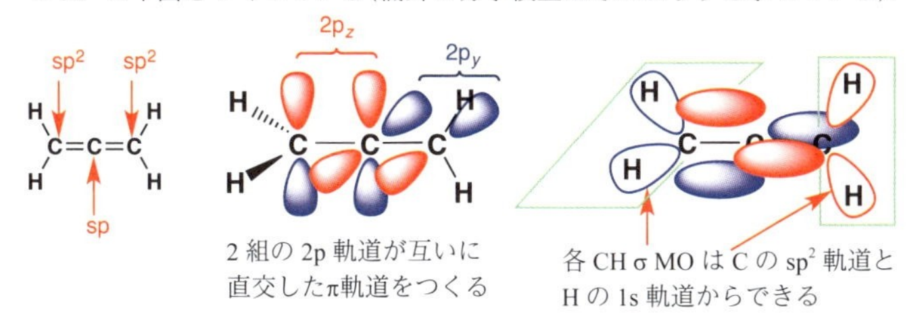

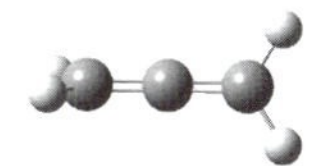

分子模型

問題 3.5 次の分子またはイオンに含まれる炭素の混成状態を示し，結合を形成している AO の種類を明らかにせよ．また，結合の種類についても述べよ．

(a) CH_2Cl_2 (b) CH_3^+ (c) $H_2C=C=O$

問題 3.6 次の分子に含まれる炭素と窒素の混成状態を示し，結合を形成している AO の種類を明らかにせよ．また，結合の種類についても述べよ．

(a) $CH_3CH=CH_2$ (b) CH_3NH_2 (c) HCN

3.7 構造異性体と立体異性体

同じ分子式をもちながら異なる分子を異性体という．原子の結合順が異なるような異性体を構造異性体ということは，すでに 2.2.1 項で述べた．

- **結合順が同じであるにもかかわらず，原子の空間的な配置が固定されているために異なるかたちになっているものは立体異性体とよばれる．**

3.7.1 シス・トランス異性

最も簡単な立体異性の一つは，アルケンの C=C 二重結合が回転できないために生じるシス・トランス異性である．たとえば，2-ブテンには二つのメチル基が二重結合の同じ側にあるものと反対側にあるものがある．これらは立体異性体であり，二つの置換基が二重結合の同じ側にあるものをシス異性体といい，反対側にあるものをトランス異性体という．すなわち，*cis*-2-ブテンと *trans*-2-ブテンの異性体が存在する．シス・トランス異性は二重結合が回転できないために，アルケンに一般的にみられる立体異性である．

シス・トランス異性は，かつては幾何異性 geometrical isomerism ということが多かったが，今ではこの用語は推奨されない．

構造異性体 constitutional isomer
立体異性体 stereoisomer
シス・トランス異性 *cis*-*trans* isomerism
シス異性体 *cis* isomer
トランス異性体 *trans* isomer

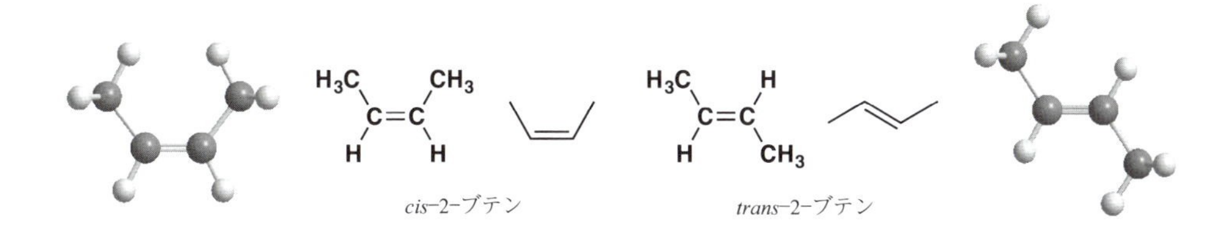

cis-2-ブテン　*trans*-2-ブテン

3.7.2　シス・トランス異性体の *E*, *Z* 命名法

2-ブテンのような単純な二置換アルケンのシス・トランス異性体はシスまたはトランスで命名できるが，三置換あるいは四置換アルケンにはこの命名法は通用しない．たとえば，3-メチル-2-ペンテンの二つの異性体はどう命名したらよいだろうか．**1** の主鎖はトランスになっているが，二つのメチル置換基はシスの関係にある．トランスとよぶべきか，シスとよぶべきか？ このような問題を避けるために *E*, *Z* 命名法を使う．

H　CH_2CH_3 / C=C / CH_3　CH_3　**1**

H　CH_3 / C=C / CH_3　CH_2CH_3　**2**

3-メチル-2-ペンテンの立体異性体

■ *E*, *Z* 命名法では，まず二重結合炭素それぞれに結合している二つの置換基の優先順を決める．そして，優先順の高い基どうしが二重結合の同じ側にあるときには *Z*（ドイツ語の *zusammen* に由来する），反対側にあるときは *E*（ドイツ語の *entgegen* に由来）と表示する．

ドイツ語の zusammen は“一緒に”を，entgegen は“反対に”という意味である．

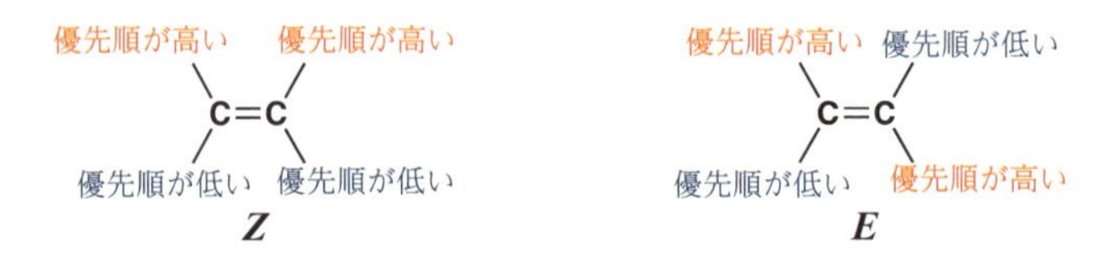

置換基の優先順は Cahn-Ingold-Prelog（CIP）順位則による．そのおもな規則は次のようなものである．

規則 1：炭素に結合している原子の原子番号が大きいほうが高順位である．

2-ブテンのシスとトランス異性体は，優先順が H<CH_3 なので，それぞれ *Z* と *E* で表示される．

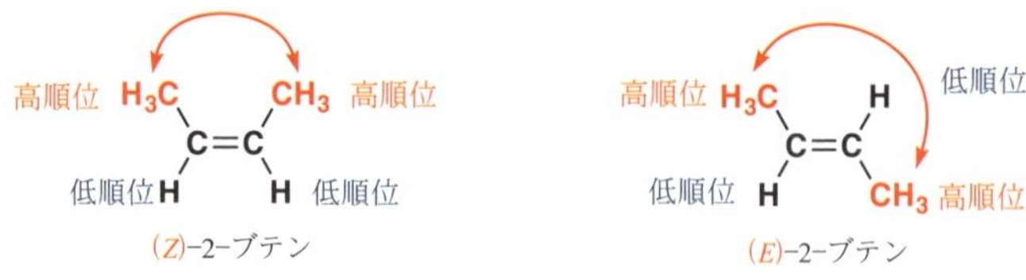

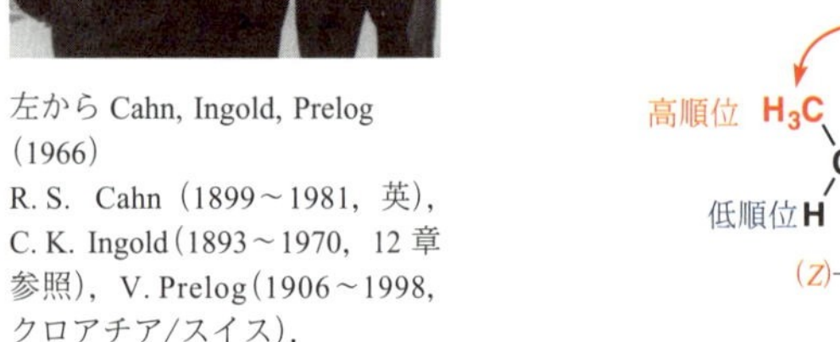

左から Cahn, Ingold, Prelog（1966）
R. S. Cahn（1899～1981，英），C. K. Ingold（1893～1970，12 章参照），V. Prelog（1906～1998，クロアチア/スイス）．

規則 2：炭素に結合している原子が同じである場合には，2 番目の原子どうしを比べる．それでも決まらないときには違いが出るまで 3 番目，4 番目と続ける．

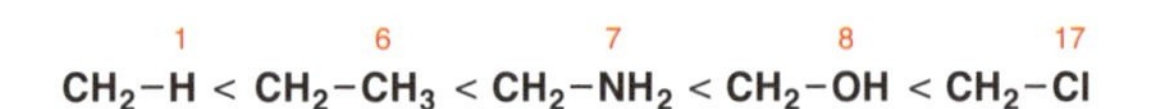

E, *Z* 命名法　*E*,*Z* nomenclature
CIP 順位則　CIP sequence rule

3-メチル-2-ペンテンの場合は，次のように命名される．

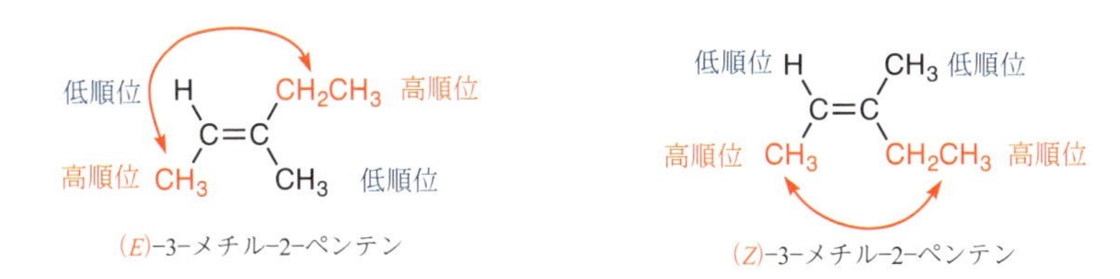

(*E*)-3-メチル-2-ペンテン　　(*Z*)-3-メチル-2-ペンテン

規則 3：二重結合や三重結合がある場合には，結合している原子を多重に考え，2 個あるいは 3 個結合しているものとみなす．たとえば，エテニル(ビニル)基，エチニル基，ホルミル基は次のように考える．

$-CH=CH_2 \Rightarrow -CH(C)-CH_2(C)$　　$-C \equiv CH \Rightarrow -C(C)(C)-CH(C)(C)$　　$-CH=O \Rightarrow -CH(O)-O(C)$

したがって，次のような優先順になる．

$-CH_2CH_3 < -CH(CH_3)_2 < -CH{=}CH_2 < -C{\equiv}CH < -CH_2OH < -CH{=}O$

問題 3.7 次のそれぞれの組合せで優先順の高いのはどちらか．

(a) $-CH(CH_3)_2$，$-CH_2CH(CH_3)_2$　(b) $-F$，$-Cl$
(c) $-OCH_3$，$-N(CH_3)_2$　(d) $-Cl$，$-SCH_3$
(e) $-CH{=}CH_2$，$-C(CH_3)_3$

問題 3.8 次のアルケンの立体配置を *E*, *Z* 表示で示せ．

(a) $(CH_3)(Cl)C{=}C(CH_2CH_3)(OCH_3)$　(b) $(H)(CH_3)C{=}C(CHO)(CH_2OH)$

まとめ

- 原子価殻電子対反発(VSEPR)モデルによると，分子のかたちは分子内の電子対の存在する領域(共有電子対と非共有電子対)の静電的な反発によって決まる．
- 原子軌道は混成して新しいかたちの原子軌道(混成軌道)をつくる．
- sp^3 混成軌道は四面体形(飽和)炭素，sp^2 混成軌道は平面三方形(二重結合)炭素，sp 混成軌道は直線形(三重結合)炭素の結合角をつくり，分子のかたちを保持している．
- 二つの原子軌道が重なると，結合性分子軌道と反結合性分子軌道の二つの分子軌道ができる．結合性軌道に 2 電子入って共有結合を形成する．
- 共有結合には σ 結合と π 結合の 2 種類がある．
- 異性体には構造異性体と立体異性体がある．
- アルケンのシス・トランス異性体は立体異性体の一種であり，Cahn-Ingold-Prelog 順位則に基づいて *E*, *Z* 命名法で命名される．

章末問題

問題 3.9　次の分子の結合角を予想せよ．

(a) CCl_4　(b) H_2O　(c) H_3O^+　(d) $H_2C{=}CHCl$

問題 3.10　次の分子の赤色で示す原子のまわりの結合角を予想せよ．

(a) $ClCH_2{-}C(H){=}CH_2$　(b) $H_3C{-}C({=}O){-}OH$

(c) $H_3C{-}C(H){=}NH$　(d) $H_3C{-}C{\equiv}N$

問題 3.11　次の分子またはイオンに含まれる炭素と窒素の混成状態を示し，結合を形成している原子軌道の種類を明らかにせよ．また，結合の種類(σ か π か)についても述べよ．

(a) $CH_3C(O)OH$　(b) NH_4^+　(c) CH_3CN　(d) $B(CH_3)_3$

問題 3.12　次のアルケンの立体配置を *E*, *Z* 表示で示せ．

(a) H, CH_3 / CH_3, OCH_3　(b) $HOCH_2$, CH_2NH_2 / $ClCH_2CH_2$, CN

(c) Ph, Ph / (ビニル基), CO_2H　(d) $(CH_3)_2NCH_2$, HC=O / $(CH_3)_3CCH_2$, OCH_3

問題 3.13　二酸化炭素の σ 結合と π 結合を形成するために使われている原子軌道の概略図を書け．例題 3.3 を参考にすること．

問題 3.14　エタン，プロペン，およびプロピンの炭素–炭素結合の長さは次に示すようになっている．これらのうち，C−C 単結合の長さの違いを説明せよ．

$H_3C{-}CH_3$ (154 pm)　$H_2C{=}C(H){-}CH_3$ (C=C 134 pm, C−C 151 pm)　$HC{\equiv}C{-}CH_3$ (C≡C 121 pm, C−C 146 pm)

4 立体配座と分子のひずみ

【基礎となる事項】
・共有結合(1.2 節，3.2 節)
・分子の表し方(1.4 節)
・アルカンとシクロアルカン(2.2 節)
・非結合性相互作用(2.10 節)
・分子のかたち(3.1 節)
・立体異性(3.7 節)

【本章で学ぶこと】
・分子のひずみとは何か
・アルカンの立体配座
・シクロアルカンの構造
・いす形シクロヘキサン

3 章で有機分子の三次元的なかたちについて述べ，結合まわりの回転が制約されると立体異性体が存在することを示した．飽和化合物を形づくっている単結合はほとんど制約なく回転できるが，直接結合していない原子やグループの関係が問題になり，非結合性相互作用のために安定なかたちと不安定なかたちが生じてくる．実際，アルカンのような飽和の有機分子はどのようなかたちをとっているのだろうか．この章では，分子のひずみとは何か，そして有機分子の三次元構造にどのように影響しているのかを考える．有機化学を学ぶうえで，有機分子を三次元の立体的な物体として取り扱うことに慣れることも重要である．

シクロヘキサンにはいす形と舟形の立体配座がある

4.1 アルカンの立体配座

炭素 炭素単結合はσ結合であり，σ結合の特徴は結合軸を中心に円筒対称(軸対称)であることから，この結合のまわりで回転が起こってもC−C結合における軌道の重なりに変化はない．したがって，単結合まわりの回転はかなり自由に起こる．

■ 単結合まわりの回転によって生じる立体的な構造の違いを立体配座という．

4.1.1 エタンの立体配座とねじれひずみ

エタンの一方のメチル基を他方に対してC−C結合まわりに回転させると，代表的なかたちとして，ねじれ形配座と重なり形配座が生じる．これらを図 4.1 と図 4.2 に示す．ここには他の三次元表示とともに，Newman(ニューマン)投影式とよばれる表示法を示してある．

立体配座 conformation
ねじれ形(配座) staggered form(conformation)
重なり形(配座) eclipsed form(conformation)
Newman 投影式 Newman projection

M. S. Newman (1908〜1993)
米国．オハイオ州立大学教授を務めた．Newman 投影式の創始者．

■ **Newman 投影式**では，C−C 結合の一端から透視して後方の炭素を円で示し，手前の炭素をその中心に点で示す．

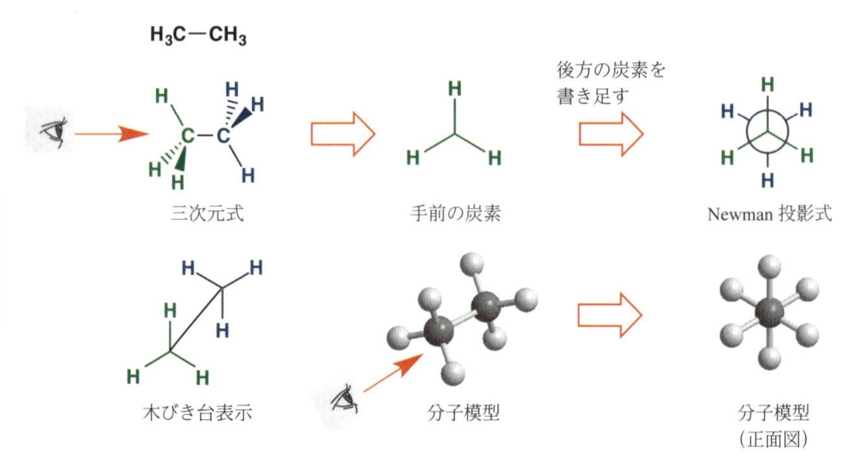

図 4.1　エタンのねじれ形配座と Newman 投影式の書き方

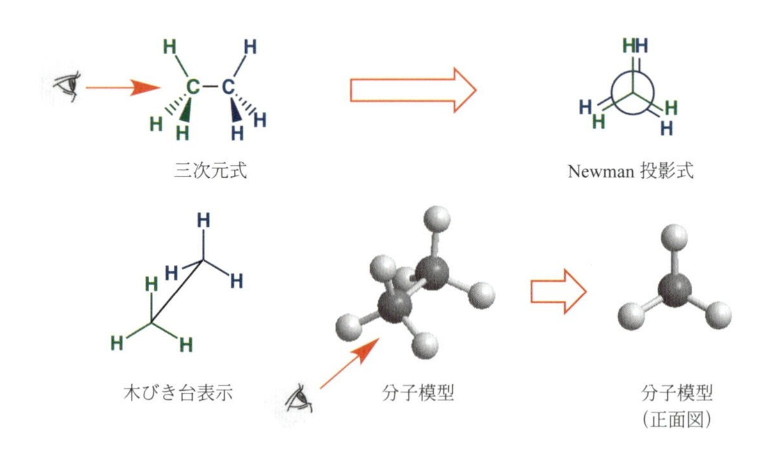

図 4.2　エタンの重なり形配座

それぞれの炭素（円と点）から正四面体の角度で出ている 3 本の結合は，この方向からみると 120° の角度をなしてみえる．この表し方で，二つの炭素に結合した水素の空間的な関係がわかりやすくなる．**重なり形**では水素原子が重なってみえ，それぞれ 3 本の C−H 結合が最も接近した構造になっている．**ねじれ形**は重なり形からちょうど 60° 回転した構造であり，それぞれ 3 本の C−H 結合が互いに最も遠ざかったかたちになっている．

結合を切断しないと入れ替わることができないような立体異性体（たとえば，シス・トランス異性体）を**配置異性体**（configurational isomer）という．

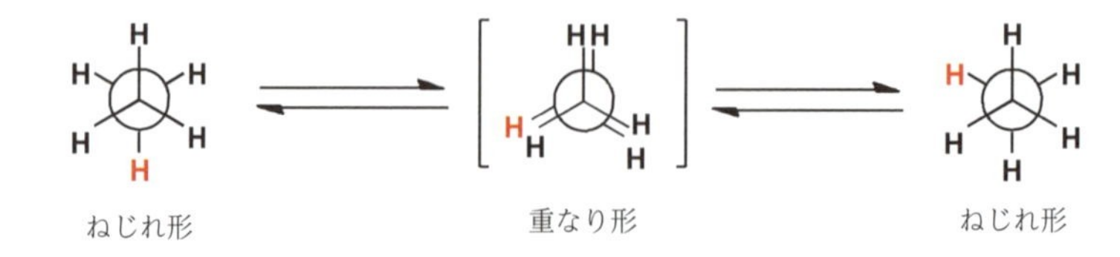

配座異性体 conformational isomer
（コンホマー conformer または回転異性体 rotational isomer ともいう）

エネルギー極小値にある安定な立体配座（ねじれ形）は**配座異性体**とよばれるが，重なり形はエネルギーの極大点にあり，実際に存在できる安定なかたちではなく，異性体とはいえない．

二面角 dihedral angle
二つの面がつくる角度を示し，ねじれ角(torsion angle)ということもある．Newman 投影式における手前と後ろ側の炭素から出ている結合間の角度がこれに相当する．シンの結合が 0°，アンチの結合が 180° に相当し，ねじれ形は重なり形から 60° 回転したことになる．回転角(angle of rotation)も同じような角度を表すが，通常回転運動などの動的な表現に使われる．

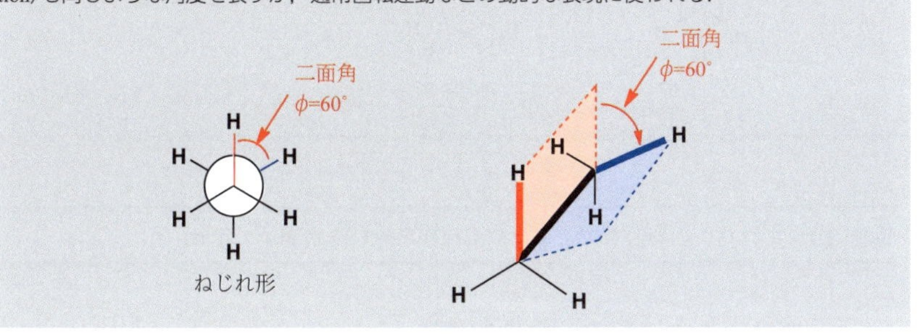

重なり形の隣接位の重なった結合をシンといい，ねじれ形の逆向きの結合をアンチという．

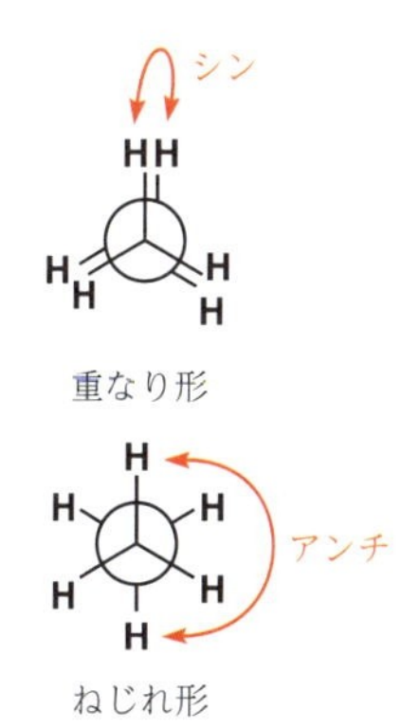

実測値によると，エタンのねじれ形と重なり形では 12 kJ mol^{-1} のエネルギー差があり，エタンの結合回転によるエネルギー変化は図 4.3 のグラフのようになる．エネルギーの極小値はねじれ形配座に対応し，極大値は重なり形配座に対応する．

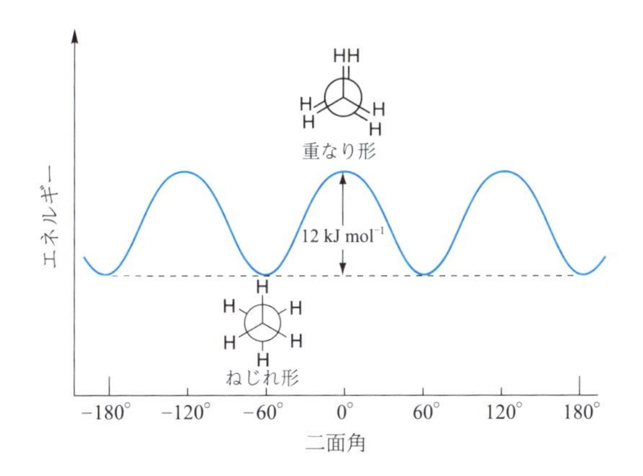

図 4.3　エタンの炭素-炭素結合まわりの回転によるエネルギー変化

エタンの二つの配座のエネルギー差には，ねじれ形におけるアンチの C−H 結合の間に超共役とよばれる安定化相互作用も寄与しているという考えがある．超共役は，結合性の σ(C−H) 軌道と反結合性の σ* (C−H) 軌道間の相互作用による (12.4.3 項参照)．

回転のエネルギー障壁は，主として重なり形において接近した二つの C−H 結合の結合電子の間の反発から生じたものである．

■　このように結合の重なりで生じる不安定化を，ねじれひずみという．

エタンの重なり形配座には 3 組の重なり形水素があるので，一つの C−H 結合の重なりによるねじれひずみは 4 kJ mol^{-1} 程度と推定できる．

エタンの回転に対する 12 kJ mol^{-1} というエネルギー障壁は，約 5×10^{10} s^{-1} の速度で回転できることに相当するので，エタンは室温でほぼ自由に回転しているといってよい．

エタンの回転
室温におけるエタンの平均熱運動エネルギーは 2.5 kJ mol^{-1} 程度にすぎない．それにもかかわらず，約 12 kJ mol^{-1} の回転障壁を越えて自由回転できるというのはどういうことなのか．実際にはすべての分子が均等に同じ運動エネルギーをもっているわけではない．Boltzmann 分布の法則に従って，平均値以上の運動エネルギーをもっている分子も少なくない．したがって，回転障壁を越えて回転できる分子も多く，個々の分子は衝突によって頻繁にエネルギーを交換しているので，結果的にはすべての分子が非常に速く回転できるのである．

シン *syn*
アンチ *anti*
エネルギー障壁 energy barrier
ねじれひずみ torsional strain

例題 4.1　　プロパンのねじれ形と重なり形配座を Newman 投影式で示せ．

解 答

ねじれ形　　　　重なり形

問題 4.1　プロパンのねじれ形と重なり形配座を木びき台表示で示せ．

4.1.2　ブタンの立体配座と立体ひずみ

ブタンの立体配座はもう少し複雑である．ブタンの真ん中の C2−C3 結合まわりの回転による立体配座には，二つのメチル基の関係によって 2 種類のねじれ形と 2 種類の重なり形がある(図 4.4)．メチル基が反対側に最も遠く離れたねじれ形配座は**アンチ形配座**とよばれ，メチル基が 60° になっているねじれ形配座は**ゴーシュ形配座**とよばれる．アンチ形が最も安定な配座異性体であり，ゴーシュ形では二つのメチル基がかなり接近しているので反発相互作用が生じ，アンチ形よりも 3.8 kJ mol^{-1} 不安定になる．

■ **分子内の結合していない原子あるいは基が接近しすぎて，その電子雲の間の反発によって生じる不安定化を立体ひずみという．**

重なり形配座においてはねじれひずみだけでなく，メチル基と水素あるいはメチル基どうしの反発に基づく立体ひずみが加わるので，図 4.4 のエネルギー図にみられるように 15 あるいは 20 kJ mol^{-1} の回転障壁を生じる．

図 4.4　ブタンの C2−C3 結合まわりの回転による立体配座とエネルギー

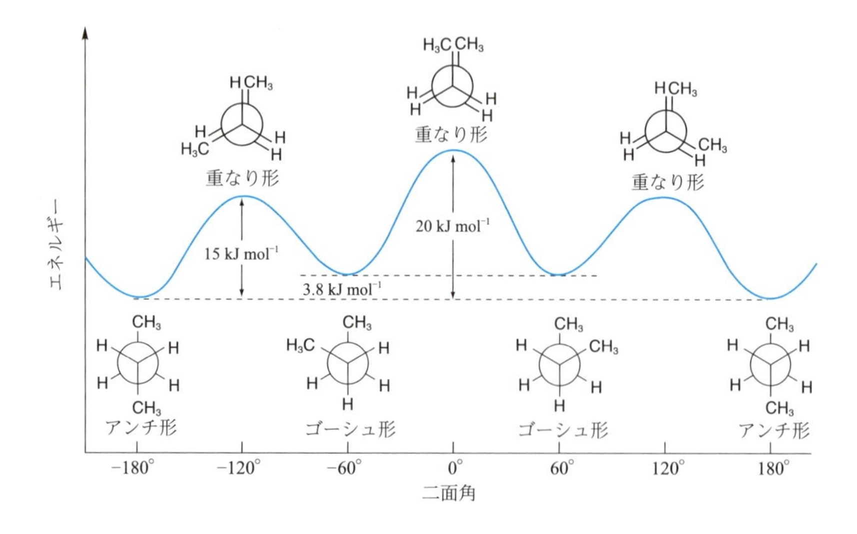

アンチ形(配座)　*anti* form (conformation)
ゴーシュ形(配座)　gauche form (conformation)
立体ひずみ　steric strain

問題 4.2　ブタンのアンチ形配座とゴーシュ形配座を，くさび形結合を用いた三次元式で示せ．

問題 4.3 1,2-ジクロロエタンのアンチ形配座とゴーシュ形配座を，Newman 投影式で示せ．

問題 4.4 ペンタンの C2－C3 結合まわりの回転によって生じるねじれ形と重なり形の立体配座を Newman 投影式ですべて示せ．そのうち最も安定なものと最も不安定なものは，それぞれどれか．

4.2 シクロアルカン

鎖状のアルカンと違って，環状になると単結合も自由には回転できなくなる．シクロアルカンはどのような構造をとっているのだろうか．

4.2.1 シクロプロパンと結合角ひずみ

最も小さいシクロアルカンは三員環のシクロプロパンである．三つの点があれば平面が決まるから，シクロプロパンの炭素骨格は平面で正三角形を形成しているはずである(図 4.5)．したがって，C－C－C 結合角は 60° であり，sp^3 混成炭素の理想的な結合角 109.5° から大きく圧縮されている．このような結合角のずれが，環状化合物の不安定化の原因になっていると考えられ，この不安定化因子を結合角ひずみという．

■ **理想的な結合角からのずれによるエネルギーの増大を結合角ひずみという．**

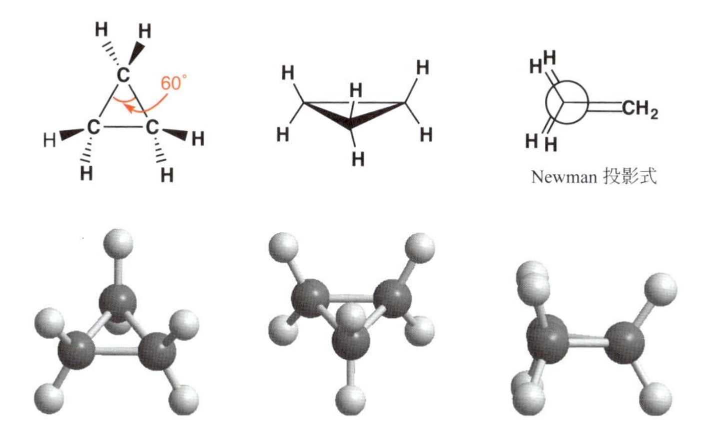

図 4.5 シクロプロパンの構造

軌道モデルによると，シクロプロパンの結合を形成する炭素の原子軌道のなす角度は 60° までは小さくなっておらず，104° 程度とされている．軌道の重なりが正面から起こって円筒対称になるふつうの σ 結合と違って，少し角度をもって重なり，分子軌道はバナナ形に曲がったかたちになっていると考えられている(図 4.6)．

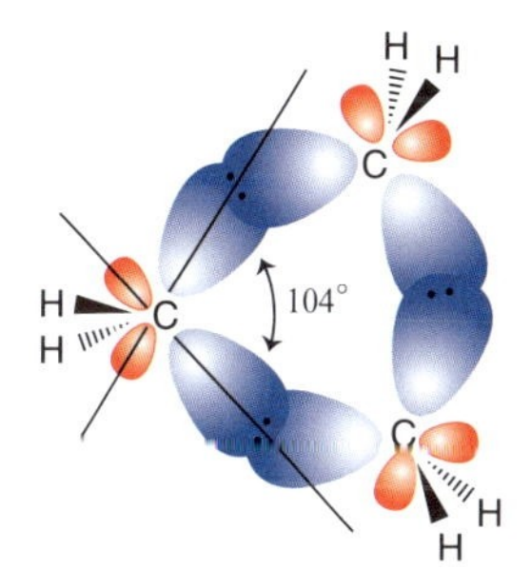

図 4.6 シクロプロパンの C－C 結合における軌道の重なり

隣接する炭素の C－H 結合は，図 4.5 の Newman 投影式に示したように，重なり形にならざるを得ないので，ねじれひずみも生じる．

■ **シクロプロパンの環ひずみは，結合角ひずみだけでなくねじれひずみにも由来する．**

結合角ひずみ angle strain

環ひずみの大きさは，C−C 結合を切断するのに要するエネルギーから推定できる．シクロプロパンの C−C 結合切断は 270 kJ mol^{-1} で起こり，エタンの C−C 結合解離エネルギー 380 kJ mol^{-1} に比べると，110 kJ mol^{-1} も少なくてすむ．このエネルギーがシクロプロパンの不安定化，すなわち，ひずみエネルギーに相当する．

例題 4.2

エタンのねじれひずみから 1 組の重なり形水素によるひずみエネルギーは約 4 kJ mol^{-1} と推定された．この推定値に基づいて，シクロプロパンのねじれひずみのエネルギーを推算せよ．

解 答 シクロプロパンには 6 組の重なり形水素があるので，ねじれひずみのエネルギーは 4×6＝約 24 kJ mol^{-1} と推定できる．

4.2.2 シクロブタン

シクロブタンが平面で正方形であるとすると，C−C−C 結合角は 90° になり，かなりの結合角ひずみがあるはずである．さらに 8 組の重なり形 C−H 結合によるねじれひずみも生じる．しかし，四員環は必ずしも平面である必要はない．環が少し折れ曲がることによって結合角ひずみとねじれひずみの合計を最小にすることができる．実際には，環が約 28° 折れ曲がり，C−C−C 結合角が 88° になったかたちが最も安定である(図 4.7)．これによって結合角ひずみは少し増大するが，ねじれひずみが大きく解消される．

図 4.7 シクロブタンの構造

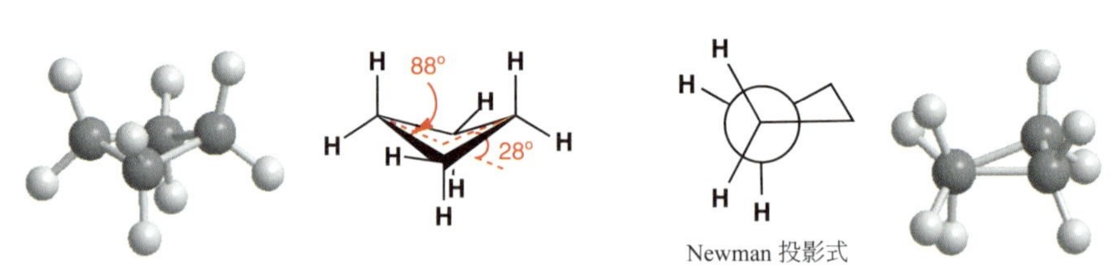

4.2.3 シクロペンタン

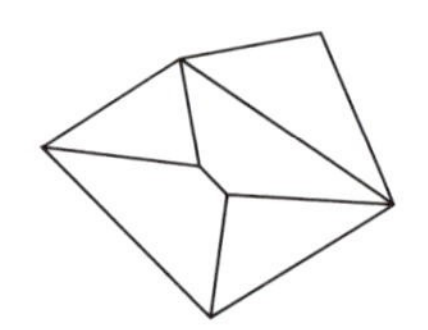

正五角形の内角は 108° であるから，シクロペンタンは平面構造をとっても結合角ひずみをあまり受けないはずである．しかし，平面構造では 10 組の重なり形 C−H によるねじれひずみが大きな負担になる．実際のシクロペンタンは，“封筒形” あるいは “ねじれ形” とよばれる非平面構造をとっている(図 4.8)．

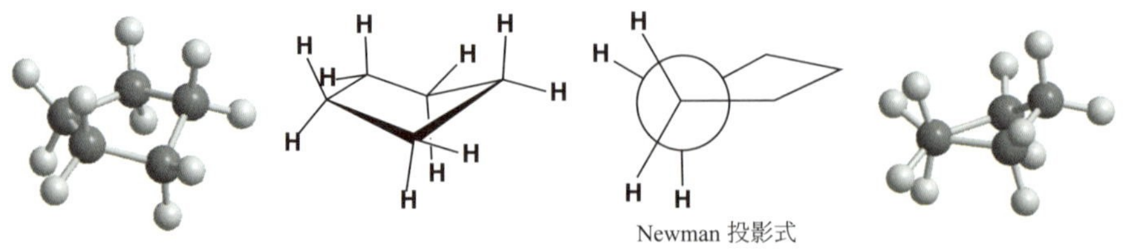

図 4.8 シクロペンタンの構造

さらに大きな環状構造になると，平面では正多角形の内角が 109.5° よりもずっと大きくなり結合角ひずみが大きくなる．したがって，実際の構造は非平面になるに違いない．天然には六員環と五員環の構造が多くみられ，安定な環状構造となっている．

環ひずみ ring strain
封筒形 envelope form

問題 4.5 正 n 角形の内角は $180° - (360°/n)$ で表せる．次の正多角形の内角はいくらか．

(a) 正六角形　(b) 正七角形　(c) 正八角形

4.2.4 シクロヘキサン：いす形配座

シクロヘキサンは**いす形立体配座**とよばれる安定な立体配座をとることができる．

いす形配座

- **いす形シクロヘキサンのすべての隣接する炭素の結合がねじれ形になっており，結合角もすべて四面体形炭素の理想的な結合角にほぼ等しい．したがって，いす形配座はひずみエネルギーが最も小さく，最も安定な構造である．**

この関係は図 4.9 の構造を調べてみればわかる．

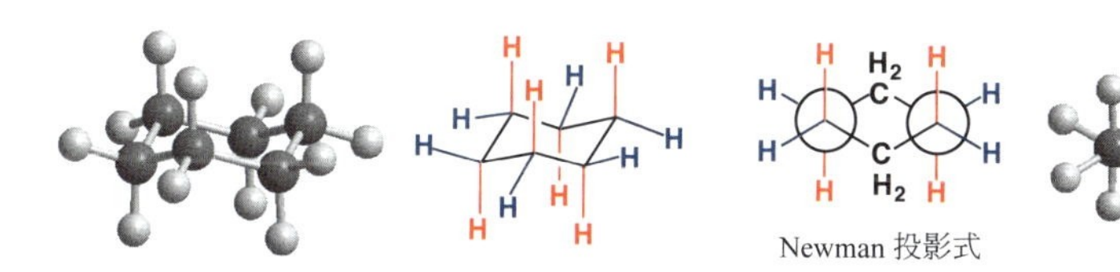

図 4.9 シクロヘキサンのいす形立体配座

いす形シクロヘキサンの各炭素原子は，図 4.9 にみられるように，環の垂直方向に出た**アキシアル結合**（赤色）と，環の外側に突き出した**エクアトリアル結合**（青色）をもっている．アキシアル結合は，交互に上と下に向いている（図 4.10）．また，エクアトリアル結合は，一つ隔てた 2 本の環内 C−C 結合（太線）と平行になっていること，そして C−C 結合も 2 本ずつ平行であることに注意しよう（図 4.10）．

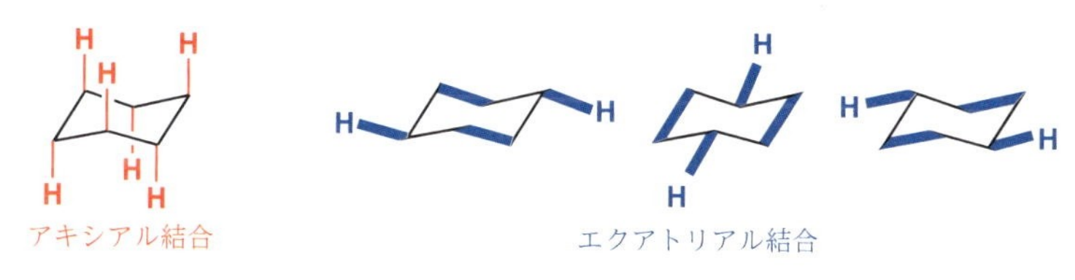

図 4.10 アキシアル結合とエクアトリアル結合

天然にみられるいす形六員環

いす形六員環の構造は天然にも広くみられる．ステロイドの骨格は三つのいす形シクロヘキサンがつながってできている．ダイヤモンドはすべて sp^3 炭素からなり，いす形構造が積み重なっている．グルコースの環状構造もいす形である．

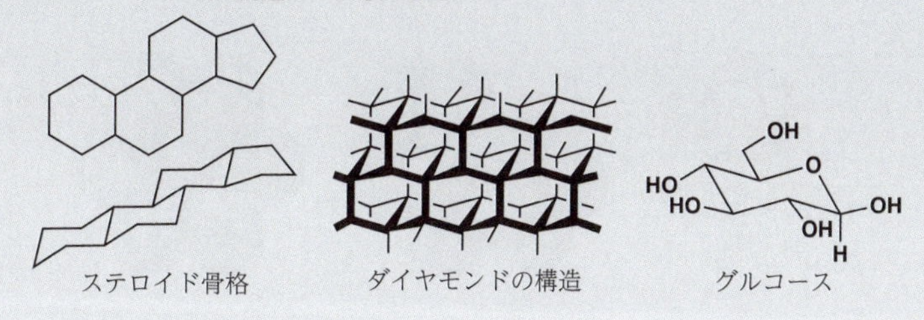

いす形（立体）配座 chair form (conformation)
アキシアル axial
エクアトリアル equatorial

4.2.5　いす形シクロヘキサンの環反転

メチルシクロヘキサンのエクアトリアル/アキシアル比(95/5)は，ΔG 約 7.3 kJ mol^{-1} に相当する(7.4.4 項，式 7.3 参照)．

このようにいす形シクロヘキサンの炭素には 2 種類の結合があるので，一置換シクロヘキサンには 2 種類の立体配座が可能になる．たとえば，メチルシクロヘキサンにはメチル基がエクアトリアルになったものとアキシアルになったものがある．この二つの立体配座は環が反転することによって入れ替わることができる．この**環反転**による相互変換は非常に速く，両配座は平衡になっている．エクアトリアル形のメチルシクロヘキサンはアキシアル配座異性体よりも安定であり，平衡状態では約 95% がエクアトリアル異性体で，5% だけがアキシアル異性体になる(図 4.11)．

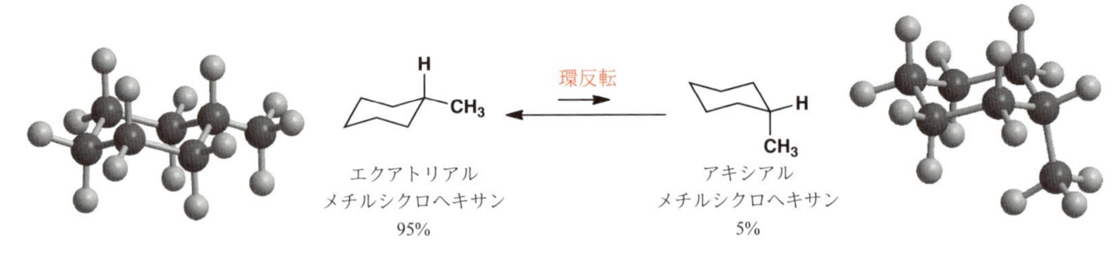

図 4.11　メチルシクロヘキサンの環反転

このような環反転は，無置換のいす形シクロヘキサンでも起こっている(図 4.12)．

■ **いす形シクロヘキサンの環反転によって，一方の配座のアキシアル結合はもう一方でエクアトリアル結合になり，エクアトリアル結合はアキシアル結合になる．**

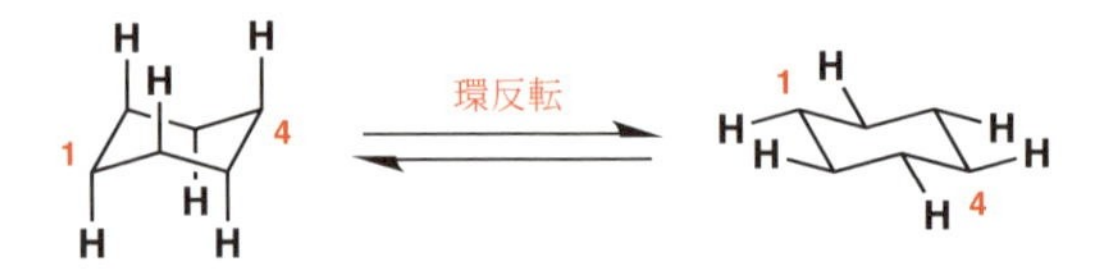

図 4.12　いす形シクロヘキサンの環反転

メチルシクロヘキサンのアキシアル形はエクアトリアル形に比べると不安定である(図 4.11)．これはエクアトリアル形のメチルシクロヘキサンがほとんどひずみをもたないのに対して，アキシアル異性体では C1 のアキシアル位のメチル基と C3 および C5 のアキシアル水素原子が非常に接近しており，その間に **1,3-ジアキシアル相互作用**とよばれる立体ひずみが生じる(図 4.13)からである．一置換シクロヘキサンの置換基はどのようなものでも優先的にエクアトリアル位を占めるが，立体ひずみの大きさは置換基の大きさに依存する．

■ **いす形シクロヘキサンのかさ高い置換基は，通常エクアトリアル位を占める．**

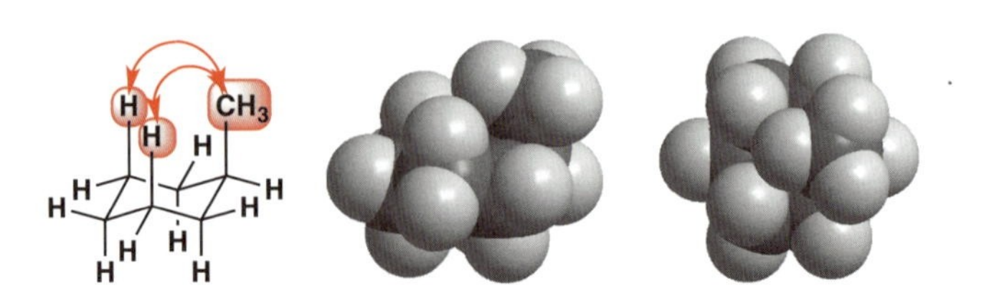

図 4.13　1,3-ジアキシアル相互作用
空間充塡分子模型は側面からみたところと上からみたところを示している．

環反転　ring flip (inversion)
1,3-ジアキシアル相互作用　1,3-diaxial interaction

例題 4.3

エクアトリアル形とアキシアル形のメチルシクロヘキサンの C1－C2 結合について Newman 投影式を書き，1,3-ジアキシアル相互作用がゴーシュ相互作用に相当することを確かめよ．

解 答　エクアトリアルとアキシアル配座のいす形構造と C1－C2 結合に関する Newman 投影式は下のように書ける．エクアトリアルのメチル基は C3 とアンチになるが，アキシアルのメチル基は C3 とゴーシュの位置関係になり，C3 に結合したアキシアル位の H3 と反発相互作用が生じることがわかる．この関係は，ゴーシュ関係にある二つのメチル基の水素の関係と類似している．

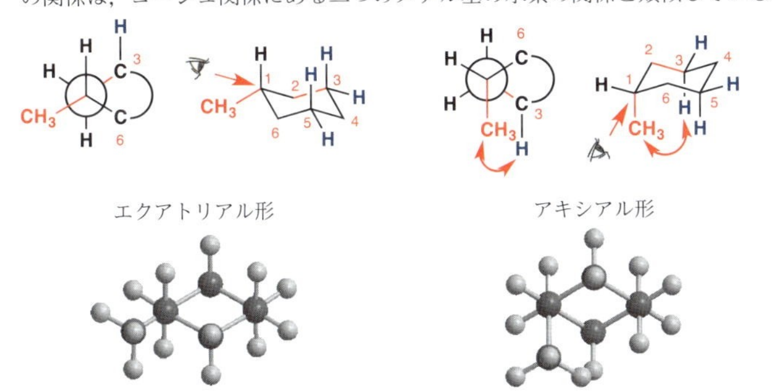

問題 4.6　クロロシクロヘキサンの最も安定ないす形配座を書け．

4.2.6　シクロヘキサンのその他の立体配座

シクロヘキサンには舟形立体配座とよばれる特徴的な配座もある(図 4.14)．次の平衡式に示すように，左側のいす形シクロヘキサンの C1 を C4 のほうへ引っぱり上げると半いす形を経て舟形になる．舟形立体配座では，C2－C3 および C5－C6 の結合が重なり形になって，ねじれひずみを生じる．また，旗ざお水素とよばれる C1 と C4 に結合している水素が非常に接近して立体ひずみを生じている．これらのひずみのために舟形配座は不安定であり，エネルギーの極大点になる．

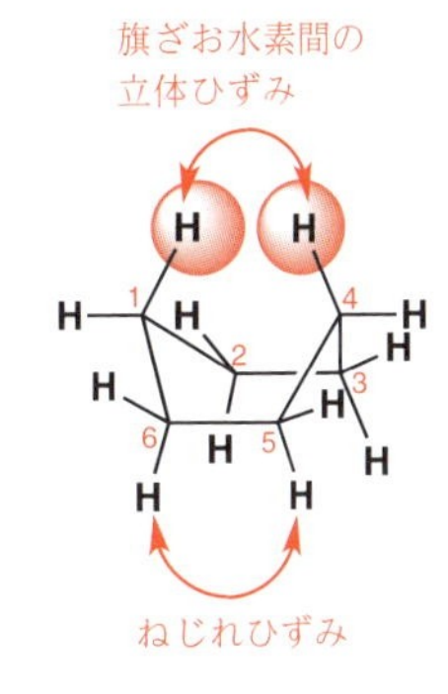

図 4.14　舟形シクロヘキサン

舟形立体配座　boat form (conformation)
旗ざお水素　flag-pole hydrogen

いす形　半いす形

6 個のねじれ舟形と 3 個の舟形配座が可能

半いす形　いす形

この立体配座は，いす形シクロヘキサンの環反転の途中にあり，舟形配座の旗ざお炭素の一つを少し下げるとねじれ舟形になり，さらに不安定な半いす形(極大点)を経ていす形になる(図 4.15)．ねじれ舟形では舟形のねじれひずみと立体ひずみが部分的に解消されて少し安定な配座になっている．

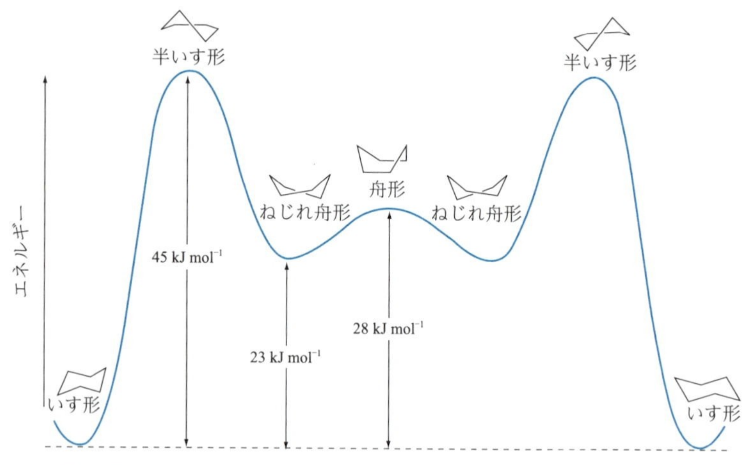

図 4.15　シクロヘキサンの反転における立体配座の変化とエネルギー

4.3　二置換シクロアルカン：シス・トランス異性

異なる炭素に二つの置換基をもつ二置換シクロアルカンには，置換基が二つとも環の同じ側にある場合と反対側にある場合がある．これらの関係はアルケンのシス・トランス異性と似ている．環状化合物の場合にも，それぞれ**シス異性体**と**トランス異性体**とよばれる．これらは立体異性体であり，**配置異性体**の一種である．

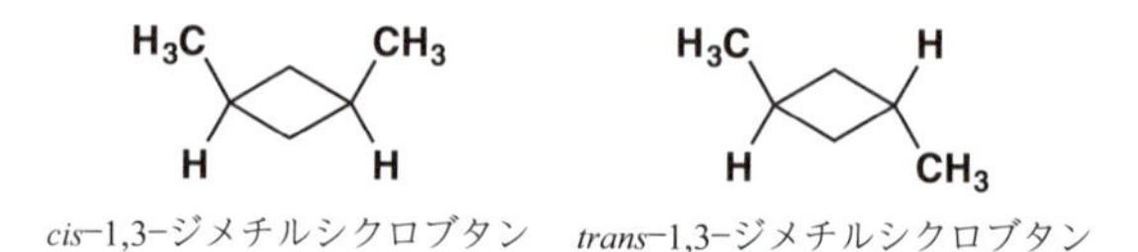

cis−1,3−ジメチルシクロブタン　*trans*−1,3−ジメチルシクロブタン

■　**配置異性体は結合を切らない限り互いに変換されない．**

一方，配座異性体は，前節までに述べてきたように結合回転によって容易に相互変換できる．

問題 4.7　1,2,3−トリメチルシクロプロパン異性体の構造を示し，その安定性を比較せよ．

二置換シクロヘキサンには 2 種類のいす形配座が可能である．たとえば，*trans*−1,4−ジメチルシクロヘキサンは，**1a** のように平面の六員環で表せば簡単であるが，これは実際の構造とはまったく異なる．いす形配座で表すと，ジアキシアル形(**1b**)とジエクアトリアル形(**1c**)になる．環反転によってアキシアルとエクアトリアルは入れ替わるがシス・トランスの関係は変わらない．

エクアトリアル結合どうしのシス・トランス関係はわかりにくいので注意しよう．

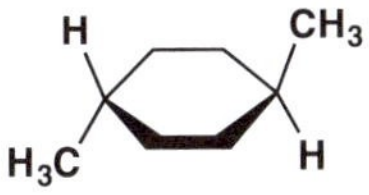

H　CH3　H3C　H
1a

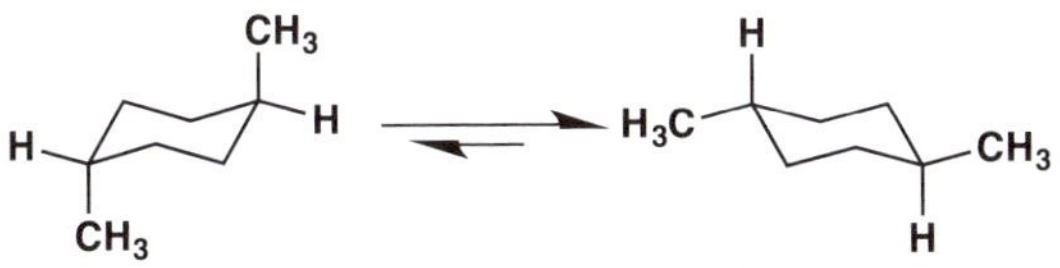

1b (*ax-ax*)　**1c** (*eq-eq*)

trans-1,4-ジメチルシクロヘキサン

問題 4.8　*cis*-1,4-ジメチルシクロヘキサンをいす形配座で示せ．

例題 4.4

1-*t*-ブチル-4-メチルシクロヘキサンには二つの立体異性体がある．それぞれの安定ないす形配座の構造を示せ．

解 答　二つの立体異性体とは，シス体とトランス体である．1-*t*-ブチル基をエクアトリアル位においたとき，4-メチル基がアキシアル位にくるものと，エクアトリアル位にくるものがある．シクロヘキサン環についてみると，前者では二つの置換基が環の同じ側にある(シス体)ことがわかる．逆に後者では環の反対側にある(トランス体)．*t*-ブチル基はとくにかさ高く，常にエクアトリアル位を占めるので，各異性体のより安定な構造は *t*-ブチル基をエクアトリアル位にもつものである．

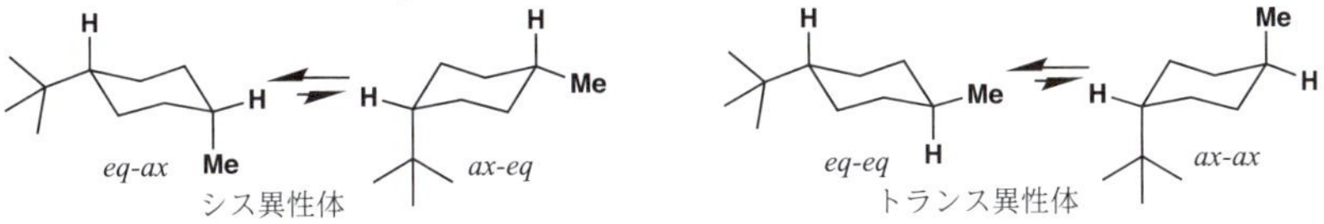

eq-ax　*ax-eq*
シス異性体

eq-eq　*ax-ax*
トランス異性体

問題 4.9　次に示す(a)～(d)の構造はシスとトランス異性体のどちらを表しているか．これらの中で同一化合物を表しているものがあれば指摘せよ．

(a) 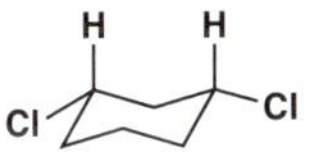　(b) 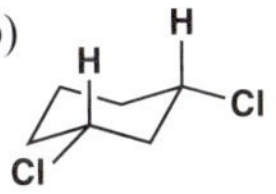　(c) 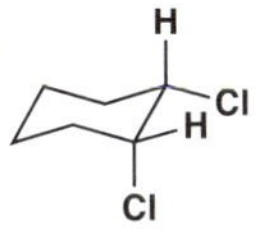　(d)

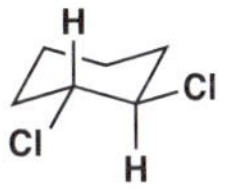

4.4　シクロアルカンの燃焼熱とひずみ

シクロアルカンのひずみエネルギーは**燃焼熱**を比較することよって決めることができる．炭化水素は安定であるが，高温で燃える(酸化される)．その反応熱が燃焼熱である．シクロアルカンは分子式$(CH_2)_n$で表せるので，燃焼の反応は一般式として次のように表せる．

$$(CH_2)_n + 1.5n\,O_2 \longrightarrow n\,CO_2 + n\,H_2O \qquad -\Delta H = \text{燃焼熱}$$

燃焼熱を測定すると，表 4.1 に示すような結果が得られた．ここで燃焼熱をCH_2単位あたりで比べると，シクロヘキサンの値が最も小さくて，環が小さくなるほど大きくなる．シクロヘキサンはひずみをもたないと考えられるので，その燃焼熱を基準にして差をとると，表 4.1 の一番右側の値が得られる．このエネル

燃焼熱 heat of combustion

ギー値が CH_2 単位あたりのひずみエネルギーに相当する．すなわち，ひずみをもたないシクロヘキサンに比べて，より多くのエネルギーを放出するということは，より多くのエネルギーをもち，不安定であったことを意味する．これが**ひずみエネルギー**であり，CH_2 単位あたりの値として比較できる(図 4.16)．

シクロプロパンは CH_2 あたり 37.1 kJ mol^{-1} のひずみエネルギーをもつことになるので，全体として $37.1 \times 3 = 111.3$ kJ mol^{-1} のひずみエネルギーをもつと推定できる．これは C−C 結合の切断から得られた値 110 kJ mol^{-1} (4.2.1 項) とよく一致している．シクロブタン，シクロペンタンとひずみは小さくなっていくが，七員環以上でもひずみが生じる．

表 4.1　シクロアルカン $(CH_2)_n$ の燃焼熱 (kJ mol^{-1})

n	シクロアルカン	$-\Delta H$	$-\Delta H/CH_2$	ひずみ/CH_2
3	シクロプロパン	2091.3	697.1	37.1
4	シクロブタン	2745.0	686.3	26.3
5	シクロペンタン	3319.6	663.9	3.9
6	シクロヘキサン	3959.9	660.0	0
7	シクロヘプタン	4636.7	662.4	2.4
8	シクロオクタン	5310.3	663.8	3.8

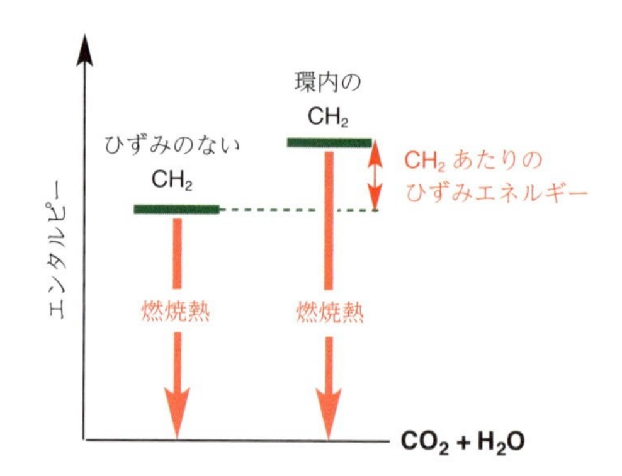

図 4.16　燃焼熱によるシクロアルカンのひずみエネルギーの決定

ま と め

- **単結合まわりの回転**によって生じる分子の立体的構造を**立体配座**という．
- アルカンには**ねじれ形配座**と**重なり形配座**がある．
- 立体配座の安定性は隣接する結合や基の間の反発で生じる**ねじれひずみ**や**立体ひずみ**の大きさによって決まる．
- 小員環のシクロアルカンには**結合角ひずみ**が生じる．四員環以上のシクロアルカンは結合角ひずみとねじれひずみを緩和するために非平面になっている．
- **いす形立体配座**のシクロヘキサンはまったくひずみをもたない安定な構造である．
- いす形シクロヘキサンの各炭素は**アキシアル結合**と**エクアトリアル結合**をもっている．
- アキシアル置換基には **1,3-ジアキシアル相互作用**とよばれる立体ひずみが生じるので，かさ高い置換基はエクアトリアル位をとる傾向がある．
- 二置換シクロアルカンには，立体配置異性体として**シス・トランス異性体**がある．
- **燃焼熱**からシクロアルカンのひずみエネルギーが評価できる．

章末問題

問題 4.10 プロパンのねじれ形と重なり形配座を，くさび形結合を用いた三次元式で示せ．

問題 4.11 ブタンのアンチ形とゴーシュ形配座を，木びき台表示で示せ．

問題 4.12 2-メチルブタンの C2－C3 結合についてみたねじれ形配座 2 種を Newman 投影式で書け．そのうちどちらが不安定か．

問題 4.13 次にあげる化合物において，指示された結合まわりの回転について最も安定な立体配座を Newman 投影式で示せ．

(a) 3-メチルペンタン：C2－C3 結合

(b) 2,3-ジメチルペンタン：C2－C3 結合

(c) 2,3-ジメチルペンタン：C3－C4 結合

(d) 3,3-ジメチルヘキサン：C3－C4 結合

問題 4.14 次の組合せの構造式が同一分子のものであるかどうかを判定せよ．

(a) 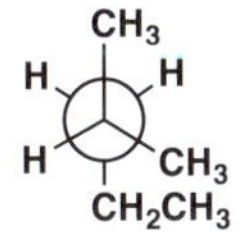 と

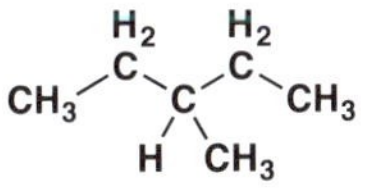

(b) 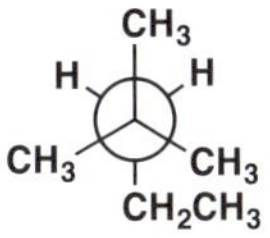 と

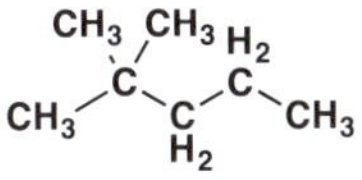

(c) 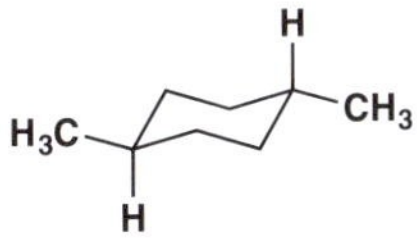 と

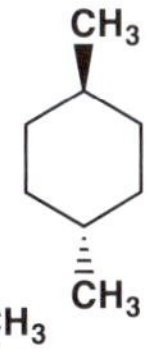

(d) 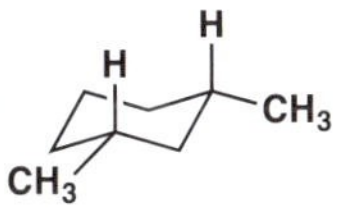 と

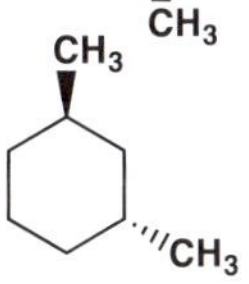

問題 4.15 1,2-ジブロモエタンの立体配座について次の問に答えよ．

(a) 臭素原子がアンチ形になっている立体配座を示せ．

(b) (a)のアンチ配座から出発して，60° ずつ回転させたときに現れるすべての立体配座を書き，360° 回転したときのエネルギー変化を概略図で示せ．

問題 4.16 1,2-ジメチルシクロプロパンのシス・トランス異性体の構造を示せ．

問題 4.17 *cis*-1,2-ジメチルシクロヘキサンと *trans*-1,2-ジメチルシクロヘキサンを，それぞれいす形配座で示せ．配座が 2 種ある場合には安定性を比較せよ．

問題 4.18 *trans*-1,3-ジメチルシクロヘキサンのいす形配座を書き，次に C1－C6 および C3－C4 結合からみた Newman 投影式を書け（図 4.9 参照）．さらに，1,3-ジアキシアル相互作用が生じる部分を矢印 ⌒ で示せ．

問題 4.19 *cis*-1,3-ジメチルシクロヘキサンの二つのいす形配座を示し，それぞれについて C1－C6 および C3－C4 結合からみた Newman 投影式を書け（図 4.9 参照）．さらに，1,3-ジアキシアル相互作用が生じる部分を矢印 ⌒ で示せ．

問題 4.20 次の化合物の可能ないす形配座を示し，2 種類以上の配座が可能な場合にはその安定性を比較せよ．

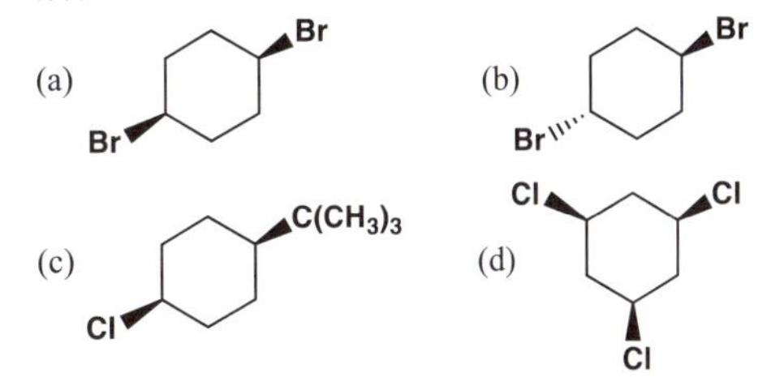

ノート 4.1　分子の柔軟性：分子振動と内部回転

原子が結合して分子が組み立てられているが，分子は堅固な構造をとっているわけではない．結合は伸び縮み，結合角は変化している．すなわち，伸縮振動(stretching vibration)や変角振動(bending vibration)で常に変化している．また，ある結合まわりで回転することもできる(内部回転)．分子はこのようにフレキシブルな存在である．

R—Y 結合の伸縮振動と Y—C—Z の変角振動は，平均結合距離 r_e と結合角 α_e から，図 1 に示すように起こっている．一般に，変角より伸縮のほうがエネルギーを要する(力の定数が後者のほうが大きい)．

図 1　結合の伸縮振動と変角振動

ピラミッド反転(図 2)は分子振動の特別な例であり，いくつかの結合角が同時に変化する必要がある．このような分子の反転はアミンによくみられる．平面構造はこの反転過程で最もエネルギーが高い状態であり‡で示している．

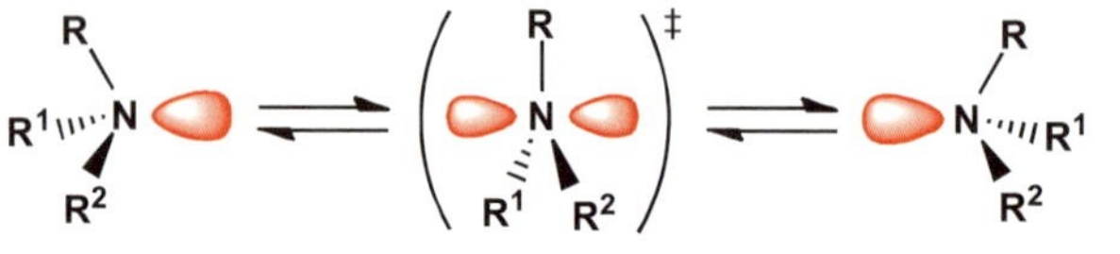

図 2　アミンのピラミッド反転

分子の一部分が単結合まわりの回転によって残りの部分との相対関係を変化させるとき，この変換を内部回転(internal rotation)という(図 3)．このような回転によって生じる分子のかたちが立体配座である．この回転にエネルギー障壁があって完全には自由でないとき，束縛回転(restricted rotation)という．

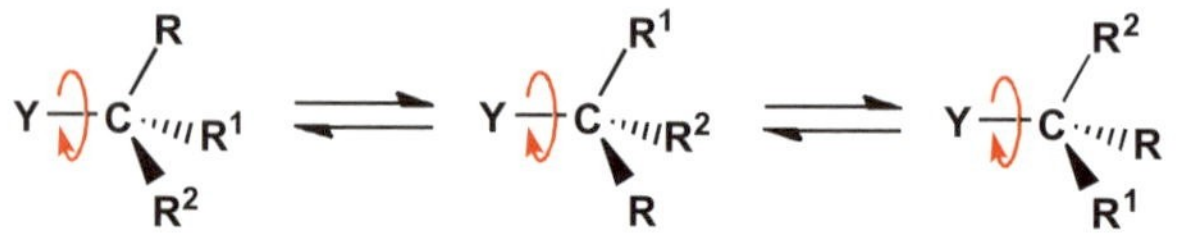

図 3　内部回転

5 共役と電子の非局在化

果物や野菜の色は共役化合物による

【基礎となる事項】

- Lewis 構造式(1.3 節)
- 共鳴構造(1.3.3 項)
- 芳香族化合物(2.2.3 項)
- 共有結合の軌道モデル(3.2 節)
- エテンの結合(3.5 節)

【本章で学ぶこと】

- 共役とは何か
- 電子の非局在化
- ブタジエンの分子軌道
- アリル系の分子軌道
- 共鳴法による共役の表し方
- ベンゼンの分子軌道と電子構造
- 芳香族性

分子の中で二つ以上の二重結合が単結合をはさんで隣接していると，π 電子の相互作用が生じる．このような π 電子の相互作用を**共役**という．共役した二重結合は共役していないものとは異なる化学反応性を示す．共役系と非共役系は物理的性質も異なる．たとえば，共役は色にも関係している．単純なアルケンは無色だが，11 個の共役二重結合をもつリコペンはトマトの赤い天然色素である．

リコペン

共役によって電子の非局在化が生じ，その系は安定になる．ベンゼンなどの芳香族化合物は環状の共役二重結合をもっており，特別な安定性と反応性をもっている．この章では，共役 π 電子系が分子軌道でどのように説明できるかを述べ，共鳴法による表し方についても説明する．

5.1 π 結合と共役

エテンの C=C 二重結合が σ 結合と π 結合からなり，その化学的性質がおもに π 結合からきていることを 3.5 節で説明した．二つの炭素の sp^2 混成軌道が正面から重なり合って σ 分子軌道(MO)ができるのに対して，π MO は平行な 2p 原子軌道(AO)が側面から重なり合うことによって形成される．二つの二重結合が隣

共役(きょうやく) conjugation

接するときには，その π MO が側面から重なり合って相互作用し，(すなわち**共役**して)新しいより大きな π MO(**共役系**)をつくることができる．

共役は C=C 結合間だけでなく，隣接する 2p AO を含むこともできる．たとえば，カルボカチオンの空の 2p AO やヘテロ原子の非共有電子対が入っている 2p AO も二重結合の π MO と側面から重なって共役できる．

$$CH_2{=}CH{-}\overset{+}{C}H_2 \qquad CH_2{=}CH{-}\ddot{O}H$$

もともと“共役”は“共軛”と書かれた．“軛(くびき)”は牛車や馬車の前端の横木のことである．

■ **このような共役によって π 電子や p 電子は非局在化し，系は安定化する．**

π 軌道や p 軌道に入っている電子を π 電子あるいは p 電子という．

実際の共役系と対応する仮想的な系(相互作用していない π 結合と 2p AO)とのエネルギー差を，**安定化エネルギー**または**非局在化エネルギー**という．

5.2 ブタジエン

1,3-ブタジエンは，二つのエテンが単結合でつながった構造をもっており，最も単純な**共役ジエン**である．C=C 結合はエテンのものより長く，C−C 結合はエタンのものより少し短い．このことからも，ブタジエンは単に独立した二つの C=C 結合とは違うことがわかる．

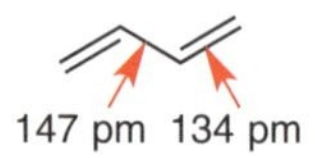

結合距離

C−C 結合距離は，共役だけではなく炭素の混成状態にも依存する．

ブタジエンの 4 個の炭素はいずれも sp^2 混成であり，安定な立体配座では，すべての原子が同一平面内にあり，四つの 2p AO は平行になっている(図 5.1)．

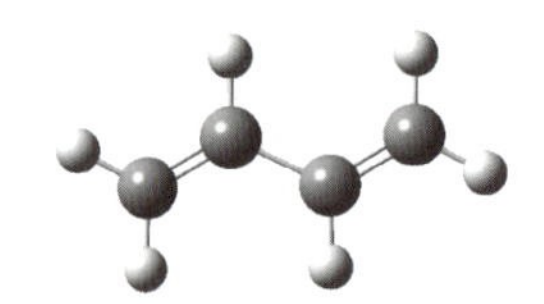

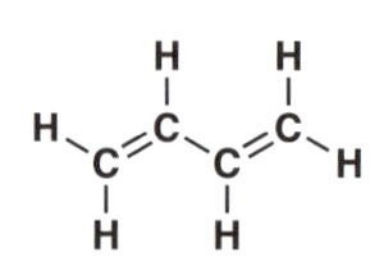

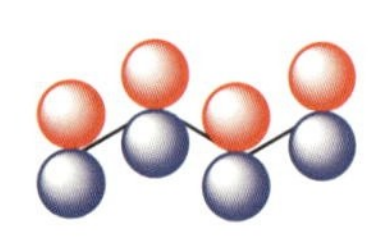

図 5.1　ブタジエンの構造と p 軌道

これらの四つの 2p AO が側面から相互作用を起こしてブタジエンの π MO を形成する(図 5.2)．新しい π MO は四つあり，二つはもとの 2p AO より低エネルギー(結合性)であり，二つは高エネルギー(反結合性)である．いずれも分子面に節面をもっており，炭素骨格全体に広がっている．すなわち，π 電子は一つの二重結合にとどまらず，非局在化している．

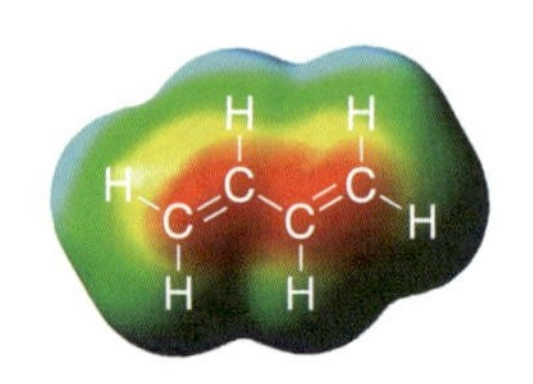

ブタジエンの EPM
電子が二つの二重結合に非局在化していることがわかる．

最もエネルギーの低い π_1 MO はすべての p AO が同位相で重なったもので，分子面上の節面以外には節面をもたない．エネルギーが高くなるに従って，π_2，π_3，π_4 と節面が増えていき，すべてが逆位相で重なってできた π_4 は分子面の節に加えて三つの節面をもつ．

■ **分子軌道は一般的にエネルギー準位の低いものほど節面の数が少ない．**

もとの 2p AO に入っていた 4 個の電子は，基底状態のブタジエンではエネルギーの低い二つの結合性 MO の π_1 と π_2 に 2 電子ずつ入る．エネルギーの高い π_3 と π_4 は反結合性 MO であり，空軌道のままである．

電子の入った MO (被占分子軌道)のうち最もエネルギーの高い MO を，**最高被占分子軌道** (**HOMO**)といい，電子の入っていない MO (空分子軌道)のうち最

共役系　conjugated system
非局在化　delocalization
安定化　stabilization
安定化エネルギー　stabilization energy
非局在化エネルギー　delocalization energy
1,3-ブタジエン　buta-1,3-diene
共役ジエン　conjugated diene
最高被占分子軌道　highest occupied molecular orbital : HOMO

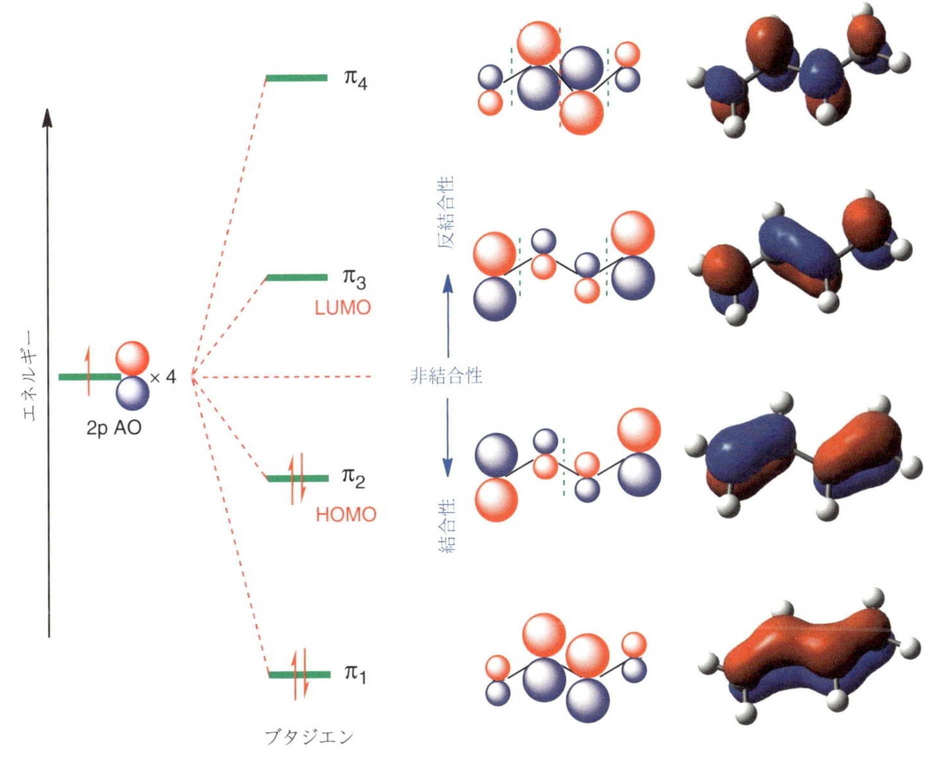

図 5.2 ブタジエンの π 分子軌道
緑色の点線で節面を表してある．理論計算によって得られた MO のかたちを右に示す．

もエネルギーの低い MO を**最低空分子軌道**（LUMO）という．7 章で述べるように，反応に関与するのはおもに HOMO あるいは LUMO である．

例題 5.1

次の化合物は共役系をもつかどうか説明せよ．

(a) $H_2C{=}C{=}CH_2$ プロパジエン(アレン)　(b) $H_2C{=}CHCH_2CH{=}CH_2$ 1,4–ペンタジエン

解 答 (a) プロパジエンの構造は，次に示すように真ん中の炭素が sp 混成になっており，二つの二重結合を形成する 2p AO（π MO）は直交しているので，共役していない．

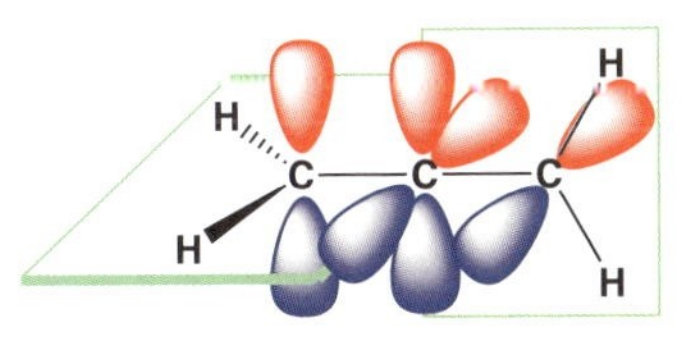

(b) 1,4–ペンタジエンの二つの二重結合の間に sp^3 混成の（p AO をもたない）CH_2 があるので，共役できない．

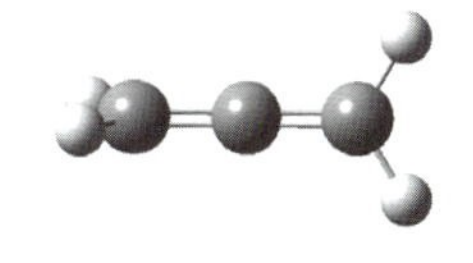

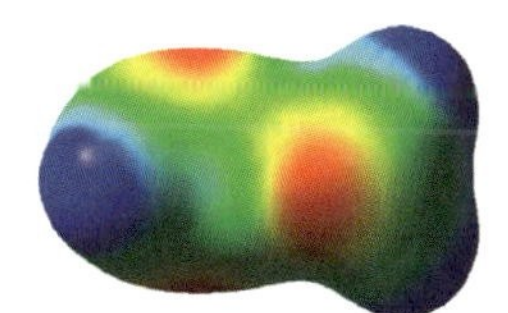

プロパジエン(アレン)の分子模型と EPM

問題 5.1 次の化合物のうち共役系をもつのはどれか．

(a) $H_2C{=}CH{-}CH{=}CH{-}CH_3$　(b) $H_2C{=}CH\text{-}CHO$　(c) CO_2　(d) 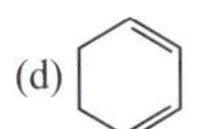　(e) 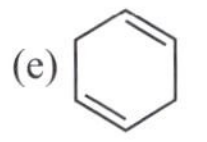

最低空分子軌道 lowest unoccupied molecular orbital : LUMO

5.3　アリル系

有機反応の重要な中間体に，アリルカチオン，アリルラジカル，そしてアリルアニオンがある．これらはいずれも C=C 結合にもう一つ sp^2 炭素が結合した構造をもっている．このように sp^2 炭素が 3 個結合した系をアリル系という．

$CH_2{=}CH\overset{+}{C}H_2$	$CH_2{=}CH\dot{C}H_2$	$CH_2{=}CH\ddot{C}H_2^{-}$
アリルカチオン	アリルラジカル	アリルアニオン

5.3.1　アリル系の分子軌道

アリル系の三つの sp^2 炭素には 2p AO が一つずつあり，互いに相互作用できる(図 5.3)．三つの 2p AO の組合せにより三つの π MO ができる(図 5.4)．いずれも分子面に節面をもっているが，π_1 はほかには節をもたない．π_2 はほかに節面を一つ，π_3 は二つもっている．

図 5.3　アリル系の分子模型と 2p 軌道

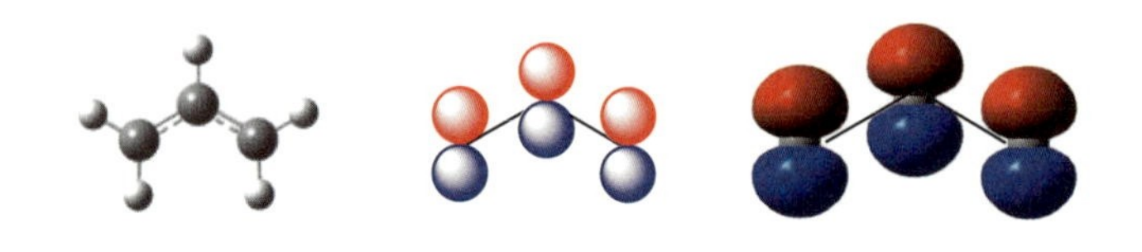

図 5.4　アリル系の π MO
アリルラジカルの電子状態を示している．

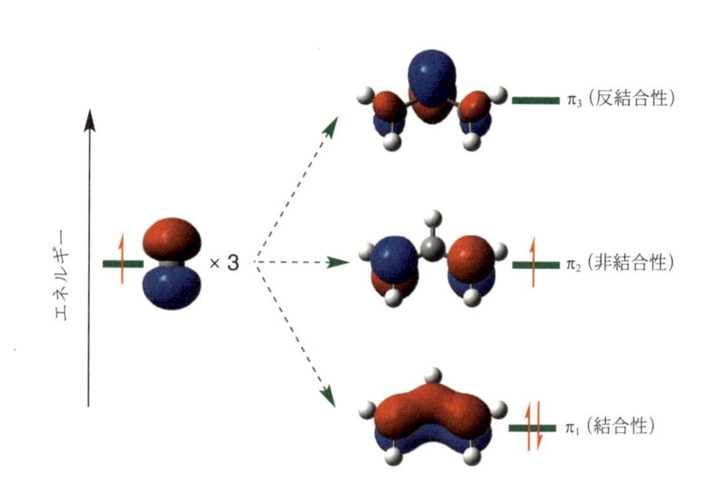

アリルカチオンの π 電子 2 個は π_1 MO に入っている．アリルアニオンでは π_1 と π_2 MO が 4 電子で満たされている．アリルラジカルの π_2 MO には 1 電子しか入っていない．電子が 1 個だけ入った軌道は，半占分子軌道(SOMO)とよばれる．π_2 MO では末端炭素に電子が分布する(図 5.4)．

■ **アリル系の 3 種類の活性種(カチオン，アニオン，ラジカル)の反応には π_2 MO が重要であり，いずれも末端炭素で反応する．**

問題 5.2　アリルカチオンとアリルアニオンの π MO のエネルギー準位図を書き，矢印で電子を表して基底電子状態を示せ．

アリル系 allylic system
アリルカチオン allyl cation
アリルラジカル allyl radical
アリルアニオン allyl anion
半占分子軌道 singly occupied molecular orbital (SOMO と略す)

5.3.2 アリル系の共鳴による表し方

アリル系はいずれも二つの Lewis 構造式で表せる．アリルカチオンは **1a** のように書けるが，その二重結合の電子対を隣の結合に移すことにより **1b** のように書いてもよい．この二つの等価な Lewis 構造式は，共鳴構造式を表しており，実際のアリルカチオンはその共鳴混成体として表せる(1.3.3 項参照)．正電荷は二つの末端炭素に分布しており，**1c** のように書くこともできる．

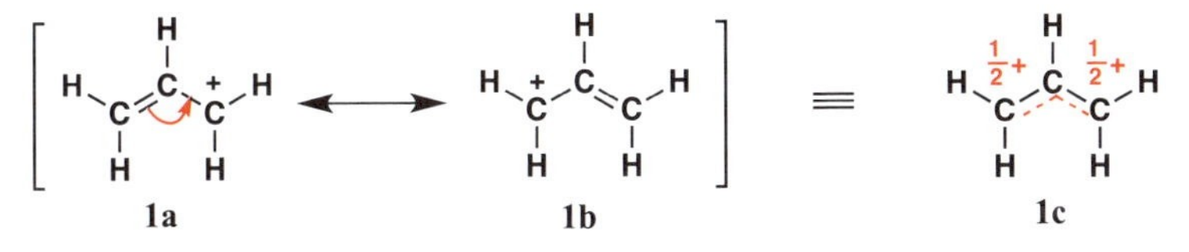

アリルカチオン(三中心二電子系)

共鳴構造式 **1a** と **1b** の電子対の位置の違いを示すために巻矢印を用いている．
巻矢印(⌒)は電子対(2 電子)の動きを示すために用いる(詳しくは 7.2 節参照)．

一方，アリルアニオンを **2a** のように書き，その非共有電子対を結合電子対に変え，二重結合の電子対を新しい非共有電子対にすると，**2b** の Lewis 構造式になる．**2a** と **2b** も等価であり，アリルアニオンはその共鳴混成体として表される．負電荷は二つの末端炭素に分布しており，**2c** のように書くこともできる．また，アリル系の二つの C−C 結合は等価であることにも注意しよう．

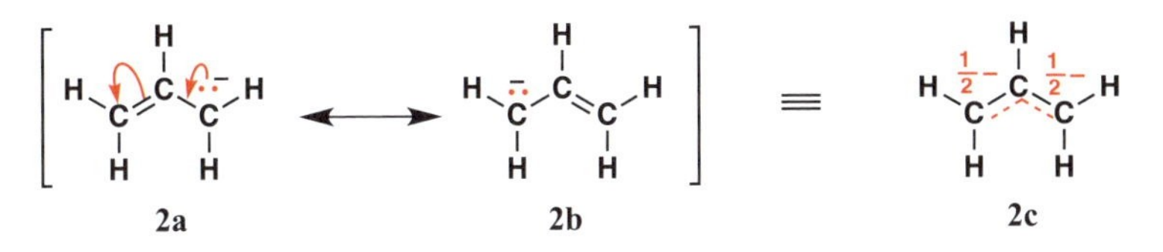

アリルアニオン(三中心四電子系)

共鳴構造式 **2a** と **2b** の電子対の位置の違いを表すには二つの巻矢印が必要である．

これらのイオンはいずれも，3 個の炭素からなり，カチオンは 3 原子の骨格に π 電子 2 個，アニオンは 3 原子に π 電子 4 個が非局在化している．前者は三中心二電子系，後者は三中心四電子系という．

アリルラジカルも同じように **3a** と **3b** の共鳴混成体として表せる．あるいは **3c** のように表すこともできる．3 原子系に π 電子 3 個が含まれる．

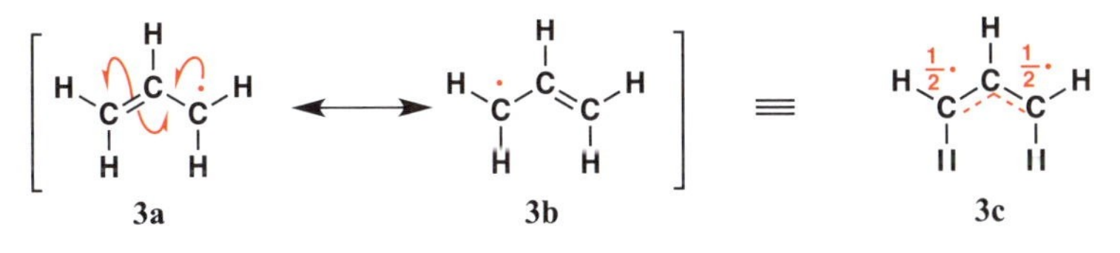

アリルラジカル

アリルラジカルの共鳴構造式 **3a** と **3b** においては，1 電子ずつの動きを片羽の巻矢印(⌒釣針形矢印ともいう)で示していることに注意(7.2 節参照)．

3 種のアリル系の共鳴構造式はいずれも，形式電荷あるいは不対電子が末端炭素に均等に分布することを示している．分子軌道において π_2 MO で末端炭素に電子が分布し，その位置で反応しやすいことを説明したが，共鳴も同じことを示している．

5.3.3 アリルアニオン類似系

三中心二電子系 three-center two-electron system
三中心四電子系 three-center four-electron system

1.3.2 項で例として出てきたエタン酸アニオンやニトロメタンの共役系は，1.3.3 項で簡単に共鳴を使って表せることを説明した．これらの π 電子系はアリルアニオンと似た三中心四電子系であり，アリルアニオン類似系とよばれる．

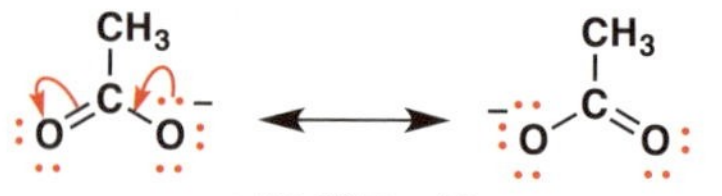

エタン酸アニオン 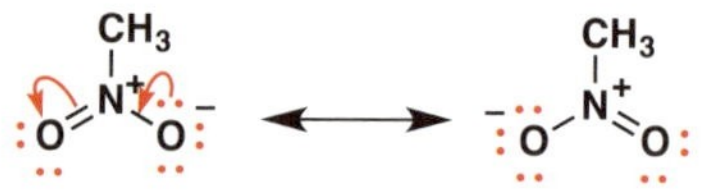　　ニトロメタン

ヘテロ原子(N，O，ハロゲンなど)は非共有電子対をもっているので，二重結合(あるいは三重結合)にヘテロ原子が結合するとアリルアニオン類似系になり，アリルアニオンと似た π 電子の非局在化がみられる．そのような例をいくつかあげておこう．

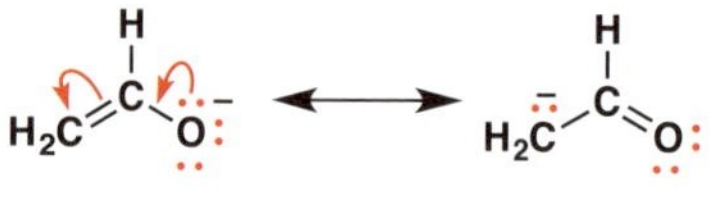

エノラートイオン 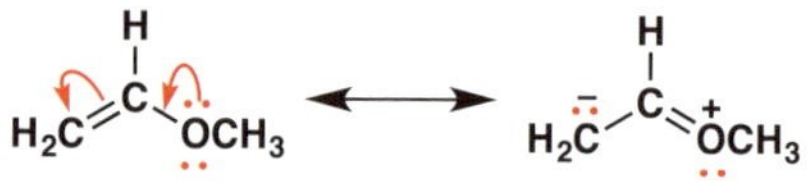　　メトキシエテン

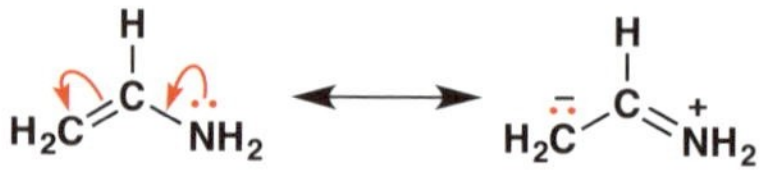

エナミン 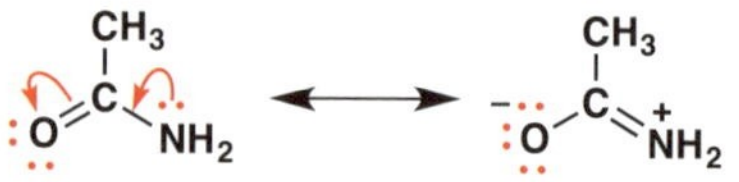　　アミド

問題 5.3　次のアリルアニオン類似系の主要な共鳴構造式を書け．すべての非共有電子対を示すこと．

(a)　$CH_2{=}CHOH$(エノール)　　(b)　$CH_3CO_2CH_3$(エステル)

5.4　共　鳴　法

5.4.1　共鳴法の要点

共鳴法は，1.3.3 項にも述べたように，一つの Lewis 構造式で正しく表せないような化学構造を複数の Lewis 構造式(共鳴構造式)の混成体として表す方法である．前節でもこの方法を適用してアリル系の構造を示した．ここで改めて共鳴法の要点をまとめておく．

分子は一定の原子配置をもつ構造をとっており，その原子骨格の上に Lewis 表記に基づいて電子を配置して Lewis 構造式を書くことができるが，正しい Lewis 構造式が複数書けることがある．ここで得られる Lewis 構造式を共鳴構造式(共鳴寄与式ともいう)といい，実際の構造はそれらの加重平均になっている．それを共鳴混成体といい，共鳴構造式を双頭矢印(↔)で結んで表す．

■ **共鳴法は実際の分子構造を共鳴構造式の混成体として双頭の矢印で結んで表す方法である．**

アリルカチオンの共鳴(**1a** と **1b**)は，二つの C−C 結合が二重結合になったり単結合になったりして結合の長さが変化する平衡を表しているわけではない．実際には，二つの C−C 結合の長さは等しく，二重結合と単結合の中間の長さである．

双頭矢印(↔)は決して，ある瞬間に一つの構造をとり，別の瞬間に別の構造に変化していることを表すものではない．共鳴の矢印は，平衡の矢印(⇌)や反応の矢印(→)とはまったく違う意味をもっているので，これらと区別しなければならない．

アリルアニオン類似系　allyl anion analog
共鳴法　resonance theory または resonance method
共鳴構造式　resonance structure
共鳴寄与式　resonance contributor
共鳴混成体　resonance hybrid

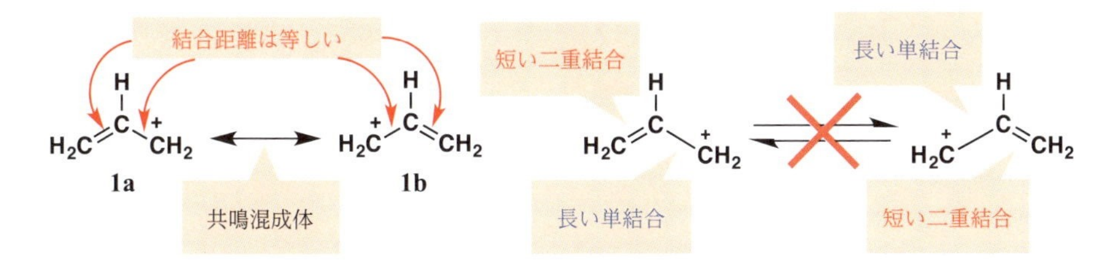

■ **共鳴混成体が実際の分子構造を表しており，共鳴構造式は仮想的な構造である．**

共鳴構造式の原子配置は実際の分子構造（共鳴混成体）と同じものであり，共鳴構造式は電子配置だけが異なる仮想的な構造である．実際の構造は単結合と二重結合の長さが異なるので，ここで書く Lewis 構造式は一つ一つで実際の構造を表すものではない．

共鳴混成体で表されるのは共役した構造であり，共役系の構造を共役していない構造式（共鳴構造式）で表している．したがって，共役による安定化エネルギーは共鳴混成体と最も安定な共鳴構造式とのエネルギー差ということもでき，**共鳴エネルギー**ともいわれる．

共鳴エネルギー resonance energy

5.4.2　共鳴構造式の書き方と重要度

共鳴構造式は必ずしも等価であるとは限らない．共鳴構造式が等価でない場合には，これらの仮想的な構造が安定であるほど，共鳴への寄与は大きく，重要であると考えられる．共鳴構造式はその重要度により，加重平均として混成体に寄与している．ここで共鳴構造式の書き方とその重要度の判定法をまとめておく．

■ **共鳴構造式の書き方：**

1. まず，正しい Lewis 構造式を一つ書く．
2. ついで，巻矢印（⌒）で電子対を動かして別の Lewis 構造式を書く．巻矢印は π 結合電子対か非共有電子対から出す（ラジカルの場合には 1 電子ずつ動かす）．
3. この方法で別の Lewis 構造式を書けば，それがもう一つの共鳴構造式であり，**全価電子数も全体の電荷も変化していない．**

共鳴構造式を書くときに使う巻矢印は，実際に電子が動いていることを表すものではない．二つの共鳴構造式の違いを示すために使っている．

■ **共鳴構造式の重要度：**

1. より多くの結合をもつほうが重要である．

たとえば，1,3-ブタジエンには **4b** や **4c** のような共鳴構造式も書ける．しかし，結合が一つ少ないこれらの構造式の寄与はほとんどないと考えてよい（また，次の項目 2 にも反する）．ブタジエンは **4a** で表して構わない．

4a　**4b**　**4c**

メトキシメチルカチオンは共鳴構造式 **5a** と **5b** の共鳴混成体として表せる．構造式 **5b** は **5a** よりも一つ余計に結合をもっているので，より重要な共鳴構造式である．形式正電荷は項目 3 に反して電気的に陰性な酸素原子上にあるが，それでも結合が多いことのほうが重要である．結合が多いことはオクテットを満たす原子が多いことにも相当する．

2 番目に重要な（電荷分離した）共鳴構造式から実際の化合物の反応性が示唆されることが多い．たとえば，アニオン性反応種（求核種）はカルボニル結合の C を攻撃しやすい．

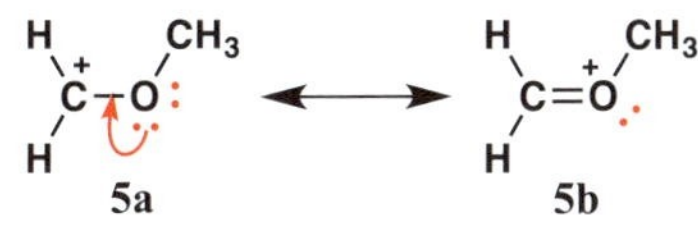

2. 電荷の分離は不利である．

メタン酸（ギ酸）はアリルアニオン類似系の一つであり，**6a** と **6b** の共鳴混成体として表せる．しかし，**6b** では電荷分離が起こっているので，その寄与は小さい．メタン酸の構造は，近似的に **6a** で表して差し支えない．

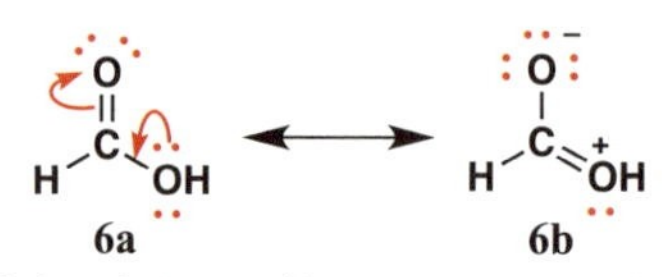

3. 電荷の分布が電気陰性度の大きさに従っているほうが有利である．負電荷は電気陰性度の大きいほうに偏る．

エノラートイオンは，アリルアニオン類似の三中心四電子系アニオンであり，**7a** と **7b** の共鳴構造式が書ける．電気陰性度が O>C なので，負電荷は酸素が受けもつほうが有利である．したがって，**7a** の寄与のほうが大きく，電子密度は β 炭素よりも酸素のほうが大きい．

7a ⟷ **7b**

カルボニル結合は C と O の電気陰性度の違いのために分極している．共鳴構造式として，電荷分離した構造 **8b** と **8c** が考えられる．**8b** では電気陰性度の大きい酸素に負電荷があるので一定の共鳴寄与をもち，分極の原因になっている．しかし，**8c** では電気陰性度の小さい炭素に負電荷があり，これはまったく不利で無視できる．その結果，カルボニル基炭素は部分正電荷をもつ（**8d**）．

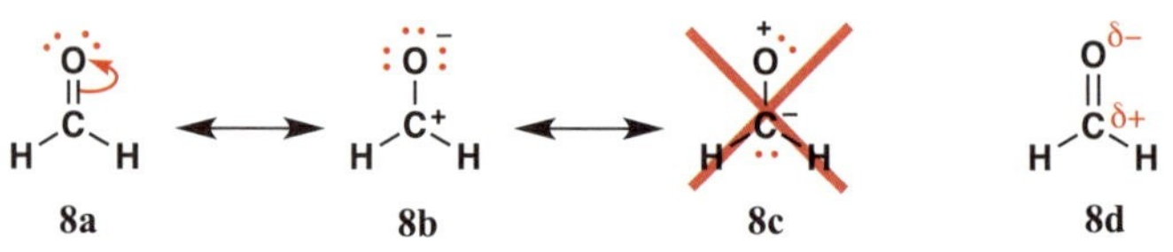

例題 5.2

次の分子またはイオンの共鳴構造式を書き，共鳴混成体への寄与が最も大きいのはどれか説明せよ．

(a) シアン化物イオン CN^-　　(b) ジアゾメタン $H_2C{=}N_2$
(c) アセチリウムイオン $CH_3{-}C^+{=}O$
(d) クロロエテン（塩化ビニル）$CH_2{=}CHCl$

解答　(a) $:\bar{C}{\equiv}N: \longleftrightarrow :C{=}\ddot{N}:^-$

左の構造のほうが，結合が多いので重要である．

(b) $H_2C{=}\overset{+}{N}{=}\ddot{N}:^- \longleftrightarrow H_2\bar{\ddot{C}}{-}\overset{+}{N}{\equiv}N:$

二つの構造はいずれも結合を四つもつが，C よりも電気陰性度の大きい N に形式負電荷のある左の構造の寄与のほうが大きい．

(c) $CH_3{-}\overset{+}{C}{=}\ddot{O}: \longleftrightarrow CH_3{-}C{\equiv}\overset{+}{O}:$

右の構造のほうが，結合が多いので重要である．

(d) $H_2C{=}CH{-}\ddot{Cl}: \longleftrightarrow H_2\bar{\ddot{C}}{-}CH{=}\overset{+}{Cl}:$

電気的に陰性な Cl が正電荷をもつような電荷分離構造（右）の共鳴寄与は小さい．

問題 5.4　右に示す Lewis 構造式は硝酸イオン NO_3^- の表し方の一つである．一方，実際に測定された三つの N−O 結合の長さはすべて等しい．これを説明せよ．

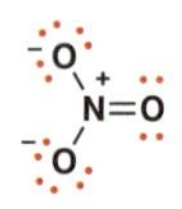

硝酸イオン

問題 5.5　次の分子またはイオンの非共有電子対をすべて書き込み，共鳴構造式を書け．また，共鳴混成体への寄与が最も大きいのはどれか説明せよ．

(a) $\mathrm{H_3C\overset{\overset{O}{\|}}{C}NH_2}$　(b) $\mathrm{H_2C{=}CHOCH_3}$　(c) $\mathrm{H_2\overset{+}{C}{-}NH_2}$　(d) $\mathrm{H_3C{-}\overset{-}{C}H{-}\overset{\overset{O}{\|}}{C}{-}CH_3}$

5.5 ベンゼン

5.5.1 ベンゼンの構造

ベンゼンは，三つの二重結合が単結合で環状につながった構造式 **9** で書かれることが多いが，これは等価な二つの共鳴構造式(**9a** と **9b**)の一つにすぎない．実際のベンゼンは平面正六角形の構造をもち，すべての C－C 結合距離は等しく 139.5 pm で，C－C 単結合(154 pm)と C＝C 二重結合(134 pm)の中間の長さになっている．

ベンゼンは **9a** と **9b** の共鳴混成体として表すのが適当であり，電子の非局在化を表現するために **9c** のように書くことも多い．ベンゼンの **9a** と **9b** のような共鳴構造式を，Kekulé(ケクレ)構造式とよぶ．

ベンゼンの表し方については16.1節も参照するとよい．

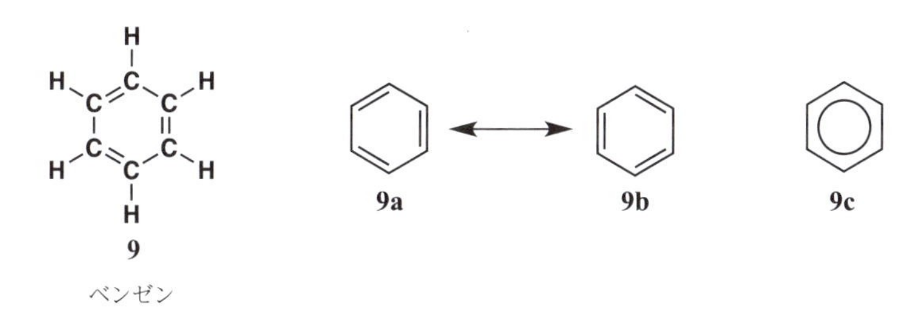

5.5.2 ベンゼンの分子軌道

ベンゼンは平面構造であり，6 個の炭素はすべて sp^2 混成で 2p AO をもっている．これら六つの 2p AO はすべて平行に並び環を形成している(図 5.5)．

2p AO が六つ組み合わさってベンゼンの π MO を六つつくる．そのエネルギーと軌道のかたちを図 5.6 に示す．

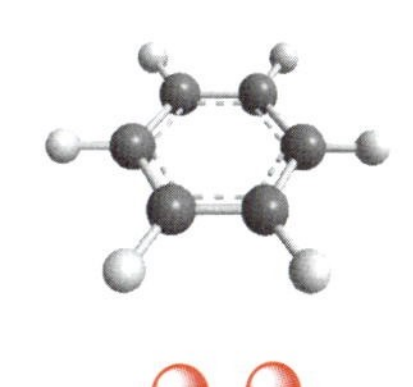

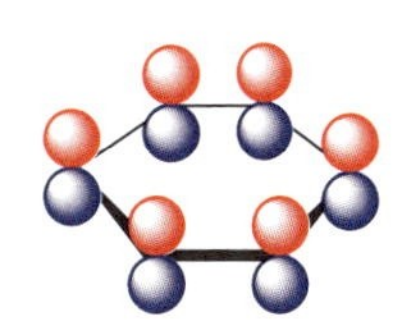

図 5.5　ベンゼンの構造と 2p 軌道

■ AO が組み合わさって MO をつくるとき，もとの AO の数とできてくる MO の数は等しい．

すべての MO は π MO に特徴的な節面を分子面にもっている．そのほかには，最もエネルギーの低い π_1 MO は節面をもたないで環状につながっている．次に節面を一つもつ MO が同じエネルギー準位に二つある(π_2 と π_3)．これらは，縮退している．ここまでの三つの MO が結合性軌道であり，それぞれの MO に 2 電子ずつ詰まっている．縮退している二つの MO(π_2 と π_3)が HOMO になる．

それよりエネルギーの高い反結合性の軌道がさらに三つある．分子面のほかに二つの節面をもつ縮退した MO が二つ(π_4 と π_5)あり，LUMO になっている．一番エネルギーの高い π_6 MO は合わせて四つの節面をもち，六つの 2p 軌道がすべて逆位相でつながっている．

ベンゼンの結合性 π MO を対応する仮想的な(共役していない)1,3,5-シクロヘキサトリエンの結合性 π MO(図 5.6，左側)と比べると，ベンゼンの π_1 MO が安定性に大きく寄与していることがわかる．

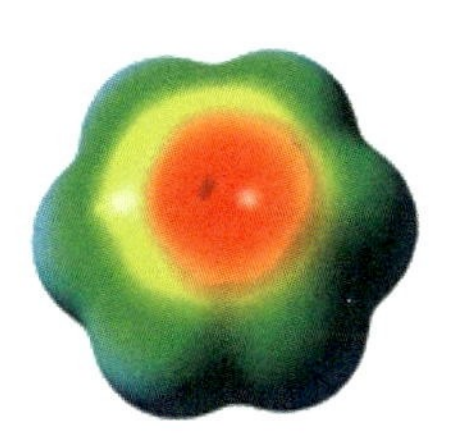

ベンゼンの EPM

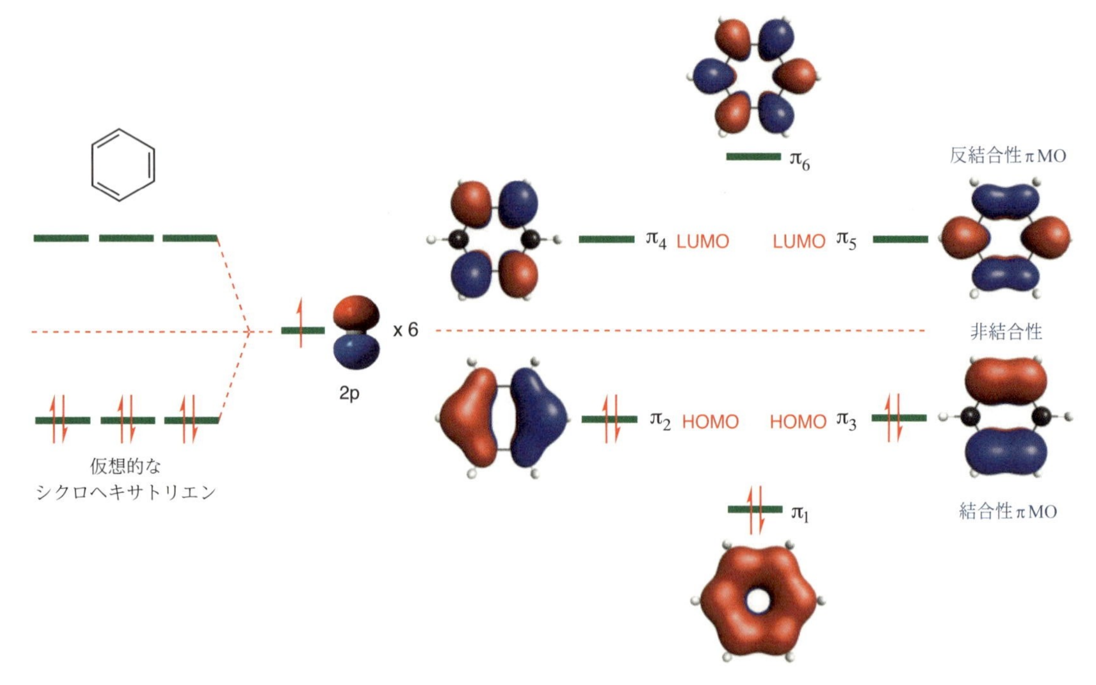

図 5.6　ベンゼンのπ分子軌道
左側に仮想的な共役していない 1,3,5-シクロヘキサトリエンのπMO を示す.

■ **ベンゼンの基底状態電子配置では，三つの結合性πMO が 6 電子で完全に満たされている.**

この電子配置がベンゼンの特別な安定性の根源である(5.6 節).

5.5.3　ベンゼンの安定化エネルギーの計算

ベンゼンの安定化エネルギー(非局在化エネルギー)は，電子の非局在化が起こっていない仮想的な分子のエネルギーと実際の分子のエネルギーの差と定義できる．図 5.6 ではベンゼンと仮想的なシクロヘキサトリエンの軌道エネルギーを比較した.

この関係は，シクロヘキセンとベンゼンの水素化熱を熱化学的に比較することによって推測することができる．シクロヘキセンとベンゼンは触媒の存在下に H_2 と反応して，いずれもシクロヘキサンになる．この反応は発熱反応であり，その反応熱($-\Delta H$)は**水素化熱**とよばれる．それぞれの ΔH の測定値は -120 kJ mol^{-1} と -208 kJ mol^{-1} である.

+ H_2 　(触媒)→　　$\Delta H = -120$ kJ mol^{-1}

+ $3H_2$ 　(触媒)→　　$\Delta H = -208$ kJ mol^{-1}

非局在化を起こしていない仮想的な 1,3,5-シクロヘキサトリエンの水素化熱は，シクロヘキセンの場合の 3 倍，$-\Delta H = 120 \times 3 = 360$ kJ mol^{-1} と予測できる．この予測値と実測値の差 152 kJ mol^{-1} がベンゼンの**安定化エネルギー**とみなせる(図 5.7).

水素化熱　heat of hydrogenation

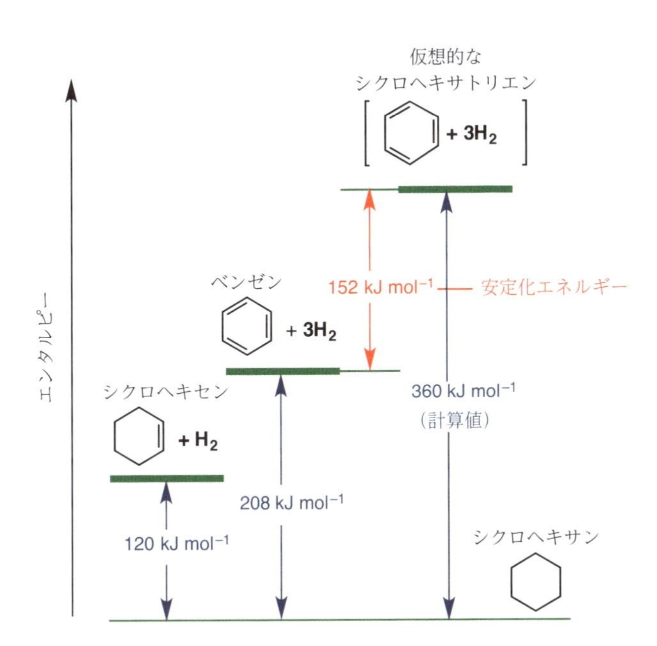

図 5.7 ベンゼンの安定化エネルギーの水素化熱からの計算

ノート 5.1 ベンゼンの構造と Kekulé の夢

灯油ガス中からベンゼンを最初に発見し，その組成を決定したのは，電磁気学の研究でも有名な英国の科学者 Michael Faraday(ファラデー，1791～1867)で，1825 年のことであった．Faraday が取り出したベンゼンのサンプルは，今でもロンドンの王立研究所に当時のままに保存されている．

しかしながら，その後長い間，ベンゼンの構造は謎に包まれており，当時の化学者たちを悩ませてきた．たとえば，炭素と水素の組成比から考えて不飽和度が高いにもかかわらず，非常に安定で，通常のアルケンのような付加反応を起こさないことは，当時の化学者には理解しがたいことであった．

このような不可思議なベンゼンに対して，いわゆる亀の甲形の環状構造を思いついたのは，ドイツの化学者 A. Kekulé(ケクレ)で，1865 年のことであった．

Kekulé は，すでに 1857～1858 年に，若くして炭素の四原子価説を発表して有機化学構造論の基礎を築き，当時はベルギーのゲント大学で研究を行っていた．

このゲントでのある晩，教科書の原稿を書いていた Kekulé は，椅子に座ったまま暖炉の前でうたた寝をし，ある夢をみた．その夢の中で 1 匹のヘビが現れて，自分の尻尾をくわえてまわり始めた．Kekulé は，はっと目を覚まし，それによってベンゼンの環状構造を思いつき，その着想をもとに論文をまとめたといわれる．

炭素間の結合が環状になることは，今日の私たちには当然の知識であっても，当時は大きな思考の飛躍であった．この Kekulé の提案は，19 世紀後半に長足の進歩を遂げた芳香族化合物の化学や，合成染料・医薬品などの化学工業に論理的な基礎を与えたものであり，まさにブレークスルーであった．

1930 年代に，Erich Hückel によって，当時発展した量子力学を取り入れた分子軌道理論を用いて Kekulé 式のベンゼンの分子構造が明快に説明された．一方，実験的な証明は，X 線回折や中性子線回折によってなされたが，それは Kekulé による提案からほぼ 1 世紀後のことであった．

1890 年にドイツ化学会は，Kekulé によるベンゼンの構造式の提案 25 周年を記念して“ベンゼン祭(Benzolfest)”を開催した．この式典の折に，Kekulé は，上述の“夢物語”を披露したのである．その話が真実かどうかは，化学史学の分野で検証が続けられているが，そのときに Kekulé の語った“諸君，夢見るべし．そうすれば，真理を見い出すこともできるだろう”という言葉は，今でも味わい深いものである．

August Kekulé
(1829～1896)

5.6　芳 香 族 性

ベンゼンは 6 個の π 電子が環状に非局在化することによって，大きな安定化エネルギーを得ている．同じ結果は，$4n+2$ 個の π 電子（n は 0，1，2 などの整数）が環状に非局在化した化合物で一般的にみられる．このような化合物は**芳香族**とよばれ，その π 電子の非局在化の結果としてみられる性質は**芳香族性**といわれる（ノート 5.2 参照）．このような環状非局在化系の MO は，ベンゼンでみられたように，すべての π 電子を使ってすべての結合性 π MO が完全に満たされた状態になり，きわめて大きな安定化エネルギーを得ている．

芳香族（化合物）aromatic (compound)
芳香族性　aromaticity

- **$4n+2$ 個の π 電子が環状に非局在化して芳香族性を示すという一般則を，Hückel $4n+2$ 則という．**

ノート 5.2　芳香族性と非ベンゼン系芳香族化合物

π 電子が $4n+2$ 個環状に非局在化すると，その化合物は芳香族性とよばれる特別の安定性を示す．この関係は，1931 年に E. Hückel（ヒュッケル）によって量子力学に基づいて予測され，Hückel 則とよばれる．なぜ $4n+2$ 電子なのだろうか．これは環状共役系の π MO のエネルギー準位に由来する．

分子式 $(CH)_m$ で表される炭素数 m の環状共役炭化水素は [m] アヌレンとよばれる．その π MO のエネルギー準位は図式的に次のようにして予測できる．頂点を下にして半径 2β の円（Frost 円といわれる）に内接した正 m 角形を書く（β は非結合性 MO からみたエテンの結合性 π MO の準位に相当する）と，各頂点が π MO のエネルギー準位になる．最も低いエネルギー準位に MO を一つもち，それより高いエネルギーには，エネルギーの等しい MO が二つずつ対になって存在している（縮退している）．

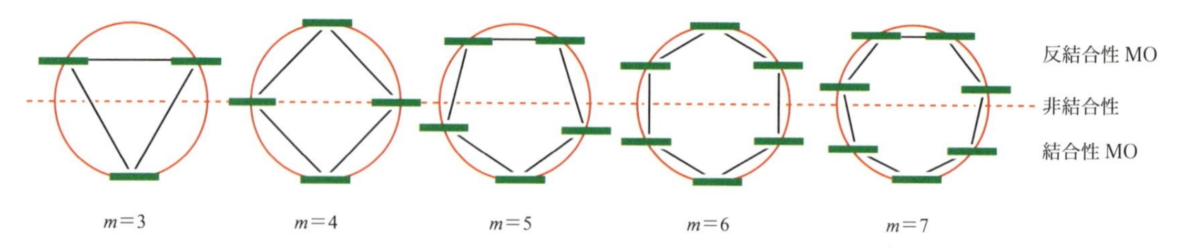

[m] アヌレンの π 分子軌道のエネルギー準位

たとえば，ベンゼン（$m=6$）は六つの π MO をもち，その 2 組が縮退している．これは実際理論計算から得られた図 5.6 と一致している．ここに，エネルギー準位の低い MO から順に 2 電子ずつ入れていくと，最初に 2 電子入ったあとは，同じエネルギー準位に縮退した MO が二つずつあるので，一つのエネルギー準位を満たすのに 4 電子ずつが必要になる．したがって，$4n+2$ 個の π 電子があれば，最安定軌道とその上の n 個の準位の縮退した MO が完全に電子で満たされ，安定な電子配置になる．上の図で $m=5\sim7$ のアヌレンの MO に 6 電子が入ると，いずれも結合性軌道が完全に満たされたかたちになり，その安定性がわかりやすい．これらがシクロペンタジエニドイオン，ベンゼン，シクロヘプタトリエニリウムイオン（トロピリウムイオン）に相当する．

電荷をもたない炭化水素として，$m=4n+2$（6，10，14…）の [m] アヌレンは平面構造になれば芳香族性を示す．その代表は $m=6$ のベンゼンである．ベンゼン環が 2 個つながったナフタレンは 10π 電子，3 個つながったアントラセンやフェナントレンは 14π 電子の芳香族となる．これらの多環芳香族化合物については 19 章で説明する．

しかし，芳香族 6π 電子系は必ずしもベンゼンのような六員環である必要はない．上でみたよう

次に代表的な芳香族炭化水素と芳香族性をもつイオンをあげる．シクロプロペニリウムイオンは $n=0$ の例であり，三員環に π 電子が 2 個非局在化している．シクロペンタジエニドイオンは，五員環に 6π 電子 ($n=1$) が非局在化したアニオンである．七員環のカチオンであるシクロヘプタトリエニリウムイオン（トロピリウムイオンともいう）も 6π 電子系である．

炭素カチオンとアニオンの名称

cyclopropenylium の語尾 -ium はカチオンを表し，cyclopentadienide の語尾 -ide はアニオンを表す．命名法規則によると，カチオンを表す -ium は，母体化合物に H^+ が付加してできるカチオンあるいはラジカルから電子を失ってできるカチオンに対する名称なので，よくみられるシクロプロペニウムイオンやシクロヘプタトリエニウムイオンの名称は正しくない（別の構造を表す）．基名にカチオンをつけてもよい（シクロプロペニルカチオン）．母体化合物から H^+ を除いてできるアニオンを -ide で表し，ラジカルに電子が付加してできるアニオンは基名にアニオンをつけてもよい（シクロペンタジエニルアニオン）．

に，五員環や七員環のイオンも芳香族性をもつ．またトロポンのように七員環の sp^2 炭素の一つがカルボニル基になっていても芳香族性を示す．これは共鳴構造式を書いてみるとよくわかる．このような非ベンゼン系芳香族化合物の化学は，野副鐵男（のぞえてつお）がタイワンヒノキからヒノキチオールを発見した（1936 年）ことに始まる．

トロポン　　トロポロン　　ヒノキチオール　　アズレン

その後，ヒノキチオールの母体化合物であるトロポロンやナフタレンの異性体であるアズレンとその関連化合物に関する研究が，野副とその一門によって精力的に展開され，非ベンゼン系芳香族化合物の化学が確立された．

アズレンはナフタレンの構造異性体で，濃い青色が特徴的な結晶である．1-アズレンスルホン酸ナトリウムは，水溶性で穏やかな抗炎症作用をもつことから，うがい薬などに用いられ，1,4-ジメチル-7-イソプロピルアズレンは火傷の炎症を抑えるアズノール軟膏® の有効成分である．

ルリハツタケ
青いキノコとして知られるルリハツタケはアズレンの誘導体を含む．

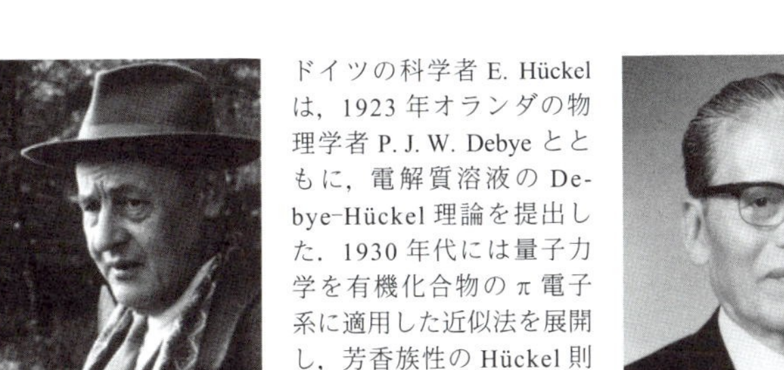

ドイツの科学者 E. Hückel は，1923 年オランダの物理学者 P. J. W. Debye とともに，電解質溶液の Debye-Hückel 理論を提出した．1930 年代には量子力学を有機化合物の π 電子系に適用した近似法を展開し，芳香族性の Hückel 則を発表した．

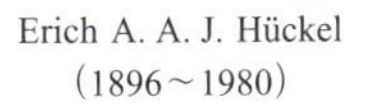

Erich A. A. J. Hückel
(1896～1980)

野副鐵男
(1902～1996)

東北帝国大学卒業．台北帝国大学，東北大学の教授を務めた．93 歳で亡くなる前日まで，あくことなき情熱で研究を続けた．

シクロペンタジエンは芳香族アニオンのシクロペンタジエニドイオンを生成するのでプロトンを引き抜かれやすい(酸性が強い)．一方，シクロヘプタトリエンは芳香族カチオンのシクロヘプタトリエニリウムイオンを生成するのでヒドリドイオン(H^-)を出しやすい．

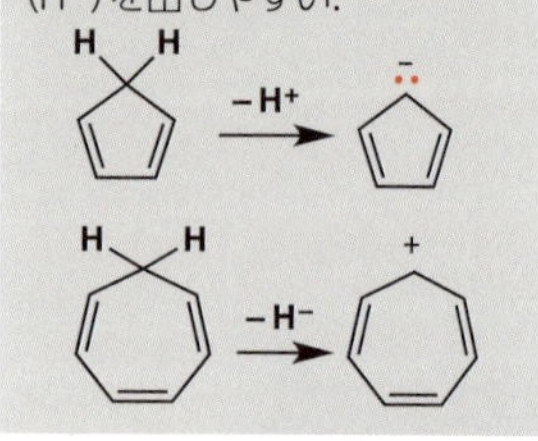

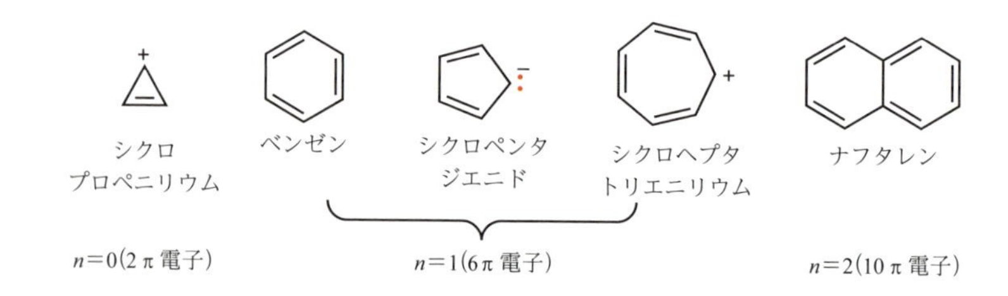

環に含まれる原子がヘテロ原子に置き換わっても芳香族性を示す．その代表例はピリジンやピロールであり，ベンゼンとシクロペンタジエニドイオンの CH を N に置き換えた構造をもっている(例題 5.3 参照)．

例題 5.3

ピリジンあるいはピロールがプロトン化されてできる生成物は芳香族性を示すかどうか説明せよ．

解 答　ピリジンの N は sp^2 混成でその 2p AO はベンゼンと同じように 6π 電子系に組み込まれて多重結合の形成に使われており，非共有電子対は π 電子系に直交した sp^2 軌道に収容されているので，プロトン化が起こっても 6π 電子系は維持され，芳香族性は保たれている．しかし，ピロールの芳香族性は二つの二重結合と N の非共有電子対で形成されている(シクロペンタジエニドイオンと等電子的である)ので，プロトン化が起こると N は π 電子系に含まれる非共有電子対を失い，sp^3 混成になるので環状非局在化系ではなくなる．すなわち，芳香族性は失われる．

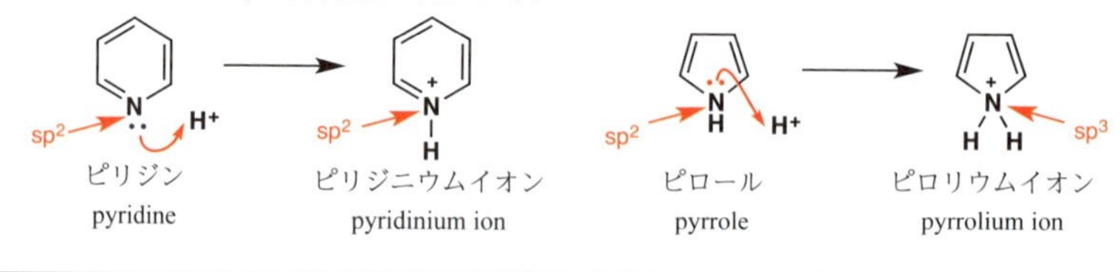

一方，Hückel の予測によれば，環状 $4n\,\pi$ 電子系は平面構造であっても対応する非環状の共役 $4n\,\pi$ 電子系よりも不安定になるので，反芳香族とよばれている．たとえば，1,3,5,7–シクロオクタテトラエン$(CH)_8$ は環状に共役した四つの二重結合をもつが，8π 電子系であり，環状に非局在化しても安定化は得られない．むしろ，環ひずみを避けてバスタブ形(おけ形)の非平面構造をとっている．

平面形　　バスタブ形
1,3,5,7–シクロオクタテトラエン

反芳香族 anti-aromatic (compound)

問題 5.6　次の化合物は芳香族性を示すか否か．理由とともに答えよ．

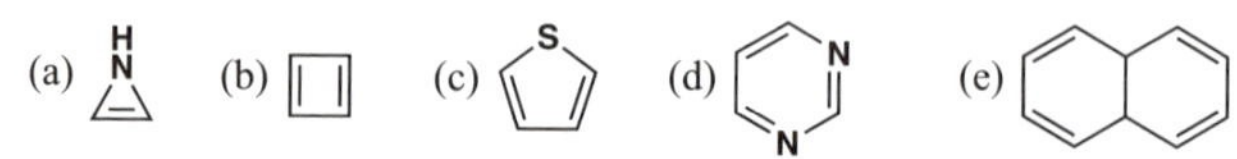

問題 5.7　次の化合物の共鳴構造式を書き，芳香族性をもつことを説明せよ．

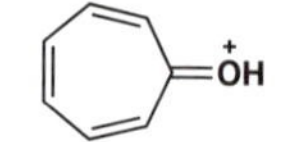

5.7 励起状態と光化学

有機分子の基底電子状態では，電子が対になって MO に収容されている．最も単純な例は 3.5 節でみたエテンの π MO であろう．この章ではブタジエンやベンゼンの MO をみた(図 5.2 と図 5.6)．いずれの場合にも結合性 MO に電子が詰まっていた．

このような分子に適当な光を照射すると，そのエネルギーを吸収して被占軌道(通常 HOMO)の電子が空軌道(通常 LUMO)に遷移する．エテンの場合を図 5.8 に示す．

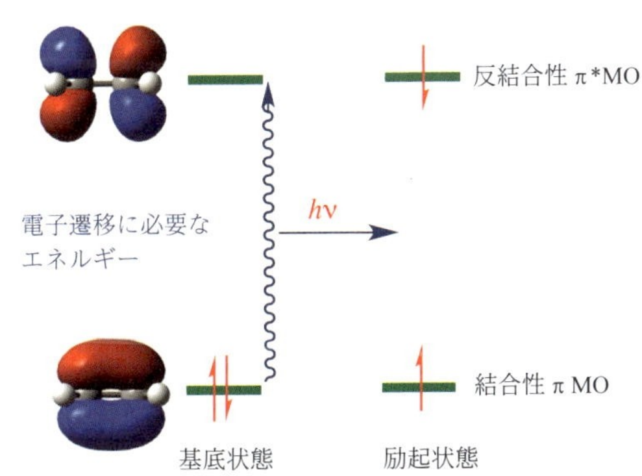

図 5.8 エテンの分子軌道と励起状態

電子が反結合性 π* MO に入ると，反結合性相互作用をもつので π 結合が切れて C−C 結合まわりの回転が可能になる．一般にアルケンは同じような π MO をもっているので，シス・トランス異性化を起こすことができる．

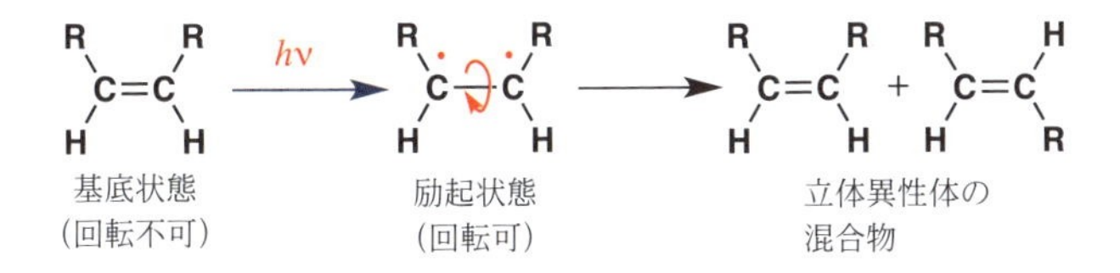

励起状態の電子状態は基底状態とは大きく異なるので，このような異性化反応だけでなく，通常の基底状態での反応(熱反応)とは異なる反応性を示す．励起状態の化学は一般的に光化学とよばれ，種々の光化学反応が知られている．

励起状態 excited state
光化学 photochemistry
光化学反応 photochemical reaction または photoreaction

ま と め

- 隣接して複数の二重結合あるいは 2p AO をもつ原子がある場合には，π MO の相互作用が起こり，電子が非局在化する．この現象を共役といい，その系は安定化される．
- 共役は分子軌道では軌道の重なりとして表され，共鳴法によって表現することもできる．
- 共鳴法では，電子が非局在化した実際の分子構造を，Lewis 構造式で表した共鳴構造式の共鳴混成体として表現する．
- ベンゼンは環状に 6π 電子が非局在化した構造をもつ．このように平面構造に $4n+2$ 個の π 電子が環状に非局在化して生じる特別な安定化と性質を芳香族性という．
- 光照射による励起状態を含む反応は光化学反応という．

章末問題

問題 5.8　次の化合物のうち共役系をもつものはどれか．

(a) $H_2C{=}CHCO_2H$　　(b) $H_2C{=}CHC{\equiv}CH$

(c) $H_2C{=}C{=}CHCH_3$　　(d) $H_2C{=}CHOCH_3$

(e) 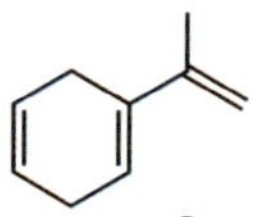　　(f)

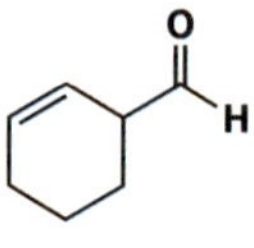

(g) 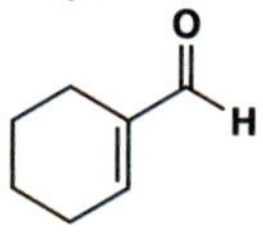　　(h)

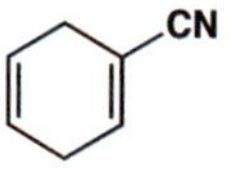

(i) 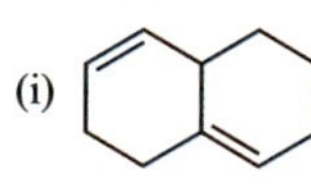　(j) 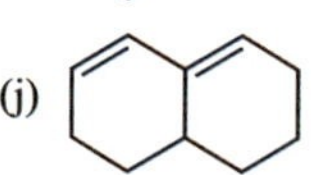

(k) 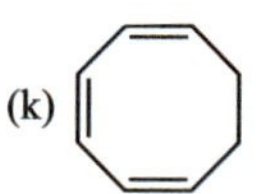　(l) 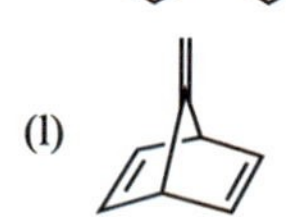

問題 5.9　次の組合せの構造式は同じ分子を表す共鳴構造式の関係であるか否か．共鳴構造式の関係にない場合には理由をつけて答えよ．

(a) 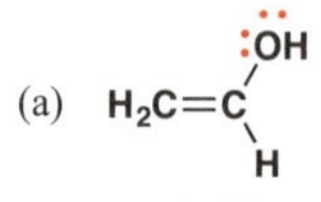

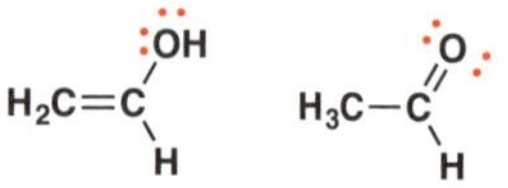

(b) 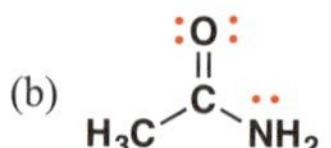

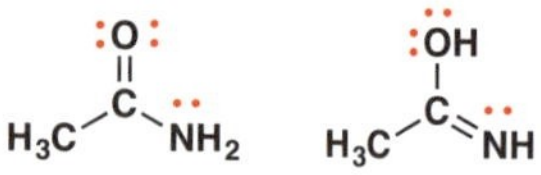

(c) 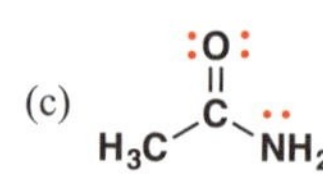

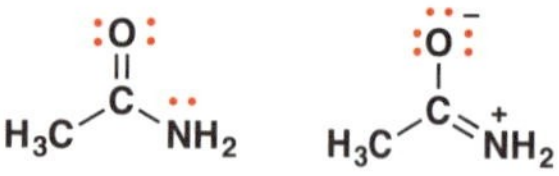

(d) 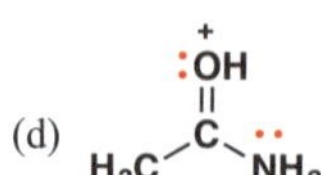

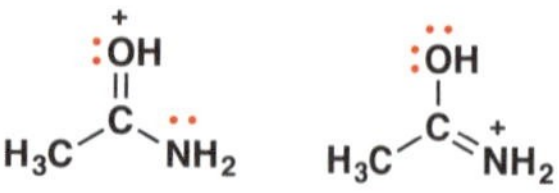

(e) 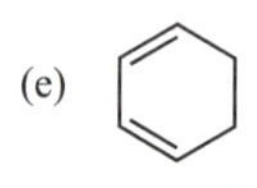　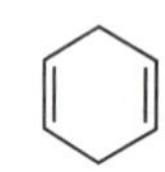

(f) 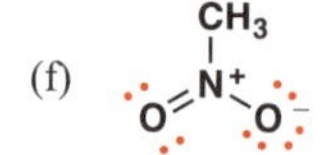　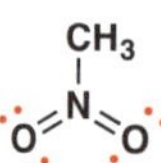

問題 5.10　次のイオンにすべての非共有電子対を書き加えて共鳴構造式を書け．

(a) $CH_3CH{=}\overset{+}{O}H$　　(b) 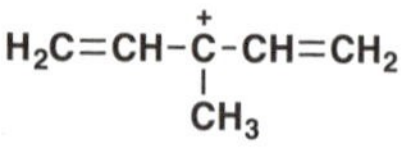 $H_2C{=}CH{-}\overset{+}{C}(CH_3){-}CH{=}CH_2$

(c) $CH_3\overset{+}{C}H{-}N(H){-}CH_3$　　(d) 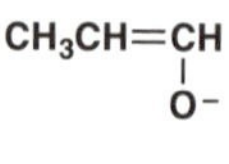 $CH_3CH{=}CH{-}O^-$

問題 5.11　次のイオンにすべての非共有電子対を書き加えて共鳴構造式を書け．

(a) 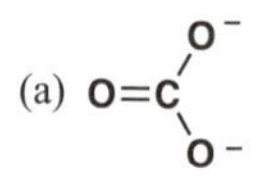　(b)

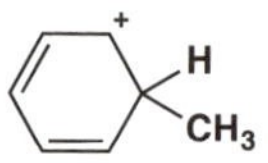

(c) 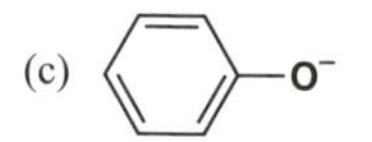　(d)

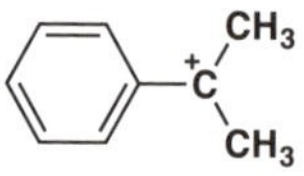

問題 5.12　次のイオンにすべての非共有電子対を書き加えて共鳴構造式を書き，共鳴混成体への寄与が最も大きいのはどの共鳴構造式か説明せよ．

(a) 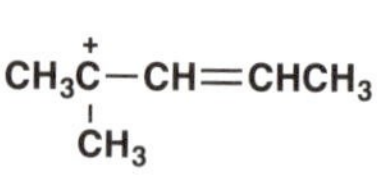 $CH_3\overset{+}{C}(CH_3){-}CH{=}CHCH_3$　　(b) $CH_3{-}C({=}\overset{+}{O}H){-}NH_2$

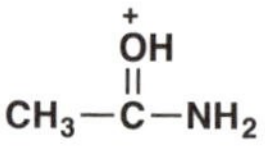

(c) ピペリジン環の $N{-}\overset{+}{C}HCH_3$　　(d) $^-CH_2{-}C{\equiv}N$

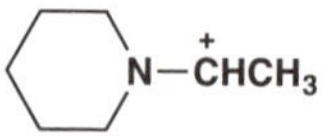

問題 5.13　化合物 I は [10] アヌレンの一つであり，10π 電子系であるにもかかわらず芳香族性を示さない．それに対して，II のように C1 と C6 を CH_2 でつなぐと芳香族性を示すようになる．この事実について説明せよ．

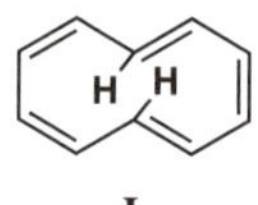
I

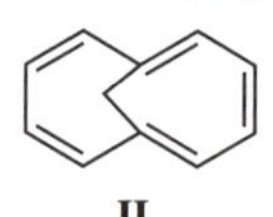
II

問題 5.14　次の化学種は芳香族性を示すか否か．理由とともに答えよ．

(a) 　(b) 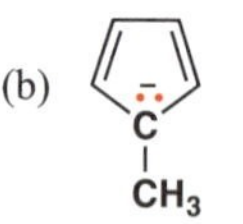　(c) 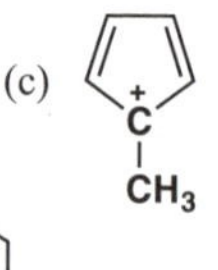

(d) 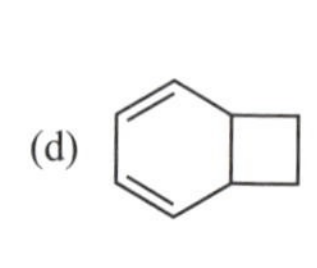　(e) 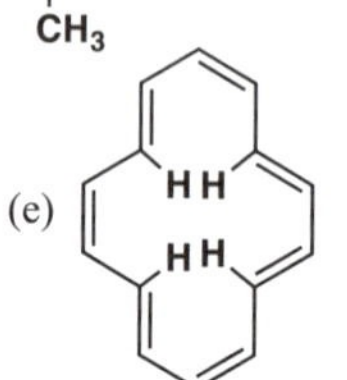

問題 5.15　次の化学種は芳香族性を示すか否か．理由とともに答えよ．

(a) 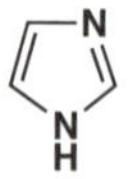　(b) 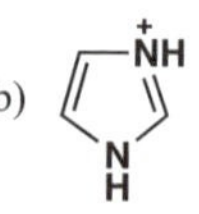　(c) 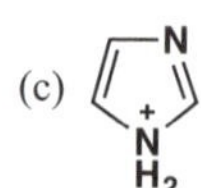

(d) 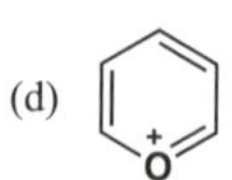　(e) 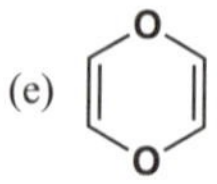

問題 5.16　すべての非共有電子対を示して次の化合物の共鳴構造式を書き，芳香族性をもつことを説明せよ．

(a) 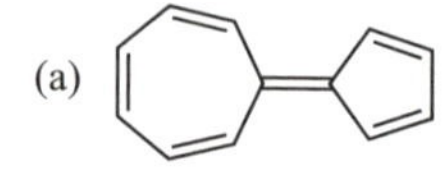　(b) 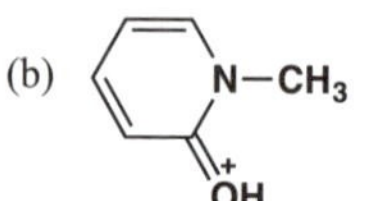

ノート 5.3　光の吸収と色

基底状態の分子が光のエネルギーを吸収して，電子が被占軌道から空軌道に遷移すると，その分子は励起状態になる．吸収される光のエネルギーはちょうど被占軌道と空軌道のエネルギー差に相当する(5.7 節参照)．光のエネルギーはその振動数に比例する．言い換えれば，波長が短いほど高エネルギーである．可視光の波長は 400～800 nm で，短波長側に紫外線，長波長側に赤外線がある．光の振動数 ν(ニュー)あるいは波長 λ(ラムダ)とエネルギー E には次の関係がある．h は Planck 定数(3.99×10^{-13} kJ s mol^{-1})，c は光速(3.00×10^{8} m s^{-1})である．

$$E=h\nu=hc/\lambda=1.20\times10^{-4}/\lambda(\mathrm{m})\ \mathrm{kJ\ mol^{-1}}\qquad(\text{波長}\ \lambda\ \text{を m 単位で表したとき})$$

空軌道と被占軌道のエネルギー準位の差が，可視光のエネルギーに相当し，ある一定の波長の光を吸収すると，その補色がみえる．たとえば，450 nm の青色の光が吸収されると橙色がみえ，640 nm の赤色光が吸収されると青緑色がみえる．

共役化合物はその共役系が大きくなり分子軌道の数が多くなるほど，軌道のエネルギー準位は詰まってきて励起エネルギーは小さくなり，長波長の光を吸収するようになる．エテン(吸収波長 174 nm)やブタジエン(217 nm)は紫外線しか吸収しないので無色だが，共役した二重結合を 11 個もつリコペンは青緑色領域(450～500 nm)の光を吸収するので赤くみえる．これは，5 章の導入部で紹介したように，トマトやニンジンに含まれる．よく似た構造の β-カロテンは，ニンジンなどの黄橙色の色素である．クロロフィル a は植物の緑色を現し，光合成に関与している．インジゴは藍に含まれる(今では工業生産されジーンズの青色染料になっている)．クリスタルバイオレットは安定な炭素カチオンの塩であるが，生物組織の染色に用いられ，細菌をグラム陽性と陰性とに分類するために用いられる．アントシアニン類は pH によって色が変化する花の色素であり，ノート 6.1 で説明する．

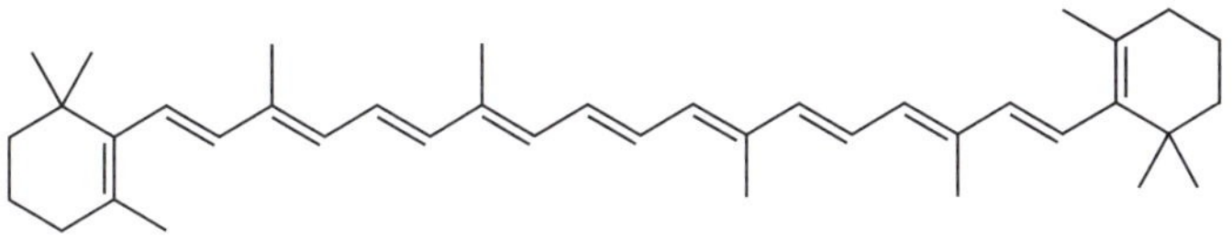

β-カロテン
(ニンジンなどの黄橙色)

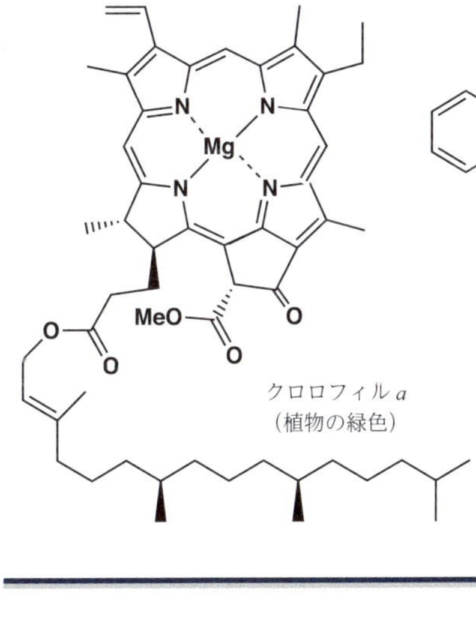

クロロフィル a
(植物の緑色)

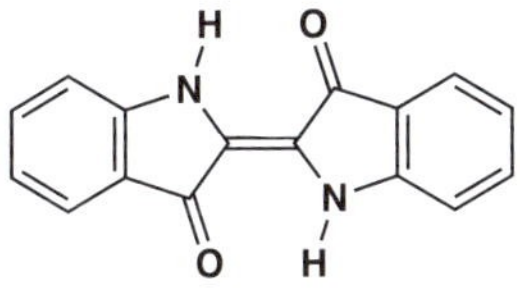

インジゴ
(ジーンズの青色)

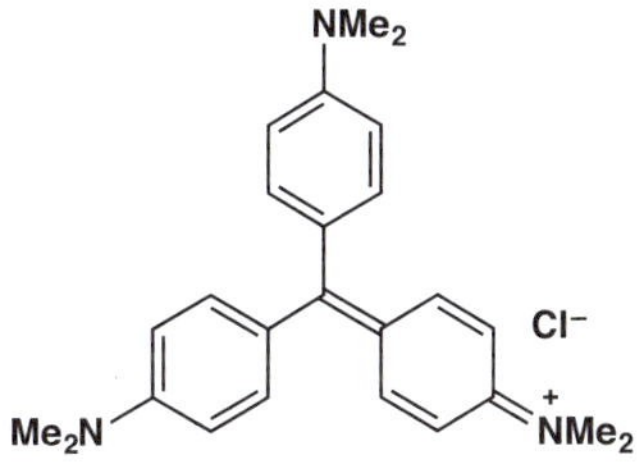

クリスタルバイオレット
(細菌を分類するために使う)

ノート 5.4　スペクトルと分子構造

反応で生成した新しい化合物や未知の天然物の分子構造はどのようにして決められるのだろうか．構造がわからなければ反応式も書けない．それにもかかわらず本書ではこの技術的な問題を省略し，ウェブチャプター 25 とした．この短い解説でその概略を垣間みることにしよう．

かつては元素分析と分子量から分子式を決め，化学反応によってどのような官能基があるかを確かめ，長い時間かけて分子構造を決めていた．現在では種々のスペクトルを統合的に解析して比較的簡単に分子構造を決定することができる．

有機分子に紫外可視領域の光を照射すると，分子軌道のエネルギー準位を反映して一定波長の光を吸収し，電子遷移を起こす(5.7 節)．光の波長(あるいは振動数)と吸収の関係をグラフにしたものをスペクトルという．**紫外可視吸収スペクトル**は分子の**電子状態**を反映している．

分子のエネルギー状態を決めているのは電子だけではない．分子を形成している結合は，固定的なものではなく，その強さに応じて伸縮したり結合角を変化させたりしている．すなわち，振動している(ノート 4.1)．振動のエネルギーも一定のエネルギー準位をもっており，そのエネルギー差は赤外線のエネルギーに相当する．すなわち，**赤外線吸収スペクトル**は結合の振動を反映しているので，これから分子の結合の状態がわかる．すなわち赤外スペクトルからどのような**官能基**が含まれているかがわかる．

分子構造の決定に有用なもう一つのスペクトルは，**核磁気共鳴(NMR)スペクトル**である．これは水素(^{1}H)や炭素-13(^{13}C)の原子核スピンに基づくものであり，強い磁場におくと二つの核スピン状態のエネルギーに差が生じることを利用する．この微小なエネルギー差をラジオ波の放射スペクトル(励起したあとに放射される)から解析する．これから分子内の個々の H と C の状態がわかり，分子骨格に関する情報が得られる．

以上のような電磁波の吸収に基づくスペクトルの解析を**分光法**というが，そのほかに質量分析法と X 線結晶構造解析法も有用な手法である．**質量分析法**は**マススペクトル(MS)法**ともいわれ，電子衝撃によってイオン化した分子と開裂したイオン種の質量を決定して，分子量や分子構造に関する情報を得るものである．イオン化には別の方法もある．高分解能 MS により，分子式も決定できる．**X 線結晶構造解析法**は結晶性物質に適用され，X 線回折像から原子の相対配置を直接解析するものであり，結晶が得られれば究極的な分子構造決定法になる．X 線は最も高エネルギーの電磁波であり，波長が原子の結合距離に相当するので，回折像が得られる．

6 酸と塩基

アジサイの花の色は土壌の酸性度によって変化する

【基礎となる事項】
- 化学結合（1.2 節）
- 電気陰性度と極性結合（1.2 節）
- 原子軌道の混成（3.3 節）
- 共役による安定化（5.1 節）
- 共鳴法（5.4 節）
- 芳香族性（5.6 節）

【本章で学ぶこと】
- Brønsted 酸・塩基
- Lewis 酸・塩基
- 酸解離定数と pK_a
- 酸性度を決める因子
- 置換基効果
- カルボアニオンの安定性
- 塩基性度

古くから酸味のあるものを酸とよんできた．それを中和できるものが塩基である．エタン酸（酢酸）は食酢やビネガーの成分であり，クエン酸はレモンやライムなどの柑橘類の酸味成分である．これらの酸は発酵によって大量生産され，食品に使われている．ベーキングパウダーには，酒石酸とともに炭酸水素ナトリウム（重曹）が使われている．酒石酸はブドウなどに含まれる酸であるが，塩基となる重曹と反応して二酸化炭素を発生し，発泡効果を現す．

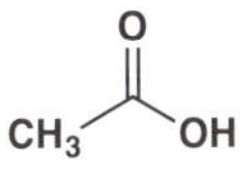

酢酸（エタン酸） 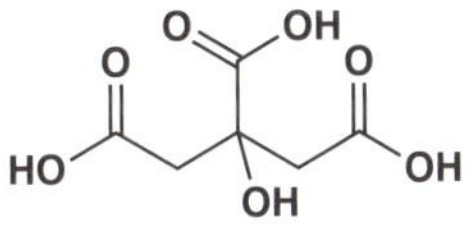　クエン酸 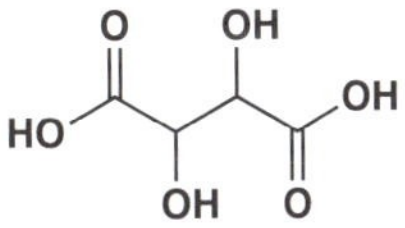　酒石酸 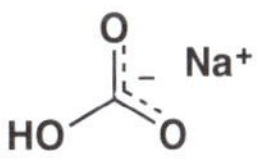　炭酸水素ナトリウム（重曹）

ほかにも多くの有機化合物が酸あるいは塩基の性質を示し，中和反応を起こす．中和反応は酸塩基反応ともよばれ，有機反応の重要な段階として含まれている．また，酸や塩基によって促進される有機反応も多い．酸と塩基の強さを決めている構造因子は，有機化合物の反応性を決める因子と共通している．したがって，酸と塩基について理解することは有機化学の基礎として重要である．

6.1 酸と塩基の定義

まず，水溶液中における Brønsted 酸塩基反応について考え，ついで非水溶液中における Lewis 酸塩基反応について考える．

6.1.1 Brønsted 酸と塩基

よく使われる酸と塩基の定義は，J. N. Brønsted（ブレンステッド）によって 1923 年に提案された．

Johannes N. Brønsted
（1879～1947，デンマーク）
酸塩基反応をプロトン移動反応として定義することを提案し，酸と塩基による化学反応の触媒機構の研究にも寄与した．

- **酸はプロトン（H^+）を出す化学種であり，塩基はプロトンを受け取る化学種である．**

そのような酸を **Brønsted 酸**といい，**プロトン酸**ともいう．**Brønsted 塩基**は電子対を出してプロトンと結合するので，電子対供与体であり，あとで述べるように Lewis 塩基でもある．

典型的な反応として，気体の塩化水素 HCl を水に溶かしたときに起こる解離がある．HCl の酸解離反応は，HCl から H_2O へのプロトン移動反応である．

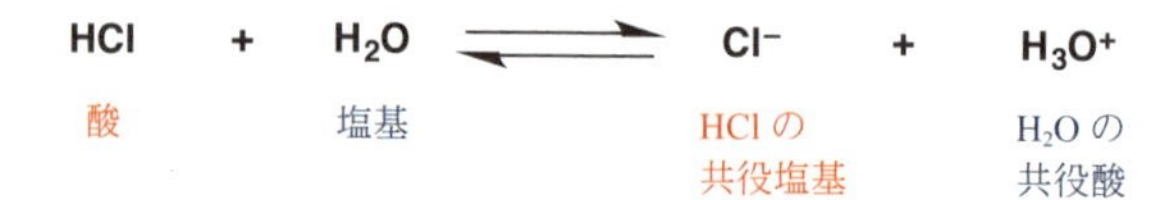

HCl が酸，H_2O が塩基として反応している．原理的に，この反応は可逆であり，逆反応では H_3O^+ が H^+ を出し，Cl^- が H^+ を受け入れている．すなわち，H_3O^+ が酸（H_2O の**共役酸**という）となり，Cl^- が塩基（HCl の**共役塩基**という）になっている．しかし，実際には，この反応はほとんど完全に右に偏っており，希薄水溶液には HCl 分子は存在しないといってよい（HCl は強酸である）．

気体のシアン化水素 HCN も水に溶け，酸として反応する．すなわち，HCN から H_2O へのプロトン移動が起こるが，この酸塩基反応は，平衡のためにあまり進まない．HCN 分子（酸）が解離して生じた CN^-（共役塩基）と共存する（HCN は弱酸である）．

気体のアンモニア NH_3 も水に溶けるが，この場合には H_2O から NH_3 にプロトン移動が起こる．ここでは H_2O が酸としてはたらき，NH_3 は塩基である．H_2O は共役塩基の HO^- になり，NH_3 は共役酸の $NH_4{}^+$ になっている．アンモニアは弱塩基なので NH_3 と $NH_4{}^+$ が共存している．対照的に，$NaNH_2$ を水に溶かすと，$NH_2{}^-$ はただちにプロトン化されて完全に NH_3 になる．$NH_2{}^-$ は強塩基である．

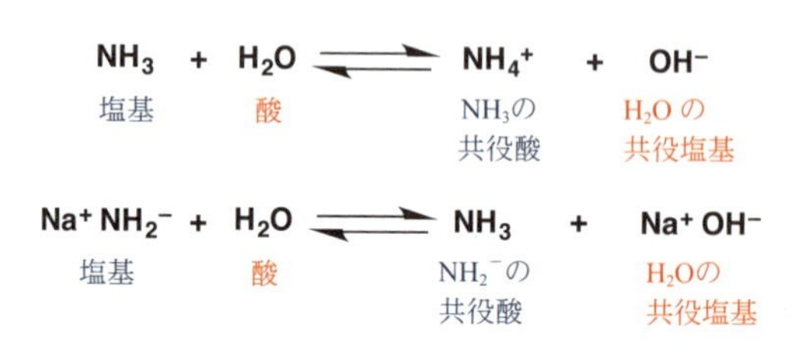

Brønsted 酸
Brønsted とは独立に，同時期に英国人化学者 T. M. Lowry によってプロトン移動に基づく酸塩基の考え方が発表されたために，Brønsted–Lowry 酸とよばれることも多い．しかし，Lowry は明確な定義を提案したわけではなく，その後の発展はもっぱら Brønsted に負うことから，単に Brønsted 酸というほうが正当であるという意見があるので，それに従うことにする．

共役（きょうやく，conjugation）という用語は，5 章で共役ジエン（conjugated diene）のような π 電子が非局在化することと関連して使われた．ある酸に対する共役塩基または塩基に対する共役酸という場合の共役はまったく異なる概念なので混同しないように注意しよう．

酸塩基反応 acid–base reaction
プロトン酸 proton acid
共役酸 conjugate acid
共役塩基 conjugate base

以上のような Brønsted 酸塩基反応を一般式で書くと，式 6.1 のようになる．

$$\underset{\text{酸}}{HA} + \underset{\text{塩基}}{B} \rightleftharpoons \underset{\text{塩基}}{A^-} + \underset{\text{酸}}{BH^+} \quad (6.1)$$

■ ここでは HA が酸であり，B が塩基である．右辺の A^- を HA の共役塩基といい，HB^+ を B の共役酸という．また，塩基 A^- の共役酸は HA であり，酸 BH^+ の共役塩基は B である．すなわち，HA と A^-，B と BH^+ はそれぞれ共役関係にあるという．酸塩基反応は，酸から塩基へのプロトン移動反応である．

例題 6.1

次の酸塩基反応の酸・塩基の共役関係を示せ．

$$CH_3CO_2H + NH_3 \rightleftharpoons CH_3CO_2^- + NH_4^+$$

解 答

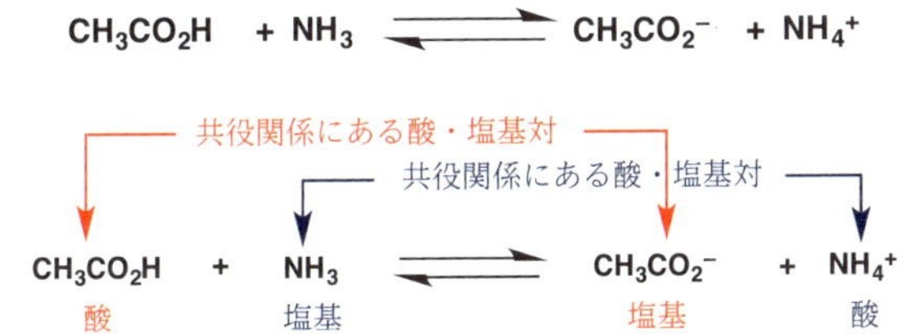

$CH_3CO_2^-$ は CH_3CO_2H の共役塩基であり，CH_3CO_2H は $CH_3CO_2^-$ の共役酸である．一方，NH_4^+ は NH_3 の共役酸であり，NH_3 は NH_4^+ の共役塩基である．

問題 6.1　次の化合物の共役塩基は何か．

(a) HBr　(b) HCO_2H　(c) CH_3OH　(d) H_2SO_4　(e) CH_3NH_2

問題 6.2　次の化合物の共役酸は何か．

(a) CH_3OH　(b) CH_3NH_2　(c) CH_3NH^-　(d) CH_3O^-
(e) $(CH_3)_2C{=}NH$

問題 6.3　次の酸塩基反応を完成せよ．また，酸と塩基の共役関係も示せ．

(a) $CH_3-\overset{+}{O}H_2 + CH_3NH_2 \rightleftharpoons$　(b) $CH_3OH + NH_2^- \rightleftharpoons$

6.1.2 Lewis 酸と塩基

1923 年，G. N. Lewis（ルイス）は化学反応における電子対の動きに注目して，酸・塩基の一般的定義を提案した．

G. N. Lewis については 1 章（p. 10）を参照すること

➡ ウェブノート 6.1　Lewis 酸・塩基の硬さと軟らかさ

■ Lewis 塩基とは電子対を出す化学種であり，Lewis 酸は電子対を受け入れるものである．

Lewis 酸は，その中心原子のまわりに 6 電子しかもっていないので，電子対を受け入れることができる．Brønsted 酸・塩基はプロトンの授受を基準にして定義されたが，プロトンを受け入れる塩基は電子対をもっているので，塩基はどちらの定義でも同じである．プロトン（H^+）自体は Lewis 酸に分類される．

Lewis 酸の典型的な例は $AlCl_3$，$FeBr_3$，$ZnCl_2$ のような金属塩や BF_3 であり，たとえば BF_3 はアンモニアと次のように反応する．

プロトン移動（反応）　proton transfer

巻矢印は電子対の動きを示す．巻矢印については 5.3 節でもみたが，7.2 節で詳しく説明する．ここで青色の巻矢印は逆反応を示している．

$$\mathrm{BF_3} + :\mathrm{NH_3} \rightleftharpoons \mathrm{F_3\overset{-}{B}{-}\overset{+}{N}H_3}$$

Lewis 酸　　塩基　　　　　付加体

BF₃ と NH₃ の反応を，分子模型と EPM で表すと次のようになる．

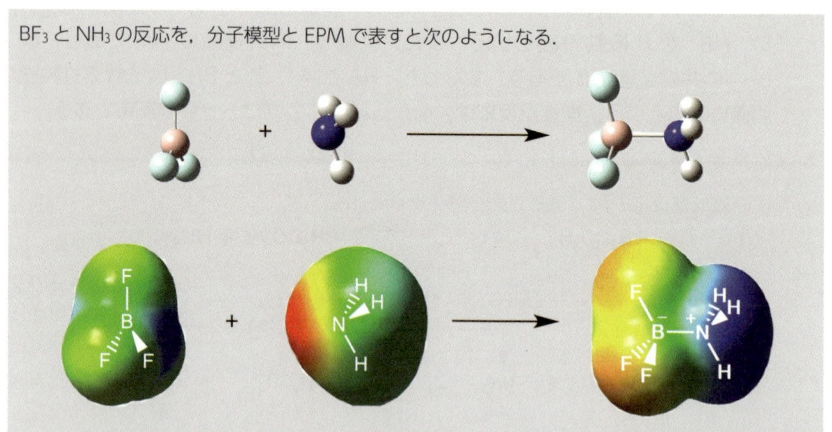

EPM は負電荷が N から B に供与されるようすをよく示している．赤い領域が N から B(F)のほうに移り，青い領域が B から N のほうに移っている．

BF_3 の B は 6 電子しかもっていないが，NH_3 の N の非共有電子対を受け入れて共有することにより結合をつくり，B と N は両者ともにオクテットになる．共有電子対は 2 電子とも N からきているので，生成物(Lewis 付加体)は電荷分離したかたちになる．

■ **Lewis 酸は 6 電子しかもたず，塩基から電子対を受け入れてオクテットになる．**

例題 6.2

次の Lewis 酸塩基反応を完成せよ．有機分子の非共有電子対をすべて示し，電子対の動きを巻矢印で示せ．

$$\mathrm{AlCl_3} + \mathrm{C_6H_5C(=O)Me} \longrightarrow$$

解 答　これらの反応では，$AlCl_3$ が Lewis 酸でケトンが Lewis 塩基である．

$$\mathrm{C_6H_5C(=\ddot{O}:)Me} + \mathrm{AlCl_3} \longrightarrow \mathrm{C_6H_5C(=\overset{+}{O}{-}\overset{-}{A}lCl_3)Me}$$

問題 6.4　次の化合物またはイオンを Lewis 酸と塩基に分類せよ．

(a) $(CH_3)_2O$　(b) $FeCl_3$　(c) $(CH_3)_2NH$　(d) $B(CH_3)_3$　(e) $CH_3{}^+$

問題 6.5　次の Lewis 酸塩基反応を完成せよ．有機分子の非共有電子対をすべて示し，電子対の動きを巻矢印で示せ．

(a) $BF_3 + (CH_3)_2O \longrightarrow$　(b) $CH_3CH_2Cl + AlCl_3 \longrightarrow$

6.2 Brønsted 酸塩基反応における平衡

一般式として式 6.1 に示したように，Brønsted 酸塩基反応は原理的に可逆であり，通常は水溶液中で平衡反応として考える．平衡における HA と BH^+ の存在比は，それらの相対的な酸性度によって決まる．

6.2.1 酸解離定数と pK_a

■ Brønsted 酸 HA の水溶液中における酸解離反応は，溶媒の水を塩基とする酸塩基反応であり，式 6.2a で表せる．この反応は酸から H_2O へのプロトン移動反応であり，その平衡定数 K_a は式 6.2b のように表され，酸解離定数とよばれる．

$$\mathrm{HA + H_2O \overset{K_a}{\rightleftharpoons} A^- + H_3O^+} \quad (6.2a) \qquad K_a = \frac{[\mathrm{A^-}][\mathrm{H^+}]}{[\mathrm{HA}]} \quad (6.2b)$$

ここで，[HA]，[A^-]，[H^+]はそれぞれ HA，A^-，H_3O^+ の濃度を表す．この平衡定数の表現で，塩基である H_2O の濃度項は，H_2O が溶媒であるために現れない．

熱力学によると溶媒の標準状態を純溶媒にとるので，希薄溶液を考えるときには溶媒の活量は 1 とみなせ，溶媒濃度[H_2O]は平衡定数に現れてこない．

有機酸の酸解離定数は通常非常に小さく，たとえば，エタン酸（酢酸）では K_a＝1.74×10^{-5} mol dm^{-3} である．このような数値を扱うために，K_a の負の常用対数を pK_a と定義し，酸性度を表すために一般的に用いる．たとえば，エタン酸の pK_a 値は$-\log(1.74\times10^{-5})=4.76$ である．

$$\mathrm{p}K_a = -\log K_a$$

$$\underset{\text{エタン酸}}{\mathrm{CH_3CO_2H}} + \mathrm{H_2O} \rightleftharpoons \underset{\text{エタン酸イオン}}{\mathrm{CH_3CO_2^-}} + \mathrm{H_3O^+} \qquad K_a = 1.74\times10^{-5}\ \mathrm{mol\ dm^{-3}}:\ \mathrm{p}K_a = 4.76$$

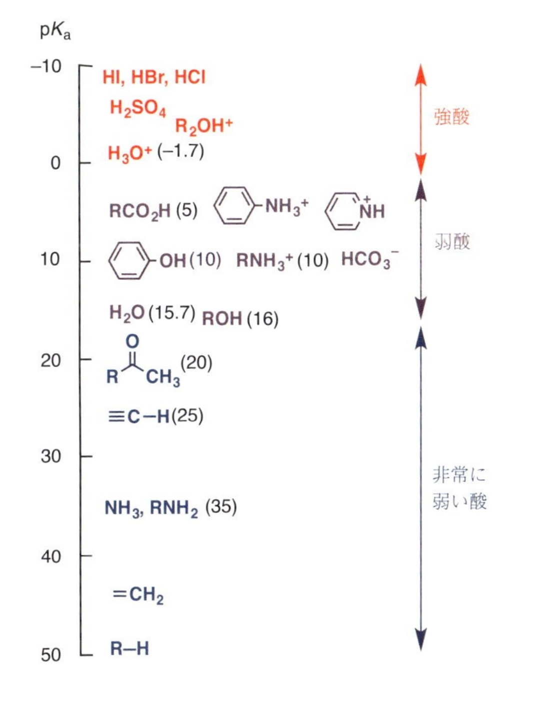

図 6.1 酸性度の傾向
かっこ内の数値はおよそのpK_a 値，詳しくは巻末の付録 4 参照．

酸性度 acidity
酸解離（反応） acid dissociation
平衡定数 equilibrium constant
酸解離定数 acid dissociation constant
（単に酸性度定数（acidity constant）ということもある）

■ **pK_a が小さいほど酸性は強い.**

HCl や H_2SO_4 のような強酸は pK_a<0 であり，そのおよその値は pK_a(HCl)＝−7，pK_a(H_2SO_4)＝−3 である．

逆に HA の共役塩基 A^- は pK_a が小さいほど H^+ と結合しにくいことを意味し，塩基性は弱いことになる．塩基の強さは共役酸の pK_a で表すことができる(6.5 節参照)．

■ **塩基の塩基性は，その共役酸の pK_a が大きいほど強い.**

代表的な酸の酸性度の傾向を図 6.1 に示した．

問題 6.6　次の化合物の pK_a に対して K_a を計算せよ．また，どちらの化合物がより強い酸か．

(a) $(CH_3)_3CCO_2H$: pK_a 5.0　　(b) C_6H_5OH : pK_a 10.0

6.2.2 酸塩基反応の平衡の偏り

塩化水素 HCl は水溶液中で完全に解離している．これは H_2O を塩基とする酸塩基反応の平衡が右に偏っていることを意味し，HCl が強酸であり，水の共役酸 H_3O^+(オキソニウムイオン)よりも強い酸であることに対応する．言い換えれば，H_2O のほうが Cl^- よりも塩基性が強いということになる．

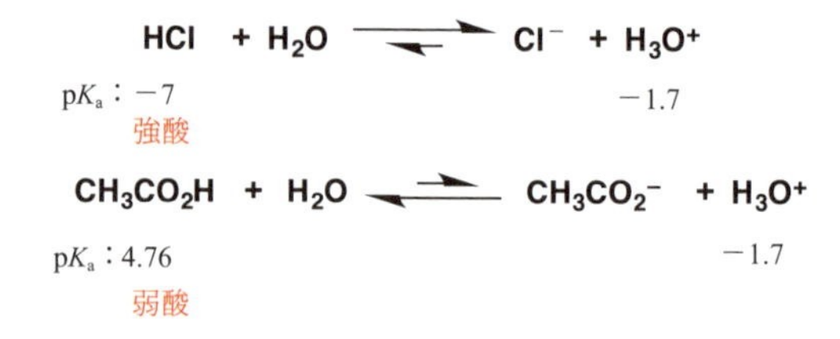

単純なカルボン酸の名称
一般式：$H(CH_2)_nCO_2H$
メタン酸(ギ酸)
methanoic acid (formic acid)
エタン酸(酢酸)
ethanoic acid (acetic acid)
プロパン酸(プロピオン酸)
propanoic acid (propionic acid)
ブタン酸(酪酸)
butanoic acid (butyric acid)
(9.1 節参照)

一方，エタン酸は弱酸で，水溶液ではほとんど解離していない．すなわち，エタン酸の pK_a は H_3O^+ の pK_a よりもずっと大きい．

水分子 H_2O 以外のものを塩基とする酸塩基平衡についても同じことがいえる．たとえば，エタン酸とアンモニアの酸塩基反応では，アンモニア NH_3 の共役酸であるアンモニウムイオン NH_4^+ の酸性が弱い(pK_a 9.24)ので平衡は右に偏っている．

$$CH_3CO_2H + NH_3 \rightleftharpoons CH_3CO_2^- + NH_4^+$$

pK_a：4.76（CH_3CO_2H），9.24（NH_4^+）

より強い酸　より強い塩基　より弱い塩基　より弱い酸

■ **酸塩基平衡は，より弱い酸とより弱い塩基を生成する方向に偏っている.**

例題 6.3　エタン酸とアンモニアの酸塩基反応の平衡定数 K を計算せよ．

解 答　定義に従って平衡定数を酸・塩基の平衡濃度で表し，酸の K_a に書き換えればよい．ここで Ac＝CH_3CO(アセチル基)の略号を使って表すと次の関係が得られる．

$K = [AcO^-][NH_4^+]/[AcOH][NH_3]$
$= ([AcO^-][H^+]/[AcOH])([NH_4^+]/[NH_3][H^+])$
$= K_a(AcOH)/K_a(NH_4^+) = 10^{-4.76}/10^{-9.24} = 10^{9.24-4.76} = 10^{4.48} = 3.0 \times 10^4$

$K \gg 1$ なので，平衡が右に偏っていることがわかる．

pK_a の定義と同じように平衡定数の負の対数をとると，次の関係が導ける．

$$-\log K = pK = pK_a(AcOH) - pK_a(NH_4^+)$$

問題 6.7 次の酸塩基反応の平衡定数を計算し，平衡がどちらに偏っているか述べよ．酸の pK_a を下に示す．

(a) $HCO_2H + CH_3NH_2 \rightleftharpoons HCO_2^- + CH_3NH_3^+$
pK_a 3.75　　10.64

(b) $C_6H_5CO_2H + C_6H_5NH_2 \rightleftharpoons C_6H_5CO_2^- + C_6H_5NH_3^+$
pK_a 4.20　　4.60

問題 6.8 次の平衡反応において，$-\log K = pK = pK_a(HA) - pK_a(BH^+)$ となることを示せ．

$$HA + B \overset{K}{\rightleftharpoons} A^- + BH^+$$

6.2.3 水溶液の pH と酸塩基のかたち

酸解離定数を定義する式 6.2b の対数をとると，式 6.3 の関係を導くことができる．この式は，pH が低くなるほど $\log([HA]/[A^-])$ の値が大きくなること，すなわち酸のかたちで存在する割合が多くなることを表している．$pH = pK_a$ で酸 HA と共役塩基 A^- の濃度がちょうど等しくなり，$\log([HA]/[A^-]) = 0$ となる．酸の割合を pH に対してプロットすると，図 6.2 のような S 字形の曲線が得られる．

$$pK_a = -\log[H^+] - \log([A^-]/[HA])$$
$$= pH + \log([HA]/[A^-]) \quad (6.3)$$

式 6.3 は Henderson-Hasselbalch (ヘンダーソン・ハッセルバルヒ)の式とよばれる．

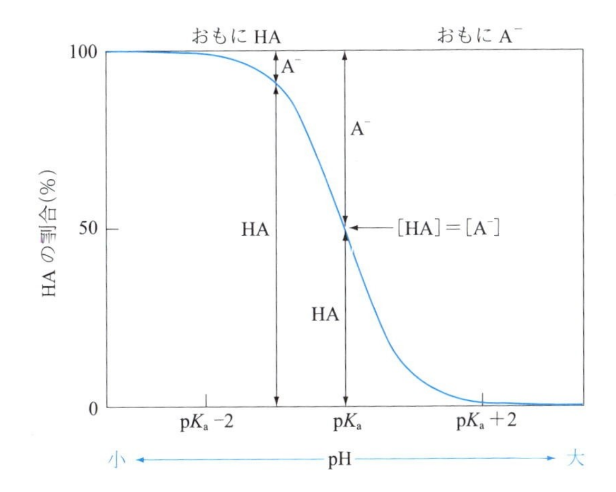

図 6.2 酸と共役塩基の割合：pH 依存性

たとえば，pK_a 4.2 の安息香酸は，中性の水溶液(pH 7)の中ではほとんど完全にイオン化した共役塩基のかたちで存在する．しかし，フェノール(pK_a 10)はイオン化しない酸のかたちで存在している．イオン化したかたちは水に溶けやすく有機溶媒に溶けにくいので，エーテルを用いて中性の水溶液から抽出したとき，フェノールはエーテルに移るが安息香酸は水溶液に溶けたままになる．

pH はよく水溶液の“酸性度”とよばれるが，その水溶液の媒体としてのプロトン化能を表している．一方，溶質の酸の pK_a が“酸性度”といわれるときには，溶質分子としてのプロトン化能を表している．

➡ ウェブ S6.1 緩衝液
➡ ウェブ S6.2 炭酸塩水溶液の pH

ノート 6.1　pH 指示薬と花の色

pH 指示薬は，溶液の pH の変化によって色が変わる化合物である．それ自身が酸塩基の性質をもっていて，式 6.3 と同様な関係に従って変化する．

$$\mathrm{pH} = \mathrm{p}K_\mathrm{a} - \log([\mathrm{H\text{-}Ind}]/[\mathrm{Ind}^-])$$

ここで，H-Ind と Ind^- は指示薬の酸と塩基のかたちを表し，$\mathrm{p}K_\mathrm{a}$ は H-Ind の値である．

おなじみの指示薬としてフェノールフタレイン(phenolphthalein)があるが，その構造は pH によって次のように変化し，おもな変色域は pH 約 9(二つのフェノール OH が pH 8～9 で解離する)である．

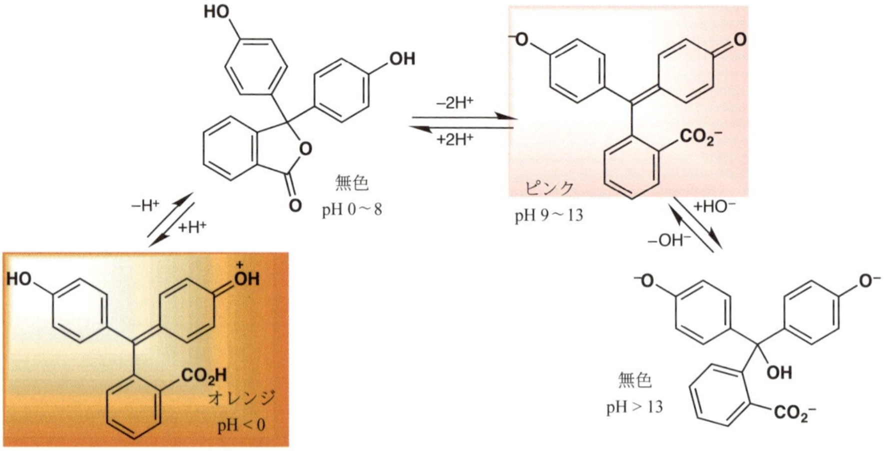

フェノールフタレインの pH による構造と色の変化

指示薬の種類によって，当然変色域は異なる．

花の代表的な色素はアジサイを含めてアントシアニン類(anthocyanin)である．これらは pH によって色を変えるが，典型的な例は強酸性領域の赤から，紫を経て，弱アルカリ性で青さらに緑，黄色へと変化する(しかし，色と構造の関係は不確かな点もある)．また，花の色は pH よりもむしろ，含まれる金属イオンや色素分子のスタッキングの影響が大きい．アジサイの花の色は土壌の酸性度によって変化するといわれるが，これは酸性土壌からはアルミニウムイオン Al^{3+} を吸収しやすく，Al^{3+} がアントシアニンに錯化して青色を呈し，中性からアルカリ性土壌で Al^{3+} が補給されないと赤くなると考えられている．

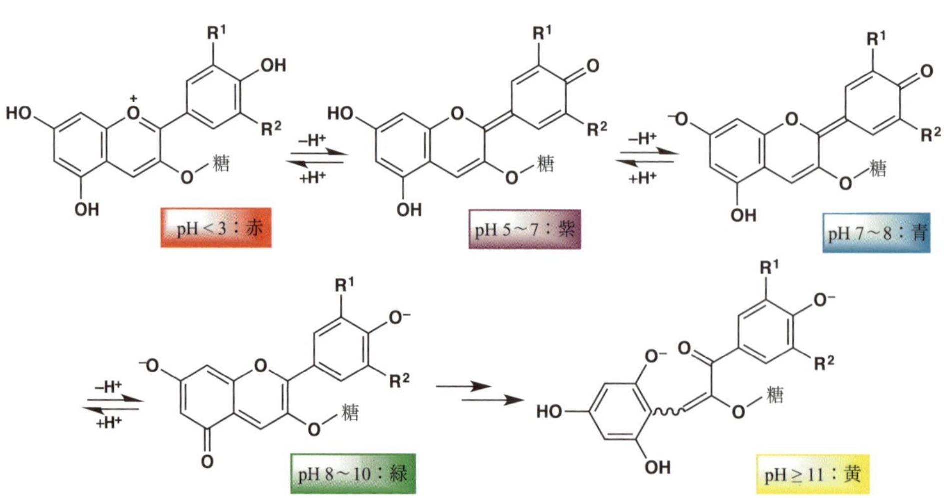

アントシアニンの pH による構造と色の変化

問題 6.9 次の化合物あるいはイオンは，pH 2，pH 7，pH 12 の水溶液中でおもにどのようなかたちになっているか．かっこ内に pK_a を示す．

(a) HCO_2H(3.75) (b) NH_4^+(9.24) (c) $C_6H_5NH_3^+$(4.6)
(d) HCN(9.1)

ノート 6.2 モルヒネの抽出

ケシの実から得られるアヘン(opium)は麻薬成分を含み，かつてはその密輸がアヘン戦争(1840～1842)の原因にもなった．現在では，日本を含む多くの国でその使用や所持が法律によって禁止されている．アヘンの麻薬成分は天然の塩基であるアルカロイド類(ノート 19.2 参照)で，その主成分(12～15%)はモルヒネである．モルヒネは，その塩酸塩または硫酸塩が強力な鎮痛薬として種々の疼痛に用いられるが，依存性の強い麻薬である．コデインもアヘンに含まれるが，これはメチルモルヒネであり，局所麻酔，鎮咳，下痢止めの作用をもつ．モルヒネをジアセチル化したものが，ヘロインであり，依存性のきわめて強い麻薬である．

pK_a ~10 / pK_{BH^+} ~8

モルヒネ morphine　　コデイン codeine　　ヘロイン heroin

天然の塩基であるアルカロイド(ノート 19.2)はその塩基性を利用して酸で抽出される．モルヒネは他のアルカロイドと違って弱酸性のフェノール基 (pK_a 約 10)をもつので，この両性的性質を使って他のアルカロイドからも分離できる．

pK_a ~8　$\underset{+H^+}{\overset{-H^+}{\rightleftharpoons}}$　pK_a ~10　$\underset{+H^+}{\overset{-H^+}{\rightleftharpoons}}$

アヘンからの酸性抽出液を pH 9 にすると，アルカロイドの第三級アミンの pK_a が約 8 なので，これらのアルカロイド類は中和されて有機溶媒に溶けるようになる．これを CH_2Cl_2 のような溶媒で抽出し，その有機層を NaOH 水溶液でもう一度抽出すると，フェノール部位がイオン化してモルヒネだけが水層に移る．その水層を再び pH 9 にすればモルヒネが析出してくる．

6.3 酸性度を決める因子

- 酸の強さ(酸性度)は，酸とその共役塩基の熱力学的安定性の差によって決まる．
- 電荷をもたない酸の酸性度を決めるおもな因子は，共役塩基アニオンの安定性である．

6.3.1 元素の種類

➡ ウェブノート 6.2　酸解離定数と水の酸性度：水の pK_a は 14.00 か 15.74 か？

アニオン A^- はその中心になる原子の電気陰性度が大きいほど安定である．アニオンの負電荷が，強く原子核に引きつけられるからである．たとえば，第 2 周期元素の水素化物 HA の酸性度は $CH_4 < NH_3 < H_2O < HF$ の順に大きくなる．

一方，ハロゲンが周期表の上から下にいくにつれてハロゲン化水素の pK_a は，小さくなり，HF＜HCl＜HBr＜HI の順に強酸になる．同じ族では，周期表の下にいくほど電気陰性度は小さくなるので，この傾向は電気陰性度からは説明がつかない．原子が大きくなるに従って，H−A の結合力が弱くなるので，H^+ を放しやすくなり，酸性度が大きくなるのである．

酸：	CH_4	NH_3	H_2O	HF	HCl	HBr	HI
共役塩基：	H_3C^-	H_2N^-	HO^-	F^-	Cl^-	Br^-	I^-
pK_a：	49	35	16	3	−7	−9	−10

炭素の混成状態と電気陰性度：$sp^3 < sp^2 < sp$
Mulliken は C(sp^3) 2.48，C(sp^2) 2.75，C(sp) 3.29 の数値を提案している．

同じ原子でもアニオンの非共有電子対が入っている軌道の混成状態によって安定性が異なる．エタン，エテン，エチンの酸性度はこの順に大きくなる．共役塩基の炭素アニオンの負電荷はそれぞれ sp^3，sp^2，sp 混成炭素上にある(アニオンの非共有電子対は sp^3，sp^2，sp 軌道に入っている)．軌道の s 性が大きくなるほど，軌道のエネルギー準位は低く，原子核近くに分布するので，アニオンが安定になる．同じ炭素でも，sp^3，sp^2，sp 炭素の順に電気陰性度が大きいといってもよい．

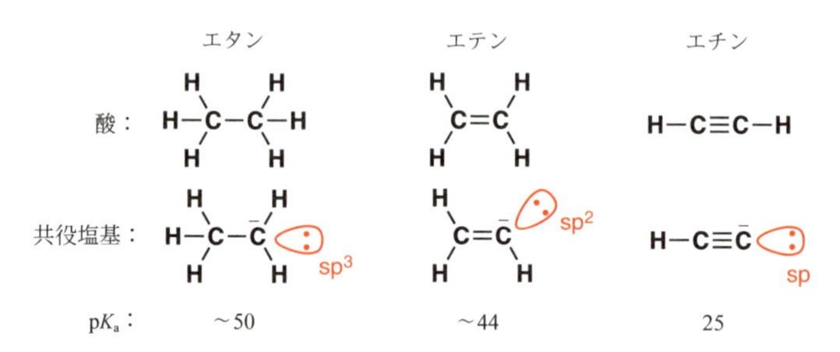

- HA の酸性度は，A の電気陰性度が大きいほど，H−A の結合が弱いほど，大きい．

例題 6.4

ピペリジンとピリジンの共役酸の pK_a は，それぞれ 11.1 と 5.25 である．この pK_a の違いはどのように説明できるか．

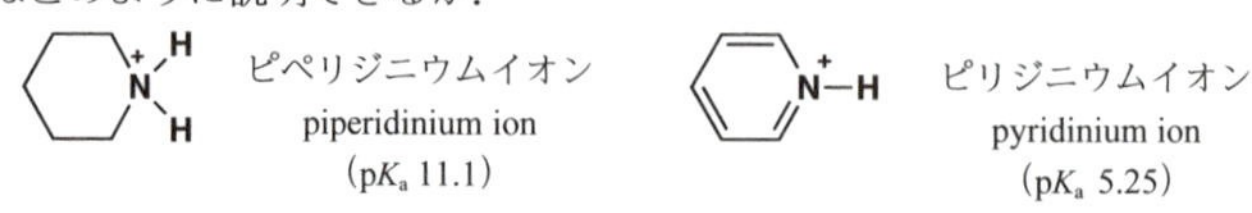

解 答　Lewis 構造式によるとピペリジンの N のまわりには四つの電子密度の高い領域があり，sp^3 混成になっているが，ピリジンの N は二重結合を形成してお

り sp^2 混成である．したがって，後者の N のほうが，s 性が大きく電気陰性度が大きいといえる．その結果ピリジンの塩基性が弱く，共役酸の酸性がより強くなっている．

sp3 ピペリジン piperidine　sp2 ピリジン pyridine

問題 6.10　H_2S と H_2O を比べると，どちらの酸性が強いか．

6.3.2 アニオンの非局在化

アニオンはその負電荷が分散されることによって安定になる．次の塩素酸類は，酸素が多くなるに従って，酸性が強くなる．これは，共役塩基のアニオンの**負電荷の分散(電子の非局在化)**によって説明できる．過塩素酸イオン ClO_4^- は共鳴で示すように負電荷が四つの酸素に分散している．

酸：	HClO	$HClO_2$	$HClO_3$	$HClO_4$
	次亜塩素酸	亜塩素酸	塩素酸	過塩素酸
pK_a	7.5	2	−1	約−10

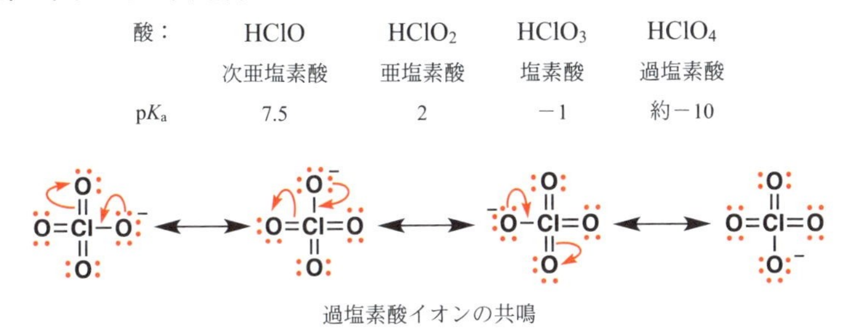

過塩素酸イオンの共鳴

■ **共役塩基アニオンの電荷の非局在化が大きいほど酸は強くなる．**

エタノール(pK_a 15.9)とエタン酸(pK_a 4.76)の酸性度の違いも，共役塩基のアニオンにおける電子の非局在化で説明できる．エタン酸イオンのカルボキシラート基の負電荷は二つの酸素に分散している(エタン酸のカルボニル基による電子求引効果も大きく寄与している)．

$CH_3COOH + H_2O \rightleftharpoons$ [エタン酸イオンの共鳴] $+ H_3O^+$（pK_a 4.76）

エタン酸　エタン酸イオン

フェノールの酸性度がシクロヘキサノールより大きいのも，共役塩基のフェノキシドイオンにおける電子の非局在化で説明できる．シクロヘキサノールの pK_a はエタノールの pK_a とほぼ等しいが，フェノールの pK_a は約 10 である．フェノキシドイオンの酸素上の負電荷がベンゼン環へ非局在化して，安定化されている．

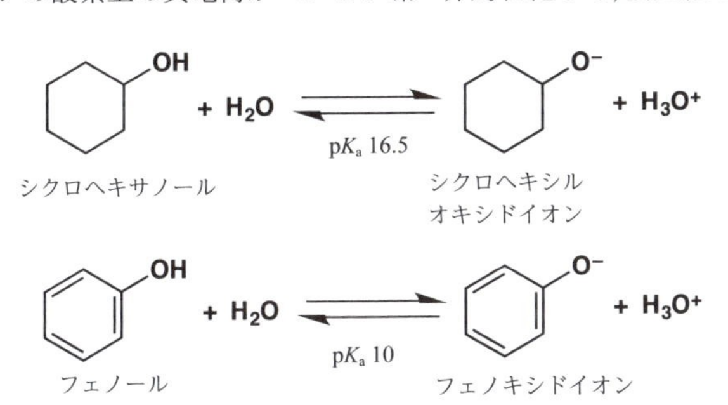

フェノキシドイオンの分子模型と EPM

フェノール phenol
フェノキシドイオン phenoxide ion

フェノキシドイオンの共鳴

6.3.3 置換基効果

炭素上の水素が他の原子や基に置き換わったとき，その置換基が分子の他の部分，とくに官能基の性質に及ぼす影響のことを**置換基効果**という．有機化合物は官能基によって分類される(2 章)が，置換基によって有機化学の多様性が生まれてくるといえる．置換基は，種々の反応性や物性に対して大きな影響を及ぼすが，ここで酸塩基反応に対する効果を説明する．置換基効果には誘起効果と共役効果の 2 種類があり，これらを系統的に理解することは有機化学における重要な課題となる．

a. 誘 起 効 果

酸が H^+ を放出して共役塩基になると負電荷を生じるので，余分の電子を引きつける置換基(電子求引基)によって塩基が安定化される．したがって，

■ **電子求引基は酸性を強くする．**

その例は塩素化されたエタン酸の pK_a にみられる．

	CH_3CO_2H	$ClCH_2CO_2H$	Cl_2CHCO_2H	Cl_3CCO_2H
pK_a：	4.76	2.86	1.35	−0.5

エタン酸の H を Cl に置き換えると，その数が増えるに従って強酸になる．Cl は電気陰性度の大きい元素であり，結合電子対を引きつけることによってカルボン酸イオンを安定化する．

■ **電気陰性な原子による σ 結合の結合電子対の偏りから生じる電子効果を誘起効果という．**

誘起効果は，置換基がアニオン中心から遠くなるに従って急速に減衰する．そのようすは，ブタン酸の塩素置換体の pK_a を比較するとわかる．Cl が CO_2H 基に近いほど酸性は強い．

	$CH_3CH_2CH_2CO_2H$	$CH_2(Cl)CH_2CH_2CO_2H$	$CH_3CH(Cl)CH_2CO_2H$	$CH_3CH_2CH(Cl)CO_2H$
pK_a：	4.8	4.5	4.1	2.8

問題 6.11　次のカルボン酸を酸性度が低くなる順に並べよ．

CH_3CO_2H　　FCH_2CO_2H　　$HOCH_2CO_2H$

置換基 substituent
置換基効果 substituent effect
誘起効果 inductive effect
電子求引基 electron-withdrawing (electron-attracting) group
共役効果 conjugative effect
共鳴効果 resonance effect

b. 共 役 効 果

置換基が共役によって電子の分布に影響を及ぼすこともある．このような置換基の効果を**共役効果**(あるいは**共鳴効果**)という．この効果は π 電子系をもつ分子にみられ，共鳴によって表すことができる．

たとえば，ニトロ基は欄外(次ページ)に示す共鳴構造式からわかるように N

に正電荷をもつので，電子求引的な誘起効果を示すが，共役効果でさらに強い電子求引基となる．

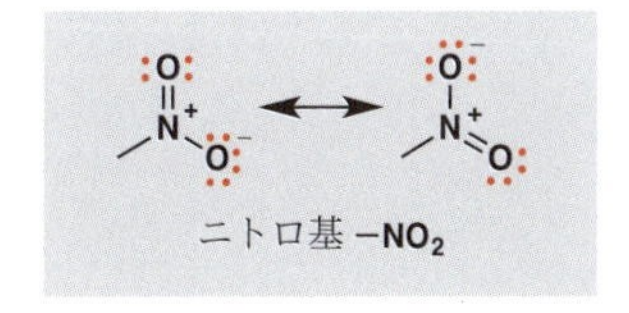
ニトロ基 $-NO_2$

フェノールの酸性度に対する効果をみると，3 位のニトロ基よりも 4 位のニトロ基のほうが強い電子求引基としてはたらいている．すなわち，3–ニトロフェノールよりも 4–ニトロフェノールのほうが強酸である．

	フェノール	3–ニトロフェノール	4–ニトロフェノール
pK_a：	9.99	8.35	7.14

これは共役塩基の 4–ニトロフェノキシドの共鳴構造式として，次のようにニトロ基と酸素アニオンが直接共役した構造が書けるからであり，この寄与によって強く安定化される．3–ニトロ体ではこのような直接共役は不可能であり，電子求引性誘起効果による安定化だけを示す．

4–ニトロフェノキシドイオン

メトキシ基は共役により電子供与性を示すが，誘起効果では電子求引基になる．4–メトキシ安息香酸は，無置換の安息香酸よりも酸性が弱いが，3–メトキシ体は無置換体よりも酸性が強い．3–メトキシ基は共役効果を示さないので電子求引基としてはたらくためである．4–メトキシ基の共役効果はカルボン酸イオンよりもカルボン酸で大きく作用する．

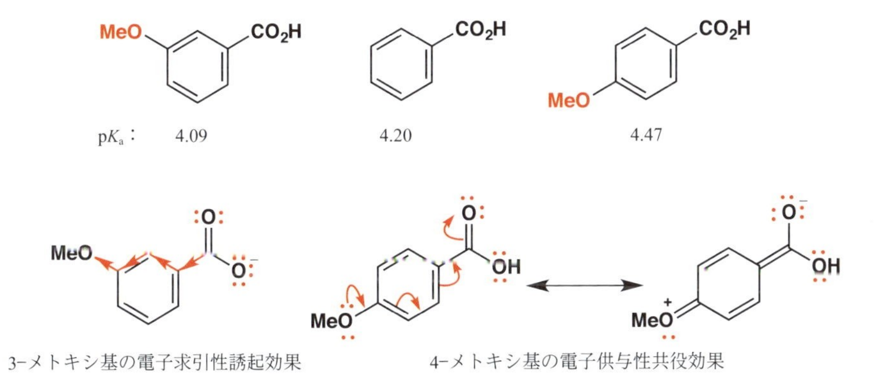

3–メトキシ基の電子求引性誘起効果　　4–メトキシ基の電子供与性共役効果

6.4 炭素酸とカルボアニオン

6.4.1 炭 化 水 素

C−H 結合には極性がほとんどないので通常は酸性を示さないが，sp 混成の炭素に結合した水素(アセチレン水素)の pK_a は約 25 であり，アンモニア NH_3(pK_a 35)よりも酸性が強い(6.3.1 項参照)．

電子供与基 electron-donating (electron-releasing) group

■ C−H 結合からプロトンを出す酸は，一般的に**炭素酸**とよばれ，共役塩基である炭素アニオンは**カルボアニオン**とよばれる．

カルボアニオンが電子求引基や電子の非局在化によって安定化されると，炭素酸の酸性度も大きくなる．

5.3.2 項で，非局在化した系としてアリルアニオンがあることを学んだ．アリルアニオンの共役酸はプロペンであり，その pK_a は約 43 と推算されている．これはエタン(pK_a～50)よりもかなり酸性であることを示しており，共役塩基であるアニオンが安定になった分だけ酸性度が大きくなっている．

$$CH_3{-}CH_3 \rightleftharpoons CH_3{-}\ddot{C}H_2^{-} + H^+$$

エタン　pK_a ～50

$$CH_2{=}CH{-}CH_3 \rightleftharpoons \left[CH_2{=}CH{-}\ddot{C}H_2^{-} \longleftrightarrow {}^{-}\ddot{C}H_2{-}CH{=}CH_2 \right] + H^+$$

プロペン　pK_a ～43　アリルアニオン

トルエンのメチル水素の pK_a は約 41 であり，プロペンよりもわずかに酸性が強い．トルエンの共役塩基，ベンジルアニオンは，下に示した共鳴で表されるように負電荷がベンゼン環に非局在化している．

$$C_6H_5{-}CH_3 \rightleftharpoons C_6H_5{-}\ddot{C}H_2^{-} + H^+$$

トルエン　pK_a ～41　ベンジルアニオン

ベンジルアニオンの共鳴

ベンジルアニオンの π 電子系はベンゼン環の 6 電子と側鎖メチレン炭素の非共有電子対からなり，フェノキシドイオンと同じ電子配置になっている(6.3.2 項)．すなわち，両者は**等電子的**であり，共鳴構造式も似ている．

アニオン中心となる非共有電子対をもつ原子に結合したフェニル基は，上に示したような共役によってアニオンを安定化する．その効果はフェニル基の数が多いほど大きく，共役酸の酸性を強める．しかし，ジフェニルメタンとトリフェニルメタンの pK_a 値を比べてみると，三つ目のフェニル基はあまり大きな効果を示していないことがわかる．

炭素酸 carbon acid
カルボアニオン carbanion
等電子的 isoelectronic

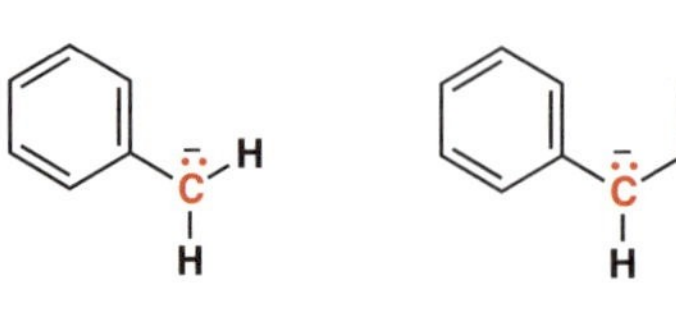

	ベンジルアニオン	ジフェニルメチルアニオン	トリフェニルメチルアニオン
共役酸の pK_a：	41	33.4	31.5

共役のためにはすべての p 軌道が平行になっていること，すなわちベンゼン環が同一平面内にあることが必要である．しかし，トリフェニルメチルアニオンはベンゼン環のオルト水素がぶつかりあって立体ひずみを生じるために共平面をとれず，プロペラ形になっている(図 6.3)．そのために十分共役できないのでトリフェニルメタンの酸性度は予想されるほど大きくはない．

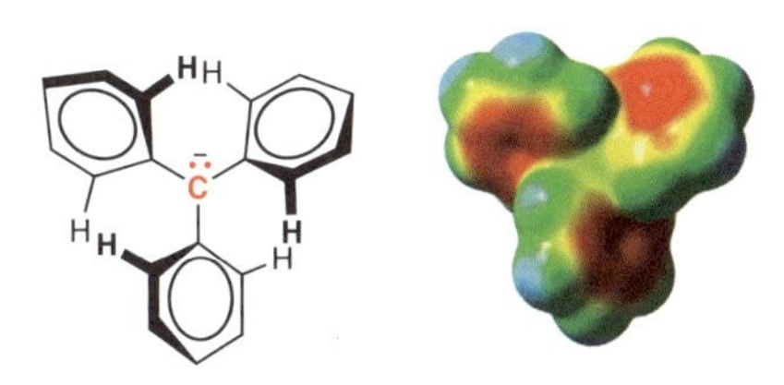

図 6.3　トリフェニルメチルアニオンのプロペラ形回転構造と EPM

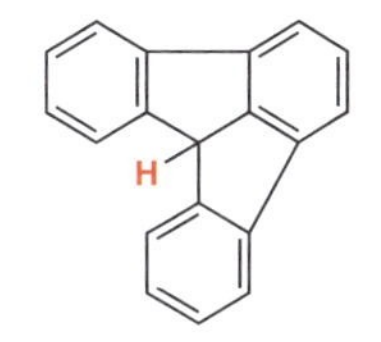

フルオラデン(pK_a 14)
fluoradene

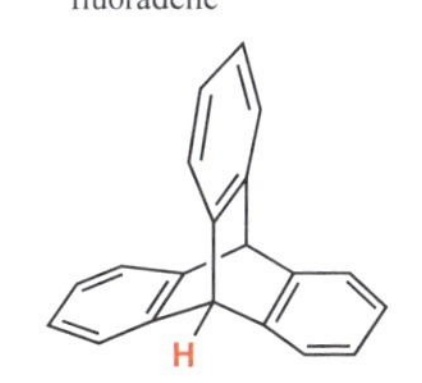

トリプチセン(pK_a ~42)
triptycene

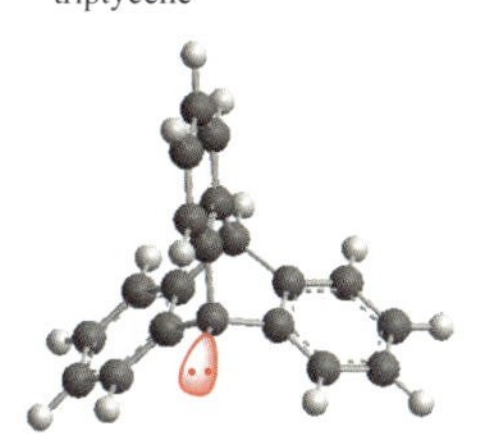

トリプチシルアニオンの
分子模型

欄外に示す多環性炭化水素のフルオラデンとトリプチセンの pK_a をみると，カルボアニオンにおける三つのベンゼン環の共平面性の影響がわかる．

問題 6.12　9-フェニルフルオレンの pK_a は 18.5 である．この pK_a 値をトリフェニルメタンの pK_a 値と比較して説明せよ．

9-フェニルフルオレン(pK_a 18.5)
9-phenylfluorene

五員環のアニオンであるシクロペンタジエニドイオンが環状 6π 電子系で芳香族性をもつことを 5.6 節で述べた．この共役酸はシクロペンタジエンであり，その pK_a は 16 と測定されている．これに対応する鎖状化合物である 1,4-ペンタジエン(ジビニルメタン)の pK_a は 35 程度と推定され，芳香族性の大きな効果が明らかである．

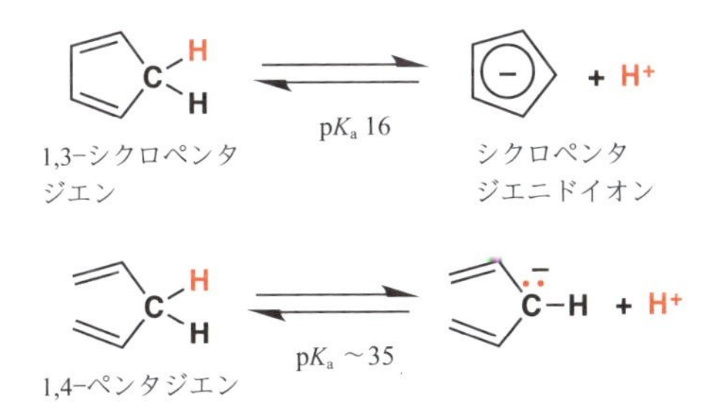

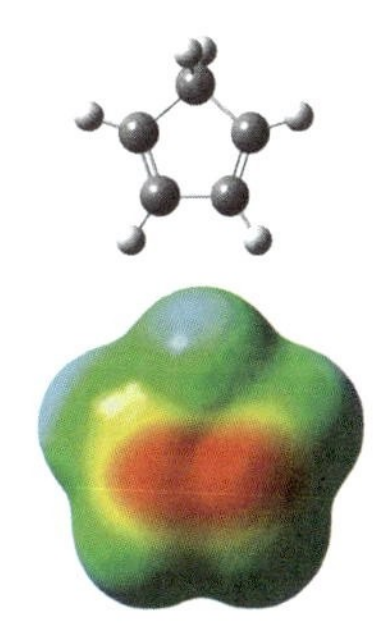

シクロペンタジエン

シクロペンタジエニドイオン

6.4.2　電子求引基の効果

炭素酸の酸性水素と同じ炭素に共役型の電子求引基が結合していると，酸性度が非常に高くなる．共役塩基のカルボアニオンが大きく安定化されるからである．このような置換基としてニトロ基，カルボニル基，シアノ基などがある．ニトロ基の効果はとくに大きく，ニトロメタンの pK_a は約 10 まで下がっている．プロパノンの共役塩基は，5.4.2 項でアリルアニオン類似系として取り上げられたエノラートイオンにほかならない．

H_3C-NO_2
ニトロメタン
(pK_a 10.2)

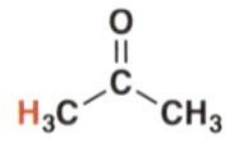

$H_3C-C(=O)-CH_3$
プロパノン
(pK_a 19.3)

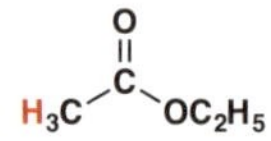

$H_3C-C(=O)-OC_2H_5$
エタン酸エチル
(pK_a 25.6)

$H_3C-C\equiv N$
エタンニトリル
(アセトニトリル)
(pK_a 28.9)

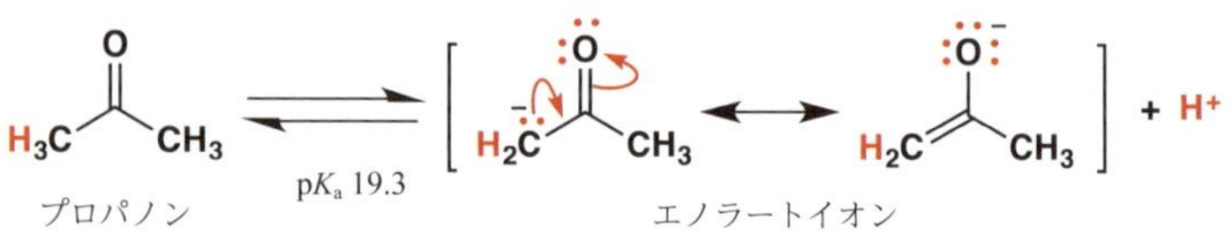

プロパノン ⇌ (pK_a 19.3) [エノラートイオン] + H^+

問題 6.13　ニトロメタンの共役塩基の構造を共鳴で表せ.

問題 6.14　エタン酸エチルの pK_a がプロパノンの pK_a よりも大きいのはなぜか.

このような電子求引基が 2 個以上結合すれば，カルボアニオンはさらに安定化され，炭素酸の酸性は強くなる．これらのカルボアニオンは反応中間体としても重要であり，17 章でこのようなアニオンの関与する反応について学ぶ.

6.5 有機化合物の塩基性

6.5.1 塩基性度の定義

塩基は，常に酸と表裏の関係として存在する．プロトン化された塩基が共役酸であり，酸塩基平衡の左辺と右辺に対になって出てくる．したがって，塩基の塩基性度の尺度として，共役酸の pK_a を用いることができる．すなわち，塩基 B の塩基性度は BH^+ の pK_a で定義できる．これを pK_{BH^+} で表すことにする．種々の化合物の塩基性度は，その共役酸の pK_a として，巻末の付録 4 にまとめてある．共役酸が弱いほど塩基の塩基性は強いので，pK_{BH^+} が大きいほど B の塩基性は強いといえる．酸の場合と同様に，B の水溶液の pH が pK_{BH^+} 値に等しくなると，B のちょうど半分がプロトン化されたかたちになる (6.2.3 項参照).

$$\underset{\text{塩基}}{B} + H_3O^+ \rightleftharpoons \underset{\text{共役酸}}{BH^+} + H_2O$$

$$BH^+ + H_2O \overset{K_{BH^+}}{\rightleftharpoons} B + H_3O^+ \qquad K_{BH^+} = \frac{[B][H^+]}{[BH^+]}$$

塩基性度の別の定義
塩基 B の塩基性度は，次の式に基づいて K_b で定義することもある.

$$B + H_2O \overset{K_b}{\rightleftharpoons} BH^+ + HO^-$$

$$K_b = \frac{[BH^+][HO^-]}{[B]}$$

pK_b = −log K_b とすると，水のイオン積 $[H^+][HO^-] = 10^{-14}$ を用いて，pK_b + pK_{BH^+} = 14 の関係を導くことができる.

ヘテロ原子を含む極性有機化合物は，すべて非共有電子対をもっているので弱塩基性化合物でありプロトン化を経て反応することが多い．このような弱塩基性有機反応基質の pK_{BH^+} 値は巻末の付録 4 にまとめてあり，ウェブノート 6.3 にも説明してあるが，代表的なものは次の通りである.

ヘテロ原子 heteroatom
C と H 以外の原子をヘテロ原子という．有機化合物によくみられるのは，第 15〜17 族元素の，N，O，ハロゲン，S，P などである.

➡ ウェブノート 6.3　有機反応基質の塩基性

	アルコール	エーテル	ケトン	エステル	アミド
有機弱塩基：	ROH	R_2O	$R_2C=O$	RC(O)OR'	$RC(O)NH_2$
共役酸：	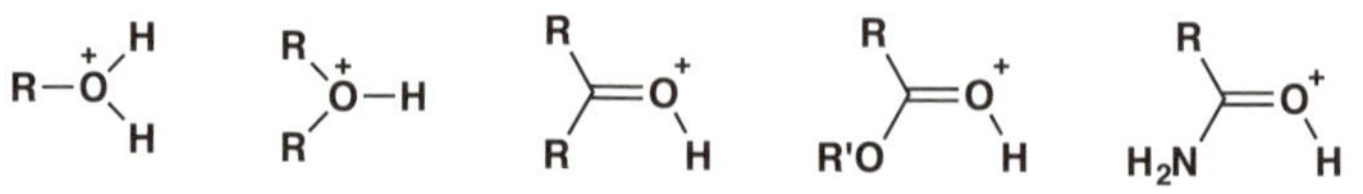 $R-OH_2^+$	R_2O^+-H	$R_2C=O^+-H$	$R(R'O)C=O^+-H$	$R(H_2N)C=O^+-H$
pK_{BH^+}：	−2	−2.5	−3	−4	−0.2

6.5.2 窒 素 塩 基

電荷をもたない有機塩基として最も一般的なものはアミン類である．典型的なアルキルアミンの pK_{BH^+} は約 10 であるが，アニリンはずっと弱い塩基で pK_{BH^+} 4.6 である.

$$C_6H_5NH_2 + H_3O^+ \rightleftharpoons C_6H_5NH_3^+ + H_2O$$

アニリン(pK_{BH^+} 4.6)　　アニリニウムイオン

シクロヘキシルアミン
(pK_{BH^+} 10)

この関係はアルキルアルコールとフェノールの関係と同じである．アニリンのNの非共有電子対はベンゼン環に非局在化して安定化に寄与している(ベンジルアニオンと等電子構造をもつ)が，プロトン化されてアンモニウムイオンになると，Nには非共有電子対がなくなるので，この安定化は失われる．塩基が安定化されている分だけプロトン化されにくくなり，塩基性は弱くなる．

問題 6.15　アニリンを共鳴で表せ．

多官能性の酸や塩基の酸解離については特有の問題があるが，ページ数の制約のためにウェブノート 6.4 にまとめてあるので参考にしてほしい．

➡ ウェブノート 6.4　多官能性の酸と塩基

強塩基性アミン

アミンは，有機反応において塩基としてよく用いられるが，その中でもとくに塩基性の大きい化合物を見ておこう．アミジン(amidine)とグアニジン(guanidine)の pK_{BH^+} は，それぞれ 12.4 と 13.6 で，電荷をもたない塩基としては強力であり，下に示すような例が実際に使われる．類似のイミンに比べて塩基性が非常に強いのは，その共役酸の共鳴安定化のためである．

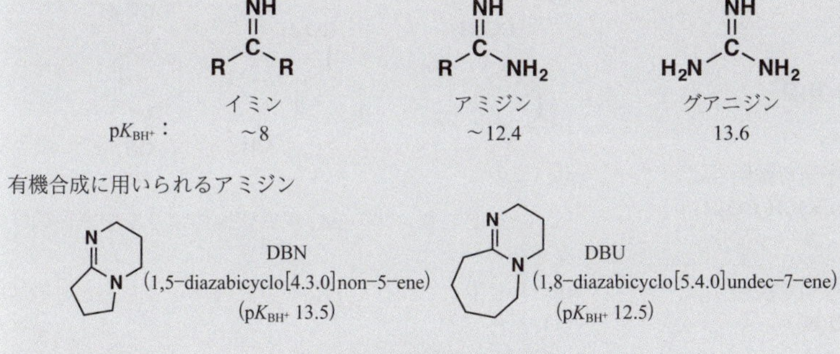

これらの塩基よりもさらに強力な塩基が必要な場合には，アルコキシド RO^- (pK_{BH^+} ~16)やアミド R_2N^- (pK_{BH^+} ~35)のようなアニオンの塩が用いられる．

α-アミノ酸のアルギニンはグアニジン基をもっている．

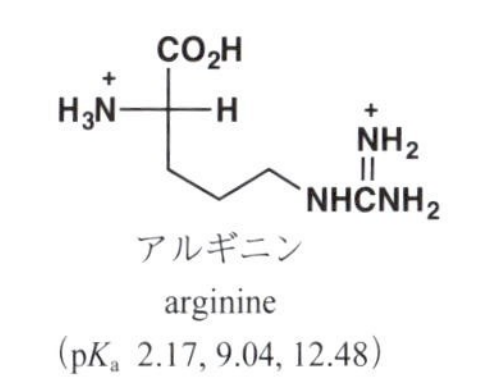

アルギニン
arginine
(pK_a 2.17, 9.04, 12.48)

ま と め

- Brønsted 酸はプロトン供与体であり，塩基はプロトン受容体である．Lewis 酸は電子対受容体であり，塩基は電子対供与体である．
- Brønsted 酸塩基反応はプロトン移動反応であり，プロトン移動により酸は共役塩基に，塩基は共役酸になる．
- 酸性度は酸解離定数 K_a あるいは pK_a (= −log K_a)で表され，塩基 B の塩基性度は pK_{BH^+}，すなわち共役酸 BH^+ の pK_a で表される．
- 酸性度と塩基性度を決めるおもな因子として，H−A 結合力，原子の電気陰性度，置換基の電子求引性と電子供与性，イオンの非局在化がある．
- C−H 結合からプロトンを出す化合物は炭素酸とよばれ，その共役塩基はカルボアニオンである．
- 有機塩基の代表は窒素塩基(アミン)である．

章末問題

問題 6.16　次の化合物は酸としても塩基としても作用できる．それぞれの共役塩基と共役酸の構造を示せ．

(a) HCO_3^-　(b) CH_3OH　(c) CH_3NH_2
(d) CH_3CO_2H　(e) 3-アミノフェノール

問題 6.17　フェノール（pK_a 10）は次の水溶液中に溶けるか，あるいはほとんど溶けないか．またそれはなぜか．

(a) HCl 水溶液　(b) $NaHCO_3$ 水溶液
(c) Na_2CO_3 水溶液　(d) NaOH 水溶液

問題 6.18　アニリン（pK_{BH^+} 4.6）は次の水溶液中に溶けるか，あるいはほとんど溶けないか．またそれはなぜか．

(a) HCl 水溶液　(b) $NaHCO_3$ 水溶液
(c) Na_2CO_3 水溶液　(d) NaOH 水溶液

問題 6.19　次の酸塩基反応を完成し，平衡がどちらに偏っているか，平衡定数を計算して答えよ．下に酸の pK_a と塩基の pK_{BH^+} を示してある．

(a) $HCO_2H + C_6H_5NH_2 \rightleftharpoons$
　pK_a 3.75　pK_{BH^+} 4.60

(b) $HCN + HOCH_2CH_2NH_2 \rightleftharpoons$
　pK_a 9.1　pK_{BH^+} 9.5

問題 6.20　次の Lewis 酸と塩基の反応によって生じる付加体を Lewis 構造式で示せ．

(a) $BF_3 + H_2O$　(b) $(CH_3)_3C^+ + H_2O$
(c) $EtMgBr + Et_2O$　(d) $Br_2 + FeBr_3$

問題 6.21　次のカルボン酸の酸性度の序列を説明せよ．

$FCH_2CO_2H > ClCH_2CO_2H > BrCH_2CO_2H > ICH_2CO_2H$
pK_a：2.59　2.86　2.90　3.18

問題 6.22　次のカルボン酸の酸性度の序列を説明せよ．

$FCH_2CO_2H < F_2CHCO_2H < F_3CCO_2H$
pK_a：2.59　1.34　−0.6

問題 6.23　次の 2 組の 3- と 4-置換安息香酸の酸性度の違いをそれぞれ説明せよ．

(a) F, CO_2H (3-置換) pK_a 3.86　F, CO_2H (4-置換) pK_a 4.14

(b) Me, O, CO_2H (3-置換) pK_a 3.83　Me, O, CO_2H (4-置換) pK_a 3.70

問題 6.24　次に示すフェノールの酸性度の順を示し，その理由を説明せよ．

OH　CH_3, OH　Cl, OH
pK_a：9.99　10.28　8.78

問題 6.25　ヒドロキシ安息香酸の三つの異性体の pK_a を次に示す．これらの pK_a 値を無置換安息香酸の pK_a (4.20) と比べて，下の問に答えよ．

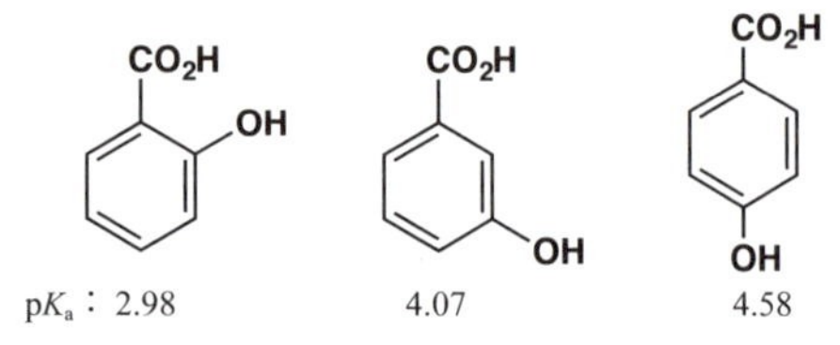

pK_a：2.98　4.07　4.58

(a) 3-ヒドロキシ体の pK_a が無置換体よりも小さいのはなぜか．
(b) 4-ヒドロキシ体の pK_a が無置換体よりも大きいのはなぜか．
(c) 2-ヒドロキシ体の pK_a がとくに小さいのはなぜか．

7 有機化学反応

【基礎となる事項】
- 共有結合（1.2 節，3.2 節）
- Lewis 構造式（1.3 節）
- 分子間相互作用（2.10 節）
- 立体ひずみ（4.1 節）
- 分子軌道（5 章）
- 巻矢印（5.4.1 項）
- 酸塩基反応（6 章）

【本章で学ぶこと】
- 有機反応の種類
- 有機素反応のタイプ：極性反応とラジカル反応
- 巻矢印による反応の表し方
- 反応における軌道相互作用
- 反応のエネルギーとエネルギー断面図
- 反応の可逆性と平衡

有機化学を学ぶには，これまで学んできた有機化合物の構造とともに，有機化合物の変換という動的な側面も理解する必要がある．多様な有機化合物が，化学反応によって変幻自在にかたちを変える．それによって有用な物質が生産され，私たちの生活を豊かにしている．また，私たちの生命も有機反応によってつむがれている．

有機反応は，有機分子の結合の組換えの過程であり，反応は価電子の再配列によって起こるといえる．したがって，結合にかかわる価電子の動きによって反応を表すことができる．価電子の動きは巻矢印で表すことができるので，**巻矢印**を用いて反応をどう理解するか説明する．結合の組換えがどのように起こっているかを記述するのが**反応機構**であり，電子の動きを巻矢印で正しく表せば反応機構も理解しやすい．分子の中で電子は分子軌道に存在するので，反応によって結合の組換えが起こるとき，関係する分子軌道がどのように変化するかについてもみていく．しかし，このような化学変換は瞬時に起こるものではない．反応によって速いものも遅いものもある．この動的過程はエネルギーと関係しているので，反応のエネルギーを**エネルギー断面図**として表し，反応速度や平衡とどのように関係しているかを述べる．後の章で出てくる代表的な反応を例として取り上げ，このような考え方や原理を説明する．

7.1 有機反応の種類

有機化合物は多様であり，それぞれがさまざまな反応で別の化合物に変換されるので，有機反応も無数にあるようにみえる．しかし，有機化合物が官能基によって分類されたように，有機反応も四つの基本的な反応の組合せとして理解できる．したがって，その根本原理を理解すれば有機反応の全体像，そして有機化

巻矢印 curly arrow
反応機構 reaction mechanism
エネルギー断面図 energy profile

学の全体像がわかるようになるだろう．

四つの基本的な反応とは，**置換**，**付加**，**脱離**と**転位**である．それに**酸塩基反応**を組み合わせると有機反応のしくみがよく理解できる．それぞれの簡単な例を次に示す．

➡ ウェブノート 7.1　反応機構とは？

反応 7.1

置換：substitution

$$CH_3{-}H + Br_2 \longrightarrow CH_3{-}Br + H{-}Br \quad (a)$$

$$(CH_3)_3C{-}Cl + H{-}OH \longrightarrow (CH_3)_3C{-}OH + H{-}Cl \quad (b)$$

$$CH_3{-}Br + {}^{-}OH \longrightarrow CH_3{-}OH + Br^{-} \quad (c)$$

$$CH_3C(=O)OEt + H{-}OH \longrightarrow CH_3C(=O)OH + EtO{-}H \quad (d)$$

付加：addition

$$(CH_3)_2C{=}CH_2 + H{-}Cl \longrightarrow (CH_3)_2C(Cl){-}CH_2(H) \quad (e)$$

$$CH_3C(=O)H + H{-}CN \longrightarrow CH_3C(NC)(O{-}H)H \quad (f)$$

脱離：elimination

$$(CH_3)_2C(Cl){-}CH_2(H) \longrightarrow (CH_3)_2C{=}CH_2 + H{-}Cl \quad (g)$$

$$H(Me)HC{-}CH(Me)({}^{+}NMe_2{-}O^{-}) \longrightarrow MeHC{=}CHMe + H{-}ONMe_2 \quad (h)$$

転位：rearrangement

$$H_2C{=}CH{-}C(OH)(CH_3)_2 \longrightarrow H_2C(OH){-}CH{=}C(CH_3)_2 \quad (i)$$

(j)（環状エーテルの転位反応：構造式）

置換反応は分子の一部分が置き換わる反応であり，飽和化合物にも不飽和化合物にもみられる．反応 7.1a ではメタンの H が Br と置き換わり，反応 7.1b と 7.1c ではハロアルカンのハロゲンが OH と置き換わっている．また，エステルのエトキシ基が水の OH 基と置き換わってエステルの加水分解（反応 7.1d）になっている．**付加反応**は 2 分子が 1 分子になる反応で，不飽和結合に特徴的な反応である．アルケンへの HCl 付加（反応 7.1e）とカルボニル結合への HCN の付加（反応 7.1f）は，その代表例である．**脱離反応**では 1 分子の出発物から 2 分子の生成物を生じる．ちょうど付加反応の逆過程であり，クロロアルカンからアルケンと HCl が生成する反応（反応 7.1g）は，HCl 付加（反応 7.1e）の逆反応である．どちらに進むかは，反応条件によって決まる．**転位反応**では，1 分子の中で結合の組換えが起こり，異性体になる．反応 7.1i では OH と二重結合が移動している．もう一つの反応 7.1j では，一つの C−O 結合が切れて二重結合が移動すると同時に，新しい C−C 結合ができている．これらの 4 種類の反応は，いずれも反応の結果を形式的に分けているだけで，反応がどのように起こるか，反応機構は何も示していない．

酸塩基反応は，6 章で説明したが，より一般的な基本的化学反応の一つであり，通常は有機反応に分類しない．しかし，しばしば有機反応の 1 段階として，反応推進に重要な役割を演じているので，反応機構を考えるうえで重要である．

ここでは，有機反応を結合の組換えとして，その形式によって分類しているが，反応の別の見方として酸化還元による分類がある．酸化は電子を失う過程であり，還元は電子を受け取る過程である．したがって，結合の変化によって炭素に電子の増減を生じているかどうか，すなわち，酸化が起こっているかどうかは，2.8 節でみた酸化数の増減によって判断する．酸化還元については 14 章でまとめて考えることにする．

Sir Robert Robinson
（ロビンソン：1886〜1975）
1920 年代に巻矢印による反応表記を始めた英国学派の一人であり，有機電子論による反応機構の解明に大きく貢献した．天然物のアルカロイドの研究に対して 1947 年ノーベル化学賞を受賞した．Robinson 環化（18.4.2 項）にも名前を残している．

問題 7.1 次の反応は，それぞれ置換，付加，脱離，転位のいずれに分類されるか．

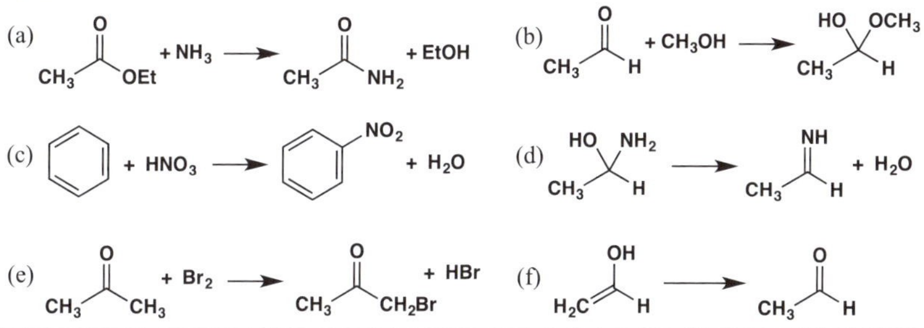

(a) $CH_3COOEt + NH_3 \longrightarrow CH_3CONH_2 + EtOH$

(b) $CH_3CHO + CH_3OH \longrightarrow CH_3CH(OH)OCH_3$

(c) $C_6H_6 + HNO_3 \longrightarrow C_6H_5NO_2 + H_2O$

(d) $CH_3CH(OH)NH_2 \longrightarrow CH_3CH{=}NH + H_2O$

(e) $CH_3COCH_3 + Br_2 \longrightarrow CH_3COCH_2Br + HBr$

(f) $H_2C{=}CH(OH) \longrightarrow CH_3CHO$

7.2 有機反応はどのように起こるのか：巻矢印による反応の表し方

上にあげたような反応がどのように起こるかを考えるのが，反応機構である．反応機構は，何段階かの素反応過程で表すことができる．その素反応も数種類のタイプに分けられ，反応の進行は巻矢印による価電子の動きによって表すことができる．結合の組換えを**巻矢印**でどのように表すかは，すでに共鳴構造を書くときに簡単に説明し（5.4 節），Lewis 酸塩基反応を表すときにも用いた（6.1.2 項）．

自信をもって Lewis 構造式を書けないなら，次に進む前に 1.3 節を復習しよう．

7.2.1 結合の切断

化学反応に含まれる結合の切断において，共有されている結合電子対が 1 個ずつ分かれて**不対電子**になる場合と，電子対として一方の原子に移り**非共有電子対**になる場合とがある（反応 7.2）．前者(a)は**ホモリシス**といわれ，二つの**ラジカル**を生成する．後者(b)は**ヘテロリシス**といわれ，（中性分子からは）アニオンとカチオンを生成する．

ホモリシスを示す巻矢印は片羽で 1 電子の動きを表している．

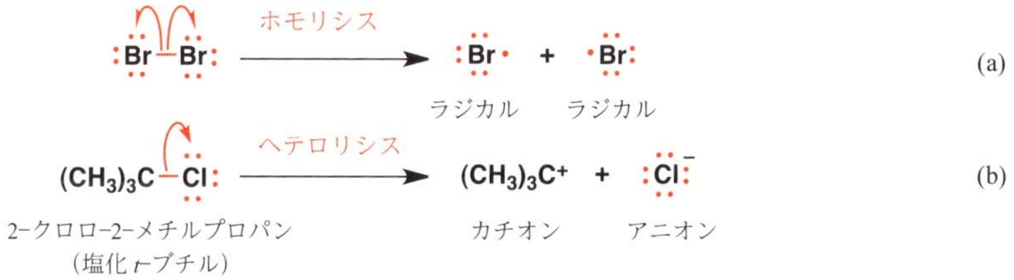

$$:\ddot{Br}-\ddot{Br}: \xrightarrow{\text{ホモリシス}} :\ddot{Br}\cdot + \cdot\ddot{Br}: \quad (a)$$

ラジカル　ラジカル

$$(CH_3)_3C-\ddot{Cl}: \xrightarrow{\text{ヘテロリシス}} (CH_3)_3C^+ + :\ddot{Cl}:^- \quad (b)$$

2-クロロ-2-メチルプロパン（塩化 *t*-ブチル）　カチオン　アニオン

反応 7.2 ホモリシスとヘテロリシス

結合の切断では結合電子対が一方の原子にとられてヘテロリシスになり，逆に結合生成では一方の原子から電子対が供給されるような反応は，**極性反応**あるいは**イオン反応**とよばれる．有機反応の多くは極性反応である*．一方，ホモリシスのように 1 電子ずつの動きでラジカルを生成し，またラジカルどうしで電子対を再形成するような反応は**ラジカル反応**とよばれ，20 章で説明する．

* 実験室で行うフラスコ中での反応の多くは極性反応であるが，天然で起こっている反応には非極性反応も多い．

ラジカル反応は非極性反応の一種であり，気相ではほとんどの反応がラジカル的に起こる．

- ヘテロリシスを起こしやすい結合は極性結合であり，電気陰性度の大きい原子が電子対をもって（アニオンになって）外れる．
- 巻矢印は反応にかかわる価電子の動きを示すものだから，最初に正しい Lewis 構造式を書くことが重要である．

不対電子 unpaired electron
非共有電子対 unshared electron pair
ホモリシス homolysis（均等開裂ともいう）
ラジカル radical
ヘテロリシス heterolysis（不均等開裂ともいう）
極性反応 polar reaction
イオン反応 ionic reaction

7.2.2 結合の生成

ホモリシスの逆反応による結合生成は，ラジカルカップリングといわれる．一方，極性反応における結合生成はヘテロリシスの逆反応であり，その一例として反応 7.3 がある．結合生成においては，一方の化学種から電子対（2 電子）を出して，もう一方の化学種と 2 電子を共有して結合をつくる．この反応は 6.1.2 項で出てきた Lewis 酸塩基反応にほかならない．

反応 7.3　求電子種と求核種の結合反応：Lewis 酸塩基反応

$$(CH_3)_3C^+ + :\ddot{Cl}:^- \longrightarrow (CH_3)_3C-\ddot{Cl}:$$

求電子種（Lewis 酸）　求核種（Lewis 塩基）

■ **電子対供与体である Lewis 塩基は，極性反応の中では求核種あるいは求核剤とよばれる．一方，電子対を受け入れる Lewis 酸は求電子種あるいは求電子剤とよばれる．**

炭素カチオンは総称してカルボカチオン（carbocation）という．

反応 7.3 では，カルボカチオン（*t*-ブチルカチオン）が求電子種となり，塩化物イオンが求核種になって，Cl^- の非共有電子対がカチオンのほうに動いて新しい結合をつくっている．巻矢印は求核種の電子対から求電子種に向かう．

➡ ウェブ S7.1　求核種と求電子種の用語について

求核種と求電子種

求核種（nucleophile）は原子核を好むものという意味だが，直接原子核と反応するわけではなく，正電荷中心に対して電子を供与するかたちで反応する．分子レベルで考えるときには，“求核種”とよび，反応剤として考えるときには“求核剤（nucleophilic reagent）”ということにする．書籍によってはこのような区別をしていないが，反応機構は分子レベルで起こる結合変換を考えているので，このように考える．一方，求電子種（electrophile）は電子を好むものという意味であり，求核種から電子対を受け入れるかたちで反応する．この場合にも，分子レベルで考えるとき“求電子種”といい，反応剤として考えるときには“求電子剤（electrophilic reagent）”という．

Et や Me はよく使われる略号である．
Et = CH_3CH_2（エチル）
Me = CH_3（メチル）

問題 7.2　次の各反応において，求核種と求電子種を指摘せよ．

(a) $CH_3Cl + EtO^- \longrightarrow CH_3OEt + Cl^-$

(b) $CH_3CH{=}CH_2 + H_3O^+ \longrightarrow (CH_3)_2CH^+ + H_2O$

(c) $MeC({=}O)OEt + NH_3 \longrightarrow MeC(O^-)(\overset{+}{N}H_3)OEt$

(d)

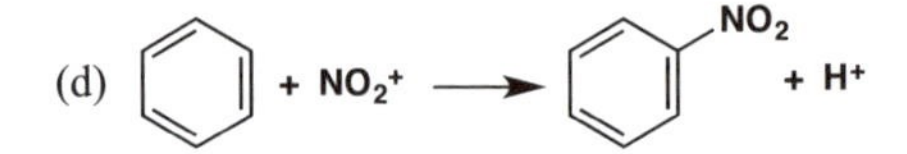

■ **巻矢印は電子対の動きを表すものであり，基質に対して反応種が攻撃することを示すものではない．**

したがって，アルデヒドのプロトン化は下の左式のように書くべきであり，右式のように書いてはいけない．

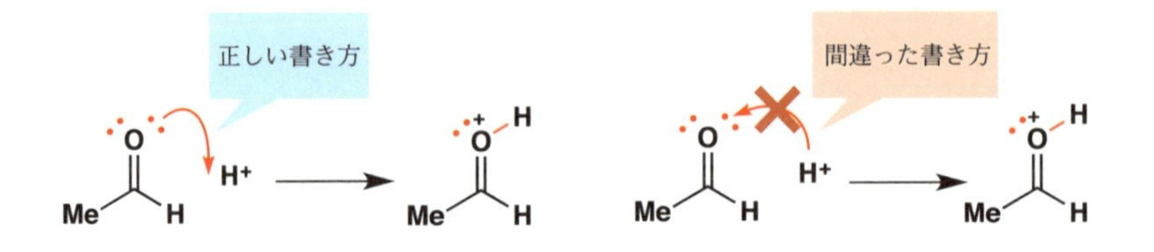

問題 7.3　次の各反応の反応物と生成物の非共有電子対をすべて示し，電子対の動きを巻矢印で表せ．

(a) $Me-CH(Me)-Br \longrightarrow Me-\overset{+}{C}H-Me + Br^-$

(b) $Me-\overset{+}{C}H-Me + NH_3 \longrightarrow Me-CH(Me)-\overset{+}{N}H_3$

カルボカチオン　carbocation

7.2.3 協奏的な結合切断と結合生成

上で結合切断と結合生成がそれぞれ素反応過程として起こる例をみたが，極性反応ではこれら二つの過程が同時に一つの素反応として起こる場合も少なくない．このような反応は協奏反応とよばれる．6章で説明したBrønsted酸塩基反応（プロトン移動反応）は一般的にこのように起こるので，二つの巻矢印を使って書く必要がある．6章の最初に出てきたHClとH_2Oの反応（$H_2O + HCl \rightarrow H_3O^+ + Cl^-$）は，図7.1のように書ける．

反応7.1jの転位反応は，下に示すように，環状に並んだ複数の巻矢印で協奏的な結合生成と切断が同時に起こることが示される．このような非極性反応は，ペリ環状反応とよばれる種類の反応でありウェブチャプター24で総合的に説明するが，15.9節と21.5節に関連反応が出てくる．

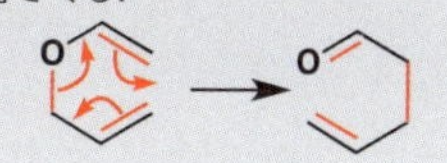

塩基　酸　共役酸　共役塩基

図7.1 水中におけるHClの解離反応：協奏的な結合生成と結合切断の表し方
極性反応における協奏的な結合生成と結合切断が二つの巻矢印でどのように表されるかを示している．巻矢印(1)はOの非共有電子対から出て，OとHの間にくる（非共有電子対を使ってO−H結合が生成することを表している）．巻矢印(2)はH−Cl結合から出てClの上にくる（結合電子対が非共有電子対になることを示し，H−Cl結合の切断を表している）．

反応7.1cに示したブロモメタンの水酸化物イオンによる置換反応も同じように協奏的な結合生成と結合切断を含む反応として反応7.4のように書ける．求核種のHO^-が求電子種となるブロモメタンの炭素を攻撃して，1段階で置換を達成している．

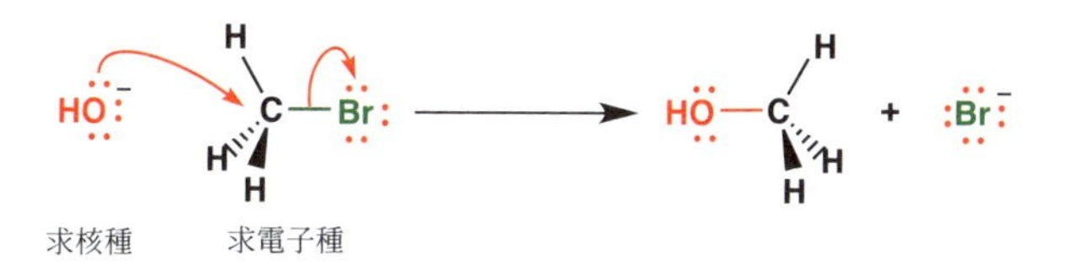

反応7.4 ブロモメタンのS_N2反応
この反応は求核置換反応の一つであり，S_N2反応とよばれている．これに対し，反応7.1bの置換反応は，反応7.2bに示したヘテロリシスに続いて，生成したカルボカチオンと水の反応（例題7.1）で進む多段階反応で，S_N1反応とよばれている（12章参照）．

- 反応の前後で全電荷は変化しない．すなわち，電荷は保存され，全電子数は変化しない*．
- 電子対は非共有電子対か結合電子対（共有電子対）であるから，巻矢印の出発点はそのいずれかであり，巻矢印の先は新しい結合をつくる2原子間か新しい非共有電子対が所属する原子に向けて書く．

この点さえ間違わなければ，これまでに出てきた例から，巻矢印の使い方もわかるだろう．ここで，結合を表す線は結合電子対の2電子に相当することを思い出そう．

- 極性反応は，まず静電引力によって二つの反応種が近づくことから始まり，2分子が相互作用して，電子は密度の高いところから低いところへ向かって流れる．

* 反応7.3では正電荷をもつカチオンと負電荷をもつアニオンが反応して中性分子ができており，全電荷は反応の前後でゼロである．反応7.4では，反応の前後で全電荷は−1であるが，例題7.1にあげる二つの反応では全電荷が+1で変化していない．

協奏反応 concerted reaction

■ 複数の巻矢印で電子対の動き(電子の流れ)を示す場合には，矢印の向きは必ず一方向を向いている．電子は密度の高いところから低いところに向かって一方向に流れるので，決してぶつかったり(⌒⌒)，発散したりする(⌒⌒)ことはない．

例題 7.1

反応 7.1b の塩化 *t*-ブチルと水の反応(置換)は，反応 7.2b のヘテロリシスでカチオンを生成したあと，このカチオンと水分子の間の結合生成を経て進む．ヘテロリシスで生成した *t*-ブチルカチオンと H_2O との反応によって，2 段階で最終生成物に至る反応を巻矢印で示せ．

解 答　反応 7.2b のあと，第一段階は *t*-ブチルカチオンと H_2O の Lewis 酸塩基反応(求電子種-求核種結合反応)であり，ついで Brønsted 酸塩基反応を起こす．ここで，塩基は水溶液中では H_2O であり，アルコールと H_3O^+ を生成する．HCl は水中で解離して H_3O^+ と Cl^- になっている．

$(CH_3)_3C^+$ + $\ddot{O}H_2$ ⟶ $(CH_3)_3C-\overset{+}{O}H_2$　　$(CH_3)_3C-O^+(H)H$ + $\ddot{O}H_2$ ⟶ $(CH_3)_3COH$ + H_3O^+

求電子種(Lewis 酸)　求核種(塩基)　Brønsted 酸　Brønsted 塩基

問題 7.4　反応 7.1f は，水溶液中 HO^- の存在下に，HCN の解離平衡とそれに続く 2 段階の反応で進行する．2 段階の反応の反応物と生成物の非共有電子対をすべて示し，電子対の動きを巻矢印で表せ．

$$HCN + HO^- \rightleftharpoons CN^- + H_2O$$

MeC(=O)H + $^-C{\equiv}N$ ⟶ Me(H)C(O^-)(C≡N)

Me(H)C(O^-)(C≡N) + H−C≡N ⟶ Me(H)C(HO)(C≡N) + $^-C{\equiv}N$

7.2.4　正電荷をもつ化学種への求核攻撃

電子対は正電荷に向かって反応しやすいと考えるのは自然であるが，形式電荷のところで実際に結合が生成するかどうかには注意を要する．形式正電荷をもつ位置で結合をつくれるのは，その原子が 6 電子しかもたない求電子種(Lewis 酸)の場合だけである(例，反応 7.3)．形式電荷をもっていても，その原子がすでにオクテットになっている場合には，さらに電子を受け入れることができないので結合をつくれない．次の例のように，ヘテロ原子(N または O)がオクテットを超えた不可能な構造になる場合には，このような反応は起こらない．

左の例では N がオクテットを超えるし，右の例では O がオクテットを超える．この酸素は 4 価で，一見オクテットに収まっているかのようにみえるが，非共有電子対が 1 組残っている．非共有電子対をすべて正しく示し，巻矢印で電子を追っていけば，この種の誤りは避けられる．

HO^- + NH_4^+ ─⊘→ HO−N(H)(H)−H（10 電子）不可能な構造　　H_3O^+ + $^-C{\equiv}N$ ─⊘→ H−O(H)(H)−C≡N（10 電子）不可能な構造

これらの反応は，実際にはいずれも酸塩基反応として次のように起こる．どちらも，協奏的な結合生成と結合切断を表す二つの巻矢印が必要になる．

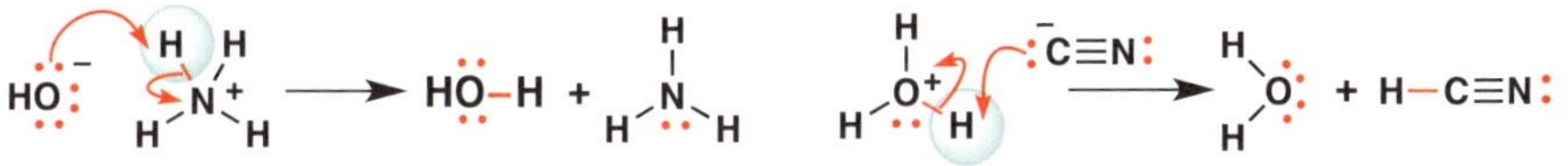

プロトン化カルボニル基への求核種の反応も，形式正電荷のある酸素ではなく隣接位の炭素を攻撃する．求核種の非共有電子対を用いて C と新しい σ 結合をつくると同時に π 結合が切れて結合電子対は非共有電子対に置き換わる．

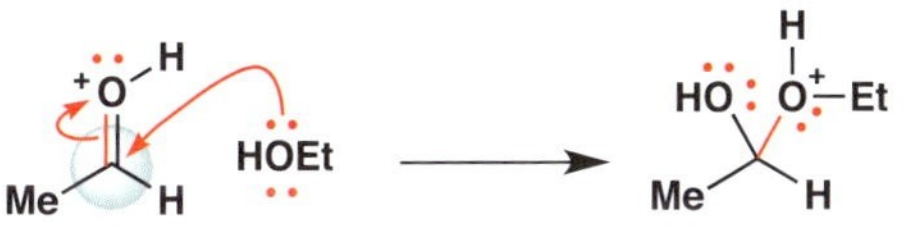

■ **酸素や窒素のようなヘテロ原子に形式正電荷がある場合には（ふつうオクテットになっているので），一般的に隣接位の炭素や水素が反応位置になる．**

問題 7.5 プロトン化アルデヒドとエタノールの反応として，上の反応とは別の反応（プロトン移動）が可能である．その反応を，巻矢印を用いて表せ．

問題 7.6 次のカチオンとアニオンの二つの可能な反応を，巻矢印を用いて表せ．非共有電子対をすべて示すこと．

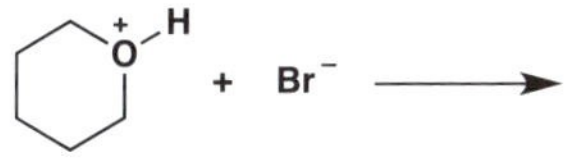

7.2.5 求核中心となる π 結合と σ 結合

これまで見てきた求核種は，すべて非共有電子対を供与することによって求核性を発現している．しかし，結合電子対を供与して反応する求核種もある．

■ **π 結合と σ 結合も求核中心になる．**

反応例 7.1e のアルケンへの HCl の付加においては，アルケンが求核種となり π 結合電子対を供与している（反応 7.5）．すなわち，π 結合が求核中心になる．この付加反応は，反応 7.5a で生成したカルボカチオンが，反応 7.3 でみた Lewis 酸塩基反応（反応 7.5b）によって完結する．アルケンの π 結合電子対のエネルギーがかなり高いために求核中心になり得るのである．

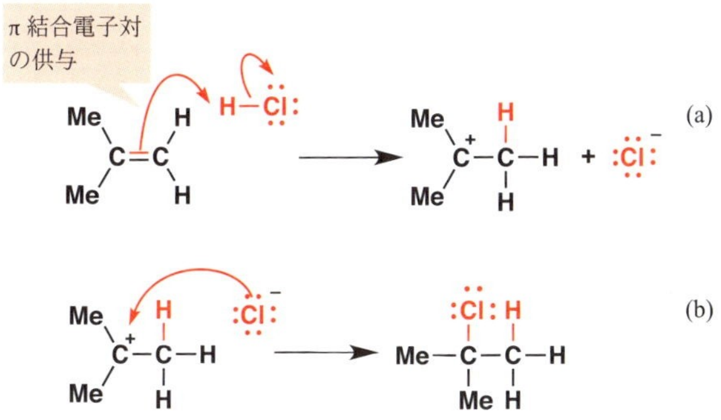

反応 7.5 アルケンへの HCl の付加

求核中心 nucleophilic center

BH_4^- や AlH_4^- の形式電荷は，B や Al 上にあるが，これらの原子は非共有電子対をもっていない．BH_4^- の MO についてウェブノート 10.1 に説明してある．

特別な場合には，σ 結合が求核中心になることもある．よく知られているのは，10 章で説明する BH_4^- や AlH_4^- のようなアニオンによるカルボニル基のヒドリド還元である．反応 7.6 では，B－H σ 結合が求核中心となり，σ 結合電子対を使って H がカルボニル炭素に付加する．

反応 7.6　アルデヒドのヒドリド還元

σ結合電子対の供与

問題 7.7　反応 7.5 は，濃塩酸中で行うこともできる．この場合，HCl はほとんど完全に解離しているので，実際に反応に関与するのはおもに H_3O^+ である．H_3O^+ とアルケンの反応の第一段階を巻矢印で示せ．非共有電子対も書くこと．

7.2.6　配向性の問題と原子指定の巻矢印

アルケンへの HCl の付加の例として，2-メチルプロペンから *t*-ブチルカチオンを経て，2-クロロ-2-メチルプロパンを生成する反応（反応 7.5）をみた．この反応は逆向きに（逆の配向性で），次のように反応することも原理的には可能である．しかし，このような配向性で反応することはほとんどない．

$$Me_2C{=}CH_2 + HCl \not\longrightarrow Me_2CH{-}CH_2Cl$$

■　**非対称な反応物どうしの反応を巻矢印で表す場合には，巻矢印を正しい向きに書かないと結合をつくる原子があいまいになり，反応の結果が正しく表されない．**

たとえば，反応 7.5a の代わりに次のように書いたとすると，電子対は巻矢印の向きに従って動くものと考えるので，π 電子対はメチル基をもつ C2 のほうに動き，H は C2 と結合するものと解釈される．このように H^+ が C2 に結合してできるカチオンは不安定で，実際には生成しない．

不安定で生成しない

巻矢印の書き方については，裏表紙の内側に要点をまとめてある．

このような不都合に気づいたら，あわてずにやり直せばよい．反応する分子の配置を（反応 7.5a のように）書き直してもよいが，**原子指定の巻矢印**を使うやり方がある．反応 7.7a に示すように，新しい結合をつくる原子を貫くように巻矢印を書く．また，反応 7.7b や 7.7c のように書いてもよい．反応 7.5a，7.7a～c は同じ反応を表している．

配向性　orientation
原子指定の巻矢印　atom-specific curly arrow

(a)　(b)　(c)

反応 7.7　原子指定の巻矢印を用いた反応 7.5a の書き方

■ **原子指定の巻矢印を用いれば，分子の配置によらず結合する原子を明確に示すことができる．**

反応 7.6 は反応 7.8a あるいは反応 7.8b のように書くこともできる．

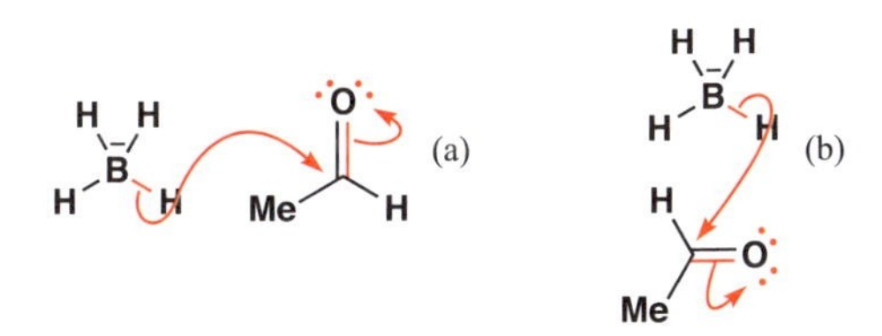

反応 7.8　原子指定の巻矢印を用いた反応 7.6 の書き方

例題 7.2

エノラートイオン(アニオン)がアルデヒドに付加する反応はカルボニル化合物の重要な反応の一つである．次の反応を，原子指定の巻矢印を使って表せ．

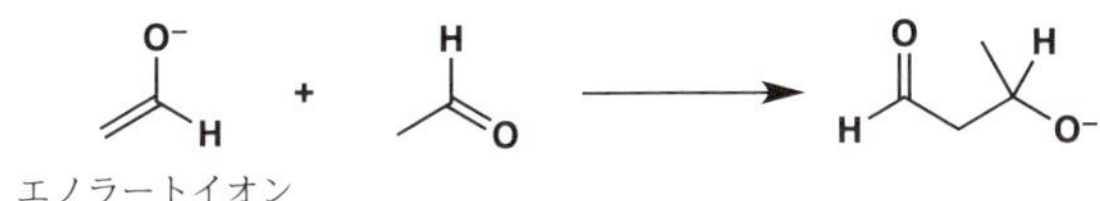

解 答　非共有電子対をすべて書き込んで，生成物において新しくできる結合がどれに相当するかみつけて反応を考える．

問題 7.8　次の各反応式において，巻矢印が正しく使われていないものがあれば，その間違いを指摘し，電子対の動きを正しく巻矢印で表した反応式を書け．

(a)

(b)

(c)

7.2.7　反応の推進力：プッシュかプルか

ここで反応がなぜ起こるのか，そのおもな要因(反応推進力)が何であるのかを考えるためのヒントを説明しよう．反応 7.1g の脱離反応は，反応 7.1b の置換反応と同じように，反応 7.2b のヘテロリシスから始まり，生成した *t*-ブチルカチオンからプロトンが失われることによってアルケンを生じる(反応 7.9)．結果的に HCl が脱離したことになる．反応 7.9 は，溶媒分子の H_2O が塩基としてはた

推進力(反応推進力) driving force

らく酸塩基反応とみなせる．

反応 7.9　カルボカチオンからの脱プロトン

この反応では正電荷中心が電子を引きつけること（**電子引出し効果**）が反応の推進力になっている．これを**プル**によって反応が進むと表現することにしよう．

同じ脱離反応は，HO^- のような強い塩基が存在する場合には，プロトン引抜きと同時に（協奏的に）Cl^- が押し出されて外れていく（反応 7.10）．この反応では強塩基が非共有電子対を出して，連動的に電子が押し込まれるかたち（**電子押込み効果**）で反応する．このような反応は，**プッシュ**によって反応が進むといおう．Cl^- が脱離しやすいと考えれば，この反応は**プッシュ・プル**で反応が進みやすいということもできる．また，この反応過程を表すために，三つの巻矢印を用いていることにも注目してほしい．

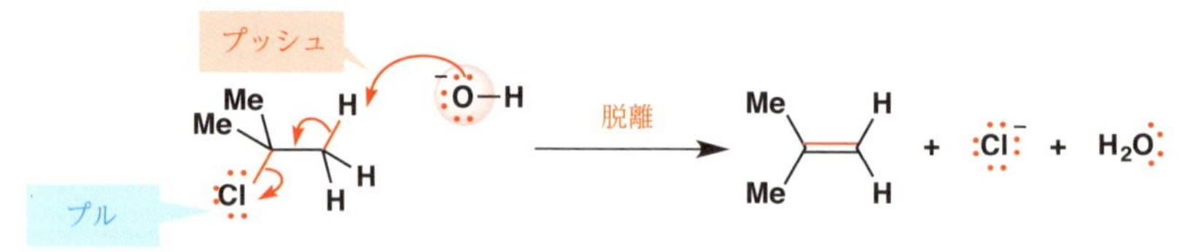

反応 7.10　強塩基による脱離反応

■ **極性反応は電子対のプッシュまたはプルをおもな推進力として進むか，プッシュ・プルで協奏的に進行する．**

例題 7.3

反応 7.1d のエステル加水分解は置換反応の一例であるが，反応は付加と脱離が連続して起こることにより進行する．アルカリ加水分解では，HO^- が求核種として C=O 結合に付加したあと，EtO^-（エトキシドイオン）の脱離が起こる．この 2 段階の反応を，巻矢印を用いて表し，反応の推進力を説明せよ．

解答　第一段階は強い求核種の HO^- のプッシュで付加が起こるといえる．

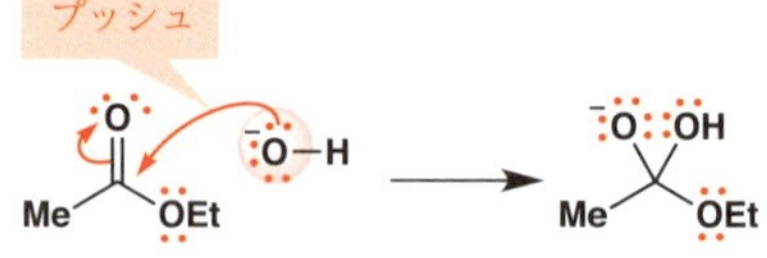

2 段階目では，分子内の O^- の非共有電子対（負電荷）がプッシュにより，通常は脱離しにくいアルコキシドイオンを押し出している．

最後に酸塩基反応でカルボン酸イオンとアルコールになる．

$$MeCO_2H + EtO^- \rightleftharpoons MeCO_2^- + EtOH$$

福井謙一
（1918〜1998，京都大学教授）
1952 年に，HOMO-LUMO 相互作用が化学反応性を決める重要な因子であることを指摘し，これらの軌道をフロンティア軌道と名づけてフロンティア軌道理論を展開し，有機化学への分子軌道の応用を現実的なものとした．1981 年にノーベル化学賞を受賞した．

電子引出し効果 electron pull（単にプルという）
電子押込み効果 electron push（単にプッシュという）
プッシュ・プル push-pull
軌道相互作用 orbital interaction

7.3　極性反応の分子軌道による表現

7.3.1　軌道相互作用

3 章でみたように，2 原子が結合をつくるときには，原子軌道（AO）どうしの重なりによって結合性軌道と反結合性軌道をつくり，結合性軌道に電子が入ること

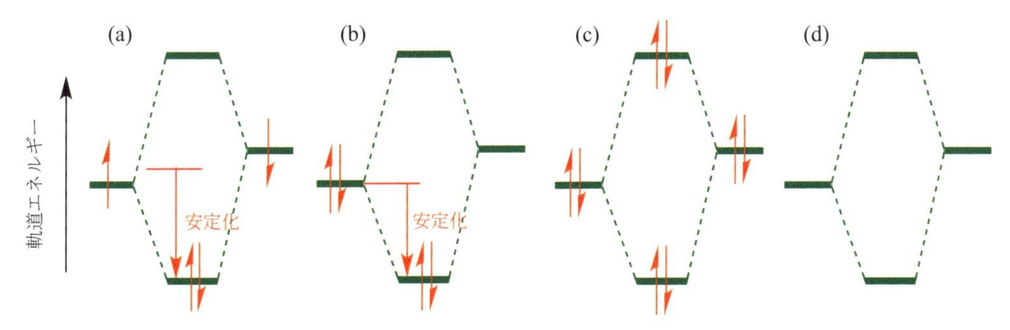

図 7.2　4 種類の軌道相互作用
(a) 半占軌道どうし，(b) 被占軌道と空軌道，(c) 被占軌道どうし，(d) 空軌道どうしの相互作用．安定化を得るのは(a)と(b)の場合だけである．

によって結合エネルギーを得る．イオン，ラジカル，あるいは分子の間でも，同じような軌道相互作用で結合をつくることができる．ただし，使われるのは分子軌道(MO)である．MO には，被占軌道と空軌道(それにラジカルには半占軌道)がある．結合に有効な相互作用は，図 7.2 に示すように，(a) 半占軌道どうしと (b) 被占軌道と空軌道の 2 種類の相互作用だけである．(c) 被占軌道どうしの相互作用では 4 電子が新しくできた結合性と反結合性の軌道の両方に入るので安定化が得られないし*，(d) 空軌道どうしは相互作用しても電子が入ってこないので実際的な意味をもたない．

* 3 章で言及したように，2 個の He 原子が結合をつくれないのと同じ理由による．

■ **半占軌道どうしの相互作用は，ラジカルカップリングのときにみられるもので，極性反応では被占軌道(求核種)と空軌道(求電子種)との相互作用が重要になる．**

軌道相互作用の大きさは両者のエネルギー差に大きく依存する(図 7.3)．

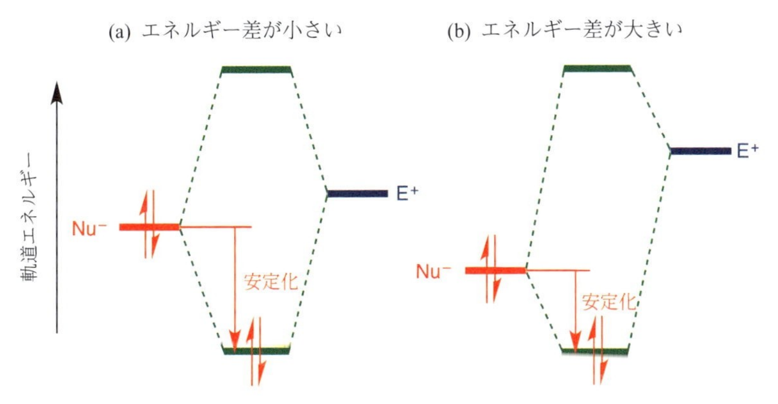

図 7.3　求核種と求電子種の軌道相互作用

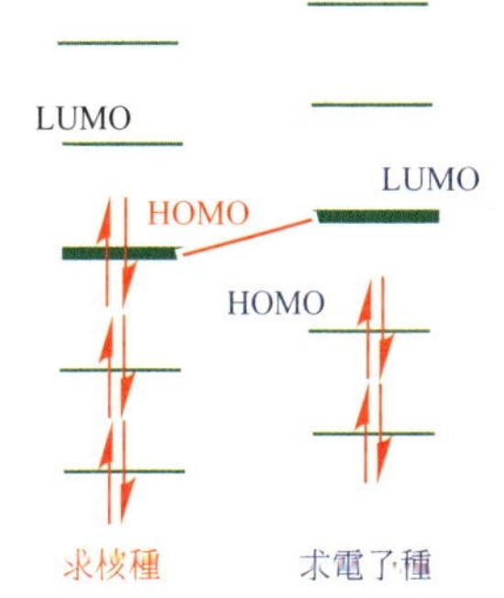

図 7.4　求核種と求電子種の HOMO–LUMO 相互作用

図 7.4 では，複雑になるのを避けて，HOMO–LUMO 相互作用で生成してくる軌道を示さなかった．

■ **安定化エネルギーは二つの軌道エネルギーの差が小さいほど大きい．**

一般的に分子は多数の MO をもっているので，エネルギー差が小さく最も有効に安定化に寄与する軌道は求核種の最も高い被占軌道(HOMO)と求電子種の最も低い空軌道(LUMO)である(図 7.4)．

■ **極性反応では求核種と求電子種の HOMO–LUMO 相互作用が重要である．**

これまで，結合形成における軌道相互作用を見てきたが，結合切断は結合形成の逆反応なので，MO の変化もちょうど逆のかたちで起こり，新しい軌道が生成してくる．

7.3.2 軌道の配向

球形の s AO どうしを例外として，軌道の重なりが大きくなるためには，二つの軌道の向きが問題になる．3.5 節で，エテンの二重結合をつくるときに，π 結合の生成には二つの 2p AO が平行になる必要があり，σ 結合の生成には sp^2 AO どうしが正面から向き合う必要があることを述べた．MO も方向性をもっているので，軌道相互作用が効果的に起こるためには，分子やイオンの配向が重要になる．

反応 7.3 の結合生成は，カルボカチオンの空 2p 軌道（LUMO）と Cl^- の 3p AO（HOMO）の相互作用によって起こる．そのためには，図 7.5 に示すように，カルボカチオンの sp^2 炭素平面の垂直方向から Cl^- が近づく必要がある．この二つの軌道の相互作用によって結合性 σ MO と反結合性 σ*MO ができ，σ 結合をつくるとともに炭素は sp^3 混成になり Me_3C-Cl を生成する．

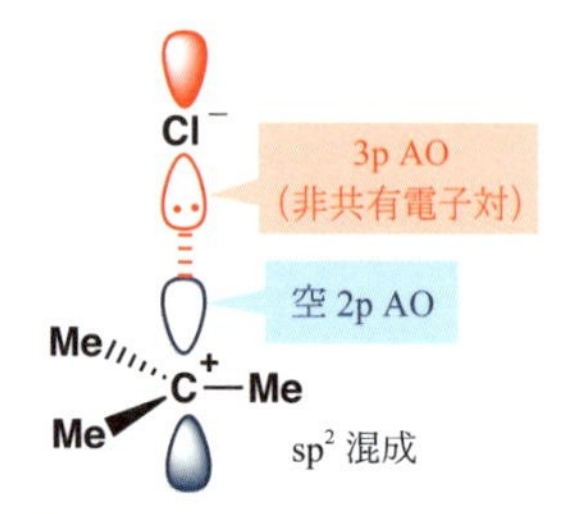

図 7.5 カルボカチオンと塩化物イオンの結合生成における軌道配向
Cl^- の非共有電子対は 1 組だけ示してある．

反応 7.1c（そして反応 7.4）でみたような協奏的な結合生成と結合切断を含む反応でも，事情は同じである．この反応の軌道相互作用は，12.2.3 項で説明するように，HO^- の HOMO（非共有電子対）と C－Br 結合の反結合性 σ*MO（CH_3Br の LUMO）の重なりが大きくなる必要があり，それによって分子やイオンの配向が決まる．

7.4 反応のエネルギー

7.4.1 分子単位でみた反応エネルギー変化

反応においては，通常ある結合が切れ，新しい結合が生成するので，その過程では一時的にエネルギー的に不安定な状態が生じる．1 段階で起こる反応では，反応分子のエネルギーは図 7.6 のように変化すると考えられる*．横軸は反応の進行度を示す分子構造変化のパラメーターであり，**反応座標**とよばれる．縦軸は分子エネルギーであり，振動や回転の内部エネルギーを含むが並進エネルギーは含まれないので，ポテンシャルエネルギーということもある．エネルギーの最も高い状態を**遷移状態**（TS）といい，その分子構造を**遷移構造**という．

* このエネルギー変化図をエネルギー断面図という．三次元のポテンシャルエネルギー面の断面図に相当するからである．

■ **遷移状態は反応エネルギーの極大点にあり，事実上寿命をもたない一時的な存在である****．

** 通常の分子は不安定でも 1 振動（約 10^{-13} 秒）以上の寿命をもつが，TS は実質的に観測不可能な 10^{-15} 秒（1 フェムト秒）程度の持続時間しかもたないと考えられている．

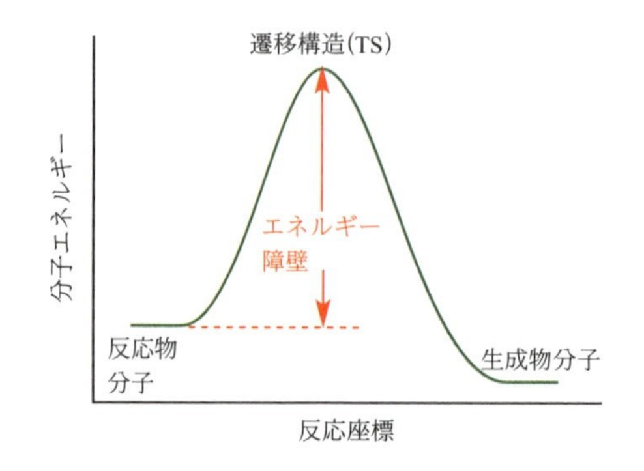

図 7.6 反応のエネルギー変化

反応座標 reaction coordinate
分子エネルギー molecular energy
並進エネルギー translational energy
ポテンシャルエネルギー potential energy
遷移状態 transition state（TS）
遷移構造 transition structure（TS）

一段階反応の典型的な例は，結合生成と結合切断が協奏的に起こる置換反応

7.1c と転位反応 7.1j である．反応 7.1c は反応 7.4 のように書いたが，改めて反応 7.11 のかっこ内に TS を示す．切れかけた結合や生成しつつある結合を点線で示し，‡で TS であることを示している．

一般的に遷移構造を示すために符号‡(ダブルダガー)を用いる．

できかけの結合　切れかけた結合

遷移構造

反応 7.11　ブロモメタンと HO^- の反応における遷移構造

たとえば，反応 7.1j の TS は欄外に示すように書ける．

反応 7.1 j の TS

7.4.2 モル単位での取扱い

実際に実験室で反応を行うときには，化合物をグラム単位で測りモル単位で扱う．すなわち，分子を集合体として扱っており，私たちが観測できるのはその集合体としての性質である．したがって，反応速度や平衡を考える場合には，反応のエネルギーもモル単位で考える必要がある．この場合，図 7.6 のエネルギー単位に Avogadro(アボガドロ)数をかけ算してエンタルピー H に換算するだけでよいだろうか．分子単位でエネルギー変化を考えたときには，構造変化を連続的に考えて反応座標とし，エネルギー図の横軸とした．しかし，遷移状態はモル単位で生成してくるわけではないので，分子単位のエネルギー図と直接関係づけることはできない．ここでは分子単位とモル単位とを明確に区別するために，モル単位の図では反応座標を用いないで，横軸を“反応進行度”とし，反応系のエネルギー準位だけを示して考えることにする．こう考えれば，モル単位のエンタルピーは単純に分子エネルギーに Avogadro 数をかけるだけで求まるので，エンタルピー図のエネルギー準位を決めることは簡単である．図 7.7 に二つの代表的な一段階反応のエンタルピー図を示す．

反応 7.1j のように 1 分子だけで上のような遷移構造を経て進行する反応を**単分子反応**(unimolecular reaction，一分子反応ということもある)という．それに対して，反応 7.1c (反応 7.4)のように 2 分子が反応して一つの遷移構造をつくる反応を**二分子反応** (bimolecular reaction)という．

反応系のポテンシャルエネルギーがわかれば，モル単位の分子エネルギーの分布は統計力学に基づいて Boltzmann(ボルツマン)分布を考えるとよいのだが，本書ではその理論には立ち入らない．

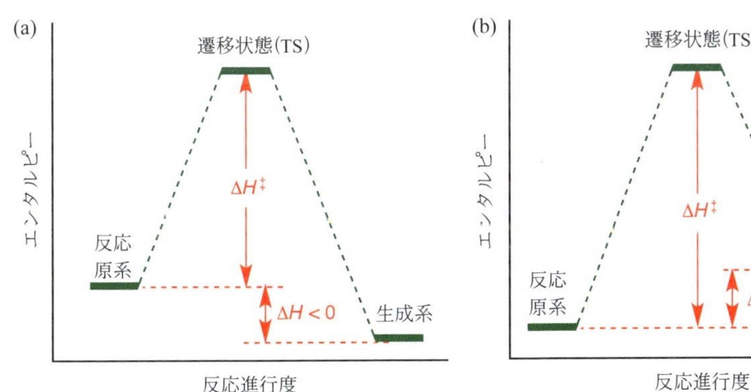

図 7.7　発熱反応(a)と吸熱反応(b)のエンタルピー図

- 生成系と反応原系のエンタルピー差 ΔH は**反応熱**(または反応のエンタルピー)といわれ，遷移状態と反応原系のエンタルピー差 $\Delta H^‡$ は**活性化エンタルピー**(または活性化エネルギー)という．
- $\Delta H<0$ の反応(a)を**発熱反応**，$\Delta H>0$ の反応(b)を**吸熱反応**という．

反応進行度　reaction progress
反応熱　heat of reaction
(反応のエンタルピー　enthalpy of reaction ともいう)
活性化エンタルピー　enthalpy of activation
(活性化エネルギー　activation energy ともいう)
発熱反応　exothermic reaction
吸熱反応　endothermic reaction

発熱反応では実際に熱が発生し(放出され)，吸熱反応では熱が吸収される．

分子をモル単位の集団として考えると，エントロピーの概念が入ってくる．この概念を受け入れると，反応のエネルギー図は Gibbs(ギブズ)エネルギー図として図 7.8 のように表すことができる．

Gibbs エネルギーを自由エネルギー(free energy)ということもある．

■ ΔG は反応の Gibbs エネルギーとよばれ，$\Delta G^{\ddagger}$ は活性化 Gibbs エネルギーとよばれる．

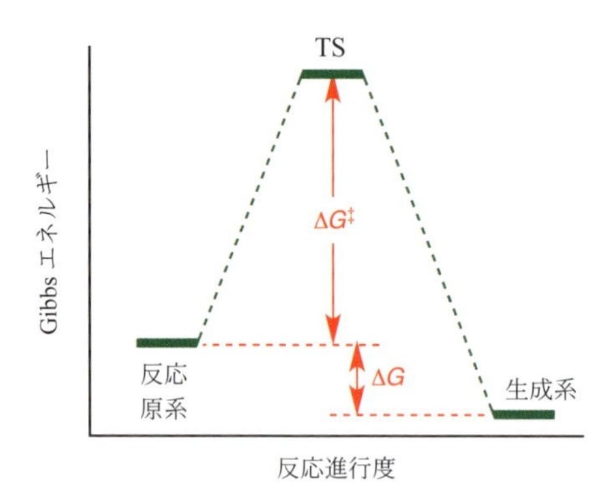

図 7.8　一段階反応の Gibbs エネルギー図

エントロピーは系の乱雑度を示すパラメーターで，S で表される．反応のエントロピー変化 ΔS を考えると，物理化学でも学んだように，$\Delta G = \Delta H - T\Delta S$ の関係がある．

■ $\Delta G < 0$ の反応は発エルゴン反応とよばれ，$\Delta G > 0$ の反応は吸エルゴン反応とよばれる．

図 7.8 のエネルギー図は発エルゴン反応の場合を表している．

問題 7.9　吸エルゴン反応の一段階反応の Gibbs エネルギー図を，図 7.8 にならって書け．

7.4.3　多段階反応

反応中間体のうち，エネルギーが高くて不安定なものを反応性中間体という．

これまでも見てきたように，有機反応の中には 2 段階以上の過程を経て進む多段階反応も少なくない．反応 7.1b の置換反応は例題 7.1 で説明したように三段階反応として起こる．まとめて次のように書いてもよい．

$$Me_3CCl + 2\,H_2O \longrightarrow Me_3C^+ + Cl^- + 2\,H_2O \longrightarrow$$

$$Me_3C{-}\overset{+}{O}H_2 + Cl^- + H_2O \longrightarrow Me_3COH + Cl^- + H_3O^+$$

この反応のエネルギー関係は図 7.9 のように表され，各段階に対応して三つの遷移状態(TS_1，TS_2，TS_3)をもつ．TS_1 は Me_3C-Cl のヘテロリシスの TS であり，TS_2 は Me_3C^+ と H_2O の結合反応の TS，そして最後の TS_3 は酸塩基反応の TS に相当する．中間の谷間は中間体に相当する．不安定な中間体(反応性中間体)は高エネルギーであり，遷移状態はこの状態に，構造的にもエネルギー的にも近いといえる．

■ 不安定な反応中間体は遷移構造に似ている(Hammond の仮説)．

エントロピー　entropy
活性化 Gibbs エネルギー　Gibbs energy of activation
発エルゴン反応　exergonic reaction
吸エルゴン反応　endergonic reaction
多段階反応　multi-step reaction
中間体　intermediate
反応性中間体　reactive intermediate

■ 多段階反応において全体の反応の速度を決めるのは，最も高いエネルギーをもつ TS である．この TS をもつ段階を，律速段階という．

➡ ウェブ S7.2 律速段階について

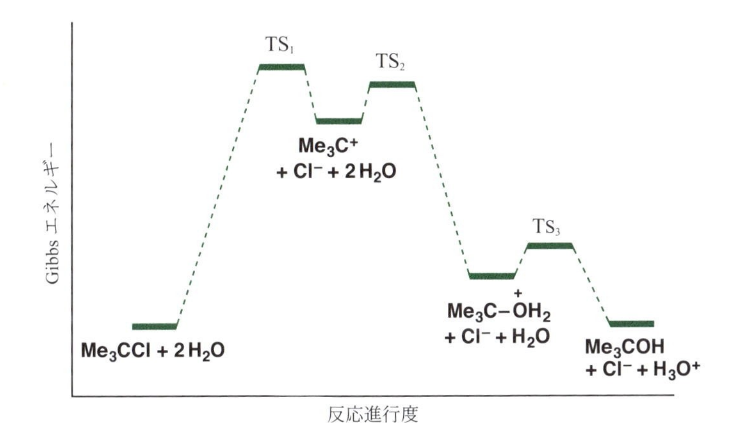

図 7.9 三段階反応の Gibbs エネルギー図

反応性中間体はエネルギー的に遷移状態に近いので，その構造は互いによく似ていると考えられる．この考え方は Hammond の仮説（ノート 7.1）に基づいており，反応中間体の安定性から反応性を考える根拠になっている．

図 7.9 のエネルギー図では TS_1 のエネルギーが一番高く，第一段階が律速になっている．

律速段階 rate-determining step（rate-limiting step ともいう）

ノート 7.1 Hammond の仮説

1950 年代，有機化学における最も大きな関心事の一つは，有機化合物の構造と反応性の関係をどう理解するかということであった．遷移状態理論の考えも導入され，反応性は遷移状態（TS）のエネルギーによって決まるということになり，つまるところは TS をどう考えるのかという問題になった．そういう関心の中で，G. S. Hammond（ハモンド）は，1955 年に“ある素反応（1 段階の反応）において反応物分子が遷移構造を経て生成物分子の構造に変化していくとき，エネルギー的に近い状態は構造的にも近い”という仮説を提案した．これを TS に適用すると，“TS は反応物と生成物のうちエネルギーの高いほうの構造に似ている”ということになる．モル単位で反応を考えると，一般的に強い発熱反応では TS（遷移状態）は早く出てきて反応原系（反応物）に近く，強い吸熱反応では TS は遅く生成系に近いといってもよい．

二段階反応を考えると，中間体は第一段階の生成物で，第二段階の出発物でもあるので，各段階の TS は構造的にもエネルギー的にも反応中間体に近いといえる．基質の反応性を反応中間体の安定性で考察するのは，この仮説に基づいているといえる．

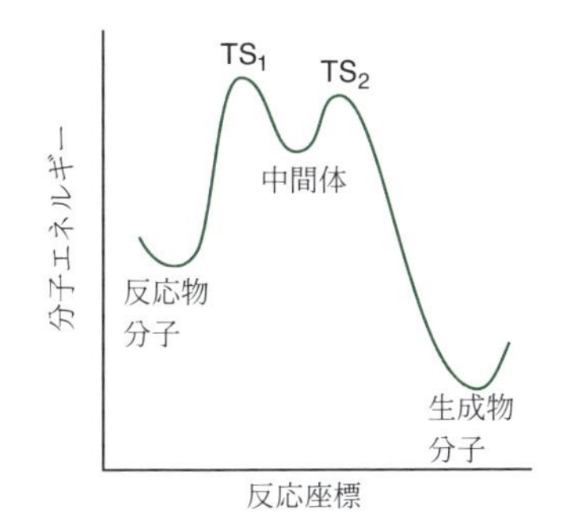

二段階反応のエネルギー変化

G. S. Hammond（1921～2005）
米国の化学者．アイオワ州立大学，カリフォルニア工科大学などの教授を務めたあと，実業界に転じた．

問題 7.10　第一段階が律速の二段階反応となる発エルゴン反応の Gibbs エネルギー図を書け.

7.4.4 反応速度と平衡定数

反応の速さは，越えるべきエネルギーの山の高さ(TS のエネルギー)に依存する.

■ **活性化エネルギーが小さいほど反応は速く進む.**

速度定数 rate constant
反応速度(反応物の時間あたりの減少量または生成物の時間あたりの増加量)は，反応物の濃度が大きいほど大きいが，速度定数は濃度に無関係の定数である.

＊ したがって，速度定数の対数はエネルギーと同じ次元になる．$\Delta G^{\ddagger} = -RT\ln k + $定数

反応速度式 7.1 は Henry Eyring (アイリング：1901〜1981，米)の絶対反応速度論に基づく．Eyring は 1930 年代に速度理論を発展させ遷移状態の概念を導入した.

反応速度を表す定数(速度定数) k は，活性化 Gibbs エネルギー $\Delta G^{\ddagger}$ を用いて式 7.1 のように，エネルギーと指数関数で関係づけられる*．典型的な有機反応の $\Delta G^{\ddagger}$ は 40〜200 kJ mol^{-1} の範囲にある.

$$k = (k_{B}T/h)\exp(-\Delta G^{\ddagger}/RT) \tag{7.1}$$

ここで，T は絶対温度(K)であり，k_B，h，R はそれぞれ Boltzmann 定数，Planck 定数，気体定数である.

化学反応はすべて原理的に正逆両方向に進むことが可能であり，反応の進む程度は**平衡定数** K によって決まる．K は平衡状態における出発物と生成物の濃度によって，次の分数式 7.2 で表される．そして，出発物と生成物のエネルギー差 ΔG と指数関数で関係づけられる.

$$\mathbf{A} + \mathbf{B} \overset{K}{\rightleftharpoons} \mathbf{C} + \mathbf{D} \qquad K = \frac{[\mathbf{C}][\mathbf{D}]}{[\mathbf{A}][\mathbf{B}]} \tag{7.2}$$

$$K = \exp(-\Delta G/RT) \quad \text{あるいは} \quad \Delta G = -RT\ln K \tag{7.3}$$

■ **$\Delta G<0$(発エルゴン反応)であれば $K>1$ であり，$\Delta G>0$(吸エルゴン反応)であれば $K<1$ となる(図 7.10).**

すなわち，生成物のエネルギー状態が出発物よりも低ければ(生成物のほうが安定であれば)，平衡は生成物のほうに偏っている．逆に，生成物が出発物よりも不安定であれば，平衡は出発物のほうに偏っていて，反応はあまり進まない.

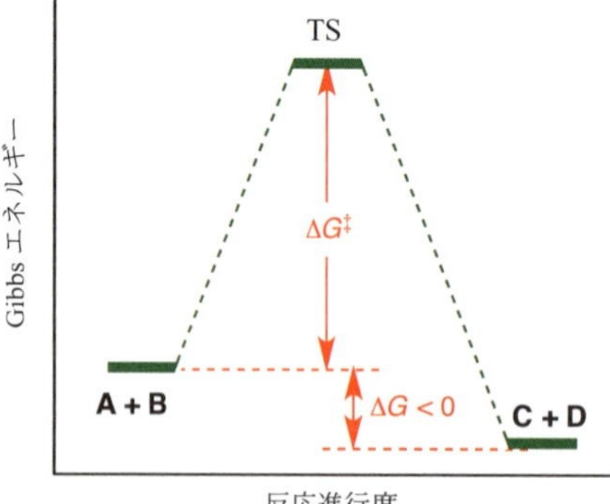

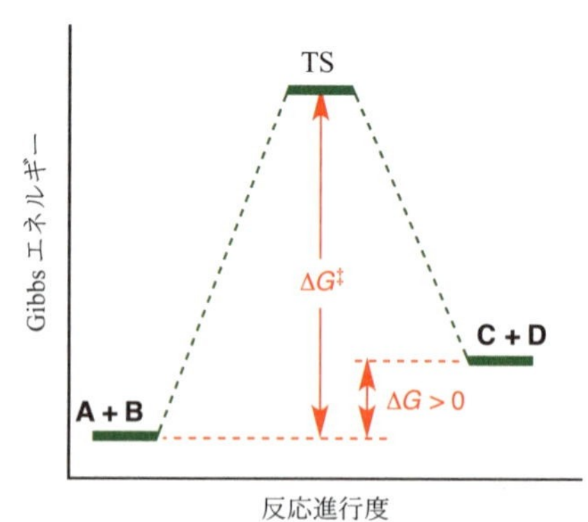

図 7.10　平衡反応の Gibbs エネルギー変化

➡ ウェブノート 7.2　反応機構研究法

反応速度 reaction rate
平衡定数 equilibrium constant

有機反応の平衡は，反応物の構造に大きく依存する．たとえば，カルボニル化合物のよく知られた平衡反応にシアノヒドリン生成反応がある(8 章参照)．その平衡定数をみると，一般的にアルデヒドでは $K>1$ であるが，かさ高いケトンでは $K<1$ となることが多い．すなわち，アルデヒドでは平衡状態でシアノヒドリンに偏っているが，ケトンではあまり反応が進まないことを意味する．実際に有

機反応として有用であるためには，平衡が生成系に偏っていなければならない．

$$PhCHO + HCN \underset{}{\overset{K = 200}{\rightleftharpoons}} PhCH(OH)CN$$

アルデヒド　シアノヒドリン

$$PhC(O)Me + HCN \underset{}{\overset{K = 0.67}{\rightleftharpoons}} PhC(OH)(CN)Me$$

ケトン　シアノヒドリン

まとめ

- 最も基本的な有機反応として，置換，付加，脱離，転位の 4 種類があり，ほとんどの反応はこの 4 種類の反応の組合せとして考えられる．さらに酸塩基反応(プロトン移動)が，しばしば有機反応の推進に大きな役割を演じている．
- 結合切断にはホモリシスとヘテロリシスがある．
- 極性反応の基本は求核種と求電子種の反応であり，求核種から求電子種に電子対を出して結合する．
- 反応における電子対の動きを巻矢印で示すことにより，反応を表し，理解し，予測することができる．
- ホモリシスで生成したラジカルは不対電子をもつ．ラジカル反応における 1 電子ずつの動きは片羽の巻矢印で表す．
- 極性反応の推進力は，電子対のプッシュかプルである．
- 分子軌道からみると，求核種の HOMO と求電子種の LUMO の間の軌道相互作用で結合ができる．
- 反応が進むためにはエネルギーが必要であり，反応のエネルギー関係はエネルギー図(エネルギー断面図)で表される．
- 反応エネルギー図でエネルギーの最も高い状態を遷移状態(TS)といい，その状態における分子構造を遷移構造という．
- 反応原系と遷移状態のエネルギー差を活性化エネルギーといい，反応速度は活性化 Gibbs エネルギーに依存し，平衡定数は反応の Gibbs エネルギーに依存する．
- 多段階反応は TS を二つ以上もち，エネルギーの最も高い TS をもつ段階を律速段階という．

章末問題

問題 7.11 次の反応を置換，付加，脱離，または酸塩基反応のいずれかに分類し，各反応種が求電子種，酸，求核種，あるいは塩基のうちどの役割を果たしているか，またはこれらのどれともいえないか説明せよ．

(a) $CH_3CH_2I + (CH_3CH_2)_3N \longrightarrow (CH_3CH_2)_4N^+\ I^-$

(b) $MeC(O)Cl + MeOH \longrightarrow MeC(O)OMe + HCl$

(c) $Me_3COH + H_3O^+ \longrightarrow Me_3C\overset{+}{O}H_2 + H_2O$

(d) $Me_3C\overset{+}{O}H_2 \longrightarrow Me_3C^+ + H_2O$

(e) $Me_2\overset{+}{C}CH_3 + H_2O \longrightarrow Me_2C{=}CH_2 + H_3O^+$

(f) $CH_2{=}CHCH(Br)CH_3 + Et_2NH \longrightarrow Et_2\overset{+}{N}H\text{–}CH_2CH{=}CHCH_3 + Br^-$

問題 7.12 次の化学種を求電子種と求核種に分類せよ．

(a) H_3O^+　(b) HO^-　(c) NH_3　(d) I^-
(e) Cl_2　(f) $(CH_3)_3C^+$　(g) CN^-

問題 7.13　反応中間体と遷移状態の違いについて説明せよ．

問題 7.14　次の記述について，その根拠を説明せよ．

(a) 求核種は HOMO が高いほど反応性が高い．

(b) 求電子種は LUMO が低いほど反応性が高い．

(c) メタノールよりメチルアミンのほうが，求核反応性が高い．

問題 7.15　第二段階が律速の二段階反応で，全体として吸エルゴン反応の Gibbs エネルギー図を書け．

問題 7.16　反応 7.2b に示した塩化 *t*-ブチルのヘテロリシスによって生じた *t*-ブチルカチオンは H_2O と反応して 2 種類の生成物を与える．*t*-ブチルカチオンと H_2O の二つの反応を書け．

$$(CH_3)_3C{-}Cl \longrightarrow (CH_3)_3C^+ + Cl^-$$

塩化 *t*-ブチル　　　　*t*-ブチルカチオン

問題 7.17　次の反応における電子の流れを巻矢印で表せ．

(a) $(CH_3CH_2)_3N + CH_3{-}CH_2{-}I \longrightarrow (CH_3CH_2)_4N^+ + I^-$（$CH_3{-}C(H)(H){-}I$）

(b) $Ph(H)C{=}CH_2 + Br{-}Br \longrightarrow Ph(H)C^+{-}CH_2{-}Br + Br^-$

(c) $Ph(H)C^+{-}CH_2{-}Br + Br^- \longrightarrow Ph{-}C(Br)(H){-}CH_2Br$

(d) $H{-}C(H)(Br){-}C(H)(Me){-}Me + {}^-OH \longrightarrow (H)(H)C{=}C(Me)(Me) + H_2O + Br^-$

問題 7.18　次に示すのはいずれも酸塩基反応である．酸と塩基のすべての非共有電子対と必要な形式電荷を書き加えて，反応がどのように起こるか巻矢印で示せ．

(a) $MeC(=O)OH + NH_3 \longrightarrow MeC(=O)O + NH_4$（H–N(H)–H，H H N H H）

(b) $CH_3CH_2O^- + H{-}C{\equiv}N \longrightarrow CH_3CH_2OH + C{\equiv}N$

(c) $HC(=O){-}CH_3 + {}^-OH \longrightarrow HC(O){=}CH_2 + H_2O$

(d) $HC(O^-){=}CH_2 + H_2O \longrightarrow HC(OH){=}CH_2 + OH$

問題 7.19　次の反応は HI によるエーテルの開裂を示している．すべての非共有電子対と必要な形式電荷を書き，各段階がどのように起こるか巻矢印で示せ．

$$Ph{-}O{-}CMe_3 + H{-}I \longrightarrow Ph{-}O(H){-}CMe_3 + I^-$$

$$\longrightarrow Ph{-}OH + Me_3C + I^- \longrightarrow Ph{-}OH + Me_3C{-}I$$

問題 7.20　エステルの酸触媒加水分解は，次に示すようにカルボニル酸素のプロトン化から始まり，(a)～(d)の過程を経て完結する．すべての非共有電子対を示し，各段階における電子の流れを巻矢印で表せ．

(a) $MeC(=O)OEt + H{-}O^+H_2 \longrightarrow MeC(={}^+OH)OEt + H_2O \longrightarrow MeC(OH)({}^+OH_2)OEt$

(b) $MeC(OH)({}^+OH_2)OEt + H_2O \longrightarrow MeC(OH)(OH)OEt + H{-}O^+H_2$

$\longrightarrow MeC(OH)(OH){-}{}^+O(H)Et + H_2O$

(c) $MeC(OH)(OH){-}{}^+O(H)Et \longrightarrow RC(={}^+OH)OH + EtOH$

(d) $RC(={}^+OH)OH + H_2O \longrightarrow MeC(=O)OH + H{-}O^+H_2$

8

カルボニル基への求核付加反応

【基礎となる事項】
- 共有結合の極性(1.2 節)
- π 結合(3.5 節)
- 共鳴(1.3.3 項, 5.4 節)
- 酸と塩基(6 章)
- 有機反応の種類(7.1 節)
- 結合の切断と生成(7.2 節)
- 巻矢印による反応の表し方(7.2 節)

【本章で学ぶこと】
- カルボニル結合の極性
- CN^-, H_2O, ROH, RSH の求核付加
- 酸塩基触媒反応
- アセタールの生成
- イミンとエナミンの生成
- Wittig 反応

カルボニル(C=O)基は，アルデヒドとケトンそしてカルボン酸とカルボン酸誘導体に含まれ，有機化学において最も重要な官能基の一つである．また，糖類はアルデヒドあるいはケトンの誘導体とみなせ，アミノ酸はカルボン酸の一種であり，生体の重要成分でもある．アルデヒドやケトンの官能基は多くの天然物に含まれ，香料成分として使われているものも多い．

香料成分となる天然のアルデヒドとケトン：

シトラール(レモン)　バニリン(バニラ)　ショウノウ(クスノキ)　(*Z*)-ジャスモン(ジャスミン)

β-ダマスコン(バラ)　*β*-ダマセノン(バラ)　*α*-イオノン(スミレ，バラ)

C=O 結合は分極した不飽和結合であり，部分的な正電荷をもつ炭素原子に求核種の攻撃を受けて，付加反応を起こす．カルボニル基の反応は，有機反応の原理を学ぶのに格好な基本的反応である．この章では，はじめて詳しく学ぶ反応としてカルボニル基への求核付加反応を取り上げる．

ダマスコン，ダマセノン，イオノンはあわせてローズケトンとよばれ，バラの香り成分である

8.1　カルボニル結合の極性

酸素の電気陰性度が炭素よりも大きいので，C=O 結合の電子対は，酸素のほうに偏っている．

メタナールの分子模型と EPM

EPM については 1.2.3 項参照．赤は電子密度が高く，青は低いことを示す．

■　**C=O 結合は分極により，部分負電荷を酸素に部分正電荷を炭素にもつ．**

この分極は，下に示すように共鳴で表すこともできる（5.4 節参照）．電気陰性な酸素に負電荷をもつように電荷分離した共鳴構造式（**1b**）が共鳴に寄与しているので，共鳴混成体は **1c** のように表すこともできる．

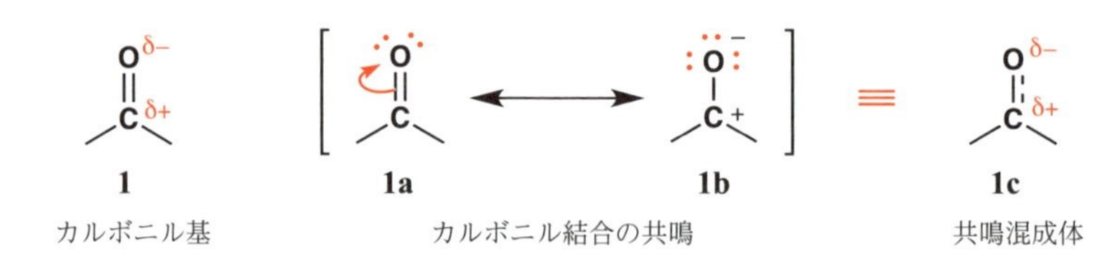

カルボニル結合の極性は静電ポテンシャル図（EPM）からもわかる．欄外にメタナール（ホルムアルデヒド）の EPM を分子模型とともに示す．

この分極は，C=O 結合の π 分子軌道の電子分布からも説明できる．3.5 節でエテンについて述べたのと同じように，π 結合は炭素と酸素の 2p 原子軌道の重なりでできている．酸素のほうが炭素よりも電気陰性度が大きいので，酸素の 2p 軌道のエネルギー準位が炭素よりも低い．そのような二つの軌道の重なりは図 8.1 のように表せる．

➡ ウェブ S8.1　ヒヤシンスアルデヒド

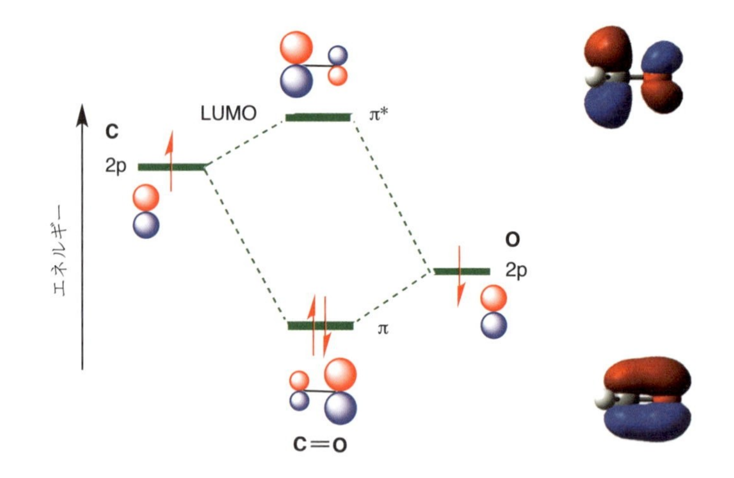

図 8.1　カルボニル結合の π 分子軌道
理論計算による π と π* 軌道のかたちを右に示してある．

C=O 結合（121 pm，750 kJ mol^{-1}）は C=C 結合（133 pm，654 kJ mol^{-1}）よりも短くて強い．

結合性分子軌道（π）はエネルギーの低い O の軌道を主成分としてもっているのに対して，反結合性分子軌道（π*）はエネルギーの高い C の軌道が主成分になっている．そのため，π 軌道に入った電子は O のほうに偏り，C に部分正電荷が生じる原因になる．

カルボニル基の HOMO は，実際には，O の非共有電子対を収容する非結合性 MO である．π と π* 軌道は π HOMO と π LUMO といえる．

求核種（Nu^-）は部分正電荷をもつカルボニル炭素を攻撃する．このとき，カルボニル基の LUMO（最低空分子軌道）である π* 軌道が求核種の HOMO（最高被占分子軌道）と相互作用をもつ．すなわち，C=O の π* 軌道は C のほうに偏っているので，求核種は C と強く相互作用することになる（図 8.2）．これが分子軌道からみたカルボニル炭素に対する求核攻撃のようすである．

カルボニル基 carbonyl group
求核付加（反応） nucleophilic addition

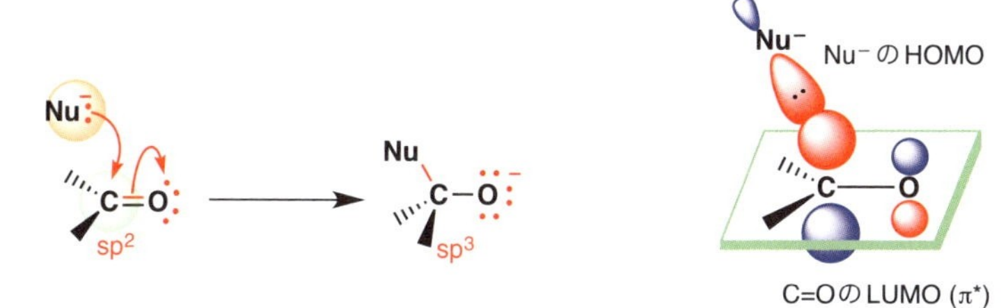

図 8.2 カルボニル基のLUMOと求核種のHOMOの相互作用

HOMO-LUMO相互作用から得られる結論が，電気陰性度と共鳴で考えた電子の偏りによる説明と一致していることは興味深い．

■ π*軌道がカルボニル分子平面の垂直方向に出ているので，求核種の攻撃は分子平面の上方から起こる．

電子の偏りから見ても軌道相互作用から見ても，Nu^- が C=O 基の炭素を攻撃するのは合理的であり，この反応で，カルボニル炭素は sp^2 混成から sp^3 混成に変化する．

8.2 シアノヒドリンの生成

最も典型的な求核付加反応の一つは，シアン化物イオン($^-C{\equiv}N$, CN^-)の付加によるシアノヒドリンの生成である(反応 8.1)．

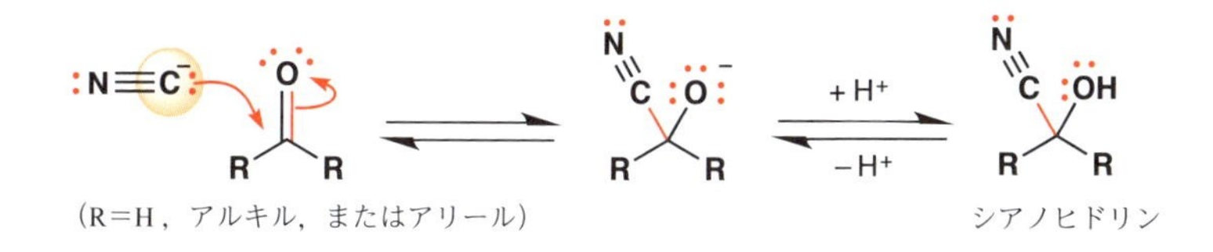

反応 8.1 シアノヒドリンの生成反応

反応は，求核種であるシアン化物イオンの負電荷とカルボニル炭素の部分正電荷が静電引力によって引き合うことから始まる．そして，CN^- の炭素の非共有電子対が動いてカルボニル炭素と共有結合をつくる．それと同時に，C=O 結合の π 電子対は酸素のほうに押し出される．反応 8.1 では，この電子対の動きを巻矢印で表して反応の進み方を示している．ここで生成した酸素アニオン(アルコキシド)が酸によってプロトン化されると，シアノヒドリンになる．

例題 8.1

シアノヒドリン生成反応の速度は，カルボニル化合物の濃度[$R_2C=O$]とシアン化物イオンの濃度[CN^-]に比例する．

$$\text{反応速度} = k[R_2C=O][CN^-]$$

(a) この速度式から，反応の律速段階について考察せよ．
(b) 酸が共存しないとシアノヒドリンはほとんど生成しない．酸の役割について考察せよ．

解 答 (a) 反応 8.1 において，カルボニル化合物とシアン化物イオンの濃度が反応速度に関係するということは，両者が律速段階に含まれており，第二段階で必要な酸は速度に関係ないことから律速段階には含まれていないことを意味する．すなわち，第一段階で速度が決まっており，この段階が律速である．
(b) 酸はシアノヒドリンの生成速度に関係なく，中間体のアニオンをすばやく捕捉して生成物を安定化し，平衡を生成物側に偏らせている．

シアノヒドリン cyanohydrin
シアン化物イオン cyanide ion

ノート 8.1　カルボニル化合物の代表：メタナール，エタナール，およびプロパノン

最も小さいアルデヒドのメタナール(ホルムアルデヒド)は室温で気体（沸点 −20 °C)だが，反応性が高いために純粋なかたちで保存することはできない．水溶液中では水和物になる．また，簡単に重合してパラホルムアルデヒドになるが，環状三量体のトリオキサンは安定な固体である．水溶液(飽和溶液は 37%)はホルマリン(formalin)とよばれ，消毒薬や防腐剤として用いられていたが，有毒で発がん性があるために今では用いられない．生物標本の保存液として用いられている．

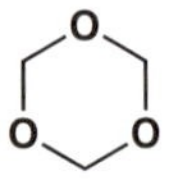

$(CH_2O)_3$
1,3,5-トリオキサン
1,3,5-trioxane

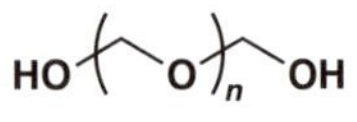

$HO(CH_2O)_nCH_2OH$
パラホルムアルデヒド
paraformaldehyde

メタナールはメタノールの酸化によって大量生産され，プラスチック（メラミン，フェノール・ホルムアルデヒド樹脂，尿素・ホルムアルデヒド樹脂など)，接着剤，充塡材，塗料などの製造に使われている．これらの製品中には新しいうちにはメタナールを低濃度ながら発生するものがあり，他の揮発性有機化合物とともに，シックハウス症候群の原因物質として問題となった．このような健康被害の一因は，求核種に対する反応性が高いことにあり，生体物質は OH や NH_2 のような求核性基を多く含んでいるのでメタナールと反応しやすいのである．

エタナール(アセトアルデヒド)は揮発性液体（沸点 20 °C)で，アルデヒドの代表であり，有機合成の出発物として広く用いられる．工業的には Wacker（ワッカー)法とよばれるエテンの選択的酸化で製造され，エタン酸(酢酸)や他の化学薬品の製造に用いられる．

$$H_2C{=}CH_2 + O_2 \xrightarrow[\text{Wacker 法}]{PdCl_2\text{–}CuCl_2} CH_3CH{=}O$$

エテン　　エタナール

エタナールはエタノールの代謝中間体として体内で生成される(ノート 10.1 参照)が，有害で二日酔いの原因になる．

最も単純なケトンであるプロパノン(アセトン)は，有用な溶剤として用いられ有機物質をよく溶かすと同時に，水ともよく混ざり合う．溶剤として実験室や工業的に用いられるだけでなく，マニキュアの除光液の主成分でもある．工業的製造法にはプロペンの Wacker 酸化，2-プロパノールの酸化，あるいはイソプロピルベンゼン(クメン)の酸化（これはクメン法とよばれ，フェノールの製造法として重要である)がある．

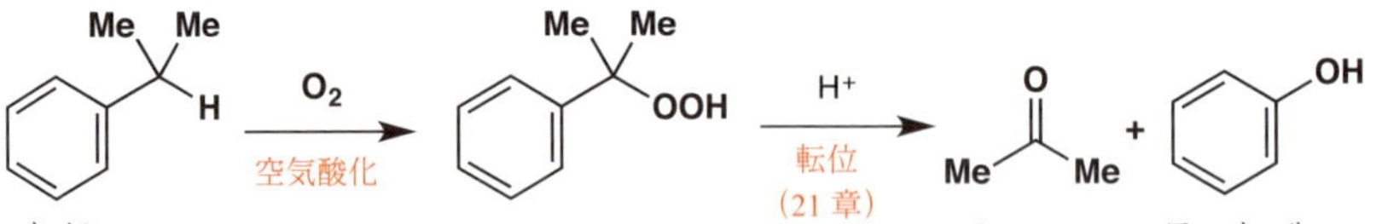

クメン $\xrightarrow[\text{空気酸化}]{O_2}$ PhC(Me)$_2$OOH $\xrightarrow[\text{転位 (21 章)}]{H^+}$ プロパノン + フェノール

プロパノンは，エポキシ樹脂やカーボネート樹脂の製造に使われるビスフェノール A や有機ガラスの原料となるメタクリル酸などの製造に用いられる．

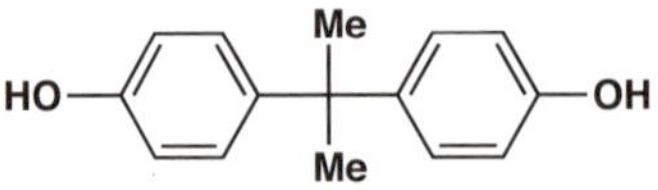

ビスフェノール A 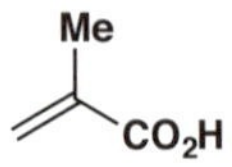　　メタクリル酸

反応 8.1 は全体として可逆であり，平衡反応として簡潔に次のように表される．

$$R_2C{=}O + HCN \underset{H_2O}{\overset{K}{\rightleftharpoons}} R_2C(OH)CN \qquad \text{平衡定数}\quad K = \frac{[R_2C(OH)CN]}{[R_2CO][HCN]}$$

平衡定数 K は，平衡における関連分子の濃度を用いて定義される．しかし，HCN の炭素には非共有電子対がないので求核種として反応できないために，反応 8.1 のように二段階反応として進むのである．すなわち，平衡反応式は全体の変換反応を表してはいるが，実際に反応がどう進むかを表すものではない．代表的なカルボニル化合物の平衡定数 K を表 8.1 に示す．

表 8.1 シアノヒドリン生成反応の平衡定数

アルデヒド	K/mol^{-1} dm^3	ケトン	K/mol^{-1} dm^3
CH_3CHO	7100	$(CH_3)_2CO$	28
PhCHO	200	$PhC(O)CH_3$	0.67

95% エタノール-水溶液中，22～23 °C.

実際の反応には求核種として CN^- が必要であるが，NaCN の水溶液は pH が高くシアノヒドリンも解離したアニオンのかたちのままになる．このかたちでは逆反応が起こりやすく，平衡が生成系のほうに偏らない．酸素アニオンからの電子押込み（プッシュ）によって安定なシアン化物イオンが押し出されるからである．

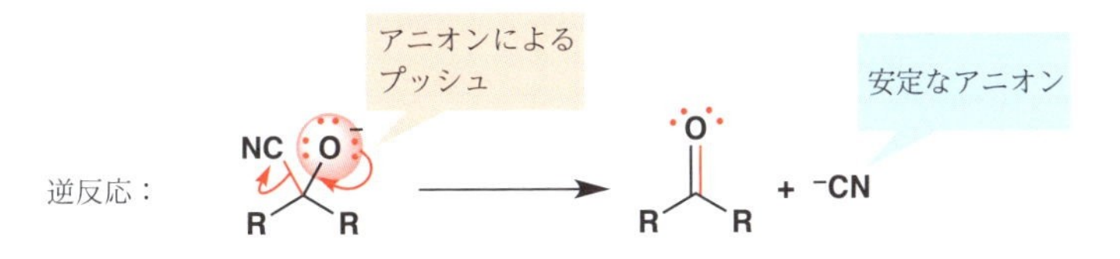

そこで，HCN と CN^- が共存できるような反応条件が必要となる．実際の反応はシアン化ナトリウム（NaCN）に強酸を適量添加することによって行われる．合成反応例を次に示す．

$$CH_3C(O)CH_3 + NaCN \xrightarrow[10\sim20\ ^\circ C,\ 3\ h]{H_2SO_4,\ H_2O} (CH_3)_2C(OH)CN \quad \text{収率 78\%}$$

このような反応条件では，HCN が共存し，それがプロトン源になり得るので，反応 8.1 の 2 段階目は次のように書けるだろう．

$$R_2C(CN)O^- + H{-}C{\equiv}N\colon \longrightarrow R_2C(CN)OH + \colon\bar{C}{\equiv}N\colon$$

問題 8.1 シアノヒドリン生成の第二段階では（酸としては弱いが，濃度が高いので）溶媒分子の H_2O が酸として作用している可能性もある．H_2O から中間体アニオンへのプロトン移動を，巻矢印を用いて表せ．

平衡定数に対するカルボニル化合物の構造の効果は，次節で述べる水和反応の

シアノヒドリンは天然にもみられる．

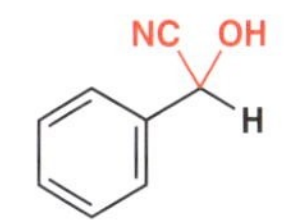

ベンズアルデヒドのシアノヒドリン
（アフリカのヤスデの防御物質）

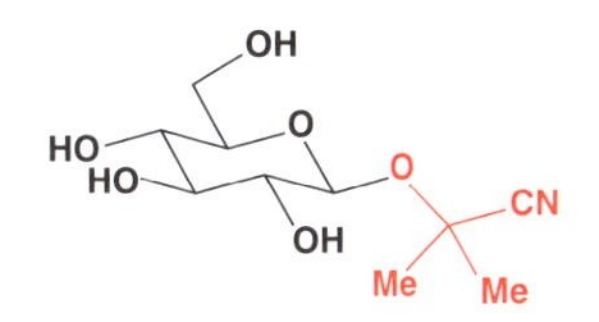

リナマリン
linamarin
（キャッサバに含まれる有毒物質）

キャッサバ

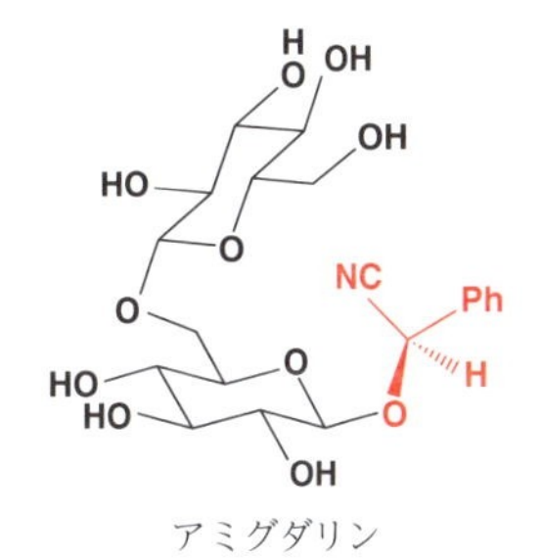

アミグダリン
amygdalin
（ウメやアンズなどの種の仁に含まれる）

アンズ

場合とよく似ており，同じ説明が適用できる．最も一般的な傾向は，アルデヒドがケトンよりも大きな平衡定数をもつことである．これは立体効果によるものであり，付加反応においてカルボニル炭素が sp^2 混成から sp^3 混成に変化することと関係している．この変化で，炭素の結合角は 120° から 109.5° と小さくなるので，結合している二つの R 基が互いに近づくことになる．

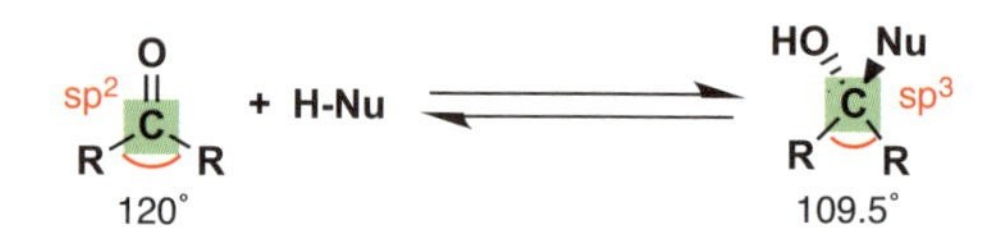

二つの R がともにアルキル基であるケトンでは，これらの基が互いに近づきすぎて立体ひずみの原因になる．アルデヒドでは一つが H なので立体ひずみは小さい．

■ **カルボニル化合物の二つの基がかさ高いほど立体ひずみのために付加物が不安定になり，平衡定数が小さくなる．この関係は，他の付加反応でも同じである．**

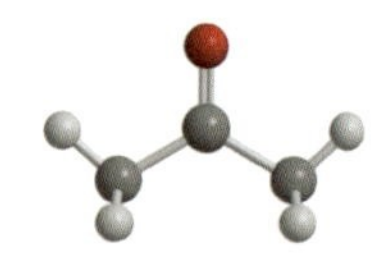

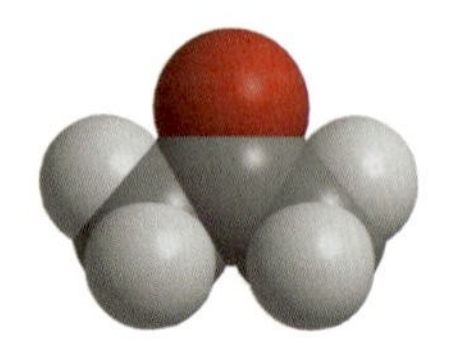

プロパノン

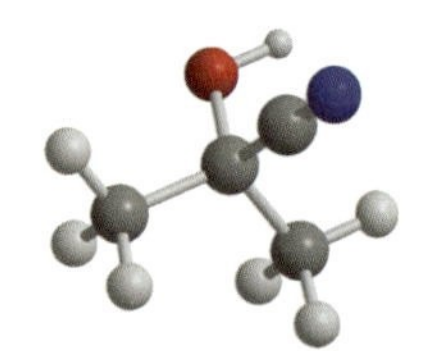

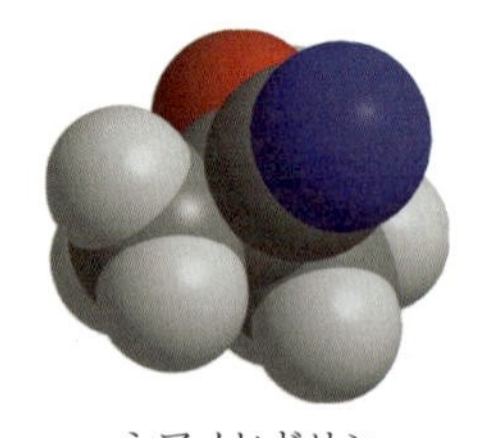

シアノヒドリン

プロパノンとそのシアノヒドリンの分子模型

空間充填模型をみると二つのメチル基が込み合っているようすがわかる．

8.3　水 の 付 加

8.3.1　水和反応の平衡

水はアルデヒドやケトンに付加して 1,1-ジオールを与える．この反応は水和とよばれ，生成物は水和物とよばれる．この反応は逆反応を起こしやすいので，一般的に水和物を取り出すことはむずかしい．

$$\mathrm{R_2C{=}O} + \mathrm{H_2O} \underset{}{\overset{K_\mathrm{h}}{\rightleftharpoons}} \mathrm{R_2C(OH)_2}$$

水和反応　水和物（1,1-ジオール）

平衡定数　$K_\mathrm{h} = \dfrac{[\mathrm{R_2C(OH)_2}]}{[\mathrm{R_2CO}]}$

1,1-ジオールは *gem*-ジオールともいわれる．*gem* は geminal（ジェミナル）の略で，二つの基が同じ炭素に結合していることを表す．

水和反応の平衡定数 K_h には，酸解離定数の定義の場合と同じ理由で，溶媒の H_2O の濃度は含まれない（6.2.1 項参照）．

この可逆反応の平衡定数 K_h は，シアノヒドリン生成の場合と同じように，カルボニル化合物の構造に大きく依存する（表 8.2）．

メタナール（ホルムアルデヒド）は水溶液中ではほとんど完全に水和物として存在するのに対して，プロパノン（アセトン）はわずかに 0.1% 程度水和物として存在するにすぎない．また，エタナール（アセトアルデヒド）は水溶液中で約 50% まで水和されているが，メチル基の水素が塩素で置換されると，ずっと水和されやすくなり，トリクロロエタナール（クロラールともいう）の水和物は単離できるほど安定である．このような平衡定数を決めている要因には，立体効果と電子効果がある．

図 8.3(a) と (b) に，これらの関係をエネルギー変化で示す．エタナール (a) の平

表 8.2　カルボニル化合物の水和反応の平衡定数（水溶液中 25 ℃）

カルボニル化合物	K_h	カルボニル化合物	K_h
H_2CO	2000	C_6H_5CHO	0.008
CH_3CHO	1.06	$4\text{-}NO_2C_6H_4CHO$	0.17
$ClCH_2CHO$	37.0	$CH_3C(O)CH_3$	0.0014
Cl_3CCHO	約 10^4	$ClCH_2C(O)CH_3$	0.11
$(CH_3)_2CHCHO$	0.43	$Cl_2CHC(O)CH_3$	10

立体効果　steric effect
水和　hydration
水和物　hydrate

衡定数はほぼ1であるのでアルデヒドと水和物のエネルギーはほぼ同じ準位にあるが，プロパノン(b)では水和物のエネルギー準位が立体ひずみのために高くなっており，平衡定数は小さくなる．すなわち，立体効果のためにケトンはアルデヒドに比べて水和されにくい．

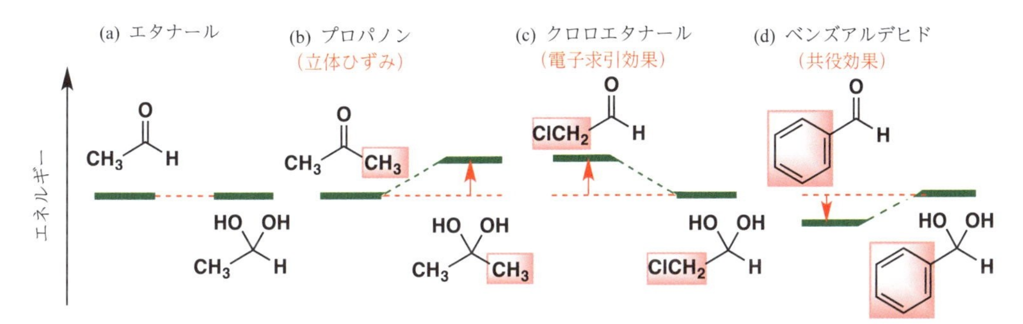

図 8.3　水和反応のエネルギー変化

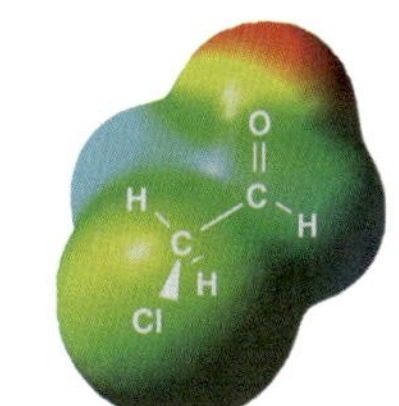

クロロエタナール

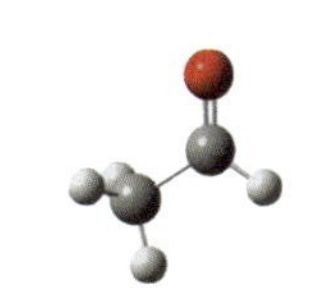

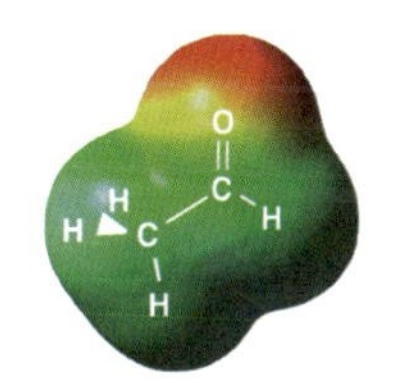

エタナール

EPMでみると，エタナールと比べてクロロエタナールでカルボニル酸素の負電荷(赤)が減少していることがわかる．

電子効果は，クロロエタナールのように**電子求引基**がある場合にみられる．Clのような電子求引基によってカルボニル隣接位に生じた部分正電荷のために，カルボニル炭素を陽性にするような共鳴構造が静電反発のために不安定になり，その共鳴寄与が小さくなる．それはアルデヒドを不安定にし，そのような影響の小さい水和物に比べて相対的に不安定になるので，平衡定数が大きくなる．この関係を図8.3(c)に示す．クロロエタナールが電子的に不安定になり，エネルギー準位が高くなった分だけ，反応のエネルギーは負になり，平衡定数が大きくなっている．

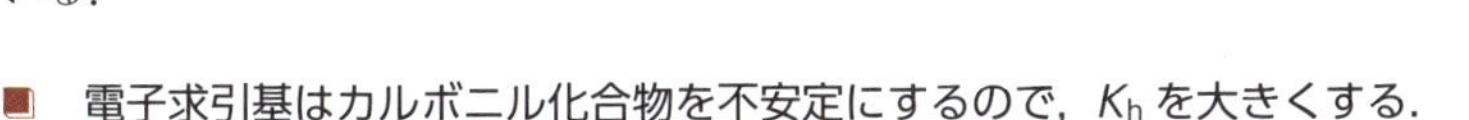

■ **電子求引基はカルボニル化合物を不安定にするので，K_h を大きくする．**

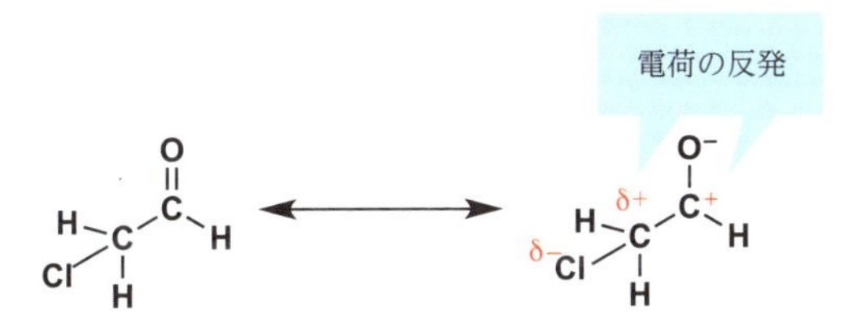

エタナール(CH_3CHO)とベンズアルデヒド(PhCHO)の平衡定数の違い(図8.3d)は，もう1種類の電子効果である**共役効果**の結果を示している．PhCHOはフェニル(Ph)基とC=O結合との共役により安定化している．その**共役安定化**はカルボニル付加によって(水和物では)失われるので，PhCHOの平衡定数はずっと小さくなる．

■ **カルボニル化合物の共役安定化は，K_h を小さくする．**

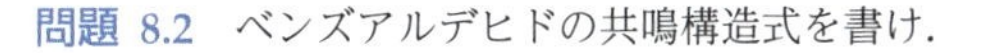

問題 8.2　ベンズアルデヒドの共鳴構造式を書け．

シアノヒドリン生成の平衡定数に対しても同じような立体効果と電子効果がみられたし，カルボニル基への他の求核付加反応にも同様の効果がみられる．反応速度に対しても同じような傾向がみられ，カルボニル化合物の一般的な反応性の序列は，次のようになる．

電子効果 electronic effect
共役安定化 conjugative stabilization

■ **求核付加反応における反応性：**

$H_2C{=}O$ ＞ RCHO ＞ $R_2C{=}O$
メタナール　　アルデヒド　　ケトン

例題 8.2

シクロヘキサノンと2-ブタノンのシアノヒドリン生成反応の平衡定数 K は，それぞれ1700と28 $mol^{-1}\,dm^3$ である．この違いを説明せよ．

解 答　シクロヘキサノンは環に平面三方形のカルボニル炭素があるためにかなりのひずみをもっているが，シアノヒドリンになるとそのひずみが解消される．新しく入った置換基のOHとCNによる1,3-ジアキシアル相互作用によるひずみは小さいので，シクロヘキサノンがシアノヒドリンになることによってひずみは小さくなり，平衡定数 K は大きくなる．一方，通常の非環状ケトンである2-ブタノンはシアノヒドリンを生成するとひずみが増大するので K はかなり小さい．

ケトンはアルデヒドに比べて一般的に反応性が低い．とくに酸化還元においては，アルデヒドが温和な酸化剤で容易に酸化されるのに，ケトンは酸化されない．すなわち，アルデヒドはケトンと違って還元性をもつ．銀イオン Ag^+ を酸化して金属 Ag^0 を析出させる反応はアルデヒドに特徴的であり，銀鏡反応(silver mirror reaction)として知られている(ウェブノート8.1参照)．

➡ ウェブノート8.1　アルデヒドとケトンの酸化

問題 8.3　シアノヒドリン生成反応の平衡定数の大きさが $CH_3CHO > CH_3C(O)CH_3 > C_6H_5C(O)CH_3$ となるのはなぜか．

問題 8.4　水和反応の平衡定数の大きさが次のような順になるのはなぜか．
(a) $CH_3CHO > (CH_3)_3CCHO$　　(b) $C_6H_5CHO < 4\text{-}NO_2C_6H_4CHO$

8.3.2 反応機構

カルボニル基の水和反応はどのように進むのだろうか．塩基性条件では，反応8.2に示すように，水酸化物イオン(HO^-)が求核種として付加することから始まる．ついで，中間体のアニオンが水分子からプロトンを引き抜く．この二段階反応はシアノヒドリン生成とよく似ている．第二段階で HO^- が再生されるので，この反応は塩基触媒反応になっている．

水和反応における塩基や酸のように少量で反応を加速し，反応の前後でそれ自体は変化しない物質を触媒(catalyst)という(段階的な反応機構では，1段階で消費され，あとで再生されることが多い)．

反応 8.2　塩基触媒水和反応

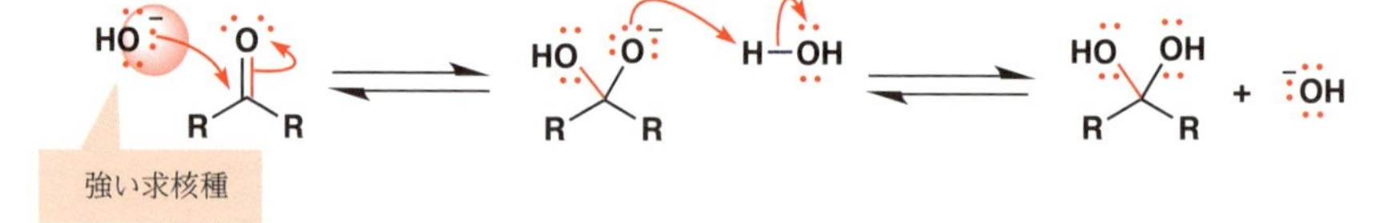

■ **水溶液における塩基触媒反応では，HO^- が反応を促進し，あとで再生される．**

酸性条件では，まずカルボニル酸素がプロトン化され，ついでカルボニル炭素に水分子が付加する(反応8.3)．カルボニル酸素は塩基としてはたらき，酸からプロトンを受け取ることによってカルボニル基が活性化される．ついでプロトン

塩基触媒反応 base-catalyzed reaction

反応 8.3　酸触媒水和反応

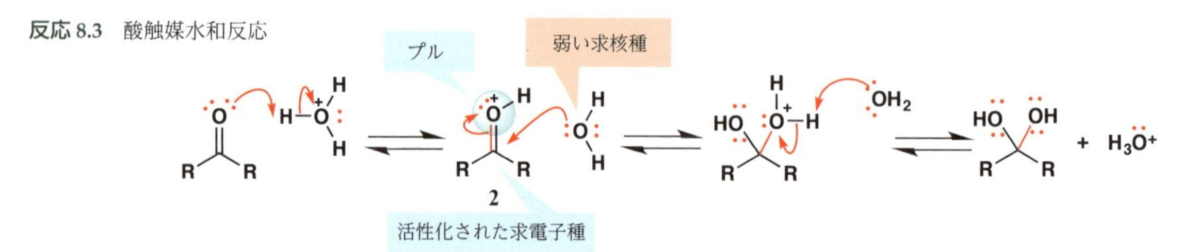

化カルボニル(**2**)に H_2O 分子が付加する．酸はこのようにカルボニル基を活性化して，求核性の弱い H_2O 分子が求核種として反応するのを助けている．最後に生成物からプロトンが放出されるので，反応は全体として**酸触媒反応**になる．

- **酸触媒反応では，求電子種がプロトン化により活性化され，弱い求核種の反応を助ける．**
- **酸触媒脱離反応では，脱離基をプロトン化して脱離を助ける***．

＊ 例題 8.3 参照．

問題 8.5　プロトン化ケトン **2** を共鳴で表せ．

例題 8.3

水和反応は可逆である．ケトンの水和物の酸触媒脱水反応(反応 8.3 の逆反応)の機構を示せ．

解 答　逆反応の反応機構は正確に正方向の反応の逆過程をたどる(これを微視的可逆性の原理という)．この酸触媒反応では，水和物の一つの OH 基をプロトン化して，脱離しにくい OH を H_2O に変える．

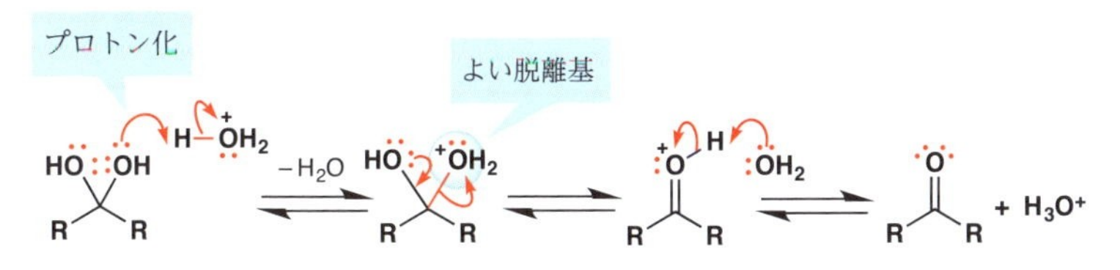

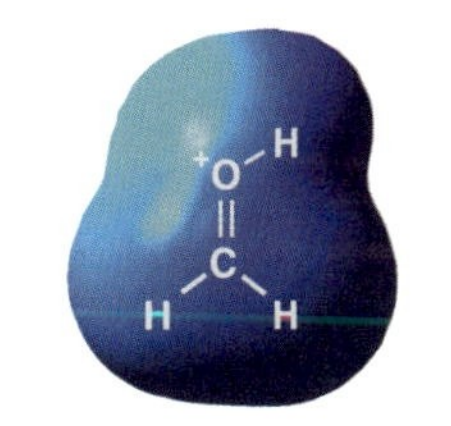

プロトン化メタナールの EPM
青は正電荷の分布を示す．

問題 8.6　ケトンの水和物の塩基触媒脱水反応の機構を書け．

問題 8.7　アルデヒドまたはケトンのカルボニル酸素を同位元素 ^{18}O で標識しておくと水溶液中で同位体交換反応を起こす．ケトン $R_2C=^{18}O$ の水溶液中における塩基触媒同位体交換の反応機構を書け．

8.4　アルコールの付加

8.4.1　ヘミアセタールの生成

アルコール中では，アルデヒドまたはケトンにアルコールが付加し**ヘミアセタール**とよばれる付加物を生じる．反応は，酸触媒または塩基触媒によって水和反応とまったく同じように進む(反応 8.4 と 8.5)．

$$R_2C{=}O + R'OH \rightleftharpoons R_2C(OH)(OR')$$

ヘミアセタール

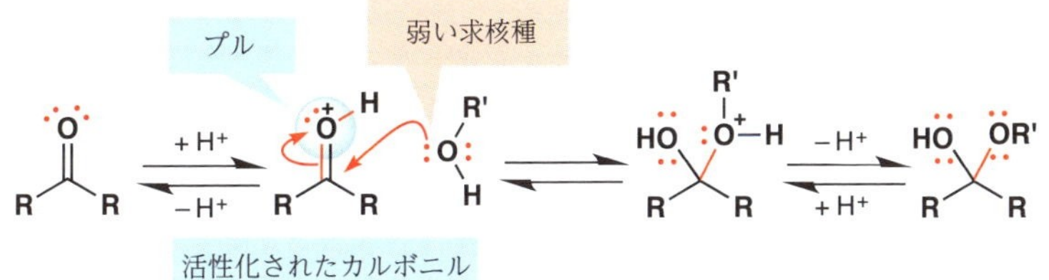

反応 8.4　酸触媒アルコール付加の反応機構

酸触媒反応 acid-catalyzed reaction
ヘミアセタール hemiacetal

反応 8.5　塩基触媒アルコール付加の反応機構

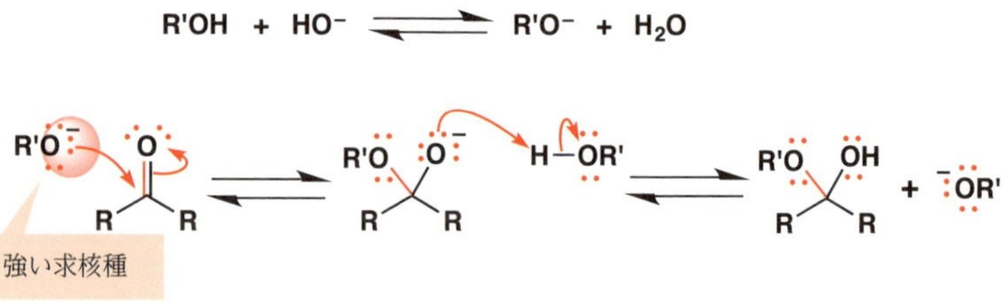

$$R'OH + HO^- \rightleftharpoons R'O^- + H_2O$$

強い求核種

水和反応と同じように，この反応も可逆反応であり，逆反応が起こりやすいのでヘミアセタールはふつう単離できない．その安定性は，水和物の場合と同様に，立体効果と電子効果を受ける．しかし，分子内のアルコールが反応してできる環状ヘミアセタールは 2 分子間の反応でできるものよりは安定であり，とくに五員環と六員環のヘミアセタールがよくみられる．

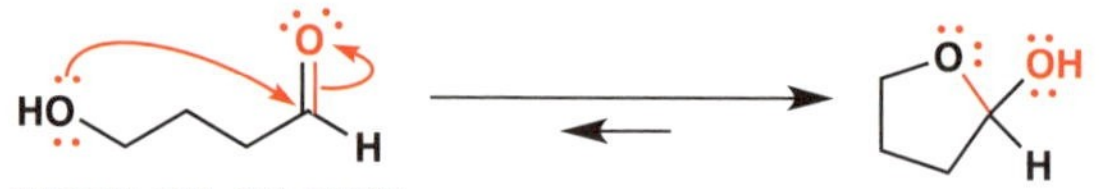

($HOCH_2CH_2CH_2CHO$)
4-ヒドロキシブタナール　　環状ヘミアセタール

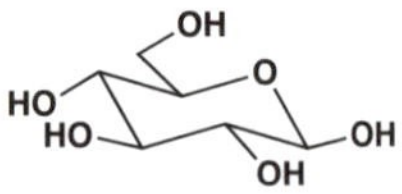

グルコース
環状ヘミアセタール構造

炭水化物のグルコースは，溶液中でほとんど六員環ヘミアセタールとして存在する（23.1.2 項参照）．

問題 8.8　次のカルボニル化合物とアルコールから生成するヘミアセタールの構造を示せ．

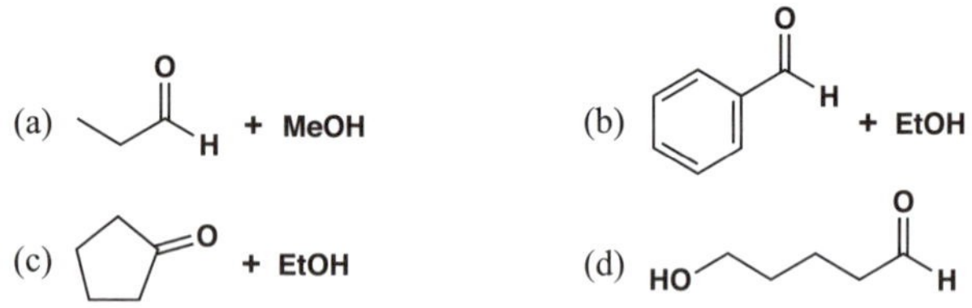

(a) + MeOH　(b) + EtOH

(c) + EtOH　(d)

問題 8.9　ヘミアセタールの塩基触媒加水分解の反応機構を書け．

8.4.2　アセタールの生成

ヘミアセタールの生成が可逆であることを上で述べた．酸触媒反応の逆反応においては反応 8.6 に示すように，プロトン化されたヘミアセタール **3** からアルコール R′OH が外れるとプロトン化カルボニル **2** を経てカルボニル化合物に戻る（これは加水分解に相当する）．プロトン化ヘミアセタールにはもう一つの構造 **4** があり，このかたちからは H_2O が外れて中間体 **5** が生成する．

中間体 **5** の構造は **2** の構造とよく似ているので，同じようにアルコール R′OH の求核攻撃を受けて付加物を生成する．この付加物が**アセタール**である．アセタールはカルボニル化合物に 2 分子のアルコールが付加して生成したものであり，全過程が可逆である．アセタール生成反応を**アセタール化**という．平衡の偏りは反応条件によって決まり，酸性アルコール溶媒中ではアセタールに偏り（アセタール化），酸性水溶液中ではカルボニル化合物に偏っている（加水分解）．

反応 8.6 において，ヘミアセタールの二つのプロトン化形 **3** と **4** は，OH と OR′ の塩基性がほぼ等しいので，その濃度もほぼ等しいと考えられる．また，H_2O と R′OH の脱離能もほぼ同じだと考えられるので，逆反応と“アセタール化”はよく競合すると予想される．

環状ヘミアセタール　cyclic hemiacetal
アセタール　acetal
アセタール化　acetalization

可逆的なアセタール生成反応：

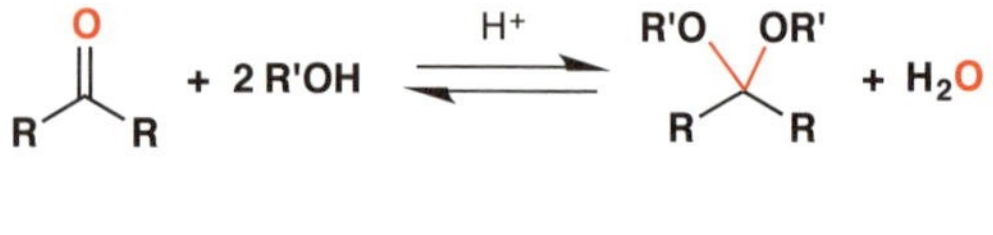

$$R_2C{=}O + 2\,R'OH \overset{H^+}{\rightleftharpoons} R_2C(OR')_2 + H_2O$$

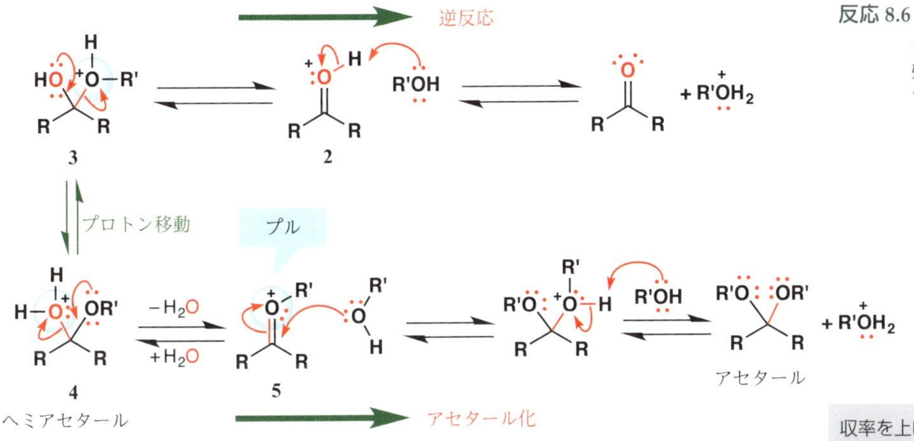

逆反応

プロトン移動

プル

3　2　4　5

ヘミアセタール　アセタール

アセタール化

反応 8.6 カルボニル化合物とアルコールの酸触媒による可逆反応：アセタールの生成

収率を上げるために生成してくる副生物の水を共沸蒸留によって徐々に留去したり，モレキュラーシーブのような脱水剤を加えることもある．

アセタール合成反応は，通常アルコール溶液中に強酸の H_2SO_4 や HCl を触媒量加えて行い，加水分解は酸性水溶液中で行う．

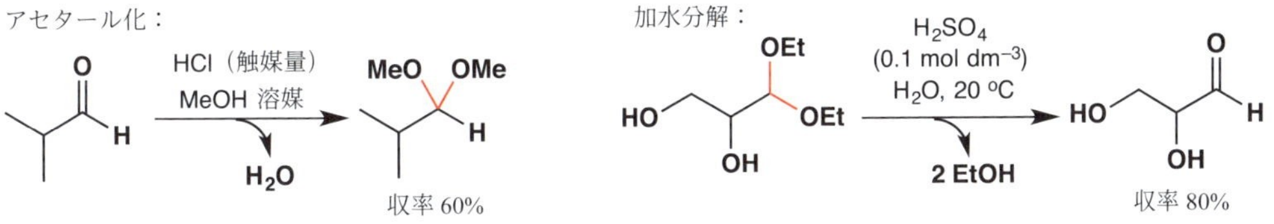

アセタール化：

HCl（触媒量）
MeOH 溶媒
H_2O
収率 60%

加水分解：

H_2SO_4
(0.1 mol dm^{-3})
H_2O, 20 °C
2 EtOH
収率 80%

例題 8.4

アセタールの酸触媒加水分解の反応機構を，巻矢印を用いて示せ．

解 答

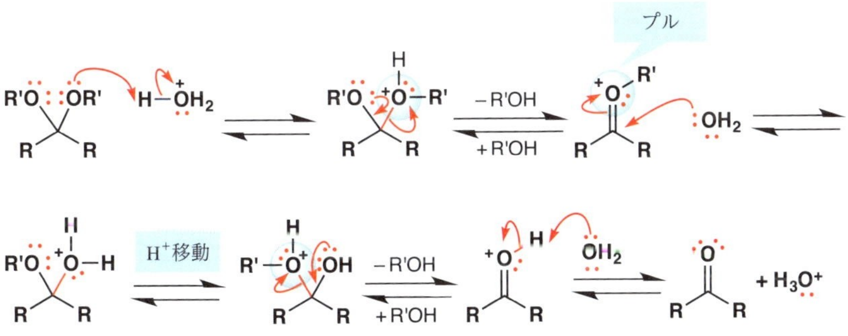

プル

−R'OH　+R'OH

H^+移動

−R'OH　+R'OH

問題 8.10 アルデヒド RCHO と 1,2-エタンジオールを無水の酸触媒(H^+)で処理すると，環状アセタールが得られる．このアセタール化の反応機構を書け．

問題 8.11 次のカルボニル化合物とアルコールから生じるヘミアセタールとアセタールの構造を示せ．

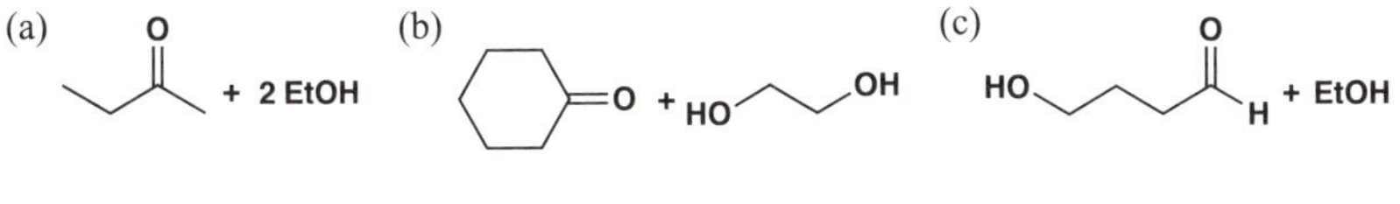

(a) + 2 EtOH　(b) + HO–CH₂CH₂–OH　(c) + EtOH

問題 8.12　次のアセタールを加水分解したときに得られる生成物の構造を示せ．

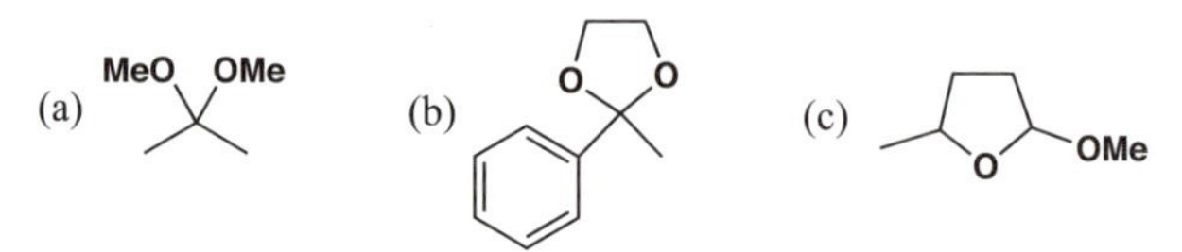

例題 8.5

ヘミアセタールは酸触媒でも塩基触媒でも生成するのに，アセタールはなぜ塩基性条件では生成しないのか説明せよ．

解答　ヘミアセタールはアルコールの一種であり，アセタールはエーテルの一種である．したがって，アセタールはヘミアセタールの OH を OR′ で置換することによって得られる．しかし，HO^- が非常に脱離しにくいので，直接置換反応を起こすことはできない（この問題は 14 章で詳しく述べる）．

塩基性条件では，ヘミアセタールは OH 基からプロトンを引き抜かれ，逆反応を起こすだけであるが，酸性条件では OH 基がプロトン化され，優れた脱離基になるので反応 8.6 のようにアセタールを生成することができる．

- アセタールは酸がなければ安定である．
- 熱力学的に有利な反応（生成物が安定）であっても，生成物に至る反応機構（反応経路）がなければ反応は進まない．

アセタールとジチオアセタールはカルボニル基の保護基としてよく用いられる（10 章参照）．

硫黄化合物については 14.7 節参照．

チオール（RSH）はアルコールの硫黄類似体であり，同じようにアルデヒドやケトンと反応して次の反応例のようにジチオアセタールを生成する．合成反応は通常 Lewis 酸を触媒として非プロトン性溶媒中で行う．

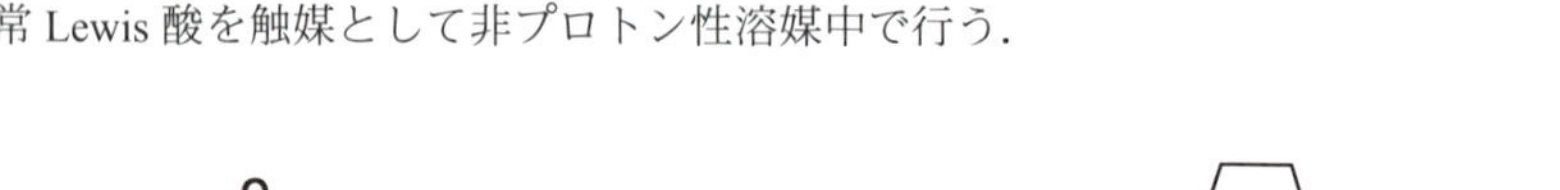

亜硫酸水素塩の付加

亜硫酸水素ナトリウムはアルデヒドやケトンと反応して亜硫酸水素塩付加物とよばれる結晶性の生成物を与える．亜硫酸水素イオンの形式電荷は酸素にあるが，硫黄の非共有電子対がカルボニル炭素を攻撃して反応する（S の非共有電子対が HOMO になるからである．なお，第 3 周期元素である S はオクテットを超えることが可能である）．

この付加反応も可逆であり，生成した付加物は酸あるいは塩基性水溶液で簡単に加水分解してアルデヒドに戻せる．

生成物は結晶性固体として単離しやすく再結晶によって容易に精製できる．精製したあとで加水分解すれば，純粋なアルデヒドが得られる．

チオール　thiol
ジチオアセタール　dithioacetal

8.5 イミンとエナミン

8.5.1 第一級アミンとカルボニル化合物の反応：イミン

第一級アミンはアルデヒドやケトンと反応して，四面体中間体を生成する．この中間体はヘミアミナール(hemiaminal)ともよばれるが，通常1,1-ジオールよりも不安定で，酸触媒脱水反応でC＝N結合を生成し，**イミニウムイオン**になる*．ついでプロトンを失うと**イミン**を生じる(反応8.7)．

$R_2C=N-$ (R＝Hまたはアルキル)の構造をもつ化合物をイミンといい，Schiff(シッフ)塩基ともよぶ．

$R_2C{=}O$ + R'NH₂ ⇌ [四面体中間体 $R_2C(O^-)(NH_2^+R')$ ⇌(プロトン移動) $R_2C(OH)(NHR')$] ⇌(+H⁺/−H⁺) $R_2C(H_2O^+)(NHR')$ ⇌(−H₂O/+H₂O) $R_2C{=}N^+HR'$ (イミニウムイオン) ⇌(−H⁺/+H⁺) $R_2C{=}NR'$ (イミン)

四面体中間体　脱　水

反応8.7 イミン生成反応の機構

* 脱水反応は酸触媒で進むが，実際のイミン合成反応にはとくに触媒として酸を加えないことが多い．

ヒドロキシルアミンや(置換)ヒドラジンはとくに安定なイミンを生成し，それぞれオキシム，ヒドラゾンとよばれる．これらのイミンではC＝N結合と隣接ヘテロ原子の非共有電子対が共役できる．

$$\mathrm{RCHO} + \mathrm{H_2NOH} \xrightarrow{\mathrm{H^+}} \mathrm{RCH{=}NOH} + \mathrm{H_2O}$$

ヒドロキシルアミン　オキシム

$$\mathrm{RCHO} + \mathrm{H_2NNH_2} \xrightarrow{\mathrm{H^+}} \mathrm{RCH{=}NNH_2} + \mathrm{H_2O}$$

ヒドラジン　ヒドラゾン

Hugo (Ugo) Schiff (1834〜1915)
ドイツ・フランクフルトで生まれ，F. Wöhlerに学んだ．1879年にイタリア・フィレンツェ大学化学科を創設した．イミンをはじめて合成したほか，アミノ酸の研究を行った．

問題 8.13 セミカルバジドとアルデヒドからセミカルバゾンが生成する．なぜセミカルバジドは一方のアミノ基でのみで反応するのか説明せよ．

$$\mathrm{RCHO} + \mathrm{H_2NNHCNH_2}\ (\mathrm{C{=}O}) \xrightarrow{\mathrm{H^+}} \mathrm{RCH{=}NNHCNH_2}\ (\mathrm{C{=}O}) + \mathrm{H_2O}$$

セミカルバジド semicarbazide　セミカルバゾン semicarbazone

問題 8.14 次のカルボニル化合物とアミンから生成するイミンの構造を示せ．

(a) CH_3CHO + $C_6H_5NH_2$ $\xrightarrow{H^+}$

(b) (3-ペンタノン) C＝O + $H_2NC(=O)NHNH_2$ $\xrightarrow{H^+}$

(c) C_6H_5CHO + O_2N–(2-ニトロフェニル)–NHNH₂ (2,4-ジニトロフェニルヒドラジン) $\xrightarrow{H^+}$

イミニウムイオン iminium ion
イミン imine
ヒドロキシルアミン hydroxylamine
オキシム oxime
ヒドラジン hydrazine
ヒドラゾン hydrazone

例題 8.6

オキシムの酸触媒加水分解の反応機構を書け．

解答 加水分解の反応機構はちょうど生成反応の逆になる(微視的可逆性の原理)．

イミン生成においてアミンは十分求核性が高くて触媒なしにカルボニル基に付加することがわかっている(反応8.7)ので，その逆反応に相当するアミンの脱離はプロトン移動により(アンモニウムとアルコキシドに)電荷分離したかたちの四面体中間体から起こる(酸素アニオンによってアミンが押し出される)．

プル プッシュ プロトン移動 オキシム

8.5.2 第二級アミンとカルボニル化合物の反応：エナミン

第二級アミンのカルボニル基への付加も第一級アミンの付加と同じように進み，イミニウムイオンを生成する．第二級アミンから生成したイミニウムイオンのNにはHがないので脱離してイミンになることができない．この場合隣接炭素にHがあれば，脱プロトンによってC=C結合が生成する．生成物は**エナミン**[enamine(=en+amine)]である(反応8.8)．エナミンは非常に求核性の高いアルケンであり，加水分解されやすい．

反応 8.8 エナミン生成反応の機構

プロトン移動 $+H^+$ $-H^+$ $-H_2O$ $+H_2O$ イミニウムイオン エナミン

問題 8.15 次のエナミンを用いて，エナミンの求核性が高いことを共鳴で表し，酸触媒加水分解の反応機構を書け．

NMe_2 $\xrightarrow[H_2O]{H_3O^+}$

8.6 Wittig 反応

Wittig(ウィッティヒ)反応をみつけたドイツ人化学者のG. Wittig (1897〜1987)はH.C. Brown (15.3.3項参照)とともに1979年にノーベル化学賞を受賞した．

Wittig反応は，電荷分離した反応剤のホスホニウムイリドを用いて，アルデヒドとケトンのC=O結合をC=C結合に変換する反応である．この反応剤は，次式の反応によって調製される．ホスフィンはアミンのリン類似体であり，ハロゲン化アルキルとのS_N2反応でホスホニウム塩をつくる．ついで，強塩基によりプロトンを引き抜くとイリドができる．

$$Ph_3P: + CH_3-Br \rightarrow Ph_3\overset{+}{P}-CH_3 \ :Br^- \xrightarrow[-H_2]{NaH} [Ph_3\overset{+}{P}-\overset{-}{C}H_2 \leftrightarrow Ph_3P=CH_2]$$

トリフェニルホスフィン　ホスホニウム塩　ホスホニウムイリド

トリフェニルホスフィン triphenylphosphine
ホスホニウム塩 phosphonium salt
ホスホニウムイリド phosphonium ylide
オキサホスフェタン oxaphosphetane

P^+-C^-結合をもつイリド構造に対して，Pがオクテット以上の価電子を受け入れることができるので，P=C結合をもつ共鳴構造式の寄与もある．ホスホニウムイリドの炭素末端は求核的であり，カルボニル炭素を攻撃し四員環の中間体(オキサホスフェタン)を経て，アルケンとホスフィンオキシドを生成する．

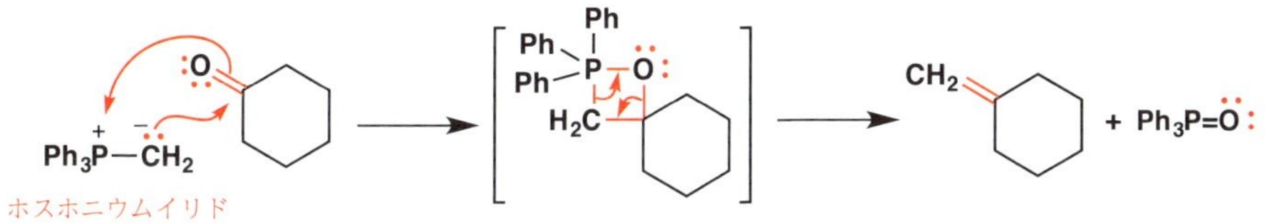

ホスホニウムイリド

Wittig 反応は，アルケンの合成法として有用であり二重結合を希望の位置に確実に導入できる．古典的な例として β-カロテンの合成がある．

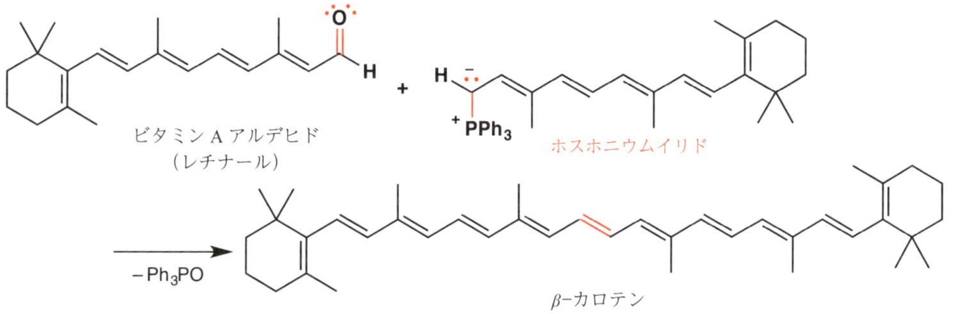

ビタミン A アルデヒド
（レチナール）

ホスホニウムイリド

$-Ph_3PO$

β-カロテン

ノート 8.2 生体反応におけるイミン

イミンは生体内の反応でも重要な役割を果たしている．代表的な例はピリドキサールリン酸(ビタミン B_6 がリン酸化されたもの)を補酵素とする反応であり，種々のアミノ酸の変換反応を促進する．下に示すのは，アラニンの酸化的な脱アミンによってピルビン酸を生成する反応である．まず，ピリドキサールが酵素のアミノ基とイミンをつくる．ここで，アミノ酸(アラニン)が交換反応(イミノ転移とよばれる)を起こして中間体イミンを生成する．この中間体のアラニン部分からプロトンを失って，イミン結合が移動する．生成したイミンが加水分解されると，ピルビン酸ができ，ピリドキサールはピリドキサミンになる．アミノ酸はピリドキサールと同じようなイミン中間体をつくって，アミン交換，ラセミ化，脱炭酸などを起こす．

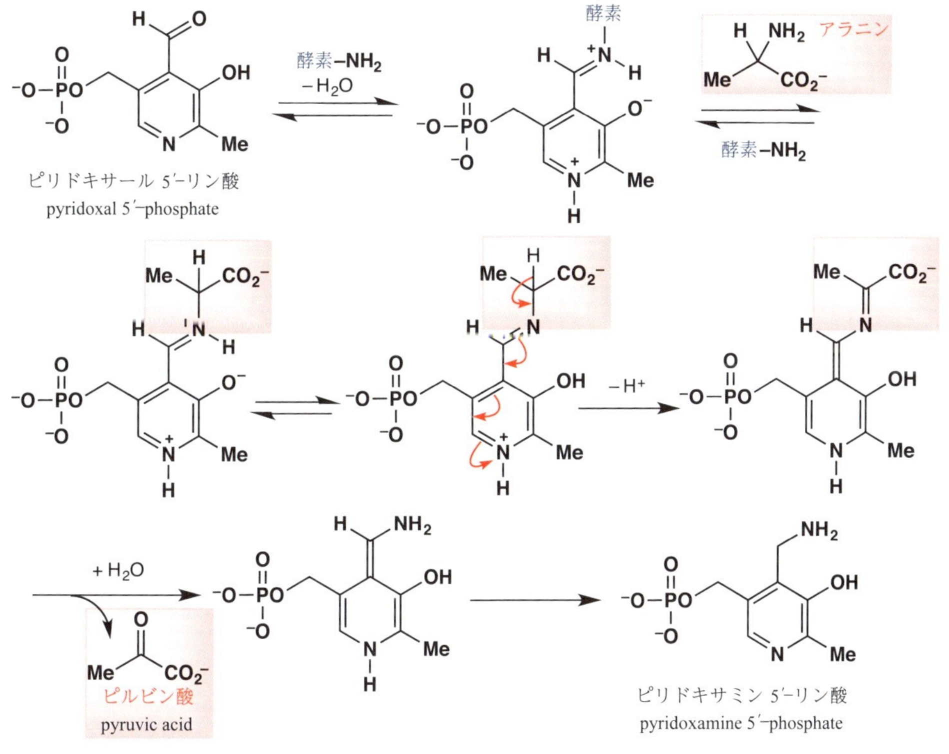

ピリドキサール 5′-リン酸
pyridoxal 5′-phosphate

酵素$-NH_2$
$-H_2O$

アラニン

酵素$-NH_2$

$-H^+$

$+H_2O$

ピルビン酸
pyruvic acid

ピリドキサミン 5′-リン酸
pyridoxamine 5′-phosphate

アルデヒドとケトンの他の重要な反応についてはさらに後の章で述べる．ヒドリド還元と有機金属化合物の付加については 10 章で，エノールとエノラートイオンの反応については 17 章で説明する．これらの反応は有機合成にも重要である．次章で述べるカルボン酸誘導体の化学もアルデヒドとケトンの化学と密接に関係している．

まとめ

- カルボニル(C=O)結合は極性二重結合であり，炭素に部分正電荷があるので，求核種の攻撃を受ける．
- C=O 結合に対する求核付加反応のほとんどは 2 段階で可逆的に起こる．反応は立体障害によって阻害され，電子求引基によって促進される．
- 水とアルコールの付加は酸と塩基の触媒作用を受ける．塩基触媒反応における求核種は，求核性の高い HO^- か RO^- である．酸触媒反応においてはプロトン化で活性化されたカルボニル基($>C=OH^+$)に弱い求核種である H_2O か ROH が付加する．これがカルボニル基の反応における酸塩基触媒の原理といってよい．
- アミンの付加は通常，水の脱離を伴い，第一級アミンからはイミン，第二級アミンからはエナミンが生成する．
- シアン化物イオン(シアノヒドリン生成)やチオール(ジチオアセタールの生成)も重要な求核種となる．
- Wittig 反応は有機合成に重要であり，ホスホニウムイリドを用いて C=O を C=C に変換する．

章末問題

問題 8.16　アルデヒドを，(a) HCN あるいは (b) NaCN だけの水溶液で処理しても，ほとんどシアノヒドリンが生成しないのはなぜか．それぞれ説明せよ．

問題 8.17　アミノ酸の呈色試験に用いられるニンヒドリンは次に示すトリケトンの水和物である．ニンヒドリンの構造を示し，その構造が安定であることを説明せよ．

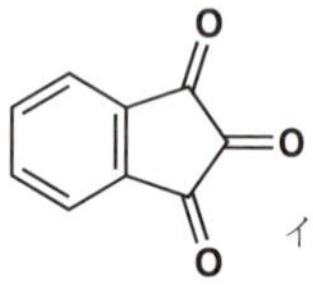

インダン-1,2,3-トリオン

問題 8.18　水和反応の平衡定数の大きさが次の順になるのはなぜか説明せよ．

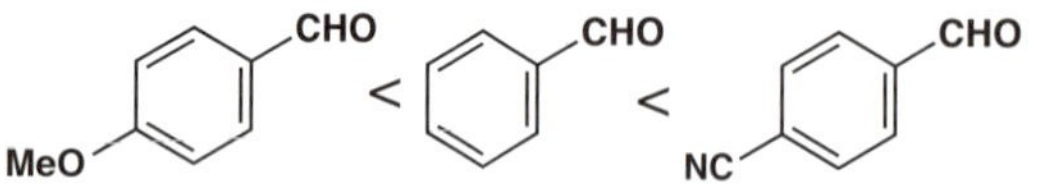

MeO-C₆H₄-CHO < C₆H₅-CHO < NC-C₆H₄-CHO

問題 8.19　4-ヒドロキシブタナールから環状ヘミアセタールを生成する反応は，(a) 酸触媒あるいは，(b) 塩基触媒によって促進される．それぞれの触媒反応機構を書け．

問題 8.20　^{18}O 同位体で標識したケトン $R_2C={}^{18}O$ の水溶液中における酸触媒同位体交換の反応機構を示せ．

問題 8.21　シクロヘキサノンをメタノールに溶かしたとき，酸性条件と塩基性条件では異なる生成物を生じる．それぞれの条件における反応の機構と生成物の構造を示せ．

問題 8.22　次の反応の生成物は何か．反応機構を書いて答えよ．

+ EtOH　$\xrightarrow{H^+}$

問題 8.23　次に示す BF_3 を触媒とするジチオアセタールの生成反応の機構を書け．

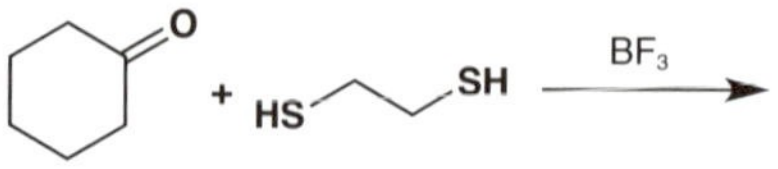

+ HS～SH　$\xrightarrow{BF_3}$

問題 8.24　次のアルケンを Wittig 反応でどのように合成するか示せ．

(a) 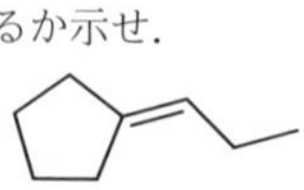　　(b)

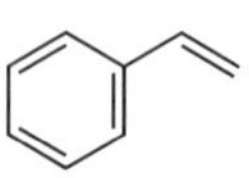

9 カルボン酸誘導体の求核置換反応

【基礎となる事項】
・酸と塩基(6章)
・有機反応と反応機構の考え方(7章)
・巻矢印による反応の表し方(7.2節)
・カルボニル基への求核付加(8章)
・酸塩基触媒反応(8.3.2項)

【本章で学ぶこと】
・求核付加-脱離による置換反応
・エステル加水分解
・四面体中間体の役割
・酸と塩基の触媒作用
・カルボン酸誘導体の反応性

カルボン酸はカルボニル結合の炭素にヒドロキシ基が結合した官能基，すなわち，**カルボキシ基**をもつ化合物であり，一般式で RCO_2H あるいは RC(O)OH と表される．その OH 基が他のヘテロ原子(O, N, S, ハロゲン)グループと置き換わったもの[一般式：RC(O)Y]を**カルボン酸誘導体**といい，いずれも加水分解によってカルボン酸に変換できる．カルボン酸とその誘導体には次のようなものがあり，RC(O)基は**アシル基**とよばれるので，カルボン酸誘導体は**アシル化合物**ともいわれる．

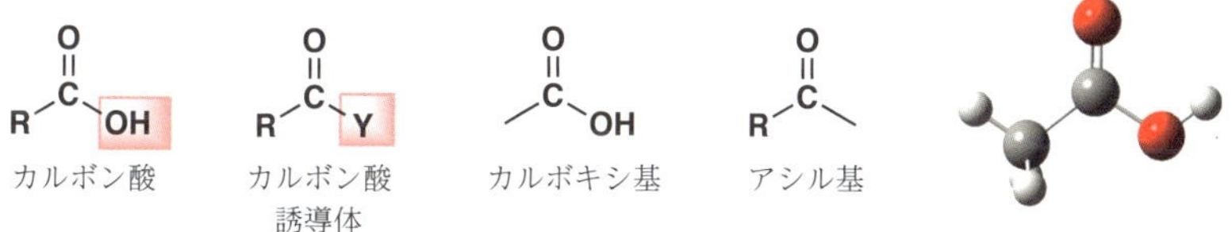

カルボン酸とエステルやアミドは天然にも広くみられる．6章のはじめに述べたように，植物の酸味は単純なカルボン酸による．油脂はエステルであり，タンパク質はアミド結合に基づく高分子である(23章参照)．チオエステルは体内で生合成や代謝において重要な役割を演じている(14.7.2項参照)．果物や花の香り成分にはエステルを含むものも多い．その例をいくつかあげておこう．

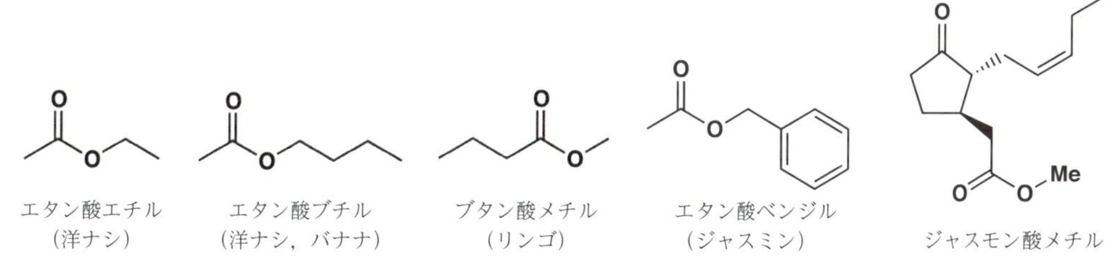

このようなカルボン酸誘導体は，求核置換反応によって相互に変換できる．この章ではこの変換反応を前章で学んだアルデヒドやケトンの反応と比較して説明する．

ジャスミンの香り成分にはエタン酸ベンジル，ジャスモン酸メチルやジャスモン(ケトン)が含まれる

9.1　カルボン酸誘導体とその反応

ハロゲン化アシルは酸ハロゲン化物(acid halide)ともよばれる.

カルボン酸誘導体 carboxylic acid derivative
カルボキシ基 carboxy group
アシル基 acyl group
アシル化合物 acyl compound

カルボン酸誘導体 RC(O)Y には次のようなものがあるが，アルデヒドとケトンのカルボニル基は求核種の攻撃を受けて付加反応を起こすのに対して，カルボン酸誘導体は置換反応を起こす.

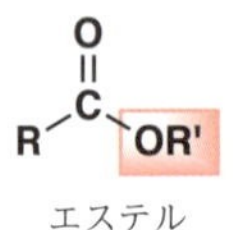

エステル
ester

酸無水物
acid anhydride

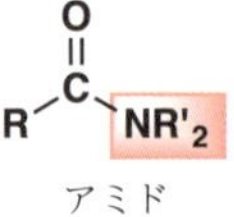

アミド
amide

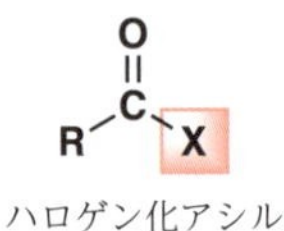

ハロゲン化アシル
acyl halide
(X = F, Cl, Br, I)

O
C
R　SR'

チオエステル
thioester

カルボン酸の慣用名

多くのカルボン酸が慣用名でよばれる．代表的なものを IUPAC 名とともに赤字で示す.

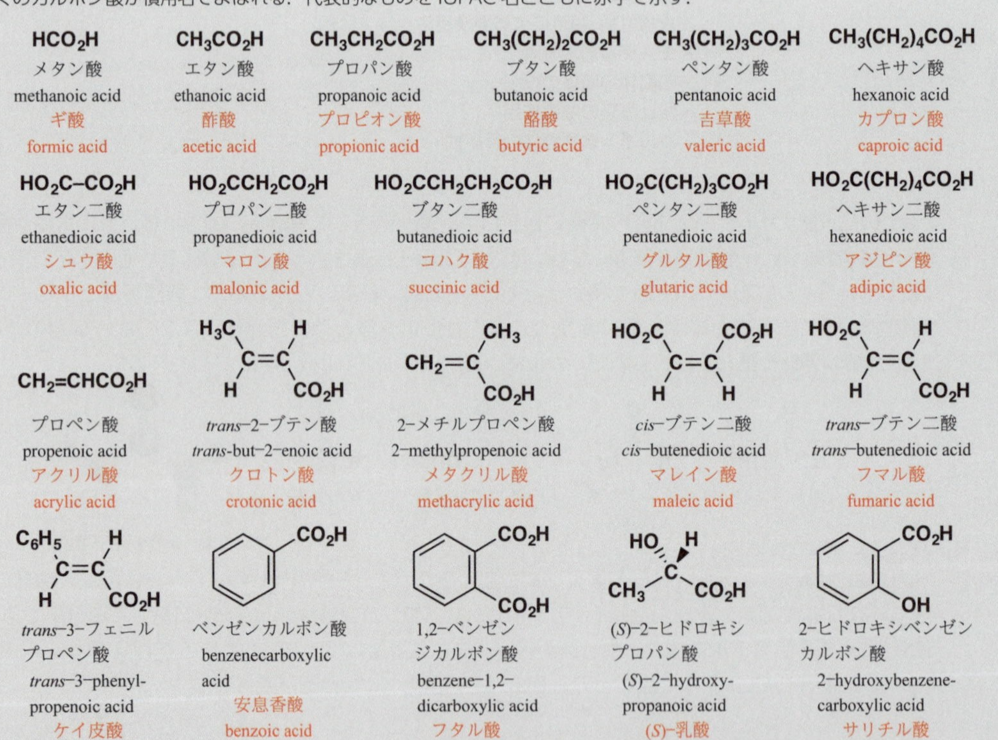

IUPAC 規則では，2.9 節で述べたように，カルボン酸の炭素鎖の位置はカルボニル炭素を C1 として番号で示すが，慣用名ではカルボニル基の次の炭素から始めてギリシャ文字で α，β，γ とつけていく．次の最後の GABA と略称されるアミノ酸の一種は抑制性の神経伝達物質としてはたらく.

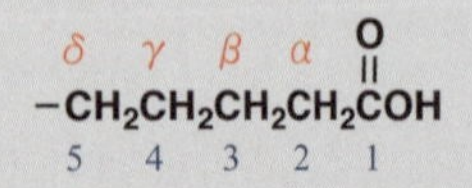

NH_2
$RCHCO_2H$

α-アミノ酸
α-amino acid

$ClCH{=}CHCO_2H$
3-クロロプロペン酸
3-chloropropenoic acid
β-クロロアクリル酸
β-chloroacrylic acid

$H_2NCH_2CH_2CH_2CO_2H$
4-アミノブタン酸
4-aminobutanoic acid
γ-アミノ酪酸
γ-aminobutyric acid (GABA)
(γ-アミノブタン酸ではない)

カルボニル基が求核付加を受けたあと，ヘテロ原子グループ(Y)が脱離できるからである．すなわち，付加についで脱離が起こるので，結果的に置換反応になるのである．反応 9.1 に，求核種を Nu^- として，求核付加-脱離による求核置換反応を一般式で表す．

Y はヘテロ原子(またはヘテロ原子グループ)であり，**脱離基**(leaving group)とよばれる．アルデヒドやケトンでは，Y は H またはアルキル，アリールであり，通常は脱離できない．

求核種　付加　脱離
カルボン酸誘導体　脱離基

反応 9.1　求核付加-脱離によるカルボン酸誘導体の求核置換反応

- カルボン酸誘導体は，付加-脱離機構による求核置換反応で相互変換される．
- すべてのカルボン酸誘導体は，加水分解によってカルボン酸になる．

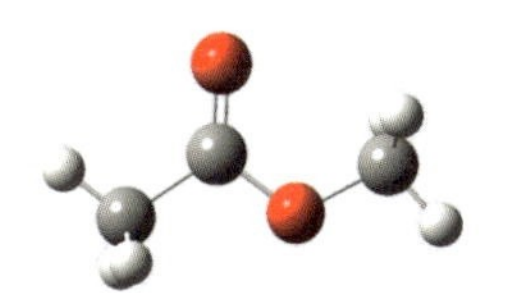

エステル(エタン酸メチル)

9.2　エステルの加水分解

エステルは，水溶液中で酸や塩基を加えると加水分解される．この反応は典型的な求核置換反応の一つであり，最もよく研究されてきたものである．その反応機構を考えていこう．

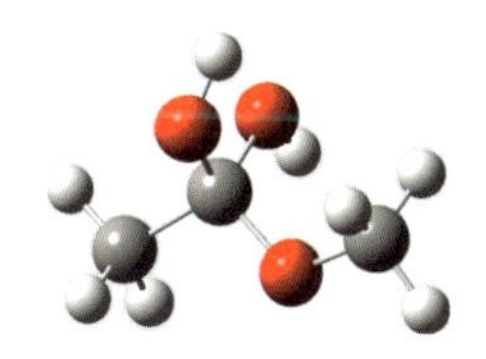

四面体中間体

$$\mathrm{RCOOR'} + \mathrm{H_2O} \xrightarrow[\text{加水分解}]{\mathrm{HO^-}\text{または}\ \mathrm{H_3O^+}} \mathrm{RCOOH} + \mathrm{R'OH}$$

エステル　カルボン酸

9.2.1　カルボニル基への水の付加

8 章でアルデヒドとケトンの水和反応が塩基触媒と酸触媒によって起こることを述べた(8.3.2 項)．この水の付加はエステルでも同じように容易に起こる(反応 9.2 および 9.3)．この反応は可逆であり，平面状のカルボニル炭素が四面体形になることから，付加物は四面体中間体とよばれる．この中間体は不安定で，平衡状態ではごくわずかに存在するだけである．

ヘテロ原子　heteroatom
求核置換(反応)　nucleophilic substitution
付加-脱離機構　addition-elimination mechanism
加水分解　hydrolysis
四面体中間体　tetrahedral intermediate

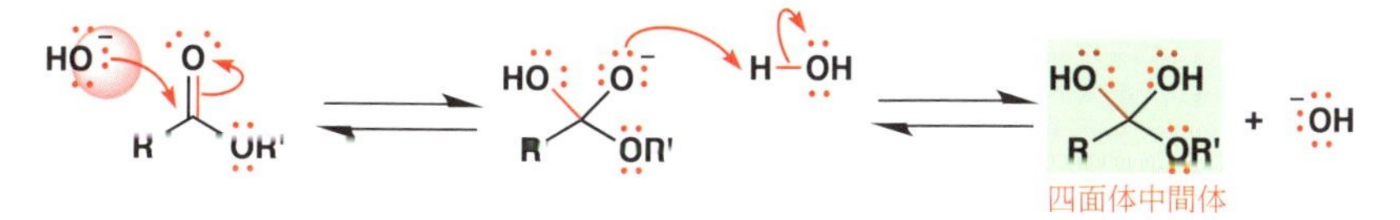

反応 9.2　エステルへの塩基触媒による水の付加

プル
四面体中間体

反応 9.3　エステルへの酸触媒による水の付加

水の付加の逆反応において，塩基性条件では，四面体中間体のアニオン形から酸素アニオンの電子押込み効果によって HO^- が押し出されて，もとのカルボニ

中性の四面体中間体も安定ではないが，直接ヘテロリシスを起こすことはできない．

しかし，酸素アニオンが生じれば，反応 9.4 や反応 9.5 のように電子対からのプッシュによって脱離能の低い RO^- や HO^- が押し出される．酸性条件では別の機構で脱離を起こす．

ル基が再生される（反応 9.4）．この逆過程はアルデヒドやケトンの場合と同じである（8.3.2 項）．

反応 9.4　塩基性条件における水和の逆反応

プッシュ

四面体中間体（アニオン形）　→　エステル　+ ^-OH

9.2.2　塩基性条件における反応

エステルの水和反応の逆過程は反応 9.4 のように書けたが，HO^- と同じように $R'O^-$（アルコキシドイオン）が押し出される可能性もある（反応 9.5）．こうなると，生成物はカルボン酸であり，全体としてエステルの加水分解が起こったことになる．

反応 9.5　塩基性条件における四面体中間体からの脱離過程

プッシュ

四面体中間体（アニオン形）　→　カルボン酸　+ $^-OR'$

塩基性条件における加水分解反応をまとめると，反応 9.6 のようになる．

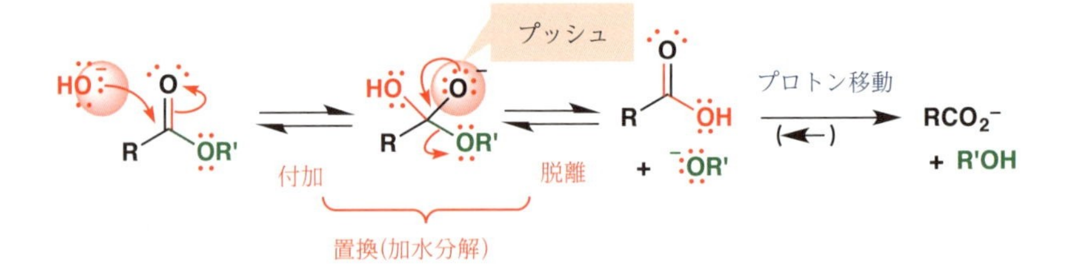

反応 9.6　塩基性条件におけるエステル加水分解（アルカリ加水分解）

pH 7 以上の水溶液をアルカリ水溶液というが，このような溶液をつくるためには必ずしも NaOH や KOH などで直接 HO^- を加える必要はない．弱アルカリ水溶液は Na_2CO_3 やアミンを加えてつくることもできる．

最後の段階は，カルボン酸とアルコキシドイオンの酸塩基反応によってカルボン酸イオンとアルコールを生じる反応である．この酸塩基反応はカルボン酸（pK_a ~5）とアルコール（pK_a ~16）の酸性度の違いから，ほとんど完全にカルボン酸イオンのほうに偏っている．したがって，この加水分解反応は不可逆になり，水酸化物イオンは消費されてしまうので，1 当量以上の塩基が必要になる．そのため触媒反応とはいえず，一般に**アルカリ加水分解**とよばれる．

この反応は油脂（23.4.1 項）からせっけんをつくる反応でもあるので，**けん化**とよばれることもある．

反応 9.7　油脂のけん化

$CH_2-O-C(=O)-CH_2(CH_2)_{15}CH_3$
$CH-O-C(=O)-CH_2(CH_3)_{15}CH_3$　+ 3 NaOH　→　CH_2OH / $CHOH$ / CH_2OH　+ 3 $CH_3(CH_2)_{16}C(=O)O^-Na^+$
$CH_2-O-C(=O)-CH_2(CH_2)_{15}CH_3$

油脂の一種（グリセリンと脂肪酸のエステル）　　グリセリン　　ステアリン酸ナトリウム（せっけん）

アルカリ加水分解 alkaline hydrolysis
けん化 saponification

例題 9.1

次のエステルの構造を示し，アルカリ加水分解し，酸性にしたときに生成するカルボン酸とアルコールの構造と名称を書け．

(a) エタン酸ペンチル (b) プロパン酸イソプロピル

解 答 下の反応式に構造と名称を示す．酸で中和しないと，生成したカルボン酸はアニオンのかたちになっている．

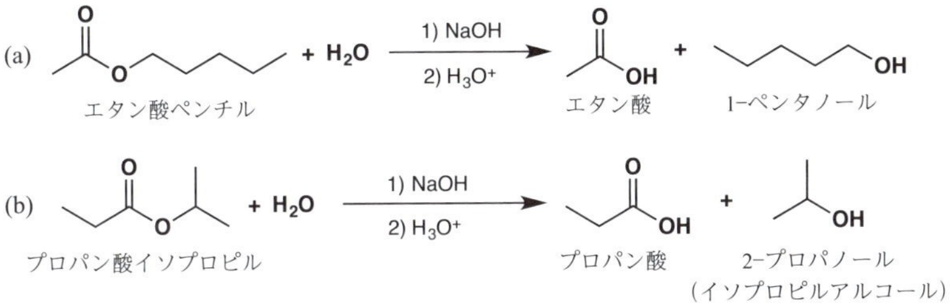

(a) エタン酸ペンチル + H_2O → 1) NaOH 2) H_3O^+ → エタン酸 + 1-ペンタノール

(b) プロパン酸イソプロピル + H_2O → 1) NaOH 2) H_3O^+ → プロパン酸 + 2-プロパノール（イソプロピルアルコール）

エステルのアルキル基の名称とアルコールの名称の関係には注意を要する．IUPAC 規則ではアルキル基の位置番号は必ず遊離原子価のある炭素を 1 とするが，アルコールの OH の位置は 1 とは限らないので，番号をつける必要がある．イソプロピルはアルキル基名としては許されているが，イソプロパノールという名称は誤りである．

問題 9.1 次のエステルの構造を示し，加水分解したときに生成するカルボン酸とアルコールの構造と名称を書け．

(a) 3-メチルブタン酸プロピル (b) エタン酸 1-メチルプロピル

9.2.3 酸触媒加水分解とエステル生成反応

酸触媒水和の逆反応は，四面体中間体のプロトン化された OH 基が H_2O として脱離することによって起こる（反応 9.3 および 8.3.2 項参照）．この反応の四面体中間体の OR の酸素の塩基性は OH とそれほど違わないので，プロトン化された OR も同時に存在するはずであり，それから ROH が脱離すると，結果的にエステルの加水分解になる．酸触媒加水分解は，全過程が可逆であり，反応 9.8 のように書ける．この反応では，最後に酸（H_3O^+）が再生され，消費されないので，酸は触媒として作用している．

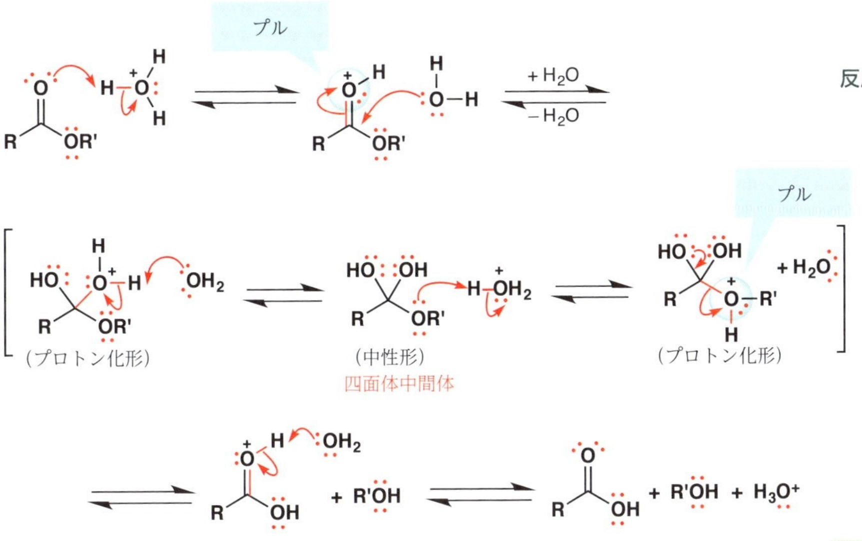

プル

$+H_2O$ / $-H_2O$

プル

（プロトン化形） （中性形） （プロトン化形）

四面体中間体

反応 9.8 エステルの酸触媒加水分解の反応機構

酸触媒加水分解 acid-catalyzed hydrolysis

逆反応はエステル生成反応（エステル化）であり，カルボン酸とアルコールからエステルを合成するときには酸触媒が使われる．この反応は **Fischer（フィッシャー）エステル化**とよばれ，エステル合成法の一つになっている．

Fischer エステル化：PhCH(OH)CO_2H + EtOH $\xrightarrow[\text{EtOH, 還流, 6 h}]{\text{HCl（触媒）}}$ PhCH(OH)CO_2Et + H_2O

収率 85%

特徴的な果物の香りをもつエステル（例題 9.2 も参照）

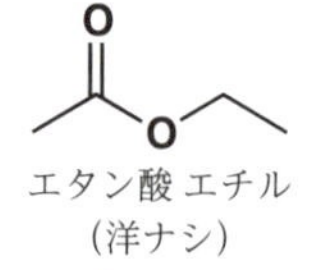

エタン酸 エチル
（洋ナシ）

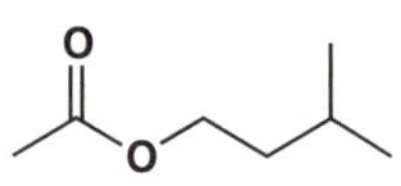

エタン酸 3-メチルブチル
（バナナ）

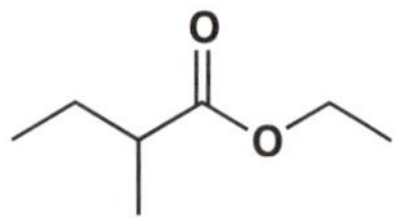

2-メチルブタン酸エチル
（リンゴ）

例題 9.2

エステルは果物の香りをもつものが多い．次の異性体エステルはバナナ，洋ナシ，リンゴなどの香りに寄与しているという．それぞれの合成反応を書き，出発物とエステルの名称を示せ．

解 答　Fischer エステル化で合成するために，それぞれのアルコールを溶媒とし，カルボン酸と酸触媒を加えて加熱すればよい．

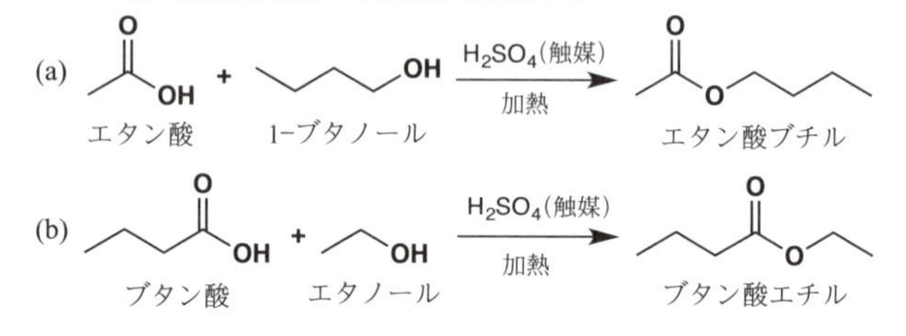

問題 9.2　カルボン酸 RCO_2H とアルコール R′OH の酸触媒エステル化反応を段階的に書き，巻矢印で反応がどのように進むか示せ．

9.2.4　四面体中間体の証明

エステル加水分解は，求核付加と脱離の 2 段階で進む求核置換反応の一つであり，**四面体中間体**が重要な中間体になっている．このことを確かめるために M. L. Bender（ベンダー：1924～1988，米）は，酸素の同位元素 ^{18}O で標識したエステルを標識化合物として用いた（1951 年）．カルボニル酸素を ^{18}O で標識した安息香酸エチルのアルカリ加水分解を行い，反応が完結する前に混合物を回収して未反応のエステルを調べると，カルボニル酸素の ^{18}O が部分的に ^{16}O に換わっていた（反応 9.9）．反応が 1 段階で進んでいるのであれば，未反応のエステルはもとのままのはずである．2 段階の反応において四面体中間体を経由すると，この中間体で水からきた酸素とカルボニル基の酸素とが等価になるので，エステルを再生する逆過程で ^{18}O が失われる可能性が生じる．

■　**酸素同位体交換は四面体中間体の介在する二段階反応によって説明される．**

エステル化　esterification
標識化合物　labeled compound
同位体交換　isotope exchange

反応 9.9　標識エステルの加水分解と同位体交換

プロトン移動

同位体交換

加水分解

(O = ^{18}O)

また，エステルのアルコキシ酸素を標識して加水分解を行い，生成物を調べると，^{18}O 同位体はカルボン酸ではなくアルコールに含まれていた．

プッシュ

プロトン移動

(O = ^{18}O)

■ **加水分解における結合切断は，アルキル C−O ではなく，アシル C−O 結合で起こっている．**

この事実も四面体中間体を経る付加-脱離の二段階機構で合理的に説明できる．

➡ ウェブノート 9.1　エステル加水分解の別の反応機構

問題 9.3　カルボニル酸素を標識したエステル PhC(^{18}O)OEt の酸触媒加水分解においても未反応エステル中に同位体交換が観測される．この結果を説明する反応機構を書け．

9.3　エステルの他の反応

9.3.1　エステル交換反応

エステルのアルコール溶液に酸あるいは塩基を加えると，アルコールの交換が起こる．この反応は水溶液中における加水分解とよく似た反応機構で進む(反応 9.10 および反応 9.11)．エステル交換は酸触媒でも塩基触媒でも可逆的に起こる．

エステル交換反応：

$$\mathrm{R{-}\overset{O}{\overset{\|}{C}}{-}OR' + R''OH \xrightleftharpoons{H^+ または R''O^-} R{-}\overset{O}{\overset{\|}{C}}{-}OR'' + R'OH}$$

エステル交換 transesterification または ester exchange

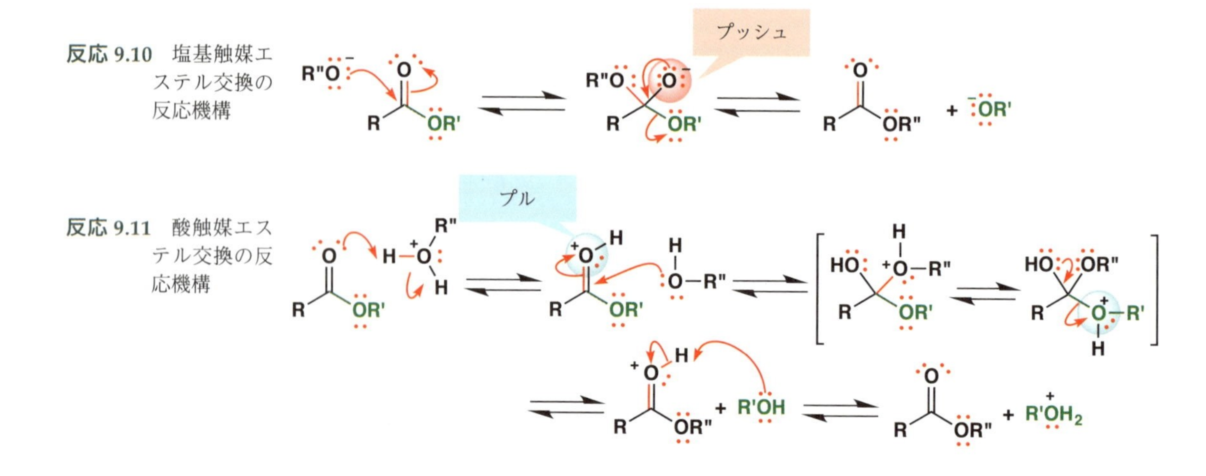

反応 9.10　塩基触媒エステル交換の反応機構

反応 9.11　酸触媒エステル交換の反応機構

$\rightleftharpoons$ $RC(=O^+H)OR''$ + R'OH $\rightleftharpoons$ $RC(=O)OR''$ + $R'OH_2^+$

問題 9.4　塩基によるエステル加水分解は不可逆反応であるのに対して，エステル交換は塩基によっても触媒的に可逆的に起こる．この違いを説明せよ．

問題 9.5　次のエステル交換反応の生成物は何か．また生成エステルの収率をよくするためにはどうしたらよいか．

(a) CH_3COOEt + $PhCH_2$OH $\xrightarrow[\text{加熱}]{\text{NaOH}}$　　(b) CH_3COOMe + $(CH_3)_2CHCH_2CH_2$OH $\xrightarrow[\text{加熱}]{H_2SO_4}$

9.3.2　エステルとアミンの反応

エステルはアンモニア，第一級および第二級アミンと反応してアミドを生成する．アミンは求核性が強いので触媒を加えなくても反応し，塩基性条件では中間体からアルコキシドも脱離できる．

プッシュ

Me–C(=O)–OEt + $MeNH_2$ $\rightleftharpoons$ [$Me–C(O^-)(NH_2^+Me)–OEt$ $\underset{+H^+}{\overset{-H^+}{\rightleftharpoons}}$ $Me–C(O^-)(NHMe)–OEt$] $\rightleftharpoons$ Me–C(=O)–NHMe + EtO^- $\underset{-H^+}{\overset{+H^+}{\rightleftharpoons}}$ Me–C(=O)–NHMe + EtOH

アミド

問題 9.6　次の反応式を完成せよ．

(a) $PhCH_2CO_2Me$ + NH_3 ⟶　　(b) δ-バレロラクトン（六員環ラクトン） + $PhCH_2NH_2$ ⟶

9.4 求核付加-脱離反応

9.4.1 反 応 機 構

ここまでカルボン酸誘導体の代表としてエステルの反応をいくつかみてきた．これらは H_2O，HO^-，ROH，RO^-，RNH_2 を求核種とする求核付加-脱離反応とみなせ，結果的に求核置換反応になっている．

■ HO^-，RO^-，RNH_2 のように求核性の大きい（強い）求核種は触媒の作用なしにカルボニル基に付加できる．

したがって，反応 9.12 のような一般式で表せる．アニオン形四面体中間体から酸素アニオンの電子押込み効果（プッシュ）によって脱離基が押し出される．一般的にこのような反応は塩基性条件で行われる．

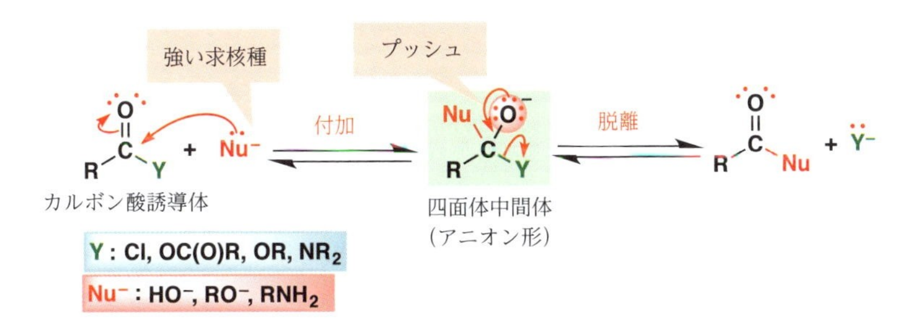

反応 9.12 塩基性条件における求核付加-脱離機構

求核置換反応における塩基の役割は，溶媒の共役塩基である HO^- や RO^- を発生させることにあり，生成したアニオン性生成物から塩基が再生できれば，触媒反応として進行する．

一方，H_2O や ROH のように求核性が非常に小さい場合には，酸触媒が必要である．酸は，カルボニル酸素をプロトン化してカルボニル基を活性化し，弱い求核種の攻撃を助けている（電子引出し効果：プル）．さらに脱離の段階では，プロトン化四面体中間体の中でプロトン化脱離基が速やかに外れていくのを促進している（反応 9.13）．

■ H_2O や ROH のように弱い求核種の反応には酸触媒を必要とする．

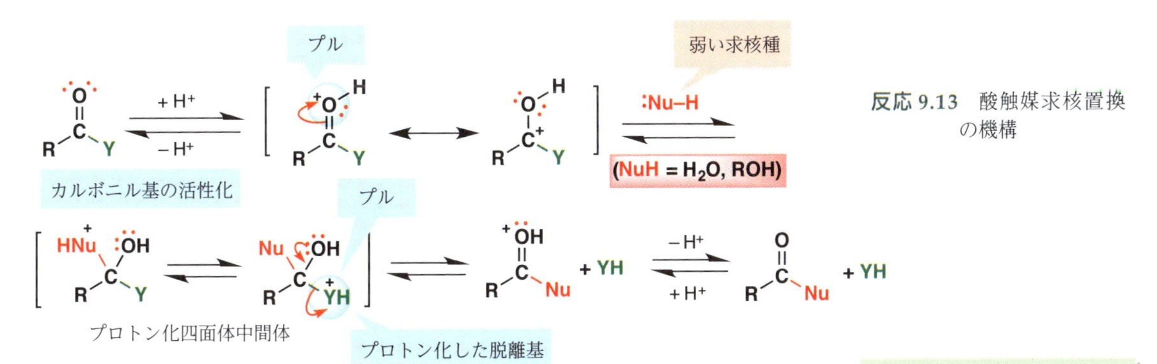

反応 9.13 酸触媒求核置換の機構

電子押込み効果（プッシュ） electron pushing (effect)
電子引出し効果（プル） electron pulling (effect)

例題 9.3　アシル求核置換反応における酸触媒の二つの役割は何か.

解 答　酸触媒の二つの役割とは，求核付加に対するカルボニル基の活性化と脱離段階における脱離能の増強である．いずれもプロトン化によって起こる.

9.4.2　カルボン酸誘導体の反応性

脱離基 leaving group
ここで見ているような脱離基 Y^- は逆反応で求核種になり得る．このような脱離基を求核性脱離基(nucleofuge)ということもある.

カルボン酸誘導体の反応の特徴は，アルデヒドやケトンと違って，付加中間体である四面体中間体からヘテロ原子グループ Y がアニオン脱離基 Y^- として脱離できるところにある．そのために RC(O)Y は付加-脱離機構で置換反応を起こすことができる(反応 9.14).

反応 9.14　カルボニル化合物の付加と置換反応

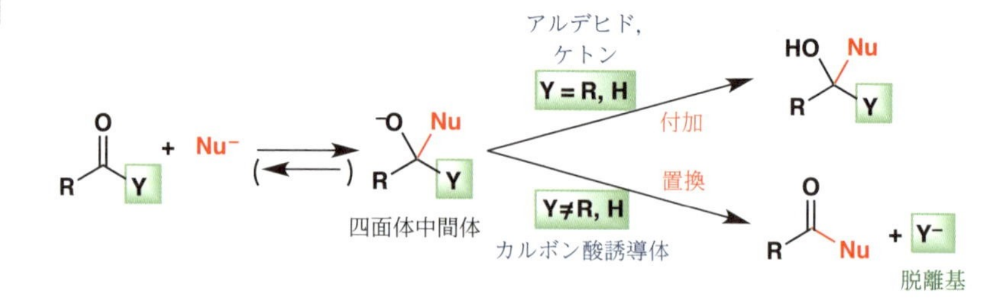

■ 付加と脱離段階における RC(O)Y の反応性は，脱離基 Y^- の塩基性が弱いほど大きい.

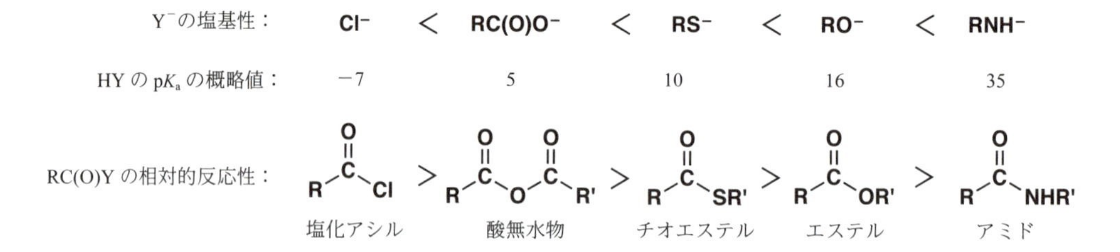

脱離能 leaving ability
酸性度を表す pK_a は平衡に関する熱力学パラメーターであり，脱離能や反応性は反応速度に関する速度論的パラメーターであることに注意しよう.

求電子性 electrophilicity
求電子種の反応性のこと．求核種の反応性は求核性(nucleophilicity)という.

EPM から，カルボニル基の電子密度(赤)の増大が，求電子性の低下と一致していることがわかる(次ページ欄外図参照).

脱離基 Y^- の外れやすさ(**脱離能**)が，その塩基性が弱いほど大きくなることは理解しやすい．共役酸 HY の酸性が強いほど HY からアニオン Y^- を出しやすいということであり，四面体中間体からのアニオン Y^- の外れやすさも同じ傾向になるであろう.

一方，第一段階における求核付加の起こりやすさは**カルボニル基の求電子性**によるが，Y^- の塩基性が強いほど Y はカルボニル基に電子を供与しやすいので，カルボニル炭素の部分的正電荷は小さくなり，求電子性も小さくなる．Y のヘテロ原子は非共有電子対をもっており，カルボニル基と共役している．その程度も Y^- の塩基性と関係しており，カルボン酸誘導体を共鳴混成体で表すと共鳴構造式 **1c** の寄与は Y^- の塩基性が強いほど大きくなると考えられる．そのためカルボニル基の求電子性が小さくなるだけでなく，その共鳴安定化も反応性の低下に寄与している.

1a　⟷　**1b**　⟷　**1c**

この傾向は脱離段階における相対的反応性と一致しており，カルボン酸誘導体の反応性は上にまとめた順になる．

例題 9.4

カルボン酸誘導体と比べて，求核付加に対するアルデヒドとケトンの反応性はどのように位置づけられるか．

解 答　アルデヒドとケトンは，上のカルボン酸誘導体の表記でそれぞれ Y＝H および Y＝アルキル(あるいはアリール)基としたときに相当する．したがって，**1c** のような共鳴構造式が考えられないので，求核付加に対する反応性は比較的高いが，電子求引性のハロゲンやアシルオキシ基をもつもの(ハロゲン化アシルと酸無水物)よりは反応性が低いと考えられている．しかし，H もアルキル基も通常は脱離できないので置換反応は起こらない．

問題 9.7　カルボン酸自体の求核種に対する反応性について考察せよ．酸性条件と塩基性条件でどうなるか考えること．

9.5　カルボン酸誘導体の相互変換

9.5.1　塩化アシル

カルボン酸誘導体の中で最も反応性の高いのはハロゲン化アシルである．ハロゲン化アシルとして，ふつう塩化アシルが使われる．塩化アシルは水やアルコールとも触媒なしに反応する．しかし，生成物として HCl が発生するので，実際に反応するときには塩基を添加することが多い．結果は加水分解あるいはエステル化である．

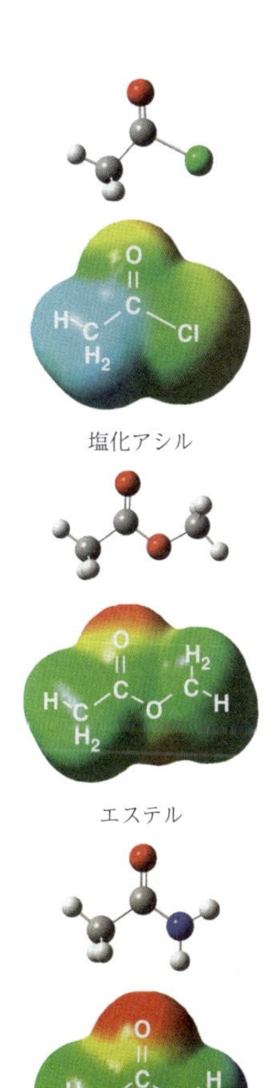

$$\underset{\text{塩化アシル}}{\mathrm{R{-}\overset{O}{\overset{\|}{C}}{-}Cl}} + \mathrm{H_2O} \xrightarrow{\text{加水分解}} \underset{\text{カルボン酸}}{\mathrm{R{-}\overset{O}{\overset{\|}{C}}{-}OH}} + \mathrm{HCl}$$

$$\mathrm{R{-}\overset{O}{\overset{\|}{C}}{-}Cl} + \mathrm{R'OH} \xrightarrow{\text{エステル化}} \underset{\text{エステル}}{\mathrm{R{-}\overset{O}{\overset{\|}{C}}{-}OR'}} + \mathrm{HCl}$$

塩化アシルはアミンやアンモニアとも速やかに反応するが，完全にアミドに変換するためにはアミンやアンモニアが 2 当量必要である．1 当量は生成する HCl を中和するために使われる．

$$\mathrm{R{-}\overset{O}{\overset{\|}{C}}{-}Cl} + 2\,\mathrm{R'NH_2} \longrightarrow \underset{\text{アミド}}{\mathrm{R{-}\overset{O}{\overset{\|}{C}}{-}NHR'}} + \mathrm{R'\overset{+}{N}H_3\,Cl^-}$$

塩化アシルをカルボン酸塩と反応させると酸無水物が得られる．非対称な混合酸無水物はこの反応でつくられる．

$$\mathrm{R{-}\overset{O}{\overset{\|}{C}}{-}Cl} + \mathrm{R'{-}\overset{O}{\overset{\|}{C}}{-}O^-Na^+} \longrightarrow \underset{\text{混合酸無水物}}{\mathrm{R{-}\overset{O}{\overset{\|}{C}}{-}O{-}\overset{O}{\overset{\|}{C}}{-}R'}} + \mathrm{NaCl}$$

しかし，塩化アシルを合成するためには，特別な反応剤を用いる必要がある．カルボン酸に塩化チオニル $SOCl_2$ や五塩化リン PCl_5 を反応させて合成する．

$$R-C(=O)-OH + SOCl_2 \longrightarrow R-C(=O)-Cl + SO_2 + HCl$$

塩化チオニル　塩化アシル

9.5.2 酸無水物

酸無水物は，温和な条件で加水分解され，アルコールやアミンと反応してエステルやアミドを与える．

$$R-C(=O)-O-C(=O)-R + R'OH \longrightarrow R-C(=O)-OR' + R-C(=O)-OH$$

酸無水物　エステル

$$R-C(=O)-O-C(=O)-R + 2\,R'NH_2 \longrightarrow R-C(=O)-NHR' + R'\overset{+}{N}H_3\ {}^{-}O_2CR$$

アミド

例題 9.5

次の反応式を完成せよ．化学量論関係も示すこと．

(a) $MeC(=O)OC(=O)Me$ + フェノール $\longrightarrow$　(b) $CH_3CH_2C(=O)Cl$ + ピロリジン $\longrightarrow$

解答

(a) $MeC(=O)OC(=O)Me + C_6H_5OH \longrightarrow C_6H_5OC(=O)Me + MeCO_2H$

無水酢酸　フェノール　エタン酸フェニル　エタン酸

(b) $CH_3CH_2C(=O)Cl + 2$ ピロリジン $\longrightarrow$ N-プロパノイルピロリジン + 塩化ピロリジニウム (Cl^-)

塩化プロパノイル　ピロリジン　N-プロパノイルピロリジン　塩化ピロリジニウム

問題 9.8　次の反応式を完成せよ．係数をつけて化学量論関係を示すこと．

(a) $HO_2C-C_6H_4-CO_2H$ (テレフタル酸) $+ SOCl_2 \longrightarrow$

(b) $CH_3C(=O)OC(=O)CH_3 + NH_3 \longrightarrow$

(c) $C_6H_5CO_2H + HOCH_2CH_2OH \xrightarrow{H^+}$

(d) $CH_3C(=O)OC(=O)CH_3 + EtOH \longrightarrow$

9.5.3 アミド

アミドは最も反応性の低いカルボン酸誘導体であり，アンモニアやアミンとも反応しないが，強酸性あるいは強塩基性の水溶液中で加熱すると加水分解を起こす．

$$R-\overset{\overset{\displaystyle O}{\|}}{C}-NH_2 + H_2O \xrightarrow[H_2O,\ 加熱]{NaOH\ または\ HCl} R-\overset{\overset{\displaystyle O}{\|}}{C}-OH + NH_3$$

アミド

アミドの加水分解において，NaOH を用いると RCO_2Na が，HCl を用いると NH_4Cl が生成する．

ニトリル RCN はカルボン酸と同じ酸化状態にあり，アミド加水分解によく似た機構で酸あるいはアルカリ加水分解を受ける．

$$RCN \xrightarrow[加熱]{HO^-/H_2O\ または\ H_3O^+/H_2O} RCO_2H$$

問題 9.9 次のアミドのそれぞれについて，濃塩酸中および濃水酸化ナトリウム水溶液中における加水分解を反応式で示せ．生成物は反応溶液中に存在するかたちで書くこと．

(a) Me–C(=O)–NH₂ の構造式　(b) 六員環ラクタム（NH, C=O）の構造式

問題 9.10 酸性条件におけるアミドの加水分解がどのように起こるか，巻矢印を用いて段階的な反応式で示せ．

9.5.4 カルボン酸

カルボン酸自体はエステルと似た反応性をもつと予想されるが，ほとんどの求核種は塩基でもあり，塩基存在下には酸解離してカルボン酸イオンになる．カルボン酸イオンは求電子性をもたないので求核種との反応は起こさない．塩基性の弱い求核種であるアルコールとは，酸触媒によって反応しエステルを生成する（Fischer エステル化）．

酸塩基反応

$$R-\overset{\overset{\displaystyle O}{\|}}{C}-OH + Nu^- \rightleftharpoons R-\overset{\overset{\displaystyle O}{\|}}{C}-O^- + NuH$$

カルボン酸イオン　求電子性をもたない

Fischerエステル化

$$R-\overset{\overset{\displaystyle O}{\|}}{C}-OH + R'OH \xrightarrow{H^+} R-\overset{\overset{\displaystyle O}{\|}}{C}-OR' + H_2O$$

エステル　酸触媒

9.5.5 まとめ：相対的反応性

4 種類のカルボン酸誘導体の相対的反応性を図 9.1 のように表すと，反応性の高い誘導体から反応性の低い誘導体を合成できることがわかる．カルボン酸イオンは最も反応性が低い誘導体とみなせる．単純な求核置換反応で，反応性の低い誘導体から反応性の高いものを合成することはできない．たとえば，エステルに塩化物イオン Cl^- を反応させても塩化アシルが生成することはない．

四面体中間体から外れるのは，脱離能の高い，塩基性の弱い Y^- である．したがって，生成するのはより安定な，反応性の低いアシル化合物である．

問題 9.11 次の反応の生成物は何か．ただし，反応が進まない場合には“反応しない”と書け．

(a) $CH_3\overset{O}{\overset{\|}{C}}Cl + CH_3\overset{O}{\overset{\|}{C}}ONa \longrightarrow$

(b) $CH_3\overset{O}{\overset{\|}{C}}O\overset{O}{\overset{\|}{C}}CH_3 + Cl^- \longrightarrow$

(c) $CH_3\overset{O}{\overset{\|}{C}}OC_2H_5 + (CH_3)_2NH \longrightarrow$

(d) $CH_3\overset{O}{\overset{\|}{C}}NHCH_3 + CH_3OH \longrightarrow$

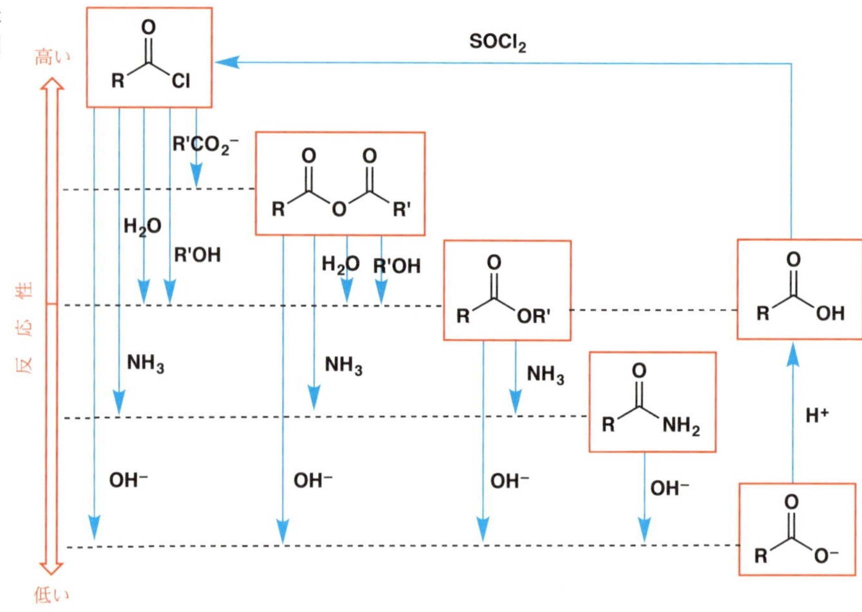

図 9.1　カルボン酸誘導体の相対的反応性と相互変換

ノート 9.1　ラクトンとラクタム

環状エステルと環状アミドは，それぞれラクトンおよびラクタムとよばれる．分子内にヒドロキシ基あるいはアミノ基をもつカルボン酸の分子内反応で生成する．安定に生成するのはいずれも五員環と六員環であり，γ-ラクトン/γ-ラクタム，δ-ラクトン/δ-ラクタムとよばれる．

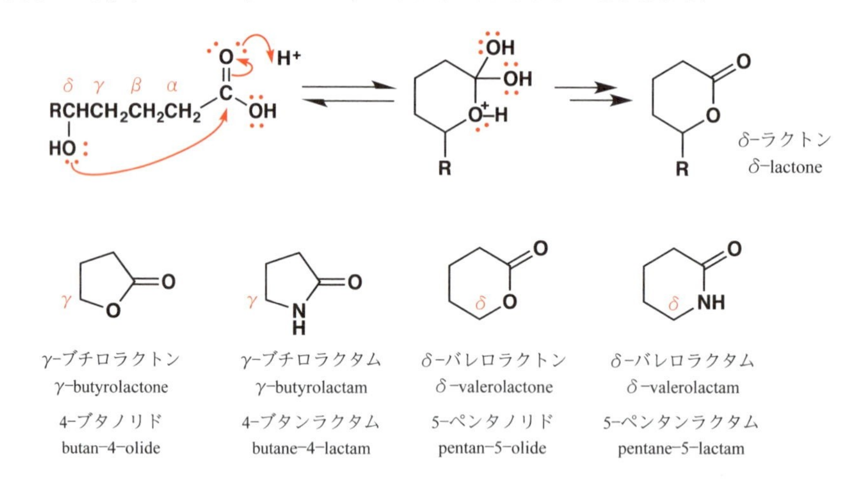

ラクトンはアルカリ水溶液中では，通常のエステルと同じように，容易に加水分解される．しかし，4- および 5- ヒドロキシカルボン酸イオンは過剰の酸を加えるとふつう環化してラクトンに戻る．しかし，ラクタムはラクトンほど簡単には加水分解されない．これはアミドがエステルより加水分解しにくいのと同じである．

HO^-, H_2O
H_3O^+(過剰)

9.6 縮 合 重 合

二つの官能基をもつ化合物を繰り返し反応させることによって高分子化合物が得られる．たとえば，ジカルボン酸とジオールとのエステル化反応を繰り返し行うことができれば**ポリエステル**が生成する．このような反応を**縮合重合**あるいは**重縮合**という．最も一般的なポリエステルはポリエチレンテレフタラートであり，衣料用の合成繊維として使われ，飲料用の PET ボトルの原料にもなっている．

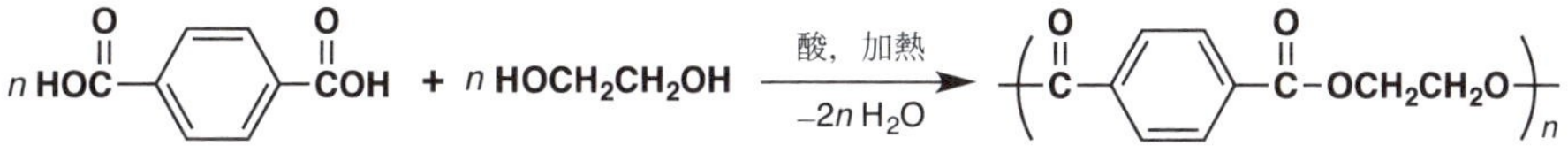

n HOC(=O)–C$_6$H$_4$–C(=O)OH + n HOCH$_2$CH$_2$OH —(酸，加熱 / $-2n$ H$_2$O)→ –[C(=O)–C$_6$H$_4$–C(=O)–OCH$_2$CH$_2$O]$_n$–

テレフタル酸（ジカルボン酸）　1,2-エタンジオール（ジオール）　ポリエチレンテレフタラート(PET)（ポリエステル）

この縮合重合はエステル交換によって行うことも可能であり，工業的には塩基触媒エステル交換で製造されている．PET は最も広く回収・リサイクルされているプラスチックである(ノート 9.2 参照)．

縮合重合または重縮合 polycondensation
ポリエステル polyester
ポリエチレンテレフタラート poly(ethylene terephthalate), PET

天然にも多くのラクトンやラクタムが存在する．たとえば，ビタミン C(アスコルビン酸)は γ-ラクトンであり，抗生物質の中には大環状ラクトンをもつものもある．

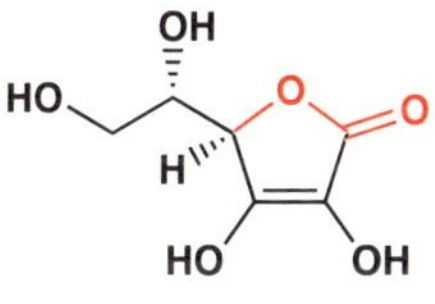

ビタミン C（アスコルビン酸）
vitamin C（ascorbic acid）

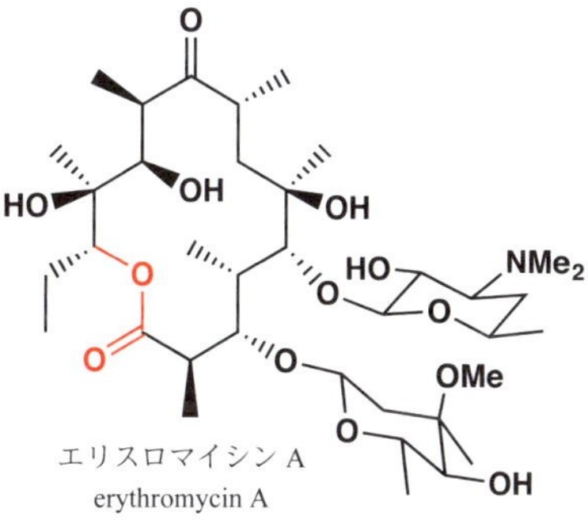

エリスロマイシン A
erythromycin A

β-ラクタム抗生物質とよばれるペニシリンやセファロスポリンは幅広く使われる医薬であり，四員環の β-ラクタムをもっている．また，七員環の ε-カプロラクタムはナイロン 6 の工業原料として大量に生産されている．

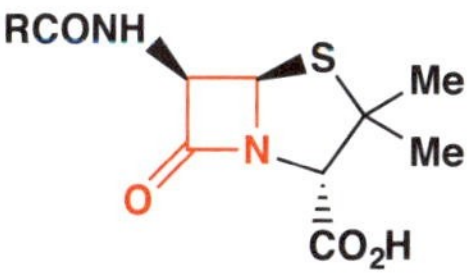

ペニシリン
penicillin

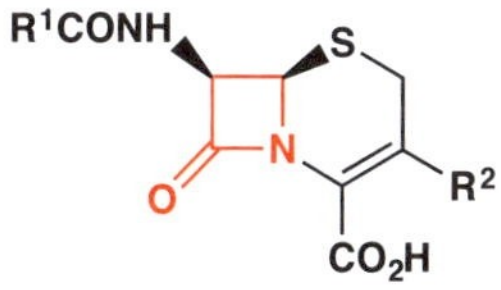

セファロスポリン
cephalosporin

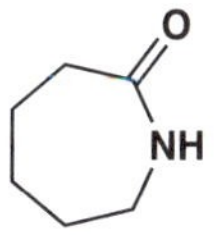

ε-カプロラクタム
ε-caprolactam

α-アミノ酸から生成するポリアミドはタンパク質である(23.3節).

$n\ H_2N-CHR-CO_2H \xrightarrow{-n\,H_2O}$ (タンパク質)

α-アミノ酸

タンパク質の部分構造

$$n\ MeOC(=O)-C_6H_4-C(=O)OMe + n\ HOCH_2CH_2OH \xrightarrow[-2n\ MeOH]{塩基,加熱} PET$$

テレフタル酸ジメチル

縮合重合によってつくられるもう一つの重要な合成高分子はポリアミドである．その代表例は，合成繊維として使われるナイロン 66 とナイロン 6 である．ナイロン 66 は炭素数 6 のジカルボン酸と炭素数 6 のジアミンから製造される．

$$n\ HOC(=O)(CH_2)_4C(=O)OH + n\ H_2N(CH_2)_6NH_2 \xrightarrow[-2n\ H_2O]{加熱} \left[NH(CH_2)_6NHC(=O)(CH_2)_4C(=O)\right]_n$$

ヘキサン二酸(アジピン酸)　　1,6-ヘキサンジアミン　　ナイロン66(ポリアミド)

ナイロン 6 は炭素数 6 のアミノ酸の重合体であるが，ラクタム(ε-カプロラクタム)を出発物として開環重合で製造される．

$$n\ (\text{ラクタム}) \xrightarrow[加熱]{塩基} \left[H_2N(CH_2)_5CO^-\right] + (n-1)\ (\text{ラクタム}) \xrightarrow[加熱]{-HO^-} \left[NH(CH_2)_5C(=O)\right]_n$$

ヘキサン-6-ラクタム(ε-カプロラクタム)　　6-アミノヘキサン酸　　ナイロン 6

ポリアミド polyamide
ナイロン nylon

問題 9.12　1,4-ベンゼンジカルボン酸と 1,4-ジアミノベンゼンから生成する芳香族ポリアミド(アラミドとよばれる)はケブラー® という商品名で知られており，鋼鉄よりも引張り強度が大きく，防弾チョッキやヘルメットの材料にも用いられるものである．ケブラー® の構造を示せ．

まとめ

- カルボン酸誘導体のカルボニル炭素に結合したヘテロ原子グループは脱離基になる．
- カルボン酸誘導体の一般的な反応は求核置換である．
- カルボン酸誘導体の求核置換反応は，求核付加-脱離により四面体中間体を経て 2 段階で進み，酸塩基触媒作用を受けるものもある．
- 通常全反応は可逆であり，加水分解では酸素の同位体交換を起こす．
- 反応性の序列は次のようになる．

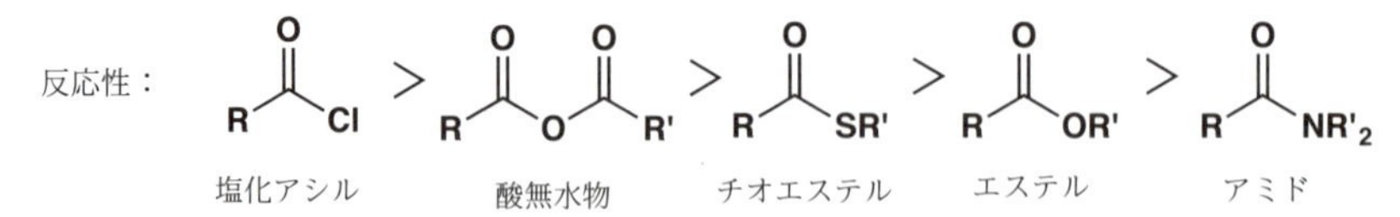

- すべてのカルボン酸誘導体は加水分解によりカルボン酸になる．
- ポリエステル(PET など)やポリアミド(ナイロンなど)が縮合重合により工業的に生産されている．

章末問題

問題 9.13　エタン酸エチルを次の反応試薬あるいは反応条件のもとで反応させたとき，予想される主生成物は何か．反応が起こらないと考えられる場合は“反応しない”と書け．

(a) H_2O, H_3O^+　(b) H_2O, HO^-
(c) CH_3NH_2(過剰)　(d) CH_3CO_2Na
(e) フェノール　(f) CH_3OH, HCl

問題 9.14　塩化エタノイル(塩化アセチル)を問題 9.13 の反応条件で反応させたとき，予想される主生成物は何か．反応が起こらないと考えられる場合は“反応しない”と書け．

問題 9.15　エタンアミド $CH_3C(O)NH_2$ を問題 9.13 の(a)～(c)の反応条件で十分反応させたとき，予想される主生成物は何か．反応が起こらないと考えられる場合は“反応しない”と書け．

問題 9.16　次の反応を完成せよ．

(a) 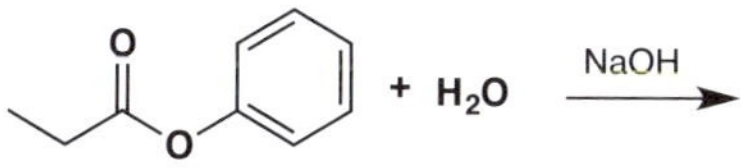 O　O　+ H_2O $\xrightarrow{\text{NaOH}}$

(b) 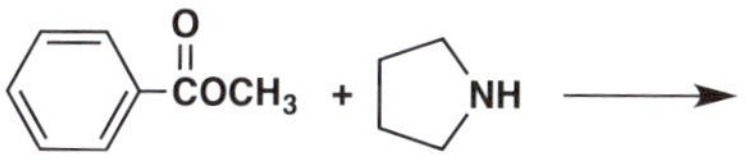 O　$COCH_3$ + NH $\longrightarrow$

(c)  O　O　O　+ NH_2 $\longrightarrow$

(d)  O　CCl + OH $\xrightarrow{\text{ピリジン}}$

問題 9.17　カルボン酸誘導体 RC(O)Y を Y または R の違いによって表す．(a)～(c)のそれぞれについて，求核置換反応に対する反応性の減少する順に並べよ．

(a) 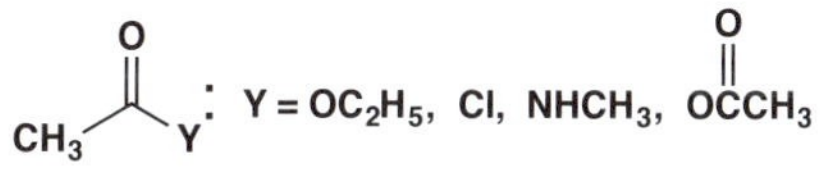 O　CH_3　Y : Y = OC_2H_5, Cl, $NHCH_3$, O　$OCCH_3$

(b) 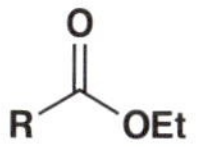 O　R　OEt : R = H, CH_3, $(CH_3)_2CH$

(c) 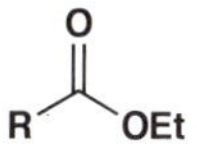 O　R　OEt : R = CH_3CH_2, $ClCH_2CH_2$, Cl_2CHCH_2

問題 9.18　塩化アシル RC(O)Cl とアルコールからエステルが生成する反応の反応機構を示せ．

問題 9.19　カルボニル酸素を同位体標識した安息香酸エチルのアルカリ加水分解中に生成する四面体中間体から，(a) 加水分解，(b) 逆反応，および(c) 同位体交換に至る反応の機構を示せ．

問題 9.20　次の二つの対照的な結果を説明せよ．

(a) カルボン酸とアルコールを出発物としてエステルを合成するときには酸を触媒として用いる．しかし，塩基を加えても反応は進まない．

(b) 塩化アシルや酸無水物を用いてアルコールをエステル化するときには，ピリジンやトリエチルアミンのような塩基を加えると反応が円滑に進む．

問題 9.21　酢酸フェニルを合成するとき，無水酢酸とフェノールに触媒としてピリジンを加える．まずピリジンが無水酢酸と反応し，ついでその生成物とフェノールの置換反応が起こると考えられている．反応がどのように進むか，巻矢印を用いて示せ．

問題 9.22　次の反応の主生成物は何か．また，(a)と(b)で異なる生成物を与える理由を説明せよ．

(a) 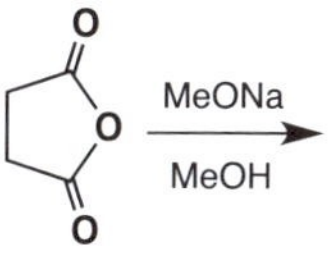 O　O　O $\xrightarrow[\text{MeOH}]{\text{MeONa}}$　(b) 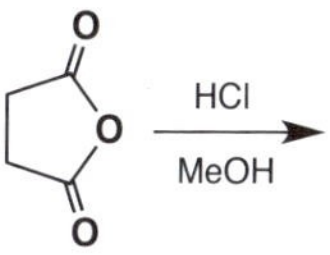 O　O　O $\xrightarrow[\text{MeOH}]{\text{HCl}}$

(c) 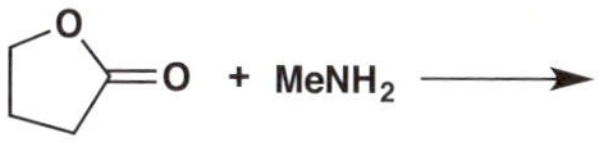 O　O + $MeNH_2$ $\longrightarrow$

(d) 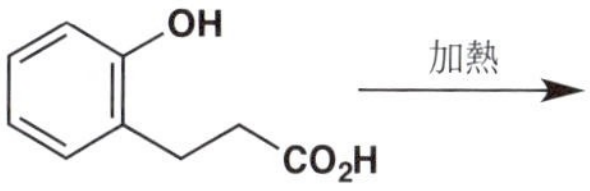 OH　CO_2H $\xrightarrow{\text{加熱}}$

ノート 9.2　プラスチックのリサイクル

プラスチック製品は生活の隅々まで行きわたって，生活を便利で快適にしているが，廃棄プラスチックは大きな環境問題になっている．また，天然資源の枯渇も問題になってきており，プラスチックのリサイクルが重要な課題になっている．リサイクルは 3 種類のタイプ：(1) マテリアルリサイクル：プラスチックの再利用，(2) ケミカルリサイクル：プラスチックの原料物質への変換，および (3) サーマルリサイクル：エネルギーの回収，に分けられる．

(1)はプラスチック(ポリマー)を化学変換することなく，溶融しペレットに戻して別の製品として利用する方法であり，(2)はポリマーをいったん小さいオリゴマーとよばれるユニットやモノマーまで戻して，新しいポリマーにつくり直して再利用する方法である．(3)はプラスチックを燃料として，燃焼熱を回収するという消極的な方法である．残りは単にゴミとして燃やしたり，埋め立てに使われたりして，プラスチックとしての価値は利用されていない．

廃棄プラスチックを有効に利用するには，プラスチックの種類ごとに分別回収することが重要である．そのためにプラスチック製品には次に示すような 1～7 までのリサイクルコードがついている．最もよく見かけ，再利用がしやすいのは PET であり，番号 1 が割り当てられている．

ポリエチレン
テレフタラート

高密度
ポリエチレン

ポリ塩化ビニル

低密度
ポリエチレン

ポリプロピレン

ポリスチレン

その他のプラスチック

全排出量	822 (万トン)
マテリアル 　リサイクル	173 (21%)
ケミカル 　リサイクル	27 (3.3%)
サーマル 　リサイクル	509 (62%)
リサイクル計	710 (86%)

2019～2021 年の統計によると，日本では年間約 1000 万トンのプラスチックが生産されているが，廃プラスチックとしての年間排出量とリサイクル量は左表(リサイクル量を全排出量に対する百分率で示している)のようになり，リサイクルといっても大半は熱エネルギーとして使われているにすぎない．

プラスチック製品の中で PET ボトルは組織的に回収が行われており，その回収率は 96% に上り，リサイクル率は 90% 近いが，全プラスチック量の中では 3.5%(35 万トン)程度にすぎない．

PET(ポリエチレンテレフタラート)のような重縮合ポリマーは，カルボン酸誘導体の特性を利用して逆反応を容易に起こすことができるので，比較的容易にモノマーに戻すことができる．工業的なプロセスの一つに，PET のエステル交換によるテレフタル酸ジメチルと 1,2-エタンジオールの回収と再利用がある．

$$\left(\overset{\text{O}}{\overset{\|}{\text{C}}}-\text{C}_6\text{H}_4-\overset{\text{O}}{\overset{\|}{\text{C}}}-\text{OCH}_2\text{CH}_2\text{O}\right)_n + 2n\,\text{MeOH} \xrightarrow{\text{加熱}} n\,\text{HO}\diagup\diagdown\text{OH} + n\,\text{MeO}_2\text{C}-\text{C}_6\text{H}_4-\text{CO}_2\text{Me}$$

PET

廃プラスチックの大きな問題は，廃棄されたプラスチックごみが海に浮かび，物理的に分解されてマイクロプラスチック粒子となって蓄積する海洋汚染である．そのために海洋生物が傷つけられたり，死んだりするだけでなく，それを食物とするヒトを含む高等生物にも影響を及ぼし始めているということである．これは企業や行政の対応だけでは防げない問題になっている．海に流れ込むプラスチックごみの多くは街の路上から川や水路に流出し，海に至ったものであるという．私たち一人一人のごみを減らす意識や行動が重要である．

10
カルボニル化合物のヒドリド還元とGrignard反応

【基礎となる事項】
・共有結合の極性(1.2 節)
・酸と塩基(6 章)
・巻矢印による反応の表し方(7.2 節)
・カルボニル基への求核付加(8 章)
・カルボン酸誘導体の求核置換反応(9 章)

【本章で学ぶこと】
・金属-水素結合と金属-炭素結合の求核性
・カルボニル化合物のヒドリド還元
・イミンを経る還元：還元的アミノ化と C=O → CH_2
・Grignard 反応による C−C 結合の生成
・カルボニル基の保護と脱保護
・有機合成計画入門

8 章と 9 章で，カルボニル基が求電子性をもち，求核種と反応することを学んだ．そこで出てきた求核種は非共有電子対をもち，その電子対を出して反応するものであったが，それらとはタイプの異なる求核種がある．金属水素化物や有機金属化合物は，金属-水素結合あるいは金属-炭素結合から σ 結合電子対を出して反応する．これらの反応剤は，カルボニル基を還元してアルコールを生成するか，新しい炭素-炭素結合を生成してアルコールを与えるので，いずれも有機合成の重要な反応剤になる．この章では，そのようなカルボニル基の反応について説明し，それらの反応を用いる有機合成計画についても述べる．

F. A. Victor Grignard(1871～1935，仏)
1900 年に Grignard 反応を発見し，1912 年にノーベル賞を受賞した

10.1 ヒドリド還元

10.1.1 アルデヒドとケトンの還元

アルデヒドとケトンにヒドリドイオン(H^-)が付加するとアルコキシドになる．溶媒のメタノールでプロトン化されるとアルコールが生成し，還元が完結する．還元剤として実験室でとくによく用いられるのは，水素化ホウ素ナトリウム($NaBH_4$)と水素化アルミニウムリチウム($LiAlH_4$)である．ホウ素は金属とはいえないが，メタロイドとよばれ，金属と似た性質を示す．単純なヒドリドの金属塩，たとえば NaH は強力な塩基であり，塩基として脱プロトンを優先的に起こすので，還元には用いられない．

金属水素化物 metal hydride
ヒドリド還元 hydride reduction
ヒドリドイオン hydride ion
(水素化物イオンともいう)
水素化ホウ素ナトリウム
sodium borohydride
水素化アルミニウムリチウム
lithium aluminum hydride(LAH)
有機化学者は略号 LAH を
“ラー” と読む．

$RCHO \xrightarrow[\text{MeOH}]{\text{NaBH}_4} RCH_2OH$

金属触媒（Pd, Ni など）と気体 H_2（接触水素化）や液体アンモニア（アルコール）中の Na（または Li）（溶解金属還元）もカルボニル基の還元に用いられる（20.9.2 項参照）.

還元に用いられる水素化物は BH_4^- あるいは AlH_4^- のアルカリ金属塩であり，求核種になるのは四面体構造をもったアニオンである．しかし，これらのアニオンは非共有電子対をもっていない．いずれも中心原子（B か Al）に形式負電荷をもっているが，4 個の水素との結合でオクテットが満たされているので，これ以上の電子を原子価殻に受け入れることはできず，非共有電子対はない．

■ BH_4^- では B−H 結合の結合（共有）電子対が HOMO になっており，結合電子対を出して求核的に反応する．

➡ ウェブノート 10.1　BH_4^- の分子軌道

したがって，この反応を巻矢印で表すときには，反応 10.1 のように B−H（または Al−H）結合から矢印を出さなければならない．生成したアルコキシドはただちに BH_3 と結合するが，この $BH_3(OCH_2R)^-$ はさらにヒドリドイオンを出して還元に使われる．すなわち，1 分子の $NaBH_4$ で最大 4 分子のカルボニル化合物が還元できる．溶媒としてアルコールや水を用いることができ，生成したホウ素アルコキシドはアルコール交換を起こし，プロトン化されてアルコールになる．

反応 10.1　ヒドリド移動によるアルデヒドの還元

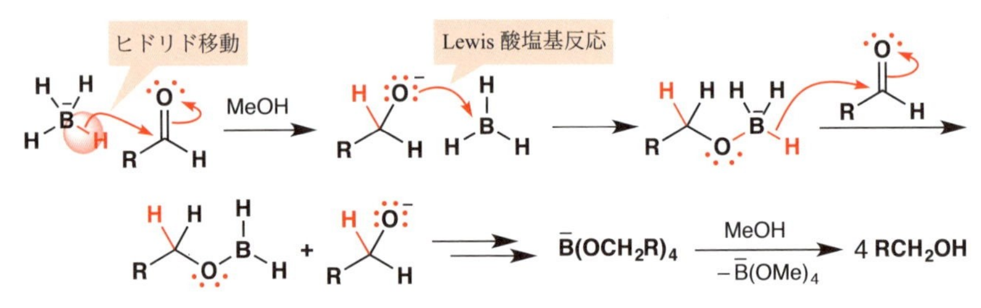

エステルは $NaBH_4$ でゆっくりと還元される．

■ $NaBH_4$ は温和な還元剤であり，アルデヒドとケトンをアルコールに還元できるが，エステルをはじめとするカルボン酸誘導体の還元には使えない．

10.1.2 カルボン酸誘導体の還元

■ $NaBH_4$ に比べて，$LiAlH_4$ は非常に活性であり，アルデヒドやケトンばかりでなくカルボン酸誘導体も還元できる．

$CH_3CH_2OCH_2CH_3$
ジエチルエーテル
diethyl ether（Et_2O）
（エトキシエタン）

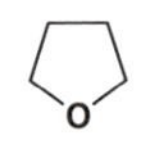

テトラヒドロフラン
tetrahydrofuran（THF）

$LiAlH_4$ は，水やアルコールとも激しく反応して水素を発生するので，エーテルのような有機溶媒中で反応を行う．よく使われるエーテル溶媒はジエチルエーテル（Et_2O）とテトラヒドロフラン（THF）である．

$RCOOR' \xrightarrow[\text{2) } H_3O^+]{\text{1) } LiAlH_4/Et_2O} RCH_2OH + R'OH$

エステル

$LiAlH_4$ はアルコールや水だけでなく，OH，NH，SH のような基をもつ化合物（プロトン性化合物：Brønsted 酸として反応できる）と反応して H_2 を出す．反応溶媒のエーテルとも徐々に反応するので，溶媒は無水で，溶液は速やかに用いる必要がある．

$LiAlH_4$ を用いると，エステルだけでなく，アミドやカルボン酸も還元できる．エステルのカルボニル基にヒドリドイオンが付加して生じた四面体中間体は，分解してアルデヒドを生成する．生じたアルデヒドは出発物のエステルよりも反応性が高いので，$LiAlH_4$ とさらに反応してアルコールまで還元されてしまう（反応 10.2）．

プッシュ

エステル　四面体中間体　アルデヒド

AlH_3 　+ $\bar{A}lH_3(OR')$

H_3O^+, H_2O → RCH_2OH アルコール

反応 10.2 エステルの第一級アルコールへの還元

カルボン酸に $LiAlH_4$ を加えると，ただちに酸塩基反応が起こってカルボン酸イオンになるが，このアニオンは非常に反応性が低いにもかかわらず，強力な還元剤である $LiAlH_4$ によってアルコールにまで還元される(反応 10.3).

反応 10.3 カルボン酸の $LiAlH_4$ による還元

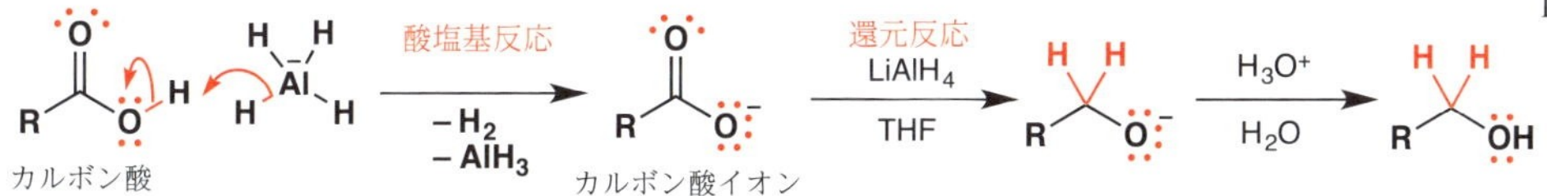

アミドと $LiAlH_4$ の反応の最終生成物はアミンである(反応 10.4a). しかし，温和な条件で制御しながら反応を進め，反応中間体を加水分解するとアルデヒドを得ることもできる(反応 10.4b).

(a) アミド —$LiAlH_4$, Et_2O→ ［$\bar{A}lH_3Li^+$ 付加体］ → イミニウムイオン ($LiO\bar{A}lH_3$) → アミン

(b) アミド —$LiAlH_4$, THF, 0 °C→ 低温で安定な四面体中間体 —加水分解 H_3O^+, H_2O→ アルデヒド

反応 10.4 アミドの $LiAlH_4$ による還元

反応条件によりアミンまたはアルデヒドを与える.

還元剤としての $NaBH_4$ と $LiAlH_4$ の適用範囲は，カルボニル基の求電子性に依存しており，次のようにまとめられる.

■ 還元の起こりやすい順：

RC(O)H > RC(O)R > RC(O)OR' > RC(O)NR'$_2$ > RC(O)O$^-$

$NaBH_4$ で還元

$LiAlH_4$ で還元

$LiAlH_4$ による還元反応

$RCO_2R' \longrightarrow RCH_2OH$

$RCO_2H \longrightarrow RCH_2OH$

$RC(O)NR'_2 \longrightarrow RCH_2NR'_2$

$RC(O)NR'_2 \longrightarrow RCHO$

ケトンとエステル官能基の二つをもっているような化合物を $NaBH_4$ で還元するとケトンだけがアルコールになるが，$LiAlH_4$ を用いると両方ともアルコールになってしまう(反応 10.5).

反応 10.5 の出発物のようなケトエステルを選択的にヒドロキシケトンに変換することも可能である(10.5.3 項参照).

3-ヒドロキシブタン酸エチル ←($NaBH_4$, MeOH)— 3-オキソブタン酸エチル(アセト酢酸エチル) —(1) $LiAlH_4$, Et_2O 2) H_3O^+)→ 1,3-ブタンジオール

反応 10.5 ケトエステルの選択的還元

問題 10.1　次のカルボニル化合物をアルコール中 $NaBH_4$ で還元したときに得られる生成物は何か．

(a) (b) (c)

問題 10.2　問題 10.1 のカルボニル化合物を $LiAlH_4$ で還元したのち，酸で処理して得られる生成物は何か．

10.2　アルデヒドとケトンのアルコール以外への還元

10.2.1　還元的アミノ化

8 章（8.5.1 項）でアルデヒドとケトンがイミンを形成することを学んだ．その C=N 結合は C=O 結合と同じような極性二重結合であり，ヒドリド還元を受ける．生成物はアミンであり，実際には，イミンを単離することなく反応を進めることができる．

■ **カルボニル化合物をアミンまたはアンモニア存在下に還元すると新しいアミンが得られる．**

単純な $NaBH_4$ は酸性では不安定である．

還元剤としては金属触媒と H_2 でもよいが，弱酸性条件でも安定な $NaBH_3CN$ がよく用いられる（反応 10.6）．この水素化物はカルボニル基や中性のイミンを還元することはできないが，プロトン化イミン（イミニウムイオン）は還元できる*．この反応は還元的アミノ化とよばれ，優れたアミンの合成法となる．

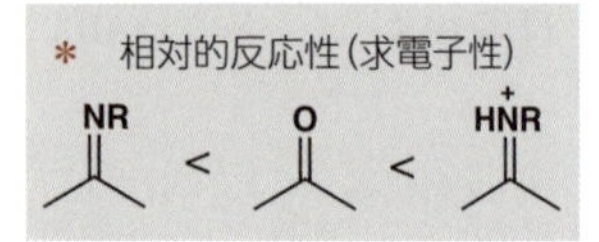

反応 10.6　アルデヒドまたはケトンの還元的アミノ化

反応条件の pH ではアミン生成物はプロトン化されている．

R(C=O)R' + R''NH₂ ⇌(H⁺, pH 6) [イミン ⇌(+H⁺) イミニウムイオン] →($NaBH_3CN$) アミン

アルデヒドまたはケトン　　イミン　　イミニウムイオン　　アミン

例題 10.1

次の還元的アミノ化で生成するアミンの構造を示せ．

(a) シクロヘキサノン + CH_3NH_2 →(H_2 / Ni)　(b) $H_2C{=}O$ + アニリン（NH_2） →($NaBH_3CN$, pH 6)

解 答　まず，中間体イミンの構造式を書き，ついで水素化生成物を書けばよい．

(a) $NHCH_3$, H　(b) $NHCH_3$

問題 10.3　次のアミンを還元的アミノ化で合成する方法を示せ．ただし，(c)には例題 10.1 で用いなかった出発物を使うこと．

(a) NH_2　(b) NH_2, Me　(c) H, N, Me　(d) H, N

還元的アミノ化 reductive amination

10.2.2 C=O 結合の CH_2 基への変換

アルデヒドとケトンのヒドラゾン(8.5.1 項参照)を濃 NaOH 水溶液中で加熱すると，$C{=}NNH_2$ から N_2 が外れて CH_2 になる．ヒドラゾンは通常単離する必要がないので，アルデヒドまたはケトンとヒドラジンを出発物に用いればよい(反応 10.7)．この変換反応は Wolff-Kishner(ウォルフ・キッシュナー)還元とよばれ，反応機構は下のように書ける．

反応 10.7 Wolff-Kishner 還元とその機構

アルデヒドまたはケトン ＋ H_2NNH_2 (ヒドラジン) ⇌ ($-H_2O$ / $+H_2O$) [ヒドラゾン] → (NaOH, 加熱) RCH_2R' ＋ N_2

強塩基性条件の Wolff-Kishner 還元に対して，強酸性条件での還元反応として Clemmensen(クレメンゼン)還元が知られている．これは亜鉛(または亜鉛アマルガム)を濃 HCl 溶液中で用いてアルデヒドまたはケトンの C=O を CH_2 に変換する反応である．

$RC(=O)R'$ → (Zn(Hg), HCl) RCH_2R'

強塩基性あるいは強酸性というような厳しい反応条件を使わない温和な方法が，同じ目的で用いられる．8.4.2 項でつくったジチオアセタールを Raney(ラネー)ニッケルで水素化分解すると硫黄が外れる．

$RC(=O)R'$ → ($HS\!\sim\!SH$, BF_3) ジチオアセタール → (Raney Ni) RCH_2R'

Raney ニッケルは，Ni と Al の合金(Raney 合金)から，酸で Al を溶かして調製されたスポンジ状の細孔を有する金属 Ni であり，H_2 を吸着している．乾燥状態では自然発火することもあるので取扱いには注意を要する．硫黄が外れる反応は脱硫(desulfurization)とよばれる．

10.3 炭素からのヒドリド移動

α 水素をもたないアルデヒドを濃い NaOH 水溶液中で反応させると，アルコールとカルボン酸が等モル生成する(反応 10.8)．すなわち，半分が還元され半分が酸化される．この反応は Cannizzaro(カニッツァロ)反応とよばれている．

水素化分解 hydrogenolysis
加水分解(hydrolysis)と混同しないこと．水素化分解では H_2 が付加(水素化，hydrogenation)して分解するが，加水分解では H_2O が付加(水和，hydration)して分解する．

反応 10.8 ベンズアルデヒドの Cannizzaro 反応と反応機構

ベンズアルデヒド → (濃 NaOH) ベンジルアルコール(還元) ＋ 安息香酸ナトリウム(酸化)

プッシュ

H^-移動 酸化還元 / H^+移動 酸塩基反応

塩基濃度が高いと，アニオン A^- はさらにプロトンを失ってジアニオン $PhCH(O^-)_2$ になり，いっそう H^- を出しやすくなる．

アルデヒドに α 水素があると，塩基性水溶液中ではエノラートイオンを生成

α 水素をもたないアルデヒド：
$H_2C{=}O$，Me_3CCHO，
Cl_3CCHO，ArCHO

してさらに別の反応を起こす(17 章参照)が，α 水素がない場合にアルデヒドに起こるのは可逆的な水和反応だけである．生成した 1,1-ジオール(水和物)はイオン化してアニオン形(A^-)になる．A^- の $-O^-$ は，エステル加水分解の四面体中間体と同じように，結合しているグループを押し出して C=O 結合を再生しようとする(9.2.2 項参照)．HO^- を押し出しても，もとに戻るだけだが，近くにもう 1 分子のアルデヒドがあると，そのアルデヒド分子がヒドリドイオン(H^-)を受け取ってくれるので，H^- が押し出される．H^- を受け取ったアルデヒドは還元されてアルコキシドになり，H^- を出したアルデヒド水和物は酸化されてカルボン酸になる．最後にプロトン移動が起こってカルボン酸イオンとアルコールになる．

α 水素をもたないアルデヒドとしてメタナールはとくに反応性が高く，ヒドリド供与体になりやすい．

Stanislao Cannizzaro
(1826～1910)
イタリアの化学者で 1853 年に Cannizzaro 反応を発表した．また，元素の周期表の確立にも貢献した．

$$\mathrm{PhCHO} + \mathrm{H_2C{=}O} \xrightarrow{\text{濃 NaOH}} \mathrm{PhCH_2OH} + \mathrm{HCO_2^-}$$

問題 10.4　上のベンズアルデヒドとメタナールの反応がどのように進むか，巻矢印を用いて示せ．

ノート 10.1　生体内のヒドリド還元：NAD^+ と NADH

生体内ではたらいている酸化還元剤にニコチンアミドアデニンジヌクレオチド(NAD^+ と略称し，その還元型が NADH である)とよばれる補酵素がある．アルコールの酸化とカルボニル化合物の還元を，ヒドリド移動によって起こしている．反応中心になっているのはピリジニウムイオンの構造をもつニコチンアミド部分である．NAD^+ のカチオン部分が電子引出し効果を発揮してヒドリドを受け取り，アルコールを酸化するとともに還元型の NADH になる．NADH はヒドリドを出すと芳香族性のピリジニウム環が復活することになり，これが還元の推進力になる．アルデヒドにヒドリドを与えれば，アルデヒドは還元される．生体内ではアルコールデヒドロゲナーゼという酵素によって基質と補酵素が近づけられ，配向されることによって，この反応は進む．

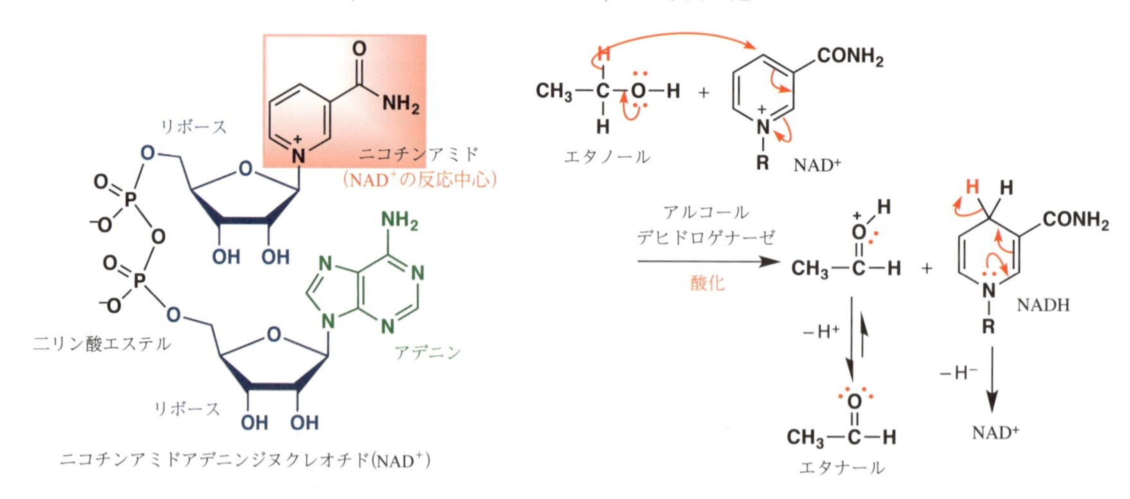

エタノールの酸化によって生成したアセトアルデヒドは，さらにアルデヒドデヒドロゲナーゼの助けによって酢酸に酸化され，代謝されていくが，この酵素がよくはたらかないと悪酔いの原因になる．

よく似たタイプの反応に，Meerwein–Ponndorf–Verley（メーヤワイン・ポンドルフ・バーレー）還元がある（反応 10.9）．この反応はアルミニウムアルコキシド（ふつうはイソプロポキシド）がヒドリド源になる還元反応であり，Al が Lewis 酸としてカルボニル基に配位して“錯体”を形成し，活性化するとともに，カルボニル化合物をヒドリド源の近くにもってくる役割もしている．アルミニウムの錯体内でヒドリド移動が起こり，カルボニル化合物が還元され，イソプロポキシドがプロパノンに酸化される．反応が繰り返され，アルミニウムトリイソプロポキシドが新しいアルミニウムアルコキシドになる．最後に加水分解すると，還元生成物のアルコールが得られる．

$$R^1R^2C{=}O + Al(OCHMe_2)_3 \xrightarrow{Me_2CHOH} R^1R^2CH{-}OH + Me_2C{=}O$$

（R^1, R^2 ＝アルキル，アリール，アルケニル または H）

$R^1R^2C{=}O$ + $Al(OCHMe_2)_3$ ⇌ [錯体：Me_2CHO, $OCHMe_2$, Al, R^1, R^2, H, Me, Me] —H^- 移動⇌ Me_2CHO, $OCHMe_2$, Al, R^1, R^2, H, Me, Me ⇌ $R^1R^2CH{-}O{-}Al(OCHMe_2)_2$ + $Me_2C{=}O$ $\xrightarrow[H_2O]{加水分解\ H_3O^+}$ $R^1R^2CH{-}OH$ + $Me_2C{=}O$

反応 10.9 アルミニウムアルコキシドによる還元とその反応機構

この反応は可逆であり，反応を効率よく進めるためには，低沸点の生成物（たとえば，上の反応のプロパノン）を反応系から追い出し，平衡をずらしながら反応させる．また，逆反応は，アルコールをアルデヒドまたはケトンに酸化するために用いることもでき，Oppenauer（オッペナウアー）酸化として知られている．

10.4 有機金属化合物の反応による C−C 結合の生成

10.4.1 有機金属化合物

金属と炭素の結合をもつ化合物を有機金属化合物という．金属-炭素（M−C）結合は，金属の電気陰性度が炭素に比べて小さいので，炭素に部分負電荷をもつように分極している．この結合の分子軌道は，M−H 結合と同じように HOMO になっている．

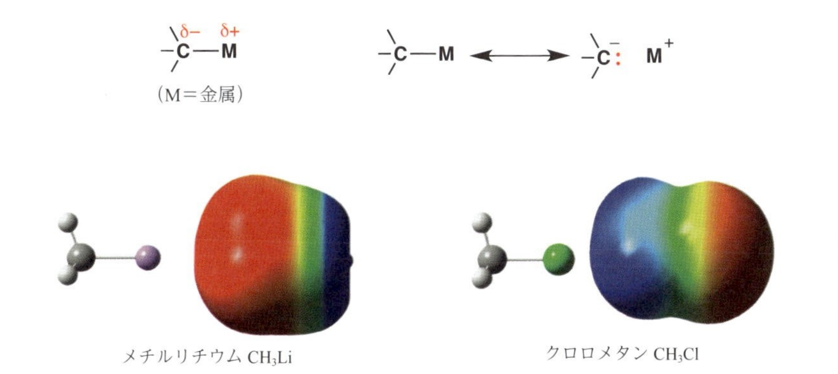

メチルリチウム CH_3Li　　クロロメタン CH_3Cl

EPM は，MeCl の Cl を Li に置き換えると C 上の部分電荷が逆になり，求電子性 C（青色）が求核性 C（赤色）になることを示している．

有機金属化合物 organometalic compound

■ 有機リチウム化合物と有機マグネシウム化合物が重要な有機金属反応剤（RM）であり，炭素求核種（R^-）としてカルボニル基と反応し，新しい C−C 結合を生成する．水を加えて付加物をプロトン化するとアルコールになる．この反応は炭素骨格を構築する反応として，有機合成においてとくに重要である．

$$\mathrm{R{-}M} + \mathrm{(CH_3)_2C{=}O} \longrightarrow \mathrm{R(CH_3)_2C{-}O^-\,M^+} \xrightarrow[-\mathrm{HO^-M^+}]{\mathrm{H_2O}} \mathrm{R(CH_3)_2C{-}OH}$$

これらの有機金属化合物，RLi と RMgX，は金属とハロアルカンあるいはハロアレーンを反応させることによって得られる．

$$\mathrm{RX} + 2\,\mathrm{Li} \xrightarrow{\mathrm{Et_2O}} \mathrm{RLi} + \mathrm{LiX} \quad (\mathrm{X = Cl, Br, I})$$

$$\mathrm{RX} + \mathrm{Mg} \xrightarrow{\mathrm{Et_2O}} \mathrm{RMgX} \quad (\mathrm{X = Cl, Br, I})$$

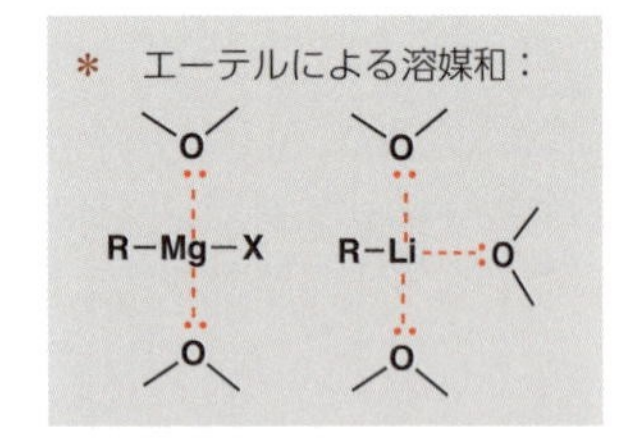

RMgX と RLi の R は，アルキルまたはアリール基である．

このとき反応溶媒として，通常，エーテル（Et_2O あるいは THF）が用いられる．エーテル溶媒は，生成した金属化合物に配位して（溶媒和して）安定化する．RLi や RMgX の金属原子は Lewis 酸として作用し，溶媒分子が Lewis 塩基として非共有電子対を出して結合しオクテットを形成するのである*．

また，RLi や RMgX はアルカン RH（pK_a ～50）の共役塩基とみなせるので，強塩基としても作用できる．したがって，水やアルコールのような酸としてはたらき得る水素（活性水素ともいう）をもつ化合物とは，激しく反応して炭化水素を生成する．このとき重水 D_2O を用いれば生成物に重水素を導入することができる．

$$\mathrm{RMgX} + \mathrm{H_2O} \longrightarrow \mathrm{RH} + \mathrm{MgX(OH)}$$

$$\mathrm{RMgX} + \mathrm{D_2O} \longrightarrow \mathrm{RD} + \mathrm{MgX(OD)}$$

三重結合炭素に結合した水素（アセチレン水素，pK_a ～25）はアルカンの水素よりもかなり酸性が強いので，末端アルキンは RLi や RMgX と反応してアルキニル金属化合物を生成する．一般的に，アルキニル金属化合物はこの反応で合成される．

$$\mathrm{R{-}C{\equiv}C{-}H} + \mathrm{R'MgX} \xrightarrow{\mathrm{Et_2O}} \mathrm{R{-}C{\equiv}C{-}MgX} + \mathrm{R'H}$$

10.4.2 Grignard 反応

有機リチウム化合物も有機マグネシウム化合物も同じように反応するが，前者のほうが活性で取り扱いにくいので，一般的な合成反応には後者がよく用いられる．有機マグネシウム反応剤とその反応は，開発者の名前にちなんで Grignard（グリニャール）反応剤，そして Grignard 反応とよばれている．

Grignard 反応剤とメタナールの反応で第一級アルコールが，その他のアルデヒドとの反応では第二級アルコールが，そしてケトンとの反応では第三級アルコールが得られる．

$$\underset{\text{メタナール}}{\mathrm{RMgX} + \mathrm{H_2C{=}O}} \xrightarrow{1)\ \mathrm{Et_2O},\ 2)\ \mathrm{H_3O^+}} \underset{\text{第一級アルコール}}{\mathrm{RCH_2OH}}$$

$$\mathrm{RMgX} + \underset{\text{アルデヒド}}{\mathrm{R'(H)C{=}O}} \xrightarrow{1)\ \mathrm{Et_2O},\ 2)\ \mathrm{H_3O^+}} \underset{\text{第二級アルコール}}{\mathrm{RR'CH{-}OH}}$$

$$\mathrm{RMgX} + \mathrm{R'R''C{=}O} \xrightarrow{1)\ \mathrm{Et_2O},\ 2)\ \mathrm{H_3O^+}} \mathrm{R{-}C(R')(R''){-}OH}$$

ケトン　　　　第三級アルコール

反応式の書き方

上の反応で，反応の矢印の上に 1) Et_2O，2) H_3O^+ のように書いたのは，まずジエチルエーテル(Et_2O)中で反応させ，反応終了後，酸性水溶液で処理するというように，2 段階に分けて反応させることを意味する．番号をつけないで Et_2O，H_2O のように書くと，エーテル溶液に反応物と同時に水を加えることを意味し，これでは RMgX は先に H_2O と反応して分解してしまう．

Grignard 反応を実際に行うときには，ハロアルカン(RX)と金属 Mg をエーテル溶液中で反応させて RMgX を調製し，その溶液にカルボニル化合物を加えて反応させるので，次のように書くのが現実に則している．

$$\mathrm{RX} \xrightarrow[3)\ \mathrm{H_3O^+}]{1)\ \mathrm{Mg,\ Et_2O}\quad 2)\ \mathrm{R'CH{=}O}} \mathrm{RR'CH{-}OH}$$

問題 10.5　次の Grignard 反応で生成する化合物の構造を示せ．

(a) $\mathrm{PhMgBr} + \mathrm{H_2C{=}O} \xrightarrow[2)\ \mathrm{H_3O^+}]{1)\ \mathrm{Et_2O}}$　(b) $\mathrm{MeMgI} + \mathrm{PhCHO} \xrightarrow[2)\ \mathrm{H_3O^+}]{1)\ \mathrm{Et_2O}}$

(c) $\mathrm{EtMgBr} + \mathrm{Me_2CO} \xrightarrow[2)\ \mathrm{H_3O^+}]{1)\ \mathrm{Et_2O}}$　(d) Me–(シクロヘキサン)–MgCl + $\mathrm{D_2O} \xrightarrow{\mathrm{Et_2O}}$

エステルは，アルデヒドやケトンと違って，2 分子の Grignard 反応剤と反応して二つの同じアルキル(またはアリール)基(R)をもつ第三級アルコール*を生成する．

* ギ酸エステルは例外．

$$2\,\mathrm{RMgX} + \mathrm{R'(R''O)C{=}O} \xrightarrow{1)\ \mathrm{Et_2O},\ 2)\ \mathrm{H_3O^+}} \mathrm{R{-}C(R')(R){-}OH} + \mathrm{R''OH}$$

エステル　　　　第三級アルコール

この結果になるのは，最初に生成するアルコキシドがエステル加水分解でもみられたアニオン形の四面体中間体になっており，酸素アニオンからのプッシュによって $R''O^-$ が外れてケトンが生成し，もう 1 分子の RMgX の付加が可能になるからである(反応 10.10)．

MgX / R / O / R' / OR'' / エステル → R / O^- / $^+$MgX / R' / OR'' / 四面体中間体 → $-$MgX(OR'') → O / R / R' / ケトン / R–MgX → R / O⁻ / $^+$MgX / R / R' → H_3O^+ → R / OH / R / R'

反応 10.10　エステルの Grignard 反応の機構

N,*N*-ジメチルアミド(あるいは他の第三級アミド)と RMgX の反応では，Grignard 反応溶液中ではアミノ基が脱離しにくいので四面体中間体のまま残り，酸性水溶液で加水分解するとケトンが生成する(反応 10.11)．この反応はカルボン酸誘導体からケトンを合成する方法になる．この反応の機構を以下に示す．

Grignard 反応を速やかに進めるために，反応性の高い I_2 や $BrCH_2CH_2Br$ を少量添加して金属 Mg を活性化することがある．

反応 10.11　第三級アミドの Grignard 反応とその機構

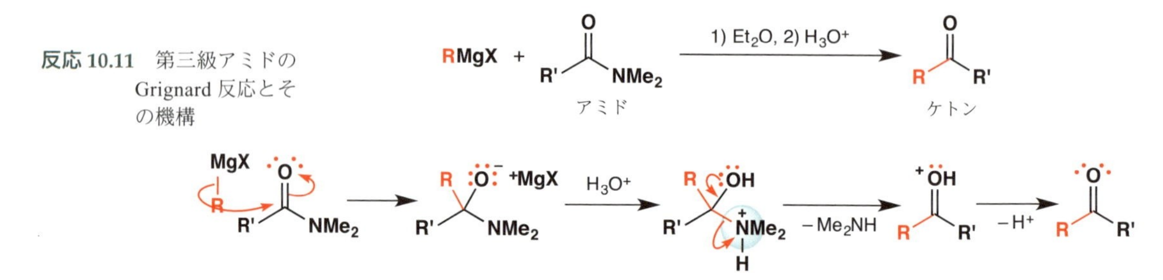

ニトリルの Grignard 反応によってもケトンが得られる．

$RMgX + R'\text{-}CN \xrightarrow{1)\ Et_2O,\ 2)\ H_3O^+} RC(O)R'$

Grignard 反応剤を二酸化炭素と反応させるとカルボン酸が得られるので，炭素鎖に新しく炭素を 1 個付け加える反応になる．一方，環ひずみをもつオキシラン(エポキシド)とも反応し，これは炭素を 2 個付け加える反応になる．

$RMgX + CO_2 \xrightarrow{1)\ Et_2O,\ 2)\ H_3O^+} RCO_2H$

二酸化炭素　　カルボン酸

$RMgX$ + オキシラン(エポキシド) $\xrightarrow{1)\ Et_2O,\ 2)\ H_3O^+} RCH_2CH_2OH$

第一級アルコール

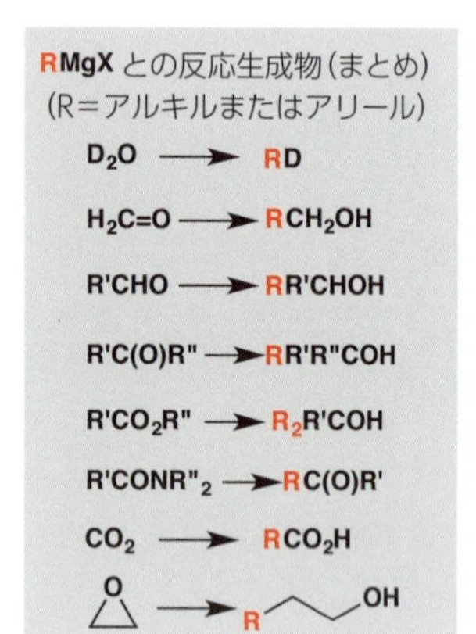

問題 10.6　次の Grignard 反応の生成物は何か．

(a) $PhCO_2Et + 2\ MeMgI \xrightarrow[2)\ H_3O^+]{1)\ Et_2O}$　　(b) $HCO_2Me + 2\ EtMgBr \xrightarrow[2)\ H_3O^+]{1)\ Et_2O}$

(c) $PhCONMe_2$ + ▷–MgBr $\xrightarrow[2)\ H_3O^+]{1)\ Et_2O}$　　(d) $PhMgBr + CO_2 \xrightarrow[2)\ H_3O^+]{1)\ Et_2O}$

10.4.3　Grignard 反応における副反応

カルボニル化合物の Grignard 反応には，2 種類の副反応が起こる可能性がある．一つはカルボニル化合物の α 位に水素がある場合であり，この水素は弱いながらも酸性なので RMgX が強塩基としてこの α 水素を引き抜くと，エノラートイオンが生成する(反応 10.12，6.4.2 項および 17 章参照)．このエノラートイオンは，水を加えると再プロトン化されてもとのカルボニル化合物に戻る．このような α C−H の副反応は，立体障害のために付加反応が阻害されるときに起こりやすい．このため，付加反応の収率は大幅に下がる．

反応 10.12　Grignard 反応の副反応：エノール化

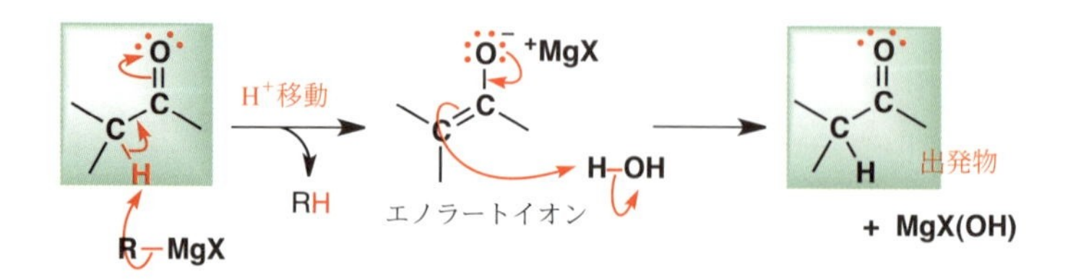

もう一つの副反応は，RMgX からカルボニル化合物へのヒドリド移動である．RMgX に β 水素があるときに，この H がヒドリドとして C=O に付加し，カルボニル化合物を還元する(反応 10.13)．これも下の反応例のように付加反応が立体的に阻害されるときにみられる．

一つはカルボニル化合物の α 水素のプロトン移動で，もう一つは RMgX の β 水素のヒドリド移動の結果として起こる．

反応 10.13　Grignard 反応の副反応：還元

10.5　有機合成入門：アルコールの合成

10.5.1　有機合成計画の考え方

有機合成の目的は，手に入りやすい単純な化合物からもっと複雑で価値の高い化合物(標的化合物)をつくることである．合成反応は 2 種類に分けられる．主要な反応は炭素骨格の構築(C−C 結合生成)であり，もう一つは官能基相互変換である．効率のよい合成反応をみつけることは，標的化合物が複雑になればなるほどむずかしい課題になるので，反応がどのように起こるのかよく理解して，論理的に計画を立てることが重要である．

合理的な合成反応経路をみつける方法として，逆合成解析の考え方がある．標的化合物から逆向きに反応を考えて一つずつ前駆体をみつけていき，出発物までたどっていく．各段階は特別な逆合成矢印(⇒)を使って表す．

この節では，ヒドリド還元と Grignard 反応を使うアルコールの合成を考えるにあたって，逆合成解析の考え方がどのように応用できるかを説明する．これから見ていくように，ある化合物を合成する場合にはふつう複数の可能性が考えられる．その中から，反応の効率(操作の容易さと収率の高さ)と出発物の入手しやすさを考慮して反応経路を決める．もっと一般的な有機合成の課題については 22 章で詳しく述べる．

10.5.2　アルコールの合成例

ここで例として二つのアルコールの合成を取り上げよう．一つ目は OH の結合した C に二つの異なる基をもつ第三級アルコールである．C−C 結合生成の位置を探すために逆合成の式では，逆合成解析 10.1 に示すように可能な結合切断の

逆合成解析 10.1　2-フェニル-2-ブタノールの逆合成

官能基相互変換 functional group interconversion
逆合成解析 retrosynthetic analysis
結合切断 disconnection

位置を波線で示す．この場合，3 種類の結合切断が可能であり，それぞれに異なる Grignard 反応剤とカルボニル化合物の組合せが可能になる．

合成反応の一例として結合切断①に対応する反応を次に示す．

PhBr →［1) Mg, Et_2O　2) $CH_3C(O)CH_2CH_3$　3) H_3O^+］ Ph OH

二つ目の例として，第二級アルコールの逆合成解析 10.2 をみよう．第二級アルコールの一般的合成法は，ケトンの還元とアルデヒドへの Grignard 反応剤の付加であるが，同じ基をもつ場合にはエステル(この場合はメタン酸のエステル)の Grignard 反応を使うこともできる．

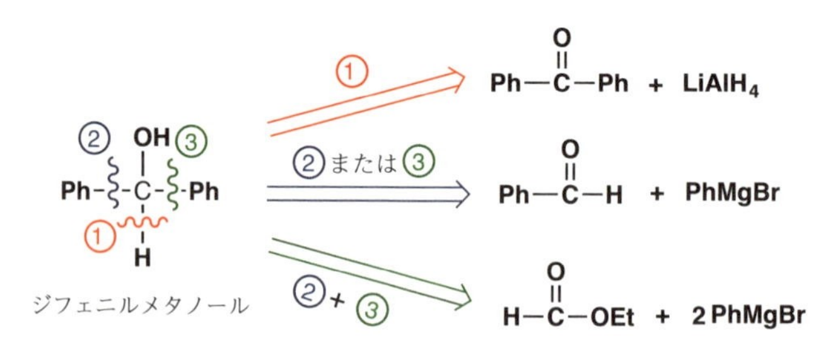

逆合成解析 10.2　ジフェニルメタノールの逆合成

問題 10.7　逆合成解析 10.2 に対応する合成反応を書け．

問題 10.8　次のアルコールの逆合成解析を示し，対応する合成反応を書け．ただし，すべての合成反応には共通の 1 種類の Grignard 反応剤だけを使うこと．

(a) OH　(b) H OH　(c) Me OH

10.5.3　カルボニル基の保護と脱保護

カルボニル化合物は反応性が高いので，分子中の別の官能基を反応させたい場合には，カルボニル基が反応しないように保護しておく必要が生じることがよくある．アルデヒドやケトンのカルボニル基は，アセタールに変換しておくのが代表的な保護法である．アセタールは酸性条件以外では安定なので保護基の役割を果たす．その生成は簡単で，酸触媒加水分解で簡単にもとに戻すこともできる(8.4.2 項参照)．

たとえば，ブロモケトンの C−Br 部分を Grignard 反応剤に変換したいと思っても，分子内のカルボニル基が邪魔になる．

O　Br + Mg —⊘→ (Et_2O)　O　MgBr

このような場合，カルボニル基をアセタールに変換(保護)し，Grignard 反応を行った後で加水分解によりカルボニル基を再生(脱保護)すればよい(反応 10.14)．

保護基 protecting group
保護 protection
脱保護 deprotection

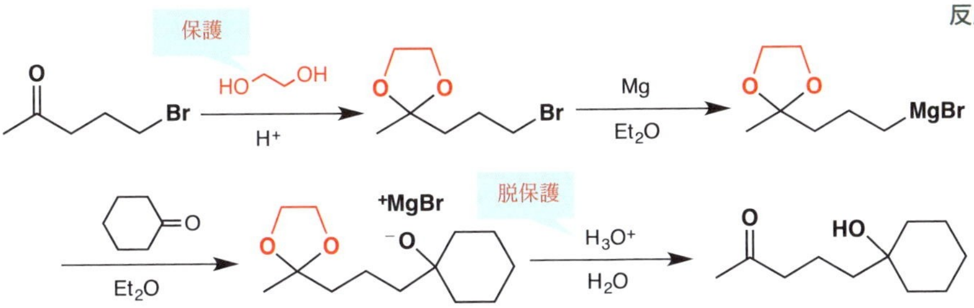

反応 10.14 Grignard 反応におけるブロモケトンの保護と脱保護

もう一つの例として，ケトエステルのエステルを選択的に還元することを考えよう．ケトンはエステルより還元されやすいので，ケトンの保護が必要になる．この反応は反応 10.15 のように進めればよい．

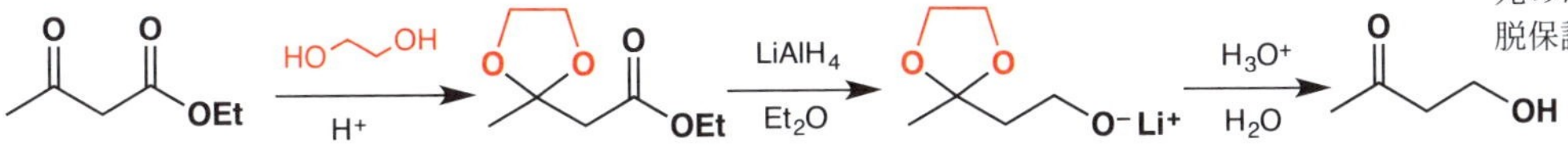

反応 10.15 ケトエステルの選択的エステル還元のための保護と脱保護

カルボニル基の保護にはジチオアセタールを使うこともできる．ジチオアセタールのほうがアセタールよりも，酸性でもかなり安定である．脱保護は銀塩や水銀塩を用いる加水分解で行ってもよいが，硫黄を部分的に酸化してモノスルホキシドにすれば，温和な条件で脱保護できる．

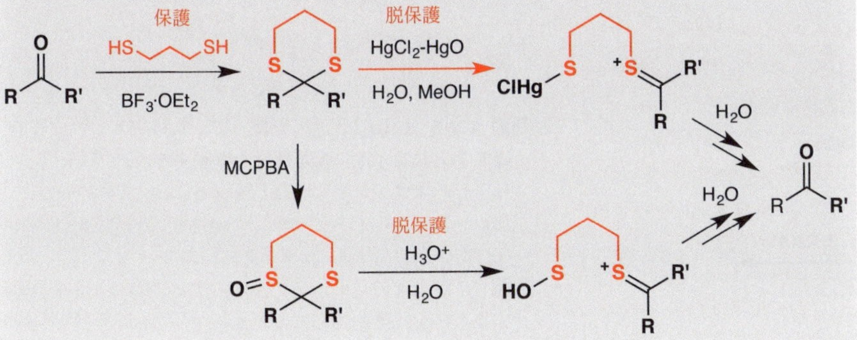

ま と め

- 金属水素化物と有機金属化合物は，M−H あるいは M−C 結合（M は金属）から電子対を出して，H^- あるいは C^- 求核種としてカルボニル基に付加する．その結果，ヒドリド還元あるいは C−C 結合生成によりアルコールを生成する．
- $NaBH_4$ はアルデヒドとケトンを還元する．$LiAlH_4$ はカルボン酸とその誘導体も還元できる．
- アルデヒドとケトンをアミンまたはアンモニアの存在下に還元すると，アミンが生成する（還元的アミノ化）．
- 強塩基性条件においては，α 水素をもたないアルデヒド 2 分子から分子間ヒドリド移動による酸化還元でカルボン酸とアルコールが生成する（Cannizzaro 反応）．
- アルデヒドとケトンの C=O を CH_2 に変換する還元反応が，ヒドラジン/NaOH，Zn(Hg)/HCl，あるいはジチオアセタールの脱硫によって達成できる．
- Grignard 反応がとくに重要な C−C 結合生成反応として有機合成に用いられる．
- 有機合成は，逆合成解析によって標的化合物の結合切断をどのように行って出発物に至るかを考えて計画される．

章末問題

問題 10.9　還元によって次のアルコールを生じるカルボニル化合物の構造を示し，そのカルボニル化合物を命名せよ．

(a) 1-プロパノール　(b) 2-プロパノール
(c) シクロヘキサノール
(d) 1-フェニル-2-プロパノール
(e) 3-ブテン-1-オール

問題 10.10　次のカルボニル化合物をメタノール中 $NaBH_4$ で還元したときに得られる生成物は何か．

(a)　(b)　(c)

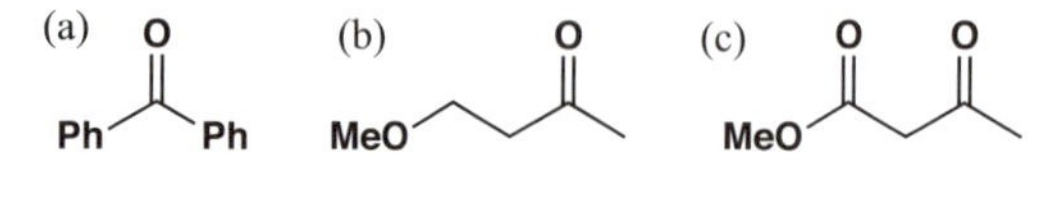

(d)　(e)

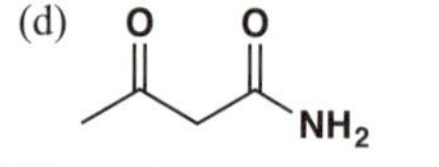

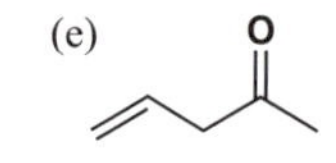

問題 10.11　問題 10.10 のカルボニル化合物を $LiAlH_4$ で十分還元した後，酸で処理して得られる生成物は何か．

問題 10.12　次のアミンを還元的アミノ化で合成する方法を示せ．

(a) $PhCH_2CH(NH_2)CH_3$　(b) $PhCH_2NHCH_2CH_3$　(c) $PhCH_2NMe_2$

問題 10.13　次の反応の主生成物は何か．

(a) フルフラール（2-CHO フラン）　$\xrightarrow{\text{濃NaOH}}$

(b) O_2N–C₆H₄–CHO（p-ニトロベンズアルデヒド）　$\xrightarrow{\text{濃 NaOH}}$

(c) N-Me ピロリジン-2,4-ジオン　$\xrightarrow[\text{MeOH}]{NaBH_4}$

(d) N-Me ピロリジン-2,4-ジオン　$\xrightarrow[\text{2) } H_3O^+]{\text{1) } LiAlH_4,\ Et_2O}$

(e) $PhCOCH_2CH_3$　$\xrightarrow[\text{加熱}]{H_2NNH_2,\ NaOH}$

問題 10.14　次の Grignard 反応の主生成物は何か．ただし，Grignard 反応剤は 2 当量まで加えてよいものとする．

(a) **EtMgBr** + シクロヘキサノン　$\xrightarrow[\text{2) } H_3O^+]{\text{1) } Et_2O}$

(b) $CH_3C{\equiv}C$–**MgBr** + CO_2　$\xrightarrow[\text{2) } H_3O^+]{\text{1) } Et_2O}$

(c) **PhMgBr** + $PhCO_2Me$　$\xrightarrow[\text{2) } H_3O^+]{\text{1) } Et_2O}$

(d) **PhMgBr** + $PhC(O)NMe_2$　$\xrightarrow[\text{2) } H_3O^+]{\text{1) } Et_2O}$

問題 10.15　次のアルコールを Grignard 反応あるいはヒドリド還元で合成する方法を反応式で示せ．(a)～(d)については 2 通り以上の方法を提案すること．

(a) $PhCH_2OH$　(b) $PhC(OH)(CH_3)_2$　(c) Ph_3COH

(d) 1-シクロヘキシルエタノール　(e) 1-メチルシクロヘキサノール

問題 10.16　Grignard 反応を使って，次のアルコールを合成する方法を示せ．2 通り以上提案すること．

(a) 3-ヘキサノール　(b) 2-メチル-2-ブタノール
(c) 2-フェニルエタノール　(d) 2-ヘプチン-4-オール
(e) 2-シクロブチル-2-ペンタノール

問題 10.17　次のケトエステルからケトアルコールを合成する方法を段階的反応式で示せ．

2-(CH_2CO_2Et)シクロヘキサノン（OEt）　⟶　2-(CH_2CH_2OH)シクロヘキサノン（OH）

問題 10.18　次のラクトンを $LiAlH_4$ で還元した後，酸で処理して得られる生成物は何か．反応を段階的に書いて説明せよ．

5-ペンタノリド

11
立体化学：分子の左右性

【基礎となる事項】
- 分子の表し方（1.4 節）
- 四面体形炭素（3.1 節）
- *E*, *Z* 立体異性と Cahn-Ingold-Prelog 順位則（3.7.2 項）
- アルカンの立体配座（4.1 節）

【本章で学ぶこと】
- 分子の三次元構造と鏡像関係
- キラリティーとキラル中心
- エナンチオマーとジアステレオマー
- 立体化学の表記法
- 光学活性とは何か
- 軸性キラリティー
- エナンチオマーを生成する反応

有機分子の三次元構造と立体化学的な問題については，すでにアルケンとシクロアルカンのシス・トランス異性（3 章，4 章）とアルカンの立体配座（4 章）を取り上げた．この章では別のタイプの立体異性の問題について説明する．分子の中には**キラリティー**とよばれる性質をもっているものがある．すなわち，左右の手のように鏡像と重なり合わないという性質をもつ分子がある．実際，生物の世界は分子レベルでみるとキラルになっており，天然の有機化合物はほとんどのものがキラルである．したがって，生体の化学ではキラリティーが非常に重要であり，鏡像関係にある異性体は生体内では性質が異なる．23 章では，タンパク質や糖類が一方の鏡像体だけからなることを学ぶ．香りや味も異性体によって異なることが多い．たとえば，リモネンの立体異性体の一方はオレンジやレモンの香りがし，もう一方はテレビン油（マツ）やハッカ油に含まれる．また，カルボンの立体異性体はそれぞれスペアミントとキャラウェイの香りがする．

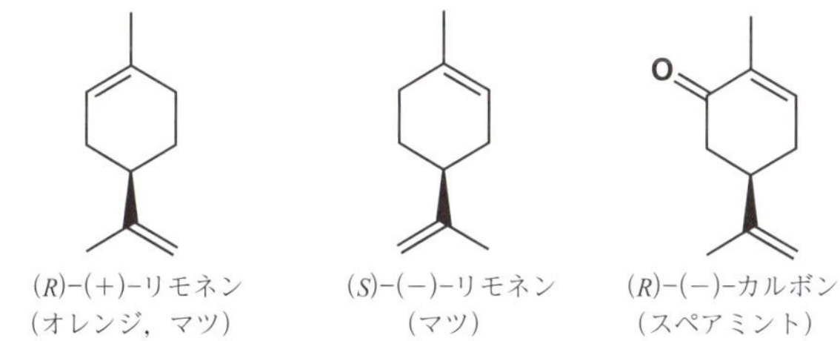

(*R*)-(+)-リモネン（オレンジ，マツ）　(*S*)-(−)-リモネン（マツ）　(*R*)-(−)-カルボン（スペアミント）

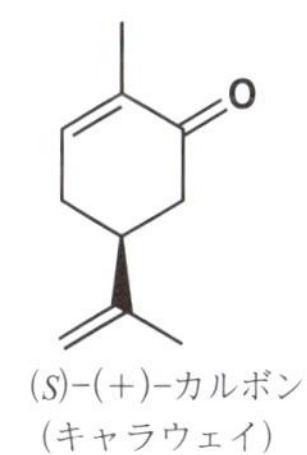

(*S*)-(+)-カルボン（キャラウェイ）

このようなキラリティーが有機分子でどのようにして発現し，それが化学反応にどのような結果を与えるか見ていこう．

アサガオのつるは右巻きである．右巻きと左巻きのらせんは鏡像関係にある

11.1　キラリティー

三次元の物体は，その鏡像との関係によって 2 種類に分けることができる．実物と鏡像が同一で重ね合わせることができるものと，重ね合わせることができないものである．重ね合わせることができないものを**キラル**であるという．キラルでないものは**アキラル**である．私たちの両手はよく似ているが同じではない．左右の手は鏡像関係にあるが互いに重ね合わせることはできない．このような左右性の性質を**キラリティー**という．

日常にみられるものを考えてみると，湯のみやカップはふつうアキラルであるが，急須やティーポットはキラルなものが多い．手袋はふつう手と同じようにキラルであるが，靴下はアキラルである．ゴルフクラブはキラルであり，右利き用と左利き用がある．しかし，テニスラケットや野球のバットにはそのような区別はなく，アキラルである．ネジやバネのようならせん状の物体には右巻きと左巻きがあり，キラルなものの代表といえる．キラルなものとアキラルなものを区別する違いはどこにあるのだろうか．**鏡面**すなわち**対称面**をもっているものはアキラルであり，その鏡像と重ね合わせることができる．対称面とは，その面で物体を二つに分けたとき，その二つが鏡像関係にあるという平面である．カップや皿，スプーンは対称面をもっているが，時計は対称面をもたない．

このようなキラリティーの結果，どのような現象が生じるのだろうか．握手しようと右手を出したとき，相手が左手を出すと握手できない．小さい子どもがよくやるように靴の左右を間違えると，うまくはけない．右巻きのナットは，サイズが同じでも左巻きのボルトには合わない．一般的にいえば，キラリティーの一致しないものは，互いにうまく適合しないということである．

分子も三次元の物体であり，キラルなものとアキラルなものがある．その化学を引き続き見ていこう．

キラルという用語は，“手”を意味するギリシャ語 *cheir* からきている．

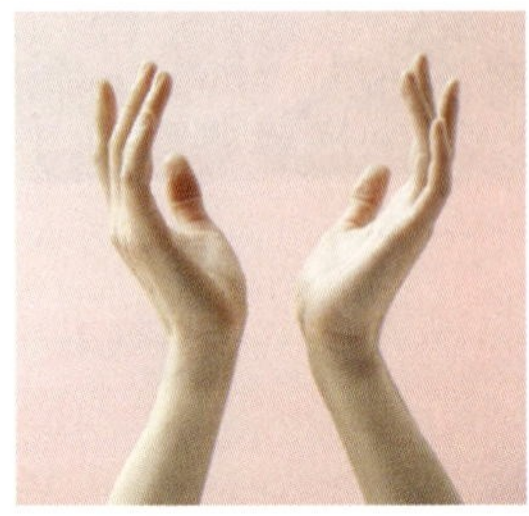

ここで例にあげたアキラルな物体の例は全体のかたちを考えている．絵柄やマークが非対称に入っているとキラルになってしまう．

異性体の種類

同じ分子式をもちながら異なる化合物を互いに**異性体**であるという．異性体には原子の結合順が異なる**構造異性体**（2.2 節）と空間的な配置だけが異なる**立体異性体**がある．立体異性体の例として，シス・トランス異性体をすでに 3.7 節と 4.3 節でみた．また，**配座異性体**についてもすでに 4 章で学んだが，通常は単結合の回転に基づく非常に速い相互変換によって平衡状態になっており，個々の異性体として単離できないので，同じ化合物として取り扱われる．

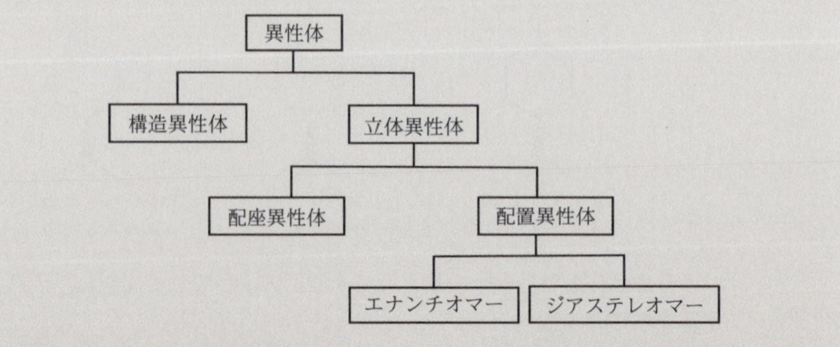

配座異性体に対して，結合の切断が起こらないと互いに変換できず，単離可能な立体異性体を**配置異性体**という．配置異性体には**エナンチオマー**と**ジアステレオマー**がある．前者は重ね合わせることができない鏡像関係にあり，鏡像異性体ともいわれる．後者は鏡像の関係にない異性体である．シス・トランス異性体はジアステレオマーの一種である．

左右性　handedness
キラリティー　chirality
キラル　chiral
アキラル　achiral
鏡面　mirror plane
対称面　plane of symmetry
　　または symmetry plane
エナンチオマー　enantiomer
　　（鏡像異性体ともいう.）
ジアステレオマー　diastereomer

問題 11.1 次の物体のうちキラルなものをあげよ.
(a) はさみ (b) 万年筆 (c) 電卓 (d) キーボード (e) 眼鏡
(f) コルク栓抜き (g) ネジまわし (h) 扇風機のはね

11.1.1 キラルな分子

分子も三次元の構造をもっており，キラルな分子とアキラルな分子がある．天然のほとんどの有機化合物は，アミノ酸，糖類，核酸などキラルである．単純な生体分子の例として，α-アミノ酸の一つ，アラニンの鏡像関係を図 11.1 に示す．鏡像関係にある二つのアラニン分子内の原子の結合順は同じであるが，二つは重ね合わせることができないのでキラルであり，互いに立体異性体である．

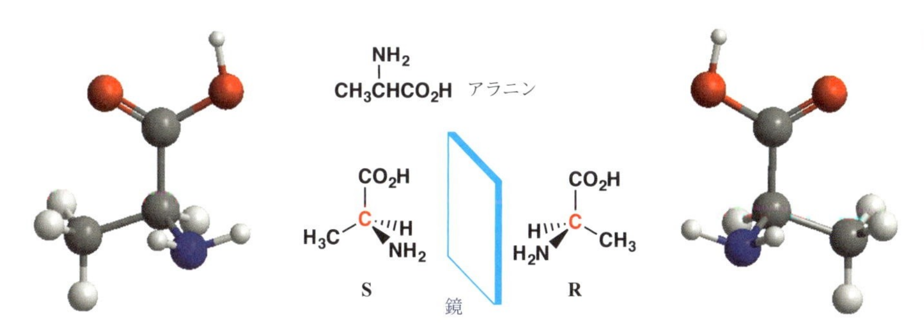

図 11.1 キラルな分子の例：アラニン
二つの構造 **S** と **R** は，間に置いた鏡に映った鏡像の関係になっており，互いに重ね合わせることはできない．両側に分子模型を示す．

このようなキラルな分子が生体物質の構成要素になっているので，生体はキラルであり，生体内の相互作用や生体反応はキラルである．したがって，小さな生体分子もキラルなものが多く，医薬などもキラルなものが多い．

11.1.2 分子のキラリティーをつくる要素

■ **四面体形炭素原子に四つの異なる基をもつことが，キラルな有機分子のおもな要素になっている．**

簡単な例として 2-ブタノールを考えてみよう．これまでのように構造を平面的に書くと，2-ブタノールがキラルであるかどうかわかりにくい．しかし，炭素が四面体形であることを考えて三次元の構造式を書いてみるか，分子模型を使って調べると，二つの鏡像関係にある立体異性体があり，互いに重ね合わせることができないことがわかる(図 11.2)．しかもこれ以外に立体異性体はない．このような二つの立体異性体を**エナンチオマー**という．図 11.1 にはアラニンの二つの

2-ブタノールのエナンチオマーは線形表記で，ジグザグ形の炭素鎖とくさび形結合を使って表すこともできる．

OH　　OH
S　　**R**

立体配置を特定しないときには次のように表してもよい．

OH

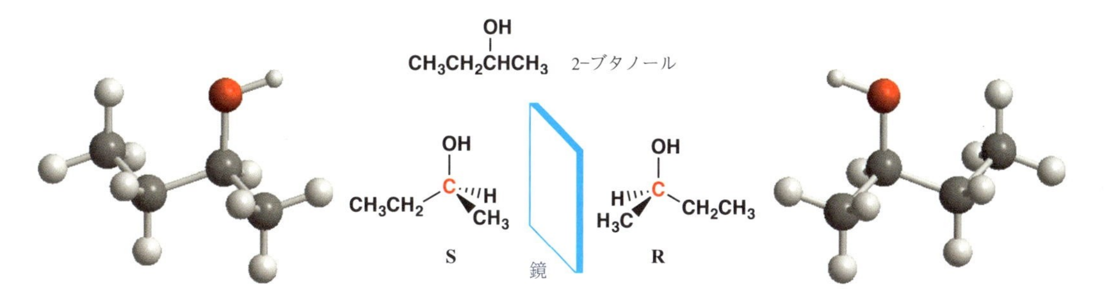

図 11.2 2-ブタノールのエナンチオマー

ノート 11.1　らせんの巻き方

ネジやバネのようにらせん状の物体はたくさんある．左巻きと右巻きのらせんは鏡像関係にあり，互いに重ね合わせることはできない．すなわち，らせんはキラルである．時計まわり(右まわり)にたどると先に進んでいくのを右巻きらせん，反時計まわり(左まわり)で進んでいくのを左巻きらせんという(手前で左に上っていくのが左巻きで，右に上がっていくのが右巻きである)．

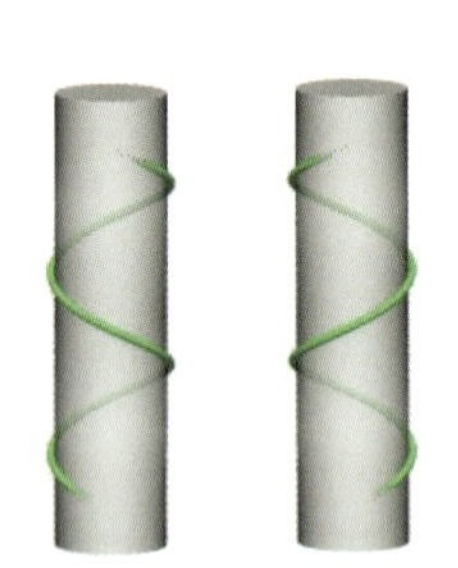

左巻きと右巻きのらせん

ネジバナ

よく見かけるらせん構造には右巻きのものが多い．ふつうのネジは右巻きだし，植物のつるもアサガオをはじめとしてヤマノイモなど右巻きのものが多いが，ヘクソカズラやスイカズラは左巻きである．しかし，キュウリやニガウリなどの巻きヒゲは途中で巻き戻しているので，左巻きと右巻きがみられる．5，6月に芝生などで見かけるネジバナ(モミズリ)は，茎が二重らせんになっており花の並び方もらせん状になる．茎の巻き方と花序の巻き方が逆になっているだけでなく，それらの巻き方にも両方があり，同じ株に花が右巻きについたものと左巻きについたものができることもある．

らせん階段にも巻き方は両方ある．バチカン美術館の出入り口の階段は上りと下りが二重らせんを形成している．また，ヨーロッパの古い教会にはらせんになった柱もよくみられる(ウェブノート11.1にこれらの画像を載せてある)．

タンパク質のαヘリックスや核酸の二重らせんは右巻きである．ベンゼン環を6個縮合させたヘキサヘリセンは平面になれないので，輪を巻いてらせん(ヘリックス)状のエナンチオマーになる．

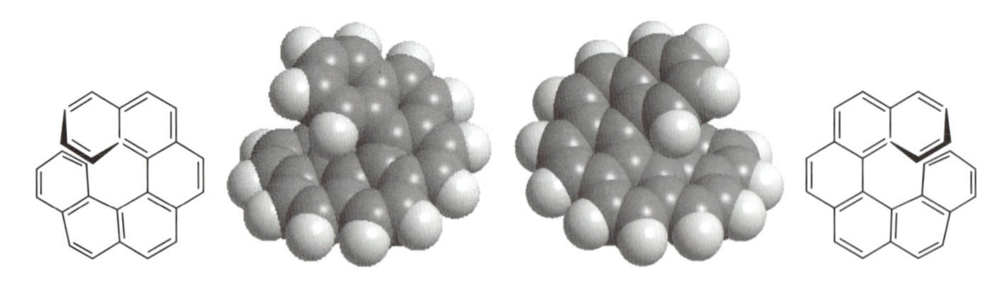

ヘキサヘリセンのエナンチオマー

➡ ウェブノート 11.1　左巻きと右巻きらせん

エナンチオマーを示していた．

エナンチオマーの関係をつくるキラルな分子の特徴は何だろうか．中心になる四面体形炭素（三次元式の赤い炭素）に結合している四つの基がいずれも異なることである．四つの異なる基と結合している炭素を**キラル中心**という．2–ブタノールでは2位炭素がキラル中心であり，H，CH_3，C_2H_5，OH が結合している．アラニンのキラル中心には，H，CH_3，CO_2H，NH_2 が結合している（図 11.1）．

キラル中心 chirality center
キラル中心を立体中心（stereogenic center）ということもあるが，この用語は推奨されない．

■ **キラル中心を1個もつ分子には，必ず1対（二つ）のエナンチオマーがある．**

もし四面体形炭素に結合しているグループの二つが同一であったとすれば，その分子は対称面をもち，鏡像と重ね合わせることができる．したがって，アキラルである．たとえば，2–プロパノールは，図 11.3(a) に示すように，H−C−O でつくる平面に関して対称である．図 11.3(b) に示す **B** は **A** の鏡像になっているが，この鏡像 **B** を C−O 結合を軸にして 60° 回転すると，もとの分子 **A** と重ね合わせることができ，同一分子であることがわかる．

OH
CH_3CHCH_3　2–プロパノール

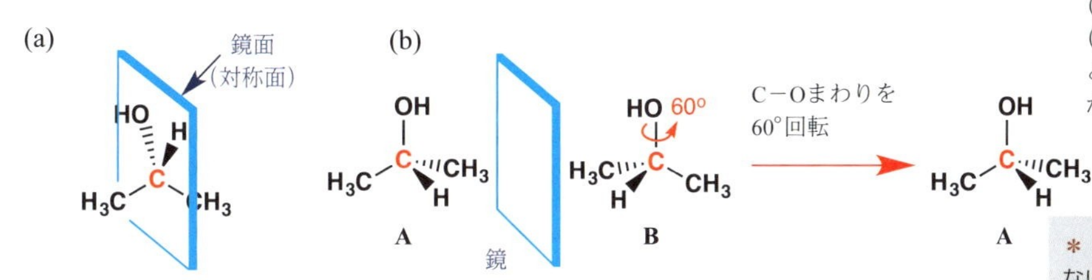

図 11.3 2–プロパノールの鏡像関係
(a) 分子内の対称面を示す．
(b) 鏡像 **B** を回転してみると，**A** と同一であることがわかる．

■ **対称面をもっている分子はアキラルである*のに対して，キラルな分子は対称面をもたない．**

* この逆は必ずしも成り立たない．対称面をもたないがアキラルな分子がある．その例として次の分子がある．

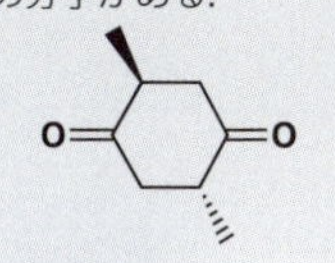

例題 11.1

キラル中心を1個もつ次の化合物について，二つのエナンチオマーの構造を区別できるように表せ．

解 答　キラル中心になる炭素に結合している基は四つとも異なるので，そのような炭素をみつけ，くさび形結合を用いて鏡像になるように構造を書く．鎖状化合物の場合，炭素鎖をジグザグ形で表すとよい．

キラル中心を表す別の方法として **Fischer（フィッシャー）投影式**がある．この方法では4価の炭素を十字で書き，上下の結合が紙面から後ろに向いており，左右に出た結合が手前に向いていると定義する．炭素鎖はふつう上下に書く．*R* 形の 2–ブタノールは次のように表せる．Fischer 投影式は2個以上のキラル中心をもつ分子を表すときにとくに便利である（11.3 節）．

CH_3
H—┼—OH　≡　H—C—OH
CH_2CH_3
Fischer 投影式

Fischer 投影式
Fischer projection formula

(a) Cl と Cl （CH_3–C(H)(Cl)–CH_2CH_3 と CH_3–C(Cl)(H)–CH_2CH_3）

(b) OH と OH （H, OH と OH, H）

問題 11.2　次の化合物をキラルなものとアキラルなものに分類せよ．キラルなものは，二つのエナンチオマーが区別できるように三次元式で表せ．

(a) $CH_3CH(OH)CO_2H$　(b) $CH_3CH(CH_3)CO_2H$　(c) Cl　(d) Cl

11.2　キラル中心の *R*, *S* 表示

二つのエナンチオマーは異なる化合物なので，それぞれに名称をつける必要がある．そのためにキラル中心を区別して表示する．その方法として ***R*, *S* 表示法**が考案され，使われている．すなわち，キラル中心に結合している四つの異なる基の優先順位を決め，その並び方で *R* と *S* の配置を定義する．基の優先順位の決定は，3.7.2 項で説明し，アルケンの *E*, *Z* 配置決定に用いた **Cahn-Ingold-Prelog 順位則**による．上に出てきた 2-ブタノールの場合，四つの基の優先順は $H < CH_3 < CH_2CH_3 < OH$ であり，アラニンの場合は $H < CH_3 < CO_2H < NH_2$ である．

■　キラル中心の立体配置を決める手順は次のようにまとめられる．

(1)　まず，順位則に従って，キラル中心に結合した四つの基に優先順位をつけ，

(2)　最低順位の基が後ろを向き，残りの三つのグループが手前にくるように分子をみる（図 11.4 参照）．

(3)　手前においた三つの基を優先順に①→②→③とたどる．

(4)　その順序が時計まわり（右まわり）になっていれば，キラル中心は ***R* 配置**である．逆に反時計まわり（左まわり）に並んでいれば，***S* 配置**である．

2-ブタノールとアラニンを例にとって図 11.4 に *R* と *S* 配置を示した．両側に C−H 結合軸に沿ってみたようすを Newman 投影式のように示してある．エナンチオマーは，そのキラル中心が *R* 配置であれば ***R* 異性体**，*S* 配置であれば ***S* 異性体**という．化合物名には *R*, *S* をイタリック体にしてかっこ内に入れ，接頭辞としてハイフンでつなぐ．

R 配置　*R* configuration
S 配置　*S* configuration

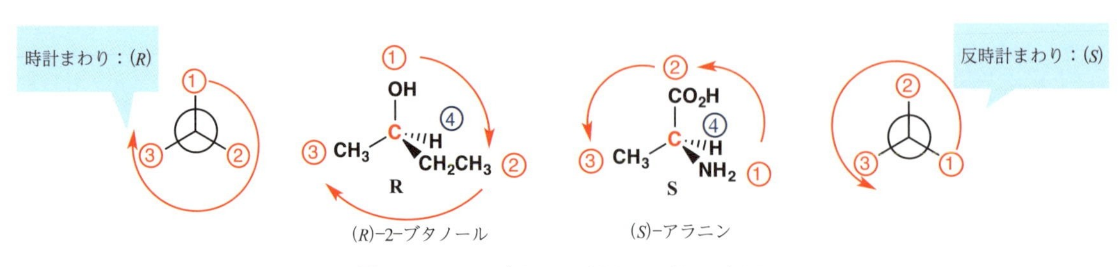

図 11.4　キラル中心の *R* 配置と *S* 配置の帰属
優先順は①＞②＞③＞④である．

例題 11.2

次に示す 2-ブタノールの構造の立体配置は R か S か．

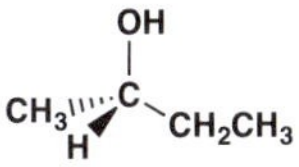

解 答　この構造では最も優先順位の低い H が手前に出ている．そのまま OH → CH_2CH_3 → CH_3の順にたどると時計まわりになるので，H を後ろにもっていったときとは逆で，S 配置である．

あるいは，H を後ろにある基(ここでは CH_3)と入れ替えて，その立体配置を決めると，R 配置になっていることがわかる．キラル中心に結合している基の入替えは立体配置を反転させるので，もとの構造は S 配置であったことがわかる．

交換

(S)-2-ブタノール　　(R)-2-ブタノール

■　**キラル中心に結合している二つの基を入れ替えると，R と S が入れ替わる．すなわち，立体配置が反転する．**

R, S 立体配置を決めるとき，優先順位の最も低い基が手前にある場合には，例題 11.2 で考えたように，そのまま他の三つの基を優先順にたどって(逆まわりに)R, S を決めてもよいし，優先順位の最も低い基を後ろにある基と入れ替えて(反転した)立体配置を決めれば，もとの配置がわかる．

問題 11.3　次に示す 2-ブタノールの構造の立体配置は R か S か．

(a) 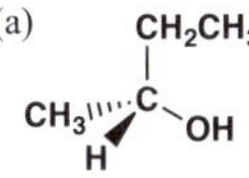　(b) 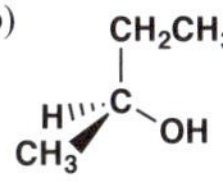　(c)

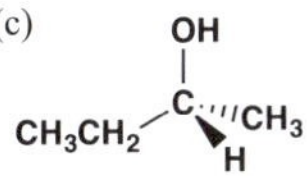

問題 11.4　次の分子の R, S 立体配置を決めよ．

(a) 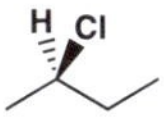　(b) 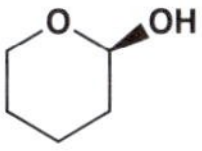　(c)

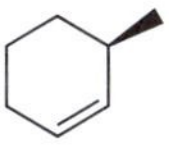

11.3　キラル中心を 2 個もつ化合物

■　**キラル中心を n 個もつ化合物には，最大 2^n 種類の立体異性体がある．**

キラル中心が 2 個($n=2$)あれば，少なくとも $2^2=4$ 種類の立体異性体があるはずである．まず，その 4 種類について考える．

11.3.1　エナンチオマーとジアステレオマー

2 個のキラル中心をもつ化合物の例として，2,3,4-トリヒドロキシブタナールの立体異性体を考えてみよう．C2 と C3 がキラル中心になっている．くさび形結合を用いて表すと，次の 4 種類の異性体が書ける．

$HOCH_2$-CH(OH)-CH(OH)-CHO

2,3,4-トリヒドロキシブタナール

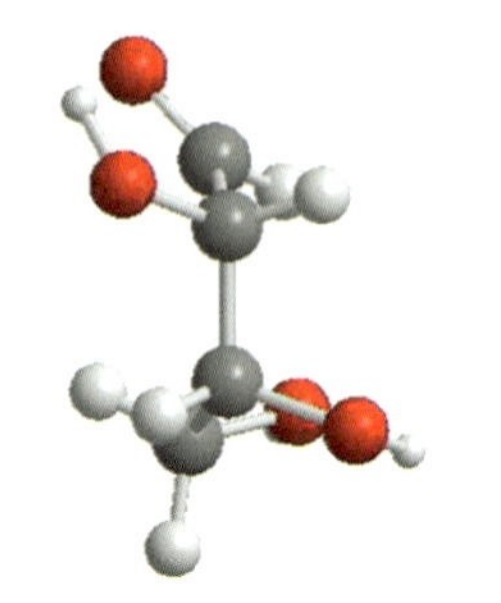

重なり形（2*S*,3*R*)-トレオース

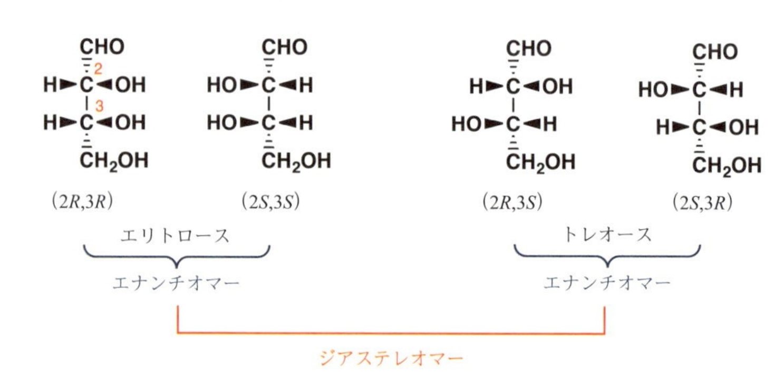

Fischer 投影式を用いて書くと次のようになる．

(2*R*,3*R*)　　(2*S*,3*S*)　　(2*R*,3*S*)　　(2*S*,3*R*)

キラル中心の立体配置は上の表し方や Fischer 投影式では，横に出た結合が手前にきているので，最も優先順位の低い水素が手前に出ていることになる．定義とは逆に優先順位 4 番目の H を手前に見て，残りの基(OH，CHO，C3 あるいは OH，C2，CH_2OH)を優先順にたどって反時計回りになる場合は *R* 配置であり，時計まわりになれば *S* 配置である．

さらに最初に示した構造を上から見て，次のように表してもよい．これらは重なり形で表されているが，ねじれ形に直すのは簡単である．

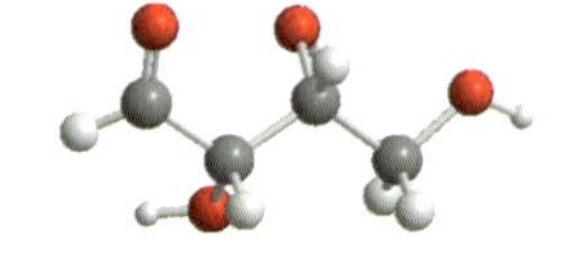

(2*S*,3*R*)-トレオースのねじれ形（ジクザグ鎖の分子模型）

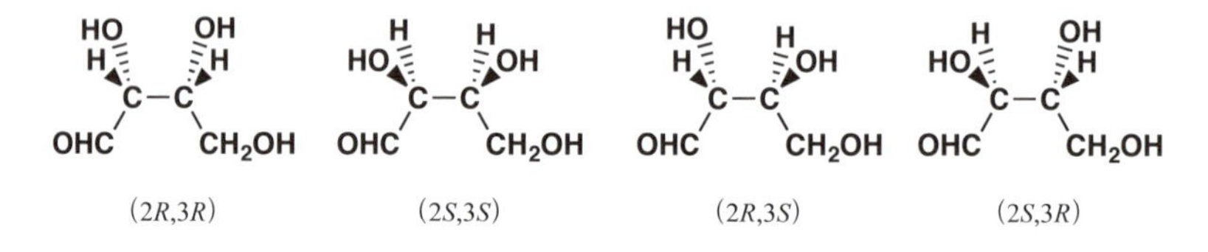

この化合物は炭水化物の一種で，(2*R*, 3*R*)と(2*S*, 3*S*)形が 1 組のエナンチオマーでありエリトロースとよばれている．(2*R*, 3*S*)と(2*S*, 3*R*)形がもう 1 組のエナンチオマーでありトレオースとよばれている．エリトロースとトレオースとの間には鏡像関係がなく，このような異性体の関係はジアステレオマーといわれる．

エリトロース erythrose
トレオース threose

■ **鏡像関係にない立体異性体をジアステレオマーという．**

例題 11.3

ねじれ形のエリトロースを，木びき台形の三次元式，線形表記，および Newman 投影式で表せ．

解 答　上のくさび形結合で書いた重なり形の三次元式の C2－C3 結合を回転させて，ねじれ形(ゴーシュ形)の構造をつくり，さらにそれに基づいて炭素鎖をジグザグ形にした線形表記と C2－C3 結合に沿って透視した Newman 投影式を書く．

(2*R*,3*R*)異性体　　(2*S*,3*S*)異性体

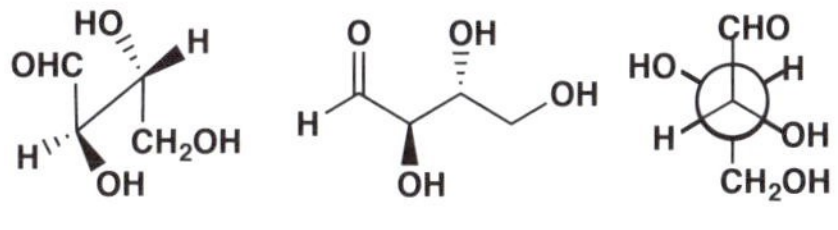

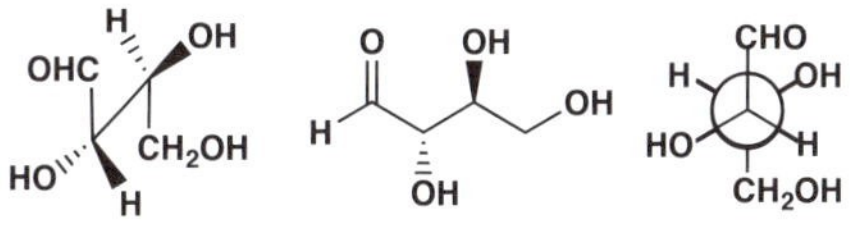

問題 11.5　トレオースの二つのエナンチオマーのねじれ形配座の構造を木びき台形，ジグザグ形，および Newman 投影式で表せ．

問題 11.6　1,2,3-ブタントリオールの 4 種類の立体異性体を Fischer 投影式で表せ．さらに，それぞれの異性体のキラル中心の *R*, *S* 立体配置を決め，エナンチオマーの関係とジアステレオマーの関係にあるものをそれぞれ指摘せよ．

11.3.2　メソ化合物

もう一つの例として酒石酸(2,3-ジヒドロキシブタン二酸)について考えよう．このジカルボン酸は植物，とくにブドウに多く含まれる結晶性化合物である．次に書いた四つの構造のうち，最初の二つは鏡像関係にあり重ね合わせられないのでエナンチオマーである．しかし，右の二つは鏡像関係に書いてあるが，互いに重ね合わせることができる．これは一方の構造を紙面上で 180° 回転してみればわかる．すなわち，これらは同一分子であり，鏡像と重ね合わせることができるのでアキラルである．この分子がアキラルであることは，分子を二つに分ける対称面をもつことからもわかる．

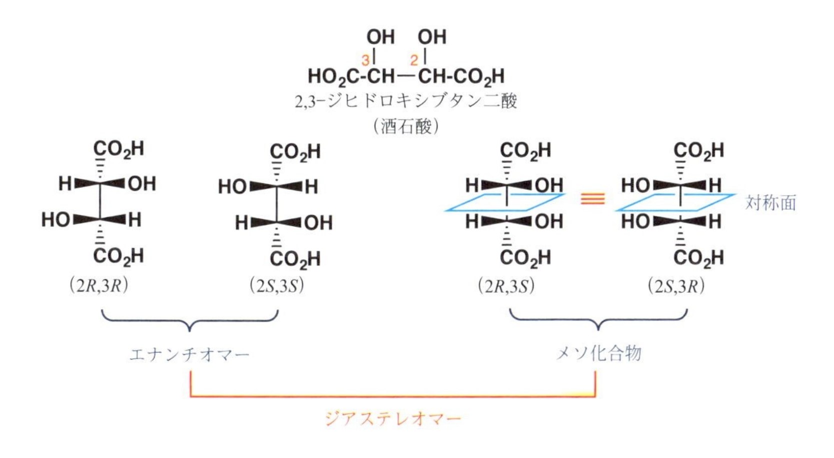

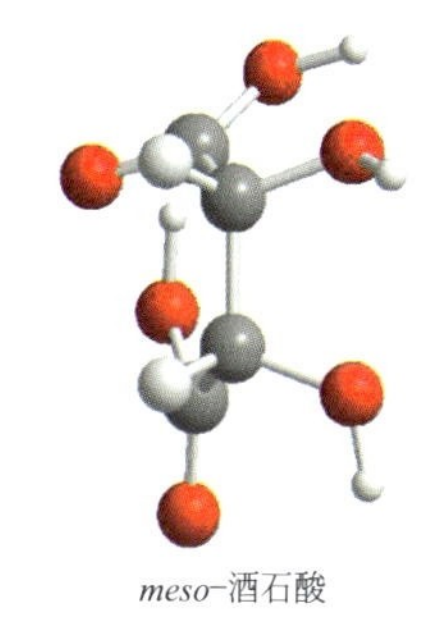
meso-酒石酸

このように複数のキラル中心をもつにもかかわらず，アキラルである化合物を，**メソ化合物**(または**メソ体**)という．すなわち，(*R*,*S*)-酒石酸は *meso*-酒石酸といってもよい．メソ化合物と二つのキラルな異性体はジアステレオマーの関係にある．酒石酸は 2 個のキラル中心をもつにもかかわらず，立体異性体は 3 種類しかない．

問題 11.7　酒石酸のメソ体の構造を，木びき台形，ジグザグ形，Newman 投影式で表せ．

酒石酸 tartaric acid
メソ化合物 *meso* compound
メソ(異性)体 *meso* isomer

例題 11.4

(a) 1,2-シクロブタンジオールおよび，(b) 1,3-シクロブタンジオールの立体異性体をすべて示し，それらの関係を説明せよ．またキラル中心の *R*, *S* 立体配置を帰属せよ．

解 答　(a) *trans*-1,2-シクロブタンジオールは 1 組のエナンチオマーになっているが，シス異性体は対称面をもつのでメソ化合物である．

ノート 11.2　立体配置の D, L 表示：糖とアミノ酸の立体化学

キラル中心の立体配置を *R*, *S* で表すことを述べたが，この絶対配置は直接原子の並び方を観測することができなければ決められない．X 線結晶構造解析によって酒石酸ナトリウムルビジウムの絶対配置がはじめて決められたのは 1951 年のことである．しかし，19 世紀の後半にはエナンチオマーの概念が確立され，逆の旋光性を示す異性体が観測されていた．その異性体を区別するために，右旋性 (dextrorotatory) のものに (+)- あるいは *d*-，左旋性 (levorotatory) のものに (−)- あるいは *l*- という接頭語を化合物名につけた．しかし，これだけでは構造を表記することはできない．

そこで E. Fischer (フィッシャー) は (+)-グリセルアルデヒド (2,3-ジヒドロキシプロパナール) に，仮に *R* 異性体の構造をあて，スモールキャピタルの文字 D- を接頭語としてつけた．それから誘導される構造を D，そのエナンチオマーを L として区別することにした．これは絶対構造の知識なしに 50% の確率で仮に定義した構造であったが，幸運にも Fischer は賭けに勝った．仮定した構造は正しかったのである．

H　OH
HOH$_2$C　C　CHO
≡
O　H
C
H▶C◀OH
CH$_2$OH
≡
O　H
C
H—+—OH
CH$_2$OH

D-グリセルアルデヒド
(*R*)-2,3-ジヒドロキシプロパナール
($[\alpha]_D = +8.7$)

CHO
H—+—OH
HO—+—H
H—+—OH
H—+—OH
CH$_2$OH

D-グルコース

H. Emil Fischer
(1852～1919)
ドイツの化学者．1902 年
ノーベル賞受賞．

この定義に従って，いまでも糖類とアミノ酸の立体配置は D，L で定義されている．糖の場合，カルボニル基から一番遠いキラル中心の立体配置が D-グリセルアルデヒドと同じものを D 系列の糖といい，天然の糖はすべてこの構造をもっている．Fischer 投影式で書いたときには，下から 2 番目の炭素の OH が右に出ていることになる．これに対して，天然の *α*-アミノ酸は Fischer 投影式で NH_2 基が左に出ているので L 系列である．*α*-アミノ酸の R 基は，ほとんどの場合 CO_2H 基よりも優先順位が低いので *S* 配置であるが，ただ一つ，L-システイン (R＝CH_2SH) は *R* 配置になる．

CO_2H
H$_2$N▶C◀H
R

CO_2H
H$_2$N—+—H
R

L-*α*-アミノ酸

CO_2H
H$_2$N—+—H
CH_2OH

(*S*)-セリン

CO_2H
H$_2$N—+—H
CH_2SH

(*R*)-システイン

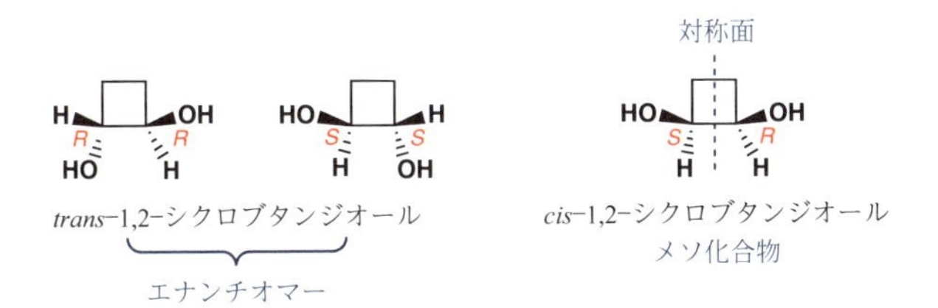

(b) 1,3–シクロブタンジオールにはシスとトランス異性体があるが，いずれも対称面をもつのでアキラルである．C1 と C3 はいずれもキラル中心になっていない．

問題 11.8 次に示すのは，2,3–ブタンジオールの立体異性体を Fischer 投影式で表したものである．

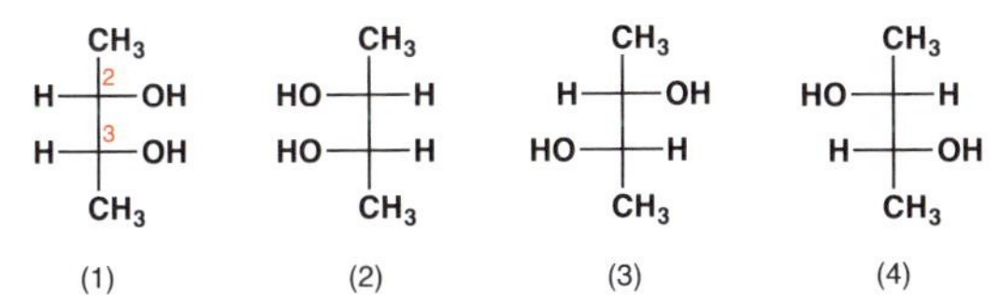

(a) キラル中心の *R*, *S* 立体配置を決めよ．

(b) メソ化合物はどれか．

(c) エナンチオマーの関係とジアステレオマーの関係にあるものは，それぞれどれか．

11.4 立体異性体の性質

11.4.1 アキラルな環境における性質

アキラルな環境においては，エナンチオマーは同じ物理的・化学的性質をもっているので，見分けることはできない．たとえば，表 11.1 に示すように，酒石酸の二つのエナンチオマーでは，融点，密度，溶解度，そして酸解離定数も等しい．唯一異なるのは次項で説明する旋光度だけである．しかし，ジアステレオマーであるメソ異性体の性質は異なる．ジアステレオマーの性質は，アキラルな環境でも異なっている．

表 11.1 酒石酸の立体異性体の性質

	(*R*,*R*)–酒石酸	(*S*,*S*)–酒石酸	*meso*–酒石酸
比旋光度	+12.7	−12.7	0
融 点/°C	171～174	171～174	146～148
密 度/g cm^{-3}(20 °C)	1.7598	1.7598	1.660
溶解度[a] (20 °C)	139	139	125
pK_{a1}(25 °C)	2.98	2.98	3.23
pK_{a2}(25 °C)	4.34	4.34	4.82

[a] g/100 mL H_2O

11.4.2　旋 光 度

エナンチオマーは異なる化合物であるにもかかわらず，アキラルな環境では同じ性質を示す．しかし，平面偏光が透過するとき，その偏光面を回転させるという特別な性質をもっており，それぞれのエナンチオマーが示す回転の向きは逆になる．このように偏光面を回転する物質は，**光学活性**であるという．

それでは偏光面を回転するとはどういうことなのか．通常の光は，進行方向に垂直な平面内であらゆる向きに振動している電磁波の束である．この光が偏光子とよばれる物質(偏光板)を通過すると，一定の向きで振動する光の成分だけが透過する．この光は一平面内で振動しているので，**平面偏光**とよばれ，その面を偏光面という．

分子の中の電子は常に動いており電場をつくっているので，光が分子に当たると，分子の電場と光の電場が相互作用する．キラルな分子の電場は非対称になっており，平面偏光と相互作用すると偏光面を回転させることになる．鏡像関係にあるエナンチオマーは逆向きに回転させる．

偏光面の回転は**旋光計**という装置を使って観測できる．偏光子によってつくられた平面偏光が，もう一つの偏光子を透過するためには，両者の向きが一致していなければならない．したがって，二つ目の偏光子を検出するために検光子として使えば，光学活性な化合物を入れた試料管を透過した平面偏光の回転角度を測定することができる(図 11.5)．この回転角度を旋光度といい，その大きさは測定試料の濃度と光の透過距離に比例する．したがって，10 cm(1 dm)の長さをもつ $1\ \mathrm{g\ mL^{-1}}$ の溶液の旋光度を比旋光度と定義し，$[\alpha]$で表す．通常，測定光としてナトリウム D 線(波長 589 nm)を用いる．

図 11.5　旋光計の模式図

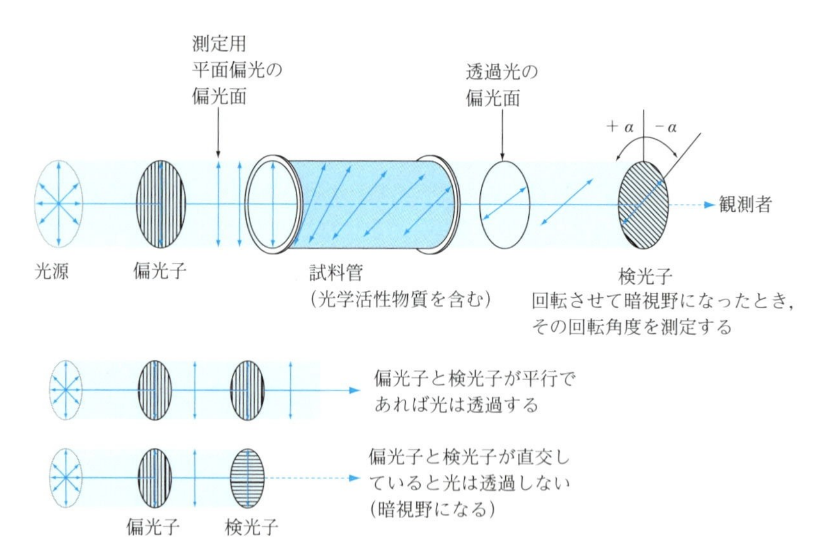

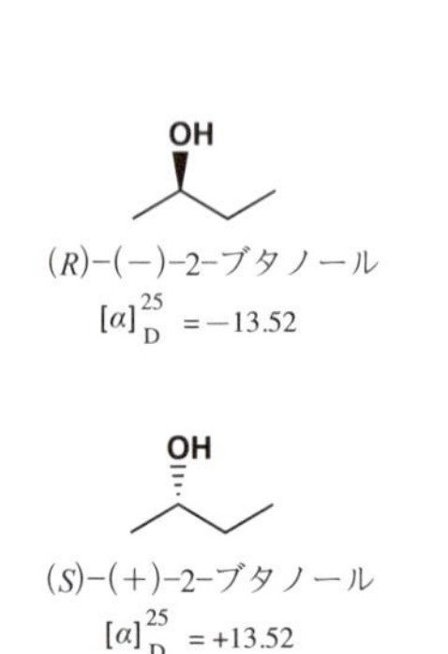

光源の反対側から見て偏光面を時計まわりに回転させるとき，旋光度を正の数値で表し，**右旋性**であるという．反時計まわりに回転させるものは負の旋光度をもち**左旋性**である．比旋光度は無単位で欄外の例に示すように表す．

旋光性の方向は，立体配置の *R*, *S* 表示が同一であっても同じであるとは限らない．たとえば，左旋性の(*R*)-(−)-乳酸はイオン化すると右旋性になる．*R*, *S* は命名法に基づいた表記であり，(＋)，(−)は実測の旋光度に基づいた表示である．

旋光度　optical rotation
光学活性　optical activity
偏光子　polarlizer
平面偏光　plane-polarized light
旋光計　polarimeter
比旋光度　specific rotation
右旋性　dextrorotatory
左旋性　levorotatory

$$CH_3 \cdots C(H)(HO)-CO_2H \xrightarrow{NaOH} CH_3 \cdots C(H)(HO)-CO_2^- Na^+$$

(*R*)-(−)-2-ヒドロキシプロパン酸（乳酸）
$[\alpha]_D^{25} = -3.8$

(*R*)-(+)-2-ヒドロキシプロパン酸(乳酸)ナトリウム
$[\alpha]_D^{25} = +13.5$

$[\alpha]_D^{25}$は測定温度が25℃で，測定にナトリウムD線を用いたことを示している.

11.4.3 ラセミ体と光学分割

1組のエナンチオマーは正と負の同じ大きさの比旋光度をもっている．エナンチオマーの混合物の旋光度は，逆向きの回転が打ち消し合った分だけ小さくなる．純粋なエナンチオマーの比旋光度がわかっていれば，実測旋光度を比旋光度に換算した値から**光学純度**を計算できる．

$$光学純度 = \frac{実測比旋光度}{純粋なエナンチオマーの比旋光度}$$

これは**エナンチオマー過剰率**に相当する．

$$ee = |R\,\% - S\,\%|$$

エナンチオマーの等量混合物は**ラセミ体**とよばれ，旋光度は0になり，光学不活性で，光学純度0ということになる．ラセミ体であることを表すために化合物名の前に(±)をつけることもある．通常の化学反応はアキラルな場で行われるので，もしキラル中心をもつ化合物が生成したとしても，出発物がアキラルであれば，生成物はラセミ体になる．

ラセミ体 racemate
ラセミ混合物（racemic mixture）ということもあるが，ラセミ体というほうがよい．エナンチオマーがそれぞれ別に結晶をつくることがあり，その結晶の等量混合物に限定してラセミ混合物ということがあるからである．

生物に含まれる有機化合物のほとんどはキラルであり，しかも通常一方のエナンチオマーだけからなる．エナンチオマーによって生理活性が異なるので，医薬品などは純粋なエナンチオマーとして製造する必要がある．しかし，通常の化学反応ではラセミ体しか合成できないのでエナンチオマーを分離することが大きな課題になる．有機化学者は，一方のエナンチオマーだけを選択的に合成する手法も研究し，成功を収めているが，ラセミ体を二つのエナンチオマーに分離することも必要で，これを**光学分割**という．エナンチオマーはアキラルな環境では物理的性質が同一なので，エナンチオマーをジアステレオマーに変換してから分離するか，キラルな場を使って分離する*．

➡ ウェブ S11.1 ラセミ体の用語について

分離にジアステレオマーを使う場合，ラセミ体をジアステレオマーに誘導し，分離したあとでもとに戻す操作が簡単にできなければならない．ジアステレオマー化するときには，容易に入手できる光学活性物質（ふつう不斉源とよばれる）を用いる．酸や塩基の場合には，不斉源と塩をつくるのが最も簡単である．不斉源には，純粋な光学活性化合物として得られる天然の塩基や酸を使うことが多い．たとえば，純粋な*R*のアミンがあって，ラセミ体のカルボン酸と塩をつくると，塩は*R*−*R*と*R*−*S*のジアステレオマー混合物になる．*R*−*R*と*R*−*S*の塩は溶解性が異なるので，再結晶などで分離できる．アルコールは光学活性カルボン酸のエステルに誘導して分割することができる．

* キラルな吸着剤を使う方法がクロマトグラフィーという分離法に適用され，光学分割や光学純度の測定に用いられている．クロマトグラフィーについては，ウェブノート2.2参照．

➡ ウェブノート 11.2 ジアステレオマーを用いた光学分割

乳酸 lactic acid
光学純度 optical purity
エナンチオマー過剰率 enantiomeric excess (*ee*)
光学分割 (optical) resolution

ノート 11.3　酒石酸の光学分割：Pasteur の発見

酒石酸は光学分割にはじめて成功した化合物として有名である．博士号を取得したばかりのフランス人科学者 L. Pasteur(パスツール)は，ラセミ酸のアンモニウムナトリウム塩の結晶に非対称な 2 種類のかたちがあることに気づいた．それらをピンセットで二つに分け，それぞれが純粋な光学異性体であることを発見した．1848 年のことである．

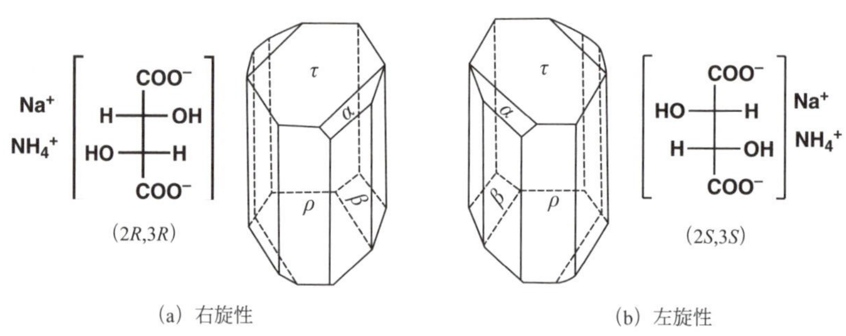

(a) 右旋性　　(b) 左旋性

酒石酸のアンモニウムナトリウム塩の 2 種類の結晶形

酒石酸はワイン製造の副産物であり，1840 年代には右旋性の酒石酸と光学活性を示さないラセミ酸(ラテン語の“ブドウの房”を意味する *racemus* からきており，酒石酸ラセミ体の慣用名として使われていたが，いまではエナンチオマーの等量混合物を示す用語に使われるようになった)が知られていた．Pasteur はラセミ酸の塩の結晶を調べていた．分離した 2 種類の結晶をそれぞれ別の水溶液にして旋光度を測定すると，逆まわりの同じ比旋光度をもっていた．さらに，両者を等量溶かすと旋光度は失われた．このことから，単に結晶がキラリティーをもつだけでなく，分子自体がキラルであり，二つの鏡像異性体(エナンチオマー)が分離できたことを確信した．この鏡像異性の発見は，1874 年に van't Hoff(ファント・ホッフ)と Le Bel(ル・ベル)が独立に発表した炭素の四面体構造説のもとになった．

Pasteur の発見の幸運は，アンモニウムナトリウム塩を研究材料に用いたこととパリの涼しい夜の気温にあった．今では，エナンチオマーが非対称な結晶をつくるのは 26 ℃ 以下に限られていることがわかっている．

Pasteur は微生物学者としての数々の業績でも著名である．腐敗の細菌説の証明，加熱殺菌法(Pasteurization という．低温殺菌牛乳の表示にある)の発見，狂犬病ワクチン，外科手術の消毒法の開発，養蚕業の救済(カイコの微粒子病の原因発見と予防法の開発)などの業績がある．

Louis Pasteur
(1822～1895)

ブドウの房

低温殺菌牛乳

11.5 キラル炭素をもたないキラル分子

飽和炭素化合物のほかに安定な四面体形化合物として四配位の窒素をもつアンモニウム塩やケイ素化合物がある．そのほかにも，次に述べるようなキラル化合物がある．

11.5.1 軸性キラリティーをもつ分子

これまでもっぱらキラル中心として四面体形炭素をもつキラル分子を見てきたが，キラル中心をもたなくても，らせんのようなねじれ構造をもつ分子はキラルでありエナンチオマーをもつ．その代表例はアレン(プロパジエン)誘導体とスピロ化合物である．このような分子はキラル軸をもち，**軸性キラリティー**をもつという．

スピロ化合物 spiro compound
一つの炭素を共有する二環性化合物．
最も小さいスピロ化合物はスピロ[2.2]ペンタンである．

スピロ[2.2]ペンタン
spiro[2.2]pentane

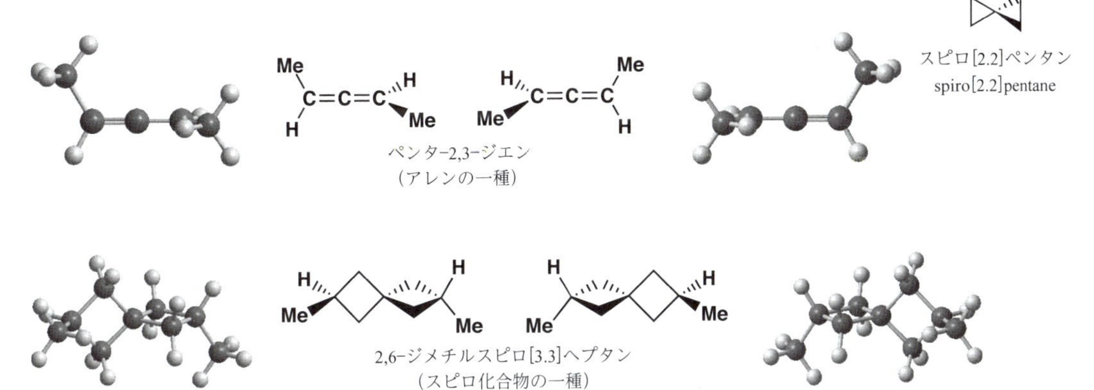

ペンタ-2,3-ジエン
(アレンの一種)

2,6-ジメチルスピロ[3.3]ヘプタン
(スピロ化合物の一種)

11.5.2 キラルな立体配座

軸性キラリティーをもつ分子として，結合まわりの回転を阻害された結果としてエナンチオマーになるような化合物がある．たとえば，2,6-位に置換基をもつビフェニルやビナフチルである．

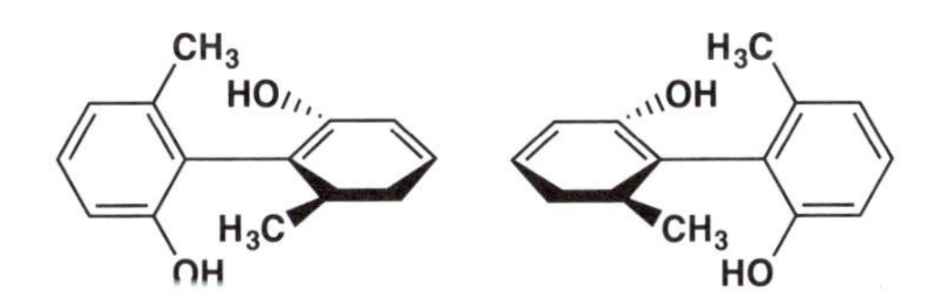

2,2′-ジヒドロキシ-6,6′-ジメチルビフェニル

BINAP は野依良治(元名古屋大学)らによって不斉水素化触媒の金属配位子として用いられ，高効率の不斉合成を可能にした(22.5 節参照)．この業績により，野依は W. S. Knowles，K. B. Sharpless とともに 2001 年度ノーベル化学賞を授与された．

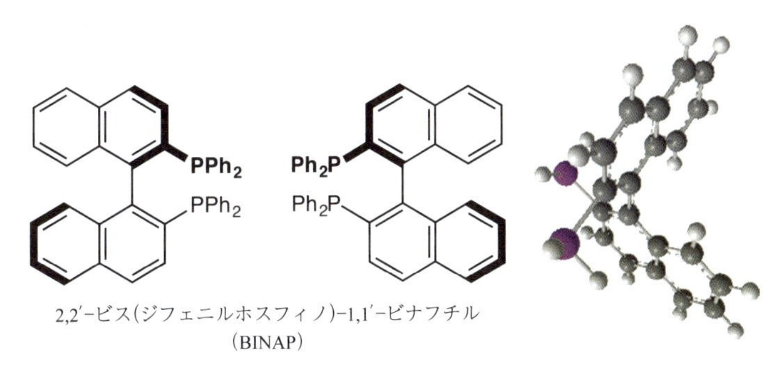

2,2′-ビス(ジフェニルホスフィノ)-1,1′-ビナフチル
(BINAP)

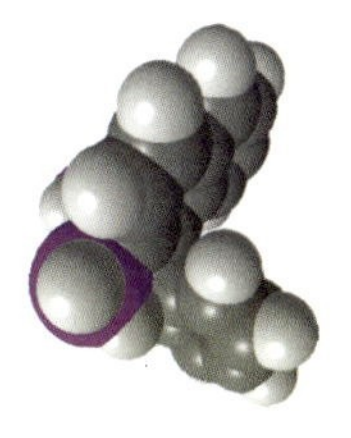
2,2′-ジホスフィノ-1,1′-ビナフチルの分子模型
(BINAP の P 上の Ph を H に換えたもの)

軸性キラリティー axial chirality

このようなエナンチオマーは，回転障壁が高いとはいえ原理的には結合を切ることなく相互変換できるので配座異性体であり，このような異性体をアトロプ異性体という．

Nの反転が起こるためには，Nが平面状の sp^2 混成になる必要があるが，その理想的な結合角は 120° であり，三員環を保つためには角度ひずみが大きい．そのために三員環化合物のNの反転の障壁は高くなる．

$R^1R^2R^3N$ のような第三級アミンは sp^3 混成のNに三つの異なる基と非共有電子対をもっているので，Nをキラル中心とするキラル分子である．しかし，通常二つのエナンチオマーは容易に反転して入れ替わることができる(ラセミ化する：ノート 4.1 参照)ので，それぞれのエナンチオマーを単離することはできない．

R^1　R^2　N　R^3　⇌　R^1　N　R^2　R^3　　R　N

キラルな
N-アルキルアジリジン

しかしながら，右に示すような三員環アミン(アジリジン)は反転が阻害されているのでエナンチオマーが単離できる．

キラルなスルホキシドの例

対応するリン化合物(ホスフィン)$R^1R^2R^3P$ も非共有電子対をもつが，反転のエネルギー障壁が高いのでラセミ化速度は遅く，室温でエナンチオマーの単離が可能である．三配位の硫黄化合物でも非対称なスルホキシドはキラルであり，その反転の障壁は高いのでエナンチオマーを安定に単離できる．

問題 11.9　次の化合物のうちキラルなものはどれか．

(a) H, Me, C=C=C, Me, Me　(b) CO_2H, O_2N, HO_2C, NO_2　(c) CO_2H, Cl, Cl, NO_2

(d) H, Cl, Me　(e) H, Me, Cl, H　(f) Me, Cl, H

11.6　エナンチオマーを生成する反応

前の章で，アキラルな分子からキラルな分子を生成する反応をみた．カルボニル基の平面状の sp^2 炭素に求核種が付加して四面体形炭素ができると，この炭素がキラル中心になることがよくある．アルデヒドから生じたシアノヒドリンは，メタナールの場合を除いてキラルである．しかし，通常のアキラルな条件ではラセミ体しか生成しない．

$MeCHO + CN^- \longrightarrow$ $^-$O, CN, Me, H $+$ NC, O$^-$, Me, H $\xrightarrow{H_3O^+}$ HO, CN, Me, H $+$ NC, OH, Me, H

(*R*)　(*S*)
ラセミ体

非対称ケトンの炭素のように，反応によってキラルになる原子はプロキラルであるといい，それぞれの面はエナンチオトピックであるという．

非対称なケトンの水素化で生じた第二級アルコールもキラルであるが，通常はラセミ体になる．一方のエナンチオマーを得るためには，キラルな触媒を用いる．これは立体選択的反応として有機合成において重要になる(22 章)．

アトロプ異性体 atropisomer

$$\mathrm{MeC(=O)Et} + \mathrm{H_2} \xrightarrow{\text{触媒}} (S)\text{-}\mathrm{MeCH(OH)Et} + (R)\text{-}\mathrm{MeCH(OH)Et}$$

非対称なケトンへの求核付加においてエナンチオ選択性を発現するためには，カルボニル基平面の上下を区別して反応する必要がある．次に示すように，求核種がカルボニル平面の上から反応して生成した付加物と下から反応して生成した付加物は互いにエナンチオマーの関係にある．

立体選択性だけが反応生成物の立体化学を制御しているわけではない．これから先の章で学ぶように，出発物の立体異性が生成物の立体化学に影響する反応も少なくない．このような反応は立体特異的であり，この結果は反応機構に基づくものである．

立体選択性（stereoselectivity）**と立体特異性**（stereospecificity）

立体選択性は，複数の反応経路があるとき，ある立体異性体が優先して生成することを表す．生成物は速度支配（活性化エネルギーが低い）か，熱力学支配（より安定な生成物）かによって変化する．一方，立体特異性は出発物の立体異性によって生成物の立体異性が決まることを表す．立体特異性は反応機構に基づいている．

問題 11.10 次の反応のうち，生成物としてラセミ体を生じるのはどれか．

(a) PhCHO + $NaBH_4$ $\xrightarrow{\text{MeOH}}$

(b) PhCHO + CH_3MgBr $\xrightarrow[\text{2) } H_3O^+]{\text{1) } Et_2O}$

(c) $CH_3COCH_2CH_3$ + $LiAlH_4$ $\xrightarrow[\text{2) } H_3O^+]{\text{1) } Et_2O}$

(d) $CH_3COCH_2CH_3$ + CH_3MgBr $\xrightarrow[\text{2) } H_3O^+]{\text{1) } Et_2O}$

(e) CH_3COCH_2COOEt + $NaBH_4$ $\xrightarrow{\text{MeOH}}$

まとめ

- 鏡像と重なり合わない分子はキラルであり，重なり合う分子はアキラルである．
- 鏡像関係にあるキラルな分子の立体異性体をエナンチオマーといい，鏡像の関係にない立体異性体をジアステレオマーという．
- キラルな分子として最も一般的なものはキラル中心をもつものであり，複数のキラル中心をもちながらアキラルな異性体はメソ化合物とよばれる．
- エナンチオマーは，アキラルな環境では同じ物理的・化学的性質を示すが，平面偏光を逆向きに回転させるという光学活性な性質をもっている．
- エナンチオマーの等量混合物はラセミ体といわれ，その分離は光学分割といわれる．
- キラル軸をもつ化合物も知られている．
- アキラルな化合物あるいはラセミ体の反応では，新しいキラル中心が生じても生成物はラセミ体である．

章末問題

問題 11.11　次の物体のうちキラルなものをあげよ．いずれも無地であると考える．

(a) フラスコ　(b) ピンセット　(c) ビーカー
(d) 野球のグローブ　(e) サッカーボール
(f) ラグビーボール　(g) 右ハンドルの自動車
(h) 船のスクリュー

問題 11.12　次の化合物をキラルなものとアキラルなものに分類せよ．

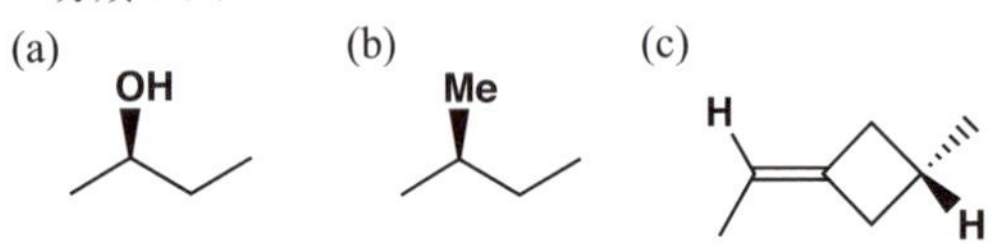

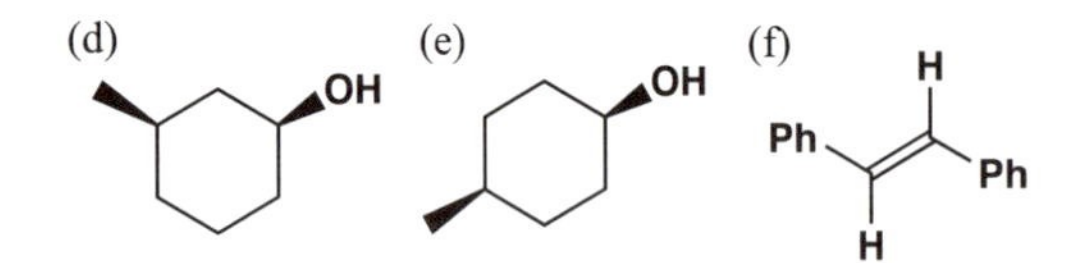

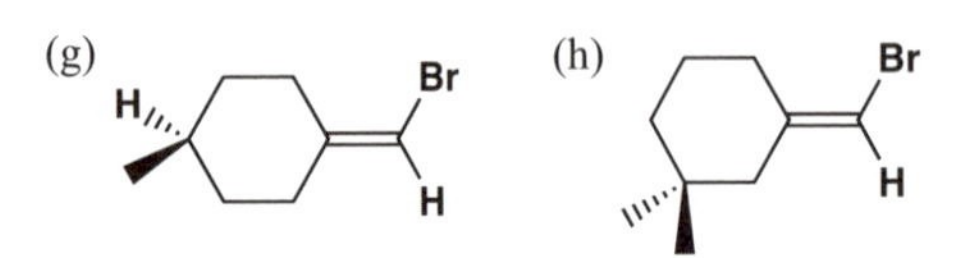

問題 11.13　(a)～(d)の構造式は，最初に示したものと同じ立体異性体を表しているか，それともエナンチオマーを表しているか．

H　Cl
C
CH_3　CH_2OH

(a) Cl, CH_3, C, CH_2OH, H　　(b) H, CH_3, C, Cl, CH_2OH

(c) Cl, H, H, H, CH_3, OH　　(d) CH_2OH, H—+—Cl, CH_3

問題 11.14　次の化合物のすべてのキラル中心の *R*, *S* 立体配置を帰属せよ．

(a) CO_2H, H_2N—C—H, CH_2OH
セリン

(b) CO_2H, H_2N—C—H, CH_2SH
システイン

(c) HO, OH, O, O, H, OH, OH
アスコルビン酸
(ビタミンC)

(d) OH, NHMe
エフェドリン
(交感神経興奮薬)

(e)
(+)-カルボン
(キャラウェイ)

(f) O, CO_2Et, AcHN, $\overset{+}{N}H_3$ $H_2PO_4^-$
タミフル
(リン酸オセルタミビル)
(インフルエンザ薬)

問題 11.15　次の化合物をジグザグ構造で示せ．

(a) (*R*)-2-ペンタノール
(b) (*S*)-3-ヒドロキシブタン酸
(c) (*R*)-1-ブテン-3-オール
(d) (*R*)-アラニン　$CH_3CH(NH_2)CO_2H$
(e) (2*R*, 3*R*)-2,3-ジクロロペンタン

問題 11.16　分子式 $C_5H_{12}O$ をもつ化合物の構造を(a)アルコールと，(b)エーテルに分けて線形表記ですべて示せ．ただし，キラルなものについては，アルコールは *R* エナンチオマーを，エーテルは *S* エナンチオマーをそれぞれ三次元式で表すこと．

問題 11.17　1,3-シクロヘキサンジオールの立体異性体をすべて示し，それらの関係を説明せよ．またキラル中心の *R*, *S* 立体配置を帰属せよ．

問題 11.18　次のカルボニル化合物の反応の生成物の構造を示せ．立体異性体が可能な場合には，それらが区別できるように表し，異性体の関係を述べよ．

(a) PhCHO + NaCN $\xrightarrow{H_3O^+}$

(b) (2-ブタノン) + $NaBH_4$ $\xrightarrow{MeOH}$

(c) (2-ブタノン) + MeMgBr $\xrightarrow{1)\ Et_2O\ \ 2)\ H_3O^+}$

(d) $CH_3C(=O)OEt$ + 2PhMgBr $\xrightarrow{1)\ Et_2O\ \ 2)\ H_3O^+}$

(e) $CH_3CH(OMe)CHO$ + NaCN $\xrightarrow{H_3O^+}$

(f) $CH_3COCH_2CO_2Et$ + $LiAlH_4$ $\xrightarrow{1)\ Et_2O\ \ 2)\ H_3O^+}$

12
ハロアルカンの求核置換反応

【基礎となる事項】
- 分子のひずみと立体障害（4 章）
- 有機反応と反応機構の考え方（7 章）
- 結合の切断と生成：巻矢印による反応の表し方（7.2 節）
- 反応のエネルギー：遷移状態，中間体，反応速度（7.4 節）
- カルボニル炭素での求核置換反応（9 章）
- 立体化学（11 章）

【本章で学ぶこと】
- 飽和炭素での求核置換はカルボニル求核置換とどう違うのか
- 求核置換の二つの機構：S_N2 と S_N1
- 中間体と遷移状態の構造
- カルボカチオンの安定性
- 置換反応の立体化学
- 置換反応における溶媒効果
- 隣接基関与

この章で考えるハロアルカン（ハロゲン化アルキル）と関連化合物は，飽和炭素（sp^3 C）とヘテロ原子（Y）の結合をもつもので，一般式では RY と表せる．R はアルキルであり，Y としてはおもにハロゲンについて述べ，類似の反応性を示すスルホナート（$-OSO_2R$）についても述べる．これらの化合物中の R−Y σ 結合は，いずれも分極しており，C は部分正電荷をもつので求核攻撃を受けやすく，Y は脱離基になり得る．

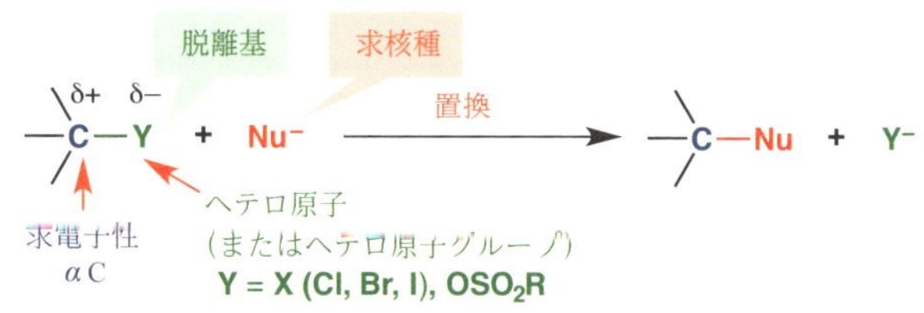

求核的な（塩基性）反応条件で，RY が起こす最も典型的な反応は**求核置換反応**と**脱離反応**の二つであり，求電子的な C から Y がヘテロリシスによって外れ，**脱離基**となる．置換反応では α 炭素を求核種が攻撃し Y と置き換わるが，脱離反応では β 炭素からプロトンが（塩基で）引き抜かれ，アルケンを与える．

H
C−C−Y
脱離
アルケン
+ HY
βC
αC

この章ではまず求核置換反応について述べ，次章で脱離反応について説明する．アルコールやアミンなど C−O，C−N，C−S 結合を含む化合物の反応については，14 章で詳しく述べる．

テルペン類は S_N1 反応によって生成し，植物の香り成分になっている．スズランの香りもその一つである

12.1　ハロアルカンの求核種に対する反応性

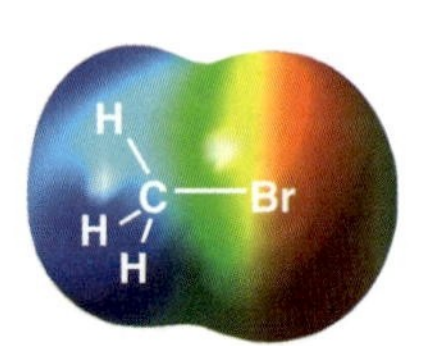

CH_3Br の EPM は C−Br 結合の極性を示している．

臭化 *t*-ブチルは，ほとんど HO^- の存在しない水溶液でも求核置換を起こし，*t*-ブチルアルコールを与える．この反応は S_N1 とよばれる機構で進行する（12.4 節）．中性の水溶液中では Me_3CBr の速度は Me_2CHBr の 10^5 倍にも達する．その反応速度は $[HO^-]$ = 約 0.05 mol dm^{-3} まではほとんど変化しない．さらに HO^- を加えていくと速度は増大するが，脱離が主になる（13 章）．すなわち，Me_3CBr の反応性は十分高いといえるが，S_N2 反応は起こさない．

脱離基を一般的に表すために，ここではハロアルカンを RY としているが，ハロアルカンだけを特定して表す場合にはハロゲンを X とし，RX と表すことが多い．

求核置換反応の代表的な例として 7 章ではブロモメタンが水酸化物イオンと反応してメタノールを生成する反応を取り上げた．この反応の速度を水溶液中で調べると，速度は HO^- と CH_3Br の両方の濃度に依存し，反応速度を決める段階（律速段階）に両者が含まれていることを示している．

$$HO^- + CH_3{-}Br \longrightarrow HO{-}CH_3 + Br^- \quad 反応速度 = k[CH_3Br][HO^-]$$

この関係は，一連のブロモアルカン RBr（R＝CH_3，$MeCH_2$，Me_2CH）についても一般化できる．

$$HO^- + R{-}Br \longrightarrow HO{-}R + Br^- \quad 反応速度 = k[RBr][HO^-]$$

ブロモメタンの CH_3 の H を一つずつメチル基で置換して，ブロモエタン，2-ブロモプロパンにしても速度式は変化しないが，速度定数は急激に小さくなる．

	CH_3-Br	$MeCH_2-Br$	Me_2CH-Br	Me_3C-Br
速度定数 *k* の相対値：	1.0	0.08	0.014	?

これらの結果からわかることは，この反応が二次反応であり，遷移状態には RBr と HO^- の両方が含まれ，その安定性が R の構造に大きく依存していることである．

しかし，さらにすべての H を CH_3 に換えて 2-ブロモ-2-メチルプロパン（臭化 *t*-ブチル）Me_3CBr にすると，反応は予想に反して非常に速くなる．反応速度も（$[HO^-] < 0.05$ mol dm^{-3} では）HO^- の濃度に依存しないので，明らかに反応機構が変化している．

12.2　S_N2 反応とその機構

ハロアルカン RY の C−Y 結合は極性をもつので，求核種は求電子性の C を直接攻撃すると考えるのが自然である．これは二次反応速度則にも矛盾しないし，これから述べる種々の実験結果もよく説明する．しかも求核種は，脱離する Y との静電反発を避けて，脱離基 Y の反対側から攻撃するのが合理的である．求核種 Nu^- との反応を一般式として表すと，反応 12.1 に示すような遷移構造を経る反応機構が書ける．

反応 12.1　S_N2 反応機構

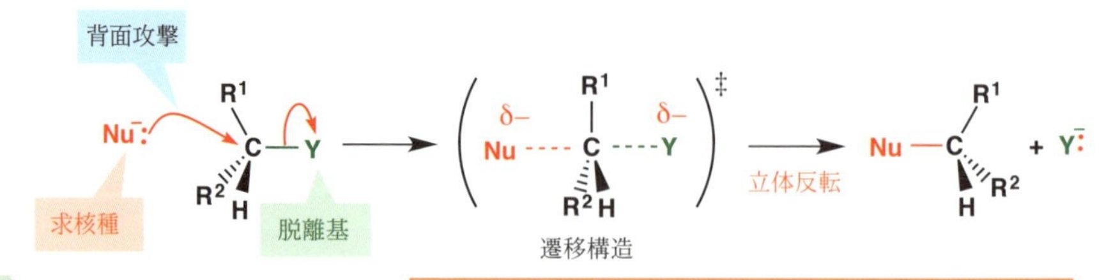

求核置換反応 nucleophilic substitution
求核種 nucleophile
脱離基 leaving group

この反応は，遷移状態にRYと求核種の両方が含まれるので，反応速度が両方の濃度に依存する．すなわち，**二次反応**である．

$$反応速度 = k[RY][Nu^-]$$

また，このように律速段階に2分子が含まれる反応を**二分子反応**という．

- この反応は**二分子求核置換反応**であり，Bimolecular Nucleophilic Substitution の頭文字をとって **S_N2 反応**と略称される．
- この反応の特徴は，反応が1段階で起こり中間体をもたないこと，そして**背面攻撃**で進むので反応中心の炭素の**立体反転**（**立体配置反転**）が起こることである．

これらのことは，次に述べるように実験事実によって確かめられ，分子軌道論によっても合理的に説明できる．

Sir Christopher Ingold
（1893〜1970）
英国ロンドンに生まれ，ユニヴァーシティ・カレッジ・ロンドンの教授を務めた．1930年代に，求核種と求電子種，誘起効果と共鳴効果などの概念を含め，有機反応機構の現代的考え方を確立した．S_N1，S_N2，E1，E2などの用語も導入した．

12.2.1　立 体 障 害

ハロアルカンRYのアルキル基Rの構造が変化すると，最初にみたようにメチル＞エチル＞イソプロピルと反応が遅くなり，立体障害の影響が現れる．反応中心になるα炭素の置換基が多く，かさ高いほど，次に示すように背面攻撃に対する**立体障害**が大きくなりS_N2反応は遅くなる．

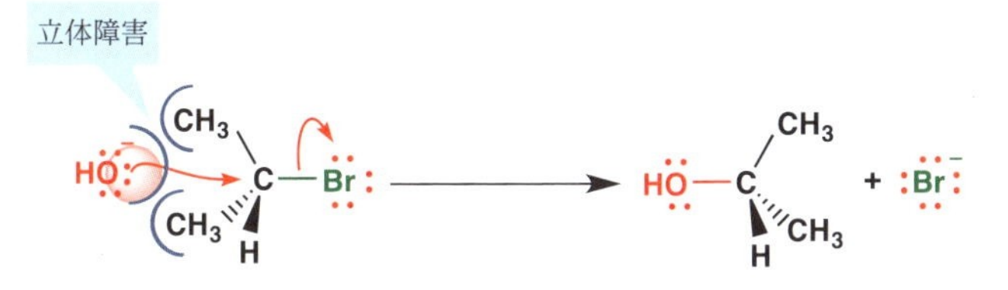

一般的にS_N2反応におけるRYの反応性は次に示すように減少し，第三級アルキル化合物はS_N2反応を起こさないと考えてよい．しかし，第三級アルキル化合物は，次節で述べるように別の機構で反応する．

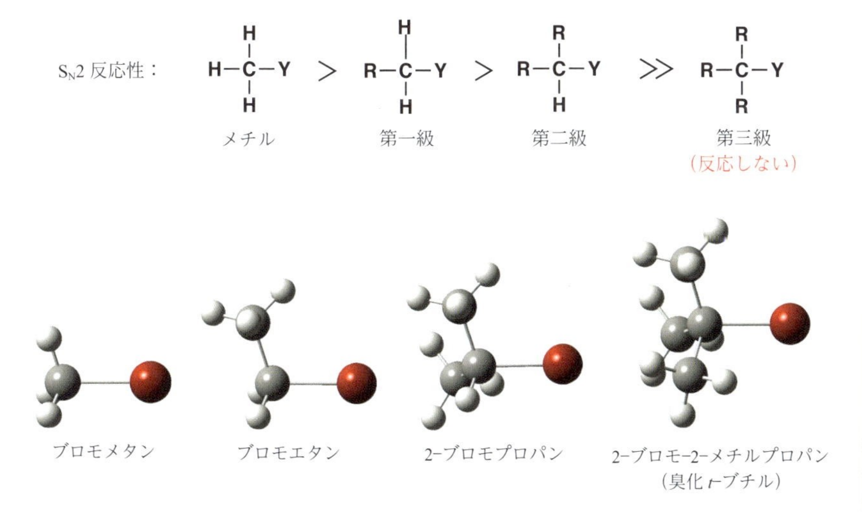

二分子反応　bimolecular reaction
背面攻撃　rear-side attack
立体反転　stereochemical inversion
立体配置反転　inversion of configuration
立体障害　steric hindrance

例題 12.1

ブロモアルカンC_4H_9Brの異性体をすべてあげ，S_N2反応における反応性の順に並べよ．

解 答　二つの第一級アルキル誘導体のうちでは，β炭素で枝分れしたもののほうが立体障害のために反応性が低い．

$CH_3CH_2CH_2CH_2Br$	>	$(CH_3)_2CHCH_2Br$	>	$CH_3CH_2CH(CH_3)Br$	>>	$(CH_3)_3CBr$
1-ブロモブタン （臭化ブチル） （第一級）		1-ブロモ-2-メチルプロパン （臭化イソブチル） （第一級）		2-ブロモブタン （臭化 *s*-ブチル） （第二級）		2-ブロモ-2-メチルプロパン （臭化 *t*-ブチル） （第三級）

問題 12.1　次のハロアルカンの組合せのうち，S_N2 反応における反応性が高いのはどちらか．

(a) $CH_3CH_2CH_2Cl$ と $(CH_3)_2CHCl$　　(b) $(CH_3)_2CHCH_2Br$ と $(CH_3)_3CCH_2Br$

12.2.2 立 体 化 学

■ S_N2 反応の特徴は，反応 12.1 からわかるように，求核攻撃を受ける炭素の立体配置が反転（立体反転）することである．しかも反応は立体特異的である．

立体特異的 stereospecific
立体特異的反応では，出発物の立体異性によって生成物の立体化学が決まる．立体選択性との意味の違いについては 11.6 節で述べた．

このことはキラル中心をもつ光学活性な基質を用いて実験すれば，容易に確かめることができる．たとえば，(*R*)-2-ブロモブタンを水酸化物イオンと反応させると，(*S*)-2-ブタノールが生成する．

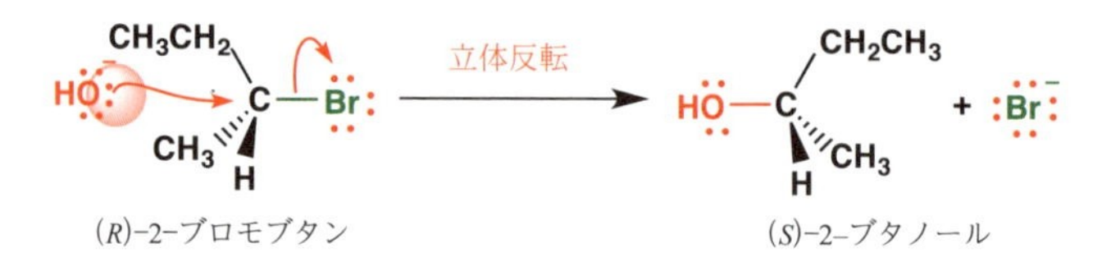

ヨウ化物イオンと一度反応させてから水酸化物イオンと反応させると，(*R*)-2-ブタノールが得られる．立体反転が 2 回起きた結果，立体保持の生成物が得られたので，確かに予想通りに反応が進んでいることを示している．

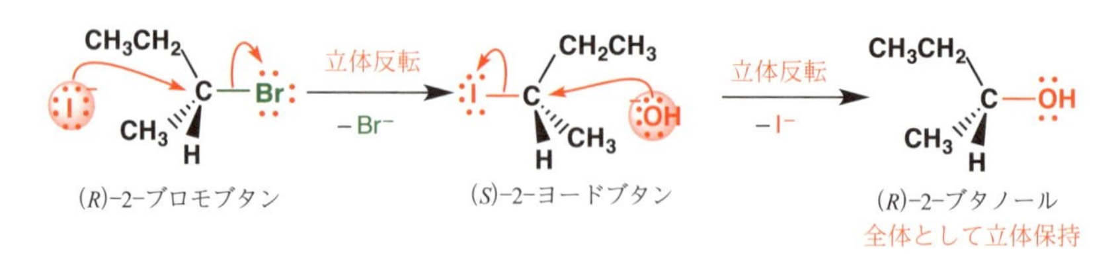

問題 12.2　*cis*- および *trans*-1-ブロモ-4-メチルシクロヘキサンを水溶液中で水酸化物イオンと反応させたとき得られる置換生成物は何か．結果を説明せよ．

12.2.3 S_N2 反応における軌道相互作用

軌道相互作用 orbital interaction

S_N2 反応が反応 12.1 のように進むとき，求核種の非共有電子対（HOMO）は RY の LUMO と相互作用する．C−Y 結合の LUMO である反結合性 σ* 軌道は，欄外に示した H_3C−Br 結合の σ* 軌道にみられるように，C−Y 結合の反対側に大きなローブをもっている．したがって，図 12.1 に CH_3Br について模式的に示すように，Nu^-（HO^-）の非結合性軌道（HOMO）が C−Br の反対側から重なりをもち，求核種の攻撃は**背面攻撃**で起こる．C−Br の σ* 軌道に電子が入っていくに

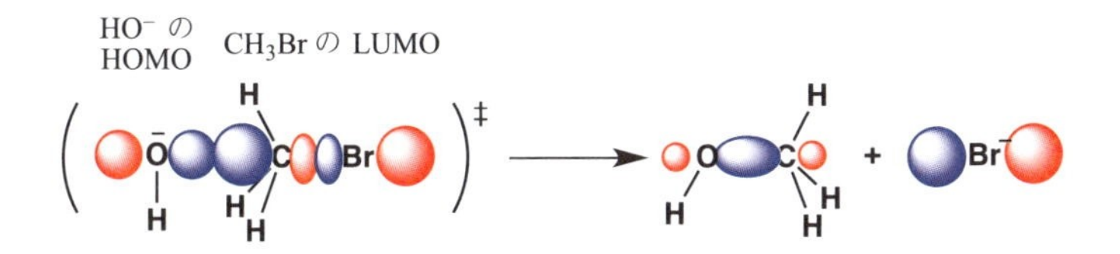

図 12.1　CH_3Br と HO^- の S_N2 反応における HOMO-LUMO 相互作用の模式図

従って C−Br 結合は弱くなり，切れていく．炭素の立体配置は反応とともに反転する．このように二つの結合変化が，関係する軌道の連動によって同時に起こるので，この反応は協奏反応である．

理論計算による CH_3Br の LUMO のかたち
内部に埋め込まれた分子模型がみえている．

問題 12.3　7.4 節を参照して，S_N2 反応のエネルギー図を書け．

12.2.4　求核種と脱離基

求核種としては，水酸化物イオンも含めて，次のようなものがある．プロトン性溶液中における求核反応性(求核性)の大きい順にあげておく．

求核性：　RS^-，CN^-，I^- > RO^-，HO^- > Br^-，NH_3，RNH_2，N_3^- > Cl^- > RCO_2^- > F^- > H_2O，ROH

周期表の同じ周期の原子が求核中心になるときは，塩基性の大きいほうが求核性も大きい．塩基性はプロトン H^+ に対する親和性を表しているが，求核性は炭素に対する速度論的な親和性を表しており，この場合には同じ順序になる．

求核性：　RNH^- > RO^-，HO^- > RNH_2 > RCO_2^- > H_2O，ROH
塩基性　　大 ⟷ 小

しかし，ハロゲン化物イオンのように同じ族の原子のイオンは，高周期のもののほうが弱塩基性であるにもかかわらず，水溶液中における求核性は大きい．これは小さい原子が強い溶媒和(水素結合)の影響(12.3 節)を受けて求核性が低くなるからであり，大きい原子は分極率が大きく，電子の広がりも大きいので，炭素の軌道と遠くから重なり合うことができる．

非プロトン性溶媒中では溶媒和の影響が小さいので，求核性が塩基性と同じ順序になり，ハロゲン化物イオンの求核性はプロトン性溶媒中における序列とは逆になる．

求核性：　I^- > Br^- > Cl^- > F^-　　RS^- > RO^-
塩基性　　小 ⟷ 大　　小 ⟷ 大

求核性は立体障害の影響を強く受ける．塩基性が，小さいプロトンへの反応なので，立体効果をあまり受けないのとは対照的である．*t*-ブトキシドイオンはエトキシドイオンよりも強塩基であるが，立体障害のため求核性はずっと小さい．

求核性：　$CH_3CH_2O^-$ ≫ $(CH_3)_3CO^-$
塩基性　　小 ⟷ 大
立体障害　小 ⟷ 大

脱離基の代表的なものはハロゲンであるが，優れた脱離基になるものには次のようなものがある．いずれも対応する酸 HY が強酸である．強酸は HY から Y^- を出しやすいことを意味しており，C−Y 結合から Y^- を出す傾向と一致していることはきわめて合理的である．

脱離基 leaving group
p. 154 の欄外でも説明したように，ここでみるような脱離基は nucleofuge ともよばれ，その脱離能は nucleofugality ともいう．

優れた脱離基：　I^-，Br^-，Cl^-，RSO_3^-，H_2O

求核性 nucleophilicity
塩基性 basicity

ハロゲンの脱離能の序列は，HY の酸性度と一致しており，求核性の大きいヨウ化物イオンは脱離能も大きい．フッ化物イオンはほとんど脱離能をもたない．

脱離能：　$Y^- = I^- > Br^- > Cl^- \gg F^-$

HY の酸性度　　大 ⟷ 小

例題 12.2

次の求核置換反応を完成せよ．

(a) ／＼／Cl + NH_3 ⟶　　(b) (CH₃)₂CHCH₂Br + $EtO^- Na^+$ ⟶

ハロアルカンとアルコキシドの S_N2 反応によるエーテルの生成は，エーテル合成法として一般的であり，Williamson エーテル合成とよばれる．A. M. Williamson (1824〜1904) はユニヴァーシティ・カレッジ・ロンドンの教授として，伊藤博文や井上馨ら（長州五傑）など，当時の日本人留学生を援助したことでも知られている．

解 答　(a) NH_3 を求核種とする S_N2 反応が起こり，アンモニウム塩を生成する．

／＼／Cl + NH_3 ⟶ ／＼／$\overset{+}{N}H_3$ Cl^-

1–クロロプロパン　アンモニア　　塩化プロピルアンモニウム

(b)

Br + $EtO^- Na^+$ ⟶ OEt + $Na^+ Br^-$

1–ブロモ–2–メチルプロパン　ナトリウムエトキシド　1–エトキシ–2–メチルプロパン（エチルイソブチルエーテル）

ノート 12.1　生体内の S_N2 反応

ハロアルカンのようなアルキル化剤は，S_N2 反応によって生体物質をアルキル化するので有毒である．たとえば，酵素の NH_2 や SH のような求核的な部位をアルキル化して触媒作用を阻害する．DNA の塩基部分で反応すると，突然変異やがんの原因になるかもしれない．求電子性をもつアルデヒドやエポキシドのような化合物も同じような作用を示す可能性がある．

最も悪名高いアルキル化剤の一つはマスタードガスである．これはビス(2–クロロエチル)スルフィドであり，第一次世界大戦中に化学兵器として用いられた．硫黄原子が分子内求核種として反応して環状スルホニウムイオンを生成し，強力なアルキル化剤になる．

生合成の過程にも S_N2 反応が使われている．生体内のメチル化剤の一つは α–アミノ酸のメチオニンから誘導された *S*–アデノシルメチオニン (SAM) であり，これもスルホニウム塩である．その一例として，私たちの体内で行われているノルエピネフリンのメチル化によるエピネフリン（アドレナリン）の生合成がある．

問題 12.4 次の求核置換反応を完成せよ．

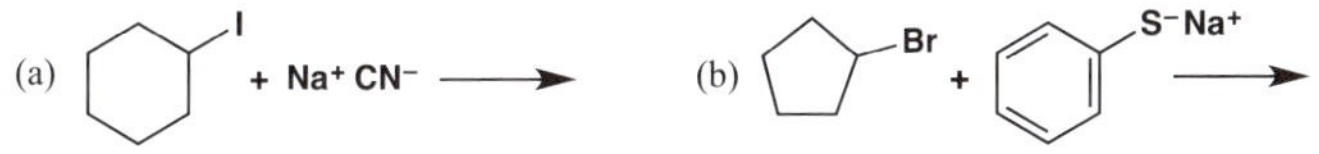

(a) (ヨードシクロヘキサン) + $Na^+ CN^-$ ⟶ (b) (ブロモシクロペンタン) + (ベンゼンチオール ナトリウム塩 S^-Na^+) ⟶

問題 12.5 (a)と(b)のそれぞれ二つの反応のうち，どちらが速いか．またそれはなぜか．

(a) (1) $CH_3CH_2CH_2Br + EtO^- \xrightarrow{EtOH} CH_3CH_2CH_2OEt + Br^-$

(2) $CH_3CH_2CH_2Br + EtS^- \xrightarrow{EtOH} CH_3CH_2CH_2SEt + Br^-$

(b) (1) $CH_3CH_2CH_2Br + CN^- \xrightarrow{\text{プロパノン}} CH_3CH_2CH_2CN + Br^-$

(2) $CH_3CH_2CH_2I + CN^- \xrightarrow{\text{プロパノン}} CH_3CH_2CH_2CN + I^-$

12.3 溶 媒 効 果

12.3.1 遷移状態の極性

気相ではイオンの生成(ヘテロリシス)は高エネルギーを要するので，気相反応はホモリシスで起こる．しかし，溶液中における多くの有機反応は極性反応であり，反応をうまく進めるためには溶媒の選択が非常に重要になる．有機反応における溶媒の役割をここで少し詳しく説明しよう．

ある化合物が溶媒に溶けて溶液の状態になると，溶質(溶けたもの)と溶媒の相互作用が生じる．その相互作用による安定化効果が大きいほど溶解度も大きい．2.10.4 項で説明したように，極性の大きい化合物は極性の大きい溶媒に溶けやすい．極性の大きい状態は，溶媒の極性が大きいほど強く安定化されるからである．

反応に対する溶媒効果を考える場合には，反応原系(反応物)と遷移状態(TS)における溶質–溶媒相互作用を考える必要がある．その相互作用による安定化は極性に依存するので，TS の極性が問題になる．反応原系の安定化と比べて，TS の安定化のほうが大きくなれば反応は加速されるし，前者のほうが大きければ減速される(図 12.2)．安定化の大きさによって活性化エネルギーが影響を受けるからである．

したがって，反応原系から TS にいくにつれて，(a) 極性が大きくなる場合には溶媒極性が増大するにつれて反応は加速されるが，(b) 逆に極性が減少するような場合には，極性溶媒によって反応原系のほうがより強く安定化されるので，無極性溶媒のほうが反応は速い(図 12.2)．

溶媒効果 solvent effect
溶質–溶媒相互作用 solute–solvent interaction

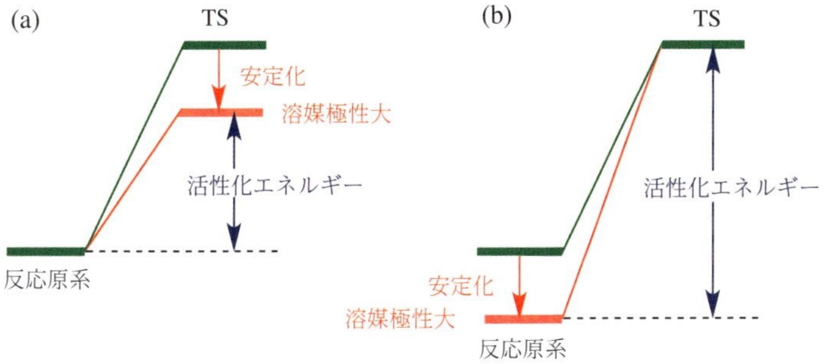

(a) TS 安定化 溶媒極性大 活性化エネルギー 反応原系
(b) TS 活性化エネルギー 安定化 溶媒極性大 反応原系

図 12.2 反応速度に対する極性溶媒の効果
(a) 遷移状態(TS)で極性が大きくなる場合，極性溶媒で TS が安定化され，活性化エネルギーが小さくなるので反応が加速される．(b) 反応物の極性が大きく，TS で極性が失われる場合，極性溶媒で反応原系がより大きく安定化され，活性化エネルギーが大きくなるので反応が減速される．

■ 遷移状態で　溶媒極性が増大すると

(a) 極性の増大(電荷の生成)　反応速度増大

(b) 極性の減少(電荷の分散または消失)　反応速度減少

電荷をもたない基質の S_N2 反応は，一般的にいえば，求核種がアニオンである場合には，その負電荷が TS で分散されるので，溶媒極性が大きいほど反応は遅くなる．

$$HO^- + RY \longrightarrow \left(\overset{\delta-}{HO}\cdots R\cdots \overset{\delta-}{Y} \right)^{\ddagger} \longrightarrow HOR + Y^-$$

アニオン性求核種　　電荷の分散

しかし，電荷をもたない求核種との反応では，電荷の分離が起こってくるので，溶媒極性が大きいほど反応は速くなる．

$$H_3N + RY \longrightarrow \left(\overset{\delta+}{H_3N}\cdots R\cdots \overset{\delta-}{Y} \right)^{\ddagger} \longrightarrow H_3\overset{+}{N}R + Y^-$$

中性求核種　　電荷分離

12.3.2 溶媒の分類

溶媒は一般的に，どのような分子間相互作用をもつことができるかによって分類される．溶媒分子の極性によって**極性溶媒**と**無極性溶媒**に，また水素結合できるプロトンをもつかどうかによって**プロトン性溶媒**と**非プロトン性溶媒**に分類される．代表的な溶媒をプロトン性と非プロトン性溶媒に分けて次に示す．かっこ内の数値は比誘電率であり，その値が大きいものほど極性が高いことを表している．

(a)　プロトン性溶媒(極性～弱い極性)

H_2O (80) 水

CH_3OH (32) メタノール

EtOH (25) エタノール

HCO_2H (58) メタン酸(ギ酸)

CH_3CO_2H (6.2) エタン酸(酢酸)

$H-C(=O)-NHMe$ (182) *N*-メチルホルムアミド(NMF)

(b)　非プロトン性極性溶媒

$Me-C(=O)-Me$ (21) プロパノン(アセトン)

CH_3CN (36) エタンニトリル(アセトニトリル)

$H-C(=O)-NMe_2$ (37) *N,N*-ジメチルホルムアミド(DMF)

$Me-S(=O)-Me$ (47) ジメチルスルホキシド(DMSO)

(c)　非プロトン性溶媒(無極性～弱い極性)

$CH_3(CH_2)_4CH_3$ (1.9) ヘキサン

C_6H_6 (2.4) ベンゼン

$CHCl_3$ (4.9) トリクロロメタン(クロロホルム)

Et_2O (4.4) エトキシエタン(ジエチルエーテル)

(環状エーテル) (7.5) テトラヒドロフラン(THF)

求核種はアニオンであることが多く，通常非共有電子対をもっている．2.10.5 項で述べたように，このような化学種は水素結合による**溶媒和**で強く安定化されるので，求核種の反応性(求核性)はプロトン性溶媒中では著しく低下する．したがって，求核性は非プロトン性溶媒中では大きいはずであるが，無極性溶媒にはイオン性物質は溶けないので，**非プロトン性極性溶媒**が求核種の反応の優れた溶媒になる．非プロトン性極性溶媒はアニオン(求核種)を溶媒和できないが，カチオンを溶媒和してイオン性物質の溶解を可能にしている．求核種の代表的な反応として，S_N2 反応は非プロトン性極性溶媒中で効率よく進行する．

極性溶媒 polar solvent
無極性溶媒 nonpolar solvent
プロトン性溶媒 protic solvent
非プロトン性溶媒 aprotic solvent
溶媒和 solvation
非プロトン性極性溶媒 polar aprotic solvent

例題 12.3

イオン性物質(例，NaI)の非プロトン性極性溶媒(DMSO)とプロトン性溶媒(ROH)による溶解について説明せよ．Na^+ と I^- の溶媒和のようすを示せばよい．

解 答　イオン性物質の溶解については 2.10.5 項を参照して考えよう．カチオンは溶媒分子の非共有電子対と Lewis 酸塩基相互作用によって溶媒和される．その効果は ROH よりも DMSO のほうが大きい．アニオンは DMSO では双極子−双極子相互作用によって安定化されるが，プロトン性溶媒では水素結合溶媒和による安定化が大きい．(a) Na^+ の DMSO による溶媒和と，(b) I^- の ROH による溶媒和を示す(溶媒分子は三次元的に配位していることに注意)．

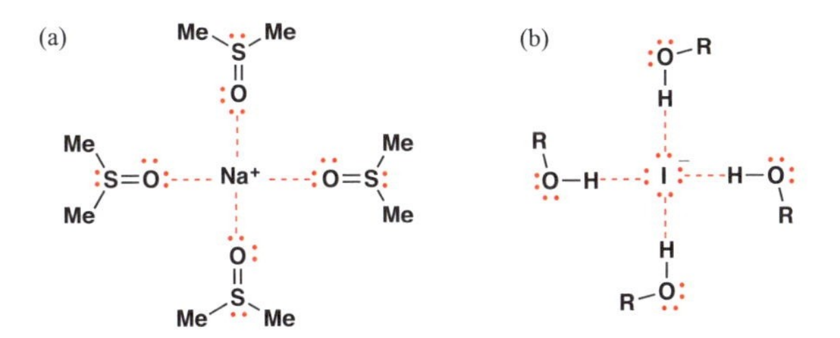

問題 12.6　次に示す置換反応に対する溶媒効果について問に答えよ．

(a) トリメチルスルホニウムイオンと RO^- (R＝H または Et)の反応は，反応溶媒を水からエタノールに代えると約 20 000 倍速くなる．その理由を説明せよ．

$$CH_3\overset{+}{S}(CH_3)_2 + RO^- \longrightarrow CH_3OR + (CH_3)_2S$$

(b) (a)と類似のヨウ化メチルの反応は，反応溶媒を水からエタノールに代えてもわずかに速くなるだけである．その理由を説明せよ．

$$CH_3I + RO^- \longrightarrow CH_3OR + I^-$$

12.4　S_N1 反応とその機構

12.1 節で臭化 *t*-ブチル Me_3CBr の置換反応は，ブロモメタンとは異なる反応機構で進行していると述べた．水酸化物イオン濃度$[HO^-]$のごく低い領域では速度は$[HO^-]$に依存しない．すなわち，反応速度＝$k[Me_3CBr]$となり，求核種の濃度に依存しないで反応している．

前にも述べたように，Me_3CBr の反応速度は，$[HO^-] > 0.05$ mol dm^{-3} では$[HO^-]$とともに速くなるが，生成物はアルケンになり，脱離反応(13 章)が起こっている．

臭化 *t*-ブチルや他の第三級化合物 RY も確かに求核置換反応を受けるが，やはり反応速度は基質濃度[RY]だけで決まっている．

$$Nu^- + R{-}Y \longrightarrow Nu{-}R + Y^- \qquad 反応速度 = k[RY]$$

反応は**一次反応**であり，律速段階の遷移構造には RY が 1 分子だけが含まれている．このような反応は**単分子反応**あるいは一分子反応とよばれ，**単分子求核置換反応**(unimolecular nucleophilic substitution)は **S_N1 反応**と略称される．反応全体としては求核種 Nu^- が含まれているので，律速段階では RY だけの化学変化が起こり，求核種は律速段階のあとで反応していると考えざるを得ない．

律速段階 rate-determining step
(r.d.s. と略すことがある)
一次反応 first-order reaction
単分子反応(一分子反応)
unimolecular reaction

12.4.1　カルボカチオン中間体

そのような 2 段階の反応機構として合理的に考えられるのは，まず C−Y 結合

ノート 12.2　相間移動触媒

ほとんどの有機反応は有機溶媒中で行われるが，イオン性化合物は有機溶媒にはふつうよく溶けない．一方，有機化合物は水溶液にはあまり溶けないので，これらを反応させようと思うと問題が生じる．その典型的な例は，アニオンを求核種に用いる S_N2 反応である．無機塩は有機溶媒に溶けないので，アニオンの対カチオンとして第四級アンモニウムイオンを使うのが一つの解決法である．たとえば，アジドイオン N_3^- の反応には，ナトリウム塩 NaN_3 ではなく，テトラブチルアンモニウムアジド $Bu_4N^+N_3^-$ を用いればよい．

もう一つの解決法は，相間移動触媒を用いることである．有機化合物を有機溶媒に，求核種を供給する無機塩を水に溶かし，この二つを 2 相系としてフラスコに加え，激しく撹拌する．そこに $Bu_4N^+\ HSO_4^-$ のような化合物を相間移動触媒として加えると，これがアニオン求核種の有機溶媒への溶解を助け，有機相での反応を促進する．次の S_N2 反応が一例である．

相間移動触媒

1-ブロモオクタン（$CH_3(CH_2)_7Br$） + $Na^+\ CN^-$ $\xrightarrow[\text{ベンゼン，水}]{Bu_4N^+\ HSO_4^-}$ $CH_3(CH_2)_7CN$ + $Na^+\ Br^-$

図に示すように，大きいアルキル基をもったアンモニムイオンが有機相に溶けるので，シアン化物イオンのようなアニオン性求核種を水相から有機相へ引き込む．相間の移動が全反応の律速であったり，S_N2 反応自体が 2 相の境界面で起こったりする可能性もある．

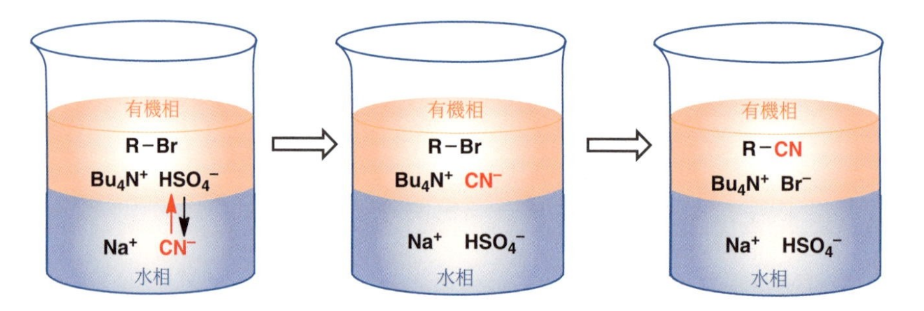

もう一つの例は，水酸化ベンジルトリメチルアンモニウム（トリトン B ともよばれる）を用いる二相反応である．水酸化物イオンによるケトンからのカルボアニオンの生成が相間移動触媒によって促進される（17 章参照）．

CH_3COCH_2Ph + $CH_3(CH_2)_3Br$ $\xrightarrow[\text{NaOH, 50\% 水−トルエン}]{PhCH_2NMe_3^+\ OH^-}$ $CH_3COCH(Ph)(CH_2)_3CH_3$

相間移動触媒としては，第四級アンモニウム塩のほか，ホスホニウム塩やクラウンエーテルとよばれる環状ポリエーテル（ノート 14.2 参照）も用いられる．

のヘテロリシスでカルボカチオン R^+ が生成し，ついで速やかに R^+ が求核種 Nu^- と反応する機構である．

R—Y ──律速──→ [R^+] ＋ :Y^-　　　[R^+] ＋ :Nu^- ──速い──→ RNu

カルボカチオン
中間体

- カルボカチオン中間体を経由する二段階反応が S_N1 反応の特徴である．
- S_N1 反応機構を支持する結果には，一次反応であることのほかに，生成物がラセミ化すること，反応性がカルボカチオンの安定性に依存すること，などがある．

これらの実験事実を次項以下で見ていく．

カルボカチオン carbocation
通常は 3 配位で R_3C^+ の構造をもっているが超強酸媒質中では 5 配位の H_5C^+ も存在可能であることが発見され，両者を区別するために前者をカルベニウムイオン (carbenium ion) といい，後者をカルボニウムイオン (carbonium ion) という．しかし，カルボニウムイオンはまれにしかみられないので，カルベニウムイオンを単にカルボカチオンということが多い．かつては炭素カチオンを全般的にカルボニウムイオンとよんでいたが，この言い方は推奨されない．

問題 12.7　7 章を参照して，S_N1 反応のエネルギー図を書け．

12.4.2　S_N1 反応の立体化学

S_N1 反応がカルボカチオン中間体を経て進むとすれば，その立体化学は S_N2 反応とはまったく異なるはずである．カルボカチオンの中心炭素は sp^2 混成であり，平面構造をとっている．その平面に垂直に空の p 軌道が出ており，求核種はその p 軌道を攻撃する(反応 12.2)．すなわち，キラルな光学活性基質から出発したとしても，カルボカチオンはアキラルであり，求核種はカチオン平面の両側から攻撃できるので，生成物はラセミ体になる可能性が高い．

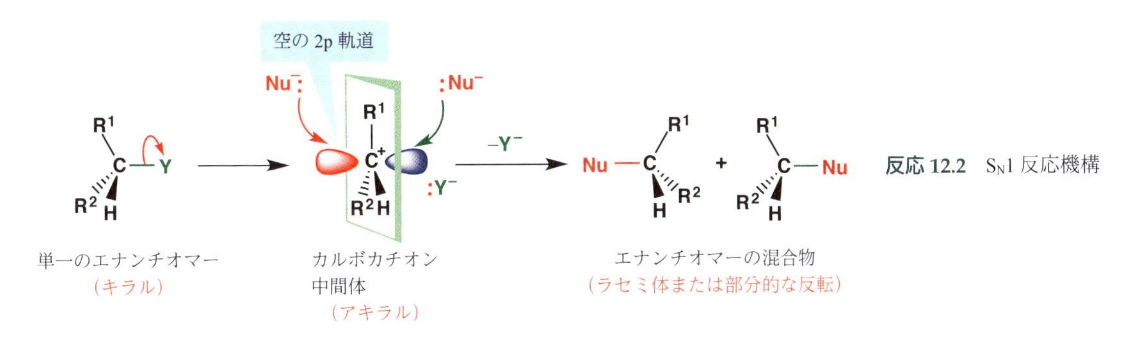

反応 12.2　S_N1 反応機構

しかし実際の反応では，カルボカチオンと脱離したアニオンとが静電引力によって引き合っているために，求核攻撃がただちに起これば，イオン対になっているアニオンを避けて反応が進む傾向がある．すなわち，完全にはラセミ化しないで，部分的立体反転(部分的ラセミ化)で進行する．その程度はカルボカチオンの安定性と溶媒の極性に依存する．

ラセミ化 racemization
イオン対 ion pair
部分的立体反転 partial inversion

例題 12.4

次の求核置換反応を完成せよ．

(a) (2-ブロモ-2-メチルブタン, Br) ＋ H_2O ──H_2O──→　　(b) (ヨードシクロヘキサン, I) ＋ MeOH ──MeOH──→

解 答

(a) 反応基質の 2-ブロモ-2-メチルブタンは第三級アルキル臭化物なので，溶媒として使った水が求核種となって S_N1 反応を起こし，アルコールを生じる．

$$\text{2-ブロモ-2-メチルブタン} + 2H_2O \xrightarrow[H_2O]{S_N1} \text{2-メチル-2-ブタノール} + H_3O^+ + Br^-$$

(b) ヨードシクロヘキサンは第二級のハロゲン化物であるが，ヨウ化物イオンの脱離能が大きくメタノールの求核性が低いので，S_N1 反応でエーテル(と HI)を与える．

$$\text{ヨードシクロヘキサン} + MeOH \xrightarrow[MeOH]{S_N1} \text{メトキシシクロヘキサン} + HI$$

生成した HI は MeOH 中でほとんど完全に解離している．

$$HI + MeOH \rightleftharpoons MeOH_2^+ + I^-$$

問題 12.8　次の求核置換反応を完成せよ．

(a) 1-クロロ-1-メチルシクロヘキサン + AcOH $\xrightarrow{AcOH}$　　(b) 1-ブロモ-1-エチルシクロペンタン + EtOH $\xrightarrow{EtOH}$

12.4.3　カルボカチオンの安定性

S_N1 反応の速度は，中間体のカルボカチオンが安定であるほど大きい．遷移構造が反応中間体のカルボカチオンに似ているからである*．アルキルカチオンの安定性は第三級＞第二級＞第一級と減少するので，ハロゲン化アルキルもこの順に S_N1 反応を受けにくくなる．第一級アルキルおよびメチル誘導体は S_N1 機構では反応しない．

＊　ノート 7.1　Hammond の仮説を参照すること．

カルボカチオン安定性：　$R_3C^+ > R_2HC^+ > RH_2C^+ > H_3C^+$

S_N1 反応性：　第三級アルキル ＞ 第二級アルキル ≫ 第一級アルキル，メチル（反応しない）

➡ ウェブノート 12.1　カルボカチオンの安定性の定量化

カルボカチオンはアルキル置換基が多いほど安定である．アルキル基が電子供与性で，カチオン中心の sp^2 炭素の正電荷を分散できるからである．図 12.3 に示すように，炭素の空の 2p 軌道は隣の C－H 結合の σ 軌道と相互作用できる．結合性 σ 軌道はエネルギー準位が低いので p 軌道との相互作用はあまり大きくはないが，この相互作用によって σ 結合電子がカチオンの空の p 軌道に流れ込むことができる．その結果 sp^2 炭素の正電荷を減少させ，カルボカチオンを安定化する．そのようすは π 電子の共役(5 章参照)に似ているので，この相互作用を**超共役**という．

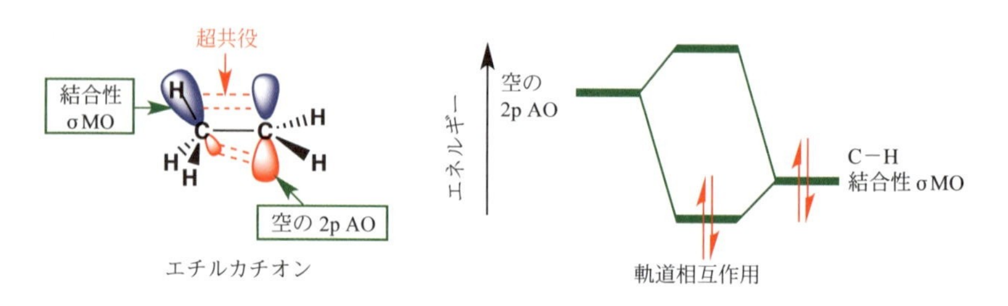

図 12.3　超共役によるカルボカチオンの安定化
相互作用する C－H 結合は 2p 軌道と同一平面にある．

超共役 hyperconjugation

カルボカチオンは，また π 結合や非共有電子対との共役で大きな安定化を受ける（5 章参照）ので，**共役安定化**したカルボカチオンを生成するような基質は S_N1 反応を受けやすい．

共役安定化カルボカチオンを生成する基質の反応性：

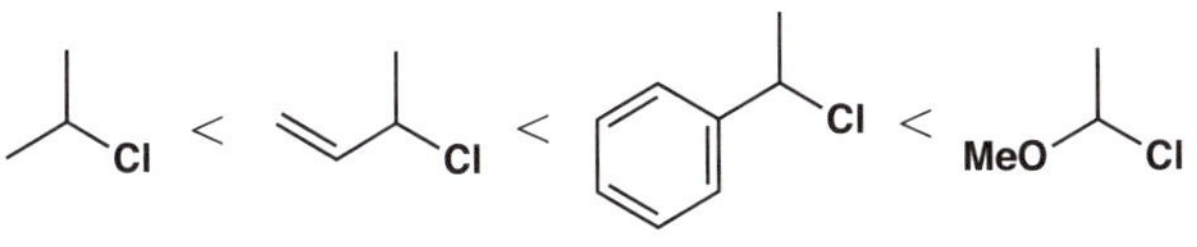

問題 12.9　上にあげた基質の反応で生成するアリル型カチオン，ベンジル型カチオン，および 1-メトキシエチルカチオンの共鳴構造式を書け．

第三級カルボカチオンが生成しやすいのは，電子的にカチオンが安定になっているからだけではなく，立体的な効果もある．第三級アルキル基質からカルボカチオンが生成するとき，中心炭素は sp^3 混成から sp^2 混成に変化する（図 12.4）．すなわち結合角が 109.5° から 120° になるので，炭素上の置換基どうしの立体ひずみが解消される．この立体ひずみは込合いの大きい第三級基質で最も大きく，**立体ひずみの解消**も加速に寄与している．

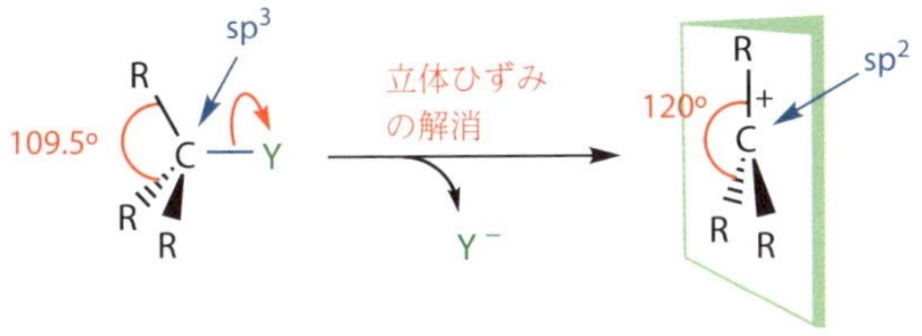

図 12.4　S_N1 反応における立体ひずみの解消

この効果は，出発物が不安定になるために現れるといえる．8.2 節で説明したカルボニル付加における立体ひずみの影響と比べると，ちょうど逆になっている．

問題 12.10　次のハロアルカンの組合せのうち，S_N1 反応の速度が大きいのはどちらか．

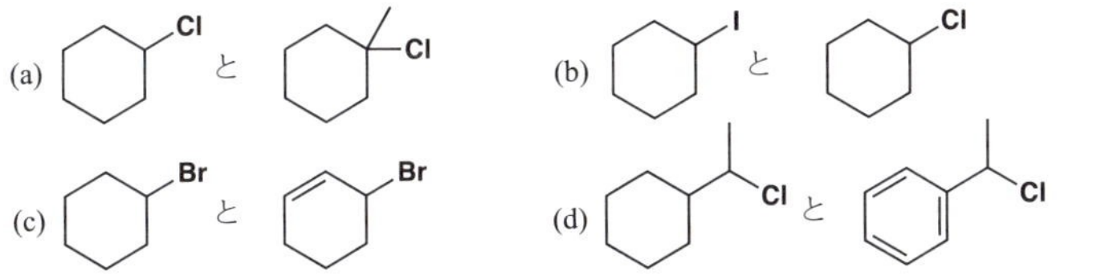

(a)　と　(b)　と

(c)　と　(d)　と

12.5　分子内求核置換：隣接基関与

通常の S_N2 反応は分子間の二分子反応である．脱離基をもつ分子が同時に求核性の官能基をもっていると，分子間の反応と競争して，分子内求核置換が可能になる．中間体として環状化合物が生成し，さらに二分子反応が進んで最終生成物を与えるが，転位生成物や立体保持生成物が含まれる．また反応は全体として加速される．

たとえば，4-メトキシペンチルスルホナートを酢酸中で反応させると，無置換のペンチルスルホナートよりも約 4000 倍速く反応する．一方，求核性の高いエタノール中では，溶媒による直接的な S_N2 反応の寄与が増すために，分子内求核置換の効果が不明確になる．それでも 4-メトキシ置換による加速は数十倍になる．

ノート 12.3　生体内の S_N1 反応

S_N1 反応機構は，よい脱離基をもち，比較的安定なカルボカチオンを生成するような基質で起こりやすい．天然にみられるよい脱離基にはリン酸あるいは二リン酸イオンがある．脱離基の二リン酸(ピロリン酸ともいう)はよく PPO(または OPP)と略して表される．このポリプロトン酸残基は，反応媒質の pH に応じてイオン化し電荷をもっているが，ここではイオン化状態を示さずに PPO^- のように表す．

O
HO P OH
OH
リン酸
(pK_{a1} 2.1)

O　O
HO P O P OH
OH　OH
(PPOH)
二リン酸
(ピロリン酸)
(pK_{a1} 4.5)

3-メチル-2-ブテニル(ジメチルアリル)二リン酸は，テルペン(イソプレノイドともいう)とよばれる一群の天然物(23 章参照)の C_5(イソプレン)単位を形成する前駆体である．この前駆体は優れた脱離基の二リン酸をもち，共鳴安定化されたアリル型カチオンを生成できるので，S_N1 反応のよい基質になる．生体内の S_N1 反応では，アルコールの OH や C=C 二重結合がこのカルボカチオンを捕捉する．

OPP
3-メチル-2-ブテニル二リン酸
S_N1
$-PPO^-$
+　+
ROH
$\overset{+}{O}R$
H
H
RO^+
+
$-H^+$
OR

3-メチル-3-ブテニル二リン酸(3-メチル-2-ブテニル二リン酸の異性体)が求核種として反応すれば，ゲラニル二リン酸が生成し，加水分解すればバラの芳香成分のゲラニオール(geraniol)になる．ゲラニオールの異性体のリナロール(linalool)はスズランやラベンダーをはじめとする多くの芳香性の植物(花)に含まれている．

+
OPP
+
OPP
H　H
$-H^+$

OPP
ゲラニル二リン酸
加水分解
OH
ゲラニオール
(バラの香り)
異性化
OH
リナロール
(花の香り)

ゲラニル二リン酸がもう 1 分子の 3-メチル-3-ブテニル二リン酸と反応すれば，バラやレモングラスの芳香成分となるファルネソール(farnesol)が生成する．

OPP
ゲラニル二リン酸
+
OPP
S_N1 ついで
脱プロトン
−PPOH

OPP
ファルネシル二リン酸
加水分解
OH
ファルネソール
(バラやレモングラスの香り)

反応生成物の大部分は，エタノール中においても分子内求核置換による加速からきており*，反応 12.3 に示すように環状オキソニウムイオン中間体(**I**)とエタノールの反応で得られると考えてよい．**I** の環内 C と O の結合は部分結合になっており，炭素にも部分電荷があるので，主生成物は **1** と **2** になる．**1** は 4-メトキシペンチルスルホナートの 1 位で単純に求核置換を起こした生成物と同じ*で，**2** は転位生成物である．**1** と **2** の比率は約 6：4 になり，ほかに微量ながら **I** の環外 *O*-メチル基攻撃による生成物も得られる．このように，メトキシ基の分子内反応は反応生成物の構造からも明らかである．

* 加速が 10 倍ほどでも，90% 程度の反応生成物が分子内求核置換を経て生成することになる．生成物 **1** は出発物の直接的な S_N2 反応からも得られる．

4-メトキシペンチルスルホナート　$-ArSO_3^-$ / EtOH　(**I**)　$-H^+$　(**1**) ~60%　(**2**) ~40%　微量

反応 12.3　メトキシ基の隣接基関与

一般的に分子内の求核性官能基(隣接基)が反応を加速する現象を**隣接基関与**といい，その結果として転位生成物などが生じる．

例題 12.5

2-クロロシクロヘキサノールのトランス異性体とシス異性体を塩基性水溶液中で反応させると，トランス体のほうがシス体よりも約 100 倍速く反応し，いずれも *trans*-1,2-シクロヘキサンジオールを生成する．この結果を説明せよ．

解 答　次に示すように，トランス体では塩基性条件で解離した分子内の酸素アニオンが分子内求核置換によってエポキシド中間体を生成し，このひずみをもつ三員環エーテルが外部から HO^- の攻撃を受けて S_N2 反応を起こす．結果的に 2 回の反転によって立体保持によるジオールのトランス体を生成する．反応は隣接基関与によって加速される．

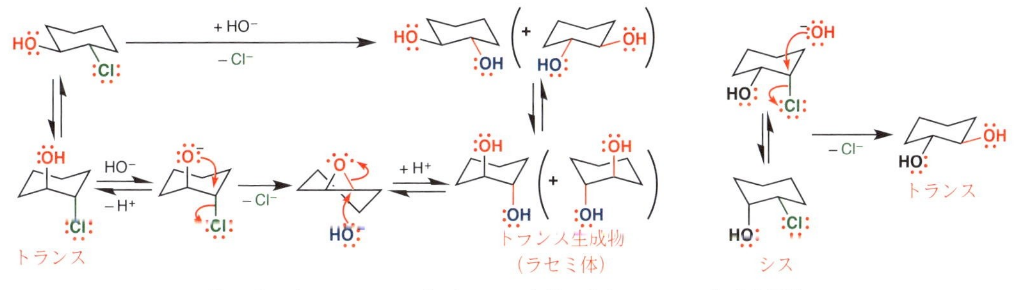

シス体の分子内 OH は Cl の背面からは攻撃できないので，分子内置換を起こすことはできない．通常の S_N2 反応により立体反転したジオールのトランス体を与える．

12.6　S_N1 と S_N2 反応機構の競争

これまで学んできた S_N1 反応と S_N2 反応の特徴を比較して表 12.1 にまとめる．この表を手引きにこれまでに学んだことを復習しよう．

第一級アルキルカチオンは不安定で通常の溶液中では生成しない．したがっ

隣接基関与 neighboring group participation

表 12.1　S_N1 と S_N2 反応の比較

	S_N1	S_N2
律速段階	単分子反応	二分子反応
反応速度	一次反応	二次反応
反応段階	二段階反応	一段階反応
中間体	カルボカチオン	な　し
反応性	カルボカチオン安定性 第三級＞第二級 第一級は反応しない	立体障害 メチル＞第一級＞第二級 第三級は反応しない
求核種	無関係	優れた求核種で有利
適した溶媒	プロトン性溶媒	非プロトン性極性溶媒
立体化学	ラセミ化または部分的反転	立体反転

て，第一級アルキル基質は S_N1 反応を起こさない．一方，第三級アルキル化合物は立体障害が大きいので S_N2 反応を起こさない．その中間の第二級アルキル化合物は競合して S_N1 と S_N2 反応が起きる可能性がある．

S_N2 反応と S_N1 反応の大きな違いは律速段階に求核種が関与するかどうかである．優れた求核種は S_N2 反応を起こしやすいが，求核性の低い反応条件では S_N1 反応が起こりやすくなる．弱い求核種は水やアルコールのように電荷をもたないもので，プロトン性溶媒となるものが多い．プロトン性溶媒は一般に極性も高いのでカルボカチオン生成の条件としても有利である．すなわち，S_N1 反応はこのような溶媒中で溶媒分子を求核種として反応する場合に起こりやすい．この反応は**加溶媒分解**とよばれる．

加溶媒分解 solvolysis

S_N2 反応は背面攻撃で進行するので立体反転を起こすが，S_N1 反応はアキラルなカルボカチオンを中間体として進むのでラセミ化するか，あるいはイオン対の影響で部分的に立体反転が起こる．

例題 12.6

次の反応の反応機構を予想し，置換生成物の構造を示せ．必要な場合は立体化学も示すこと．

(a) Br + NaCN →(MeOH)　　(b) Br + MeOH →(MeOH)

(c) Br + $MeCO_2Na$ →(DMSO)　　(d) Cl + HCO_2H →(HCO_2H)

解　答

(a) 第一級アルキル臭化物と求核性の大きい CN^- の反応なので，S_N2 機構で進む．

CN + NaBr

ブタンニトリル

(b) 第二級アルキル臭化物［(*S*)-2-ブロモブタン］と求核性の小さいメタノールによる加溶媒分解は S_N1 機構で進む．生成物はほぼラセミ体（または *R* 体過剰）である．

OMe + OMe + HBr

(*R*)　(*S*)

2-メトキシブタン

(c) 酢酸イオンはあまり求核性が高いとはいえないが，非プロトン性極性溶媒であるDMSO（ジメチルスルホキシド）中では，求核性が高くなり，第二級アルキル基質

の S_N2 反応を起こす．生成物は立体反転した酢酸エステルである．

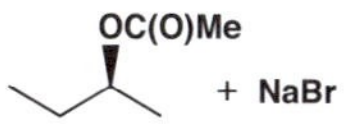

OC(O)Me + NaBr

酢酸 (*S*)-1-メチルプロピル

(d) 非常に求核性の小さいメタン酸による第三級アルキル基質の加溶媒分解は S_N1 機構で進む．生成物はメタン酸エステルである．

OCHO + HCl

メタン酸 1,1-ジメチルプロピル

問題 12.11 次の反応の反応機構を予想し，主生成物の構造を示せ．必要な場合は立体化学も示すこと．

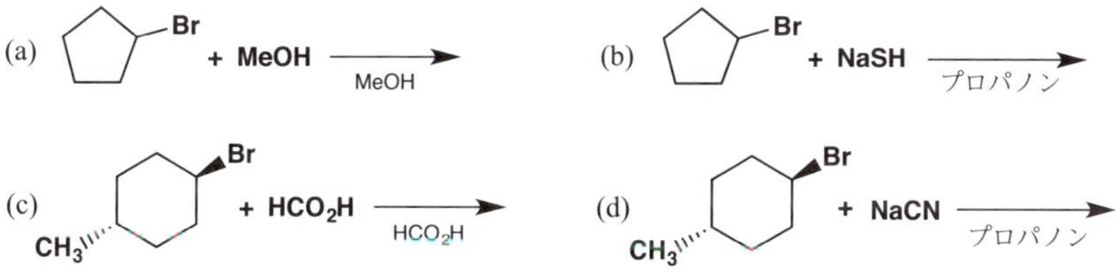

(a) Br + MeOH →(MeOH)

(b) Br + NaSH →(プロパノン)

(c) CH_3 Br + HCO_2H →(HCO_2H)

(d) CH_3 Br + NaCN →(プロパノン)

まとめ

- ハロアルカン(と関連化合物)の C－Y 結合は極性で，C に部分正電荷をもつので求核種の攻撃を受けて置換反応を起こす．
- S_N2 反応(二分子求核置換反応)では，求核種の背面からの攻撃によって脱離基が押し出され，立体反転しながら 1 段階で進行する．
- S_N2 反応は立体障害によって阻害されるので，RY の反応性は一般的にメチル＞第一級アルキル＞第二級アルキルの順で，第三級アルキル誘導体は S_N2 反応しない．
- S_N2 反応は通常大きな溶媒効果を受ける．アニオン性の求核種による S_N2 反応は非プロトン性極性溶媒中で効率よく進む．
- S_N1 反応(単分子求核置換反応)では，まず C－Y 結合のヘテロリシスでカルボカチオン中間体を生じ，それに求核種が結合して 2 段階で置換を完結する．
- S_N1 反応は，中間体カルボカチオンが安定なほど速いので，RY の反応性は第三級アルキル＞第二級アルキルの順で，第一級アルキル誘導体は S_N1 反応を起こさない．
- 分子内に求核性官能基をもつ基質の求核置換反応は，隣接基関与のために加速される．分子内求核置換によって生成した環状中間体が外部求核種に捕捉されて反応を完結する．

章末問題

問題 12.12　次の反応を完結せよ．

(a) 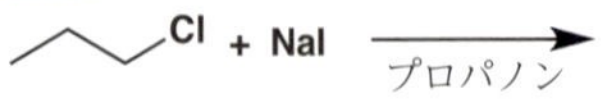 Cl + NaI →（プロパノン）

(b) 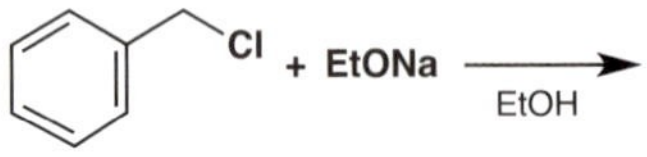 Cl + EtONa →（EtOH）

(c) 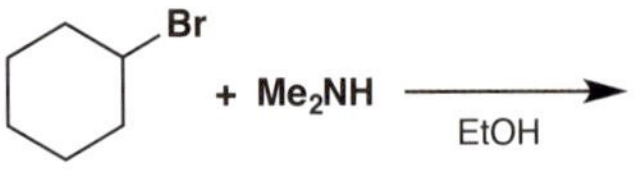 Br + Me_2NH →（EtOH）

(d) 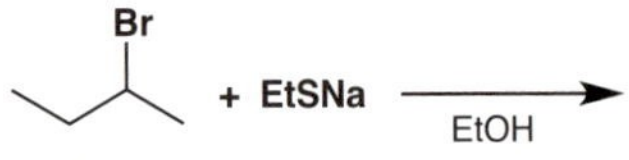 Br + EtSNa →（EtOH）

問題 12.13　次の求核置換反応の主生成物は何か．

(a) 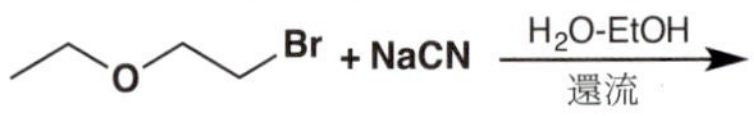 O Br + NaCN →（H_2O-EtOH，還流）

(b)  Br Br + 2 NaCN（2 当量）→（H_2O-EtOH，還流）

(c) $PhCH_2Cl$ + $PhNH_2$ →（$NaHCO_3$，H_2O, 95 ˚C）

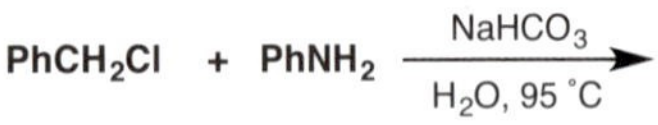

(d) 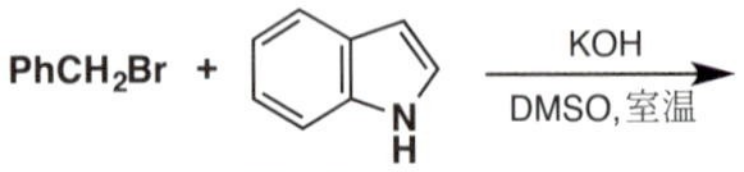 $PhCH_2Br$ + N H →（KOH，DMSO, 室温）

(e) 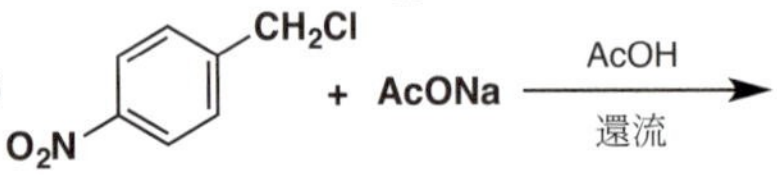 CH_2Cl O_2N + AcONa →（AcOH，還流）

(f) 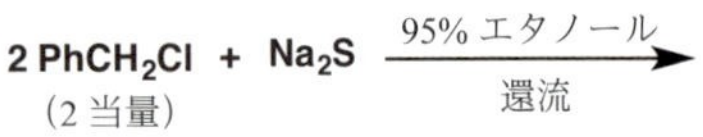 2 $PhCH_2Cl$（2 当量）+ Na_2S →（95% エタノール，還流）

問題 12.14　次の反応の主生成物の構造を示し，立体化学表示も含めた化合物名を書け．

(a) 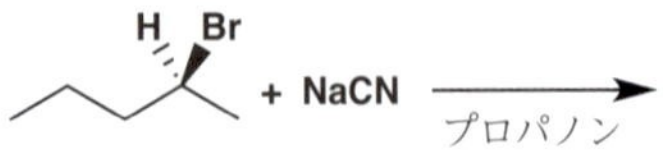 H Br + NaCN →（プロパノン）

(b)  Br + NaI →（プロパノン）

(c) 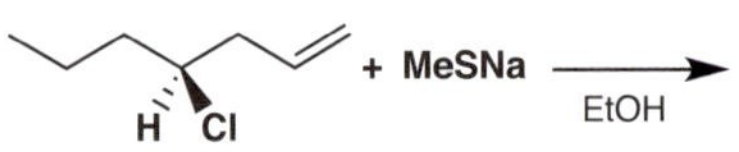 H Cl + MeSNa →（EtOH）

(d) 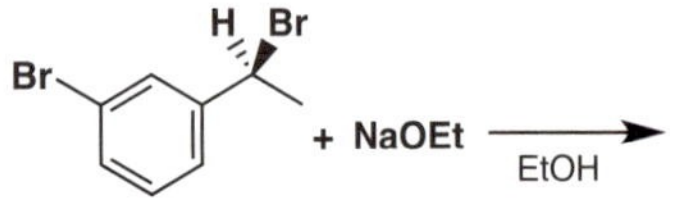 Br H Br + NaOEt →（EtOH）

問題 12.15　次の化合物の組合せのうち，S_N2 反応の速度が大きいのはどちらか．

(a) ヨウ化ナトリウムに対して，1-ブロモブタンと 2-ブロモブタン

(b) シアン化ナトリウムに対して，2-ブロモペンタンと 2-ヨードペンタン

(c) 1-ブロモブタンに対して，*t*-ブチルアミンとエチルアミン

(d) ヨードメタンに対して，酢酸ナトリウムとナトリウムエトキシド

問題 12.16　次の化合物の組合せのうち，S_N1 反応における反応性が高いのはどちらか．その理由も書け．

(a) 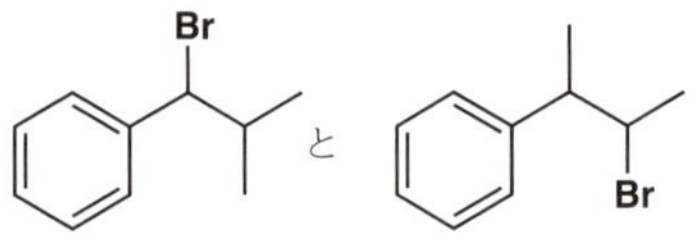 Br と Br

(b) 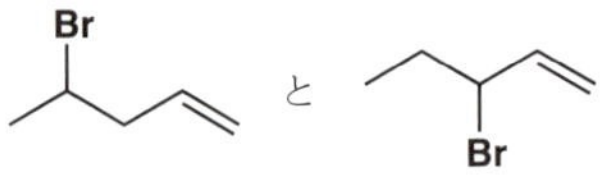 Br と Br

(c) 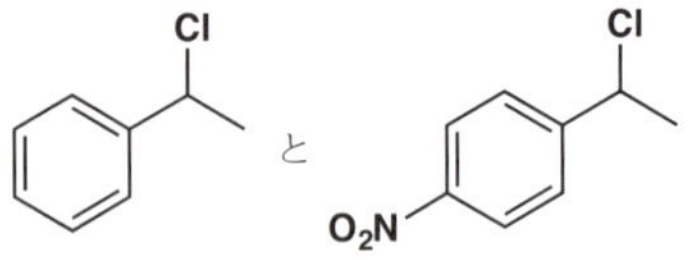 Cl と Cl O_2N

(d)  Br と Br

問題 12.17　臭化 4-メトキシベンジルと臭化ベンジルをエタノール中で反応させると，対応するエチルエーテルが生成する．この反応でどちらが速く反応するか，理由とともに答えよ．

問題 12.18　次のジハロ化合物の反応の主生成物は何か．

(a)  Cl Br + KCN（1 当量）→（EtOH-H_2O，還流）

(b) 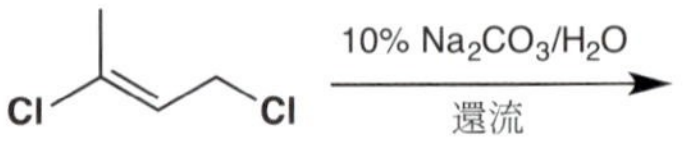 Cl Cl →（10% Na_2CO_3/H_2O，還流）

(c)  Br−C₆H₄−CH_2Br + Me_2NH →（プロパノン，還流）

問題 12.19　1,4-ジブロモブタンをエタノール中，Na_2S で処理すると分子式 C_4H_8S の生成物が得られた．反応がどのように進むか段階的に書いて，生成物の構造を示せ．

問題 12.20　次の反応結果を説明せよ．(ただし，AcOH＝$CH_3C(O)OH$)

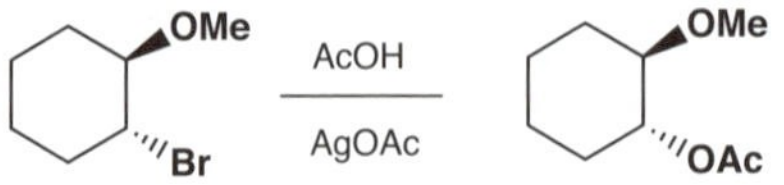

OMe Br →（AcOH，AgOAc）OMe OAc

13 ハロアルカンの脱離反応

【基礎となる事項】
- 分子のひずみと立体障害(4.1 節)
- 有機反応と反応機構の考え方(7 章)
- 結合の切断と生成：巻矢印による反応の表し方(7.2 節)
- 反応のエネルギー(7.4 節)
- 立体化学(11 章)
- 飽和炭素における S_N1 と S_N2 求核置換反応(12 章)

【本章で学ぶこと】
- 脱離反応の機構：E1，E2，E1cB
- 脱離反応の位置選択性
- 脱離反応と置換反応の競争

求核的な反応条件は同時に塩基性条件でもあるので，ハロアルカンと関連化合物 RY は，12 章でみた求核置換反応とともに，よく脱離反応を起こす．いずれの反応でもヘテロリシスによって α 炭素から Y^- が外れる．置換反応では Y^- に代わって α 炭素に求核種が結合するのに対して，**脱離反応**では β 炭素から塩基によってプロトンが引き抜かれる．生成物はアルケンであり，7 章で取り上げた例は 2-クロロ-2-メチルプロパンから HCl が脱離して 2-メチルプロペンが生成する反応であった．

$$\underset{\alpha\quad\ \beta}{(CH_3)_2\overset{Cl}{\overset{|}{C}}-\overset{H}{\overset{|}{C}}H_2} \xrightarrow{-HCl} (CH_3)_2C=CH_2$$

脱離反応の機構は，二つの結合の切断のタイミングによって通常 3 種類に分けて考える．求核置換反応の場合と同じように，(1) Y^- が先に外れてカルボカチオン中間体を経るか，(2) 二つの結合変化が同時に起こって 1 段階で反応する機構に加え，(3) βH が先に引き抜かれてカルボアニオン中間体を経て進む可能性もある．また，脱離反応と求核置換反応は原理的に競合して起こり得る．この章では，RY (おもにハロアルカン)の脱離反応の機構，そして脱離と置換の反応機構の関係について説明する．

エテンは脱離反応によって生成し，イチゴのような果実の成熟を促進する

13.1 E1 反応とその機構

第三級アルキル化合物である臭化 *t*-ブチルは S_N1 反応を起こしやすいと，12 章で述べた．しかし，水溶液やアルコール中での加溶媒分解の生成物をよく調べてみると，*t*-ブチルアルコールなどの置換生成物に加えて，**脱離反応**の生成物である 2-メチルプロペンができていることがわかる．

脱離反応 elimination

この章でも，脱離基(Y)を緑で表している．

Br　—MeOH→　OMe　+　

2-ブロモ-2-メチルプロパン（臭化 t-ブチル）　2-メトキシ-2-メチルプロパン（t-ブチルメチルエーテル）80%　2-メチルプロペン 20%

線形表記した分子構造の線の末端はメチル基に相当し，H が結合していることに注意しよう．

この反応の速度は，臭化 t-ブチルの S_N1 反応でみたのと同じように，メタノール中の反応で少量のメトキシド MeO^- を加えても変化しないので，反応速度 $= k[RY]$ と表せる．したがって，競合して起こる脱離反応も，置換反応と同じく，**単分子反応**であると考えられる．最も考えやすいのは，RY のイオン化という同じ律速段階を通り，共通のカルボカチオン中間体が二つの反応に分かれるという機構である（反応 13.1）．

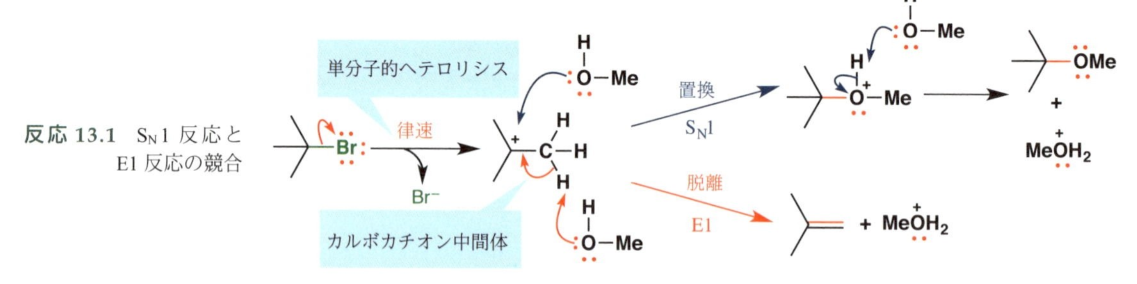

反応 13.1　S_N1 反応と E1 反応の競合

律速段階で生成した共通のカルボカチオン中間体は，カチオン中心の炭素(α C)へのメタノールの攻撃を受けて置換生成物を与え，S_N1 反応を完結する．一方，メタノールが隣接メチル基のプロトン(β H)を受け取ると脱離生成物のアルケンを生じる．これが E1 反応であり，この脱離反応ではメタノールは塩基としてはたらき，脱プロトンを起こしている．

- この脱離反応は**単分子脱離**であり，Elimination（脱離）の頭文字をとって **E1 反応**とよばれる．
- 求核種（Lewis 塩基）は同時に Brønsted 塩基としても作用できるので，E1 反応と S_N1 反応は常に競争して起こる．

単分子脱離（反応）unimolecular elimination (E1)

例題 13.1

次の反応で生じる脱離生成物と置換生成物の構造を示せ．

(a) Br —MeOH→　　(b) Br —MeOH→

解　答　脱離基の結合した炭素(α C)の隣接炭素(β C)に 2 種類の H がある場合には 2 種類のアルケンが生成する可能性がある．

(a) 2-ブテンには E と Z 異性体がある．

Br —MeOH→ OMe + + +

2-ブロモブタン　2-メトキシブタン　(E)-2-ブテン　(Z)-2-ブテン　1-ブテン

(b)

Br —MeOH→ OMe + +

2-ブロモ-3-メチルブタン　2-メトキシ-3-メチルブタン　2-メチル-2-ブテン　3-メチル-1-ブテン

問題 13.1　次の反応で生じる脱離生成物と置換生成物の構造を示せ．

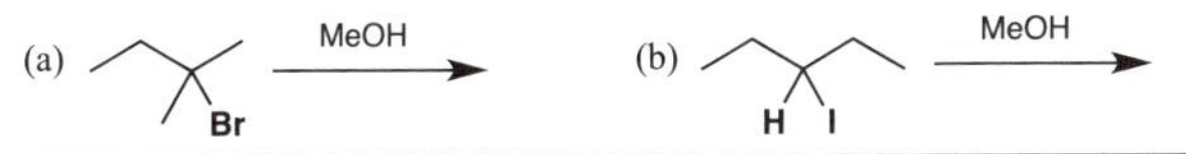

13.2　E2 反応とその機構

E1 反応では，ハロアルカンから生じたカルボカチオンに弱い塩基(多くの場合，溶媒)が作用してプロトンを引き抜き，アルケンを生成する．しかし強塩基性条件では，ハロアルカンから塩基が直接プロトンを引き抜いてアルケンを生成する．反応速度はハロアルカンと塩基の両方の濃度に比例して増大するので，二次反応であり，反応は二分子的に起こっていると考えられる．この二分子脱離反応は E2 反応とよばれる．

$$(CH_3)_3CBr + HO^- \xrightarrow{H_2O} (CH_3)_2C{=}CH_2 + H_2O + Br^- \qquad 反応速度 = k[RY][塩基]$$

■ E2 反応は速度論的には二次であり，反応は二分子的に起こっている．

第三級アルキルハロゲン化物の場合，このような反応条件では単分子的にカルボカチオンが生成する前に強塩基の攻撃が起こるので，100% 脱離反応(E2)になる．立体障害のために S_N2 反応は起こらない．しかし，第二級および第一級アルキル基質の場合には，塩基性条件においても，基質の反応性や塩基の塩基性と求核性のバランスによって，E2 脱離と S_N2 置換が競争的に起こる．次の二つの反応は対照的である．

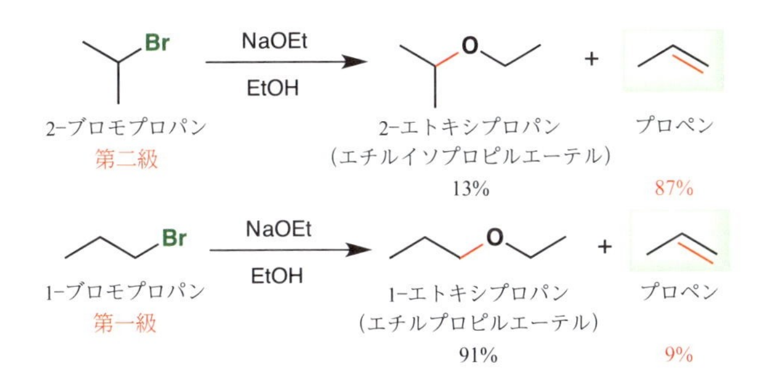

脱離反応は，脱離基の切断と塩基(HO^-)によるプロトン引抜き，そして π 結合の生成という三つの事象からなるが，二分子脱離の E2 反応ではこれらが同時に起こり，1 段階で反応している．すなわち，これらの結合切断と結合生成* が次に示すように協奏的に起こっている．欄外の Newman 投影式の図も参考になるだろう．

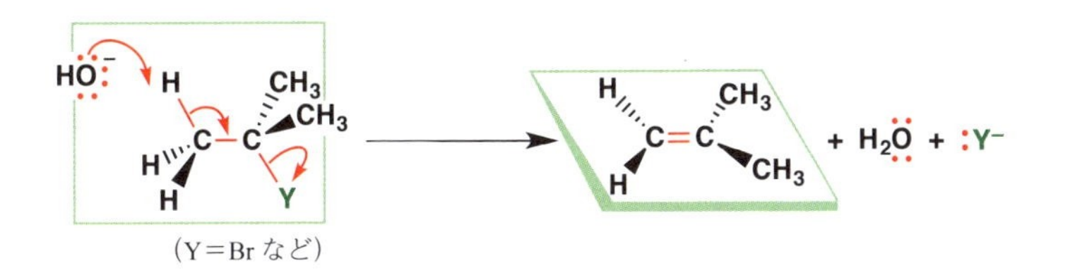

(Y＝Br など)

＊　二つの結合切断と同時に，二つの結合生成(π 結合と新しい O−H σ 結合の生成)も起こっていることに注意しよう．

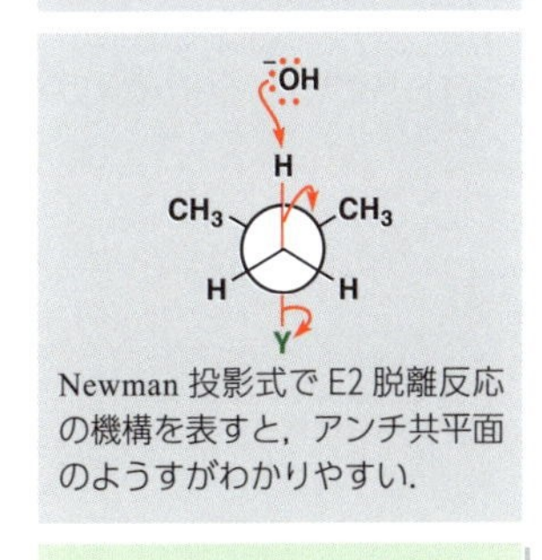

Newman 投影式で E2 脱離反応の機構を表すと，アンチ共平面のようすがわかりやすい．

二分子脱離反応 bimolecular elimination (E2)

協奏反応 concerted reaction
二つ以上の結合変化が同時に連動して起こるような反応.

アンチ共平面 anti-coplanar
アンチペリプラナー antiperiplanar ということが多いが，この用語は“ほぼ共通面になっている”ことを意味する.

C−H 結合と C−Y 結合の切断が協奏的に起こり新しい π 結合を生成するためには，関係する分子軌道が同一平面内にあって効率よく相互作用できることが必要である．そのために H−C−C−Y の結合が同一平面にあって H と Y が反対方向に抜けていくような立体配座（**アンチ共平面**）をとる．すなわち，H と Y が反対側から脱離するので，**アンチ脱離**で進む．関係する分子軌道を模式的に図 13.1 に示す.

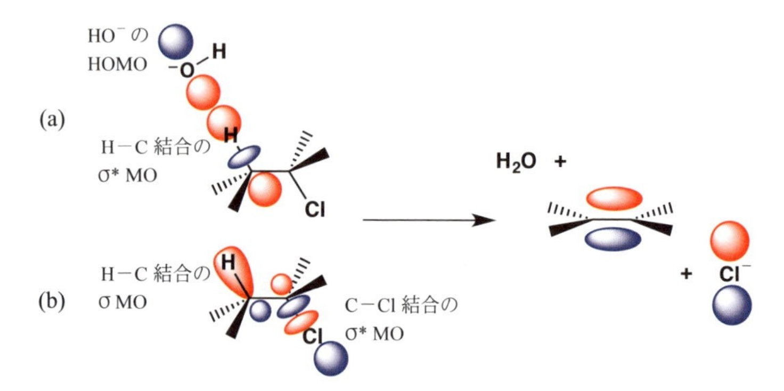

図 13.1　クロロアルカンからの HO^- による HCl の E2 脱離反応における軌道相互作用
(a) 脱プロトンのための HO^- の HOMO と H−C 結合の σ* MO の相互作用，(b) π 結合生成のための H−C 結合の σMO と C−Cl 結合の σ* MO の相互作用

HO^- による H^+ の引抜きは，HO^- の HOMO（非共有電子対）と H−C 結合の σ* 軌道の相互作用で起こる（図 13.1a）．この結果生成する二つの新しい軌道は H_2O 分子の新しい O−H 結合の結合性 σ 軌道と反結合性 σ* 軌道である．もう一つの重要な軌道相互作用は，H−C 結合の σ 軌道と C−Cl 結合の σ* 軌道の間に起こるもの（図 13.1b）であり，この結果アルケンの結合性 π 軌道と反結合性 π* 軌道ができる．同時に電子の分布が変化し，C−C π 結合を生成するとともに，C−Cl 結合のヘテロリシスが起こり，C−Cl 結合の結合性電子対は Cl^- の非共有電子対になる.

図 13.1b の相互作用のために H−C と C−Cl 結合は同じ面内にあることが必要である．このような軌道相互作用による立体化学制御を**立体電子効果**（stereoelectronic effect）ということもある．S_N2 反応の立体反転による置換も立体電子効果の結果であるといえる.

■ **E2 反応は，アンチ脱離の立体特異的反応であり，これは軌道相互作用の結果である.**

この特異的な立体化学の結果は実際に実験によって確かめられている．反応 13.2 の（a）と（b）に示すように，出発物の立体配置（ジアステレオマー）によって，それぞれアルケンの *E* と *Z* 異性体が生成する.

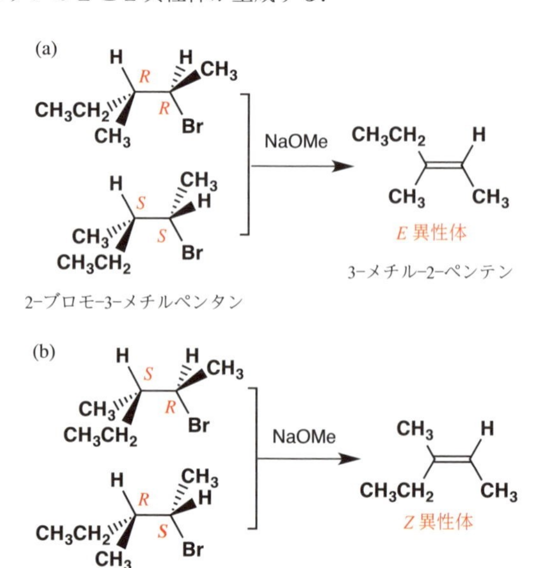

反応 13.2　2−ブロモ−3−メチルペンタンのジアステレオマーの E2 脱離

立体特異的にアルケンの *E* と *Z* 異性体が生成する.

アンチ脱離 *anti* elimination
（トランス脱離ともいう）

2-ブロモ-3-メチルペンタンの(*R*, *R*)と(*S*, *S*)異性体は互いにエナンチオマーであり，いずれも(*E*)-3-メチル-2-ペンテンを生成する(a)．一方，これらの出発物のジアステレオマーである(2*R*, 3*S*)と(2*S*, 3*R*)異性体も互いにエナンチオマーであるが，いずれも*Z*形のアルケンを生成する(b)．

■ **この立体特異的反応では，出発物のジアステレオ異性性と生成アルケンのシス・トランス異性性が1対1に対応している．**

例題 13.2

(2*S*,3*R*)-2-クロロ-3-フェニルブタンをエタノール中ナトリウムエトキシドで処理したときに生じる脱離生成物の構造を示せ．

解 答　E2 反応によりアンチ脱離で進むので，まず出発物の三次元式を脱離する H と Cl がアンチ共平面になるように書けば，主生成物の構造がわかりやすい．

(2*S*,3*R*)-2-クロロ-3-フェニルブタン　(*Z*)-2-フェニル-2-ブテン

問題 13.2　2-クロロ-3-フェニルブタンの立体異性体のうち，例題 13.2 で取り上げたもの以外の三つの異性体の構造を示し，それぞれをエタノール中ナトリウムエトキシドで処理したときに，おもに生じる脱離生成物の構造を示せ．

13.3　E2 反応の連続性と E1cB 反応

E2 脱離では，塩基による脱プロトンと脱離基の切断が連動して同時に(協奏的に)起こっている．すなわち，C−H 結合と C−Y 結合のヘテロリシスが同時に起こっているが，結合切断の進行の程度は二つの結合で異なっていてもよい．C−Y ヘテロリシスが完全に先に起こってカルボカチオン中間体を生じるのが E1 反応であった(反応 13.1)．

もう一方の極限として C−H ヘテロリシスが先行して，カルボアニオンを中間体とする反応も可能である．カルボアニオン中間体は基質の共役塩基(conjugate base)であることから，そのような脱離反応機構は E1cB 機構とよばれる．E1cB 反応はあまり一般的ではないが，アルドールの脱水反応にみられる(17.5.2 項参照)．

E1 反応と E1cB 反応の比較：

カルボアニオン　carbanion

E2 脱離反応の遷移状態構造の変動を示すには，三次元の反応エネルギー変化をわかりやすく表現した“More O’Ferrall の反応地図”を用いて考えるとわかりやすい．この考え方についてはウェブノート 13.1 を参考にしてほしい．

➡ ウェブノート 13.1　More O'Ferrall の反応地図

E2 反応における二つの結合切断のバランスは，生じてくる αC のカチオン性の電荷と βC のアニオン性の電荷を非局在化する要因（ヘテロリシスで生じる仮想的なカルボカチオンとカルボアニオンの安定性），すなわち中間体の安定性や Y の脱離能と作用する塩基の塩基性などに依存する．

図 13.2 に示すように，カルボカチオンを安定化する要因があり，Y の脱離能が大きいほど遷移構造は E1 的になる．すなわち，遷移状態で C−Y 結合の切断のほうが大きく進む．逆にカルボアニオンの安定化要因があり Y の脱離能が小さく，さらに塩基が強いほど遷移状態では C−H 結合の切断が先行し E1cB 的になる．

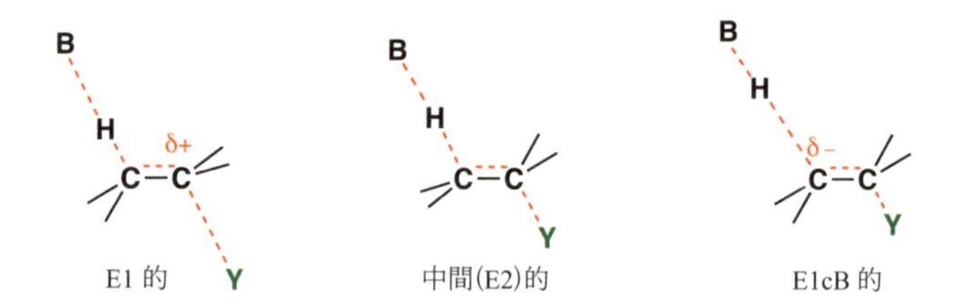

図 13.2　E2 脱離反応の遷移構造の連続的変化

■ 脱離反応の機構と反応性は，中間体（カルボカチオンまたはカルボアニオン）の安定性，Y の脱離能と塩基 B の塩基性に依存する．

13.4　脱離反応の位置選択性

13.4.1　E1 反応の位置選択性

2-ブロモ-2-メチルブタンをエタノール中で反応させると，S_N1 反応生成物のほかに，E1 反応で 2 種類のアルケンが生成する．その比率は反応 13.3 に示すようなものであり，三置換アルケン（2-メチル-2-ブテン）のほうが二置換アルケン（2-メチル-1-ブテン）よりも約 5 倍多く生成する．これは位置選択的な反応の例であり，非等価な β 水素のどちらが引き抜かれるかによって位置異性体のアルケンが生成している．

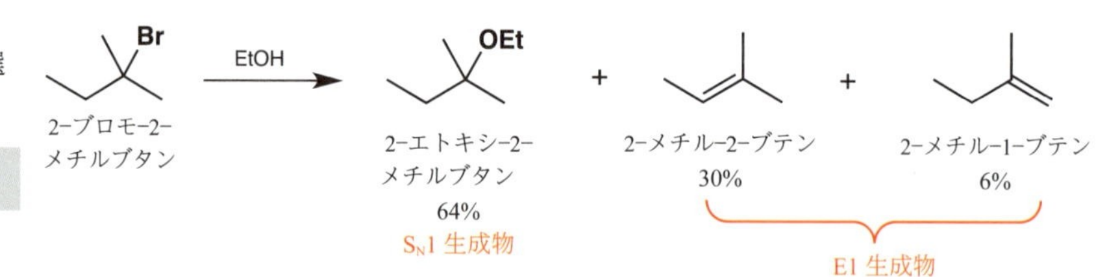

反応 13.3　E1 反応の位置選択性

S_N1 反応も競合して起こる．

この E1 反応では，中間体のカルボカチオンからプロトンが引き抜かれるとき，より安定なアルケンが生成する傾向がある．遷移構造の安定性に生成物の安定性が反映されるからである．アルケンは共役によって安定化され（5 章），アルキル置換基は二重結合に対しても超共役効果をもつ．アルケンの安定性についてはノート 15.2（アルケンの水素化熱と安定性）でも述べる．生成物と遷移状態のエネルギーの関係は Hammond の仮説（ノート 7.1）によって説明できる．

■ より安定な多置換アルケンが優先的に生成する傾向が一般的にみられ，この位置選択性を Zaitsev（ザイツェフ）則という．

位置選択性 regioselectivity

問題 13.3　反応 13.3 におけるカルボカチオン中間体の構造を示し，この中間体から三つの生成物に導かれる反応をそれぞれ巻矢印で表せ．

問題 13.4　例題 13.1 の脱離反応で主生成物となるアルケンを予想せよ．

ザイツェフのスペル
A. M. Zaitsev (1841〜1910) はロシア人であり，ロシア文字をアルファベットに置き換えるときに，発音をドイツ語と英語のどちらを基準にするかで，いくつかのスペルが使われてきた．最初のドイツ語論文では，彼自身 Saytzeff と称したが，最近では英語を基準にしたスペルに統一されている．他のロシア人化学者についても同じような問題がある．

13.4.2　E2 反応の位置選択性

E2 反応はとくに理由がなければ，Zaitsev 則に従って反応する．E2 反応においても，E1 的から中間的な遷移状態で反応が進むときには，遷移状態で部分的な C=C 二重結合が生じているので，アルケンの安定性が遷移構造のエネルギーにも反映されるからである．たとえば，2-ブロモペンタンのメトキシドイオンによる脱離反応では 2-ペンテンが主生成物(72%)である(反応 13.4)．

Br
RO⁻ / ROH
100 °C
+
2-ブロモペンタン　2-ペンテン　1-ペンテン

	2-ペンテン	1-ペンテン
MeONa/MeOH	72%	28%
t-BuOK/*t*-BuOH	20%	80%

反応 13.4　E2 反応の位置選択性

しかし，この選択性は反応条件によって変化する．かさ高い塩基の *t*-ブトキシドを用いると内部アルケンの比率は 20% になり，末端アルケンが主生成物(80%)になる．このように，最も置換基の少ないアルケンが生じるような配向性は **Hofmann(ホフマン)則**といわれる．この結果は Zaitsev 則に反するが，立体障害が一つの要因になっている．反応 13.5 に示すように，一般に末端炭素や置換基の少ない炭素のほうが立体障害が小さく，大きな *t*-ブトキシドのような塩基の攻撃を受けやすい．

ホフマンのスペル
August Hofmann のスペルは f が 1 個，n が 2 個であることに注意．たとえば，分子軌道理論で著名なホフマンは Roald Hoffmann で f も n も 2 個．f が 2 個で n が 1 個のホフマン(例：俳優の Dustin Hoffman)もいるし，両方とも 1 個の Florentijn Hofman(オランダ)は巨大ラバー・ダックで有名．

反応 13.5　反応 13.4 の脱離反応における立体効果

E2 脱離における Hofmann 選択性には電子効果もはたらいている．図 13.2 でみたように E1cB 的に反応が進む場合には仮想的なカルボアニオンの安定性が位置選択性を決める．アルキル置換基のカルボアニオンに対する効果は，カルボカチオンの場合とは逆に不安定化の要因になる．したがって，置換基の少ないアルケンを生成しやすくなる．反応 13.6 に示す例では脱離基のハロゲンが I，Br，Cl のときには Zaitsev 則に従って内部アルケンが *E*/*Z* 混合物として得られるが，その比率は I，Br，Cl の順に小さくなり，F では逆転して末端アルケンのほうが多くなる．F の脱離能がとくに小さく，電子求引性も大きいので，遷移構造が E1cB 的になり，Hofmann 則に従って末端アルケンが主生成物になるのである．

反応 13.6　E2 脱離の位置選択性に対する脱離基の影響

2-ハロペンタン（X）→ NaOMe / MeOH, 100 ˚C → 2-ペンテン + 1-ペンテン

X	2-ペンテン	1-ペンテン
X = I	81%	19%
Br	72%	28%
Cl	67%	33%
F	30%	70%

■ **Hofmann 選択性には，立体障害，カルボアニオンの安定性，脱離能の小さいこと，塩基が強いことが関係する．**

例題 13.3

次の脱離反応で生成する可能なアルケンの構造をすべて示し，どれが主生成物になるか予想せよ．

(a) Br → EtONa / EtOH →　　(b) $^{+}NMe_3\ OH^{-}$ → 加熱 →

解 答　(a) この通常の E2 反応においては，Zaitsev 則に従って多置換の 2-メチル-2-ブテンが主生成物になる．

Br → EtONa / EtOH → （主生成物） +

(b) 水酸化トリメチルアンモニウムの熱反応による脱離は，末端アルケンを選択的に与える（この反応は Hofmann 分解ともよばれる）．脱離基のトリメチルアンモニオ基が脱離しにくく，その電子求引性のためにカルボアニオン性の遷移状態を経て進行するためであり，トリメチルアンモニオ基のかさ高さも影響していると考えられている（かさ高い塩基の場合と同様に，立体障害の小さい末端炭素の水素を塩基が攻撃する）．

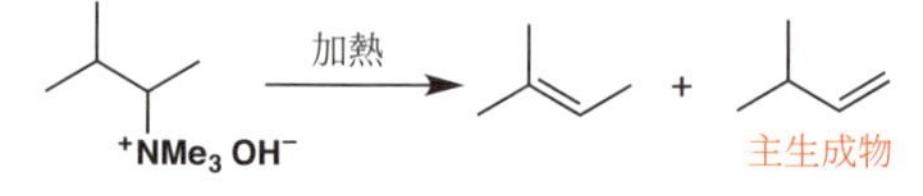

August W. von Hofmann（1818～1892，ドイツ）
Liebig の弟子の一人．第四級アンモニウム塩の Hofmann 分解と脱離の位置選択性および Hofmann 転位反応（21.4.2 項）にその名を残している．

問題 13.5　次の脱離反応で生成する可能なアルケンの構造をすべて示し，どれが主生成物になるか予想せよ．

(a) Br → EtONa / EtOH →　　(b) Cl → EtONa / EtOH →

(c) Cl → *t*-BuONa / *t*-BuOH →　　(d) $^{+}NMe_3\ OH^{-}$ → 加熱 →

13.5　脱離反応と置換反応の競争

ハロアルカンは競争的に置換と脱離を起こす．求核種（Lewis 塩基）が炭素を攻撃すると求核置換になるが，求核種が Brønsted 塩基として β 炭素からプロトン

を引き抜くと脱離反応になる．

プロトン性溶媒は求核性が弱く反応性が低いので，ハロアルカンと直接反応することはない．しかし，溶媒極性が高いので，第三級と第二級ハロゲン化アルキルはイオン化してカルボカチオン中間体を生成し，溶媒はこの中間体と反応して置換体を与える(S_N1)か，プロトンを引き抜いてアルケンを生成する(E1)．

塩基としても作用する求核種を加えて反応を行うとき，ハロアルカンが置換生成物を与えるか脱離生成物を与えるか，それは次のように予測できる．第一級ハロゲン化アルキルは S_N2 反応が優先されるが，強塩基ではアルケンも生成する．とくに立体障害の大きい *t*-ブトキシドのような塩基では E2 反応が主になる．第三級アルキル誘導体や β 位に分枝をもつアルキル誘導体では，立体障害のために S_N2 反応は阻害される．しかし，E2 反応はあまり立体障害に影響されず，生成するアルケンも安定であるため，脱離が起こりやすくなる．

第二級アルキル誘導体は境界領域にあって，置換と脱離の割合は脱離基，求核種/塩基，溶媒，温度などに依存する．HO^- や EtO^- のように求核性も塩基性も強い場合には E2 反応が優先的に起こるが，エタン酸イオンのように塩基性も求核性も弱い場合には置換反応が優先される．高温では置換よりも脱離が起こりやすくなる傾向がある．表 13.1 にハロアルカンの種類ごとに反応性の傾向をまとめる．

表 13.1　ハロアルカンと関連化合物の置換反応と脱離反応

	プロトン性溶媒 (H_2O, ROH, RCO_2H)	弱塩基性求核種 (I^-, Br^-, RS^-)	強塩基性求核種 立体障害小 (EtO^-)	強塩基性求核種 立体障害大 (*t*-BuO^-)
RCH_2Y	反応しない	S_N2	S_N2	E2
R_2CHCH_2Y	反応しにくい	S_N2	E2	E2
R_2CHY	S_N1/E1(遅い)	S_N2	E2	E2
R_3CY	E1/S_N1(速い)	S_N1/E1	E2	E2

例題 13.4

次の反応でそれぞれ置換と脱離のどちらが起こりやすいか説明し，主生成物の構造を示せ．

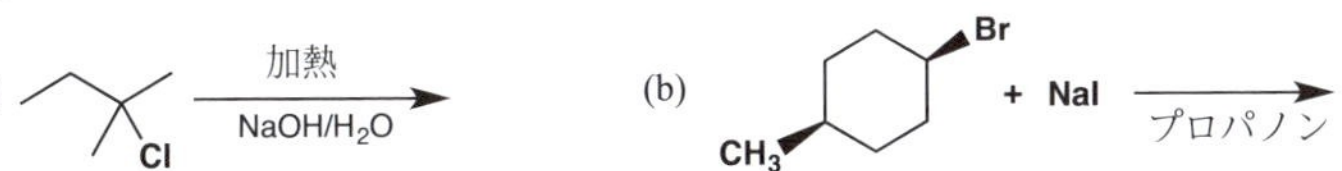

解 答　(a) 第三級ハロゲン化アルキルを強塩基条件で反応させているので，E2 脱離が優先的に起こる．生成物は Zaitsev 則に従って生成した多置換アルケンである．(b) 第二級ハロゲン化アルキルと求核性が高く塩基性の弱いヨウ化物イオンとの反応であり，S_N2 反応が優先的に起こる．生成物は立体反転した置換体である．なお，この反応がうまく進むのは，NaI がプロパノンに可溶であるのに対して，生成する NaBr が不溶で析出するために，平衡が生成系に偏るからである．

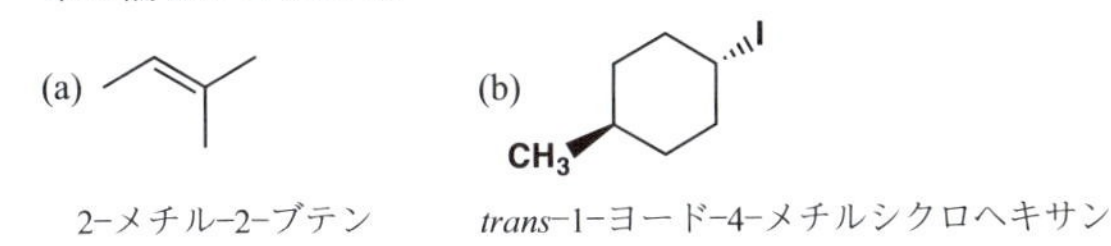

問題 13.6　次の反応において置換と脱離のどちらが起こりやすいか説明し，主生成物の構造を示せ．

(a) Br ＋ NH_2 →（プロパノン）　(b) Br ＋ t-BuOK →（t-BuOH）

まとめ

- ハロアルカンから脱離基 Y とともに β 水素が外れると脱離反応になりアルケンを生成する．
- 強塩基を使うと脱プロトンと同時に脱離基が外れ，アンチ脱離で E2 反応(二分子脱離反応)を起こす．
- 弱塩基性条件では，第三級アルキル誘導体はカルボカチオンを生成し，S_N1 反応と競争して E1 反応(単分子脱離反応)を起こす．
- 一般的に，置換基のより多い安定なアルケンを生成する傾向がある (Zaitsev 則) が，脱離能が小さく，脱プロトンが優先されるような条件や立体障害の大きい塩基を用いると，逆の配向性も可能である (Hofmann 則)．

章末問題

問題 13.7　次の脱離反応で生成する可能なアルケンの構造をすべて示し，どれが主生成物になるか予想せよ．

(a) Br　EtOK / EtOH →　(b) Br　t-BuOK / t-BuOH →

問題 13.8　次の脱離反応で生成する可能なアルケンの構造をすべて示し，どれが主生成物になるか予想せよ．

(a) Br　EtONa, EtOH / 80 ˚C →　(b) I^- $\overset{+}{N}Me_3$　EtONa, EtOH / 130 ˚C →

問題 13.9　次の脱離反応で生成する可能なアルケンの構造をすべて示し，どれが主生成物になるか予想せよ．

(a) Br　EtOK / EtOH →　(b) Br　t-BuOK / t-BuOH →

(c) Br　t-BuOK / t-BuOH →　(d) Br　加熱 / EtOH →

問題 13.10　非対称なエーテル ROR′ を S_N2 反応で合成するとき，ハロアルカンとアルコキシドの組合せには，$RY + R'O^-$ と $R'Y + RO^-$ の 2 通りがある．次のエーテルを合成するためのハロアルカンとアルコキシドの組合せを，副生するアルケンの量をできるだけ少なくするように選べ．

(a) $CH_3CH_2CH_2OCH(CH_3)_2$

(b) $CH_3CH_2OCH_2CH(CH_3)_2$

(c) C_6H_5–OCH_2CH_3

(d) C_6H_5–$CH_2OCH(CH_3)_2$

問題 13.11　1-ブロモ-1,2-ジフェニルプロパンの(1*R*, 2*S*)体および(1*R*, 2*R*)体をエタノール-ベンゼン混合溶媒中ナトリウムエトキシドで処理したときに生じる脱離生成物の構造を示せ．また反応がどのように進むか巻矢印で示せ．

問題 13.12　1-ブロモ-4-*t*-ブチルシクロヘキサンにカリウム *t*-ブトキシドを作用させて 4-*t*-ブチルシクロヘキセンを合成する脱離反応おいて，シス体のほうがトランス体よりも約 500 倍速く反応する．その理由を説明せよ．

問題 13.13　アルドールはアルデヒドの二量化で生成する化合物である(17 章参照)．アルドールを塩基性条件で加熱すると E1cB 脱離で不飽和アルデヒドを生じる．この反応がどのように進むか巻矢印で示し，E1cB 機構で進む理由を説明せよ．

アルドール (OH, O, H)　NaOH / 加熱 →　(O, H)

問題 13.14 三つのブロモアルカンの 60% EtOH–H_2O と H_2O 中における加溶媒分解の反応速度定数の相対値(約 50 ℃)を下に示す．

	Br (ブロモエタン)	Br (2-ブロモプロパン)	Br (2-ブロモ-2-メチルプロパン)
60% EtOH-H_2O	1.00	1.78	2.41×10^4
H_2O	1.00	11.6	1.2×10^6

(a) 2-ブロモ-2-メチルプロパンが，いずれの溶媒中でもブロモエタンよりも 10^4 倍以上速く反応する理由を説明せよ．

(b) 2-ブロモプロパンとブロモエタンの相対反応性が，二つの溶媒中でかなり大きく異なるのはなぜか．

問題 13.15 塩化 *t*-ブチルと *t*-ブチルジメチルスルホニウム塩を 80% エタノール中で加熱すると，ほぼ同じ比率で *t*-ブチルアルコールと 2-メチルプロペンが生成する．この結果から反応機構に関してどのようなことがいえるか．

$$Me_3C{-}Y \xrightarrow[65\ ^\circ C]{80\%\ EtOH} Me_3C{-}OH + Me_2C{=}CH_2$$

Y	$Me_3C{-}OH$	$Me_2C{=}CH_2$
Y = Cl	63.7%	36.3%
$S^+Me_2Cl^-$	64.3%	35.7%

問題 13.16 塩化 *t*-ブチルの加溶媒分解は，溶媒をエタノールから水に代えると 3×10^5 倍速くなる．一方，塩化 *t*-ブチルジメチルスルホニウムの加溶媒分解の反応速度は溶媒を代えてもあまり変わらない．

(a) 加溶媒分解の速度に対する溶媒効果が二つの基質で異なる理由を説明せよ．

(b) それぞれの塩化物をヨウ化物に代えると，二つの基質の反応性はどう変化するか説明せよ．

ノート 13.1 ポリハロゲン化合物の利用と環境問題

海洋生物からはハロゲンを含む有機物が単離されているが，有機ハロゲン化合物の大部分は人工的に合成されたものである．海洋生物の紅藻に含まれるハロモンは細胞毒性をもつので，抗がん剤として期待され研究されている．単純なハロゲン化合物は有機合成の中間体として有用であるが，ポリハロゲン化物は一般に安定で燃えにくいので，消火剤，クリーニング用溶剤，冷凍機用冷媒などに使われているものも多い．

ポリフルオロエーテルのイソフルランやセボフルランは吸入麻酔薬として使われている．ペルフルオロトリブチルアミンは，酸素の溶解度が驚異的に大きい(60 vol%)ので，人工血液の成分として用いることもできる．

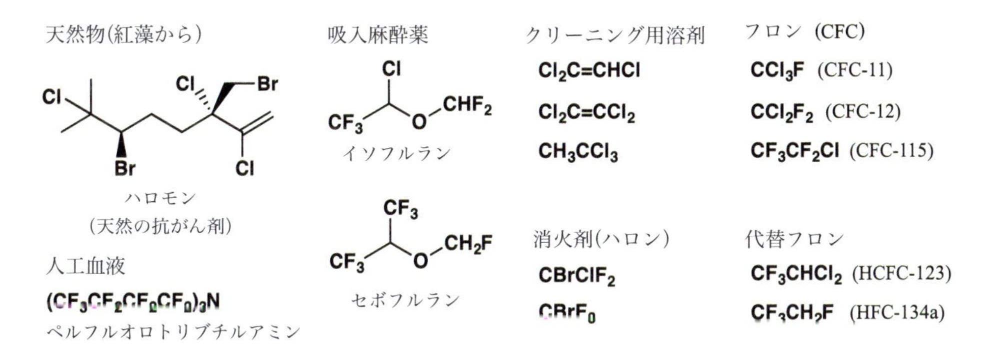

しかし，これらの中で冷媒や発泡剤，エアロゾル噴霧剤として用いられてきたフロン(クロロフルオロカーボン，CFC)はオゾン層破壊の原因になることから使用が禁止され，その代わりに水素を含む HCFC や HFC が登場した．オゾン層破壊の機構についてはウェブノート 20.2 で説明する．

ポリハロゲン化合物の中には，農薬や工業的に使われたものもあるが，種々の環境問題を引き起こしている．殺虫剤の DDT(慣用名ジクロロジフェニルトリクロロエタンの略号)は，1939 年にはじめての合成殺虫剤として開発され，蚊やノミを駆除することによりマラリヤやチフスの絶滅に大きく貢献し多くの生命を救ったが，第二次世界大戦後は農薬としても広く使われた．しかし，自然界で分解されにくいために残留し，生物に対してホルモン様の作用をもつことが問題になり，今では使われない．

ノート 13.1　つづき

殺虫剤　　除草剤

$CCl_3CH\left(C_6H_4-Cl\right)_2$

DDT　　2,4-D　　2,4,5-T

2,4-D(2,4-ジクロロフェノキシエタン酸)は除草剤として広く使われている．かつては類縁体の2,4,5-T(2,4,5-トリクロロフェノキシエタン酸)との混合物として使われ，この混合物はベトナム戦争(1960～1975)の“枯葉剤作戦(Agent Orange)”で大量に使われ，その毒性が大きな問題となった．

この混合物には，副生物であるダイオキシン類の一つ2,3,7,8-テトラクロロジベンゾジオキシンがとくに多く含まれており，これがおもな毒性の原因であった．これはDNAを損傷させるため，強い発がん剤であり，催奇性をもっているので奇形児の誕生をもたらした．2,3,7,8-テトラクロロジベンゾフランやポリクロロビフェニル(PCB)も類似の毒性をもっているためダイオキシン様化合物とよばれており，まとめて“ダイオキシン類 dioxin and dioxin-like compounds”と称される．厳密な意味でのdioxin(ジオキシン)は2個の酸素原子を含む不飽和六員環化合物のことである．

ダイオキシン類

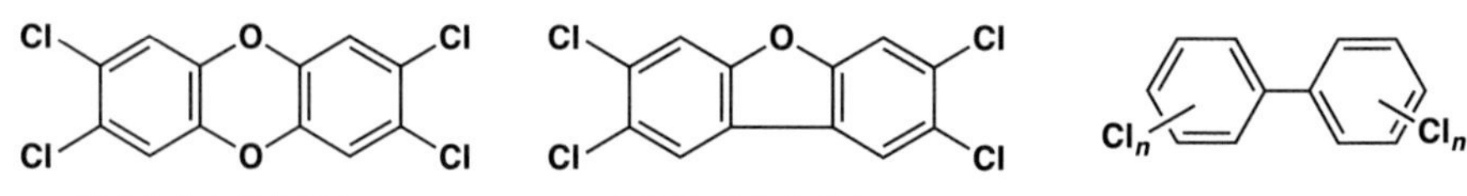

2,3,7,8-テトラクロロジベンゾ-1,4-ジオキシン　　2,3,7,8-テトラクロロジベンゾフラン　　ポリクロロビフェニル(PCB)

PCBは安定で電気絶縁性の高い液体として，かつては熱媒体あるいは変圧器やコンデンサーの絶縁油などに使われていたが，発がん性があり皮膚障害や内臓障害を起こすなどの毒性をもち脂肪組織に蓄積しやすいことから，1975年までに製造・使用禁止となった．とくに共平面をとれるコプラナーPCBの毒性が高く，催奇性をもつなどダイオキシン類と分類される所以となっている．また，焼却処理などの試みはジオキシン類の生成を伴い，廃棄処分もむずかしい問題になっている．また，一般ゴミの焼却灰の中にもダイオキシン類が含まれることがあり，一般的な廃棄物の取扱いにも注意を要する．

14 アルコール，エーテル，硫黄化合物とアミン

【基礎となる事項】
・官能基の酸化状態（2.8 節）
・アルコールの水素結合（2.10.2 項）
・酸と塩基（6 章）
・巻矢印による反応の表し方（7.2 節）
・酸塩基触媒反応（8.3.2 項）
・アルコールの合成（10 章）
・ハロアルカンの求核置換反応（12 章）
・ハロアルカンの脱離反応（13 章）

【本章で学ぶこと】
・酸触媒による OH と OR の脱離基としての活性化
・アルコールとエーテルの酸触媒反応：置換と脱離
・オキシラン（エポキシド）の開環反応
・チオールとスルフィド
・酸化還元反応
・アミンの反応

アルコールとエーテルは，アルキル基に酸素グループである**ヒドロキシ基**（OH）あるいは**アルコキシ基**（OR）が結合した化合物群であり，水 H_2O の H が一つまたは二つアルキル基（エーテルはアリール基 Ar でもよいが，ArOH はフェノール類として別に取り扱う）に置き換わったものとみなせ，ROH および ROR で表せる．アルコールとエーテルの物理的性質は大きく異なるが，化学反応性には共通点も多い．アルコールの大きな特徴は OH 基によるものであり，Brønsted 酸としての酸性度（6 章）と，水素結合に基づく物理的性質（2.10.2 項）についてはすでに述べた．

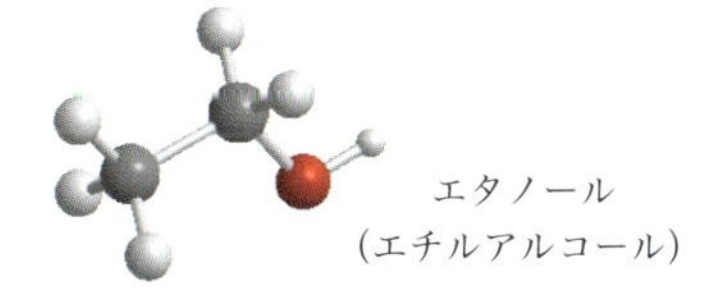

エタノール
（エチルアルコール）

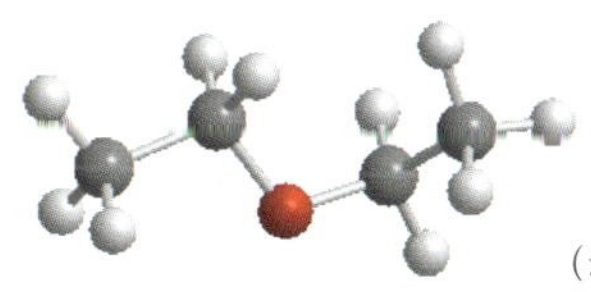

エトキシエタン
（ジエチルエーテル）

この章では，アルコールとエーテルに共通の C−O 結合がかかわる反応について説明し，硫黄類似体のチオール RSH とスルフィド R_2S についても述べる．さらに C−N 結合が関与するアミンの反応の特徴についても述べる．これらの反応は，前章で述べた炭素とヘテロ原子の結合（C−Y）に関する反応に分類されるものではあるが，O と N 脱離基は容易に外れないので酸触媒を必要とする．このような特徴的な反応性を中心に考えていく．また，酸素官能基の化学は酸化還元反応と密接に関係しているので，ここでまとめて酸化還元について説明する．

14.1　アルコールとエーテルの酸触媒反応

14.1.1　アルコキシドと水酸化物イオンの脱離能

芳香族誘導体の ArOH（フェノール類）と $ArNH_2$（アニリン類）については 16.5 節と 16.6 節で説明する．

アルコキシドイオン（RO^-）や水酸化物イオン（HO^-）は，9.2.2 項でも述べたように，簡単には脱離できない．エステル加水分解の四面体中間体では，隣接の酸素アニオンの押込み効果（プッシュ）があってはじめて脱離できた．

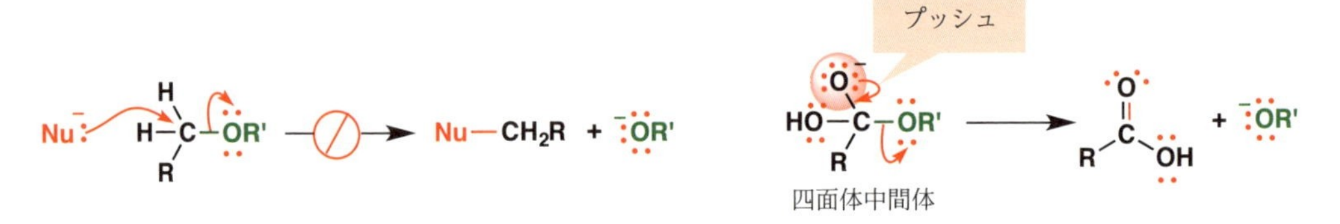

しかし，エステルの酸触媒加水分解（9.2.3 項）でもみたように，酸触媒があればプロトン化された酸素グループがアルコールや水分子として容易に脱離できるようになる．同じように，アルコールやエーテルの場合にも酸触媒によってはじめて C−O 開裂が進行するようになる（反応 14.1）．

反応 14.1　アルコールとエーテルの酸触媒反応

プロトン化
R−OR' ⇄（+H⁺ / −H⁺）R−O⁺(H)R' → R⁺ + R'OH
（R′＝H またはアルキル）
プル
プロトン化中間体
Nu⁻ → S_N1
→ E1
Nu⁻ → S_N2（R が第一級のとき）

プロトン化中間体（基質の共役酸）から H_2O や ROH が外れる反応は，前章で述べたハロアルカンの反応とよく似ており，同じ反応原理に基づいて置換と脱離を起こす．しかし，酸性条件下で作用できる求核種は限定される．多くの求核種は塩基性であり，酸性の反応条件ではプロトン化されて求核性を失う．

エーテルはエタノール分子を求核種とする酸触媒求核置換反応の生成物であり，エテンはエタノール分子を塩基とする酸触媒脱離（脱水）反応の生成物である．

アルコールの酸触媒反応によるエーテルの生成は，エーテル合成法としては一般性がない．12 章（例題 12.2）で S_N2 反応によるエーテル合成法をみた．

酸性条件下でも求核性をもつ代表例はハロゲン化物イオンであり，14.1.2 項で説明するように，ハロゲン化水素を反応に使うと酸触媒求核置換反応を起こす．

共役塩基の求核性が低い強酸として，硫酸やリン酸を使うと脱離反応が起こりやすくなる（14.1.3 項参照）．溶媒に使われる水やアルコールは，弱いながらも塩基性と求核性をもつので反応に加わることもある．たとえば，エタノールに触媒量の硫酸を加えて加熱すると，温度によって主生成物が変化する．

CH_3CH_2OH —(H_2SO_4 触媒)→
　130 ˚C，CH_3CH_2OH → $CH_3CH_2OCH_2CH_3$ + H_2O（置換生成物）
　170 ˚C → $H_2C{=}CH_2$ + H_2O（脱離生成物）

■ アルコールとエーテルは酸触媒による求核置換反応と脱離反応を起こす．

酸触媒反応 acid-catalyzed reaction
プロトン化 protonation

14.1.2　ハロゲン化水素との反応

ハロゲン化水素 HX（X＝Cl，Br，I）の水溶液は塩酸，臭化水素酸，ヨウ化水素酸とよばれ，強酸($pK_a \ll 0$)なので完全に解離している．

$$HX + H_2O \rightleftharpoons H_3O^+ + X^-$$

強酸の共役塩基であるCl^-，Br^-，I^-の塩基性は非常に弱いが，求核性はかなり強い．したがって，これら3種のハロゲン化水素酸はアルコールと反応して，酸触媒求核置換反応によりハロゲン化アルキルを生成する．

この反応は，プロトン化から進行し，アルキル基の構造によってS_N1かS_N2機構で置換生成物を与える．第三級アルコールはS_N1機構で反応するが，第一級アルコールはS_N2機構で反応する(反応 14.2a と 14.2b)．

HCl，HBr，HI はこのように書くことが多いが，水溶液ではかなり高濃度でもほとんどの酸が解離している．$H_3O^+X^-$のように表現したほうが正確である．しかし，HF は弱酸(pK_a 3.2)で，あまり解離していない(6章)．

(a) t-ブチルアルコール + $H-\overset{+}{O}H_2$ ⇌ ($-H_2O$ / $+H_2O$) → $-H_2O$, S_N1 → + Br^- → 臭化 t-ブチル

(b) 1-ブタノール + H_3O^+ I^- ⇌ ($-H_2O$ / $+H_2O$) → $-H_2O$, S_N2 → 1-ヨードブタン

反応 14.2 第三級アルコール(a)と第一級アルコール(b)のハロゲン化水素酸との反応

反応14.2aのS_N1反応の速度はプロトン化アルコールの濃度に比例するが，その濃度は$[H_3O^+]$と[ROH]に比例するので，律速段階が単分子的であるにもかかわらず，結果的に全反応は二次反応になる．

$$\text{反応速度} = k[\text{ROH}][H_3O^+]$$

エーテルも同じように反応するが，非対称なエーテルの反応においては，二つのC−O結合のうち，どちらが切断されるかという選択性が生じる．酸性条件では反応性の高い求核種や塩基が存在しないので，S_N1またはE1反応として進む場合が多く，より安定なカルボカチオンを生成するように，第三級アルキル基側で切れることが多い．反応14.3の例では，t-ブチルエチルエーテルのt-ブチル基側で結合切断が起こり，S_N1反応が進行している．

塩化第一級アルキルをアルコールから合成するときには，濃塩酸と$ZnCl_2$からつくった反応剤(Lucas 反応剤という)を用いることが多い．しかし，硫黄やリン反応剤を用いる方法のほうが優れている(14.3.2 項)．

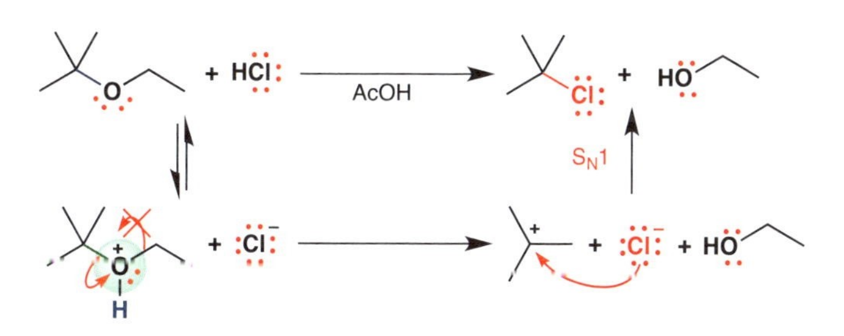

反応 14.3 ハロゲン化水素によるエーテルの開裂

しかし，第二級アルキルエーテルでは反応条件によってS_N1かS_N2反応が起こる．

例題 14.1

2-エトキシプロパンはHI水溶液中で反応すると，2-プロパノールとヨードエタンを生成する．その理由を説明せよ．

解 答 ヨウ化物イオンの求核性が大きいので，プロトン化された第二級アルキルエーテルはS_N2反応を受ける．S_N2反応は優先的に第一級炭素のほうで起こる．

ノート 14.1 単純なアルコールの工業的製法

炭素数4以下のアルコールは，大量に工業生産され，溶剤や他の化学製品の製造原料として使われている．

メタノールは，合成ガスとよばれる一酸化炭素と水素の混合物から，触媒を用いて製造されている．合成ガスは，天然ガス(メタン)や石油を水蒸気で“ガス化”することによって得られる．

$$\underset{\text{天然ガス}}{CH_4 + H_2O} \xrightarrow[\text{800 °C}]{\text{Ni 触媒}} \underset{\text{合成ガス}}{CO + 3H_2}$$

ガス化

$$CO + 2H_2 \xrightarrow[\text{250 °C, 50〜100 atm}]{Cu–ZnO–Cr_2O_3} CH_3OH$$

メタノールには毒性があり，少量の摂取でも失明に至る．メタノールは体内で酸化されてホルムアルデヒドになり，レチナール(アルデヒド)とよばれる視覚物質と競争して，眼で光を感受するロドプシンの生成を妨げるからである．

エタノールは，糖類の発酵で得られる混合物を蒸留して製造されていたが，現在では工業用アルコールの大部分がリン酸触媒を用いるエテンの水和反応によって合成される．しかし，近年になって植物を原料とする“バイオエタノール”がグリーンな燃料として注目されている．

$$H_2C{=}CH_2 + H_2O \xrightarrow[\text{300 °C, 70 atm}]{H_3PO_4} CH_3CH_2OH$$

エタノール–水混合物を蒸留しても95%以上のエタノールは得られない．エタノール95%–水5%の混合物が純粋なエタノール(bp 78.3 ℃)よりも低い沸点(78.15 ℃)で共沸するからである．純粋なエタノールを得るためには95%エタノールにベンゼンを加えて蒸留する．ベンゼンは水とエタノールと新しい共沸混合物を形成して低温で留出し，最後に純粋なエタノールが留出して，無水エタノールが得られる．

1, 2–エタンジオール(エチレングリコール)はエテンの酸化でも合成されるが，合成ガスから直接合成することもできる．自動車の不凍液の主成分として用いられる．

$$2CO + 3H_2 \xrightarrow[\text{加圧下加熱}]{\text{Rh または Ru 触媒}} HOCH_2CH_2OH$$

2–プロパノール(イソプロピルアルコール)はプロペンの酸触媒水和によって製造される．水溶液は消毒用アルコール(英語では rubbing alcohol というがマッサージに使うわけではない)として使われる．1–プロパノールはエテンのヒドロホルミル化で得られるプロパナールを水素化することによって製造される．

$$H_2C{=}CH_2 + CO + H_2 \xrightarrow{\text{Rh 触媒}} CH_3CH_2CHO \xrightarrow[Ni]{H_2} CH_3CH_2CH_2OH$$

ヒドロホルミル化

2–メチル–2–プロパノール(*t*–ブチルアルコール)は2–メチルプロペンの酸触媒水和によって製造される．1–ブタノールと2–メチル–1–プロパノール(イソブチルアルコール)の混合物は，プロペンのヒドロホルミル化と水素化によって製造されている．

$$CH_3CH{=}CH_2 + CO + H_2 \xrightarrow{\text{Rh 触媒}} CH_3CH_2CH_2CHO + (CH_3)_2CHCHO \xrightarrow[Ni]{H_2} CH_3CH_2CH_2CH_2OH + (CH_3)_2CHCH_2OH$$

$H_3O^+ I^-$ S_N2 OH +

問題 14.1 次の化合物をヨウ化水素酸と反応したときに得られる置換生成物は何か．反応機構を書いて結果を説明せよ．

(a) Me OH (b) OMe

問題 14.2 14.1.1 項で述べたように，エタノールを微量の硫酸存在下に加熱するとジエチルエーテルが得られる．この反応の機構を示せ．

14.1.3 アルコールの脱水反応

アルコールから水が脱離する反応は脱水反応とよばれるが，この反応も酸触媒で進行する．通常，硫酸やリン酸を触媒として用いる．アルコールの脱水反応はアルケンの合成反応としても使うことができる．塩基性に乏しい条件下で，ふつうは E1 反応機構で進んでいる(例：反応 14.4)ので，第一級アルコールは脱水しにくい．

OH H_2SO_4 触媒 加熱 (+) + H_2O
+H+ −H+ −H+
OH_2 H H + H_2O

反応 14.4 2-ブタノールの酸触媒脱水反応の機構

反応 14.4 では主生成物だけを示したが，2 種類以上のアルケンが生成する可能性があるときには Zaitsev 則に従う．

OH H_2SO_4 触媒，加熱 $-H_2O$ +
93% 7%

■ アルコールの酸触媒脱水反応で 2 種類以上のアルケンが生成する場合には，より安定な多置換アルケンが優先的に生じる(Zaitsev 則)．

脱水反応の位置選択性(Zaitsev 則)の原理はハロアルカンの脱離反応(13 章)の場合と同じである．

問題 14.3 反応 14.4 で，2-ブテンのほかに生成する可能性のあるアルケンの構造を示せ．

問題 14.4 1-メチルシクロヘキサノールの硫酸による脱水反応の機構を示し，2 種類の生成物が得られることを説明せよ．

問題 14.5 次のアルコールの酸触媒脱水反応で生成するアルケンの構造を示し，どのアルケンが主生成物となるか予想せよ．

脱水(反応) dehydration

(a) 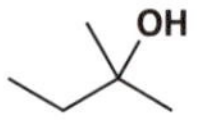　OH　　(b) 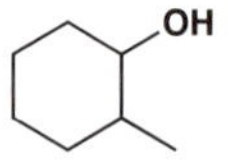　OH

14.2　カルボカチオンの転位

アルコール炭素の隣接位に枝分れがある第二級アルコールの反応においては，第二級カルボカチオンの隣接炭素から水素やアルキル基が移動して第三級カルボカチオンに転位することが多い．その一例を反応 14.5 に示す．第二級アルコールと塩酸の反応において，カルボカチオン中間体の転位が起こり，第三級塩化アルキルを生成している．

反応 14.5　アルコールの酸触媒反応におけるカルボカチオンの 1,2-水素移動による転位

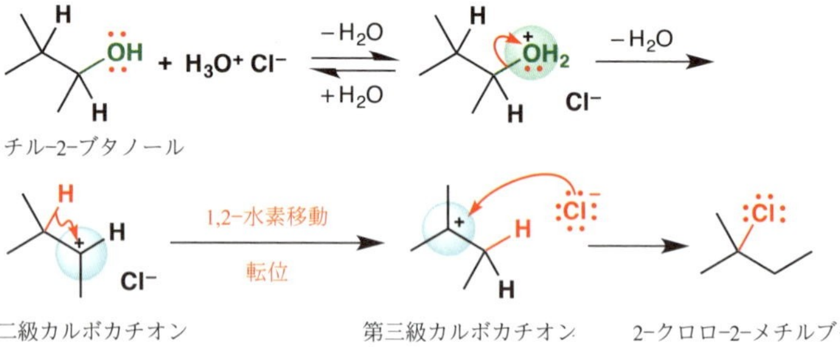

3-メチル-2-ブタノール　+ H_3O^+ Cl^-　$\underset{+H_2O}{\overset{-H_2O}{\rightleftharpoons}}$　Cl^-　$\xrightarrow{-H_2O}$

第二級カルボカチオン　$\xrightarrow[\text{転位}]{\text{1,2-水素移動}}$　第三級カルボカチオン　→　2-クロロ-2-メチルブタン

1,2-水素移動 1,2-hydrogen shift
Hが電子対とともに移動するので 1,2-ヒドリド(H^-)移動ということが多い．

このような 1,2-転位はカルボカチオン中間体に一般的なものであり，まとめて 21 章で説明する．

例題 14.2

カルボカチオン転位において移動するのは水素だけでなく，メチル基や他のアルキル基でもよい．3,3-ジメチル-2-ブタノールのリン酸触媒による脱水反応においては，次に示すような 3 種類のアルケンが生成する．この反応の機構を書け．

OH　$\xrightarrow[-H_2O]{H_3PO_4\text{触媒，加熱}}$　64%　+　33%　+　3%

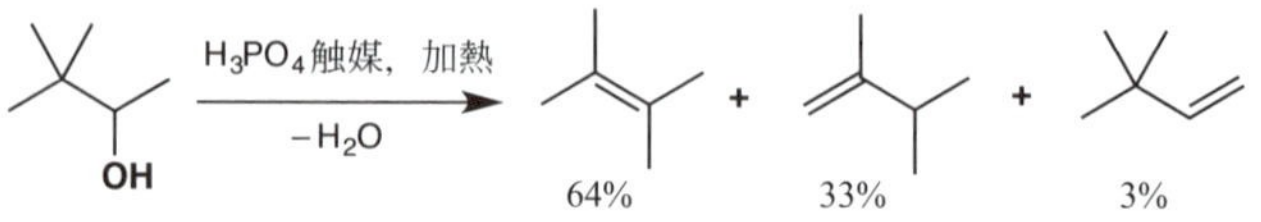

解 答　最初に生成した第二級カルボカチオンが第三級カルボカチオンに転位し，脱離生成物を与える．このとき置換基のより多い安定なアルケンが優先的に生成する．

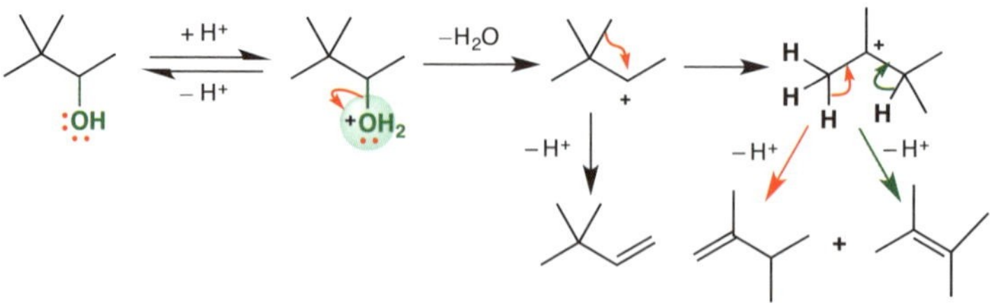

:OH　$\underset{-H^+}{\overset{+H^+}{\rightleftharpoons}}$　$^+OH_2$　$\xrightarrow{-H_2O}$　+　→　H H H H　$-H^+$　$-H^+$　$-H^+$

転位反応において 1,2-移動を示す巻矢印の書き方に注意しよう．移動する H またはアルキル基が結合電子対とともに動くので，湾曲の凹側が移動基のほうを向くように S 字形に書くか原子指定の巻矢印を用いる (7.2.6 項)．

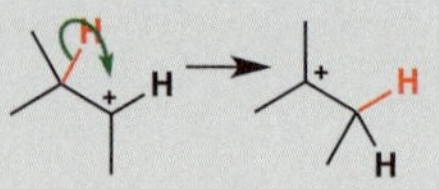

原子指定の矢印による表現

問題 14.6　3,3-ジメチル-2-ブタノールを臭化水素酸で処理すると，主生成物として 2-ブロモ-2,3-ジメチルブタンが得られる．この反応の機構を書け．

第一級アルコールの場合には，第一級カルボカチオンは不安定で生成しないが，求核性の低い条件では，水の脱離と同時に転位を起こすことがある．第一級基質は S_N2 反応機構で反応すると述べたが，反応 14.6 の例のように枝分かれがあると立体障害が大きいので，S_N2 機構が起こりにくく，転位反応が起こるようになる．この転位は隣接の C−C σ 結合電子対による分子内 S_N2 反応と考えてもよい．反応 14.6 の 1,2-メチル移動は H_2O の脱離と協奏的に(同時に)起こり，安定な第三級カルボカチオンを生成する．

1,2-メチル移動は水の脱離と協奏的に起こり，不安定な第一級カルボカチオンを生成することはない．反応 14.5 のように第二級カルボカチオンを生成することは可能だが，この場合協奏的な転位反応と第二級カルボカチオンを中間体とする段階的な反応機構とは区別しにくい．

2,2-ジメチル-1-プロパノール + H_3O^+ Br^- ⇄ (−H_2O / +H_2O) [OH_2^+] + Br^- → (−H_2O, 1,2-メチル移動) [カルボカチオン] + Br^- → 2-ブロモ-2-メチルブタン

反応 14.6 分枝第一級アルコールの酸触媒反応：1,2-メチル移動を伴うカルボカチオンの生成

14.3 アルコールの誘導体化

14.3.1 スルホン酸エステル

OH や OR 基は酸触媒なしでは反応しないが，有機合成の反応設計において，アルコールを強酸のエステルに変換して，置換や脱離反応を起こさせるという戦略をとることができる．強酸の共役塩基は脱離能が大きいので，触媒なしに容易に反応が起こるようになり，転位を避けることができる．そのような誘導体としてよく用いられるのは**スルホン酸のエステル**であり，その代表例が 4-トルエンスルホン酸エステル(トシラート)である．アルキルスルホナートは S_N1 と S_N2 反応のよい基質になる．

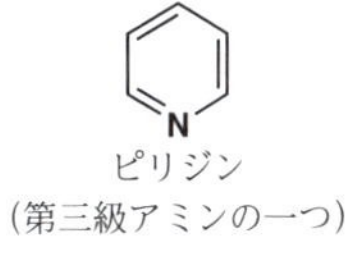

塩化 4-トルエンスルホニル
(塩化トシル)
4-toluenesulfonyl choride
(tosyl chloride)

1-ブタノール + Ts-Cl → (ピリジン, −HCl) 4-トルエンスルホン酸ブチル(ブチルトシラート) → (Nu^-, S_N2) [Nu] + TsO^- トシラートアニオン

ピリジン
(第三級アミンの一つ)

アルコールをピリジン存在下に TsCl によってアルキルトシラートに変換する過程では，C−O 結合の開裂は起こらない．このため，OH が結合している炭素原子の立体化学は保持される．

問題 14.7 2-ブタノールを NaCN と反応させても，2-メチルブタンニトリルは得られない．それはなぜか．(*R*)-2-ブタノールからスルホン酸エステルを経て，NaCN と反応させると 2-メチルブタンニトリルが得られる．この反応の機構を書き，生成物の立体構造を示せ．

14.3.2 硫黄とリン反応剤の利用

アルコールの酸触媒反応では，アルキル基の転位がしばしば問題になる．このような場合にスルホン酸エステルに変換し，その反応を行うことで問題を避けることができた．しかし，このような誘導体は必ずしも単離する必要はない．塩化アルキルの合成には，**塩化チオニル** $SOCl_2$ を用いることができる．ピリジン存在下に反応すると，クロロ亜硫酸エステルを中間体として S_N2 反応が進み，転位しないで第一級塩化アルキルが得られる．第一級アルコールを直接塩酸と反応させると転位生成物が副生する．

スルホン酸エステル sulfonate ester
塩化チオニル thionyl chloride

S_Ni 反応

塩化チオニルの反応を，塩基を加えないでエーテルなどの溶媒中で行うと，HCl ガスが発生する．中間体のクロロ亜硫酸エステルはヘテロリシスを起こし，イオン対中間体から塩化アルキルと SO_2 が生成する．この反応は，次のように，立体配置保持で進む（置換がイオン対内で起こっているので S_Ni 反応ということもある）．

(S)-2-ブタノール + $SOCl_2$ →(Et_2O, −HCl)→ クロロ亜硫酸エステル → [イオン対] →(S_Ni, −SO_2)→ (S)-2-クロロブタン（立体配置保持）

反応 14.7 塩化チオニルによる第一級アルコールの塩素化

1-ブタノール + 塩化チオニル（ピリジン）→ クロロ亜硫酸ブチル →(S_N2)→ 1-クロロブタン + SO_2 + Cl^-（ピリジニウム）

クロロアルカンの合成には，副生物の HCl が気体であるため後処理がしやすいので，PCl_5 よりも塩化チオニルを用いる方法のほうが優れている．

ハロゲン化リン（PCl_5，PBr_3 など）も同じ目的で使える．ブロモアルカンの合成には PBr_3 が用いられる．

反応 14.8 PBr_3 によるアルコールの臭素化

$$\text{R–OH} + PBr_3 \xrightarrow{Et_2O} \text{R–}O^+H\text{–}PBr_2 + Br^- \rightarrow \text{R–Br} + HOPBr_2$$

リン反応剤を用いて，キラルな第二級アルコールを立体反転したエステルに変換する反応が光延（みつのぶ）反応として知られている．

➡ ウェブノート 14.1 光延反応

問題 14.8 1-プロパノールから次の化合物を合成する方法を示せ．

（a）$CH_3CH_2CH_2Cl$ （b）$CH_3CH_2CH_2Br$ （c）$CH_3CH_2CH_2I$

（d）$CH_3CH_2CH_2CN$

14.4 アルコールの酸化

第一級アルコールを酸化すると，アルデヒド，さらにカルボン酸になるが，第二級アルコールはケトンになる．酸化剤としてよく用いられるのは，三酸化クロム CrO_3 や二クロム酸ナトリウム $Na_2Cr_2O_7$ のようなクロム(VI)化合物の酸性溶液である．第一級アルコールのプロパノン溶液に $Na_2Cr_2O_7$ の希硫酸溶液（クロム酸という）を加えて反応する標準的手法* では，生成したアルデヒドがただちに水和物と平衡になり，さらに酸化されてカルボン酸になる．アルデヒドの段階で反応を止めるのはむずかしく，アルデヒドを収率よく得るためには反応条件を工夫する必要がある．

* このクロム酸酸化の方法は，Jones（ジョーンズ）酸化とよばれる．

Cr(VI) 化合物には発がん性があるため，取扱いに十分注意する必要がある．

$$RCH_2OH \xrightarrow[\text{H}_2\text{SO}_4,\ \text{H}_2\text{O},\ \text{プロパノン}]{Na_2Cr_2O_7} RCHO \underset{}{\overset{H_2O}{\rightleftharpoons}} RCH(OH)_2 \longrightarrow RCOOH$$

第一級アルコール　アルデヒド　カルボン酸

この酸化の反応機構は，反応 14.9 に第二級アルコールを用いて示すように，クロム酸エステルから C=O 結合を形成する脱離反応を含んでいる．第三級アルコールやケトンの水和物のクロム酸エステルは脱離できる H がないので，酸化されない．

クロム酸 H_2CrO_4 chromic acid

反応 14.9 アルコールのクロム酸酸化の機構

クロム酸エステル

$Cr_2O_7^{2-}$ オレンジ Cr(VI)

Cr(IV)

Cr(III) 緑

クロム酸酸化では，反応が進むにつれて酸化剤の $Cr_2O_7^{2-}$ イオンのきれいなオレンジ色が最終的には Cr(III) 化学種の緑に変わる．この反応は環状協奏機構で進み，アルコール炭素からクロム酸にヒドリドイオンが移動するかたちになっている．かつては逆にプロトンが移動するように考えられていたが，実験と理論からここに示す機構が結論されている．

アルデヒドの酸化を避けるためには，水和されないように，非水溶液を使えばよい．酸化剤はその溶液に可溶である必要がある．第一級アルコールからアルデヒドを合成するためによく用いられる Cr(VI)酸化剤として，クロロクロム酸ピリジニウム(PCC)があり，CH_2Cl_2 中で用いられる．

$$\text{R-CH}_2\text{OH} \xrightarrow[\text{CH}_2\text{Cl}_2]{\text{PCC}} \text{R-CHO}$$

第一級アルコール　　アルデヒド

クロロクロム酸ピリジニウム
pyridinium chlorochromate
(PCC)

問題 14.9 次の反応のおもな酸化生成物は何か．

(a) $\text{PhCH}_2\text{OH} \xrightarrow[\text{H}_2\text{SO}_4,\ \text{H}_2\text{O},\ \text{プロパノン}]{\text{Na}_2\text{Cr}_2\text{O}_7}$

(b) $\text{PhCH}_2\text{OH} \xrightarrow[\text{CH}_2\text{Cl}_2]{\text{PCC}}$

(c) OH $\xrightarrow[\text{H}_2\text{SO}_4,\ \text{H}_2\text{O}]{\text{CrO}_3}$

(d) OH $\xrightarrow[\text{CH}_2\text{Cl}_2]{\text{PCC}}$

第一級アルコールをアルデヒドに酸化する確実な方法として Swern(スワーン)酸化という手法がある．

➡ ウェブノート 14.2 Swern 酸化

飲酒テスト

エタノールのクロム酸酸化において，Cr(VI)が Cr(III)に変化すると，オレンジから緑への鮮やかな色の変化がみられる．この色の変化は，ヒトの血中エタノール濃度の予備テストを簡便に行うための原理になっている．血中エタノールと呼気に含まれるエタノール量は肺動脈を通して平衡状態にあるので，呼気のアルコール検査で血中濃度がわかる．二クロム酸カリウム-硫酸試薬をしみ込ませたシリカゲルを詰めた管に息を吹き込むと，エタノール蒸気が含まれていればシリカゲルの色が変化する．色の変化した長さでおよそのエタノール濃度が見積もられる．この簡単な路上テストで飲酒や酒気帯びの疑いがある場合には，さらに精密な検査が行われる．

14.5 エポキシドの開環反応

エポキシド(オキシラン)は，環に酸素原子を含む三員環エーテルである．三員環の結合角ひずみのために通常のエーテルよりもはるかに高い反応性をもつ．

14.5.1 酸触媒開環反応

エポキシドの開環は弱酸によって容易に起こる．酸により酸素プロトン化が起こると，C−O 結合がゆるみ，C 上に正電荷が生じるが，多くの場合，開環は求核種の攻撃によってはじめて起こる．したがって，酸触媒開環反応は立体反転を起こしながら S_N2 反応機構によって進むことになる．プロトン化エポキシド中間体の正電荷は置換基をもつ炭素に偏っているので，求核攻撃はおもにその炭素に起こり，置換基をもつ炭素側で開裂する．そのため，反応性は S_N1 反応に似ている．

酸触媒開環でカルボカチオンができたとしても，OH の隣接基関与によりプロトン化エポキシドに戻るので，求核攻撃によってはじめて開環し立体反転する．

➡ ウェブノート 14.3 エポキシドの酸触媒開環反応

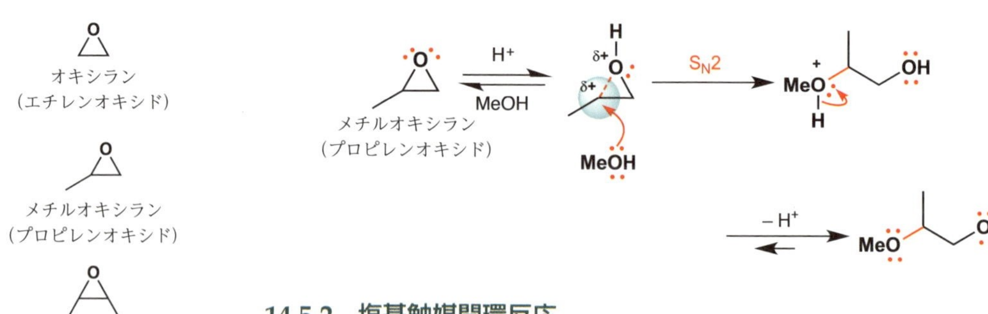

1,2−エポキシシクロヘキサン
（シクロヘキセンオキシド）

14.5.2　塩基触媒開環反応

通常のエーテルと違って，環ひずみによる反応性のために，エポキシドは触媒がなくても強い求核種によって置換を起こす．たとえば，Grignard 反応剤はオキシランと反応して炭素原子が 2 個増えたアルコールを与える（10.4.2 項）．

しかし，弱い求核種の場合は塩基触媒が必要になる．水やアルコール中の塩基触媒開環反応では，溶媒から生じた HO^- や RO^- が求核攻撃して S_N2 反応を起

ノート 14.2　クラウンエーテルとクリプタンド

環状エーテルのテトラヒドロフラン（THF）や 1, 4−ジオキサンは溶媒としてよく使われる．エーテルは酸素の非共有電子対が求核性を示すことにより，溶解性を発現している．この効果は**クラウンエーテル**（crown ether）とよばれる環状のポリエーテルでは劇的に現れる．クラウンエーテルの名称は，その構造が王冠のかたちに似ていることからきている．個々の化合物の名称は，環の大きさ *n* と酸素原子数 *m* を前後につけて *n*−クラウン−*m* とされる．

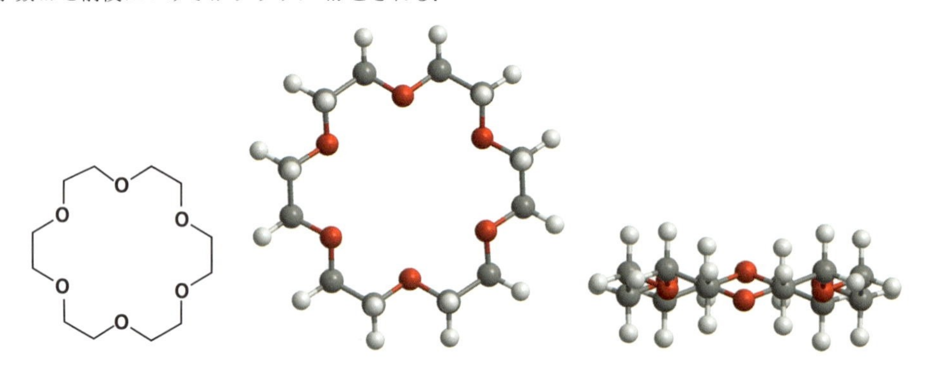

18−クラウン−6 の構造と分子模型（平面図と側面図）

酸素と金属イオンの相互作用は一つでは弱いが，金属イオンの大きさとクラウンエーテルの環の空洞がちょうど適合するときにとくに強い親和性を示す．12−クラウン−4 はリチウムイオンを，18−クラウン−6 はカリウムイオンを選択的に環に取り込む．クラウンの環は柔軟で Li^+ を四面体形に囲み，K^+ を八面体形に囲んで錯体をつくる．

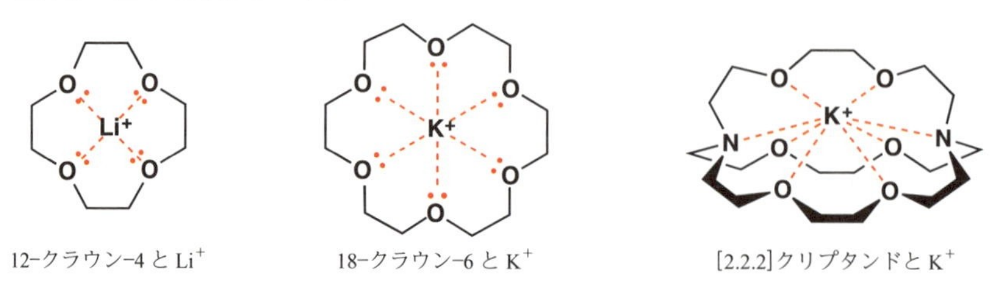

12−クラウン−4 と Li^+　　18−クラウン−6 と K^+　　[2.2.2]クリプタンドと K^+

橋頭位に窒素原子を導入することによって三次元構造をもつかご形の**クリプタンド**（cryptand）が合成され，より効率的な金属イオンの取込みが達成されている．このような錯体生成において，クラウ

こす．その結果，置換基のない炭素を求核攻撃して，C−O 結合の開裂を起こす．酸触媒開環反応とは位置選択性が逆になることに注意しよう．

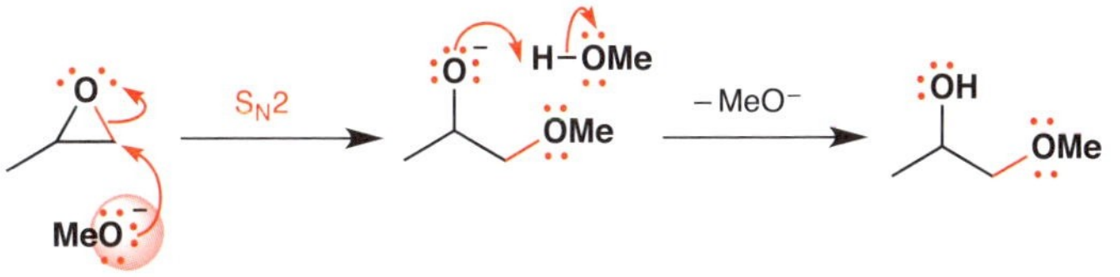

求核付加や求核置換反応では，酸触媒は求電子種の反応性を高めるのに対して，塩基触媒は求核種の反応性を高めるということを8章と9章で学んだ．エポキシドの開環反応は一種の求核置換とみなせる．

エチレンオキシドは，有毒な気体(bp 10.7℃)であるが，工業原料としてエテンの酸化によって大量生産されている．殺菌剤としても用いられ，病院では医療機器の滅菌に使われている．

➡ ウェブノート 14.4　がん診断薬フルオロデオキシグルコースの合成：クリプタンドを用いた S_N2 反応

S_N2　$-MeO^-$

問題 14.10　2,2-ジメチルオキシランをメタノール中で，(a)酸を加えて反応した場合と，(b)ナトリウムメトキシドを加えて反応した場合に，それぞれ得られる生成物の構造を示せ．また，その結果になる理由を説明せよ．

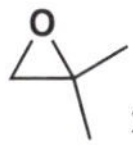

2,2-ジメチルオキシラン

ンエーテルやクリプタンドはホスト，金属イオンはゲストとよばれ，このような特異的相互作用はホスト-ゲスト相互作用といわれる．クラウン化合物の開発と応用の研究によって，C. J. Pedersen, D. J. Cram, J.-M. Lehn の 3 人は 1987 年度ノーベル化学賞を受賞した．この分野の研究は**分子認識**(molecular recognition)という概念を生み出し，生体における酵素と基質，抗体と抗原，神経伝達，細胞膜におけるイオン輸送などの特異的な相互作用と関連づけられ，大きく発展している．

クラウンエーテルは，有機合成においては**相間移動触媒**(ノート 12.2 参照)に用いられる．クラウンエーテルに取り込まれた金属イオンは非極性溶媒に溶けるようになるので，たとえば KF，KCN，$KMnO_4$，CH_3CO_2K のようなカリウム塩が 18-クラウン-6 によって有機溶媒に可溶になる．水と混ざらない有機溶媒(トルエンやクロロホルムなど)に有機基質を溶かし，求核種となるアニオンのカリウム塩の水溶液と一緒にして 18-クラウン-6 を触媒に用いて反応させれば，塩が有機相に移り金属イオンから引き離されたアニオンは，溶媒和を受けず活性な求核種として反応する．その一例は次の反応である．

$$RCH_2Cl + KCN \xrightarrow[C_6H_5CH_3\text{-}H_2O]{18\text{-クラウン-6}} RCH_2CN + KCl$$

$KMnO_4$ を 18-クラウン-6 とともにベンゼンに溶かすと，“パープルベンゼン”として知られる有用な酸化剤溶液になる．

ポリエーテル型の環状化合物は生体内でも重要なはたらきをしている．これらのエーテルは**イオノホア**(ionophore)とよばれ，生体膜を通ってイオンを輸送することにより，抗生物質として作用するものが多く知られている．細胞内外の電解質バランスが乱れると，細胞の恒常性が維持できなくなる．イオノホアの一つであるノナクチンは，細菌細胞からカリウムイオンを選択的に運び出すことにより，細菌を死滅させる．

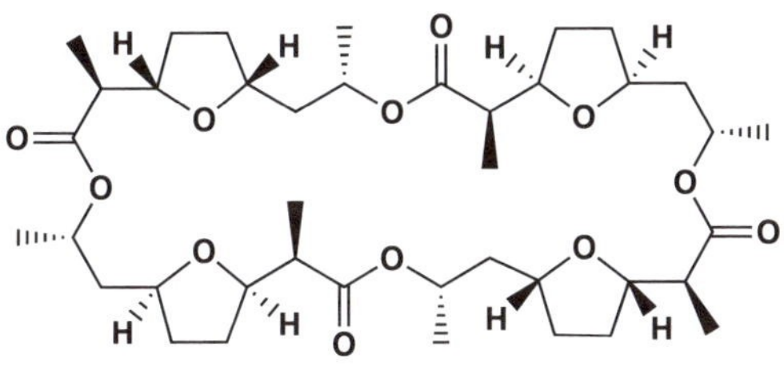

ノナクチン

14.6　酸化還元反応：まとめ

10 章でカルボニル化合物のヒドリド還元について学び，14.4 節ではアルコールの酸化について説明した．また，2.8 節で炭素の酸化数と官能基の酸化状態について述べた．有機反応では，酸素原子と水素原子の増減によって，酸化還元を定義する．

■ **酸素の付加を酸化，水素の付加を還元とし，またその逆過程をそれぞれ還元あるいは酸化という．**

しかし，もっと一般的には酸化還元は電子の授受で定義される．

■ **電子を失う過程が酸化で，電子を受け取る過程が還元である．**

この二つの定義は矛盾しないのだろうか．また，酸化数で判別する酸化状態との関係はどうなっているのか．

有機化合物は共有結合でできているので，電子の授受と関係づけるためには，結合電子対がどちらの原子に所属するか帰属する必要がある．その帰属を決めたのが 2.8.1 項で説明した酸化数である．すなわち，極性結合の結合電子対は 2 電子とも電気陰性度の大きいほうの原子に所属するものとした．したがって，有機反応において酸化還元が起こっているかどうかは，結合変化の起こっている部分（通常は炭素）の酸化数を調べ，その和が反応の前後で変化しているかどうかで判別すればよい．

■ **酸化数が増えていれば酸化反応であり，減少していれば還元反応である．**

また，酸化には必ず還元が伴い，還元には酸化が伴う．言い換えれば，酸化には酸化剤が必要であり，酸化剤自体は還元されている．還元には還元剤が必要で，還元剤自体は酸化されている．有機反応では反応矢印の上に反応剤を書くことが多いので，有機化合物の変換反応として酸化反応を書くときには，次式のように，いわば半反応として酸化反応だけを表し，還元過程は示していないことが多い．この反応では酸化数が -1 から $+1$ に増えているので酸化であり，水素原子数が減少しているので有機反応の酸化の判別にも合っている．

$$\underset{-1}{\text{R-CH}_2\text{OH}} \xrightarrow[\text{CH}_2\text{Cl}_2]{\text{PCC}} \underset{+1}{\text{R-CH(=O)}}$$

酸化数　−1　　　　+1

10 章のはじめのほうでみたヒドリドの付加では，逆に酸化数が減少して還元を起こしていることがわかる．水素原子数の変化から見ても還元である．

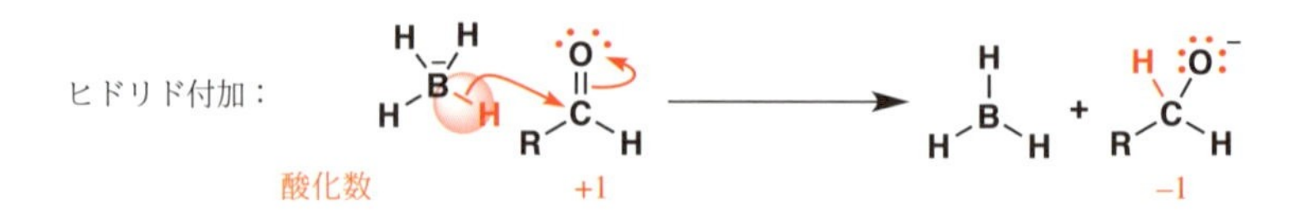

酸化還元反応 oxidation-reduction reaction
酸化剤 oxidizing agent
還元剤 reducing agent

酸塩基反応におけるプロトン移動にも水素原子が関係しているが，この場合はどうだろうか．次のアセチリドイオンとアルコールの反応では炭素原子へのプロトン移動が起こっている．しかし，炭素の酸化数は反応の前後で変化していない．この酸塩基反応では酸化還元は起こっていない．

酸塩基反応： $H{-}C{\equiv}C^{-} + H{-}OR \longrightarrow H{-}C{\equiv}C{-}H + {}^{-}OR$

酸化数　−1　−1　　　　−1　−1

上のヒドリド付加ではHが電子対とともに移動しているのに対して，酸塩基反応ではHが電子を伴わないで移動している点が違いを生んでいる．

極性反応における求電子種と求核種あるいはLewis酸とLewis塩基は電子対(2電子)を受け取るものと出すものである．この過程は酸化還元ではないのだろうか．次にいくつかの代表的な反応について調べてみる．

水和：$MeCH{=}O + H_2O \rightleftharpoons MeCH(OH)_2$　（酸化数 +1 → +1）

シアノヒドリン生成：$MeCH{=}O + HCN \rightleftharpoons MeCH(OH)CN$　（酸化数 +1 → 0）

Grignard反応：$Me_2C{=}O + RMgBr \xrightarrow{1)\ Et_2O,\ 2)\ H_3O^+} Me_2C(OH)R$　（酸化数 +2 → +1）

塩素付加：$H_2C{=}CHMe + Cl_2 \longrightarrow H{-}CHCl{-}CHCl{-}Me$　（酸化数 −2　−1 → −1　0）

エポキシドの開環：$Me{-}CH(O)CH_2$（エポキシド）$+ MeOH \xrightarrow{H^+} Me{-}CH(OMe){-}CH_2(OH)$　（酸化数 0　−1 → 0　−1）

アルデヒドの水和反応では酸化も還元も起こっていないが，シアノヒドリン生成やGrignard反応では形式的には還元(酸化数の減少)が起こっている．しかし，アルケンへの塩素付加は酸化反応になっている．エポキシドのメタノールによる開環では炭素の酸化数は変化していない．

酸化数によって酸化状態を判別し，反応における酸化状態の変化から酸化還元を判別することを説明した．極性反応においては求核中心の電気陰性度が炭素と同等であるか小さい場合には還元になり，逆に求電子中心の電気陰性度が炭素よりも大きい場合には酸化になっていることがわかる．

問題 14.11　次の各反応で酸化還元が起こっているかどうか説明せよ．

(a) $CH_2{=}CHMe + H_2O \longrightarrow CH_3{-}CHMe(OH)$

(b) $CH_2{=}CHMe + H_2 \longrightarrow CH_3{-}CH_2Me$

(c) $MeCO_2Et + MeNH_2 \longrightarrow MeC(O)NHMe + EtOH$

(d) $CH_2{=}CHMe + BH_3 \longrightarrow H_2BCH_2{-}CH_2Me \xrightarrow[NaOH]{H_2O_2} HOCH_2{-}CH_2Me$

14.7　チオールと他の硫黄化合物

硫黄は酸素と同じ族の第3周期元素であり，両者の性質の違いは主としてSの価電子が内殻電子によって原子核の電荷からより強くしゃへいされていることによる．したがって，Oに比べると，Sの原子は大きく，価電子の広がりが大き

＊ S の電気陰性度 2.58 は C の 2.55 に近い（1.2 節）．

く分極率も大きい．一方，電気陰性度は小さく＊，オクテットを超えた分子をつくることもできる（14.7.4 項参照）．

14.7.1　チオールとその誘導体

チオール RSH の pK_a ～10 で，アルコール ROH の pK_a ～16 よりずっと小さい．

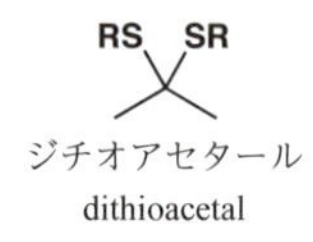

ジチオアセタール
dithioacetal

R'C(=O)SR
チオエステル
thioester

チオエステルの S よりもエステルにおける O のほうが強く共鳴に関与できる．

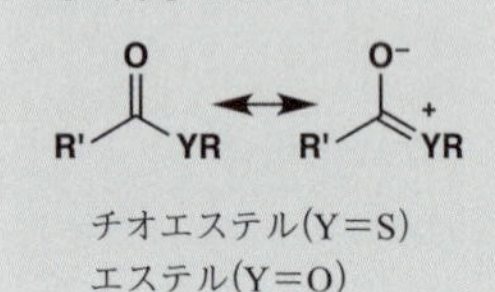

チオエステル（Y＝S）
エステル（Y＝O）

チオール RSH は，アルコール ROH よりも酸性度がかなり高い（6.3.1 項）．それにもかかわらず，あまり強い水素結合はつくらない．そのため沸点は低く，悪臭によって低濃度で検出できる（2.3 節）．また，チオールは中性分子としては求核性が高く，アルデヒドやケトンと反応してジチオアセタールを生成する（8.4 節）．

アニオンになるとチオラートイオン（RS^-）は，さらに強力な求核種となり（12.2.4 項），S_N2 反応やカルボン酸誘導体の反応に関与する．チオエステルは通常のエステルよりも反応性が高い．S の 3p 電子対と C＝O の共役が弱く，チオラートの脱離能がアルコキシドよりも大きいからである．

問題 14.12　次の反応の生成物は何か．

(a) CH_3CH_2SH + $ClCH_2CH_2OH$ $\xrightarrow[\text{EtOH}]{\text{NaOEt}}$

(b) $Br(CH_2)_5Br$ + Na_2S $\xrightarrow[\text{EtOH}]{}$

(c) MeCHO + HS(CH₂)₃SH $\xrightarrow[\text{Et}_2\text{O}]{\text{BF}_3}$

(d) MeCOCl + CH_3CH_2SH $\xrightarrow[\text{Et}_2\text{O}]{\text{Et}_3\text{N}}$

スルフィド RSR′ はチオエーテルともよばれるが，求核性をもち，ハロアルカンと反応してスルホニウム塩を生成する．スルホニウム塩はアルキル化剤になる．

$$(CH_3)_2S + CH_3{-}I \xrightarrow{S_N2} (CH_3)_2\overset{+}{S}{-}CH_3\ I^-$$

ジメチルスルフィド　　ヨウ化トリメチルスルホニウム

14.7.2　生体反応におけるチオールと誘導体

チオール官能基は生命体においても重要な役割を演じている．アミノ酸のシステインは SH 基をもち，タンパク質やペプチドの SH 官能基はこのアミノ酸単位からきている．トリペプチドのグルタチオンは生体内に広く分布し，補酵素として種々の役割を果たしている．

システイン（CO_2H, H_2N, H, CH_2SH）　　グルタチオン（G-SH）

チオール thiol
（かつてはメルカプタン（mercaptan）とよばれていた）
スルフィド sulfide
（チオエーテル thioether ともいう）
スルホニウム塩 sulfonium salt
システイン cysteine
グルタチオン glutathione
ジスルフィド disulfide

チオール類の生体における機能は，2 種類の異なる反応性からきている．その一つは可逆的な酸化的カップリング反応でジスルフィドを生成する反応であり，グルタチオンは有害な酸化剤を除去する温和な還元剤としてはたらく．

$$2\ R{-}SH \underset{\text{還元}}{\overset{\text{酸化}}{\rightleftharpoons}} R{-}S{-}S{-}R$$

チオール　　ジスルフィド

もう一つのグルタチオンの重要な反応は，SH の求核性に基づくものであり，体外から侵入した求電子的生体異物(ハロアルカンやエポキシドなど)と反応して水溶性にし，排泄しやすくすることにより解毒作用を示す．

G−SH + C−X ⟶ G−S−C + HX　　G−SH + (エポキシド) ⟶ G−S−C−C−OH

グルタチオン　　　　グルタチオン

補酵素 A(23 章参照)もチオールとして，その求核性を発揮してチオエステルのかたちで代謝過程に関与し，脂肪酸の生合成にも関与している(ノート 17.2 参照)．

問題 14.13　リポ酸は生体ジスルフィドとして酸化反応に関与している．リポ酸の還元型の構造を示せ．

S−S
$-(CH_2)_4CO_2H$

リポ酸 lipoic acid

14.7.3　アルキルチオ基の二面性

アルキルチオ基(RS)はアルコキシ基(RO)と同じように非共有電子対を供与してカルボカチオンを安定化する．RS の共役効果は RO ほど大きくないが，S の電気陰性度が O よりもずっと小さいので，両方の効果(共役による電子供与性と誘起的な電子求引性)を合わせると，RS と RO のカルボカチオン安定化効果は同程度である．

アルキルチオ(alkylthio)基はアルキルスルファニル(alkylsulfanyl)基ともいう．

興味深いことに，S はカルボアニオンも安定化できる．1,3-ジチアン(ジチオアセタール)の pK_a は 31.1 で，シクロヘキサンに比べるとずっと小さい．ジチアンの共役塩基の安定性は，S の空の 3d 軌道によるものであると考えられていたが，現在では超共役による安定化のほうが重要であると結論されている．この超共役は，カルボカチオン安定化における C−H の超共役とは逆に，比較的エネルギーの低い S−C σ* 軌道と負電荷をもつ C の被占軌道(非共有電子対)との相互作用に基づくものであり，負の超共役といわれる(図 14.1)．

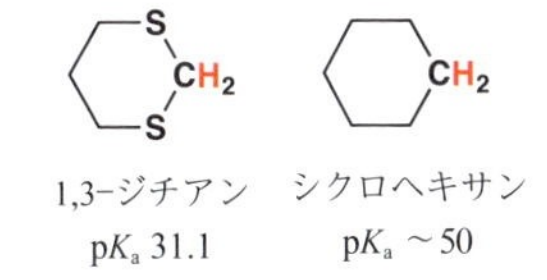

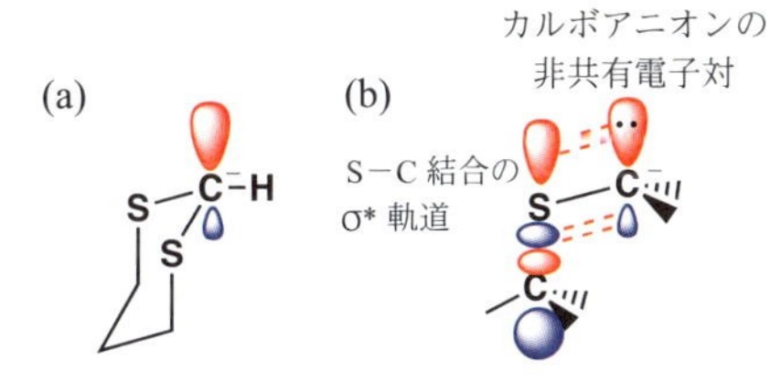

図 14.1　カルボアニオンの負の超共役による安定化
(a) 1,3-ジチアンの共役塩基の構造，(b) S−C 結合の反結合性 σ* 軌道とカルボアニオンの被占軌道の相互作用

ジチオアセタールは有機合成の中間体として有用である(10.2.2 項，10.5.3 項参照)．

求電子的なカルボニル基をジチオアセタールに変換してカルボアニオンにすれば求核的な反応剤になる(反応 14.10)．この変換は反応剤の極性を逆転させるので**極性転換**とよばれる．たとえば，カルボアニオンをハロアルカン RY と反応させれば，カルボニル基のアルキル化を達成できる．

極性転換 umpolung
ドイツ語に由来する用語を使って Umpolung(ウムポールング)という．

反応 14.10　アルデヒドの極性転換による反応

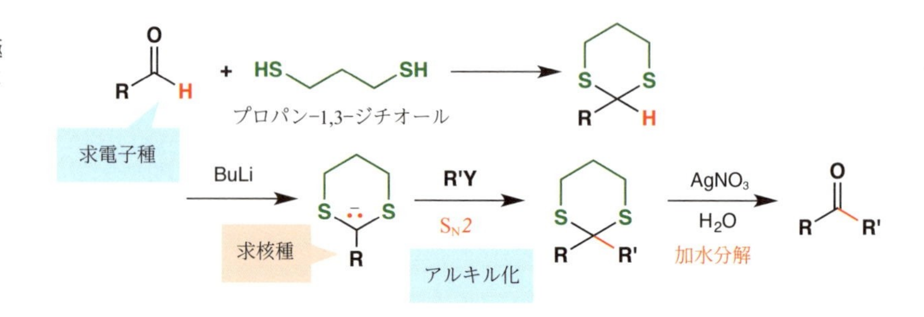

14.7.4　高酸化状態の硫黄化合物

硫黄は第 3 周期元素であるために，原子価殻にオクテットを超えて電子を受け入れることができる．すなわち，S は 2 配位以上の結合をもつことができる．

$R-S^{+}(-O^{-})-R'$

スルホキシドの電荷分離構造

スルホキシド sulfoxide	スルホン sulfone	スルフィン酸 sulfinic acid	スルホン酸 sulfonic acid
$R-S(=O)-R'$	$R-S(=O)_2-R'$	$R-S(=O)-OH$	$R-S(=O)_2-OH$

非対称なスルホキシドがキラルであることについて 11.5.2 項で述べた．またジメチルスルホキシド (DMSO) は優れた極性非プロトン性溶媒である (12.3 節)．

スルホキシドやスルホンは S=O 二重結合を使って書くことが多いが，硫黄の結合は平面状ではないので，スルホキシドは欄外に示すように電荷分離した結合で表すことも多い．

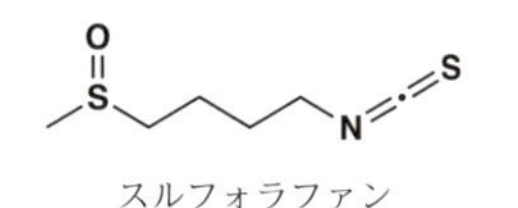

スルフォラファン
sulforaphane

スルフォラファンはブロッコリーに含まれ，肝機能の改善に有効で，抗酸化・抗がん作用もあるといわれる．スルホキシド部位をもつイソチオシアナートである．

14.8　アミンの反応

14.8.1　アミンの求核性

アミンは典型的な有機塩基であり，その塩基性については 6.5.2 項で学んだ．アミンはアンモニアと同様に求核種としても反応し，S_N2 反応やカルボニル基との反応を起こす．アンモニアとハロアルカンの S_N2 反応は第一級アミンの生成にとどまらず，さらに段階的に S_N2 反応を起こして第二級，第三級アミン，そして第四級アンモニウム塩まで生成する．ハロアルカンとアンモニアの反応生成物は，通常これらの混合物になる．

$$H_3N: + R-X \xrightarrow{S_N2} R-NH_3^+\,X^- \xrightarrow[-NH_4^+X^-]{NH_3} RNH_2 \xrightarrow{RX} R_2NH_2^+\,X^- \xrightarrow[-NH_4^+X^-]{NH_3}$$

RNH_2：第一級アミン

$$R_2NH \xrightarrow{RX} R_3NH^+\,X^- \xrightarrow[-NH_4^+X^-]{NH_3} R_3N \xrightarrow{RX} R_4N^+\,X^-$$

R_2NH：第二級アミン　R_3N：第三級アミン　$R_4N^+X^-$：第四級アンモニウム塩

アミンを求核種とするカルボニル化合物との反応に関しては，すでにイミンやエナミンの生成 (8.5 節)，アミドの生成 (9.5 節) について学んだ．

アミノ基はアルコキシ基よりもさらに脱離しにくい (H_2N^- の pK_{BH+} ～35) が，アンモニウムイオンにすると脱離可能になる．そのような脱離反応 (Hofmann 分解) については 13.4.2 項で述べた．

問題 14.14　アミンを求核種とする次の反応の主生成物は何か．

(a) $(CH_3CH_2)_3N + CH_3I \longrightarrow$

(b) $PhCHO + HONH_2 \xrightarrow{H^+}$

(c) $PhCOCH_3$ + ピロリジン (NH) $\xrightarrow{H^+}$

(d) $CH_3C(=O)OEt + (CH_3)_2NH \longrightarrow$

14.8.2 アミンと亜硝酸の反応

第一級アミンを酸性条件下，亜硝酸(HNO_2)と反応させると**ジアゾニウム塩**に変換されるが，第二級アミンはニトロソアミンを生成し，第三級アミンは反応しない．亜硝酸は反応溶液中で亜硝酸ナトリウムと酸の反応によって発生させる．

$$NO_2^- + H_3O^+ \rightleftharpoons \underset{\text{亜硝酸}}{O{=}N{-}OH} + H_2O$$

ジアゾニウムイオンのジアゾニオ基($-N^+{\equiv}N$)はN_2としてきわめて脱離しやすいので，ただちにカルボカチオンを生成してS_N1や E1 反応の生成物を与える．これらの反応性の違いを利用して，第一級，第二級，第三級アミンを見分けることができる．

➡ ウェブノート 14.5 ジアゾニウム塩の生成機構

> 芳香族ジアゾニウム塩は芳香族求核置換反応の基質として，ベンゼン誘導体の有用な合成ルートを提供している(18.8 節参照)．

$$\underset{\text{第一級アミン}}{RNH_2} \xrightarrow{HNO_2} RNH{-}N{=}O \longrightarrow \underset{\text{ジアゾニウムイオン}}{R{-}\overset{+}{N}{\equiv}N} \xrightarrow{-N_2(\text{気体})} R^+ \longrightarrow S_N1/E1$$

（ジアゾニウムイオン → S_N2）

$$\underset{\text{第二級アミン}}{R_2NH} \xrightarrow{HNO_2} R_2N{-}N{=}O$$

N-ニトロソアミン
酸性水溶液に不溶(黄色油状)

$$\underset{\text{第三級アミン}}{R_3N} \xrightarrow{HNO_2}$$

反応しない(塩の生成)
酸性水溶液に可溶

問題 14.15 次の反応の生成物は何か．

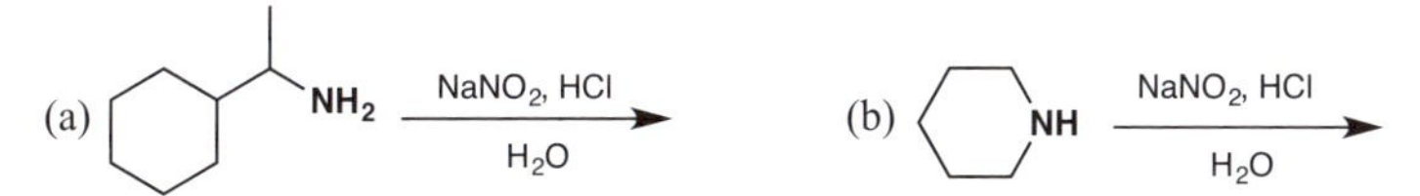

> 亜硝酸 nitrous acid
> ジアゾニウム塩 diazonium salt

まとめ

- **アルコール**と**エーテル**の C−O 結合は，ハロアルカンの C−X 結合と同じように，置換と脱離を起こすが，**酸触媒**を必要とする．まず**酸素プロトン化**が起こり，H_2O (または ROH)を脱離基として反応する．求核性の弱い酸性条件で反応するので，カルボカチオンを中間体とする場合が多い．
- カルボカチオンは，構造によっては **1,2-転位**を起こす．
- 三員環エーテルの**エポキシド**は反応性が高く，酸塩基触媒によって開環する．
- 第一級アルコールは**酸化**によりアルデヒド，さらにカルボン酸になる．第二級アルコールを酸化するとケトンになる．
- **硫黄**は酸素の同族元素であるが，電気陰性度が低く，求核性が大きく，酸化還元を受けやすい．チオール基は生体反応においても重要である．
- **アミン**は典型的な有機塩基であり，求核種として反応する．また亜硝酸と特徴的な反応を起こす．
- **酸化**と**還元**は互いに伴って起こる．酸化還元は酸化数あるいは電子の授受によって定義され，酸素と水素の増減とも関係している．

章末問題

問題 14.16　次の反応の主生成物は何か．

(a) OH + $H_3O^+Br^-$ 加熱 →

(b) $(CH_3)_3C-O-CH_3$ + $H_3O^+I^-$ 加熱 →

(c) O + $H_3O^+I^-$ 加熱 →

(d) O + $H_3O^+Br^-$ 加熱 →

問題 14.17　次の各エーテルの HI 水溶液による開裂反応の機構を示せ．

(a) OMe　(b) OMe

問題 14.18　2-エトキシプロパンを過剰の HI 水溶液中で反応すると，まず 2-プロパノールが生成する（例題 14.1）が，さらに反応を続けると最終生成物として別の化合物が得られる．反応機構を書いて何が得られるか示せ．

問題 14.19　次のアルコールを硫酸で処理して得られる脱水生成物の構造を示せ．

(a) OH　(b) OH

(c) OH　(d) OH

問題 14.20　次のアルコールの酸触媒脱水反応により生成するアルケンの構造をすべて示し，どのアルケンが主生成物になるか答えよ．

(a) OH　(b) OH　(c) OH

問題 14.21　メタノールと *t*-ブチルアルコールの混合物を硫酸触媒で処理すると *t*-ブチルメチルエーテルのみが高収率で生成した．しかし，メタノールと 1-ブタノールの反応では 3 種類のエーテルが生成した．この結果を説明せよ．

問題 14.22　3-メチル-2-ブタノールを HBr で処理すると 2-ブロモ-2-メチルブタンが主生成物として得られる．この反応の機構を示せ．

問題 14.23　2,2-ジメチル-1-プロパノールの硫酸触媒による脱水反応では 2-メチル-2-ブテンが主生成物として得られる．この反応の機構を示せ．

OH $\xrightarrow{H_2SO_4}$

問題 14.24　次の反応の主生成物は何か．

(a) O + $H_3O^+Br^-$ $\xrightarrow[H_2O]{}$

(b) O + PhSH $\xrightarrow[EtOH]{NaOEt}$

(c) O + $MeNH_2$ $\xrightarrow[EtOH]{}$

(d) $PhCH_2OH$ $\xrightarrow[H_2O,\text{プロパノン}]{Na_2Cr_2O_7,\ H_2SO_4}$

(e) NH + CH_3I（過剰）→

問題 14.25　シクロヘキセンオキシドの酸触媒加水分解の反応機構を，立体化学がわかるように示せ．

シクロヘキセンオキシド

問題 14.26　反応(a)の速度定数はハロゲン化水素 HX の違いにより HCl＜HBr＜HI の順に大きくなるが，反応(b)の速度定数はどの HX を用いてもほとんど変わらない．この理由を述べよ．

(a) OH $\xrightarrow{HX}$ X

(b) OH $\xrightarrow{HX}$ X

15 アルケンとアルキンへの付加反応

【基礎となる事項】
- π 結合の分子軌道(5 章)
- 巻矢印による反応の表し方(7.2 節)
- カルボカチオンの安定性(12.4.3 項)
- アルケンを生成する脱離反応(13 章，14.1.3 項)

【本章で学ぶこと】
- π 結合への求電子付加
- アルケンへの求電子付加：位置選択性と立体化学
- アルキンへの求電子付加
- アルケンのエポキシ化とカルベン付加
- 1,3-ブタジエンへの 1,2-付加と 1,4-付加
- 速度支配と熱力学支配
- Diels-Alder 反応
- アルケンのオゾン分解とジヒドロキシル化
- アルケンとアルキンの水素化

アルケンとアルキンの官能基はそれぞれ二重結合と三重結合であり，一般的な反応は付加である．付加する反応種の種類によって，求電子付加，ラジカル付加，および求核付加があるが，アルケンの最も一般的な反応は**求電子付加**である．この章では，求電子付加について述べ，環を形成する反応についても説明する．求核付加とラジカル付加については，それぞれ 18 章と 20 章で述べる．

最も単純なアルケンのエテンは花や果物を成熟させる植物ホルモンであり(ノート 15.1)，重要な工業原料でもある(2 章)．植物や樹木の香気成分にはテルペンとよばれる天然のアルケンがある(23 章)．また昆虫の情報伝達物質はフェロモンとよばれ，アルケンを含むものが多い．アルキンは天然にはあまりみられないが，アマゾン流域のキク科植物 *ichthyothere*(“魚毒” の意味)に含まれるポリアルキンは猛毒である．

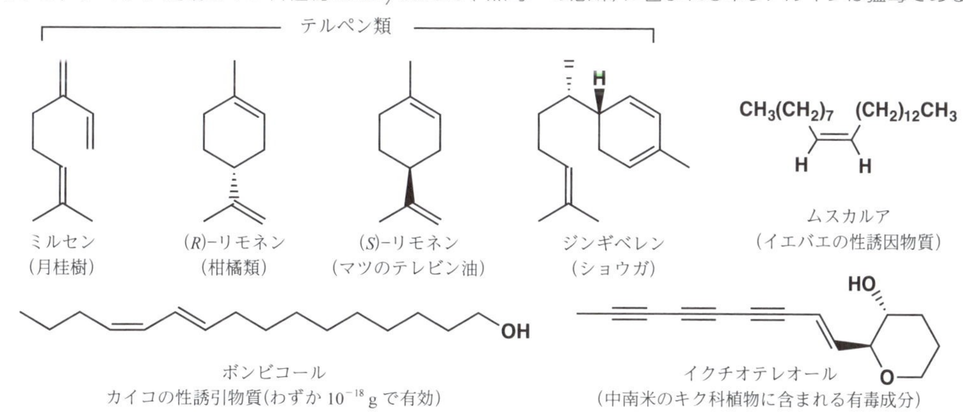

(*R*)-リモネンは柑橘類の果皮の油成分であるが，*S* 異性体はテレビン油に含まれる

15.1　アルケンへの求電子付加

不飽和結合を形成している π 電子は σ 電子よりも空間的に大きな広がりをもっているので，求電子種が反応しやすい．すなわち，単純なアルケンは求核的であり，最も一般的な反応は**求電子付加**である．

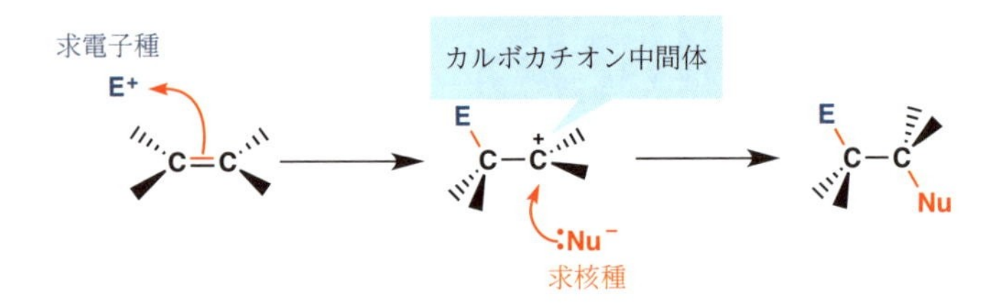

■ **求電子付加は，求電子種がアルケンと反応して**カルボカチオン中間体**を生じ，その中間体がさらに別の求核種と反応して 2 段階で完結する．**

アルケンの分子軌道(MO)をみると，π 結合を形づくる π MO が σ MO よりも高エネルギーであり HOMO になっているので(π 電子対を供与する)求核種としてはたらき，求電子種の LUMO と相互作用して結合をつくる．π 電子はアルケン平面の上下に分布しているので，効率よく MO が相互作用するために，求電子種はアルケン分子面の垂直方向から反応する(図 15.1)．たとえば，HCl 分子はその正電荷中心となる H のほうから H−Cl 軸を垂直にしてアルケン平面に近づく．

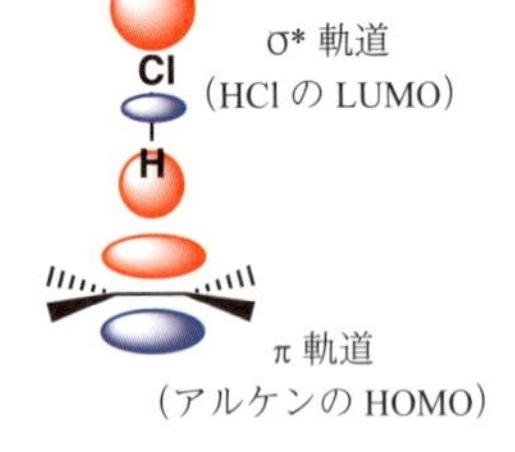

図 15.1　アルケン(求核種)の HOMO と HCl(求電子種)の LUMO の相互作用

求電子付加 electrophilic addition

■ **軌道相互作用によってアルケンと求電子種の配向が決まる．**

ノート 15.1　植物ホルモンとしてのエテン

エテンはきわめて低濃度で植物の生長を制御している．植物の発芽，生長，開花を促進し，種々の果実を成熟させる．熟すと腐りやすいので，果物農家は果実をよく熟さないうちに収穫し，運搬し，販売の時期に合わせてエテンで熟させる．たとえば，バナナは青いうちに収穫し，輸送・貯蔵の間に成熟を制御する．

植物は，自然ではアミノ酸のメチオニンから 1-アミノシクロプロパンカルボン酸を中間体として生合成している．

MeS　H_2N　H　CO_2H → NH_2　CO_2H → $H_2C{=}CH_2$

メチオニン　　1-アミノシクロプロパンカルボン酸　　エテン

慣用名でエテホン(ethephon)とよばれる合成物質が農薬として市販されており，植物はこの物質を代謝してエテンを生成する．この物質が，果物，トマト，テンサイ(サトウダイコン)，コーヒーなど広範な農作物の成熟を早めるために用いられている．

Cl　P(=O)(OH)OH

2-クロロエタンホスホン酸
(エテホン)

15.2 ハロゲン化水素の付加

まず最初に，アルケンへのハロゲン化水素(HX，X＝Cl，Br，I)の付加について説明する．反応は非水溶液中で行うことが多く，生成物はハロアルカンである．

$$\mathrm{RCH{=}CH_2} + \mathrm{HX} \longrightarrow \mathrm{RCH(X){-}CH_3}$$

15.2.1 反 応 機 構

解離していないハロゲン化水素 HX(水溶液中では解離しているので H_3O^+)が図 15.1 に示したようにアルケンに近づく．HX はプロトン(H^+)を出し，アルケンの π 電子を使って C－H 結合をつくり，カルボカチオン中間体を生成する．典型的な反応を一つあげると，HCl は 2-メチルプロペンと 2 段階で反応して 2-クロロ-2-メチルプロパンを生成する．この反応の中間体は第三級カルボカチオンであり，その安定性がアルケンの反応性を決めている．カルボカチオン中間体はただちに求核種の塩化物イオンと反応する(反応 15.1)．全反応はハロアルカンの E1 脱離(13.1 節)の逆反応に相当する．

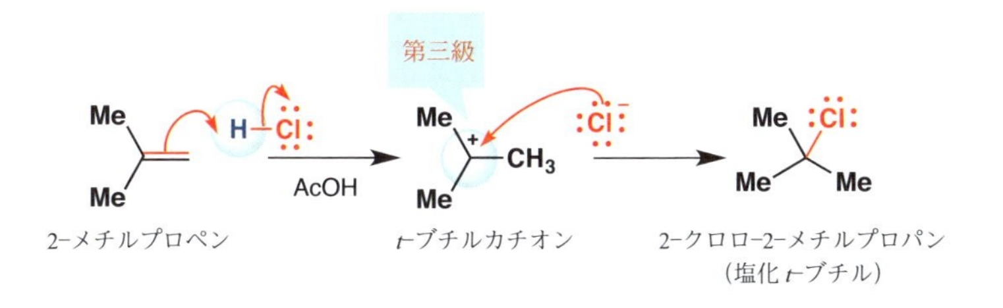

反応 15.1 2-メチルプロペンへの塩化水素の付加

■ **求電子付加におけるアルケンの反応性はカルボカチオン中間体の安定性による***.

＊ 反応性と選択性は律速段階の遷移状態(TS)の安定性によって決まるが，TS の構造とエネルギーは不安定な中間体に似ている(ノート 7.1 Hammond の仮説)．

カルボカチオンの安定性：
$(\mathrm{Me})_3\mathrm{C}^+$ (第三級) >> $(\mathrm{Me})_2\mathrm{CH{-}CH_2^+}$ (第一級)

15.2.2 配 向 性

2-メチルプロペンのような非対称なアルケンでは，求電子種が二重結合のどちらの炭素に付加するか問題になる．HCl 付加においては，反応 15.1 のように 2-クロロ-2-メチルプロパンを生成するが，逆の配向で次のように 1-クロロ-2-メチルプロパンを生じる可能性も考えられる．

第一級：不安定すぎる

2-メチルプロペン → 第一級カルボカチオン → 1-クロロ-2-メチルプロパン

$$\mathrm{Me_2C{=}CH_2} + \mathrm{HCl} \not\longrightarrow \mathrm{Me_2CH{-}\overset{+}{C}H_2} \xrightarrow{\ :\ddot{Cl}:^-\ } \mathrm{Me_2CH{-}CH_2Cl}$$

この 2 種類の生成物は，プロトン(H^+)がどちらの炭素に付加するかによって決まる．

配向性 orientation

■ 反応位置の選択性を配向性あるいは位置選択性という．
■ 求電子付加の配向性はカルボカチオン中間体の安定性によって決まる（ノート 7.1　Hammond の仮説参照）．

Vladimir V. Markovnikov
（1838〜1904）
ロシアの化学者．1869 年にアルケンへの付加における配向性に関する規則を発見した．四員環および七員環の炭素化合物の合成でも知られている．

より安定な中間体を生成するほうがエネルギー的に有利であり，第一級アルキルカチオンよりも第三級アルキルカチオンのほうが安定なので，反応は反応 15.1 のように進む．第一級アルキルカチオンはあまりにも不安定で，実際に生成する可能性はない．

このような配向性は“もとのアルケンの水素をより多くもっている炭素に H が結合するように反応する”と表現され，Markovnikov（マルコフニコフ）則とよばれることもあるが，配向性を決めているのはカルボカチオン中間体の安定性であることを覚えておこう．

HBr の付加においては，逆 Markovnikov 配向で反応することがある．過酸化物の影響でラジカル付加が起こる場合であり，20.5 節で詳しく説明する．

例題 15.1

次の反応の主生成物は何か．

(a) $CH_3CH{=}CH_2 + HBr \xrightarrow{AcOH}$
プロペン

(b) メチレンシクロヘキサン $+ H_3O^+ I^- \xrightarrow{H_2O}$

解 答　より安定なカルボカチオン中間体から生成するハロゲン化物が主生成物になる．

(a) $CH_3CH(Br){-}CH_3$　（$CH_3\overset{+}{C}H{-}CH_3 > CH_3CH_2{-}\overset{+}{C}H_2$）
2-ブロモプロパン

(b) 1-ヨード-1-メチルシクロヘキサン　（1-メチルシクロヘキシルカチオン($\overset{+}{C}$–CH_3) > シクロヘキシル–$\overset{+}{C}H_2$（H））

問題 15.1　次の反応の主生成物は何か．

(a) 1-メチルシクロヘキセン $+ HCl \xrightarrow{AcOH}$

(b) α-メチルスチレン $+ H_3O^+ Br^- \xrightarrow{H_2O}$

HX 付加の立体選択性

アキラルなアルケンへの求電子付加においては，アキラルな平面状のカルボカチオン中間体の両面から求核種の攻撃が起こりうるので，キラルな生成物が生じたとしてもそれはラセミ体になる．すなわち，立体選択性はほとんどみられない．

（1-ブテン $\xrightarrow{HX}$ [平面状カルボカチオン，両面から :X⁻ の攻撃] ⟶ ラセミ体）

平面状カルボカチオン　　ラセミ体

位置選択性 regioselectivity

15.2.3 アルキンへの求電子付加

アルキンもアルケンと同じように反応するが，反応性はアルケンよりも低い．これは，不飽和炭素の混成の違いによる．アルキンの sp 混成炭素はアルケンの sp^2 炭素よりも s 性が大きいので，π 電子の広がりが小さく反応性が低い．中間体のビニルカチオンは，一般的に通常のアルキルカチオンよりも不安定である．ハロゲン化水素が 1 当量付加するとハロアルケンになるが，さらにもう 1 当量反応してジハロアルカンを生成する（反応 15.2）．2 段階目の反応はハロゲンの電子求引性のために遅くなるが，カルボカチオン中間体はハロゲンの非共有電子対が共役することによって安定化される．ハロゲンの電子求引性による不安定化にもかかわらず共役によるカルボカチオンの安定化のために，生成物の 2 個のハロゲン原子は同じ炭素に結合する．

カチオン中間体の安定性：

ビニルカチオン < アルキルカチオン

アルキンの sp 炭素の電気陰性度はアルケンの sp^2 炭素よりも大きい（6 章，p. 102 参照）と考えられ，π 電子を強く引きつけている．ビニルカチオンの C^+ も sp 混成であり，正電荷を保持しにくい．

プロピン → (HBr, AcOH) → 2-ブロモプロペン → (HBr) → 2,2-ジブロモプロパン

ビニルカチオン → (Br^-) → (HBr) → ブロモカルボカチオン → (Br^-)

反応 15.2　アルキンへの HBr の付加

➡ ウェブノート 15.1　抗がん性環状エンジイン抗生物質

問題 15.2　1-ブチンに HBr が 1 当量付加して生じる生成物と，2 当量付加して生じる生成物の構造を示せ．

15.3 水の付加

15.3.1 酸触媒水和反応

水はアルケンに付加してアルコールを生成する．この反応は**水和反応**とよばれ，アルコールの脱水の逆反応であり，脱水反応が酸触媒によって進行した（14.1.3 項参照）ように，水和反応も**酸触媒**によって進む．

アルケンの酸触媒水和反応と脱水反応は可逆であり，反応条件によって反応の方向が決まる．アルケンの水和でアルコールを得るためには水溶液中で反応させるが，アルコールの脱水でアルケンを得るためには非水溶液中で酸触媒を用いて反応させるか，反応中にアルケンを取り出しながら反応させる．

スチレン + H_2O ⇄ 1-フェニルエタノール（水和 / H_2SO_4 触媒 / 脱水）

■ 酸触媒水和反応は H_3O^+ を求電子種とする付加反応として起こる．

スチレンの水和反応では，中間体がフェニル基の共役によって安定化されたカルボカチオンであり，逆の配向性では起こらない．

水和（反応）hydration
脱水（反応）dehydration

問題 15.3　1-メチルシクロヘキセンの酸触媒水和反応がどのように進むか，巻矢印を使って段階的に示せ．

問題 15.4　次の反応の主生成物は何か．

(a) + H_2O $\xrightarrow{H_2SO_4}$　　(b) + H_2O $\xrightarrow{H_2SO_4}$

例題 15.2

エトキシエテン(エチルビニルエーテル)は高反応性のアルケンの一つである．酸触媒水和を起こすとヘミアセタールを生成し，結果的に分解生成物を与える．最終生成物は何か．この加水分解の反応機構を書け．

解 答　アルコキシ基で共役安定化されたカルボカチオンが生成するので反応性が高く，ヘミアセタール生成物は分解してアルデヒド(エタナール)とアルコール(エタノール)になる．全体として反応は酸触媒加水分解である．ヘミアセタールについては 8.4 節で学んだ．水溶液中でエタナールは約 50% が水和されている(8.3 節)．

プロトン化ヘミアセタール

エタノール

水和物

エタナール

15.3.2　オキシ水銀化

オキシ水銀化 oxymercuration
水銀の毒性がこの反応の制約になる．ウェブ S15.1 参照．

➡ ウェブ S15.1　水銀の毒性

アルケンの酸触媒水和反応は第三級カルボカチオンや共役安定化されたカルボカチオンを生成する場合を除いては，あまり効率よく進まない．そのような場合にも，水銀塩による**オキシ水銀化**を用いると，選択的に水和生成物に導くことができる(反応 15.3)．まずアルケンと水銀塩が“錯体”をつくり，ついで水が反応

反応 15.3　アルケンのオキシ水銀化-還元的脱水銀によるアルコールの生成

アルコール中で反応すれば生成物はエーテルになる．

(Ac = CH_3CO)

して有機水銀化合物を与える．C－Hg 結合は還元剤 $NaBH_4$ によって容易にC－H 結合に置き換えられるので，アルコールが得られる．生成物の配向性は，中間体への求核種の攻撃の位置選択性によって決まるが，アルキル置換炭素のほうに正電荷が偏っている* ので Markovnikov 則に従う．そして，カルボカチオン中間体を経ないので転位も起こらない．また，反応に酸性条件を使う必要がない．

* ブロモニウムイオン中間体（15.4 節）と比較せよ．

■ **オキシ水銀化–還元的脱水銀により，転位しないで Markovnikov アルコールが得られる．**

15.3.3 ヒドロホウ素化

アルケンからアルコールを合成するもう一つの有用な方法は，H. C. Brown（ブラウン）によって開発されたヒドロホウ素化についで酸化する方法である．ボラン（BH_3）はホウ素の原子価殻に 6 電子しかもたないので Lewis 酸であり，求電子種として反応する．この反応は中間体を経ないでシン付加でアルキルボラン（RBH_2）を生成する．この反応を**ヒドロホウ素化**という．生成物をアルカリ性の過酸化水素溶液で処理すると C－B 結合が立体保持で C－OH に変換されるので，生成物は二重結合に H と OH がシン付加したアルコールになる．BH_3 は求電子的であると同時に立体障害も大きいので，ホウ素原子は置換基の少ない炭素に付加する．したがって，生成するアルコールは**逆 Markovnikov 配向**になる（反応 15.4）．

H. C. Brown（1912～2004，米，1979 年ノーベル化学賞受賞）

生成したアルキルボランの B－H 結合はさらに別のアルケンと反応できるので，1 分子のボランにアルケンは 3 分子まで反応できる．

R(H)C=CH2 —BH3/THF→ [H---BH2(δ−) / δ+ R–C---CH2, H]‡ → R–CH(H)–CH2–BH2 —H2O2, NaOH→ RCH2CH2OH

遷移構造　アルキルボラン　逆 Markovnikov アルコール

反応 15.4 アルケンのヒドロホウ素化–酸化

アルキルボランの H_2O_2 による酸化は興味深い転位反応を含む反応機構を経て進む（21 章およびウェブ S15.2 参照）．

■ **ヒドロホウ素化–酸化により，逆 Markovnikov アルコールが得られる．**

➡ ウェブ S15.2 ヒドロホウ素化におけるアルキルボランの酸化の反応機構

ボラン（BH_3）は，気相や非極性溶媒中では下に示すような構造の二量体（ジボラン）として存在する．二つの水素橋（B－H－B 結合）は三中心二電子結合になっている．THF のような Lewis 塩基性をもつ溶媒中では，Lewis 酸–塩基付加体を形成している．

ジボラン（B_2H_6）　ボラン–THF

ヒドロホウ素化 hydroboration
シン付加 *syn* addition（シス付加ともいう）
逆 Markovnikov 配向 anti-Markovnikov orientation

例題 15.3

1-ブテンの (a) オキシ水銀化–脱水銀および，(b) ヒドロホウ素化–酸化によって生成するアルコールの構造を示せ．

解答 二つの反応で配向性が異なり，ブタノールの異性体が生成する．

(a) 1-ブテン —1) Hg(OAc)2 / H2O, 2) NaBH4 / NaOH→ 2-ブタノール

(b) 1-ブテン —1) BH3 / THF, 2) H2O2 / NaOH→ 1-ブタノール

問題 15.5　アルケンから次のアルコールを合成するにはどのようにしたらよいか．
(a) 3-メチル-1-ペンタノール　(b) 3-メチル-2-ペンタノール
(c) 3-メチル-3-ペンタノール

15.3.4　アルキンの水和反応

アルキンは反応性が低いので，酸触媒だけでは水和反応は起こりにくい．しかし，オキシ水銀化とヒドロホウ素化はアルキンに対しても有効である．生成物はエノールであり，ただちに異性化してカルボニル化合物になる(ケト化という)．アルキンのオキシ水銀化においては，プロトン化カルボニル基の強い電子引出し効果(プル)によって Hg の脱離が容易に起こる．生成したエノールはもう一度ケト化してメチルケトンになる(反応 15.5)．

ケト-エノール互変異性については 17 章で述べる．

反応 15.5　末端アルキンのオキシ水銀化-脱水銀によるケトンの生成

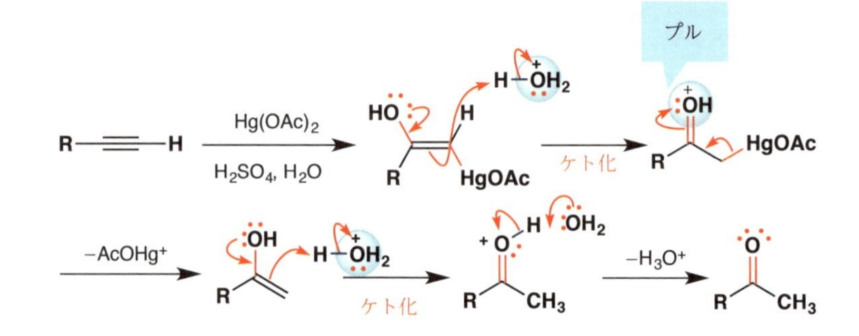

アルキンの水和は，希硫酸中で $HgSO_4$ を触媒にして行うこともできる．

$$\mathrm{R{-}C{\equiv}C{-}H} \xrightarrow[\text{HgSO}_4\ \text{触媒}]{\mathrm{H_2SO_4,\ H_2O}} \mathrm{RCOCH_3}$$

末端アルキンからは，オキシ水銀化によってメチルケトンが得られ(反応 15.5)，ヒドロホウ素化によってアルデヒドが得られる(反応 15.6)．非対称な内部アルキン(RC≡CR′)では，通常位置選択性が低いので，混合物が生成する．

アルキンのヒドロホウ素化-酸化によって，逆 Markovnikov 配向のエノールからカルボニル化合物を与える．末端アルキンからの生成物はアルデヒドになる(反応 15.6)．

反応 15.6　末端アルキンのヒドロホウ素化-酸化によるアルデヒドの生成

$$\mathrm{R{-}C{\equiv}C{-}H} \xrightarrow{\mathrm{BH_3\,/\,THF}} \mathrm{(H)(R)C{=}C(BH_2)(H)} \xrightarrow{\mathrm{H_2O_2\,/\,NaOH}} \left[\mathrm{(H)(R)C{=}C(OH)(H)}\right] \xrightarrow{\text{ケト化}} \mathrm{RCH_2CHO}$$

問題 15.6　次のアルキンのオキシ水銀化で生成する化合物の構造を示せ．
(a)　(b) $\mathrm{C_6H_5{-}C{\equiv}C{-}CH_3}$

15.4　ハロゲンの付加

ハロゲン分子の結合は弱く，空の σ* 軌道のエネルギー準位が低いために求電子種となり，アルケンの HOMO である π 軌道と相互作用して，求電子付加を起こす．たとえば，Br_2 はアルケンと反応して三員環**ブロモニウムイオン中間体**を生成し，この中間体が求核種で捕捉されて付加生成物になる(反応 15.7)．求核種

ケト化 ketonization
ブロモニウムイオン bromonium ion

はふつう臭化物イオンであるが，アルコールや水溶液中で反応すると，溶媒分子も求核種になる．

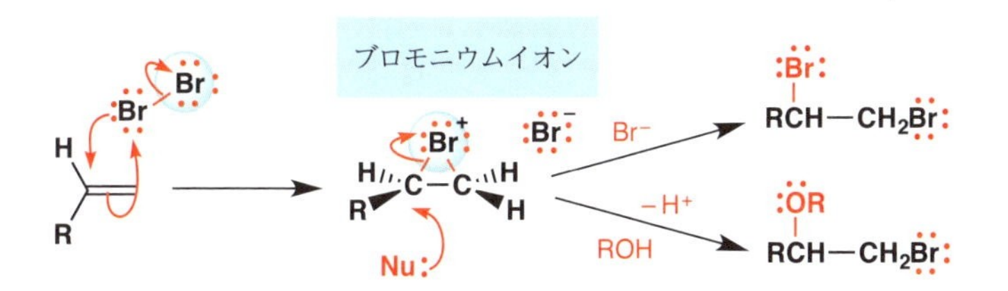

反応 15.7 ブロモニウムイオンを中間体とするアルケンへの臭素の付加

2 段階目の反応はブロモニウム三員環の開環反応であり，求核種は開裂する C−Br 結合の反対側から攻撃する（S_N2）．求核種は立体障害から予想されるのとは逆に，アルキル置換基の多いほうの炭素を攻撃する．これは C−Br 結合が弱く電荷の偏りが大きいためであり，共鳴構造式 **1a**～**1d** のうち **1b** の寄与が大きいことを意味する．

エポキシドの塩基触媒開環反応（14.5.2 項）とは位置選択性が異なる．

δ+ Br δ+ ≡ [**1a** ⟷ **1b** ⟷ **1c** ⟷ **1d**]

求核攻撃が Br の反対側から起こるので，生成物の Br と求核種はアンチの関係になる．

➡ ウェブノート 15.2 ハロニウムイオンの安定性

■ **アルケンへの臭素付加は三員環ブロモニウムイオンを経て，アンチ付加で進行する．**

このことは環状アルケンやジアステレオマーを使って確かめることができる．

シクロヘキセン + Br_2 —(アンチ付加, CH_2Cl_2)→ *trans*-1,2-ジブロモシクロヘキサン

塩素やヨウ素も基本的に同じように反応する．反応性は F_2，Cl_2，Br_2，I_2 の順に低下する．フッ素 F_2 は，反応が制御できないほど激しく反応するので，通常は反応に用いられない．

アルキンも同じように反応する．アルキンと臭素は *trans*-ジブロモアルケンを生成し，さらに Br_2 が反応できるが，2 段階目の反応は遅い．

R—≡—H —(Br_2)→ (Br)(R)C=C(H)(Br) —(Br_2)→ R—CBr$_2$—CBr$_2$—H

例題 15.4

(*Z*)- および (*E*)-2-ブテンへの臭素付加において，一方はラセミ体，他方はメソ体の 2,3-ジブロモブタンを与える．各異性体から得られる生成物の構造を示せ．

解 答 Br_2 がアンチ付加するので，その構造を三次元式で表し，キラル中心の *R*, *S* 配置を帰属すると，*Z* 体からラセミ体，*E* 体からメソ体が生成することがわかる．反応は立体特異的である．

アンチ付加 *anti* addition（トランス付加ともいう）

(Z)-2-ブテン + Br_2 —アンチ付加→ ラセミ体 (S,S と R,R)

(E)-2-ブテン + Br_2 —アンチ付加→ メソ化合物 (S,R)

問題 15.7　次の反応の主生成物は何か．溶媒にも注意すること．

(a) + Cl_2 —CH_2Cl_2→　　(b) + Cl_2 —MeOH→

(c) + Br_2 —CH_2Cl_2→　　(d) + Br_2 —MeOH→

15.5 エポキシ化

過酸(RCO_3H)はペルオキシカルボン酸ともよばれ，カルボニル基に −O−O−H の結合(ヒドロペルオキシ基)をもつ．この O−O 単結合は弱く，切れやすいうえ，カルボキシラートは優れた脱離基になるので，HO の酸素が求電子的に反応できる．

エポキシドの反応については14.5節で述べた．

アルケンが求核種になると，三員環のオキシラン(エポキシド)を生成する．その反応形式は，アルケンが Br−Br と反応してブロモニウムイオンを生成するのとよく似ている．最もよく使われる過酸は *m*-クロロ過安息香酸(MCPBA)であり，次のように反応する．二つの結合生成は同時に起こり，反応は立体特異的であり，アルケンの立体化学は保持される．

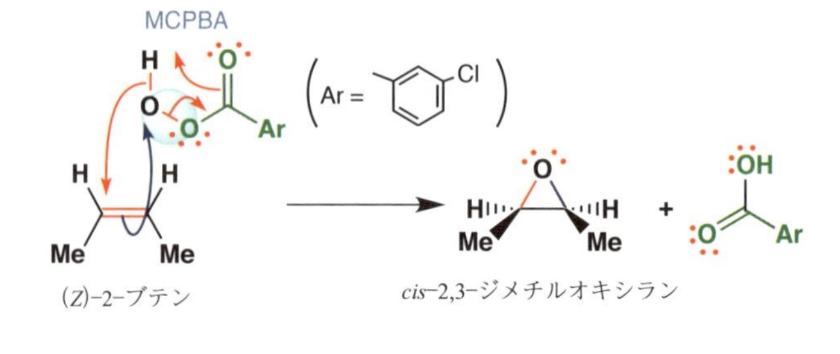

問題 15.8　(*E*)-2-ブテンと MCPBA の反応で生成するオキシランの構造を示せ．

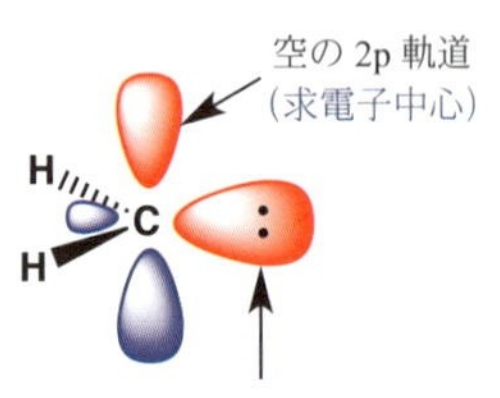

図 15.2
カルベンの電子構造
この型のカルベンは一重項とよばれる．

15.6 カルベンの付加

カルベンは電荷をもたない 2 価炭素の不安定な化合物である．中心の C は原子価殻に電子を 6 個しかもたない．一つの一般的なかたちは非共有電子対を含めて平面三方形になっており，カルボカチオンと同じように空の 2p 軌道をもつ(図 15.2)．したがって，求電子種として反応することが多いが，構造によっては求核種として反応することもある．

カルベンは非常に反応性が高く，アルケンに付加して三員環化合物(シクロプロパン)を与える．二つの結合生成は同時に(協奏的に)起こり，アルケンの立体

エポキシ化　epoxidation
過酸　peracid
ペルオキシカルボン酸　peroxycarboxylic acid
m-クロロ過安息香酸　*m*-chloroperoxybenzoic acid (MCPBA)
カルベン　carbene

化学は保持される．この付加反応も立体特異的である．

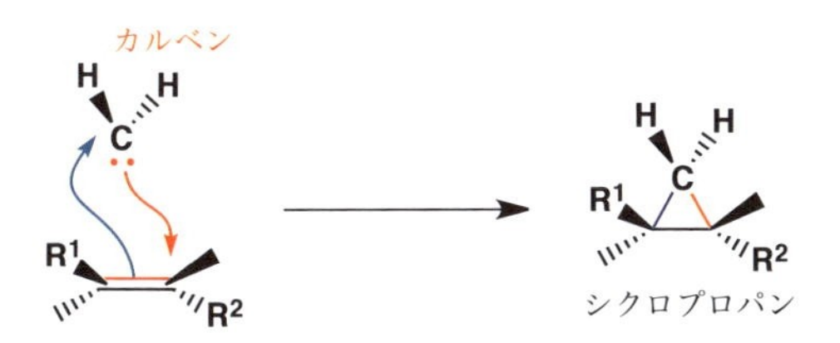

最も単純なカルベン(CH_2，メチレン)は，ジアゾメタンの熱分解または光化学的分解によって，発生する．しかし，ジアゾメタンは有毒な黄色気体で，爆発しやすいのであまり有用な反応剤ではない．

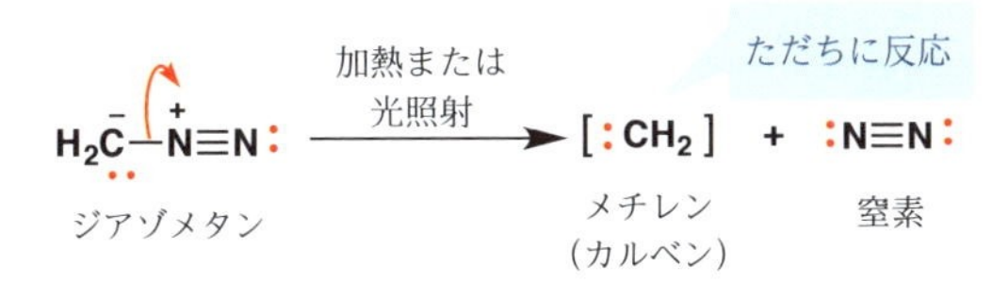

ハロカルベンは，強塩基を用いればハロアルカンの α 脱離(1,1-脱離)で生成する．たとえば，$CHCl_3$ からはジクロロカルベンが生成し，アルケンと反応してジクロロシクロプロパン誘導体を与える．

シクロヘキセン ＋ $HCCl_3$ $\xrightarrow{t\text{-BuOK}}$ 7,7-ジクロロビシクロ[4.1.0]ヘプタン

メチレン CH_2 の反応を直接行うのはむずかしいが，カルベンと同じような反応を行うカルベノイドとよばれる反応種が合成反応に使われる．よく知られているのは，CH_2I_2 と亜鉛-銅合金を用いる反応である*．

(Z)-2-ブテン ＋ CH_2I_2（ジヨードメタン） $\xrightarrow[\text{2) } H_3O^+]{\text{1) Zn-Cu, } Et_2O}$ *cis*-1,2-ジメチルシクロプロパン

15.7 カルボカチオンの付加とカチオン重合

アルケンへの求電子付加の中間体はカルボカチオンであり，カルボカチオン自体も求電子種として反応する．ほかに求核種の存在しない条件で，立体障害が小さい求核反応性の高いアルケン(電子供与基をもつ末端アルケン)と反応させると，カルボカチオン中間体はさらにアルケンと反応する．この過程が繰り返されると多量体，ポリマーが得られる．このような反応は重合とよばれ，とくにカチオンを介在して起こる重合はカチオン重合といわれる．ポリマーを生成し，その繰返し単位となるアルケンはモノマーとよばれる．カチオン重合を起こす代表的なモノマーには，次のようなものがある．

カルベンはアルケンへの付加だけでなく，C−H や O−H 結合にも挿入する．

−C−H $\xrightarrow{:CH_2}$ −C−CH_3

RO−H $\xrightarrow{:CH_2}$ RO−CH_3

通常のアルケンを生成する 1,2-脱離を β 脱離というのに対して，同じ炭素から脱離してカルベンを生成する反応は 1,1-脱離または α 脱離という．

$HCCl_3$ の pK_a は約 24 である．

カルベンやカルベノイドは，不安定で反応性が高いので，アルケン存在下に発生させる．

* この反応は発見者の名前によって Simmons-Smith 反応ということもある．反応活性種は $I\text{-}CH_2\text{-}ZnI$ であると考えられている．同じカルベノイドは有機金属のジエチル亜鉛を用いてもっと効率よく調製できる(西村-古川法とよばれる)．

$CH_2I_2 + ZnEt_2 \longrightarrow [ZnCH_2] + C_4H_{10}$

カルベノイド carbenoid
カチオン重合 cationic polymerization
ポリマー polymer (重合体ともいう)
モノマー monomer (単量体ともいう)

カチオン重合するアルケン：

2-メチルプロペン（イソブテン）　プロペン　フェニルエテン（スチレン）　2-フェニルプロペン（α-メチルスチレン）　ビニルエーテル

とくにカチオン重合を起こしやすいのはビニルエーテルであり，通常 Lewis 酸（例：BF_3）を用いると，反応 15.8 のように重合反応が進む．生成した高分子量のポリマーカチオンは，最後に脱プロトンするか求核種と反応して重合を完結する．

反応 15.8　エチルビニルエーテルのカチオン重合

F₃B　OH　H　F₃B−O　H　H　OEt　OEt　OEt　OEt　OEt　OEt　OEt　*n*　H　−H⁺　OEt　OEt　*n*　OEt

---

問題 15.9　2-フェニルプロペン（α-メチルスチレン）をカチオン重合させたときに生じるポリマーの主鎖の構造を示せ．

15.8　ブタジエンへの求電子付加

15.8.1　1,2-付加と 1,4-付加

共役した二重結合をもつ 1,3-ブタジエンと，典型的な求電子剤として HCl との反応を見てみよう．この反応では予想されるような単純な Markovnikov 生成物のほかに，二重結合が移動した生成物も得られる（反応 15.9）．二つの生成物は H と Cl の付加位置がもとのブタジエンの 1,2 位と 1,4 位に相当するので，それぞれ 1,2-付加物と 1,4-付加物とよばれる．反応は **1,2-付加**と **1,4-付加**といわれ，1,4-付加は**共役付加**ともいわれる．

反応 15.9　1,3-ブタジエンへの 1,2-付加と 1,4-付加とその反応機構

1,3-ブタジエン + HCl → 3-クロロ-1-ブテン（1,2-付加物） + 1-クロロ-2-ブテン（1,4-付加物）

アリル型カチオン　+ :Cl:⁻

この結果は中間体のカルボカチオンがアリル型カチオンであることによる．このアリル型カチオンは，共鳴で表すとわかるように，もとのブタジエンの 2 位と 4 位に部分正電荷をもっている（5.3 節）ので，この位置で求核種 Cl^- と反応する（反応 15.9）．

1,2-付加物　1,2-adduct
1,4-付加物　1,4-adduct
共役付加　conjugate addition
アリル型カチオン　allylic cation

例題 15.5

反応 15.9 において，H が 2 位に付加した生成物ができないのはなぜか．

解 答　2 位のプロトン化で生成するカルボカチオンは次のような構造の第一級カルボカチオンであり，二重結合も共役していないのでアリル型カチオンよりもずっと不安定である．したがって，1 位プロトン化と競合することはない．

問題 15.10　1 mol の(3*E*)-1,3-ペンタジエンに次の反応剤を反応させたときに得られる生成物は何か．立体異性は無視してよい．

(a) 1 mol の HBr　(b) 1 mol の Br_2　(c) 2 mol の Br_2

15.8.2　速度支配と熱力学支配

1,3-ブタジエンは 1,2-付加と 1,4-付加の 2 種類の生成物を与える．その比率は反応温度(や溶媒)によって変化する．HBr の付加の結果を次に示す．

	1,2-付加物	1,4-付加物
−80 ˚C	90%	10%
45 ˚C	15%	85%

低温では 1,2-付加が優先的に起きるのに対して，高温では 1,4-付加が支配的になる．また，低温で生成した 1,2-付加物を高温にすると，1,4-付加物が支配的な混合物になる．すなわち，付加反応は可逆で 1,4-付加物のほうが 1,2-付加物よりも安定であることを意味している．この安定性の差は，前者が内部アルケンであり，後者は末端アルケンであることに由来する．低温で，反応時間が短い間に不安定な 1,2-付加物がまず生成してくるのは 1,2-付加の速度が速いからであり，この反応の遷移状態が 1,4-付加の遷移状態よりもエネルギー的に低いことを意味する．温度を上げ，長時間反応させると逆反応が起こり，より安定な 1,4-付加物の比率が増えてくる．これは図 15.3 のエネルギー図をみればわかるように，逆反応は，エネルギーの高い不安定なものから出発したほうが超えるべき活性化エネルギーが小さく，反応速度が大きいので 1,2-付加物が速く減少していくからである．

- **反応速度によって生成物比が決まるような反応を速度支配であるといい，生成物の安定性によってその比率が決まるような反応を熱力学支配であるという．**

1,3-ブタジエンの付加反応においては，1,2-付加物が速度支配生成物であり，1,4-付加物が熱力学支配生成物である．

問題 15.11　4-メチル-1,3-ペンタジエンへの HBr の 1,2-付加と 1,4-付加の生成物の構造を示せ．どちらがより安定であると考えられるか．

速度支配　kinetic control
熱力学支配　thermodynamic control

図 15.3　1,3-ブタジエンへの 1,2-付加と 1,4-付加のエネルギー関係

1,3-ブタジエンへの HBr の付加におけるエネルギー変化を示す．速度支配の条件では第二段階(生成物決定段階)の活性化エネルギーの差 $\Delta\Delta G^{\ddagger}$ によって 1,2-付加物と 1,4-付加物の比が決まる．熱力学支配の条件では生成物のエネルギー差 $\Delta\Delta G$ によって 1,2-付加物と 1,4-付加物の比が決まる．

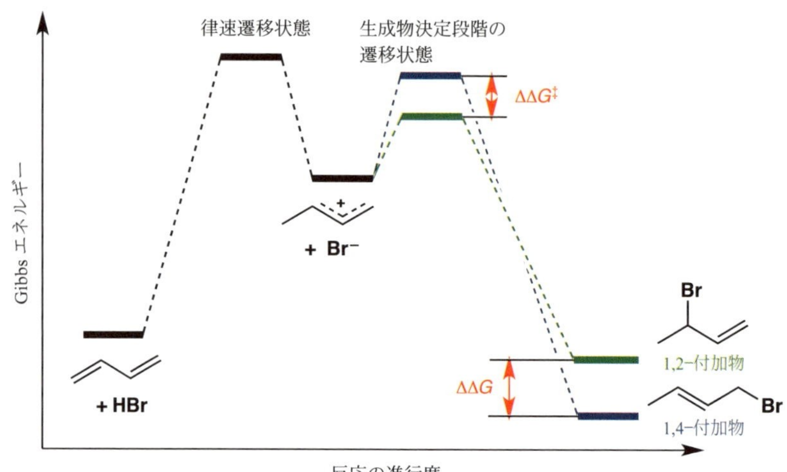

15.9　Diels-Alder 反応

1,3-ブタジエンのような共役ジエンが，他の多重結合と 1,4 位で反応してシクロヘキセン環を形成する付加環化反応がある(反応 15.10)．この反応は Diels-Alder(ディールス・アルダー)反応とよばれているが，最も単純な例は，1,3-ブタジエンとエテンからシクロヘキセンを生じる反応である．

反応 15.10　1,3-ブタジエンとエテンの Diels-Alder 反応

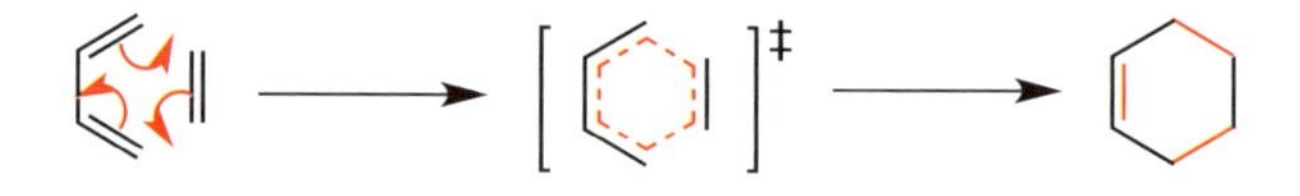

この反応自体は非常に遅く，加圧下，加熱することによってはじめて起こる．しかし，ジエンに電子供与基があり，アルケン(ジエノフィルとよばれる)に電子求引基があると，反応は起こりやすくなる．たとえば，1,3-ブタジエンと無水マレイン酸の反応は，100 °C で定量的に進む．

ジエン ＋ 無水マレイン酸(ジエノフィル) —100 °C，ベンゼン→ ~100%

この反応は共役ジエン(4π 電子系)とジエノフィル(2π 電子系)との間で協奏的に起こる反応であり，[4+2]付加環化反応ともよばれる．二つの結合が同時にできてくるので，立体特異的なシン付加となり，基質(ジエノフィルとジエン)の立体化学は保持される．

1,3-ブタジエンは真ん中の結合に関して s-トランスと s-シスの立体配座をとれる．s-トランスのほうが安定だが，Diels-Alder 反応を起こすためには s-シスになる必要がある．

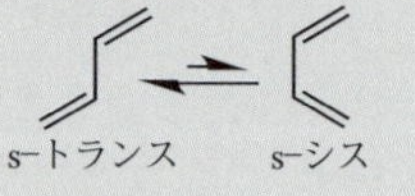

s-シス，s-トランスは二つの二重結合をつなぐ単結合まわりの立体配座を表す．シン共平面を s-シス，アンチ共平面を s-トランスという．

生成物決定段階 product-determining step
付加環化 cycloaddition
ジエノフィル dienophile

反応 15.10 の反応熱を，変化する結合のエネルギーから見積もることができる．この反応では，三つの π 結合が新しい π 結合一つと σ 結合二つに変換されている．C−C π 結合と σ 結合のエネルギーを約 280 kJ mol^{-1} と約 370 kJ mol^{-1} とすると，この反応は約 180 kJ mol^{-1} の発熱反応になると予想され，熱化学的に有利な反応であるといえる．それにもかかわらず反応は遅い．

CO_2Me / CO_2Me + ブタジエン → 150~160 °C, 20 h → 68%

(Z)–ブテン二酸ジメチル
(マレイン酸ジメチル)

CO_2Me / MeO_2C + ブタジエン → 200~205 °C, 3.5 h → 95%

(E)–ブテン二酸ジメチル
(フマル酸ジメチル)

Me / Me + CO_2Me / CO_2Me → 加熱 →

(2E,4E)–2,4–ヘキサジエン　ブチン二酸ジメチル

[4+2]付加環化反応(Diels–Alder 反応)はペリ環状反応とよばれる非極性反応の一つであり，中間体を経ないで協奏的に進み，その遷移構造は環状 6 電子系になる．

➡ ウェブチャプター 24　ペリ環状反応

アルキンもジエノフィルとして反応できる．

この反応が協奏的に進むのは，ジエン(4π 電子系)とジエノフィル(2π 電子系)が図 15.4 に示すような軌道相互作用を起こしながら，反応 15.10 に示したような環状 6 電子の**芳香族性遷移構造**をとるからである．

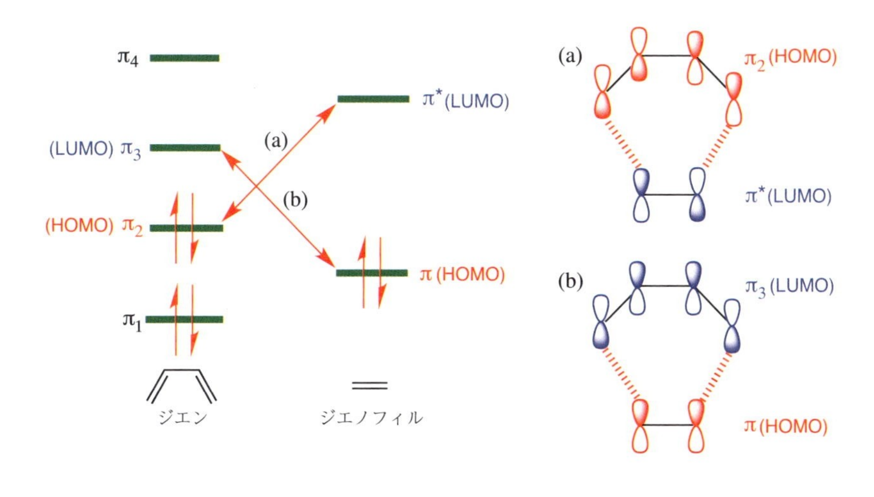

図 15.4　1,3–ブタジエンとエテンの Diels–Alder 反応における HOMO–LUMO 相互作用
エテンと 1,3–ブタジエンの分子軌道は，それぞれ図 3.14 と図 5.2 に示した．

問題 15.12　次の Diels–Alder 反応の生成物の構造を示せ．

(a) Me, Me + O, H →　(b) Ph, CO_2Me →

環状ジエンは(s–シス構造をとって二つの二重結合が同じ側を向いているために)一般に反応性が高く，Diels–Alder 付加物は二環性になる．二環性生成物にはジエノフィルの置換基の向きで**エンド体**と**エキソ体**がある．置換基が内側を向いたエンド体は不安定であるが，優先的に生成してくる．

エンド *endo* とエキソ *exo*
二環性化合物の一つの架橋鎖に結合している基が，もう二つの架橋鎖の長いほうを向いている場合にエンドといい，逆のものをエキソという．

芳香族性遷移構造 aromatic transition structure

シクロペンタジエン ＋ プロペン酸メチル（アクリル酸メチル）$\xrightarrow{\text{加熱}}$ エンド 80% ＋ エキソ 20%

これは，シクロペンタジエンと無水マレイン酸の反応について図 15.5 に示すように，二次的な軌道相互作用によってエンド体の生成が有利になるためである．しかし，高温で長時間反応すると逆反応が起こって徐々に，より安定なエキソ体に変わっていく(熱力学支配)．

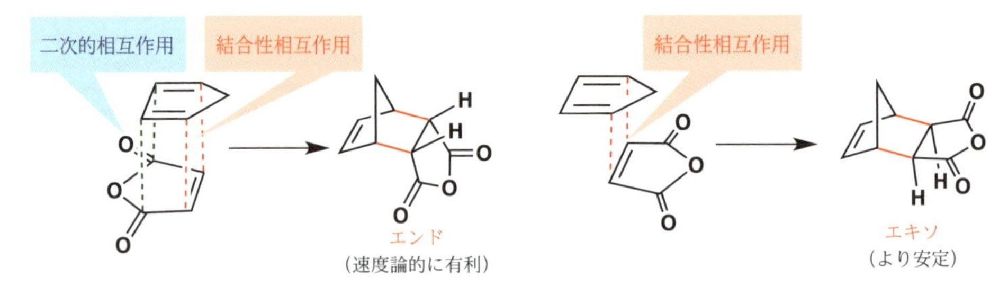

図 15.5　シクロペンタジエンと無水マレイン酸の Diels–Alder 反応におけるエンド体とエキソ体の生成

問題 15.13　次の Diels–Alder 反応のエンドとエキソの生成物の構造を示せ．

(a)　(b)

15.10　オゾン分解とジヒドロキシル化

アルケンのこの二つの酸化反応は，共通の反応機構により環状の付加物を生成し，それを中間体として進む．オゾン O_3 は，次に示すように分極した構造をもち，3 原子に分布した 4 電子が関与し，1,3 位でアルケンと反応して環状化合物を生成する*．その環状化合物が分解すると酸化生成物になる．

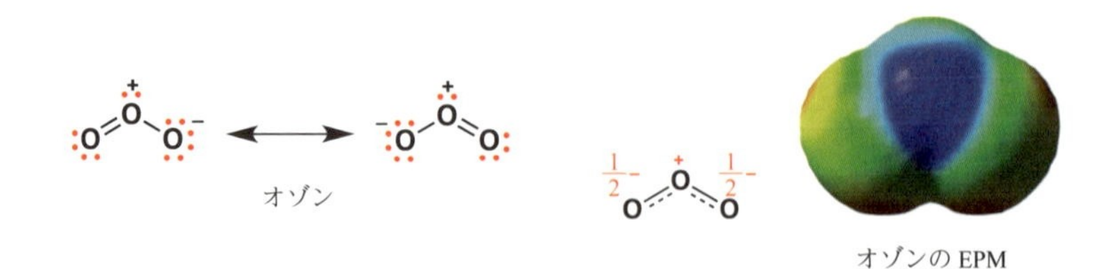

15.10.1　オ ゾ ン 分 解

オゾンはアルケンにすばやく付加して五員環のオゾニドを与える．最初に 1,3-双極付加でモルオゾニドが生成し，転位して C−C 結合が切断したかたちのオゾニドになる(反応 15.11)．これを還元的に処理する(Zn/AcOH または Me_2S と反応)と 2 分子のアルデヒドかケトンになり**，H_2O_2 を用いて酸化的に処理するとケトンあるいはカルボン酸になる．

＊　このような 3 原子からなる反応種は 1,3-双極子(1,3-dipole)とよばれ，環化反応は 1,3-双極付加環化(1,3-dipolar cycloaddition)とよばれる一般的な反応の一つである．1,3-双極付加環化は Diels–Alder 反応と同じように環状 6 電子の芳香族性遷移構造を経て協奏的に進む反応であり，ペリ環状反応(ウェブチャプター 24)の一つである．

＊＊　$NaBH_4$ で処理するとアルコールになる．

オゾン ozone
オゾン分解 ozonolysis
オゾニド ozonide
モルオゾニド molozonide

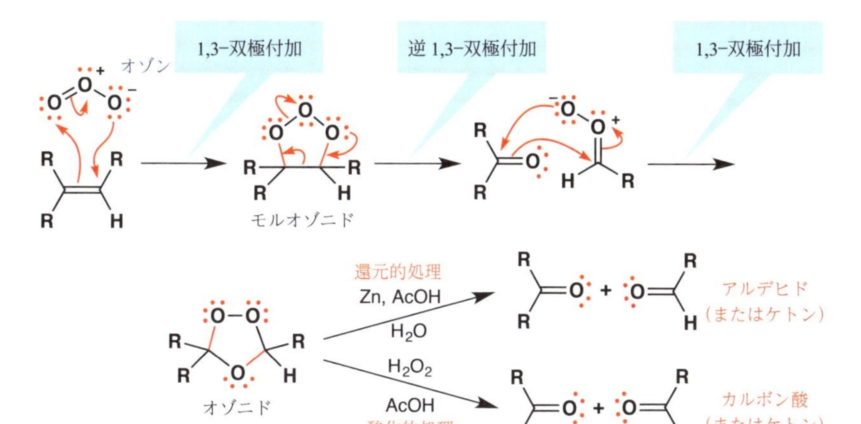

反応 15.11 アルケンのオゾン分解

オゾン分解はカルボニル化合物の合成法としても使えるし，生成物の構造からアルケンの構造決定に用いることもできる．たとえば，次の反応で C_5H_{10} のアルケン異性体から 2-メチル-1-ブテンの構造を特定するために使える．

1) O_3, CH_2Cl_2, −70 °C
2) H_2O_2, H_2O, 0 °C

➡ ウェブノート 15.3 クリックケミストリー

問題 15.14 アルケンのオゾン分解と酸化的処理によって次の化合物が得られた．それぞれのアルケンの構造を示せ．

(a) (b) (c) (d)

15.10.2 四酸化オスミウムとアルケンの反応

アルケンを OsO_4 と反応させたあと，Na_2SO_3，$NaHSO_3$，Na_2S などによって還元的に処理すると**シン付加**で 1,2-ジオールが得られる．この**ジヒドロキシル化**の最初の反応は，1,3-双極付加として表すことができる．

四酸化オスミウム　$NaHSO_3$, H_2O　+ OsO_3　*cis*-1,2-シクロヘキサンジオール

シン-ジヒドロキシル化は過マンガン酸カリウム($KMnO_4$)の冷塩基性溶液を用いて行うこともできるが，副反応が起こりやすくあまり使われない．しかし，紫色の溶液はアルケンの存在を確認するために用いられる．

OsO_4 は揮発性であり，有毒で，高価でもある．この不利点を克服するために，触媒的な方法が開発されている．触媒量の OsO_4 を，*N*-メチルモルホリン *N*-オキシド(NMO)や $KFe(CN)_8$ のような酸化剤とともに用いる方法である．

N-メチルモルホリン *N*-オキシド
N-methylmorpholine *N*-oxide
(NMO)

OsO_4 (触媒)
NMO, *t*-BuOH, H_2O

四酸化オスミウム osmium tetroxide
ジヒドロキシル化 dihydroxylation

安定性について

熱力学的安定性は Gibbs エネルギーを，熱化学的安定性はエンタルピーを基準にしており，よりエネルギーの小さいものほど安定である．比較する化合物は同じ分子式のもの（異性体）でないと，結合の数が異なるので，意味がない．速度論的安定性という表現もあるが，これはその化合物のエネルギーに関係なく，活性化エネルギーの低い反応経路をもたないために変化しにくいことを意味する．

ノート 15.2　アルケンの水素化熱と安定性

水素化は発熱反応であり，発生する熱を水素化熱（反応の $\Delta H°$ は負の値をもつので，その符号を変えた値）という．アルケンの異性体が同じアルカンを与えるとき，水素化熱を比較することによってアルケンの相対的（熱化学的）安定性がわかる．

代表的なアルケンの水素化熱を下の表にまとめる．たとえば，1-ブテン，(*Z*)-2-ブテン，(*E*)-2-ブテン（No. 3～5）を水素化すると，いずれもブタンになる．水素化熱はこの順に小さくなっており，ブテン異性体はこの順により安定になることがわかる（下図）．

No. 6～8 のアルケンに H_2 が付加するといずれも 2-メチルブタンになる．これらの水素化熱を比べると，二重結合により多くのアルキル置換基があるほど水素化熱が小さく，安定になっていることがわかる．

代表的なアルケンの水素化熱

No.	アルケン	$-\Delta H°$/kJ mol^{-1}(kcal mol^{-1})
1	$H_2C=CH_2$	137(32.7)
2	$H_2C=CHCH_3$	126(30.0)
3	$H_2C=CHCH_2CH_3$	127(30.3)
4	(*Z*)-$CH_3CH=CHCH_3$	120(28.6)
5	(*E*)-$CH_3CH=CHCH_3$	115(27.6)
6	$H_2C=CHCH(CH_3)_2$	127(30.3)
7	$H_2C=C(CH_3)CH_2CH_3$	119(28.5)
8	$(CH_3)_2C=CHCH_3$	113(26.9)
9	$(CH_3)_2C=C(CH_3)_2$	111(26.6)

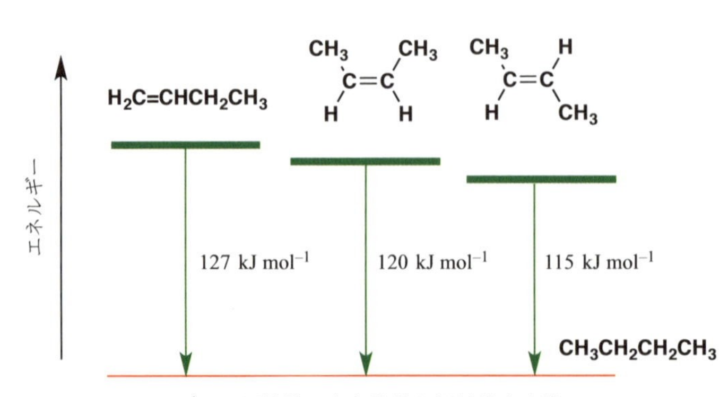

ブテン異性体の水素化熱と相対的安定性

15.11 水素の付加

水素は Pt，Pd，Ni などの金属触媒の存在下にアルケンに付加してアルカンを生成する．水素の付加は水素化あるいは水素添加といわれる．金属表面に吸着された H_2 が 1 段階で同じ側から付加(シン付加)する．アルキンも同じ条件で水素化されるが，最初に生成するアルケンを単離することはむずかしく，2 分子の H_2 と反応してアルカンになる．

1,2-ジメチルシクロヘキセン →(H_2, Pt, シン付加)→ *cis*-1,2-ジメチルシクロヘキサン

$$R-C\equiv C-R \xrightarrow[Ni]{H_2} \left[\begin{array}{c} R \quad R \\ C=C \\ H \quad H \end{array} \right] \xrightarrow[Ni]{H_2} RCH_2CH_2R$$

アルキンの水素化でアルケンを得るためには，活性を弱めた触媒が用いられる．Lindlar(リンドラー)触媒は Pd を炭酸カルシウムに担持して鉛で不活性化したものである．得られるアルケンはシン付加によるシス体である．

アルキンの溶解金属還元(20.9.1 項参照)によってトランス体のアルケンが得られる．

$$R-C\equiv C-R \xrightarrow[Pd/CaCO_3/Pb]{H_2} \begin{array}{c} R \quad R \\ C=C \\ H \quad H \end{array}$$

(Lindlar 触媒)　シス形アルケン

水素化 hydrogenation

まとめ

- アルケンの π 結合は求核的であり，求電子種と反応して付加反応を起こす．求電子付加は求電子種の反応でカルボカチオンを生成し，ついで求核種が結合して付加を完結する．
- 求電子付加はより安定なカルボカチオンを生成するような配向性(Markovnikov 則)で起こる．
- アルキンの反応性は一般にアルケンよりも低い．
- オキシ水銀化-脱水銀とヒドロホウ素化-酸化により得られるアルコールの配向性は逆になる．
- アルケンへのハロゲン付加は，一般に立体特異的にアンチ付加で起こる．
- アルケンのエポキシ化とカルベンの付加は立体特異的にシン付加で起こり，三員環化合物(オキシラン，シクロプロパン)を生成する．
- 共役ジエンへの付加は，アリル型カチオンを中間体として 1,4-付加物と 1,2-付加物を与える．通常，速度支配の条件では 1,2-付加が優先し，熱力学支配の条件では 1,4-付加が優先する．
- 共役ジエンとジエノフィルの Diels-Alder 反応は，シクロヘキセン誘導体を与える．
- オゾン分解と OsO_4 によるシン-ジヒドロキシル化は，いずれも生成した環化生成物の分解で酸化生成物を与える．
- アルケンの金属触媒による水素化はシン付加で起こる．

章末問題

問題 15.15　次の反応の主生成物は何か．

(a) $CH_3CH{=}CHCH_3$ + HCl ⟶

(b) $CH_3CH{=}CH_2$ + HI ⟶

(c) （シクロペンテン） + HBr ⟶

(d) （シクロペンタン）$=CH_2$ + HCl ⟶

問題 15.16　次のアルケンへの HCl の付加で得られる主生成物の構造を示せ．

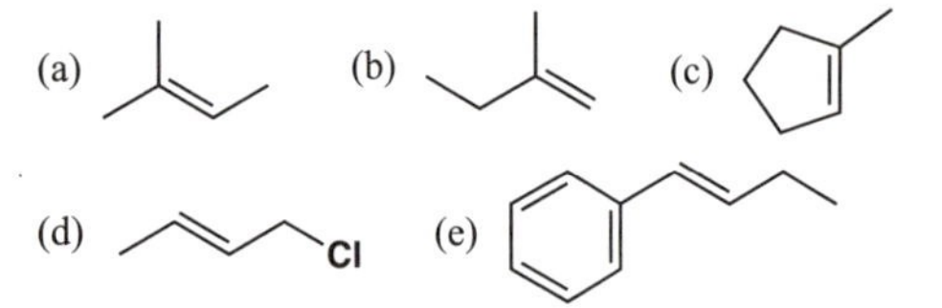

(d) （構造式） Cl　(e) （構造式）

問題 15.17　次のアルケンの酸触媒水和反応の主生成物の構造を示せ．

(a) プロペン　(b) 2-メチル-2-ブテン

(c) 2-メチル-1-ペンテン

問題 15.18　問題 15.17 のアルケンのヒドロホウ素化を行い，アルカリ性過酸化水素溶液で処理したとき得られるアルコールの構造を示せ．

問題 15.19　次のジエンとジエノフィルから生成する Diels–Alder 付加物の構造を示せ．

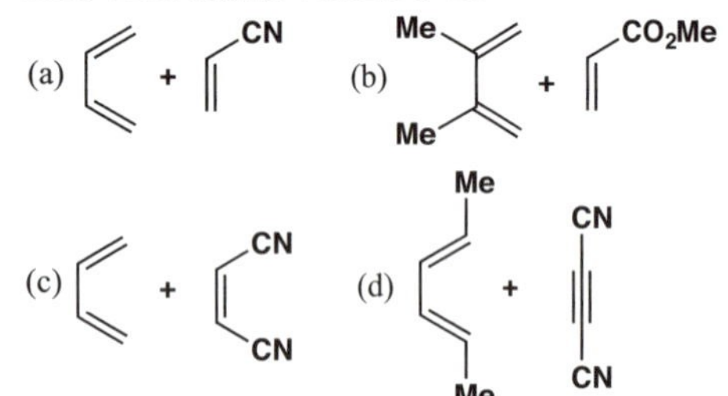

問題 15.20　次の化合物への HCl の付加反応をエーテル溶媒中で行ったとき，その最終生成物は何か，反応機構を書いて示せ．

(a) 1-メチルシクロヘキセン

(b) 1-フェニルプロピン

問題 15.21　次の各組のアルケンをエタン酸溶液中で HBr と反応させたときに予想される反応速度定数の順序を示し，その理由を述べよ．

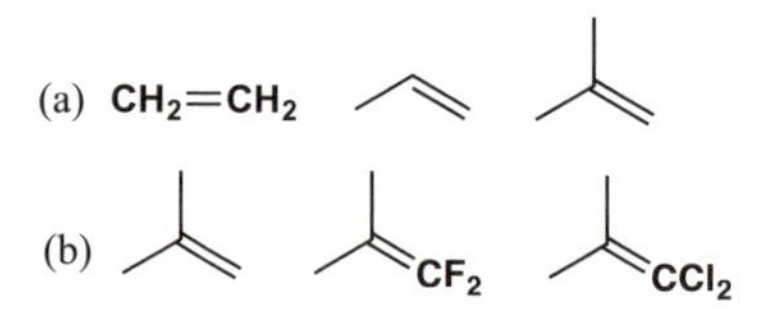

(b) （構造式） CF_2　CCl_2

問題 15.22　次の化合物を 1 当量の Br_2 で処理したときに得られる主生成物は何か．立体化学がわかるように構造で示せ．

(a) (*E*)-2-ペンテン　(b) (*Z*)-2-ペンテン

(c) 2-ペンチン

問題 15.23　3-メチルシクロヘキセンと Br_2 との反応で生じるすべての生成物を，立体異性体を区別して示せ．

問題 15.24　プロペンをメタノール中，触媒量の硫酸で処理すると 2-メトキシプロパンが生成する．この結果を反応機構に基づいて説明せよ．

問題 15.25　メチレンシクロヘキサンに触媒量の硫酸を加えると 1-メチルシクロヘキセンに異性化した．この反応の機構を示せ．

問題 15.26　1-ペンチンを次の化合物に変換するために必要な反応剤を示せ．

(a) ペンタナール　(b) 2-ペンタノン

問題 15.27　1,3-ブタジエンと Br_2 の反応において，3,4-ジブロモ-1-ブテンと 1,4-ジブロモ-2-ブテンの生成比は，−15 °C では 54：46 であったが，60 °C では 10：90 となった．この結果を説明せよ．

問題 15.28　次の反応の主生成物は何か．必要な場合には立体化学がわかるように構造を示すこと．

(a) （シクロペンテン） —（Cl, CO_3H 置換ベンゼン：m-クロロ過安息香酸）→

(b) （H, H, Me, CO_2Me のアルケン） —CH_2I_2, Zn(Cu) / Et_2O, 加熱→

(c) （Ph, H, H, Me のアルケン） —CH_2I_2, $ZnEt_2$ / ベンゼン，加熱→

(d) （1,2-ジメチルシクロペンテン，Me, Me） —H_2, Pd/C→

(e) （1,2-ジメチルシクロペンテン，Me, Me） —1) OsO_4 / 2) $NaHSO_3$, H_2O→

16 芳香族求電子置換反応

【基礎となる事項】
- 共鳴法（5.4 節）
- ベンゼンの構造と分子軌道（5.5 節）
- 芳香族性（5.6 節）
- 酸性度に対する置換基効果（6.3.3 項）
- 巻矢印による反応の表し方（7.2 節）
- カルボカチオンの安定性（12.4.3 項）
- アルケンへの求電子付加（15 章）

【本章で学ぶこと】
- ベンゼンとアルケンの違い
- 求電子付加-脱離によるベンゼンの置換反応
- ハロゲン化，ニトロ化，スルホン化，Friedel-Crafts 反応
- 置換基によるベンゼンの活性化と不活性化
- 置換基による求電子置換の配向
- フェノールとアニリンの反応性
- 置換ベンゼンの合成

ベンゼンは**芳香族性**という特別な安定性をもった共役不飽和化合物であり，**芳香族化合物**の代表である（5 章）．芳香族性が芳香族化合物の特性であり，特徴的な反応性の原因になっている．この一群の化合物は環状に非局在化した π 電子系をもっており，アルケンの π 電子と同じように求核性をもっているので，求電子種と反応する．しかし，反応は求電子付加ではなく求電子置換になる．この**芳香族求電子置換反応**は生体内でも起こっている．甲状腺ホルモンのチロキシン（サイロキシン）はアミノ酸のチロシンから求電子的なヨウ素化を含む反応で生合成されている（ウェブノート 16.1 参照）．

$$\text{チロシン (tyrosine)} \xrightarrow[\text{酵素}]{I^-,\ H_2O_2} \text{チロキシン (thyroxine)}$$

この章ではベンゼンとその誘導体の求電子置換反応を見ていく．その反応を考える前にベンゼンの構造をもう一度見ておこう．

ウルシに含まれるウルシオールはフェノール誘導体であり，かぶれの原因にもなるが天然塗料として漆器に使われる

➡ウェブノート 16.1　生体における芳香族求電子置換反応：チロキシンの生合成

16.1　置換ベンゼンの構造

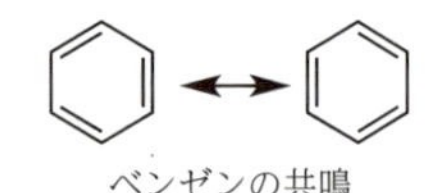

ベンゼンの共鳴

ベンゼンの簡便な表し方

ベンゼンのC−C結合がすべて等価であることを表すために，上のように正六角形に円を書いて表すことも多いが，電子対の動きで反応を表すには不適当である．したがって，本書ではKekulé構造式の一つでベンゼンを表すことにする．

ベンゼンの炭素骨格は平面正六角形であり，6個のπ電子は，二重結合をつくって結合電子対としてその結合に局在するのではなく，環全体に非局在化している(5章)．そのことは分光法によって実験的に確かめられ，分子軌道法の理論によっても合理的に説明される．

ベンゼンのC−C結合がすべて等価であることは，たとえば，オルト二置換ベンゼンに異性体が存在しないことからも明らかである．

オルト二置換ベンゼン

それにもかかわらず，ベンゼンを書くときに一般的に二重結合と単結合を交互に書いた**Kekulé(ケクレ)構造式**で表す．このKekulé構造式は共鳴構造式の一つにすぎず，実際のベンゼンは共鳴混成体として表すべきであるが，非局在化構造をもっていることを了解したうえで，便宜上Kekulé構造式を書いているのである．二つの構造式のどちらで書いてもよい．

置換ベンゼン(あるいはベンゼニウムイオン)のC2とC6はオルト位(*o*)，C3とC5はメタ位(*m*)，C4をパラ位(*p*)という．

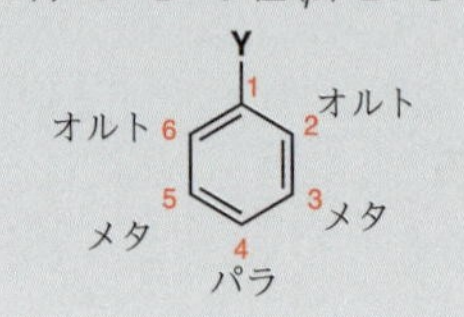

これから見ていくように，電子対の動きで反応機構を理解するときには，この書き方が便利である．

■ **Kekulé構造式で書いた芳香族化合物は，非局在化した実際の構造を便宜的に共鳴構造式の一つで表しているものであることを理解する必要がある．**

16.2　求電子付加と付加-脱離による置換

上でみたように，ベンゼンは豊富なπ電子をもった不飽和化合物であり，アルケンと同じように求核性をもっているので，求電子種と反応しやすい．

シクロヘキセンに臭素を作用させると，ただちに反応して付加物を与える．しかし，ベンゼンと臭素の反応は簡単には起こらない．

ベンゼンと臭素の混合物に**Lewis酸**(たとえば$AlBr_3$)を加えるとはじめて反応が起こる．しかし，反応の結果は付加ではなく置換反応であり，ブロモベンゼンを生成する(反応16.1)．ここで，Lewis酸($AlBr_3$)は臭素分子と反応して，Br_2の求電子性を高めている(b)．ベンゼンは反応性が低く，活性化された求電子種によってはじめて反応し，置換生成物を与えるのである(c)．Lewis酸は最後に再

芳香族性 aromaticity
芳香族化合物 aromatic compound
芳香族求電子置換反応 electrophilic aromatic substitution
オルト *ortho*(*o*)
メタ *meta*(*m*)
パラ *para*(*p*)

カチオンのIUPAC名

中性分子にプロトンが結合してできたカチオンはベンゼニウムイオン$C_6H_7^+$ benzene＋ium ionのように母体化合物名に-iumをつけて命名する(化合物名の-eは省く)．ラジカルから1電子失ってできるカチオンは，フェニリウムイオン$C_6H_5^+$ phenylium(phenyl＋ium)ionのように，ラジカル名に-iumをつけて命名するか，フェニルカチオンのようにラジカル名にカチオンをつけてもよい．

Lewis 酸

$C_6H_6 + Br_2 \xrightarrow[\text{置換}]{AlBr_3}$ ブロモベンゼン + HBr　(a)

$:Br-Br: + AlBr_3 \rightleftharpoons :Br-\overset{+}{Br}-\overset{-}{Al}Br_3$　Lewis 酸塩基反応　(b)

活性化求電子種　低反応性求核種　付加　脱離　+ HBr + $AlBr_3$　置換生成物　(c)

反応 16.1　ベンゼンの臭素化とその反応機構

生されるので触媒となる．

シクロヘキセンとベンゼンの求電子種 E^+ に対する反応を一般式で比べると，次のようにいえる．いずれの場合も，E^+ は不飽和結合に付加してそれぞれカルボカチオン中間体 **1** と **2** を与える．中間体 **1** と **2** はよく似ているが，**1** は求核種 Nu^- によって捕捉され付加物を生成する(反応 16.2)のに対して，**2** はプロトンを失って脱離生成物を与える(反応 16.3)．

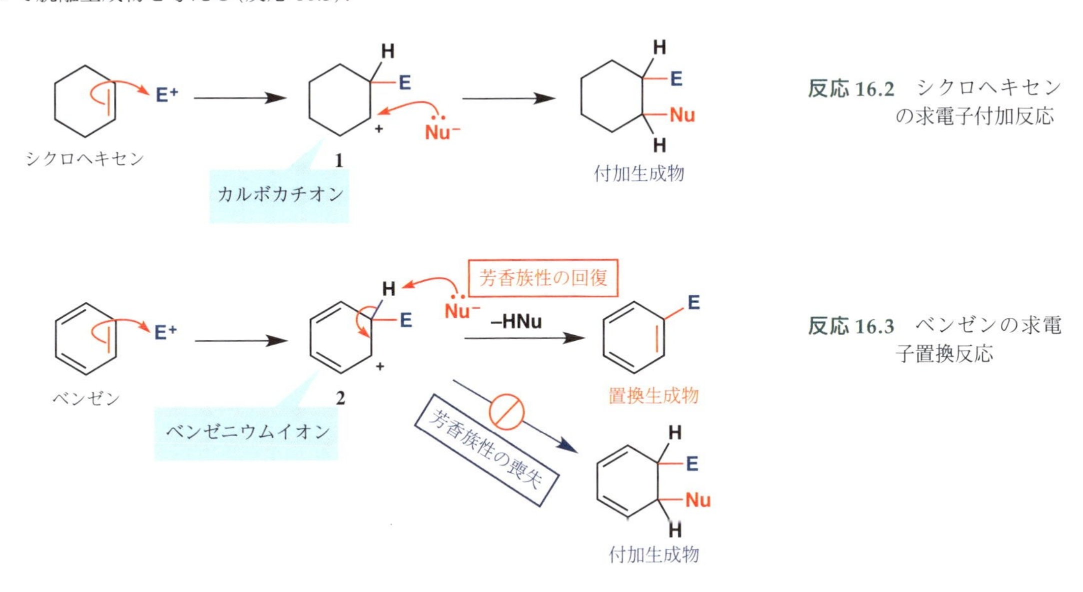

反応 16.2　シクロヘキセンの求電子付加反応

反応 16.3　ベンゼンの求電子置換反応

■ ベンゼン環の芳香族性を回復して安定になることが，この脱離の推進力になっている．

アルケンと同じように付加反応を起こしたとすると，生成する付加物は芳香族性を失っただけ不安定である(図 16.1)．脱離生成物は出発物からみれば H が Br に置き換わった置換生成物である．

■ 求電子付加-脱離の結果，求電子置換反応を起こしたことになる．

中間体カルボカチオン **2** はベンゼニウムイオンとよばれ，非局在化構造をもっ

ベンゼニウムイオン benzenium ion

図 16.1　ベンゼンの求電子置換反応と求電子付加反応のエネルギー関係

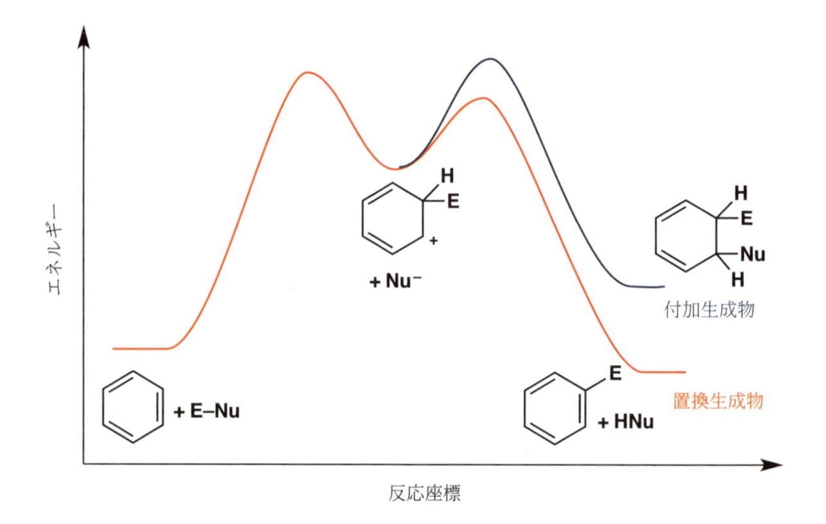

ている．正電荷は主として求電子種の付加位置から見てオルトとパラ位(2, 4, 6 位)の 3 箇所に分布していることがわかる．このことは，下式の右側に書いたように **2a** で表すこともできるし，また **2b** のような簡略表記を使うこともある．

ベンゼニウムイオン(**2**)の共鳴　　**2a**　　**2b**

ベンゼニウムイオンは共鳴安定化を受けてはいるが，その安定化エネルギーはベンゼンの芳香族性による安定化エネルギーほど大きくはない．

■ **ベンゼン環の大きな芳香族安定性が低反応性の原因であり，生成物における芳香族安定性が置換反応の推進力になっている．**

16.3　求電子置換反応の種類

芳香族求電子置換反応のおもな種類は，表 16.1 にまとめた求電子種によって分類される．この表では実際に反応にかかわる求電子種とそれを生成する反応剤(求電子剤)とに分けて示してある．求電子種のカチオンは実際にはイオン対や Lewis 酸・塩基付加物になっている場合もある．

表 16.1　おもな芳香族求電子置換反応と求電子種

反　応	求電子種	反応剤[a]	生成物
ハロゲン化	X^+ (X＝Cl, Br)	X_2－LA	Ar–X
ニトロ化	NO_2^+	HNO_3－H_2SO_4	Ar–NO_2
スルホン化	SO_3	H_2SO_4(＋SO_3)	Ar–SO_3H
アルキル化	R^+	RX–LA	Ar–R
アシル化	$RC{\equiv}O^+$	RC(O)Cl–LA	Ar–C(O)R

[a] LA＝Lewis 酸(例：AlX_3, FeX_3)．

16.3.1 ハロゲン化

ベンゼンの塩素化や臭素化は，ハロゲンにLewis酸(AlX_3，FeX_3)を触媒として加えることによって進行する(反応16.4)．

反応16.4
ベンゼンの塩素化

塩素化や臭素化はLewis酸の代わりに鉄粉を用いてもよい．Feがハロゲンによって酸化され，FeX_3になり触媒作用を示す．

➡ ウェブ S16.1 金属FeとCl_2からLewis酸の生成

ヨウ素化の場合には，I_2にHNO_3，$CuCl_2$，H_2O_2のような酸化剤を作用させると，I_2が酸化されて強い求電子種I^+が生成し，置換反応を起こす．

ヨードベンゼン(収率86%)

16.3.2 ニトロ化

ベンゼンのニトロ化はニトロニウムイオンNO_2^+を求電子種とする置換反応である(反応16.5)．NO_2^+は硝酸に硫酸を加えることによって生成する(反応16.5a)．このとき硝酸へのプロトン化は負電荷をもつニトロ基のOに起こり，混合酸無水物を経てNO_2^+に導かれる．ベンゼンは反応16.5bのように混合酸無水物と直接反応してもよい*．

* 求電子種がニトロニウムイオンになるか混合酸無水物になるかは，硫酸水素イオンの脱離のタイミングにすぎず，反応種として重要なのは混合酸無水物である．

反応16.5
ベンゼンのニトロ化

ニトロニウムイオン(nitronium ion)

このイオンは硝酸のOHプロトン化から下に示すように生成すると考えられてきたが，この中間体は1,2-ジカチオンの部分構造をもっており，合理的ではない．

プロトン化は負電荷をもつOのほうに起こりやすい(反応16.5a)．

ハロゲン化 halogenation
塩素化 chlorination
臭素化 bromination
ヨウ素化 iodination
ニトロ化 nitration

問題 16.1　ベンゼンのニトロ化は，濃硝酸だけで硫酸を加えなくても進行する．この場合にはプロトン化無水硝酸(HO_2N^+-O-NO_2)が反応にかかわっている．濃硝酸における無水硝酸の生成とニトロ化反応の機構を書け．

16.3.3　スルホン化

濃硫酸に SO_3 を溶かしたものが発煙硫酸(fuming sulfuric acid, oleum ともいう)であり，発煙硫酸はより強いスルホン化剤として用いられる．

ベンゼンは濃硫酸とゆっくり反応して，ベンゼンスルホン酸を生じる．このスルホン化の求電子種は，硫酸から生成した三酸化硫黄 SO_3 あるいはプロトン化三酸化硫黄 HSO_3^+ と考えられている．この求電子種では硫黄が反応中心になっている(反応 16.6)．

反応 16.6　ベンゼンのスルホン化

$-HSO_4^-$　$+HSO_4^-$　$-H_2O$　$+H_2O$　$+HSO_4^-$　$-HSO_4^-$　$+ H_2SO_4$

三酸化硫黄

ベンゼンスルホン酸

長鎖アルキル基をもつ 4-アルキルベンゼンスルホン酸塩(ABS)は合成洗剤として用いられる．

R—C$_6$H$_4$—SO_3^- Na^+

ABS

反応 16.6 は可逆であり，濃硫酸中では反応はスルホン酸に偏っているが，スルホン酸を水と加熱すると逆反応が起こる．生成物のスルホン酸は硫酸に匹敵する強酸であり，有機反応の酸触媒として用いられる．

■ スルホン化は可逆反応である．

例題 16.1

ベンゼンスルホン酸の水溶液を加熱すると，脱スルホン化(SO_3 の脱離)が起こる．この反応の機構を書け．

解答

SO_3H + H_2O ⇌ SO_3^- $H-\overset{+}{O}H_2$ ⟶ SO_3^- H + H_2O

⟶ + SO_3 + H_2O (⇌ + H_2SO_4)

(SO_3H 基は芳香族置換反応の位置選択性の制御に用いることもできる：p. 282 参照)

16.3.4　Friedel-Crafts アルキル化

ハロゲン化アルキルに Lewis 酸を作用させるとカルボカチオンが生成する．このカルボカチオンによる求電子置換反応は，Friedel-Crafts(フリーデル・クラフツ)アルキル化とよばれ，アルキルベンゼンを生成する(反応 16.7)．この反応は，Lewis 酸を触媒とし，ベンゼンを求核種とする S_N1 反応とみなすこともできる*．

* カルボカチオンが不安定で，反応系で生成できないときには，RX と Lewis 酸の付加物がベンゼンと直接反応する(S_N2 的であるといってもよい)が，反応は遅い．また，カルボカチオン転位が起こる可能性があり，後述するように多置換体の生成も問題になる．

スルホン化　sulfonation
三酸化硫黄　sulfur trioxide
アルキル化　alkylation

+ RCl　$AlCl_3$ 触媒 →　(R) + HCl

アルキルベンゼン

反応 16.7
ベンゼンの Friedel-Crafts アルキル化

反応機構：

R−Cl: $AlCl_3$ ⇌ R−$\overset{+}{Cl}$−$\overset{-}{Al}Cl_3$ ⇌ R^+ $AlCl_4^-$ → $Cl_3\overset{-}{Al}$−Cl: H R (+)

→ (R) + HCl + $AlCl_3$

カルボカチオンは，アルコールやアルケンに Brønsted 酸(H_2SO_4，H_3PO_4)を作用させて発生することもできる(14.1 節，15.1 節参照)．

例題 16.2

ベンゼンとプロペンをリン酸存在下に反応させると，イソプロピルベンゼンが生成する．この反応がどのように起こるか巻矢印を用いて示せ．

解 答　アルケンのプロトン化によってカルボカチオンが生成し，求電子置換反応を起こす．

CH_3 C=CH_2 H + H−O−P(O)$(OH)_2$ → CH_3 $\overset{+}{C}$−CH_3 H + $H_2PO_4^-$

(benzene) CH_3 $\overset{+}{C}$−CH_3 H → H −$CH(CH_3)_2$ (+) $\overset{-}{:O}$−P(O)$(OH)_2$ $\xrightarrow{-H_3PO_4}$ (benzene)−$CH(CH_3)_2$

問題 16.2　ベンゼンと 2-プロパノールを硫酸存在下に反応させたとき，どのように反応が進むか巻矢印を用いて示せ．

16.3.5　Friedel-Crafts アシル化

酸塩化物と $AlCl_3$ からはアシリウムイオンが生成する．このカチオンによる求電子置換反応は Friedel-Crafts アシル化とよばれ，生成物としてフェニルケトンを与える(反応 16.8a)．生成したケトンは $AlCl_3$ と錯体をつくり，その Lewis 酸性をつぶしてしまうので，$AlCl_3$ の触媒作用を阻害する(反応 16.8c)．

■ Friedel-Crafts アシル化には Lewis 酸 $AlCl_3$ を 1 当量以上必要とする．

アシル化 acylation
アシリウムイオン acylium ion

反応 16.8　ベンゼンの Friedel–Crafts アシル化とその反応機構

(a) ベンゼン + RC(O)Cl —1) $AlCl_3$（過剰）, 2) H_2O→ フェニルケトン + HCl

(b) アシリウムイオン

(c) + $[Al(H_2O)_6]^{3+}$ + 3 Cl^-

Charles Friedel
（フリーデル：1832～1899，フランス）

James Mason Crafts
（クラフツ：1839～1917，米）

Friedel と Crafts はパリ・ソルボンヌ大学で共同研究を行い，1877 年に Friedel–Crafts 反応を発見した（Crafts は後にマサチューセッツ工科大学の学長を務めた）．

問題 16.3　酸無水物を用いて Friedel–Crafts アシル化を行うこともできるが，この場合には Lewis 酸が 2 当量以上必要になる．酸無水物 $[RC(O)]_2O$ と $AlCl_3$ を用いたベンゼンのアシル化を反応式で示し，$AlCl_3$ が 2 当量以上必要であることを説明せよ．

問題 16.4　ベンゼンと次の化合物の Friedel–Crafts 反応の主生成物は何か．
(a) $(CH_3)_3CCl$　(b) $C_6H_5CH_2Cl$　(c) $C_6H_5C(O)Cl$　(d) $CH_3CH_2C(O)Cl$

16.4　置換ベンゼンの反応性と位置選択性

これまでベンゼンの求電子置換反応だけを考えてきた．しかし，置換基をもつベンゼンの反応を考えるときには，二つの問題が生じる．置換基によって反応が速くなるのか遅くなるのか（**反応性**），そして反応が置換基に対してどの位置に起こるのか（**位置選択性**または**配向性**）ということである．一置換ベンゼンの場合には，オルト，メタ，パラ位の三つの反応位置がある．

反応速度は遷移状態のエネルギーによって決まるので，Hammond の仮説（ノート 7.1 参照）によれば，ベンゼニウムイオン中間体の安定性に依存するといえる．また，ほとんどの求電子置換反応は速度支配なので，オルト，メタ，パラの位置異性体の生成比（配向性）は各異性体に至る反応の相対的速度，したがって置換ベンゼニウムイオンの相対的安定性に依存する．

■ **反応性と配向性は，ベンゼニウムイオン中間体の安定性に依存する．**

16.4.1　活性化置換基と不活性化置換基

位置選択性 regioselectivity
配向性 orientation
活性化基 activating group
不活性化基 deactivating group

置換基には求電子種に対する反応性を高めるものと低下させるものがある．一置換ベンゼンについてみれば，無置換体と比較して反応を加速する置換基（**活性化基**）と，反応を減速する置換基（**不活性化基**）がある．たとえば，メトキシ基は活性化基であり，メトキシベンゼン(アニソール)は温和な反応条件で速やかにニトロ化を受け，主として 2(*o*)- と 4(*p*)-ニトロアニソールを生成する．

アニソール $\xrightarrow[\text{Ac}_2\text{O, 10 °C}]{\text{HNO}_3}$ 2-ニトロアニソール (*o*-ニトロアニソール) 71% + 4-ニトロアニソール (*p*-ニトロアニソール) 28% + 3-ニトロアニソール (*m*-ニトロアニソール) < 0.5%

この章では生成物比を％比で表している．

それに対して，ニトロベンゼンの反応は非常に遅く，主生成物は 1,3(*m*)-ジニトロベンゼンである．

ニトロベンゼン $\xrightarrow[\text{H}_2\text{SO}_4\text{, 25 °C}]{\text{HNO}_3}$ 1,3-ジニトロベンゼン (*m*-ジニトロベンゼン) 92% + 1,2-ジニトロベンゼン (*o*-ジニトロベンゼン) 6% + 1,4-ジニトロベンゼン (*p*-ジニトロベンゼン) 2%

上の二つの例は，ベンゼンの求電子置換反応における置換基が大きくみて 2 種類に分けられ，ベンゼンの反応性を高めて(活性化して)オルトとパラ生成物を与えるものと，不活性化してメタ生成物を与えるものがあることを示している．

16.4.2　ベンゼニウムイオンの安定性

アニソールが求電子種 E^+ と反応するとき，求電子種はメトキシ基に対してオルト，メタあるいはパラ位で反応する可能性があり，3 種類のベンゼニウムイオンができる．それらは，それぞれ次のような共鳴で表せる．

オルト位反応：

安定化に寄与

パラ位反応：

安定化に寄与

メタ位反応：

RO 基は酸素の非共有電子対を共役によってオルトとパラ位に供与し電子密度を上げているが，電気陰性度が大きいので電子求引基としてメタ位の電子密度を下げている.

オルトおよびパラ置換の中間体においては，四つ目の共鳴構造式(赤四角)が書ける．この共鳴構造式からわかるように，メトキシ酸素の非共有電子対がベンゼニウム環に供与され，正電荷がさらに非局在化するので大きな安定化を受ける．この効果により，アニソールは高い反応性をもち，オルトとパラの置換体が主生成物になる．しかし，メタ置換中間体ではメトキシ基は共役に関与できない．酸素の電気陰性度が炭素よりも大きいので *m*-メトキシ基はむしろ電子求引的な効果を示す．メトキシ基は非共有電子対を供与して共役安定化に寄与できるが，電子求引的な誘起効果ももっている．

ニトロベンゼンから生じる 3 種類のベンゼニウムイオンはどうだろうか．

オルト位反応：

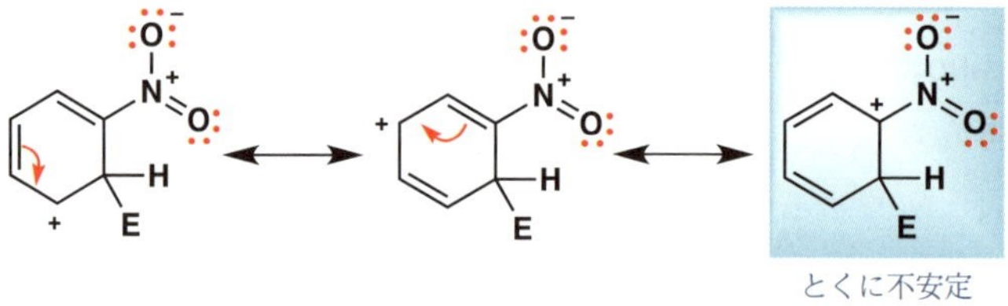

とくに不安定

パラ位反応：

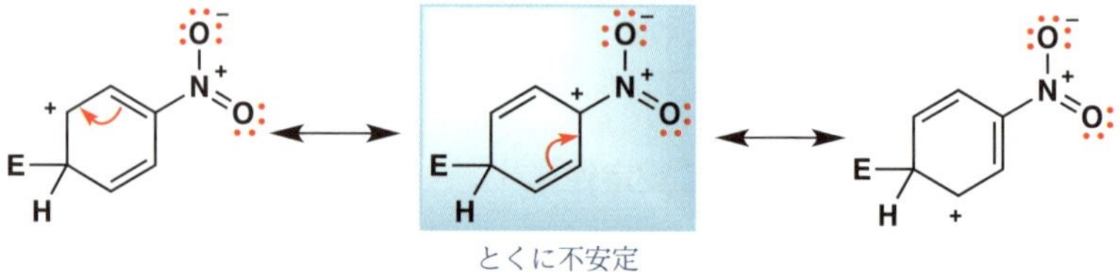

とくに不安定

メタ位反応：

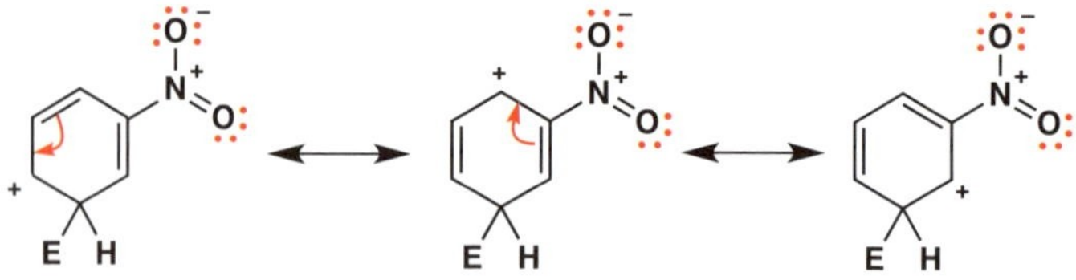

ニトロ基は，その窒素に正電荷をもつために強い電子求引効果を示すので，ベンゼニウムイオンを不安定化している．その結果，反応は非常に遅くなる．とくにオルト位あるいはパラ位での反応によって生成したカチオンでは，三つの共鳴構造式の一つ(青四角で囲んでいる)で正電荷が隣接位にくる．このような構造は静電反発が生じるのでほとんど共鳴に寄与しない．したがって，それだけ不安定である．メタ位反応の中間体は，共鳴構造式のいずれにおいても正電荷が隣接位にくることはない．すなわち，ニトロ基による不安定化はメタ中間体において最も小さいと予想される．そのために，ニトロ基はメタ配向性を示す．

オルトとパラ位はそれぞれ 2 箇所あるので，番号で表すとわかりにくく煩雑になる.

ニトロ基は共役によってオルトとパラ位の電子密度をさらに強く下げて不活性化している.

■ メトキシ基は反応を加速し，オルト・パラ配向性を示すのに対して，ニトロ基は反応を減速し，メタ配向性を示す．

16.4.3 置換基の分類

オルト・パラ配向性 *ortho*, *para* (*o*, *p*) orientaion
メタ配向性 *meta* (*m*) orientation

求電子置換反応における反応性と配向性の観点からみると，ベンゼンの置換基は，その電子供与性と電子求引性，共役効果と誘起効果に基づいて，3 種類に分類できる（16.4.1 項では 2 種類に分けたが，実際には 3 種類に分類できる）．

- **活性化オルト・パラ配向基：NH_2，NR_2，OH，OR，Ph，CH_3，R（アルキル）**
  窒素と酸素置換基は非共有電子対をもち，フェニル基は π 電子系をもっているために電子供与性の共役効果をもっており，メチル基や他のアルキル基は電子供与性の超共役効果（誘起効果）をもっているので，反応を加速（ベンゼンを活性化）し，オルト・パラ配向性を示す．
- **不活性化オルト・パラ配向基：F，Cl，Br，I**
  ハロゲンは非共有電子対をもっているので，MeO 基と同じように，電子供与性の共役効果によってオルト・パラ配向性を示す．次のパラ位での反応の中間体のように共鳴によって中間体が安定化されている．しかし，電気陰性度が大きいので全体としては電子求引性誘起効果によって反応を減速する．

安定化に寄与

- **不活性化メタ配向基：NO_2，C=O，CN，SO_3H，CF_3，NR_3^+**
  これらはいずれも電子求引性の共役効果あるいは誘起効果をもっているので，反応を減速（ベンゼンを不活性化）し，メタ配向性を示す．

これらの置換基を電子供与性から求引性のものまで，その効果の大きさに従って順に並べると，図 16.2 に示すようになる．

➡ウェブノート 16.2 Hammett 則について

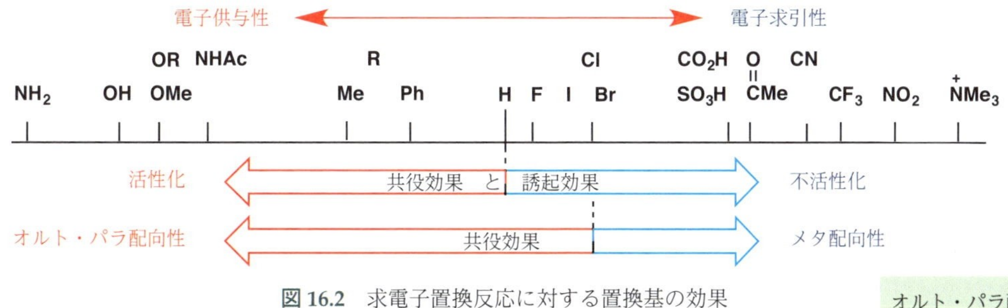

図 16.2　求電子置換反応に対する置換基の効果

オルト・パラ配向基 *ortho*, *para*（*o*, *p*）-directing group
メタ配向基 *meta*（*m*）-directing group

置換基の効果を反映する代表的な反応例を次に示す．

Cl_2, $FeCl_3$ / CCl_4, 25 °C：74.7%，2.2%，23.1%

$PhCH_2Cl$, $AlCl_3$ / $MeNO_2$, 25 °C：33.0%，0.6%，66.4%

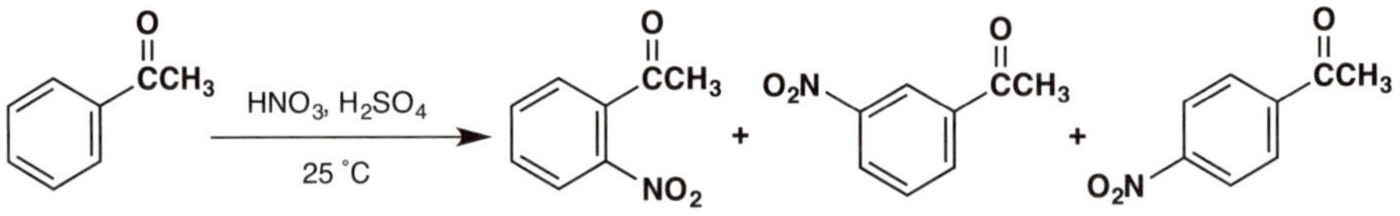

$$C_6H_5COCH_3 \xrightarrow[25\ ^\circ C]{HNO_3,\ H_2SO_4}$$ o-ニトロ体 26.4% ＋ m-ニトロ体 71.6% ＋ p-ニトロ体 < 2%

問題 16.5　次の反応の主生成物は何か．

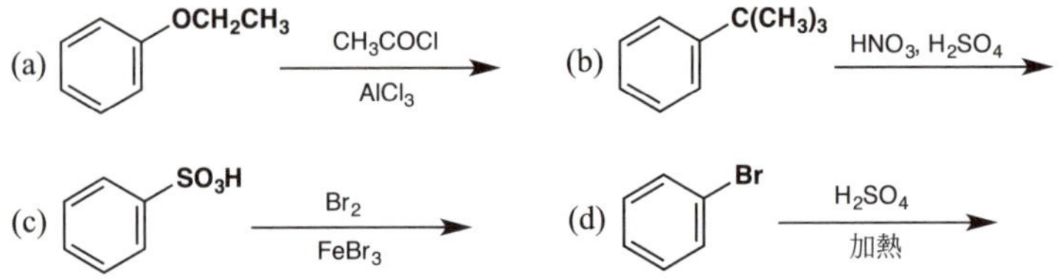

(a) $C_6H_5OCH_2CH_3 \xrightarrow[AlCl_3]{CH_3COCl}$　(b) $C_6H_5C(CH_3)_3 \xrightarrow{HNO_3,\ H_2SO_4}$

(c) $C_6H_5SO_3H \xrightarrow[FeBr_3]{Br_2}$　(d) $C_6H_5Br \xrightarrow[\text{加熱}]{H_2SO_4}$

問題 16.6　次の化合物をニトロ化したとき，おもに得られるモノニトロ化物は何か．

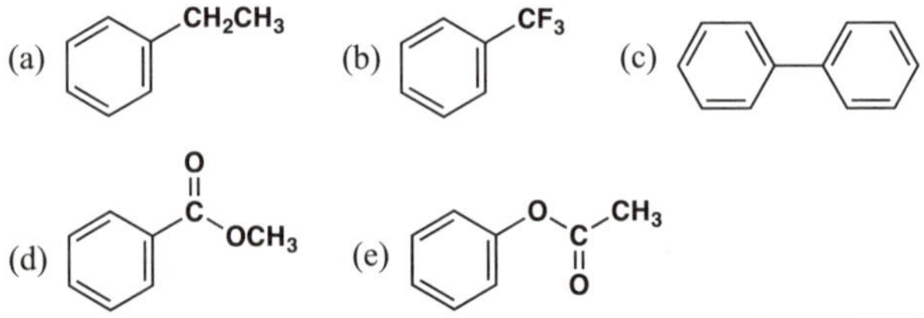

(a) $C_6H_5CH_2CH_3$　(b) $C_6H_5CF_3$　(c) $C_6H_5C_6H_5$　(d) $C_6H_5COOCH_3$　(e) $C_6H_5OCOCH_3$

16.4.4　二置換ベンゼンの反応

二置換ベンゼンの求電子置換反応では，二つの置換基の配向性を考える必要がある．二つとも同じ位置に配向する場合には，問題なく生成物を予想できる．

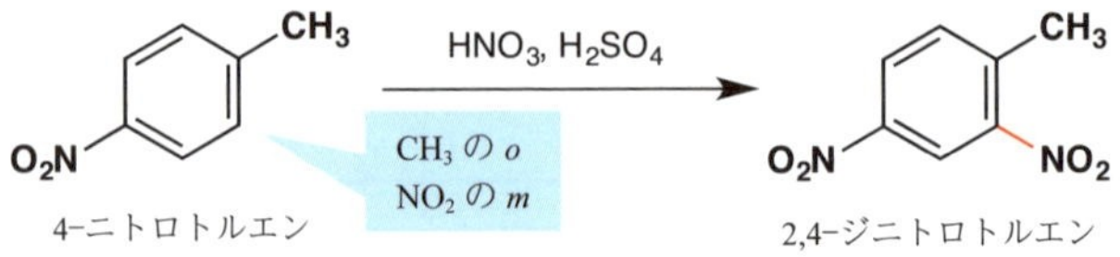

4-ニトロトルエン $\xrightarrow{HNO_3,\ H_2SO_4}$ 2,4-ジニトロトルエン

しかし，二つの置換基が別の位置に配向する場合には，どちらが優先されるのだろうか．より強く活性化している置換基の効果が打ち勝って，その配向性に従った生成物が優先的に得られる．次の例ではメトキシ基のほうがメチル基より強い活性化基であり，その配向効果に支配される．

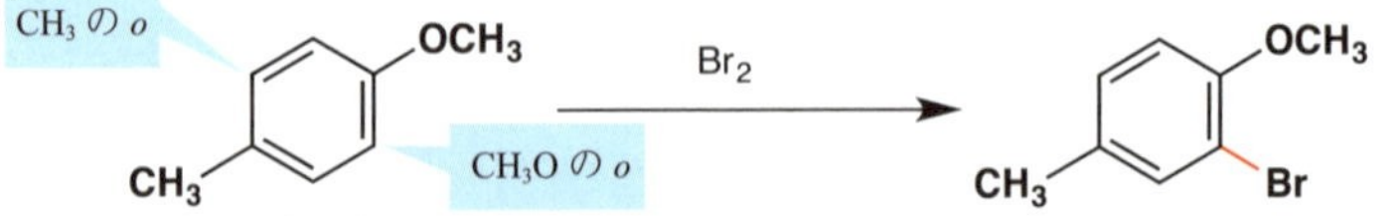

4-メトキシトルエン $\xrightarrow{Br_2}$ 3-ブロモ-4-メトキシトルエン

■　**より強い活性化基の効果が優勢にはたらく．**

しかし，簡単に予想できないような結果もみられる．次の例ではメチル基は活性化基で，塩素は不活性化基なので，メチル基の効果が優勢であると予想されるが，実際には二つの生成物の生成比はあまり違わない．塩素の電子求引性誘起効果と電子供与性共役効果が二つの位置で微妙に作用して予想をむずかしくしている．

CH_3 の *o*　Cl の *o*

HNO_3, H_2SO_4

4-クロロトルエン → 4-クロロ-2-ニトロトルエン 58% ＋ 4-クロロ-3-ニトロトルエン 42%

次の二つの例に示すように，立体障害が作用する場合もある．二つの置換基にはさまれた位置はふつう反応せず，オルト位も立体障害を受けやすい．置換基の活性化の程度があまり違わないときにこれらの影響が現れる．

オルト位は立体障害を受けるだけでなく，誘起的な電子求引効果をより大きく受けるので，オルト・パラ配向においてオルト位の割合を低くする原因になる．

CH_3 と CN の *o*　CH_3 の *p*　CH_3 の *o*

HNO_3, H_2SO_4

3-シアノトルエン → 5-シアノ-2-ニトロトルエン ＋ 3-シアノ-4-ニトロトルエン

立体障害

HNO_3 / H_2SO_4, AcOH / −10 °C

4-イソプロピルトルエン → 2-ニトロ-4-イソプロピルトルエン 80%

問題 16.7　次の化合物をニトロ化したとき，おもに得られるモノニトロ化物は何か．

(a)　(b)　(c)

(d)　(e)　(f)

PhOH, pK_a 10
ROH, pK_a ∼16

16.5　フェノールの反応性

フェノールはアルコールとよく似た構造をもっているが，6 章でも述べたようにアルキルアルコールよりも酸性が強い．フェノールは OH 基によって活性化されているので，求電子種に対する反応性が非常に高く，たとえば，臭素化は Lewis 触媒がなくても進む．非水溶液中では低温で一置換体が得られるが，水溶液中では Br_2 が過剰にあれば，容易に三置換体を与える．

フェノールはシクロヘキサジエノンのエノール形（17 章参照）とみなすこともできるが，強い芳香族安定化を受けて平衡は完全にフェノールに偏っている．

$\Delta H = -67$ kJ mol^{-1}

フェノール ＋ Br_2 → (CS_2, 5 °C; − HBr) 4-ブロモフェノール 82%

立体障害 steric hindrance
フェノール phenol

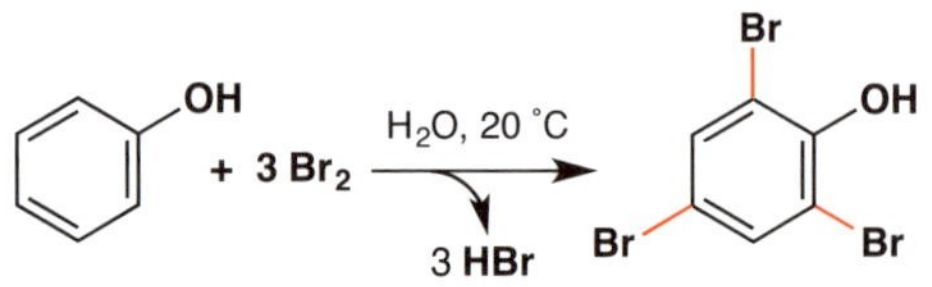

2,4,6-トリブロモフェノール

問題 16.8　水溶液中ではフェノールが pH に応じて解離しており，低濃度ながらフェノキシドイオンがきわめて高い反応性を示す．フェノキシドイオンと Br_2 から 4-ブロモ生成物が生じる反応の機構を書け．

➡ウェブノート 16.3　天然のポリフェノール
ポリフェノール類はラジカル反応を抑制する（活性酸素を取り除く，20 章参照）ので，健康によいとされている．

フェノキシドになるとその活性はさらに増強され，二酸化炭素やカルボニル化合物のような弱い求電子種とも反応する．CO_2 との反応は主としてオルト位に起こり，サリチル酸（2-ヒドロキシ安息香酸）を生じる．

ノート 16.1　キノン

キノンとはシクロヘキサジエンジオンのことであり，置換フェノールやアニリンの酸化によって得られる．たとえば，ベンゼン-1,4-ジオール（ヒドロキノン）からは 1,4-ベンゾキノン（*p*-ベンゾキノン）が得られ，ベンゼン-1,2-ジオール（カテコール）からは対応する 1,2-ベンゾキノンが得られる．酸化剤としては $H_2Cr_2O_7$，$(KSO_3)_2NO$（Fremy 塩），Fe(III)塩，$NaClO_3$-V_2O_5 などが用いられる．

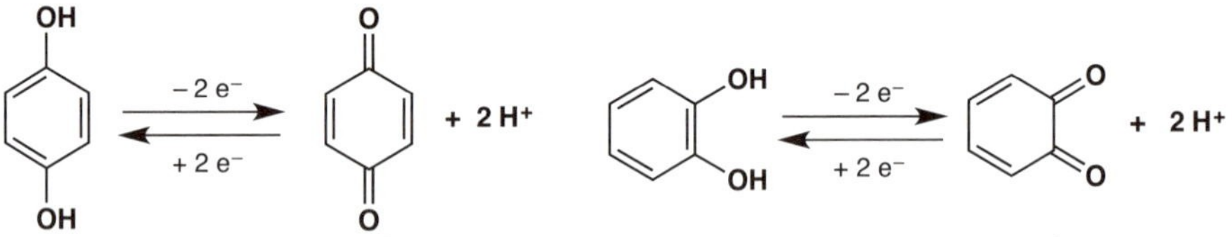

ベンゼン 1,4-ジオール（ヒドロキノン）　1,4-ベンゾキノン（*p*-ベンゾキノン）　ベンゼン 1,2-ジオール（カテコール）　1,2-ベンゾキノン（*o*-ベンゾキノン）

これらの可逆的な酸化還元反応（レドックス反応）は，特定の電極電位（還元電位）で電気化学的にも達成でき，1,4-ベンゾキノン/ヒドロキノンの組合せによってつくられたキンヒドロン電極は pH 測定に用いられる．

このような酸化還元反応は生体系にもみられ，ある種の酵素反応において電子輸送に使われている．補酵素 Q はユビキノンともよばれ，天然のあらゆるところにみられるキノンで呼吸鎖に関係して電子を供給し，ATP（生体のエネルギー源）をつくっている．ピロロキノリンキノン（PQQ）はエタノールの脱水素に関係している．ビタミン K_1 は 1,4-ナフトキノンの誘導体で，血液の凝固に必要である．

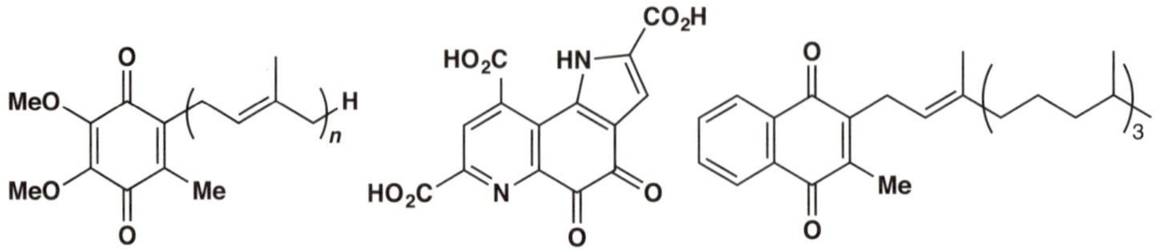

補酵素 Q（n=6, 8, 10）（ユビキノン，ubiquinone）　ピロロキノリンキノン（PQQ） pyrroloquinoline quinone　ビタミン K_1 vitamin K_1

ナトリウムフェノキシド　$\xrightarrow[150\ ^\circ C]{CO_2}$　サリチル酸ナトリウム

この反応は Kolbe-Schmitt（コルベ・シュミット）反応ともいわれ，生成物のサリチル酸（salicylic acid）はアスピリンの合成原料になる．

例題 16.3

アルカリ溶液中でフェノールとクロロホルムを反応させると，2-ヒドロキシベンズアルデヒドが主生成物として得られる．この反応は Reimer–Tiemann（ライマー・ティーマン）反応とよばれる古典的な反応であるが，$CHCl_3$ から生じたジクロロカルベン（$:CCl_2$）を求電子種とする置換反応として進行する．反応がどのように進むのか段階的に示せ．

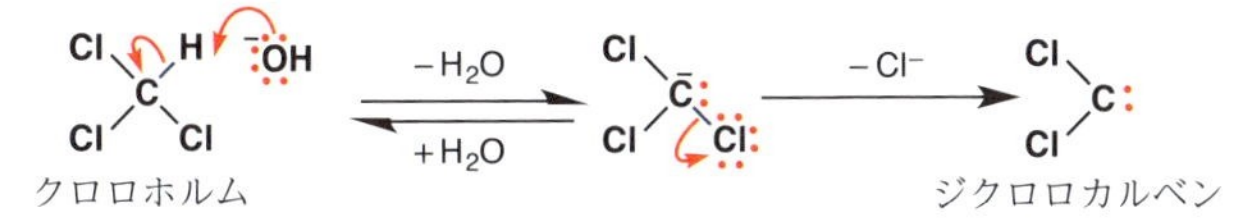

2-ヒドロキシベンズアルデヒド
（サリチルアルデヒド）

アセチルサリチル酸
（アスピリン）
acetyl salicylate
（aspirin）

解 答　ジクロロカルベンは塩基による α 脱離で生成する（15.6 節参照）．

クロロホルム　$\underset{+H_2O}{\overset{-H_2O}{\rightleftharpoons}}$　$\xrightarrow{-Cl^-}$　ジクロロカルベン

カルベンは求電子付加したあとプロトン化され，$CHCl_2$ 基（アルデヒドと同じ酸化状態であることに注意）が加水分解される．

16.6　アニリンの反応性

アニリンはフェノールよりもさらに反応性が高い．アミノ（NH_2）基が強力な電子供与性をもち，一置換生成物を得ることはむずかしい．

$PhNH_2 + 3\,Br_2 \xrightarrow{H_2O}$ 2,4,6-トリブロモアニリン

アニリンは，ベンゼンのニトロ化で得られるニトロベンゼンの還元によって合成される．

$$PhNO_2 \xrightarrow{H_2/Ni\ \text{または}\ Fe/HCl\ \text{または}\ Sn/HCl} PhNH_2$$

問題 16.9　水溶液中におけるアニリンと Br_2 の反応において，4-ブロモアニリンが生成する反応の機構を書け．

アニリン aniline

$\overset{+}{N}H_3$

アニリニウムイオン
anilinium ion
(pK_a 4.6)

しかし，NH_2 の塩基性のために多くの求電子置換反応条件では酸と反応し，NH_3^+ 基あるいは Lewis 酸と結合したかたちになり電子求引性メタ配向の基になる．それにもかかわらず，酸性条件でもわずかに残る遊離塩基の基質が反応を支配してオルト・パラ生成物もできてくる．すなわち，反応系の酸性度により生成物分布が変化する．

HNO_3 / H_2SO_4, 25 ˚C

	NO_2 (2位)	NO_2 (3位)	NO_2 (4位)
85% H_2SO_4	4%	37%	59%
98% H_2SO_4	–	62%	38%

次の制御された酸化反応で $ArNH_2$ を $ArNO_2$ に変換できる．

$$ArNH_2 \xrightarrow{CF_3CO_3H} ArNO_2$$

しかも，アニリンは強酸性の求電子置換反応条件で酸化されやすいことも問題になる．

このような問題点を回避するためには，NH_2 基をアセチル化して *N*-アセチルアミノ(NHAc)基とすればよい．アセチル基の電子求引性のために NH_2 の塩基性と反応性が緩和される．アセチル基は反応後，加水分解によって除去できる．4-ブロモアニリンはこの方法で収率よく合成できる．

$$C_6H_5NH_2 \xrightarrow[AcONa]{Ac_2O} C_6H_5NHAc \xrightarrow[H_2O]{Br_2} Br\text{-}C_6H_4\text{-}NHAc \xrightarrow[H_2O]{NaOH} Br\text{-}C_6H_4\text{-}NH_2$$

アニリンのアミドはアニリド(anilide)とよばれる．*N*-アセチル化の生成物アセトアニリドの IUPAC 名は *N*-フェニルエタン酸アミドである．

■ **NHAc はプロトン化も酸化もされにくく，かなり弱い活性化基としてオルト・パラ配向性を示す．**

アセトアニリドのニトロ化では 4 位置換体が主生成物になる．

アセトアニリド $\xrightarrow[25\ ˚C]{HNO_3,\ H_2SO_4}$

NO_2 (2位)	NO_2 (3位)	NO_2 (4位)
19.4%	2.1%	78.5%

アニリンのジアゾ化と，ジアゾニウム塩の反応については 18.8 節で詳しく述べる．

16.7　置換ベンゼンの合成

多置換ベンゼンを合成するとき考えるべき二つの点は，① 簡単に導入できない基をもっと簡単に導入できる基から変換して得る方法(たとえば $ArNO_2 \rightarrow ArNH_2$)と ② 目的の配向性を達成することである．そのためには反応の順序も重要である．これらの戦略を実例で考えてみよう．

16.7.1　Friedel-Crafts 反応の問題点

■ **Friedel-Crafts アルキル化は多置換体を生じやすい．**

これはアルキル基が活性化基であるために生成物のアルキルベンゼンの反応性が出発物よりも高いからである．これを避けるには基質を大過剰に用いればよい．ArH とモノアルキル化体 ArR の反応性の差はあまり大きくない(1.5～3 倍)

N-アセチル化 *N*-acetylation

ので，容易に解決できる．

$$C_6H_6 + CH_3CH_2Br \xrightarrow[80\,^\circ C]{AlCl_3} C_6H_5CH_2CH_3$$

15 倍過剰　　収率 83%

■ 第一級アルキル基は転位を起こしやすい．

第一級ハロゲン化アルキルを用いてアルキル化すると，たとえば，次の例のように，アルキル基の異性化が起こってしまう．C−X 結合の切断と同時に 1,2-転位が起こりやすいからである(14.2 節)．

$$C_6H_6 + CH_3CH_2CH_2CH_2Cl \xrightarrow[0\,^\circ C]{AlCl_3,\ C_6H_6} C_6H_5CH_2CH_2CH_2CH_3 + C_6H_5CH(CH_3)CH_2CH_3$$

35%　　65%

問題 16.10 上のアルキル化反応において，転位生成物がどのようにして得られるか，反応機構を示せ．

問題 16.11 ベンゼンと 1-クロロプロパンの $AlCl_3$ によるアルキル化で得られる生成物は何か．

第一級アルキルベンゼンを合成するには，Friedel-Crafts アシル化と還元によるのがよい．アシル化によって生成したフェニルケトンのカルボニル基 C＝O は 10.2.2 項でみた方法を用いてメチレン基 CH_2 に還元できる．アシル化では多置換体ができるおそれもない．

$$C_6H_6 + CH_3CH_2CH_2COCl \xrightarrow[2)\ H_2O]{1)\ AlCl_3} C_6H_5COCH_2CH_2CH_3 \xrightarrow[\text{または}\ H_2,\ Pd]{Zn/Hg,\ HCl\ \text{または}\ H_2NNH_2,\ NaOH} C_6H_5CH_2CH_2CH_2CH_3$$

■ Friedel-Crafts 反応は強く不活性化されたベンゼン環には起こらない．

たとえば，次のようなニトロベンゼンの Friedel-Crafts 反応は起こらない．

$$C_6H_5NO_2 + RCl \xrightarrow{AlCl_3} \not\!\!\!\longrightarrow \text{R-}C_6H_4\text{-}NO_2$$

16.7.2 置換基の反応

置換基を変換することにより置換ベンゼンの合成戦略の可能性を広げることができる．有用な反応をまとめておこう．

- ニトロベンゼン ⟶ アニリン（還元）
- アニリン ⟶ ニトロベンゼン（酸化）
- アニリン ⟶ ジアゾニウム塩 ⟶ ArY（OH，ハロゲン，CN など）（18.8 節参照）
- アルキルベンゼン ⟶ 安息香酸（酸化）

トルエンと第一級と第二級アルキル基をもつ芳香族化合物は，アルキル鎖の長さによらず $KMnO_4$ のアルカリ水溶液または $Na_2Cr_2O_7$ の酸性水溶液によって安息香酸誘導体に酸化される．

$$\text{Ph–R} \xrightarrow[\text{または } Na_2Cr_2O_7,\ H_2SO_4,\ H_2O]{\text{1) } KMnO_4,\ OH^-,\ H_2O \quad \text{2) } H_3O^+} \text{Ph–CO}_2\text{H}$$

$(R = CH_3,\ CH_2R',\ CHR'_2)$

- ブロモベンゼン ⟶ アルコールまたは安息香酸（Grignard 反応，10 章）

$$\text{Ph–Br} \xrightarrow[Et_2O]{Mg} \text{Ph–MgBr} \xrightarrow[\text{2) } H_3O^+]{\text{1) } R_2C{=}O\ (CO_2)} \text{Ph–C(OH)R}_2\ (\text{Ph–CO}_2\text{H})$$

- アミノ基の除去：アニリン ⟶ ジアゾニウム塩 ⟶ ArH（18.8 節）

ノート 16.2　2-アリールエチルアミン類の向精神作用

向精神作用をもつ天然物や医薬には，2-アリールエチルアミンをもつものが多い．幻覚作用をもつメスカリンはペヨーテ・サボテンに含まれ，メキシコ先住民の宗教儀式に用いられていた．この化合物は 2-アリールエチルアミンの構造をもつ．これと共通の構造的特徴をもつ化合物には神経系に作用をもつものが多い．エフェドリンは漢方薬マオウの活性成分であり，ぜんそくや気管支炎の治療に用いられる．麻薬となるモルヒネやコデイン（ノート 6.2 を参照のこと）も共通の部分構造をもっている．これらはいずれも，アドレナリンと同様に，交感神経興奮作用をもち，強い生理的，精神的作用をもっている．

メキシコのペヨーテ・サボテン

メスカリン
mescaline
（サボテン）

エフェドリン
ephedrine
（漢方薬：マオウ）

ドーパミン
dopamine
（神経伝達物質）

ノルアドレナリン
noradrenaline：R＝H
アドレナリン
（adrenaline：R＝Me）
ホルモン，神経伝達物質

アンフェタミン
amphetamine：R＝H
メタンフェタミン
methamphetamine：R＝Me
（合成覚醒剤）

サルブタモール　（硫酸水素塩）
salbutamol
（気管支拡張薬）

■ スルホン酸の除去：反応 16.6 の逆反応

希薄な酸とともに加熱すると，スルホン化の逆反応で SO_3H 基が外せる．

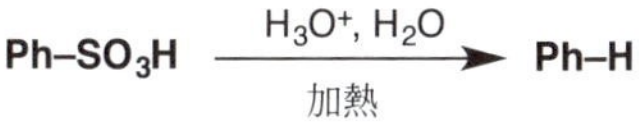

$$\text{Ph–SO}_3\text{H} \xrightarrow[\text{加熱}]{\text{H}_3\text{O}^+,\ \text{H}_2\text{O}} \text{Ph–H}$$

問題 16.12 次の反応の生成物は何か．

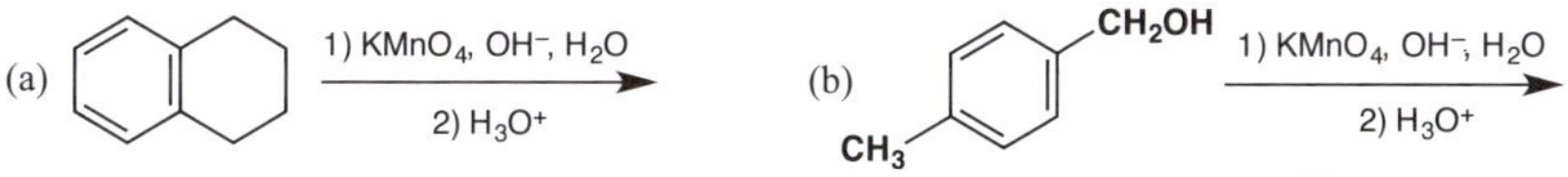

(a) テトラリン $\xrightarrow[2)\ H_3O^+]{1)\ KMnO_4,\ OH^-,\ H_2O}$

(b) 4-メチルベンジルアルコール（CH_3–C_6H_4–CH_2OH） $\xrightarrow[2)\ H_3O^+]{1)\ KMnO_4,\ OH^-,\ H_2O}$

16.7.3 反応性と配向性の制御

求電子置換反応を 2 回用いて二置換ベンゼンを合成する場合には，1 段階目の生成物が次の反応の反応性と配向を決めることになるので，その順序を考える必要がある．たとえば，3-ニトロアセトフェノンは，ニトロ化とアセチル化の組合せで合成できる．ニトロ基もアセチル基もメタ配向性なので，どちらの反応を先に行ってもよさそうだが，ニトロベンゼンの Friedel–Crafts アセチル化はうまく進まないので，アセチル化を先に行う必要がある．

ドーパミンは中枢神経系に存在する神経伝達物質で，アセチルコリン（$AcOCH_2CH_2N^+Me_3$）のような他の神経伝達物質と共同して，運動，意欲，認識を調節・制御している．中枢神経系にドーパミンが不足するとパーキンソン病のような機能障害を引き起こす．

ドーパミンは生体内で酸化されてノルアドレナリン（ノルエピネフリンともいう）になり，さらにメチル化されるとアドレナリン（エピネフリン）になる．これらはホルモンであり，神経伝達物質である．そして，動物が強いストレスを感じると放出され，交感神経を興奮させ，血圧と心拍数を上げ，気管支を拡張し，危機に備える（“闘争か逃走か（fight or flight）”のホルモンとよばれる）．

アンフェタミンとそのメチル化体は中枢神経興奮作用をもつ合成覚醒剤であり，製造・所持は禁止されている．サルブタモールは短時間作用性 $\beta 2$ 刺激剤であり気管支拡張作用があるので，ぜんそく用の吸入薬として用いられる．

セロトニンは動植物に広く分布する生理活性アミンであり，ヒトでは脳内の神経伝達物質として生体リズム・神経内分泌・睡眠などに関与し，“happiness hormone”（実際にはホルモンではない）ともいわれる．メラトニンはセロトニンの誘導体で，脳内の松果腺から分泌されるホルモンであり，体内時計を制御し，催眠・生体リズムを調節する．

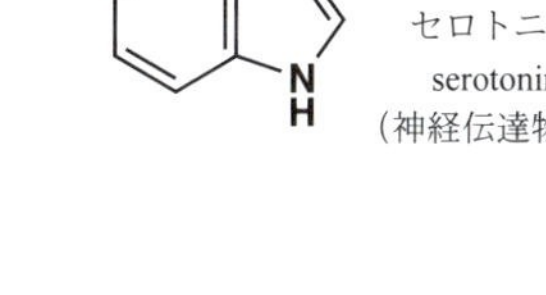

セロトニン serotonin（神経伝達物質）　HO, NH_2, N H

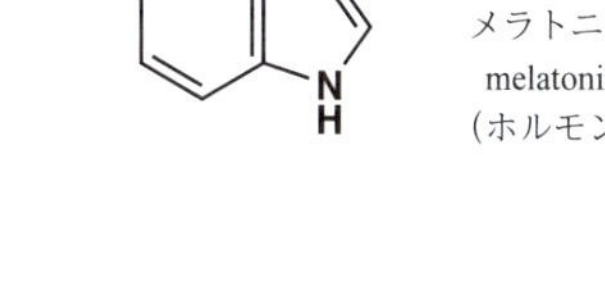

メラトニン melatonin（ホルモン）　MeO, NHAc, N H

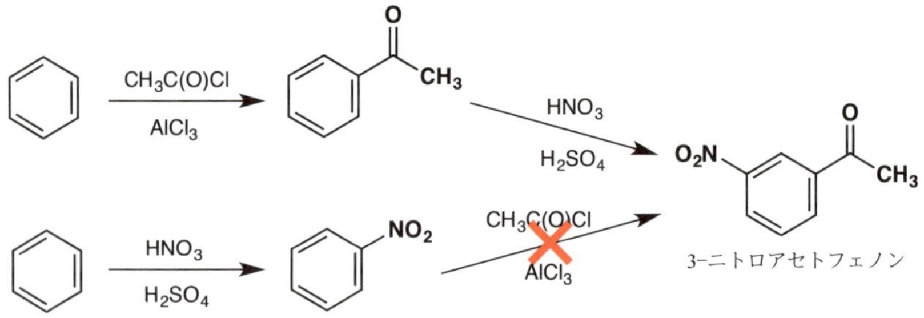

クロロニトロベンゼンを塩素化とニトロ化で合成することを考えてみよう．塩素化を先に行うと，Cl 基の配向性に従ってオルト・パラ異性体が得られるが，逆にニトロ化を先に行うと NO_2 基の配向性に従ってメタ生成物が得られる．

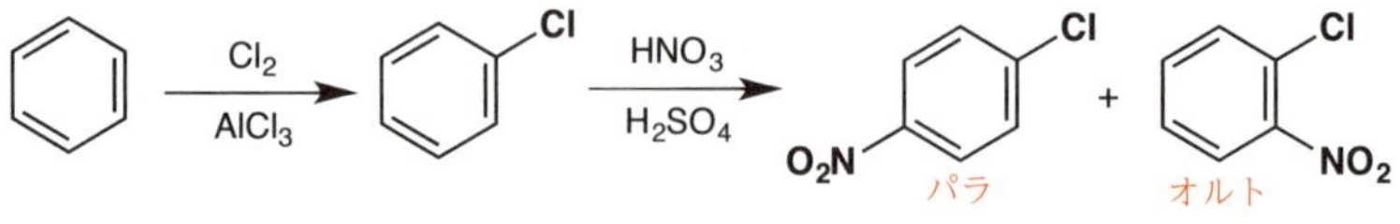

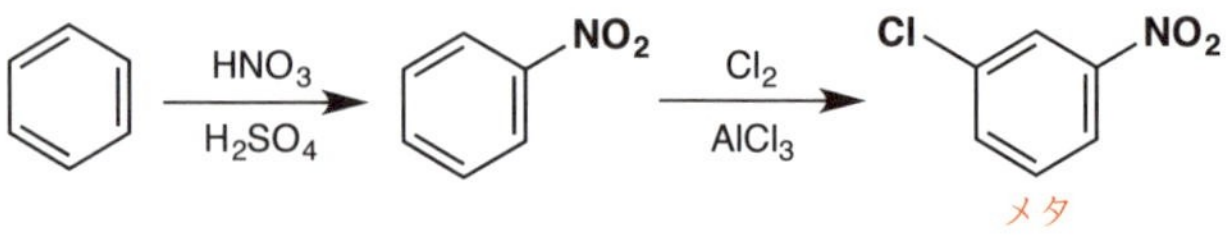

NH_2 基と SO_3H 基は，H に変換できるので，

- SO_3H 基や NH_2(NHAc) 基を一時的に導入して，反応位置を封鎖したり，配向性を制御して，反応の選択性を変えたりすることができる．

反応例として，フェノールのオルト位だけに Br 基を導入する方法とトルエンのメタ位にニトロ基を導入する方法を示す．前者ではパラ置換を抑える必要がある．後者の場合ニトロ基はメタ配向性なので，ニトロベンゼンの Friedel-Crafts 反応で合成できそうだが，不活性なニトロベンゼンの Friedel-Crafts 反応は起こらない．したがって，二つ目の例のような長い工程を使う必要がある（他の経路も可能だろう）．

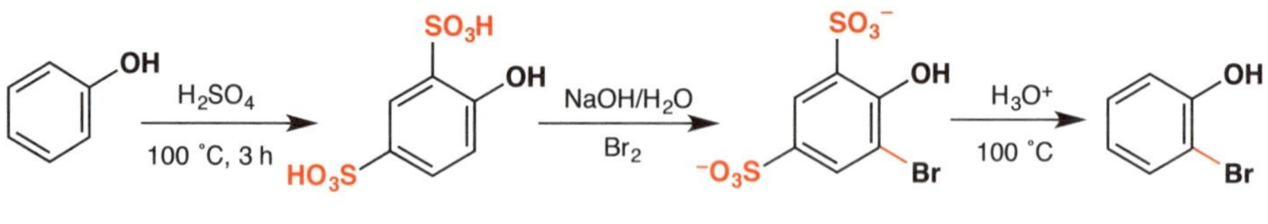

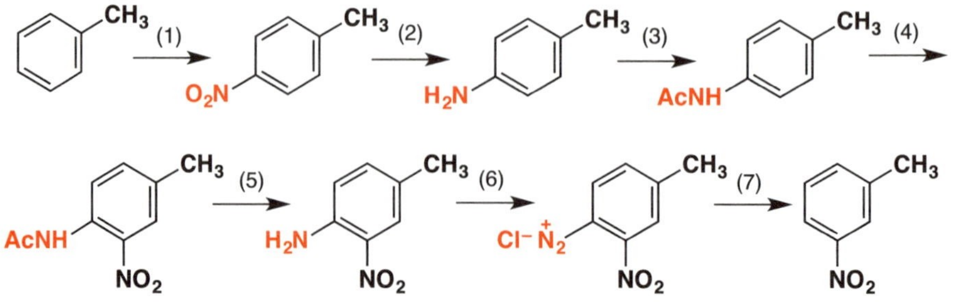

例題 16.4

上に示した 3-ニトロトルエンの合成反応の各工程に必要な反応剤を示せ.

解答 (1) HNO_3/H_2SO_4 (2) Fe/HCl (3) AcCl/ピリジン (4) HNO_3/H_2SO_4 (5) $NaOH/H_2O$ (6) $NaNO_2/HCl$ (7) H_3PO_2

問題 16.13 ベンゼンから次の化合物を合成するにはどのようにしたらよいか. 段階的な反応式で示せ.

(a) CO_2H, O_2N (b) NO_2, H_2N (c) O_2N, CH_2CH_3 (d) Cl, NO_2

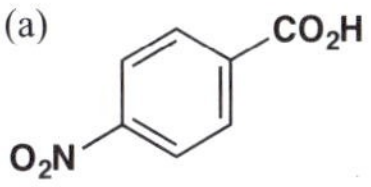

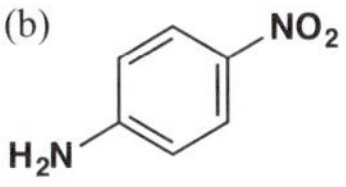

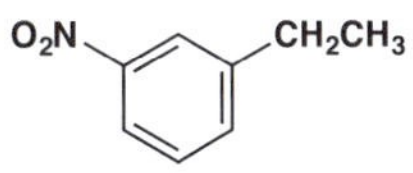

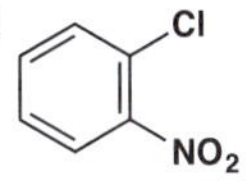

まとめ

- ベンゼンの環状 6π 電子系は芳香族の特別な安定性(芳香族性)をもっているので, 芳香族性を保持するように置換反応が起こる.
- 求電子置換反応は求電子種の付加とプロトンの脱離という 2 段階で起こり, 中間体はベンゼニウムイオンである.
- 置換ベンゼンがさらに反応する場合には, より安定なベンゼニウムイオン中間体を生成するような位置選択性(配向性)で反応する.
- 置換基には活性化(電子供与性)基と不活性化(電子求引性)基がある. 活性化基とハロゲンはオルト・パラ配向性を示すが, ハロゲン以外の不活性化基はメタ配向性を示す.
- アニリンとフェノールは非常に反応性が高いので, 反応を制御する必要がある.
- 多段階合成においては, 配向性の制御のために NH_2(NHAc)と SO_3H 基を用いることができ, 反応の順序が問題になることもある.

章末問題

問題 16.14 次の化合物の組合せについて, 求電子置換反応に対する反応性が減少する順に並べ, その理由を説明せよ.

(a) OCH_3　$OCCH_3$ (O)　O^-Na^+

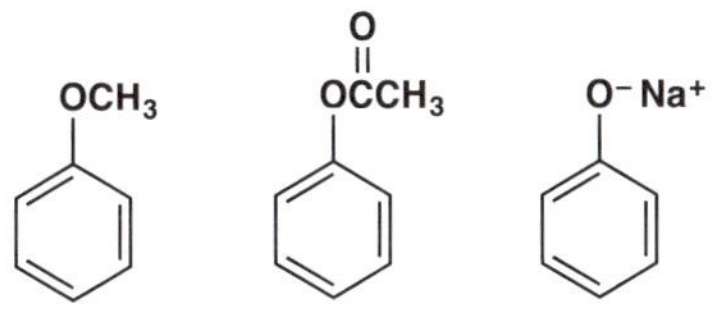

(b) CH_2CH_3　$O{=}C{-}CH_3$　CH_2Cl

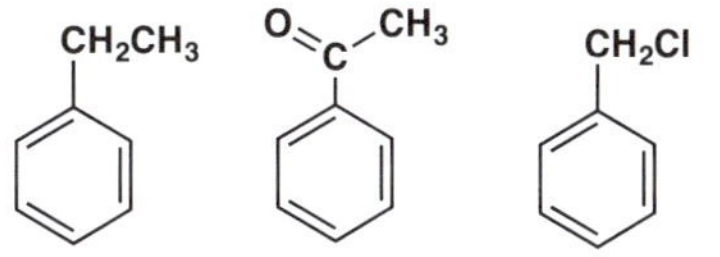

(c) CH_3/CH_3　CO_2H/CO_2H　CO_2H/CH_3

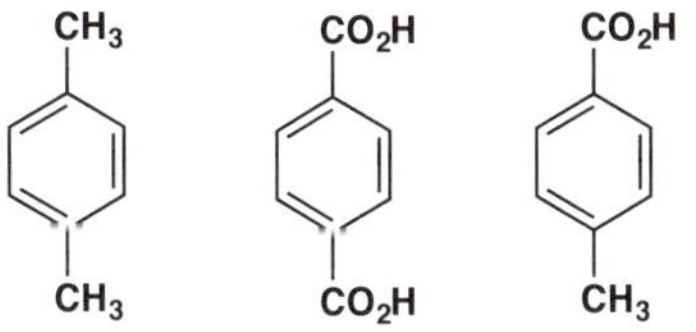

(d) CH_3　CH_3/CH_3　CH_3/CH_3

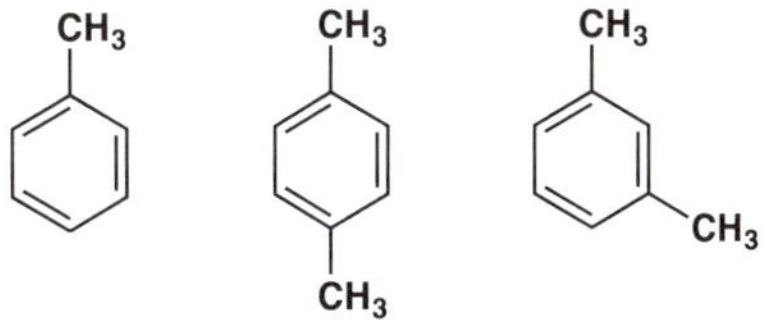

問題 16.15 次の化合物をニトロ化したとき, おもに得られるモノニトロ化物は何か.

(a) OCH_3, Br　(b) CH_3O, Br

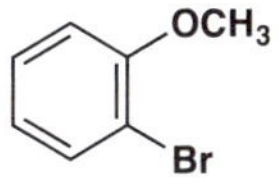

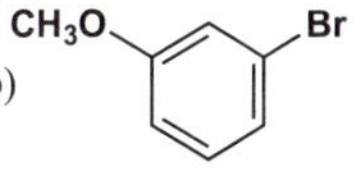

(c) 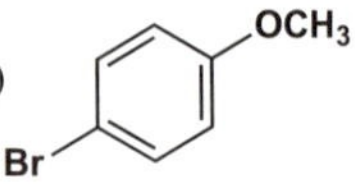 Br, OCH_3　　(d) 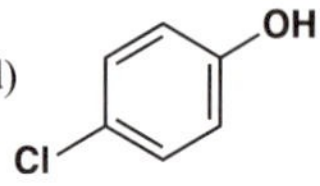 Cl, OH

(e) 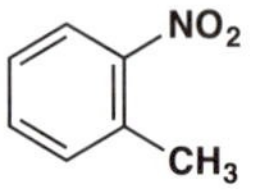 NO_2, CH_3　　(f) 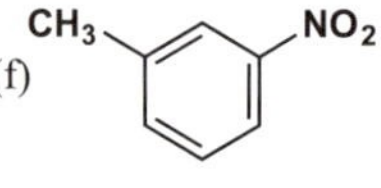 CH_3, NO_2

(g) 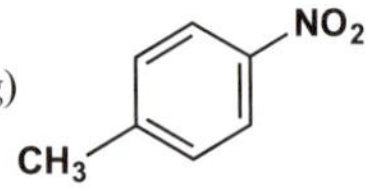 NO_2, CH_3　　(h) 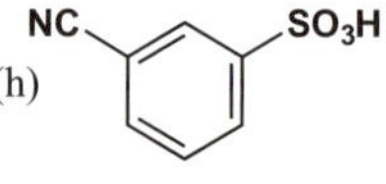 NC, SO_3H

問題 16.16　次の化合物を Br_2 と $FeBr_3$ を用いて臭素化したときに得られるおもなモノブロモ生成物は何か.

(a) 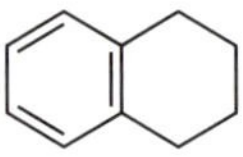　(b) 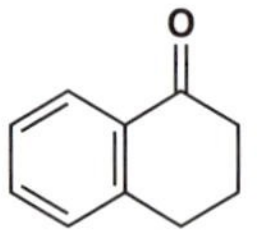 O

(c) 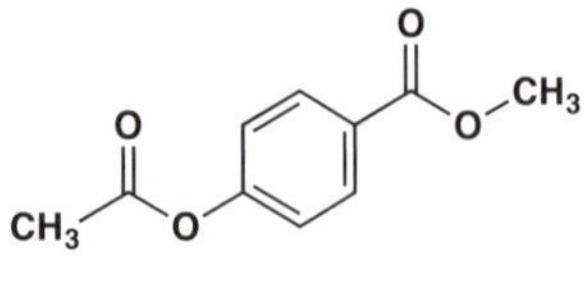 O, CH_3, O, O, CH_3, O

(d) 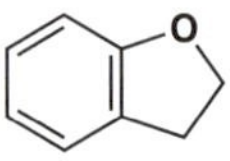 O　(e) 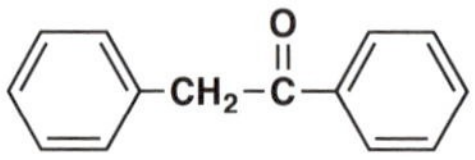 CH_2–C, O

(f) 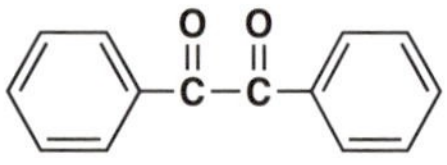 O, O, C–C

問題 16.17　酢酸中で次の化合物を Br_2 と反応させたときに得られるおもなモノブロモ生成物を予想し，理由とともに答えよ.

(a) 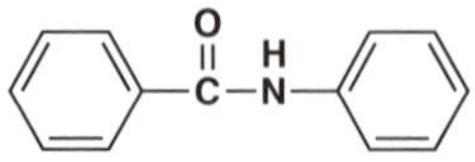 O, H, C–N

(b) 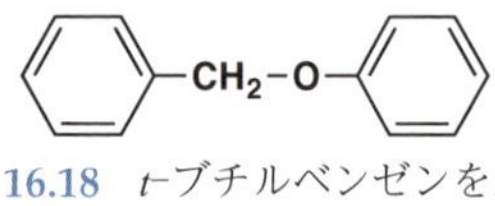 CH_2–O

問題 16.18　*t*-ブチルベンゼンを，ベンゼンと次に示す化合物から合成したい．それぞれどのような触媒を用いればよいか．また，反応がどのように起こるか段階的な反応式で示せ.

(a)（CH_3）$_3$CCl　　(b)（CH_3）$_2$C＝CH_2

(c)（CH_3）$_3$COH

問題 16.19　*N,N*-ジメチルアニリンをメタノール中 Br_2 と反応させると，速やかに *p*-臭素化体が主生成物として得られるのに対して，硝酸-硫酸の混酸中ではゆっくりと主として *m*-ニトロ化が起こる．その理由を説明せよ.

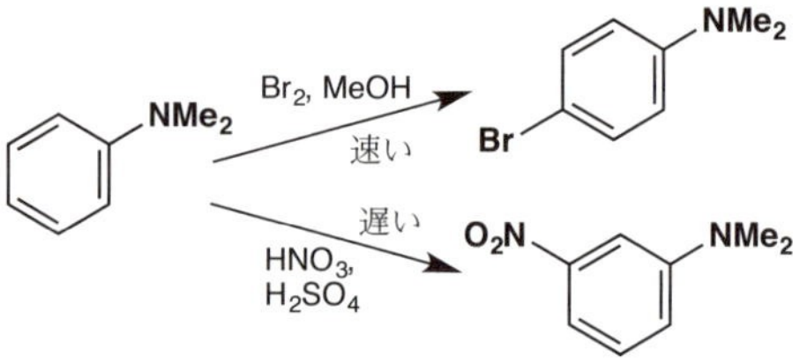

NMe_2 → (Br_2, MeOH，速い) Br, NMe_2

NMe_2 → (遅い，HNO_3, H_2SO_4) O_2N, NMe_2

問題 16.20　フェノールと臭素の反応を，酸性条件下で行った場合と弱塩基性条件下で行った場合では，どのような違いが生じるか説明せよ.

問題 16.21　ベンゼンから次の化合物を合成するための反応経路を示せ.

(a) 1-フェニルペンタン

(b) 4-イソプロピルアセトフェノン

(c) 3-クロロエチルベンゼン

(d) 1,4-ジニトロベンゼン

問題 16.22　トルエンから次の化合物を合成するための反応経路を示せ.

(a) 4-ブロモ安息香酸　　(b) 3-クロロ安息香酸

(c) 4-メチル安息香酸　　(d) 3-ブロモトルエン

(e) 2-ニトロトルエン

問題 16.23　アニリンから次の化合物を合成するための反応経路を示せ.

(a) 4-アミノアセトフェノン

(b) 2,6-ジクロロアニリン

(c) 4-ブロモ-2-ニトロアニリン

(d) 1,3,5-トリブロモベンゼン

問題 16.24　ベンゼンは HCl とともにメタナールと反応すると，中間体 A を経て塩化ベンジルを生成する．中間体 A の構造を明らかにし，このクロロメチル化の反応機構を書け.

→ (H_2C=O, HCl) A → (HCl) Cl

17 エノラートイオンとその反応

【基礎となる事項】
- 炭素酸の酸性度とカルボアニオンの安定性(6.4 節)
- 巻矢印による反応の表し方(7.2 節)
- カルボニル化合物の反応(8～10 章)
- S_N2 反応(12.2 節)
- アルケンへの求電子付加(15 章)

【本章で学ぶこと】
- カルボニル基の α 水素の酸性度
- ケト-エノール互変異性
- エノール化における酸塩基触媒
- エノールとエノラートの求核性
- α-ハロゲン化とハロホルム反応
- エノラートイオンによる C−C 結合生成反応：アルドール反応と Claisen 縮合
- 1,3-ジカルボニル化合物のエノラート
- エノラート等価体
- エノラートイオンとエノラート等価体のアルキル化

カルボニル化合物の C=O 基は求電子的であり，求核種との反応を 8～10 章にわたって学んだ．しかし，カルボニル化合物は求核種としてもはたらき，C=O 基の隣接位(α 位)で求電子種と反応する．すなわち，α 水素は弱酸性であるため容易に塩基で引き抜かれ，共役塩基の**エノラートイオン**になる．エノラートイオンは非局在化したアニオンであり，ハロゲン，カルボニル化合物，ハロアルカンなどの求電子種と反応する．とくにエノラートとカルボニル化合物との反応は C−C 結合生成反応として有機合成において重要であるだけでなく，生体系でも糖や脂肪酸の生合成(ノート 17.1 と 17.2 参照)などに関係している．エノール(エノラートイオンのもう一つの共役酸)，エナミン，エノールシリルエーテルなどもエノラートイオンと等電子構造をもっており類似の反応性を示す．この章ではこれらの化学種の反応について説明する．

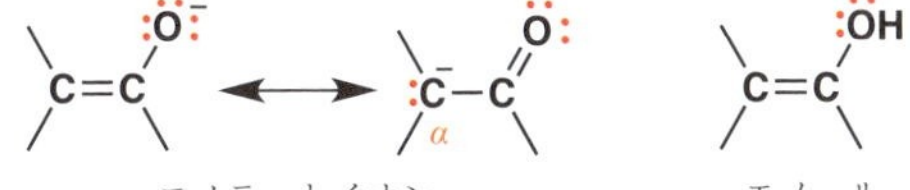

OH
C=C
エノール

NR_2
C=C
エナミン

$OSiR_3$
C=C
エノールシリルエーテル

糖の分解(解糖系)では逆アルドール反応が重要な過程になっており，筋肉収縮のためのエネルギーを供給している

17.1　ケト-エノール互変異性

17.1.1　アリルアニオンとエノラートイオン

カルボニル官能基からみた位置を番号でなく次のようにギリシャ文字で表すことがある．

O
γ　β　α　α′　β′　γ′

電子の非局在化によって安定化されたカルボアニオンとしてアリルアニオンがあり，その類似系として**エノラートイオン**があることを 5 章(5.3.3 項)で述べた．反応 17.1 に比較するように，アリルアニオンの共役酸，プロペンの pK_a は約 43 である(6.4.1 項)が，エノラートイオンの共役酸はメチルケトンであり，その pK_a は約 20 である(6.4.2 項)．すなわち，C=O 結合の隣接位水素(**α 水素**)の酸性は，C=C 結合の隣接位水素(α 水素または**アリル位水素**)よりも格段に強い．

反応 17.1　アリル型アニオンとエノラートイオンの生成：比較

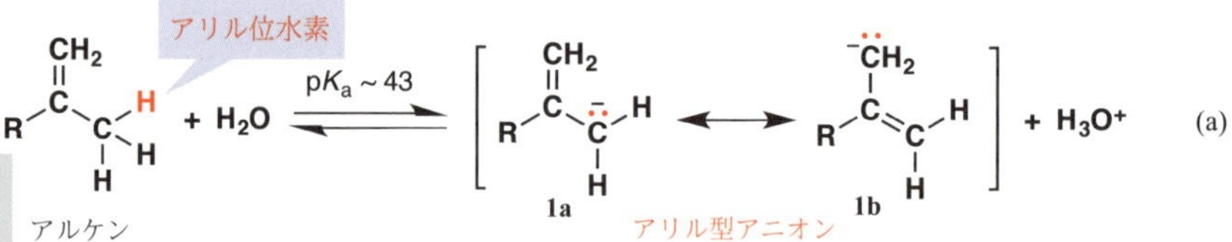

アリルアニオン(allyl anion)は $CH_2=CHCH_2^-$ の名称であるが，総称名として使う場合にはアルキル置換体のアリル型アニオン(allylic anion)も含めて考える．

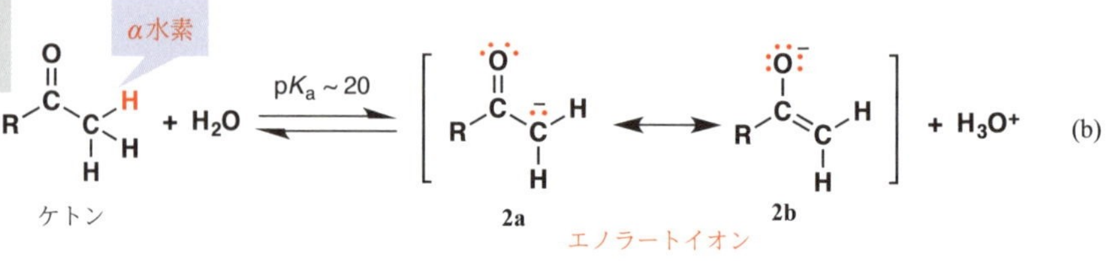

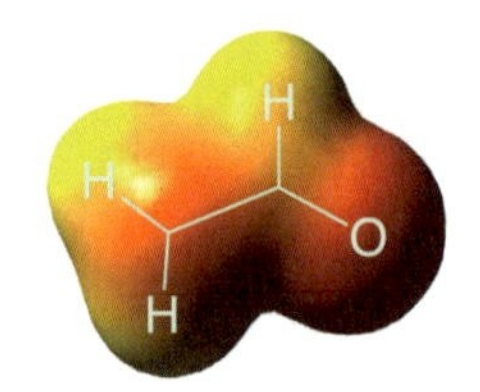

エタナールのエノラートイオンの EPM
O と αC に負電荷(赤色)があり，O 上の負電荷がより大きいことを示している．このことは共鳴あるいは分子軌道からも明らかである．

➡ ウェブノート 7.1　エノラートの極性と分子軌道

アリル型アニオンとエノラートイオンは類似の共鳴混成体で表されるが，前者の二つの共鳴構造式 **1a** と **1b** がほぼ等価であるのに対して，後者では二つの共鳴構造式のうち，電気陰性度の大きい酸素上に負電荷がある **2b** のほうが重要である．**2b** のかたちでカルボニル基が電子を受け入れることができるために，エノラートイオンはアリル型アニオンよりも強く安定化されているといってもよい．すなわち，エノラートイオンの真の構造は **2a** よりも **2b** に近いといえる．これがエノラート(enolate)とよばれる所以であり，二重結合をもつアルコール[**エノール**(enol = ene＋ol)]のアニオンを意味する．

■　エノラートイオンはメチルケトンとエノールの両方の共役塩基である．

17.1.2　エノールを含む平衡

酸性度の比較：
アルキルアルコール pK_a ～16
フェノール pK_a 10

エノールはフェノールと似て，ふつうのアルコールよりもかなり酸性が強い(pK_a ～11)．

エノールの解離：　R–C(OH)=CH–H ＋ H_2O ⇌(pK_a ~ 11) R–C(O$^-$)=CH–H ＋ H_3O^+
エノール　　　　　　エノラートイオン

エノラートイオン　enolate ion
ケト-エノール互変異性　keto-enol tautomerism
アリル位水素　allylic hydrogen
アリル型アニオン　allylic anion
互変異性体　tautomer
互変異性　tautomerism
ケト形　keto form
エノール形　enol form

また，エノールはケトンの構造異性体であり，両者はともにエノラートイオンの共役酸である．したがって，エノラートを通してプロトン移動だけで非常に容易に相互変換できるので，とくに**互変異性体**とよばれる．この異性関係を**互変異性**という．それぞれの異性体は**ケト形**と**エノール形**とよばれ，平衡状態で常に共存している．単純なアルデヒドとケトンの互変異性化ではケト形のほうがずっと安定であり，平衡定数は $K_E = 10^{-4 \sim -9}$ と小さく，大きくケト形に偏っている（表 17.1）．

ケト-エノール互変異性：

$$\underset{\text{ケト形}}{\text{R–C(=O)–CH}_3} \underset{}{\overset{K_E}{\rightleftharpoons}} \underset{\text{エノール形}}{\text{R–C(OH)=CH}_2} \qquad K_E = \frac{[\text{エノール形}]}{[\text{ケト形}]}$$

表 17.1 ケト-エノール互変異性化の平衡定数とエノール形の割合[a]

ケト形	エノール形	K_E	エノール(%)
$H–C(=O)–CH_3$	$H–C(OH)=CH_2$	5.9×10^{-7}	6×10^{-5}
$H–C(=O)–CH_2Ph$	$H–C(OH)=CH–Ph$ [b]	8.5×10^{-4}	8.5×10^{-2}
$H_3C–C(=O)–CH_3$	$H_3C–C(OH)=CH_2$	4.7×10^{-9}	5×10^{-7}
シクロヘキサノン	1-シクロヘキセノール	4.1×10^{-7}	4×10^{-5}
$CH_3C(=O)CH_2C(=O)CH_3$	$CH_3C(=O)CH=C(OH)CH_3$	0.15	13

[a] 水溶液中 25 °C.
[b] フェニルエタナールのエノール形には立体異性が可能であり，シス形エノールに対する $K_E = 4.5 \times 10^{-4}$ である．

例題 17.1

次のアルデヒドあるいはケトンから生成するエノールの構造式を書け．

(a) 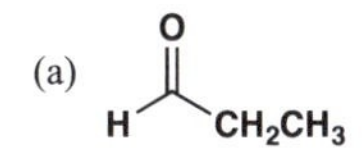

(b) 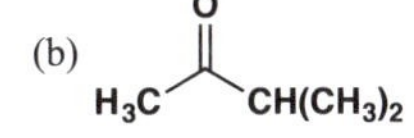

(c) 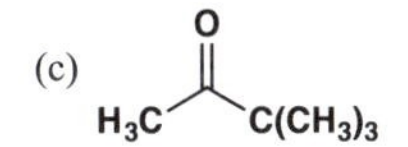

解 答 α 水素を探して，それを脱離させて二重結合をつくる．(b)では 2 種類の α 水素があり，2 種類のエノールが生成する．多置換二重結合をもつほうが安定であり，イソプロピル基側のエノールが優勢になる．(c)の t-ブチル基には α 水素がないことに注意．

(a) $H–C(OH)=CHCH_3$　(b) $H_3C–C(OH)=C(CH_3)_2$ と $H_2C=C(OH)–CH(CH_3)_2$　(c) $H_2C=C(OH)–C(CH_3)_3$

問題 17.1 次のケトンから生成するエノールの構造を書き，2 種類生成する可能性がある場合には平衡においてどちらがより多く生成するか説明せよ．

(a) $CH_3–C(=O)–CH_2CH_3$　(b) 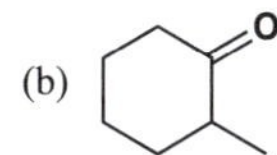　(c) $CH_3CH_2–C(=O)–CH_2Ph$

互変異性化 tautomerization

例題 17.2

プロパノンのケト形とエノール形の pK_a はそれぞれおおよそ 19 と 11 である．これらの pK_a 値からケト-エノール互変異性化の平衡定数 K_E を計算せよ．

解 答　互変異性化と酸解離の平衡はサイクル(**熱力学サイクル**)をつくっている．

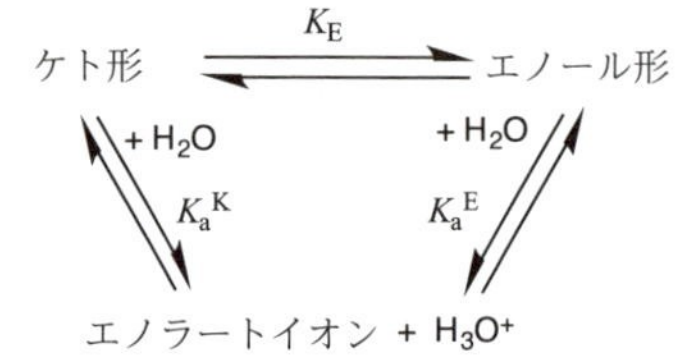

ケト形とエノール形の酸解離定数は $K_a^K = [エノラート][H_3O^+]/[ケト形]$ と $K_a^E = [エノラート][H_3O^+]/[エノール形]$ で表すことができるので，$K_E = [エノール形]/[ケト形] = K_a^K/K_a^E$ となる．したがって，プロパノンの $K_E = 10^{-19}/10^{-11} = 10^{-8}$ と計算される(表 17.1 によれば実測値は $K_E = 4.7 \times 10^{-9}$ である)．

17.2　エノール化の反応機構

ケト形からエノール形になる反応を**エノール化**という．この反応は可逆であるが，中性の水溶液中では正逆反応ともに非常に遅い．逆反応は**ケト化**といわれる．

- **エノール化もケト化も酸触媒と塩基触媒によって促進される．**

17.2.1　酸触媒エノール化

アルデヒドとケトンの酸触媒エノール化は，カルボニル酸素のプロトン化から始まる(反応 17.2)．カルボニル基はプロトン化されてオキソニウム形になると活性になり，強い電子引出し(**プル**)効果を示すので，α 水素は水分子のような弱塩基によっても引き抜かれる．このとき酸(H_3O^+)が再生され，酸触媒エノール化が完結する．

反応 17.2
酸触媒エノール化

プル

プロトン化カルボニル化合物　　エノール

問題 17.2　エノールの酸触媒によるケト化の反応機構を書け．

17.2.2　塩基触媒エノール化

塩基触媒エノール化の第 1 段階では，強い塩基が電子対を出して中性のカルボニル化合物から α プロトンを引き抜き，結合電子対を押し出してエノラートイオンを生成する(反応 17.3)．エノラートイオンはプロトン化されてエノールと平衡になる．塩基は HO^- のことが多いが，溶液内にある別の塩基 B でもよい．

熱力学サイクル　thermodynamic cycle
エノール化　enolization
ケト化　ketonization

反応 17.3
塩基触媒エノール化

エノール化において弱塩基は触媒的に作用するが，HO^- のような強塩基（pK_a がエノールよりも大きい塩基）はエノールがエノラートイオンになることによって消費されるので，触媒とはならない．その場合には，塩基促進エノール化という．

問題 17.3　エノールの塩基触媒によるケト化の反応機構を書け．

- **酸触媒エノール化ではプロトン化カルボニル基の電子引出し（プル）が反応を促進し，塩基触媒エノール化では強い塩基の電子押込み（プッシュ）が反応を推進している．**

表 17.1 にみられるように，単純なアルデヒドやケトンではエノール化の平衡定数が非常に小さいので，エノール形が観測できるほど生成することはない（平衡状態の濃度以上には生成しない）．エノールが分析できるほど生成しないにもかかわらず，どのようにしてエノール化の反応速度が測定され，反応機構が明らかにされたのだろうか．次に述べるように，エノール化と同時に観測できる別の反応が起きるからである．

17.3　可逆的エノール化による反応

17.3.1　重水素交換

エノール化反応を重水溶液中で観測すると，ケトンの α 位に重水素が取り込まれてくる．エノール形から逆反応でケト形に戻るとき，D_2O から D が取り込まれる．酸性と塩基性条件における重水素交換の反応機構を反応 17.4 と 17.5 に示す．酸触媒反応ではエノールへの D^+ の付加が起こり，最後に O から D^+ が外れてケト化する．塩基触媒ではエノラートへの D^+ の付加が起こっている．重水素交換ではエノール化が律速になるので，同位体交換反応の速度が（H と D の違いなどを補正すると）エノール化の速度に相当する．

反応 17.4
酸触媒重水素交換

反応 17.5
塩基触媒重水素交換

重水素（同位体）交換 deuterium (isotope) exchange

問題 17.4　重水溶液中，塩基で処理したとき，次の化合物のどの水素が重水素に交換されるか．

(a) O, H, CH_2CH_3　(b) O, CH_3, $CH(CH_3)_2$　(c) O, CH_3　(d) O, $PhCH_2$, $C(CH_3)_3$

17.3.2　ラ セ ミ 化

α 位にキラル中心をもち，しかもそのキラル炭素に水素が結合しているような光学活性カルボニル化合物を酸性あるいは塩基性条件におくと，時間とともに旋光性が失われる．すなわち，ラセミ化が起こる．これもエノール化を経て起こる反応である．エノールになると α 炭素は平面状の sp^2 混成になりキラリティーを失う．逆反応でケト化するとき，プロトンの付加は sp^2 炭素平面のどちらからも同じ割合で起こり，ラセミ体を与える．そのようすを反応 17.6 に示す．

反応 17.6　キラルなケトンのラセミ化

(*S*)-3-フェニル-2-ブタノン　エノール化 / ケト化　H^+　アキラルなエノール　ケト化　(*R*)-3-フェニル-2-ブタノン

■　重水素化もラセミ化も，エノール化が律速である．

17.3.3　異 性 化

β, γ-不飽和カルボニル化合物は，酸や塩基を加えると容易に転位して α, β-不飽和カルボニル化合物になる．この反応はエノール化を経て起こっている．反応 17.7 に塩基触媒による異性化反応の例を示す．ジエン構造をもつエノラート中間体がケト化するとき，γ 位にプロトン化が起これば異性化になり，α 位にプロトン化が起これば逆反応になる．α, β-不飽和カルボニル化合物は，C=C と C=O 二重結合が共役しているために，より安定であり，熱力学的には異性化反応が優先される．

反応 17.7
β, γ-不飽和ケトンから α, β-不飽和ケトンへの塩基触媒異性化

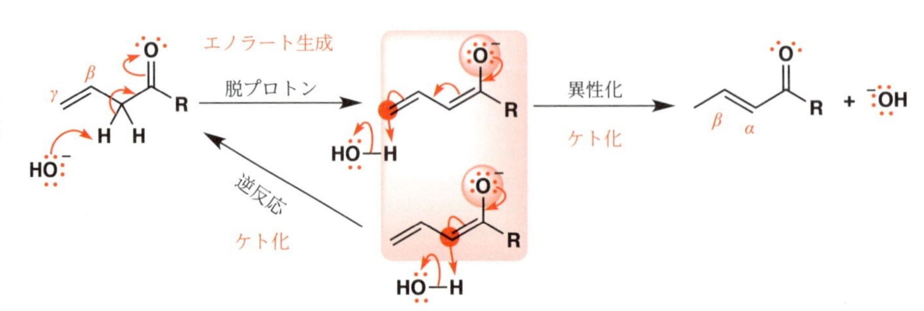

問題 17.5　3-シクロヘキセノンは塩基触媒によって 2-シクロヘキセノンに異性化する．この反応がどのように起こるか巻矢印を用いて示せ．

ラセミ化 racemization

17.4 α-ハロゲン化

エノールとエノラートイオンは求核性の高い(電子豊富な)C=C 二重結合をもっている．エノール化の逆反応であるケト化の重要な段階は，二重結合へのプロトン化であり，Brønsted 酸からの H^+ を求電子種とする求電子付加とみなせる．しかし，重水素交換の反応機構(反応 17.4)でわかるように，結果的にはエノールの O から H^+(D^+)が外れて α 位の H/D 交換(置換反応)になる．ここでは，求電子種としてハロゲンを加えた場合にどのような反応が起こるかを調べる．ハロゲン(X=Cl，Br，I)が求電子的に付加したあと O から H^+ が外れると，結果的に αH が X と置き換わる．すなわち，酸性あるいは塩基性溶液中でカルボニル化合物にハロゲン(Cl_2，Br_2，I_2)を加えると，次に示すように，α 位がハロゲン化される．この置換反応を α-ハロゲン化という．

酸または塩基
(X = Cl, Br, I)

17.4.1 酸触媒ハロゲン化

エタン酸中でアルデヒドやケトンに臭素を作用させると，α-臭素化が進む．メチルケトンについて反応 17.8 に示すように，エノール化に続いて求電子付加と H^+ の脱離で置換反応が起こっていることがわかる．中間体のエノールは電子豊富なアルケンであり，求電子的な臭素付加は非常に速いので，エノール化が律速になる．

エノール化　− AcOH　求電子付加

反応 17.8 酸触媒 α-臭素化：反応機構

生成物の α 位のハロゲン置換基は電子求引性なのでカルボニル基へのプロトン化が阻害され，さらに反応が進む可能性は低い．

■ **α-ハロゲン化の律速段階は，酸性条件でも塩基性条件でも，エノール化である．**

問題 17.6 カルボニル化合物の α-ハロゲン化の速度は，通常，ハロゲンの種類にもハロゲンの濃度にも依存しない．この理由を説明せよ．

問題 17.7 シクロヘキサノンを次の化合物に変換する反応を書け．

(a) (b) (c)

α-ハロゲン化 α-halogenation
α-臭素化 α-bromination

17.4.2　塩基促進ハロゲン化

塩基性条件ではいっそう α-ハロゲン化反応が進みやすい．α 水素が 2 個以上あるときには，反応はモノハロゲン化にとどまらず，ハロゲン化が何段階にも進む．塩基によってプロトンを引き抜かれて生じたエノラートイオンは，ただちにハロゲン，たとえば Br_2 と反応する（反応 17.9）．塩基性条件では，エノール化の逆反応（プロトン化）はほとんど起こらない．

反応 17.9
塩基促進 α-臭素化

エノラートイオン

塩基性条件におけるハロゲン化では，（X^- の塩基性が低いので）反応により塩基が消費される．したがって触媒反応ではない．塩基促進 α-ハロゲン化といわれる所以である．

生成したハロケトンは，ハロゲン原子の電子求引性のために，もとのケトンよりも塩基の攻撃を受けやすくなり，さらにエノラートイオンを生成する．その結果二つ目，三つ目のハロゲン化が起こりやすい*．

$$RCOCH_3 + 3\,X_2 \xrightarrow{\text{塩基}} RCOCH_2X \longrightarrow RCOCHX_2 \longrightarrow RCOCX_3$$

* ハロゲン置換基が増えるに従って中間体のエノラートイオンがより安定になるので，塩基条件におけるハロゲン化は進みやすくなると考えてもよい．

問題 17.8　シクヘキサノンと 2 当量の Br_2 を反応させたとき，塩基性条件では 2,2-ジブロモシクロヘキサノンが得られるのに，酸性条件では 2,6-ジブロモシクロヘキサノンが得られる．この結果を説明せよ．

トリハロゲン化までは同じ反応の繰返しだが，反応はここで止まらない．トリハロケトンは 3 個の電気陰性なハロゲン原子によって活性化されたケトンであり，カルボニル基は容易に水酸化物イオンの攻撃を受ける．これまで塩基として反応していた HO^- が求核種としてはたらき，カルボン酸誘導体類似の置換反応を起こす．すなわち，HO^- が付加して生じた四面体中間体は CX_3^- を押し出してカルボン酸を生成する（反応 17.10）．

反応 17.10　ハロホルム反応の最終段階

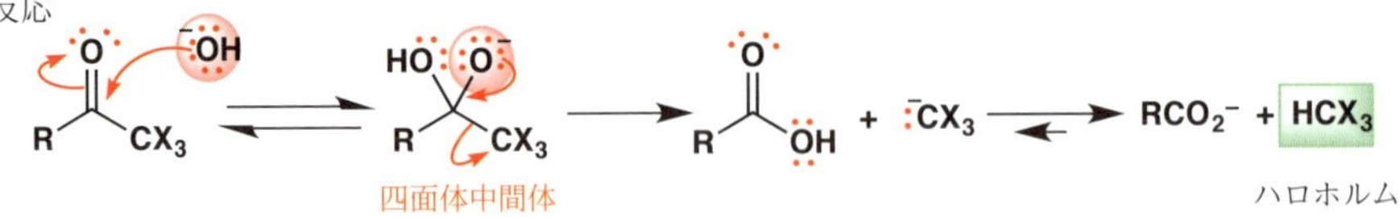

$CHCl_3$ の pK_a は約 24 であり，$CHBr_3$ や CHI_3 の pK_a は 15 以下であると推定されている．CX_3^- が脱離しやすいのは，その弱塩基性による．

HCX_3 は X の電子求引性のために酸性が強く，CX_3^- は脱離しやすくなっている．生成した CX_3^- はプロトン化されて HCX_3（ハロホルム）になる．この反応は，総称して**ハロホルム反応**とよばれる．

■ **塩基性条件では，メチルケトンのトリハロゲン化が起こりやすく，ハロホルム反応まで進む．**

塩基促進 α-ハロゲン化　base-promoted α-halogenation
ハロホルム反応　haloform reaction
ヨードホルム反応　iodoform reaction

これはメチル基をもつカルボニル化合物に特徴的な反応であり，メチルケトンをカルボン酸に変換する反応としても使える．また，ヨウ素との反応で生じるヨードホルム CHI_3 は特徴的な匂いをもつ黄色結晶なので，かつてはヨードホルム反応をメチルケトンの定性試験に用いていた．

$$\text{RCOCH}_3 \xrightarrow[\text{NaOH}]{3\,\text{I}_2} \text{RCOCI}_3 \xrightarrow[2)\,\text{H}_3\text{O}^+]{1)\,\text{NaOH}} \text{RCOOH} + \text{CHI}_3$$

メチルケトン　　　　ヨードホルム

CH₃CH(OH)R のようなメチル基をもつ第二級アルコールは，反応条件でメチルケトンに酸化されるので，ハロホルム反応を起こす．

問題 17.9 次の変換反応はどのように行ったらよいか．

$$\text{C}_6\text{H}_5\text{COCH}_3 \longrightarrow \text{C}_6\text{H}_5\text{COOH}$$

17.5 アルドール反応

17.5.1 塩基触媒によるアルデヒド(ケトン)の二量化

エノラートイオンは，求核種として求電子種のハロゲンやプロトンと反応することを学んだ．エノラートはカルボニル基に付加することもできる．6 章でみたカルボニル基への求核付加反応を思い出そう．たとえば，アルデヒドにごく少量の NaOH を加えたとしよう．まずエノラートイオンが生成し，残っているアルデヒドと反応する．結果的にアルデヒドが二量化して β-ヒドロキシアルデヒドを生成する(反応 17.11)．この生成物はアルドール(aldol，ald＋ol)という総称名でよばれるので，この反応はアルドール付加あるいは**アルドール反応**といわれる．同じ分子が求核種と求電子種として 2 種類の反応性を発揮することに注目しよう．

アルドール(aldol)は，もともとエタナールの二量体の β-ヒドロキシアルデヒドの慣用名だった(アルデヒド-アルコールを意味する)．

$$2\,\text{CH}_3\text{CHO} \xrightarrow{\text{NaOH}} \text{CH}_3\text{CH(OH)CH}_2\text{CHO}$$

エタナール(アセトアルデヒド)　　3-ヒドロキシブタナール　アルドール

アルデヒド ⇌ エノラートイオン ⇌ ⇌ アルドール + HO^-

反応 17.11 アルドール反応とその機構

- アルドール反応は求電子性のアルデヒドまたはケトンが，求核性のエノラートに変換され，自己反応して C−C 結合を生成する重要な反応である．
- エノラートイオンを生成するとき α 水素が脱離するので，C−C 結合は α 炭素ともう 1 分子のカルボニル炭素の間で生成することに注意しよう．

アルドール反応 aldol reaction
二量化 dimerization

例題 17.3

プロパナールのアルドール反応生成物の構造を示せ．また，反応がどのように起こるか段階的に示せ．

解 答 α 水素の脱プロトンによって生じたエノラートイオンがもう 1 分子のプロパナールと反応する．

アルドール反応は，ロシア人化学者 A. P. Borodin（ボロディン）によって，C. A. Wurtz による発見と同時期に発見された．Borodin は作曲家としても有名で，よく知られている"だったん人の踊り"や"だったん人の行進"は歌劇"イーゴリ公"の中の曲である．

プロパナール　→(NaOH)　エノラート + アルデヒド　→　（エノラートから / アルデヒドから）　→(H_2O)　3-ヒドロキシ-2-メチルペンタナール

A. P. Borodin
（1833～1887）

問題 17.10　次のアルデヒドまたはケトンを NaOH 水溶液で処理したときに生成するアルドールの構造を示せ．
　(a) ブタナール　　(b) フェニルエタナール

アルドール反応は（他のカルボニル付加と同様に）可逆である．したがって，ケトンの二量体のような立体障害の大きいアルドールは不安定で，平衡は生成物に偏らない．たとえば，プロパノンのアルドール反応は通常の条件ではうまく進まない．

2 プロパノン（95%）　⇌(HO^- / H_2O)　4-ヒドロキシ-4-メチル-2-ペンタノン（5%）

問題 17.11　プロパノンのアルドール反応の逆反応の機構を書け．

17.5.2　アルドールの脱水反応

アルドール反応はごく微量の塩基を加えるだけで進むが，塩基の量を多くして加熱するとアルドールの脱水反応が誘起される．

2 ブタナール　→(NaOH (1 mol dm^{-3}), H_2O, 80 ºC)　アルドール　→($-H_2O$)　2-エチル-2-ヘキセナール　収率 86%

H_2O やアルコールのような小分子の脱離を伴って 2 分子が結合する反応を一般的に**縮合**（condensation）という．

通常のアルコールは塩基性条件では脱水されないが，アルドールの塩基触媒脱水反応は反応 17.12 のようにエノラート中間体を経て E1cB 機構で進む（13.3 節参照）．脱水反応までを含めて**アルドール縮合**という．

反応 17.12　アルドールの脱水反応：E1cB 機構

アルドール　⇌($-H_2O$)　エノラート　→(E1cB 脱離, $-HO^-$)　α,β-不飽和カルボニル化合物

脱水反応 dehydration

■ アルドール縮合の生成物はα,β-不飽和カルボニル化合物である.

脱離反応は酸性条件のほうが起こりやすい.アルドール反応は酸性条件でも起こる(例題 17.4)が,ふつう脱水生成物が生じる.酸触媒による脱水反応は反応 17.13 のように進む.

α,β-不飽和カルボニル化合物 α,β-unsaturated carbonyl compound
この化合物の反応については 18 章でみる.

H_3O^+ ; $-H_3O^+$; $-H_2O$; $\ddot{O}H_2$

反応 17.13 アルドールの酸触媒脱水反応

問題 17.12 次の化合物から得られるアルドール縮合生成物の構造を示せ.
(a) ブタナール (b) フェニルエタナール (c) シクロヘキサノン

例題 17.4

アルドール反応は酸性条件でも起こる.プロパノンの酸触媒アルドール反応がどのように起こるか示せ.

解 答 反応は酸触媒エノール化から始まる.エノールの求核性は低いが,プロトン化により活性化されたカルボニル基と反応できる.最後に脱水して安定な生成物になる.

プロパノン

H^+ ; $+H^+$; $-H^+$; $-H_3O^+$; H_2O

4-メチル-3-ペンテン-2-オン

脱水反応(E1)

17.5.3 交差アルドール反応

これまで 1 種類のカルボニル化合物の二量化について考えてきたが,2 種類のカルボニル化合物を混合して,一方からエノラートイオンを発生させて,それをもう一方のカルボニル化合物に付加させることもできる.このように一方が求核種になり,もう一方が求電子種として反応するような二量化に対応する反応を交差反応という.

交差アルドール反応により,生成物の幅は広がり応用範囲も広がるが,同時に自己反応の生成物もできるので注意を要する.2 種類のカルボニル化合物を反応させると,一般的には 2 種類の自己反応生成物と 2 種類の交差生成物ができる可能性がある.このように 4 種類の混合物が得られる反応は,合成反応としてはあまり役に立たない.

できるだけ多く単一の生成物を得るための条件は,カルボニル化合物の一方だけがエノラートを生成し,もう一方のカルボニル化合物はエノール化できず反応性が高いことである.

交差アルドール反応 crossed aldol reaction

α水素をもたないアルデヒドの例：

メタナール（ホルムアルデヒド）　2,2-ジメチルプロパナール（ピバロアルデヒド）　ベンズアルデヒド　フラン-2-カルボアルデヒド（フルフラール）

アルドール付加は可逆なので，より安定な生成物が得られる．さらに脱水が起これば逆反応は起こらない．

プロパノンとベンズアルデヒドは次のように反応して，脱水生成物を与える．フェニル基があると生成する二重結合と共役できるので，とくに脱水が起こりやすい．

PhCH=O　脱水　逆アルドール反応

ノート 17.1　生体内のアルドール反応

アルドールはβ-ヒドロキシアルデヒドあるいはβ-ヒドロキシケトンである．糖類の鎖状形にはカルボニル基とヒドロキシ基があり，OH の一つは C=O のβ位にある．したがって，糖類はアルドールの一つとみなせる．実際，グルコースの代謝過程には逆アルドール反応が含まれている．グルコースはエノール化によって簡単にフルクトースに変換される（反応機構を考えてみよう）．フルクトースはアルドラーゼという酵素とイミニウムイオンを生成し，逆アルドール型の反応によって切断され，二つの三炭素糖，グリセルアルデヒドとジヒドロキシアセトン，になる．体内ではリン酸が結合したかたちになっている．

エノール化経由　酵素-NH_2（アルドラーゼ）

D-グルコース（P=H）D-グルコース-6-リン酸（$P=PO_3^{2-}$）

D-フルクトース（P=H）D-フルクトース-6-リン酸（$P=PO_3^{2-}$）

D-フルクトース-1,6-二リン酸（$P=PO_3^{2-}$）

イミニウム形　H_2O

ジヒドロキシアセトン（P=H）ジヒドロキシアセトンリン酸（$P=PO_3^{2-}$）

グリセルアルデヒド（P=H）グリセルアルデヒド-3-リン酸（$P=PO_3^{2-}$）

この生体内のアルドール反応は，基質と酵素から生成したイミニウムイオン中間体から温和な生理的条件で起こっており，全反応が可逆なので細胞の必要に応じて糖の生合成と分解を可能にしている．

例題 17.5

イミニウムイオンはカルボニル基よりも求電子性の強い二重結合をもち，求核付加反応を受ける．第二級アミンとホルムアルデヒドから生成するイミニウム塩はとくに反応性が高く，エノールと反応してアミノケトンを生成する．一般に Mannich（マンニッヒ）反応とよばれているこの反応の機構を示せ．

$$RCOCH_3 + CH_2{=}O + Me_2NH \xrightarrow{HCl} RCOCH_2CH_2NMe_2 + H_2O$$

解 答 まずイミニウム塩が生成し（8.5 節），これにエノールが求核種として付加する．

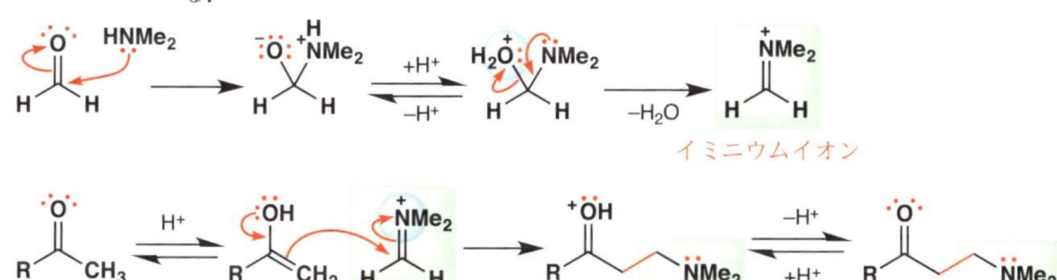

ホルムアルデヒドを用いる交差アルドール反応では，ホルムアルデヒドの高反応性のために複数の α 水素をもつカルボニル化合物は多重にヒドロキシメチル化される傾向が強い．しかし，Mannich 反応では一つだけアミノメチル基を導入できる．

17.6 Claisen 縮 合

エノラートイオンが求核種としてエステルに反応すると，9 章で述べたエステルの反応のように求核付加–脱離で置換反応を起こす．この反応を Claisen（クライゼン）縮合という．エタン酸エチルのエタノール溶液にナトリウムエトキシドを加えると，まずエステルのエノラートが生成し，もう 1 分子のエステルを攻撃する．求核付加生成物は四面体中間体であり，エトキシドイオンが追い出されて β-ケトエステル，3-オキソブタン酸エチル（アセト酢酸エチル）になる．

エステルの α 水素の酸性度はケトンの場合よりも低い．
CH_3CO_2Et の pK_a 25.6

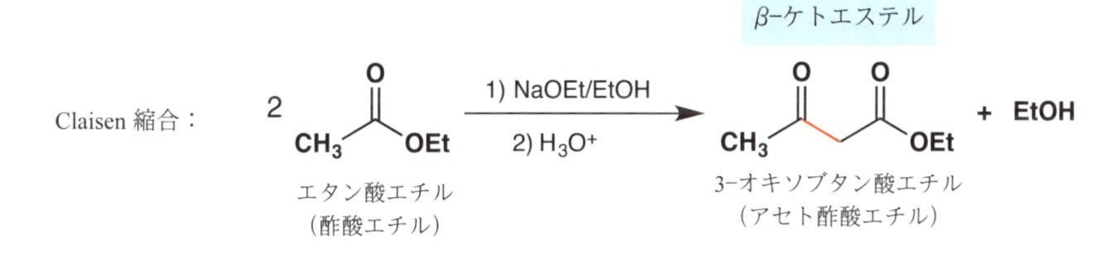

17.6.1 Claisen 縮合の反応機構

エタン酸エチルを塩基性エタノール（NaOEt/EtOH）溶液に溶かすと，まずエステルのエノラートイオンが生成し，このエノラートがもう 1 分子のエステルに付加して四面体中間体をつくる．ここでエトキシドイオンが追い出されれば β-ケトエステルが生成する（反応 17.14）．

この反応は全過程が可逆であるが，生成した β-ケトエステルの酸性度が高いので，反応の塩基性条件では最後の酸塩基平衡が右に偏って，エノラートイオンになっている．したがって，反応に用いるアルコキシドは 1 当量以上必要となる．

Ludwig Claisen（1851〜1930）
ドイツの化学者．エステル縮合だけでなく，アリルフェニルエーテルの転位反応（21 章）にも名前を残している．

β-ケトエステル β-keto ester

反応 17.14　Claisen 縮合：反応機構

エステルは，塩基性水溶液では加水分解を優先的に起こす．アルコキシドもエステル交換を起こすので，反応溶媒としてエステルのアルコキシ基と同じアルコールを用いる．

エタン酸エチル
四面体中間体
– EtOH
pK_a 10.7
3-オキソブタン酸エチル
エノラートイオン

■ Claisen 縮合は可逆だが，エノラートの安定性のために平衡が偏っている．最後に酸で処理すると生成物が β-ケトエステルとして得られる．

例題 17.6

3-オキソ-2,2-ジメチルブタン酸エチル $CH_3C(O)C(CH_3)_2CO_2Et$ を，ナトリウムエトキシドを含むエタノールに溶かすと，C−C 結合開裂が起こる．この反応を巻矢印で段階的に示せ．3-オキソブタン酸エチルを同じように処理するとどうなるか．

ノート 17.2　生体内の Claisen 縮合

脂肪酸生合成の重要な過程は，チオエステルの Claisen 縮合である．この反応にかかわるチオールは，補酵素 A（HS-CoA：23.2.1 項参照），アシルキャリヤータンパク質（HS-ACP），および脂肪酸合成酵素のシステイン残基である．アセチル CoA は炭水化物とアミノ酸の異化（分解）で生成したものであり，この二炭素成分が脂肪酸の原料になる．そのため，天然の脂肪酸は偶数個の炭素からなる．酵素上でマロニル ACP とアセチル（アシル）酵素の間の Claisen 縮合が起こり，生成した β-ケトアシル ACP が還元・脱水・還元により二炭素増えたアシル ACP になる．ついで，トランスアシル化により二炭素増えたアシル酵素が得られる．この一連の反応を繰り返して長鎖の脂肪酸が合成される．

アセチル CoA
CH_3CSCoA
カルボキシラーゼ
CO_2
マロニル CoA
$^-OCCH_2CSCoA$
トランスアシラーゼ
トランスアシラーゼ
脂肪酸合成酵素
Claisen 型縮合
β-ケトアシルシンターゼ
CO_2
還元/脱水/還元
トランスアシラーゼ
脂肪酸
$CH_3(CH_2)_{2n}COH$

生体内 Claisen 縮合では，強塩基を使うことなく，マロン酸エステルの脱炭酸で生成するエノラートイオン等価体が反応にかかわっている．

解 答 3-オキソ-2,2-ジメチルブタン酸エチルは逆 Claisen 反応によって，2 分子のエステルに分解する．2 位に水素がないのでエノール化できないからである．しかし，2 位に水素をもつ 3-オキソブタン酸エチルの場合には，2 位水素の酸性が強いのでエノラートイオンになってしまい，逆 Claisen 反応を起こさない．

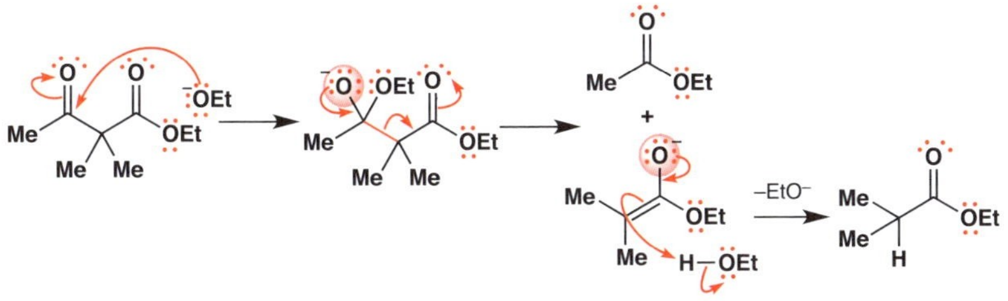

問題 17.13 プロパン酸エチルを塩基性エタノール(NaOEt/EtOH)中で反応させ，酸で処理したときに得られる生成物は何か．構造式で示せ．

17.6.2 分子内縮合

ジエステルが分子内で縮合することも可能である．次の反応のように，五員環あるいは六員環をつくる場合にはとくに効率よく進む．この反応は Dieckmann (ディークマン)縮合ともいう．

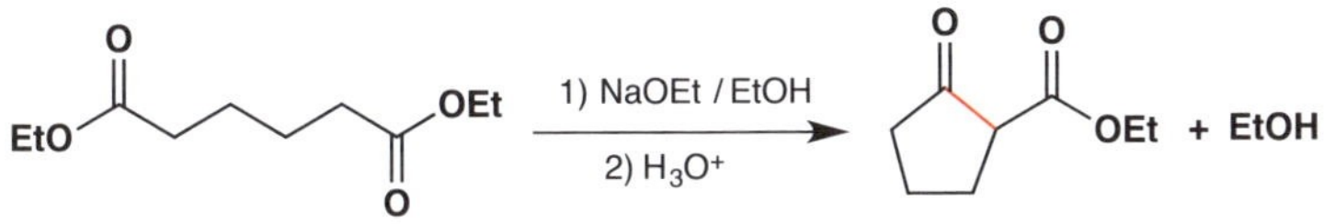

1) NaOEt / EtOH
2) H_3O^+
+ EtOH

問題 17.14 上の Dieckmann 縮合の機構を書け．

生成物は加水分解して，加熱すると，脱炭酸して環状ケトンになる(反応 17.15)．β-ケト酸の脱炭酸が起こりやすいのは，反応機構に示すように，カルボニル酸素が塩基になって六員環状遷移構造を経て反応するからであると考えられる．

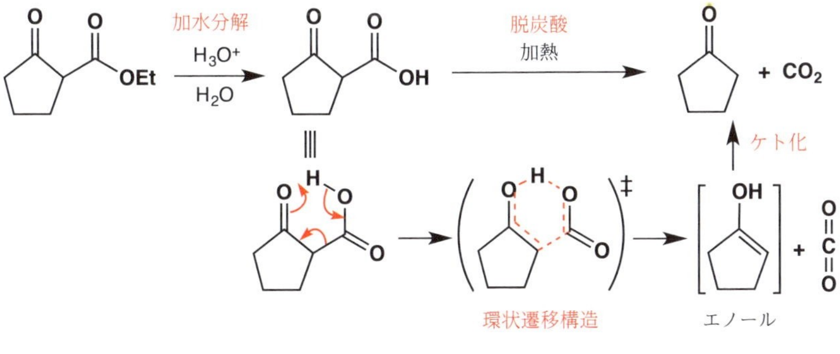

加水分解 H_3O^+ H_2O → 脱炭酸 加熱 → + CO_2
ケト化
環状遷移構造
エノール

反応 17.15 β-ケト酸の脱炭酸とその機構

分子内縮合 intramolecular condensation
脱炭酸 decarboxylation

17.6.3　交差 Claisen 縮合

α 水素をもたないエステル：

メタン酸エチル
（ギ酸エチル）

安息香酸エチル

炭酸ジエチル

エタン二酸ジエチル
（シュウ酸ジエチル）

2 種類の異なるエステルの縮合反応でも，交差アルドール反応の場合と同じように，一般に 4 種類の生成物ができる可能性があり，単一生成物を得るための工夫が必要になる．α 水素をもっていないエステルを 1 成分として大過剰に用い，もう一方のエステルをゆっくり加え，エノラートが生成するとただちに大過剰のエステルと反応するように制御して反応させると，主生成物が 1 種類になる．

1) NaOEt / EtOH
2) H_3O^+
+ EtOH

過剰量　　ゆっくり添加　　主生成物

ケトンとエステルの反応では，ケトンの α 水素の酸性のほうがより強いのでエノラートになりやすい．また，アルドール反応が可逆であるために，Claisen 型の反応が主反応となり，酸処理によって最終生成物の β-ジケトンが得られる．

1) NaOEt / EtOH
2) H_3O^+
+ EtOH

問題 17.15　β-ジケトンを生成する上の反応の機構を書け．

17.7　1,3-ジカルボニル化合物のエノラートイオン

1,3-ジカルボニル化合物の二つのカルボニル基にはさまれた位置の水素は酸性度が高く，エノラートイオンを生成しやすい．代表的な化合物の pK_a は 14 以下であり，アルコールや水溶液中でも塩基を加えると，ほとんど完全にエノラートイオンになる（6.4.2 項参照）．

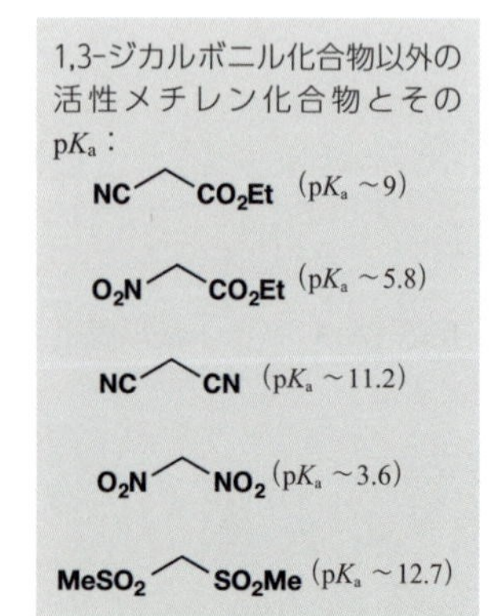

	2,4-ペンタンジオン（アセチルアセトン）	3-オキソブタン酸エチル（アセト酢酸エチル）	プロパン二酸ジエチル（マロン酸ジエチル）
pK_a	8.84	10.7	13.3

その酸性度が高いのは，共役塩基であるエノラートイオンが電子の非局在化によって安定化されているからである．

これらの化合物はもう少し幅広く活性メチレン化合物ともいわれ，欄外に示すような化合物がある．

1,3-ジカルボニル化合物　1,3-dicarbonyl compound
（β-ジカルボニル化合物ともいう）
活性メチレン化合物　active methylene compound

17.8 エノラートイオンのアルキル化

カルボニル化合物のα水素が引き抜かれてエノラートイオンを生成し，それが求核種として反応することを説明してきた．単純なアルデヒドやケトンのエノラートイオンは，もとのアルデヒドやケトンとの反応を起こしやすいので，他の求電子種とは反応させにくい．反応性の高い求電子種としてハロゲンの反応はすでにみたが，この節ではハロアルカンとの S_N2 反応も可能であることを示す．その結果，カルボニル化合物はアルキル化される．

エノラートイオン
−H⁺
+H⁺
R–X
ハロアルカン
アルキル化
S_N2
R + X⁻

17.8.1 1,3-ジカルボニル化合物のアルキル化

1,3-ジカルボニル化合物から生成し共鳴安定化したエノラートイオンは，反応性が低いのでアルドール反応や Claisen 縮合を起こさない．しかし，ハロアルカンと S_N2 反応を起こすには十分な反応性があるので，1,3-ジカルボニル化合物のアルキル化は行いやすい．

OEt + RBr —NaOEt / EtOH→ OEt, R

反応はエステルのアルコキシ基と同じアルコールのアルコキシドを使って行われる．α水素が2個あればアルキル化は2回起こり得るので，アルキル基が段階的に二つ導入できる(反応 17.16)．

反応 17.16
1,3-ジカルボニル化合物の段階的アルキル化

OEt, H H, ⁻OEt → OEt, R–Br —− Br⁻→ OEt, R H —R'Br / NaOEt→ OEt, R R'

この反応は S_N2 機構で進むので，2段階目の反応が(立体障害のため)かなり遅く，モノアルキル化とジアルキル化は加えるハロアルカンの量で制御できる．一つ目と二つ目のアルキル基は異なっていてもよく，ジハロアルカンを反応させて環状化合物を得ることもできる．ハロアルカンの反応性の序列は典型的な S_N2 反応にみられるものであり，第三級アルキル誘導体は反応しないといってよい．

■ エノラートイオンのアルキル化は塩基性条件で行うので S_N2 機構で起こる．

17.8.2 ケトンとカルボン酸の合成

1,3-ジカルボニル化合物のアルキル化生成物はβ-ケトエステルであり，加水分解してから加熱すれば簡単に脱炭酸できる(反応 17.17)．最終生成物は，アセト酢酸エステルを出発物にすればケトンであり，マロン酸エステルから反応すれ

アルキル化 alkylation

ばカルボン酸になる．それぞれアセト酢酸エステル合成およびマロン酸エステル合成とよばれている．反応例を反応 17.17 と 17.18 に示す．

反応 17.17
アセト酢酸エステル合成
acetoacetic ester synthesis

アセト酢酸エチル　MeI　NaOEt/EtOH　アルキル化　NaOEt/EtOH　アルキル化

1) NaOH / H_2O　2) HCl / H_2O　加水分解　加熱　$-CO_2$　脱炭酸　ケトン

反応 17.18
マロン酸エステル合成
malonic ester synthesis

マロン酸エステル　NaOMe　MeOH　NaOMe　MeOH

1) NaOH / H_2O　2) HCl / H_2O　加熱　$-CO_2$　カルボン酸

問題 17.16　アセト酢酸エステル合成とマロン酸エステル合成を利用して，次の化合物を合成するにはどのようにしたらよいか．

(a) 2-ヘプタノン　(b) 3-ベンジル-2-ヘキサノン　(c) ペンタン酸
(d) 4-ペンテン酸

17.9　リチウムエノラート

17.9.1　リチウムエノラートの調製

単純なケトンのアルドール反応では，塩基によって生成したエノラートがただちに同じケトンに捕捉される．単純なケトンのエノラートは，アルドール反応が容易に起こらない条件で強塩基を当量用いて完全にエノラートに変換すれば，別の求電子種と反応させることができる．そのためには，低温で，非プロトン性溶媒中，立体障害の大きい強塩基を用いてエノラートをつくる．よく使われる塩基はリチウムジイソプロピルアミド(LDA)である*．生成したエノラートには Li が結合していると考えられるのでリチウムエノラートとよばれる．

リチウムジイソプロピルアミド
lithium diisopropylamide (LDA)
LiN(i-Pr)$_2$: pK_{BH^+} 35

* この反応条件では，未反応のケトンが LDA やエノラートによって求核付加を受ける反応は，脱プロトンによるエノラートの生成よりもかなり遅いので，ケトンを完全にリチウムエノラートに変換できる．

ケトン　+ LiN(i-Pr)$_2$ (LDA)　THF　$-78\ ^\circ$C　→ リチウムエノラート + HN(i-Pr)$_2$

こうして調製されたリチウムエノラート溶液に求電子剤を加えて反応を完結する．たとえば，別のカルボニル化合物を加えれば，目的の交差アルドールが単一生成物として得られるし，ハロアルカンを加えれば，アルキル化できる．

リチウムエノラート lithium enolate

リチウムエノラート　アルドール反応　THF　−78 ˚C　H_2O　交差アルドール生成物

リチウムエノラート　アルキル化(S_N2)　THF　−78 ~ 0 ˚C　+ LiX

エステルからも同様にしてリチウムエノラートをつくることができるが，アルデヒドは反応性が高いので低温でもアルドール反応を起こすためにリチウムエノラートを調製することはできない．

17.9.2　速度支配と熱力学支配のエノラート

非対称で 2 種類の α 水素をもつケトンからは，2 種類のエノラートが生成する可能性がある．熱力学支配の条件では，より安定な多置換エノラートが生成するが，速度支配の条件では，塩基が立体障害を避けて反応するために置換基の少ないエノラートを生成する傾向がある．

速度支配と熱力学支配については 15.8.2 項参照．

速度支配エノラートを得るには，かさ高い強塩基(たとえば，LDA)を用いて，非プロトン性溶媒中，低温で短時間反応させればよい．ケトンが過剰にならないように，塩基の溶液にケトンをゆっくり加えながら反応させる．一方，**熱力学支配エノラート**を得るためには，逆反応が起こりうる条件として，一般に高温で，プロトン供与体存在下に長時間反応させる．プロトン性溶媒中，たとえば，*t*-ブチルアルコール中 *t*-BuOK を用いて反応すればよい．あるいは，非プロトン性溶媒中，ケトンが過剰にある条件(ケトンがプロトン供与体になる)で，比較的弱い塩基を用い，高温で長時間かけて反応させてもよい．

2-メチルシクロヘキサノン　LDA/THF　−78 ˚C　速度支配エノラート

速度支配エノラート　2-メチルシクロヘキサノン(過剰)　KH/THF　室温　熱力学支配エノラート

問題 17.17　2-メチルシクロヘキサノンから，(a) 2,2-ジメチルシクロヘキサノンと，(b) 2-アリル-6-メチルシクロヘキサノンを合成するための反応を示せ．

問題 17.18　リチウムエノラートを使って次の交差アルドール生成物を選択的に得る方法を示せ．

(a)　(b)

速度支配エノラート　kinetic enolate
熱力学支配エノラート　thermodynamic enolate

17.10　エノラート等価体

エノラートイオン（あるいはエノール）と等電子的でカルボニル化合物から誘導されるエナミンやエノールエーテルを**エノラート等価体**（またはエノール等価体）という．求電子剤と反応させて得られた生成物は加水分解でカルボニル化合物に戻すことができるので，塩基を使わないでエノラートと同じような反応を行わせたことになる．

17.10.1　エ ナ ミ ン

アルデヒドおよびケトンを第二級アミンと反応させると，エナミンが生成する（8.5.2 項参照）．エナミンは求核性アルケンであり，反応性の高いアルキル化剤と S_N2 機構で *C*-アルキル化を起こす（反応 17.19）．アルキル化体は加水分解すれば，アルキル化カルボニル化合物になる．

反応 17.19　エナミンを経るケトンのアルキル化

酸，$-H_2O$；エナミン；$-X^-$；R−X；S_N2；H_3O^+/H_2O 加水分解

（RX = Ph⁀X，アリル型 X，O=C−CH$_2$−X）

イミニウムイオンの加水分解については 8.5 節で述べた．

第一級アルキルハロゲン化物のような単純で反応性の低いアルキル化剤は，エナミンの *N*-アルキル化を起こしやすいので，*C*-アルキル化の収率が下がる．

エナミン；*N*-アルキル化；S_N2

17.10.2　エノールシリルエーテル

エノールシリルエーテルはエノラートをシリル基で保護したものとみなせる．エナミンよりも低反応性であり，強力なアルキル化剤を使う必要がある．Lewis 酸を用いてカルボカチオンを発生させると反応が起こる（反応 17.20）．$TiCl_4$ または $SnCl_4$ の存在下に第三級ハロゲン化アルキルが適当なアルキル化剤になる．

反応 17.20　Lewis 酸触媒によるエノールシリルエーテルのアルキル化

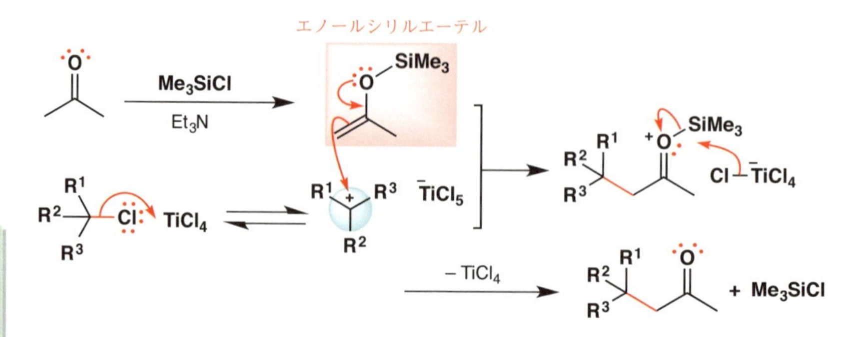

エノラート等価体 enolate equivalent
エナミン enamine
エノールシリルエーテル enol silyl ether

エノールシリルエーテルは，Lewis 酸を用いればアルデヒドやケトンとも反応

できる．後処理で加水分解すると（交差）アルドール生成物が得られる（反応17.21）．

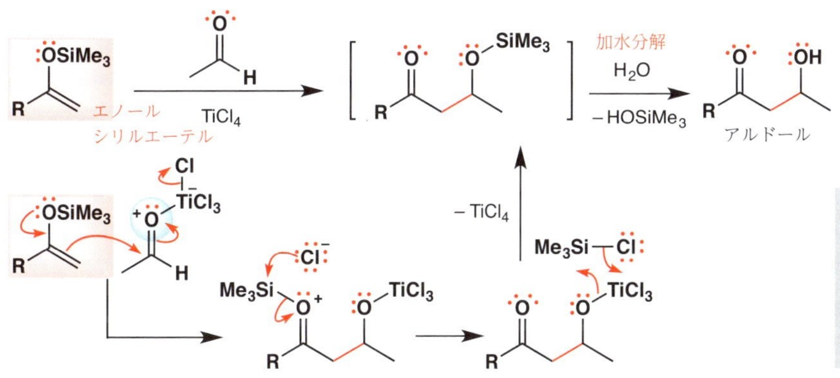

反応 17.21　エノールシリルエーテルとアルデヒドからの交差アルドールの生成（向山アルドール反応）

反応 17.21 のエノールシリルエーテルを用いるアルドール反応は，開発者（向山光昭東京大学・東京工業大学名誉教授）の名前を冠して向山アルドール反応とよばれる．

ま と め

- カルボニル基の α 水素は脱プロトンされやすい．共役塩基のエノラートイオンが共役安定化したアリルアニオン類似系だからである．
- エノールとそのケト形異性体は H の位置だけが異なる互変異性体であり，この異性関係は互変異性とよばれる．その相互変換はエノール化とケト化であり，いずれも酸塩基触媒で促進される．
- エノラートイオンとエノールは電子豊富なアルケンであり，求核種でもある．ハロゲンと反応すると α-ハロゲン化になる．カルボニル基と反応してアルドール反応や Claisen 縮合を起こし，ハロアルカンとの S_N2 反応でアルキル化される．これらは C−C 結合生成反応として有機合成においても重要である．
- 1,3-ジカルボニル化合物はとくに安定なエノラートイオンを生成し，そのアルキル化は C−C 結合生成に応用される．
- ケトンとエステルのリチウムエノラートは，非プロトン性溶媒中，低温で，LDA のような強塩基を用いて定量的に調製でき，カルボニル化合物の α-アルキル化や交差アルドール反応に使うことができる．
- エナミンやエノールシリルエーテルは塩基を用いないで求電子種と反応するエノラート等価体である．

章末問題

問題 17.19　次のエノールから生成するケト形の構造を示せ．

(a) OH　(b) OH OH

(c) O OH　(d) OH

問題 17.20　次のケトンを塩基で処理したとき生成するエノラートイオンの構造を示し，2 種類生成する可能性があるときには平衡においてどちらがより多く生成するか説明せよ．

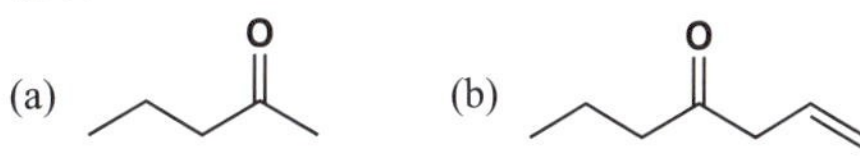

(c) 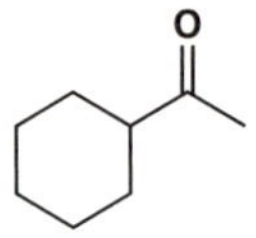　(d)

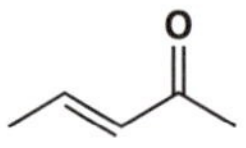

(e) 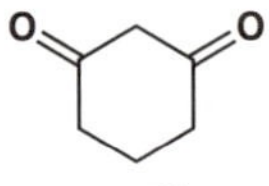　(f)

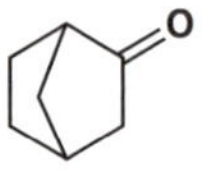

問題 17.21　表 17.1 によると，互変異性の平衡におけるエノールの割合はエタナールよりフェニルエタナールのほうが大きい．その理由を説明せよ．

問題 17.22　次の反応の主生成物の構造を示せ．

(a) 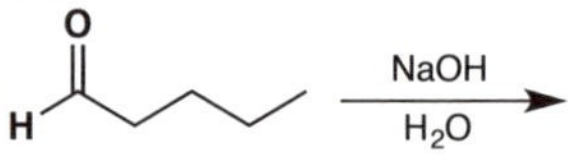 $\xrightarrow[H_2O]{NaOH}$

(b) 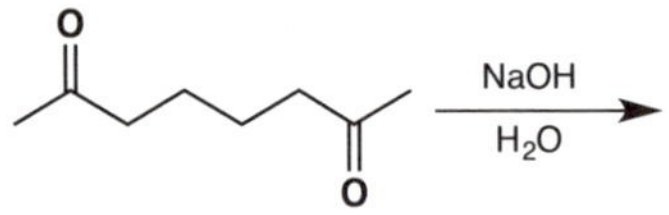 $\xrightarrow[H_2O]{NaOH}$

(c) PhCHO + $PhCH_2CHO$ $\xrightarrow[H_2O]{NaOH}$

問題 17.23　次のアルドール縮合生成物を与えるカルボニル化合物の構造を示せ．

(a) 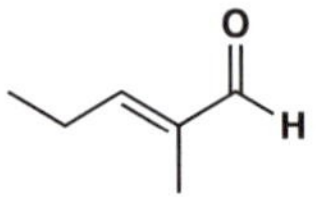　(b)

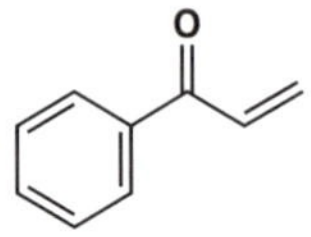

(c) 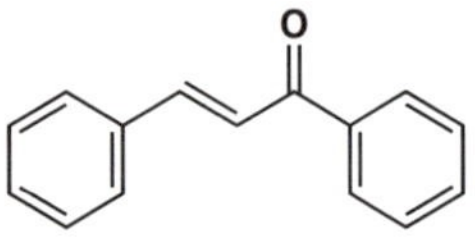　(d)

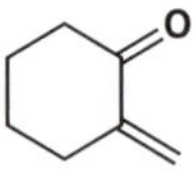

問題 17.24　アセトフェノンと過剰の臭素との反応について次の問に答えよ．

(a) 塩基性条件で反応した後に酸で処理すると安息香酸が得られる．この反応がどのように進むか段階的に巻矢印を使って示せ．

(b) 酢酸中で反応させたときに得られる主生成物は何か．反応機構を書いて説明せよ．

問題 17.25　シクロヘキサノンを次の化合物に変換する反応を書け．

(a) 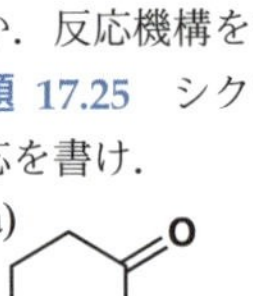　(b) 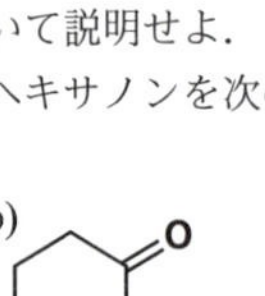　(c)

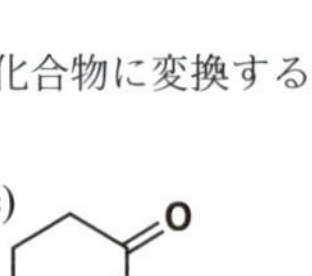

問題 17.26　次の化合物の等モル混合物を EtOH 中 NaOEt とともに反応させ，酸処理して得られる交差縮合生成物の構造を示せ．

(a) 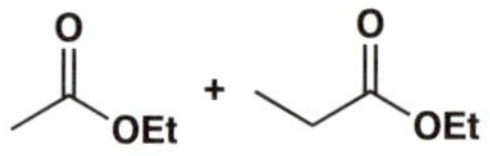　(b) 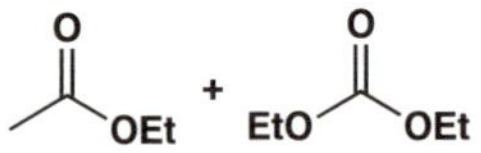　(c) 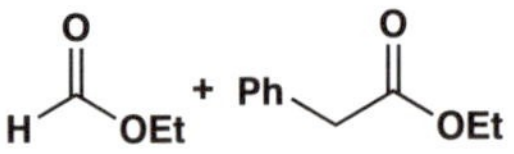　(d)

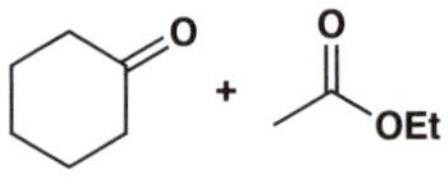

問題 17.27　次の反応式の A～H を適当な化合物で埋めよ．

(a) 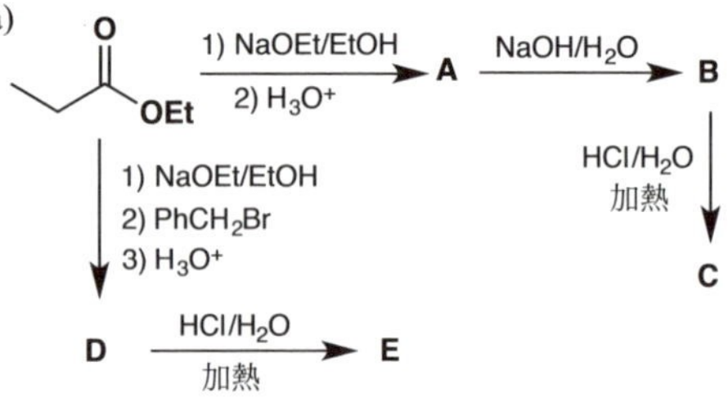 $\xrightarrow[2)\ H_3O^+]{1)\ NaOEt/EtOH}$ A $\xrightarrow{NaOH/H_2O}$ B $\xrightarrow[加熱]{HCl/H_2O}$ C

1) NaOEt/EtOH　2) $PhCH_2Br$　3) H_3O^+ → D $\xrightarrow[加熱]{HCl/H_2O}$ E

(b) $\xrightarrow[H^+]{}$ F $\xrightarrow{BrCH_2CO_2Et}$ G $\xrightarrow[H_2O]{H_3O^+}$ H

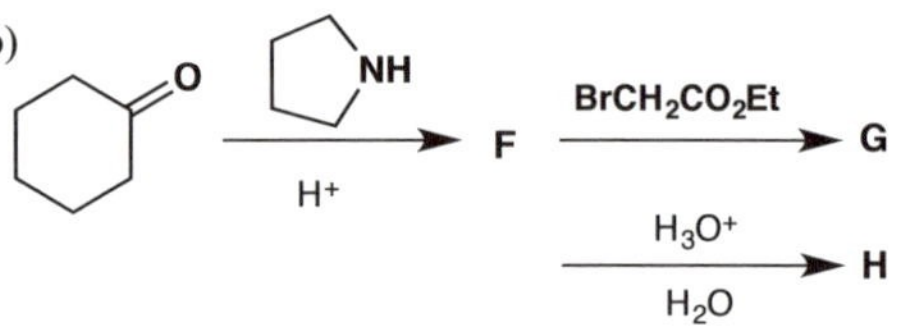

問題 17.28　ブタナールから次の化合物を合成するための反応を示せ．

(a) 2-エチルヘキサン-1,3-ジオール

(b) 2-エチル-2-ヘキセン-1-オール

(c) 2-エチル-1-ヘキサノール

問題 17.29　アセト酢酸エステルまたはマロン酸エステルを用いて次の化合物を合成する反応を示せ．

(a) 2-ヘキサノン　(b) シクロペンチルメチルケトン

(c) 4-メチルペンタン酸　(d) 2-メチルペンタン酸

問題 17.30　1,3-ジカルボニル化合物はアミンのような弱塩基によってアルデヒドと縮合反応を起こす．次の Knoevenagel(クネベナーゲル)縮合とよばれている反応の機構を示せ．

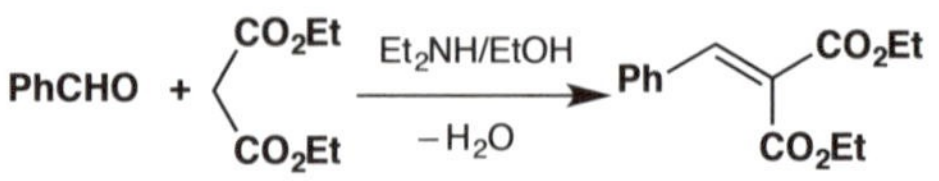

PhCHO + $CH_2(CO_2Et)_2$ $\xrightarrow[-H_2O]{Et_2NH/EtOH}$ $PhCH=C(CO_2Et)_2$

18 求電子性アルケンと芳香族化合物の求核反応

【基礎となる事項】
・共役（5 章）
・巻矢印による反応の表し方（7.2 節）
・カルボニル基への求核付加と置換（8〜10 章）
・飽和炭素での求核置換（12 章）
・アルケンへの求電子付加（15 章）
・1,3-ジエンへの共役付加（1,4-付加）（15.8 節）
・芳香族求電子置換反応（16 章）
・エノラートイオンの反応（17 章）

【本章で学ぶこと】
・α,β-不飽和カルボニル化合物への共役付加
・共役付加とカルボニル付加の速度支配と熱力学支配
・その他の求電子性アルケンへの共役付加
・Michael 付加
・Robinson 環化
・求核付加-脱離による芳香族求核置換反応
・ベンザイン中間体を経る脱離-付加機構
・アレーンジアゾニウム塩の反応

8 章で述べたように C=O 二重結合は求電子的で，その典型的な反応は求核付加である．それに対して，C=C 二重結合は 15 章で述べたように求核的であり，通常は求電子付加を起こす．しかし，C=C 結合も C=O 結合と共役すると求電子的になる．**α,β-不飽和カルボニル化合物**は，そのような特性をもった化合物であり，β 炭素に求核攻撃を受けて**共役付加**を起こす．

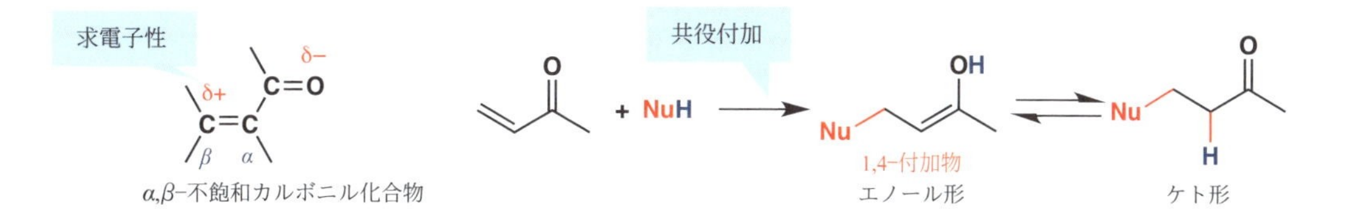

ベンゼンや他の芳香族化合物も求核的であり，一般的な反応は 16 章で学んだように求電子置換反応である．しかし，強い電子求引基をもつハロベンゼンは求核置換反応を起こすことができる．この**芳香族求核置換反応**は求核付加とそれに続くハロゲン化物イオンの脱離（付加-脱離機構）によって進行する．

脱離基　電子求引基　EWG　Y　+ Nu^-　付加　EWG　Nu　Y　脱離　EWG　Nu　+ Y^-

活性化されていない場合にも，特別な条件においては求核置換が可能になる．そのような置換反応についても説明する．

［扉写真の説明］ 水族館の水槽はポリメタクリル酸メチル（有機ガラス）でできている

18.1　α, β-不飽和カルボニル化合物への共役付加

■ α, β-不飽和カルボニル化合物は，アルデヒド，ケトン，カルボン酸誘導体のカルボニル基と共役した C=C 二重結合をもっている．

単純な不飽和ケトンの名称はアルケノン（alkenone）であるが，短縮してエノン（enone）と総称する．α, β-不飽和カルボニル化合物への共役付加の反応機構は，カルボニル基の種類によらず同じなので，話を簡単にするために反応はエノンを使って説明する．

このような化合物はエノンともよばれるが，次の共鳴構造で表されるように，C=O 結合との共役によって C=C 結合が電子不足になり求電子性を示す．カルボニル炭素とともに β 炭素が求電子中心（電子不足）になり求核攻撃を受ける．

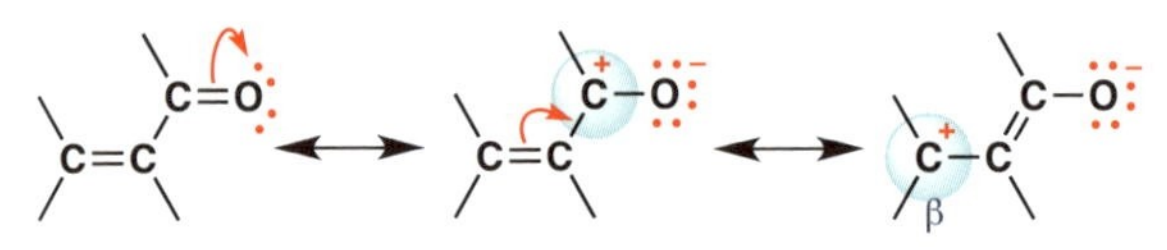

α, β-不飽和カルボニル化合物（エノン）

その電荷分布は，最も単純なエノンであるプロペナール $CH_2=CHCHO$ の EPM からもわかる．

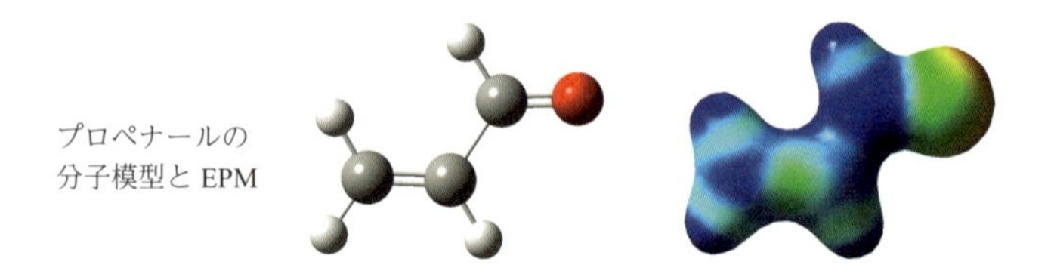

プロペナールの分子模型と EPM

18.1.1　共役付加とカルボニル付加

α, β-不飽和カルボニル化合物は求電子性アルケンの代表であり，C=C 結合への求核剤 H−Nu の付加は β 炭素への求核攻撃によって起こる．この共役付加の中間生成物はエノラートイオンであり，酸素のプロトン化によってエノールになる．この生成物では，ブタジエンへの 1,4-付加（15.8 節）と同じように二重結合の位置が移動している．しかし，ケト形互変異性体がより安定な生成物であり，最終的には反応 18.1 に示すようになる．

α, β-不飽和カルボニル化合物　α, β-unsaturated carbonyl compound
共役付加　conjugate addition
芳香族求核置換反応　aromatic nucleophilic substitution
カルボニル付加　carbonyl addition
求電子性アルケン　electrophilic alkene

■ 共役付加の生成物は H−Nu が単に C=C 結合に付加したかたちになっている．

この共役付加は，反応 18.1 の左側に示すように，カルボニル炭素への直接的求核攻撃による付加（カルボニル付加）と競合する．

■ カルボニル付加（1,2-付加）は通常可逆である．

反応 18.1 エノンへの H–Nu の共役付加とカルボニル付加

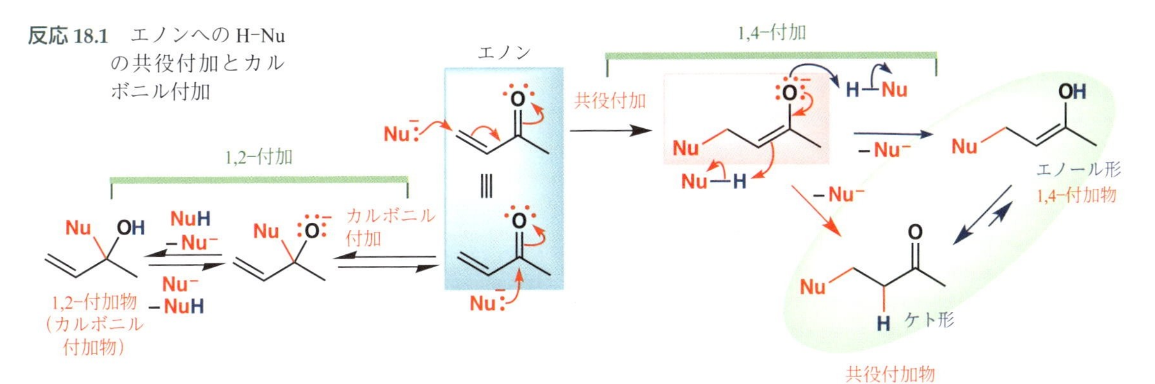

反応する求核種は 8 章でみたカルボニル付加の場合と同じである．たとえば，シアン化物イオンのような求核種がエノンに付加すると，次のように 2 種類の生成物を与える．

共役付加とカルボニル付加の生成物の違いは，C=O を残しているか，C=C を残しているかである．C=O 結合のほうが C=C 結合よりもかなり強いので，前者の生成物のほうが安定である．
結合解離エネルギー：
C=O，750 kJ mol^{-1}
C=C，654 kJ mol^{-1}

+ HCN —NaCN→ (カルボニル付加) + (共役付加)

ほかにも次のような反応例がある．

+ MeNH$_2$ —H_2O→ 75%

+ NaCN —EtOH, H_2O / 加熱→ 70%

+ OH —NaOH, H_2O / –5 °C→ 60%

問題 18.1 次の反応の主生成物は何か．

(a) + Et_2NH —EtOH→ (b) + PhSH —EtOH→

問題 18.2 3–ペンテン–2–オンへのジメチルアミンの共役付加がどのように起こるか巻矢印を用いて示せ．

共役付加とカルボニル付加は通常競合して起こるが，有機金属反応剤やヒドリド還元以外の反応では，上述のようにカルボニル付加は可逆であり，共役付加は不可逆である．したがって，生成物の比率は反応条件に依存する．低温ではカルボニル付加が優先的に起こるが，温度を上げると逆反応が起こって，より安定な共役付加生成物が支配的になる．

速度支配と熱力学支配については，15.8.2 項を参照すること．

■　**一般的に，速度支配ではカルボニル付加，熱力学支配では共役付加になる．**

エノンとシアン化物イオンの反応を酸存在下に低温で行うとシアノヒドリンの生成が主反応になる．しかし，加熱するとシアノヒドリンはより安定な共役付加の生成物に変換される．

18.1.2　酸触媒共役付加

HX のエノンへの付加はプロトン付加から始まる点ではブタジエンへの HX の付加（求電子付加）とよく似ている．それにもかかわらず，エノンへの付加は求核付加に分類される．これは最初の酸素プロトン化が速い平衡反応であり，律速段階は β 炭素への求核付加だからである．炭素への付加は混成変化を伴うので活性化エネルギーが大きく律速段階になる．炭素へのプロトン付加も律速になる．

中性から塩基性条件では上でみたように，求核攻撃によって反応が始まるが，酸性条件ではカルボニル酸素のプロトン化から共役付加の反応が始まる．エノンへのハロゲン化水素 HX の付加がその例である．

例題 18.1

アルコールの求核性は低いので，エノンへの付加には酸または塩基触媒が必要である．次の酸触媒および塩基触媒共役付加反応の機構を書け．

解　答　酸触媒付加：

塩基触媒付加：

いずれの反応機構においても，最初に付加した触媒が最後に再生されている．

問題 18.3　エーテル中におけるプロペン酸メチルへの HBr の付加の反応機構を書け．

18.1.3 有機金属化合物の付加とヒドリド還元

有機金属化合物と金属水素化物は非常に塩基性の強い求核種であり，カルボニル付加の逆反応は起こらない．したがって，α,β-不飽和カルボニル化合物への付加では速度支配生成物だけが得られる．

エノンの Grignard 反応は通常 1,2-付加と 1,4-付加の両方が起こり，その位置選択性はおもに立体効果に依存する．たとえば，3-ペンテン-2-オンはカルボニル付加と共役付加を約 3：1 の比率で起こす．しかし，対応するアルデヒドは主としてカルボニル付加の生成物を与える．

+ EtMgBr 1) Et_2O 2) H_3O^+ → Et OH + Et O
3 : 1

+ EtMgBr 1) Et_2O 2) H_3O^+ → Et OH

対照的に，アルキルリチウムは優先的にカルボニル付加を起こすが，ジアルキル銅リチウムは共役付加生成物のみを与える．

ジアルキル銅リチウム (lithium dialkylcuprate) はアルキルリチウムと銅塩の反応で調製される．

$$2\,RLi + CuX \longrightarrow R_2CuLi + LiX$$

Grignard 反応でも，低温で銅塩 (CuX) を触媒量加えると選択的に共役付加が起こるようになる．

Et OH ← H_3O^+ ← EtLi THF (カルボニル付加) ／ Et_2CuLi THF → H_3O^+ → Et O (共役付加)

$LiAlH_4$ や他の金属水素化物によるエノンのヒドリド還元においても共役付加とカルボニル付加が可能であり，選択性は水素化物，基質，反応条件に依存する．

➡ ウェブ S18.1 有機金属反応剤に対する銅塩の効果

H OH ← 1) M−H 2) ROH (カルボニル付加) ／ 1) M−H 2) ROH → H O H (共役付加)

選択的にカルボニル還元を起こすためには，$NaBH_4$ に Lewis 酸の $CeCl_3$ を触媒量加えればよい．

$NaBH_4$, $CeCl_3$ / MeOH → H OH

一方，$KBH(s\text{-}Bu)_3$ のようなかさ高い水素化物を用いれば立体障害による位置選択性が実現できる．

かさ高いヒドリド供与体：

K^+ H−B^- ($KBH(s\text{-}Bu)_3$)

R OH H ($R = CH_3$) ← 1) $KBH(s\text{-}Bu)_3$, THF 2) H_3O^+ (カルボニル付加) ／ 1) $KBH(s\text{-}Bu)_3$, THF 2) H_3O^+ (共役付加) → R O ($R = H$)

金属触媒による水素化はエノンの C=C 結合を選択的に還元する．

+ H_2 Pt / EtOAc →

問題 18.4　プロペン酸エチルは，(a) $LiAlH_4$ で還元すると選択的にエステル基が還元され，(b) $NaBH_4$ で還元すると主として共役付加による還元生成物が得られる．それぞれの反応式を書いて主生成物の構造を示せ．

18.2　その他の求電子性アルケン

シアノ基やニトロ基のような電子求引基をもつその他の求電子性アルケンも共役付加を起こす．たとえば，プロペンニトリル(アクリロニトリル)とアミンの反応は次のように起こる．このようなプロペンニトリルの反応は，**シアノエチル化**とよばれる．

反応 18.2　プロペンニトリルへのアミンの共役付加(シアノエチル化)

+ Et_2NH → (シアノエチル化, EtOH) Et_2N–CH₂CH₂–CN

問題 18.5　共鳴構造式を書いて，(a) プロペンニトリルと，(b) ニトロエテンの求電子性を示せ．

18.3　アニオン重合

求電子性アルケンへの求核付加の中間体はカルボアニオンであり，求電子種によって捕捉されると付加が完結する．反応溶液中にほかに求電子種がなければ，カルボアニオンはさらにアルケンと反応する．それが繰り返されれば**アニオン重合**になりポリマーを与える．たとえば，プロペンニトリルのアニオン重合は反応18.3のように進む．

反応 18.3　プロペンニトリルのアニオン重合

Bu–Li
プロペンニトリル
(アクリロニトリル)
Li+
+ H^+
ポリアクリロニトリル

ポリアクリロニトリルは合成繊維として使われている．また，ポリメタクリル酸メチルは透明性が高く，有機ガラスとして使われ，ハードコンタクトレンズの材料にもなっている．

このようにアニオン重合するモノマーとしては次のようなものがある．

プロペンニトリル
(アクリロニトリル)

プロペン酸メチル
(アクリル酸メチル)

2-メチルプロペン酸メチル
(メタクリル酸メチル)

求電子性アルケン electrophilic alkene
シアノエチル化 cyanoethylation
アニオン重合 anionic polymerization

CN / CO_2Me — 2-シアノプロペン酸メチル（α-シアノアクリル酸メチル）　H / Ph — フェニルエテン（スチレン）　ブタジエン

スチレンやブタジエンは電子求引基をもっていないが，アルキルリチウムのような強い求核剤を用いれば，アニオン重合できる．

その中で反応性が最も高いのは2-シアノプロペン酸メチルであり，湿気によっても重合が開始される．この重合反応は瞬間接着剤に応用されている．

問題 18.6　2-シアノプロペン酸メチルは微量の水分でアニオン重合する．HO^- の付加によって最初に生成するカルボアニオン中間体の共鳴構造式を書け．

瞬間接着剤としては，通常，2-シアノプロペン酸（α-シアノアクリル酸）のメチル，エチル，ブチルエステルなどが用いられるが，粘度や強度を調節するために添加物を加えることもある．外科手術やけがの治療のような医用接着剤としての目的には，人体への影響がより少ない1-メチルヘプチルエステルが用いられる．

18.4 エノラートの共役付加

18.4.1 Michael 反応

エノラートイオン，とくに1,3-ジカルボニル化合物のエノラート（17.7節）は，α,β-不飽和カルボニル化合物などの求電子性アルケンに共役付加する．この反応はとくに Michael（マイケル）反応* とよばれている．その一例を次に示す．

* 求核種の共役付加を一般的に Michael 反応ということもある．

3-ペンテン-2-オン + マロン酸ジエチル（EtO_2C CO_2Et）→ 1) NaOEt, EtOH　2) H_3O^+ → EtO_2C / CO_2Et 付加生成物

Arthur Michael（1855～1942）
共役付加をみつけた米国の化学者．ヨーロッパにおいて Bunsen, Hofmann, Wurtz, Mendeleev のもとで化学を学び，帰国後ボストン近郊のタフツ大学に化学科を創設し，教授を務めた．

問題 18.7　(a) 上の Michael 反応の機構を書け．(b) この反応の生成物を NaOH 水溶液中で加水分解し，酸性にしたのち加熱して脱炭酸すると，1,5-ジカルボニル化合物が得られることを示せ．

問題 18.8　エノラート等価体としてエナミンもエノンへ共役付加する．次の反応の機構を書け．付加生成物は加水分解して1,5-ジカルボニル化合物になる．

エナミン + メチルビニルケトン → 1) EtOH　2) H_2O

18.4.2 Robinson 環化

Michael 反応に続いて分子内アルドール反応を起こすと，二つの C−C 結合生成により環状化合物を与える（反応 18.4）．このような反応を Robinson（ロビンソン）環化という．

Robinson 環化　Robinson annulation

反応 18.4　Robinson 環化の例

Robinson 環化を環状ケトンに適用するとステロイドなどの多環化合物の合成に応用できる．この反応を発展させた R. Robinson については 7 章参照．

問題 18.9　反応 18.4 に示した Robinson 環化の機構を書け．

18.5　共役付加-脱離機構による置換

求核付加-脱離による置換反応については，脱離基を有するカルボニル化合物(カルボン酸誘導体)の一般的反応として学んだ(9 章)．求電子性アルケンも求核攻撃を受ける β 炭素に脱離基があれば，共役付加-脱離により置換反応を起こすことができる．

この反応で脱離によって C=C 二重結合が再生されるのは，C=O 結合との共役によって安定化されるからである．

飽和炭素での求核置換反応は，S_N2 と S_N1 機構によって起こる(12 章)が，sp^2 混成の β 炭素への背面攻撃は立体障害が大きく，α,β-不飽和カルボニル化合物から生じるビニルカチオンは不安定なので S_N1 機構も不可能である．不飽和炭素では付加反応のほうが起こりやすいのである．

18.6　付加-脱離機構による芳香族求核置換反応

芳香族化合物の場合には，背面からの攻撃が不可能であり，芳香族 S_N2 反応は起こり得ない．

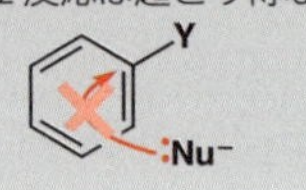

上の共役付加-脱離反応と同様にベンゼン誘導体に求核付加-脱離が起これば芳香族求核置換反応も可能である．その一例を次に示す．

1-フルオロ-2,4-ジニトロベンゼン　　2,4-ジニトロフェノール

この反応の脱離基 F の脱離能は非常に低いが，電気陰性度が大きく電子求引効果があるので求核付加を促進する．この付加-脱離機構は次ページの反応 18.5 に示すように中間体アニオン* を生成して進む．このアニオンは(2 位と 4 位の)置換基と共役することによって強く安定化されている．この中間体から脱離基が外れると置換生成物になる．

* 芳香族求核置換におけるアニオン中間体は Meisenheimer (マイゼンハイマー) 錯体とよばれることもある．

付加-脱離機構 addition-elimination mechanism

■ 付加-脱離機構による芳香族求核置換が起こるためには，脱離基の 2 位または 4 位に少なくとも一つの共役可能な電子求引性置換基(NO_2，CN，C(O)R など)をもっている必要がある．

反応 18.5　付加–脱離機構による芳香族求核置換反応

一方，反応によっては電子求引基で安定化されたアニオン中間体を経ることなく，このアニオン構造に似た遷移状態を経て(中間体を経ないで)協奏的に進行することが最近になってわかってきた．その代表例を次に示す．

遷移状態

この反応機構は，比較的脱離しやすい脱離基をもち，考えられる中間体アニオンがあまり安定でない場合に一般的にみられる*．アニオンを生成しにくいピリジンや核酸塩基(23.2 節)のようなヘテロ芳香族化合物の求核置換反応も，この機構で起こっていると考えられている．

* 最近の理論的研究によって，このような協奏的反応が付加–脱離型の芳香族求核置換の一般的反応機構であるとされるようになった．逆に脱離能の低い F，RO，NR_2，NO_2，H，R のような基が脱離基となって安定なアニオンを生成するような場合には，アニオン中間体を経る古典的な付加–脱離機構で反応する．

問題 18.10　下に示す ArCl の求核置換反応における相対的反応性を説明せよ．

Ar–Cl + MeONa → Ar–OMe + NaCl (MeOH, 80 °C)

相対反応速度：　34 000　　1.0　　$< 10^{-4}$

問題 18.11　次の反応の主生成物は何か．

(a)　(b)　(c)　(d)

18.7　脱離–付加機構による芳香族求核置換反応

求核付加–脱離機構は，電子求引基によって活性化されたハロベンゼンにみられるが，活性化されていないハロベンゼンを反応させるためには非常に強い反応条件が必要になる．

脱離–付加機構 elimination–addition mechanism

■ **液体アンモニア中 $NaNH_2$ のような強塩基性条件で単純なハロベンゼンを処理すると，脱離-付加機構で求核置換が起こる．**

クロロベンゼンは NaOH 水溶液中で加熱しても反応しないが，NaOH とともに高温で融解するような過激な条件(340 °C)で処理すると反応が起こる．また，液体 NH_3 中で強力な塩基である $NaNH_2$ と反応させても置換反応が起こる．

1) NaOH, 340 °C　2) H_3O^+　　$NaNH_2$, 液体 NH_3

この種の置換反応の機構の手がかりの一つになったのは，4-ブロモトルエンを液体 NH_3 中で $NaNH_2$ と反応させたときに 4- と 3-置換生成物が等量得られたことである．

$NaNH_2$　液体 NH_3

4-ブロモトルエン　　4-メチルアニリン 50 : 3-メチルアニリン 50

さらに，同じような結果は，炭素同位体 ^{14}C で標識したクロロベンゼンを用いても得られた．^{14}C 同位体の位置が異なる 2 種類のアニリンが等量生成した．

$NaNH_2$　液体 NH_3

(* は炭素同位体 ^{14}C を示す)　　50 : 50

＊ *cine*(シネ)位という．

脱離段階の機構としては E2 と E1cB 機構が可能であり，一般に Br，I 化合物は E2 脱離で，Cl は反応 18.6 のように E1cB 脱離で進行すると考えられている(脱離能は I>Br>Cl≫F である)．

これらの結果は，ハロゲンが結合していた炭素と隣接炭素* が等価になるような中間体が生成すると考えれば説明できる．そのような中間体が可能だろうか．強塩基によって HX(X はハロゲン)の脱離が起こり，三重結合をもつベンザインとよばれる中間体が生成する可能性がある．アミドイオンはベンザイン中間体の三重結合の両端にほぼ同じ確率で付加できる(メチル基や同位体の影響は小さい)．すなわち，この置換反応は反応 18.6 に示すように脱離-付加機構(ベンザイン機構ともいう)で説明できる．

反応 18.6　脱離-付加機構による標識クロロベンゼンの求核置換反応の機構

脱離　　求核付加

$-NH_3$　$-Cl^-$　$-^-NH_2$

(* は ^{14}C の位置を示す)　ベンザイン中間体

正常な三重結合は直線状なので，ベンザインの結合は明らかに異常であり，大きな結合角ひずみをもっている．この結合の π 結合の一つは正常で，2p 軌道から形成され芳香環の一部を構成している．もう一つの π 結合は，図 18.1 に示すように環の外に出ている sp^2 に近い混成軌道の重なりで形成されている．この二

ベンザイン　benzyne

つ目のπ結合は非常に弱く，反応性が高い．

上でみたブロモトルエンの求核置換反応においては，ベンザイン中間体への求核付加の位置選択性に対してメチル置換基はほとんど影響しなかったが，極性置換基ではそうはならない．たとえば，2-ブロモアニソールの反応では3-メトキシアニリンが主生成物になる(反応18.7)．これはMeO基が誘起的な電子求引基として作用するので，ベンザインへの求核付加で生成するアニオンの負電荷は電子求引基に近いほうが安定だからである．このアニオンの非共有電子対はCのsp^2軌道に入っているので，ベンゼン環のπ電子系とは共役できない(したがって，MeO基の共役効果も作用しない)．

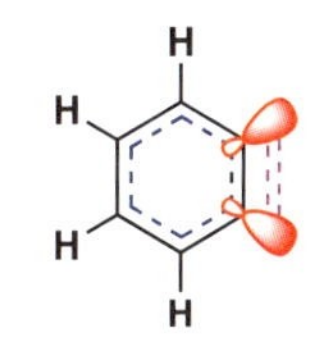

図 18.1 ベンザインの電子構造

反応 18.7 2-ブロモアニソールの求核置換反応：ベンザイン機構における位置選択性

ノート 18.1 ベンザイン中間体

ベンザインはデヒドロベンゼン(dehydrobenzene)ともよばれる．正確にはベンザインは無置換体の名称であり，総称名はアレーン(arene)に対応してアライン(aryne)というべきだが，わかりやすいようにベンザインを総称名としても用いる．

ベンザインは不安定な中間体であり，芳香族求核置換においてはその生成が律速となるので，この反応から中間体を単離することはもとより，検出することさえ不可能である．しかし，求核種の存在しない温和な条件で別途発生させることはできる．非常に優れた脱離基をもつ前駆体からベンザインを発生させて，スペクトルが調べられ，Diels–Alder反応などで捕捉されている．次の反応式に2種類の前駆体から発生させ，フランで捕捉した例を示す．

問題 18.12　1-ブロモ-2,6-ジメチルベンゼンが液体アンモニア中ナトリウムアミドと反応しないのはなぜか．

18.8　芳香族ジアゾニウム塩の反応

ジアゾ化については 14.8.2 項，その反応機構についてはウェブノート 14.5 を参照すること．

芳香族ジアゾニウム塩(アレーンジアゾニウム塩)は，アニリン類と亜硝酸の反応で氷冷下に調製して，種々の求核種と反応させることができる．ジアゾニウム塩の水溶液をそのまま加熱すると，加水分解してフェノールを生成する．この反応においては，フェニルカチオンが中間体として生成していることが確認されている．すなわち，S_N1 機構で求核置換反応を起こす．

$ArNH_2$ を ArOH に変換する反応は，過剰の Cu(II) 塩を含むジアゾニウム塩の水溶液に酸化銅(I) を加えることにより効率よく進めることができる．

$$\underset{\text{アニリン類}}{Ar\text{–}NH_2} \xrightarrow[H_2O,\ 0\sim5\ ^\circ C]{NaNO_2,\ HX} \underset{\text{アレーンジアゾニウム塩}}{Ar\text{–}\overset{+}{N}\equiv N\ X^-}$$

$$Ar\text{–}N_2^+ \xrightarrow[-N_2]{\text{加熱}} [\ Ar^+\ ] \xrightarrow[-H^+]{H_2O} Ar\text{–}OH$$

ヨウ化物塩との反応ではヨードアレーンが得られ，Cu(I)塩存在下に塩化物，臭化物，シアン化物イオンと反応させると対応する置換体が得られる．また，テトラフルオロボラートを熱分解すればフルオロアレーンが得られる．

Cu(I) 塩を用いる反応は Sandmeyer(ザンドマイヤー) 反応とよばれる．

このフルオロアレーンを生成する反応は Schiemann(シーマン) 反応とよばれ，BF_4 塩を単離して乾燥し，加熱して分解する．

$$Ar\text{–}N_2^+\ X^- \xrightarrow{KI,\ H_2O} Ar\text{–}I$$

$$Ar\text{–}N_2^+\ X^- \xrightarrow{CuZ,\ H_2O} Ar\text{–}Z$$

(X^- = Cl^-, Br^-, HSO_4^- など)　(Z = Cl, Br, CN)

$$Ar\text{–}NH_2 \xrightarrow[0\ ^\circ C]{NaNO_2,\ HBF_4} Ar\text{–}N_2^+\ BF_4^- \xrightarrow{\text{加熱}} Ar\text{–}F$$

次亜リン酸 H_3PO_2 との反応で ArH に導くことができるので，NH_2 基を除去する反応として有機合成の有用な素反応になる(16.7 節参照)．

$$Ar\text{–}N_2^+\ Cl^- \xrightarrow[H_2O]{H_3PO_2} Ar\text{–}H$$

このように，アニリンはジアゾ化を経てアミノ基を多彩なかたちに変換できるので，ベンゼン誘導体の有用な合成ルートを提供する．

問題 18.13　次の反応の主生成物を示せ．

(a) 2-メチルアニリン（Me, NH_2）$\xrightarrow[\text{2) CuCl}]{\text{1) } NaNO_2\text{, 希 HCl, } 0\ ^\circ C}$

(b) 3-ニトロアニリン（O_2N, NH_2）$\xrightarrow[\text{2) 加熱}]{\text{1) } NaNO_2\text{, 希 } H_2SO_4\text{, } 0\ ^\circ C}$

(c) 2-ブロモアニリン（Br, NH_2）$\xrightarrow[\text{2) 単離した塩を加熱}]{\text{1) } NaNO_2\text{, 希 } HBF_4\text{, } -5\ ^\circ C}$

(d) 4-メトキシアニリン（MeO, NH_2）$\xrightarrow[\text{2) CuCN}]{\text{1) } NaNO_2\text{, 希 HCl, } 0\ ^\circ C}$

芳香族ジアゾニウム塩(アレーンジアゾニウム塩)　arenediazonium salt
次亜リン酸　hypophosphorous acid

まとめ

- 求電子性アルケンは C=O, CN, NO_2 などの電子求引基と共役したアルケンであり，求核種が β 炭素を攻撃して共役付加を起こす．
- α,β-不飽和カルボニル化合物は，共役付加とカルボニル付加を競争的に起こす．
- カルボニル付加は可逆であり，共役付加の生成物のほうが通常より安定なので熱力学支配では共役付加生成物が得られる．
- 求核種となるのは，アミン，CN^-，RO^-，HO^-，RSH，RS^-，それに金属水素化物や有機金属化合物，エノラートイオンである．
- α,β-不飽和カルボニル化合物は HX や ROH の酸触媒共役付加も起こす．
- ニトロ基のような電子求引基をオルトまたはパラ位にもつハロベンゼンは，求核付加-脱離により芳香族求核置換反応を起こす．
- 活性化されていないハロベンゼンも，強力な塩基性条件では脱離反応を受け，ベンザインを経て，脱離-付加の結果として求核置換反応を起こす．
- アレーンジアゾニウム塩は，非常に優れた脱離基 N_2 をもつので，フェニルカチオンを生成し S_N1 反応を受ける．
- アニリン類の NH_2 はジアゾニウム塩を経て，OH, I, Br, Cl, F, CN などのほか H にも変換できる．

章末問題

問題 18.14　次の反応の主生成物は何か．

(a) Ph–CH=CH–C(=O)–Ph + KCN　→（AcOH / EtOH）

(b) Ph–CH=C(CN)–Ph + KCN　→（H_2O, MeOH）

(c) 2 CH_2=CH–CO_2Et + $MeNH_2$　→（EtOH）

(d) 2 CH_2=CH–CO_2Me + H_2S　→（AcONa / H_2O, EtOH）

問題 18.15　次の反応の主生成物は何か．

(a) CH_3–CH=CH–CHO + PhMgBr　→（1) Et_2O　2) H_3O^+）

(b) CH_2=CH–C(=O)–Ph + PhMgBr　→（1) Et_2O　2) H_3O^+）

(c) Ph–CH=CH–C(=O)–Ph + PhLi　→（1) C_6H_6　2) H_3O^+）

(d) $(CH_3)_2C$=CH–C(=O)–CH_3 + $(CH_2{=}CH)_2CuLi$　→（1) THF, –78 ˚C　2) H_3O^+）

問題 18.16　次の反応の主生成物は何か．

(a) CH_2=CH–C(=O)–CH_3 + CH_3C(=O)CH_2C(=O)CH_3　→（1) Et_3N　2) H_3O^+）

(b) CH_2=CH–C(=O)–OEt + NC–CH_2–CO_2Et　→（1) NaOEt, EtOH　2) H_3O^+）

(c) CH_2=CH–CN + $CH_2(CO_2Me)_2$　→（1) NaOMe, MeOH　2) H_3O^+）

(d) CH_2=CH–C(=O)–Ph + CH_3–C(=O)–Ph　→（1) LDA, THF　2) H_3O^+）

(LDA = i-Pr_2NLi)

問題 18.17　次の反応の主生成物は何か．

(a) 1-クロロ-2,4-ジニトロベンゼン（Cl, NO_2, O_2N）+ H_2NNH_2　→（加熱 / EtOH）

(b) 4-フルオロ-3-ニトロ安息香酸メチル（F, NO_2, MeO_2C）+ PhOH　→（K_2CO_3 / DMF, 加熱）

(c) 1,5-ジクロロ-2,4-ジニトロベンゼン（Cl, Cl, O_2N, NO_2）+ NH_3　→（加熱 / HO$\frown$OH）

問題 18.18　共役付加反応を使って次の化合物を合成するにはどのようにしたらよいか．

(a) 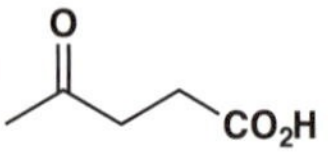　(b)

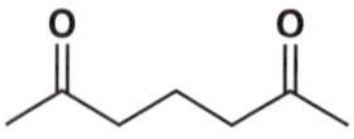

(c) 　(d)

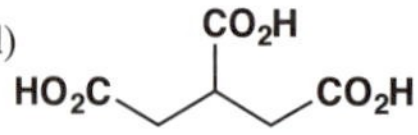

問題 18.19　次の反応の機構を書け．

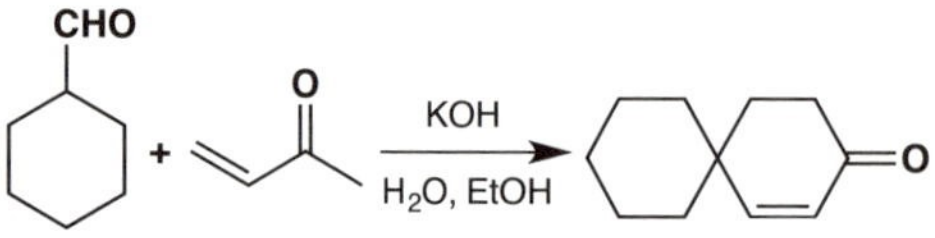

問題 18.20　次の組合せの化合物について，メタノール中ナトリウムメトキシドによる求核置換反応における相対反応性を説明せよ．

(a)

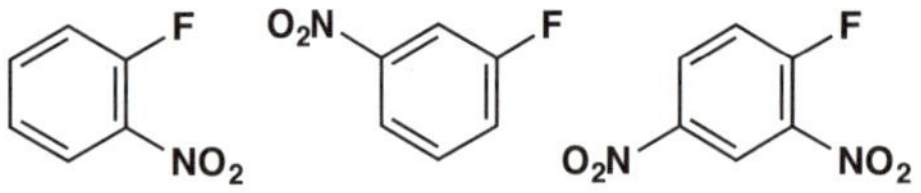

(b)

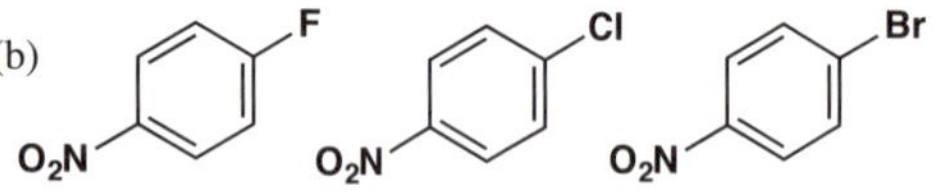

(c)

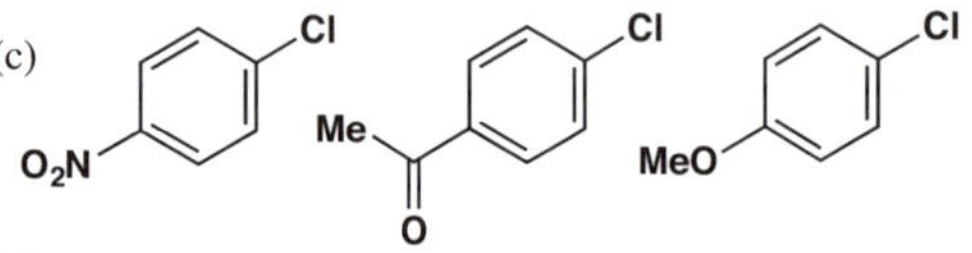

問題 18.21　次の反応の位置選択性について説明し，主生成物の構造を示せ．

(a)

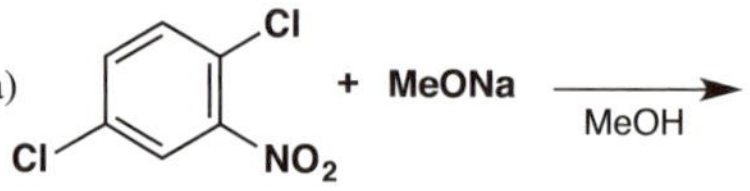

(b)

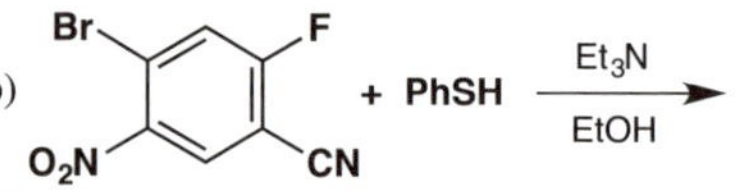

問題 18.22　次の化合物を液体アンモニア中ナトリウムアミドで処理すると，どのような生成物が得られるか．

(a) 3-クロロトルエン

(b) 1-ブロモ-2-(トリフルオロメチル)ベンゼン

(c) 3-クロロアニソール

問題 18.23　次の反応の機構を書け．

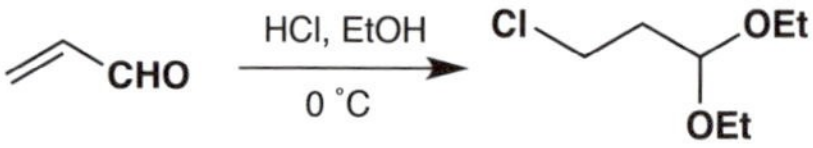

問題 18.24　次の化合物をクロロベンゼンから合成する方法を示せ．

(a) 4-ニトロアニリン　(b) 2-ニトロフェノール

問題 18.25　次の化合物をアニリンから合成する方法を示せ．

(a) 1-シアノ-4-ニトロベンゼン

(b) 1-ブロモ-2-フルオロベンゼン

問題 18.26　次の化合物をベンゼンから合成する方法を示せ．

(a) 4-ブロモアニソール　(b) 3-ブロモアニソール

19

多環芳香族化合物と芳香族ヘテロ環化合物

【基礎となる事項】
- 共役と芳香族性（5 章）
- 酸と塩基（6 節）
- 巻矢印による反応の表し方（7.2 節）
- エーテル，スルフィド，およびアミンの反応（14 章）
- 芳香族求電子置換反応（16 章）
- 芳香族求核置換反応（18 章）

【本章で学ぶこと】
- 多環芳香族化合物の構造と反応
- 芳香族ヘテロ環化合物の構造
- 酸・塩基としての芳香族ヘテロ環化合物
- 芳香族ヘテロ五員環：ピロール，フラン，チオフェン
- ピリジンの反応性

芳香族化合物には多環性のものやヘテロ原子を含んでいるものもある．**多環芳香族化合物**はベンゼン（ベンゼノイド）環が一辺を共有してつながった構造をもっていることが多く，縮合多環芳香族化合物ともよばれる．また，非ベンゼノイド環を含むものもある（ノート 5.2 参照）．多環芳香族化合物にはベンゾピレンのように発がん性をもつものもある．環に 1 個あるいはそれ以上のヘテロ原子（一般的には N，O，S）が含まれる化合物をヘテロ環化合物というが，そのうち芳香族性を示すものを**芳香族ヘテロ環化合物**という．この章では，ベンゼン誘導体と比較しつつ，これらの芳香族化合物の構造と反応について説明する．芳香族ヘテロ環は，核酸の塩基部位など，天然にみられる生化学的に重要な化合物や医薬にも含まれている（ノート 19.2）．

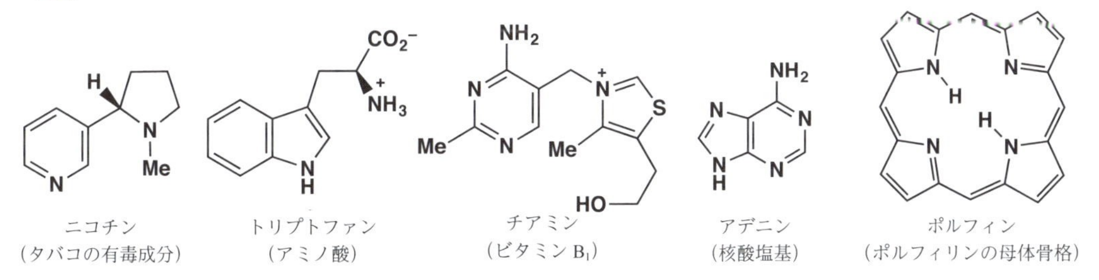

ニコチンはタバコの葉に含まれる毒物であり依存性をもつ．緑色植物の光合成にかかわるのはポルフィン誘導体のポルフィリンである

19.1 多環芳香族化合物

19.1.1 多環芳香族炭化水素の構造

縮合多環芳香族化合物 fused polycyclic aromatic compound
二つの隣接する環が2個の原子だけを共有しているとき縮合している(fused または condensed)という.

最も単純な多環芳香族化合物は，ベンゼン環が二つ縮合したナフタレンである．三環性になるとアントラセンとフェナントレンの2種類の異性体が生じる．さらに多くの環が縮合したものも知られている．ベンゼンをタイルのようにつないだ究極の多環芳香族系がグラフェン(グラファイト)であり，六員環と五員環で sp^2 炭素をつないで球状構造を形成したものがサッカーボール状分子のフラーレンである(ノート19.1)．

非ベンゼノイド環を含む芳香族炭化水素(ノート5.2参照)

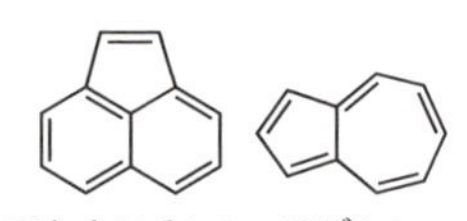

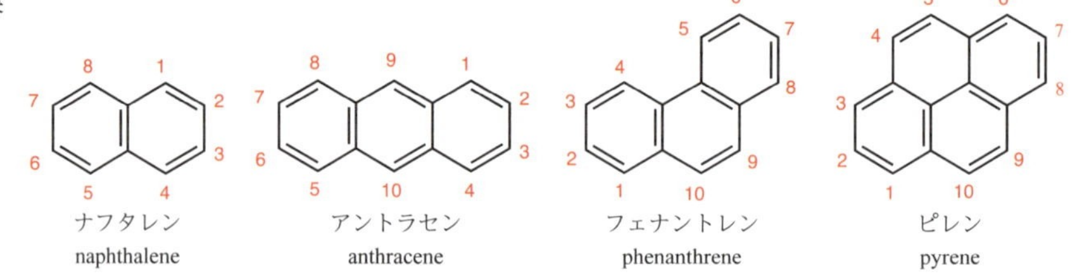

多環芳香族化合物
polycyclic aromatic compound
ベンゼノイド benzenoid
(ベンゼン型という意味)
非ベンゼノイド nonbenzenoid

ナフタレンのC−C結合は，下に示すように1,2-結合よりも2,3-結合のほうが長い．これは共鳴によっても予測できる．ナフタレンは，三つの共鳴構造式の混成体として表すことができるが，最初の構造の寄与が大きいので，1,2-結合のほうが2,3-結合よりも二重結合性が大きいと予想される．

ノート 19.1 グラフェン，ナノチューブ，およびフラーレン

ベンゼン環が縮合してシート状に平面に広がったものがグラフェン(graphene)であり，究極的な縮合多環芳香族分子ということができる．しかし，1枚のシートは1原子の厚みしかなく，シート間のスタッキング相互作用が大きいので，単離することは不可能であった．2004年になってはじめてシリコンウェハー上に取り出された(このとき，1枚のシートはスコッチ® テープを用いてはぎ取られたといわれる)．グラフェンシートが層状に積み重なってできたのがグラファイト(graphite，黒鉛)であり，炭素同素体の一つである．グラフェンが平面でなく筒状の構造をつくると，これは炭素ナノチューブ(carbon nanotube)になる．

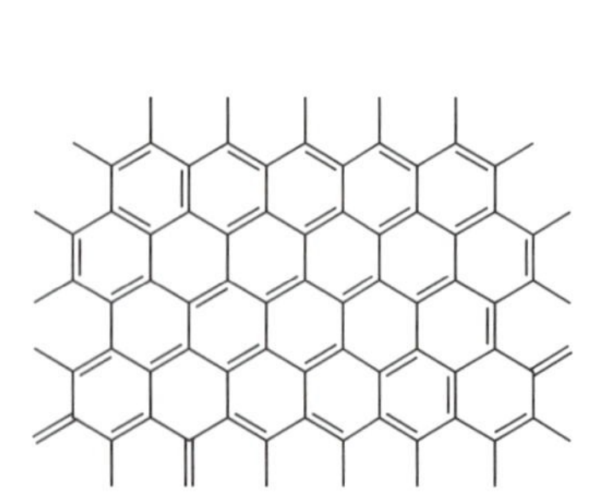

グラフェン

炭素ナノチューブ

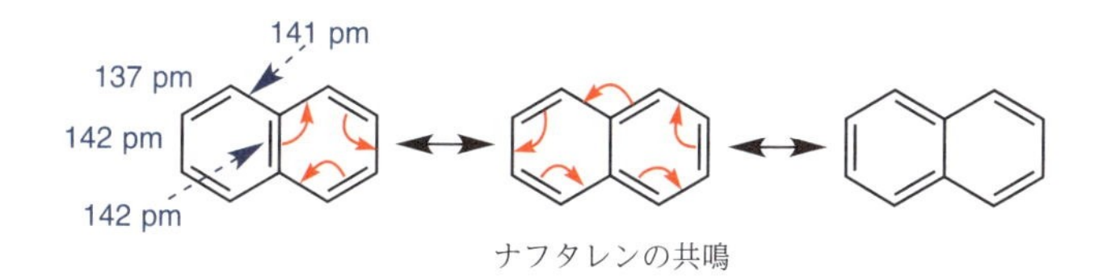

ナフタレンの共鳴

ナフタレンの共鳴エネルギーは約 250 kJ mol^{-1} であり，ベンゼンの共鳴エネルギーの 2 倍(152×2=304 kJ mol^{-1})よりもかなり小さい(5.5.3 項参照).

問題 19.1　アントラセンの共鳴構造式四つとフェナントレンの共鳴構造式五つを書け.

- **ナフタレンの 1 位と 8 位はペリ位ともいわれる(欄外)が，その結合は平行になっていて，この位置の置換基は互いに空間的に近いので立体ひずみを生じる.**

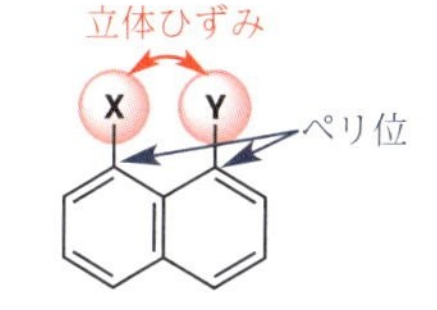

たとえば，ナフタレン-1-スルホン酸は立体ひずみのために不安定になる(反応 19.1).

19.1.2　多環芳香族炭化水素の反応

a.　求電子置換反応

- **多環芳香族炭化水素の求電子置換反応に対する反応性は，一般にベンゼンよりも高い.**

これは，遷移構造に至る過程で失われる共鳴エネルギーが小さいからである. たとえば，ナフタレンの臭素化は Lewis 酸を加えなくても起こり，1-ブロモナフタレンを選択的に与える.

ペリ位 *peri* position

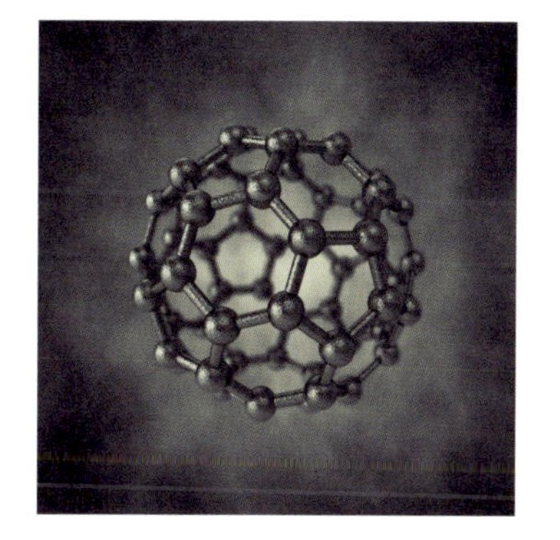
バックミンスターフラーレン

構造に示したように，グラフェンは sp^2 混成炭素からなり，正六角形のタイルを敷き詰めたように平面をつくっている. この構造に正五角形の単位を組み込むと凸面状になる. 炭素ナノチューブの末端はこのようにしてできた半球のキャップで閉じられている. 適当な数の六角形と五角形を組み合わせると，sp^2 炭素だけからなる球状あるいは楕円球状の分子構造をつくることができる. このようなかご状分子はフラーレン(fullerene)とよばれる. 20 個の正六角形と 12 個の正五角形が組み合わさるとサッカーボール状の C_{60} 分子ができ，これはかたちのよく似た球状ドーム(ジオデシックドーム)を設計した Richard Buckminster Fuller にちなんでバックミンスターフラーレン(buckminsterfullerene：バッキーボールということもある)とよばれている.

これらの sp^2 炭素同素体は半金属的な性質をもっており，電気伝導体や半導体になる. このような性質を応用して，エレクトロニクス，オプティクス，ナノデバイスの開発(ナノテクノロジー)などの幅広い物質科学分野で活発な研究が進められている.

C_{60} フラーレンは 1985 年に Sir Harry Kroto(英，サセックス大学)と Robert Curl と Richard Smally(米，ライス大学)によって見つけられ，1996 年度のノーベル化学賞の対象となった. グラフェンの単離に成功した Andre Geim と Konstantin Novoselov(英，マンチェスター大学)は 2010 年度のノーベル物理学賞を受賞した. 炭素ナノチューブは 1991 年に飯島澄夫(当時 NEC)によって発見された.

$+ Br_2$ ─ CCl_4, 還流，14 h → Br（1位）$+ HBr$

ナフタレン　　1-ブロモナフタレン　75%

ナフタレンのスルホン化（反応 19.1）は，速度支配の条件ではナフタレン-1-スルホン酸を与えるが，可逆反応なので高温にするとより安定なナフタレン-2-スルホン酸に変化する（熱力学支配）．ペリ位の相互作用のために 1 位置換体は不安定化されている．

速度支配と熱力学支配については 15.8.2 項を参照すること．

反応 19.1　ナフタレンのスルホン化：速度支配と熱力学支配

SO_3H　$-H_2O$　80 ˚C　$+ H_2SO_4$　$-H_2O$　160 ˚C　SO_3H

ナフタレン-1-スルホン酸（速度支配生成物）　ナフタレン　ナフタレン-2-スルホン酸（熱力学支配生成物）

問題 19.2　ナフタレンの求電子置換反応が，1 位と 2 位で起こるときの反応中間体を共鳴構造で示して，この反応の位置選択性を説明せよ．

➡ ウェブノート 19.1　多環芳香族化合物と発がん性

アントラセンとフェナントレンの場合には内側のベンゼン環の 9(10) 位の反応性が高い．9 位への求電子種の付加で生じる反応中間体では，両側のベンゼン環が壊れないので共鳴エネルギーの損失が小さい．これが選択性を決めている．

9　10　$2 Br_2$　CCl_4　還流，1.5 h　Br　Br　85%

アントラセン

9　10　Br_2　CCl_4　還流，5 h　Br　90%

フェナントレン

問題 19.3　アントラセンの 9 位あるいは 1 位に求電子種 E^+ が付加して生じるカチオン中間体の構造を示して，二つのカチオンの安定性を比較せよ．

---

b.　その他の反応

Diels–Alder 反応については 15.9 節を参照すること．

アントラセンは，中央の環で反応しても失われる共鳴エネルギーが小さいので，ジエンとして Diels–Alder 反応を起こすことができる．

+ O O O　Diels–Alder 反応　キシレン　140 ˚C　O O O

同じ理由で，アントラセンやフェナントレンは簡単に酸化されてキノンを生成する．

$Na_2Cr_2O_7$

H_2SO_4, H_2O

9,10−アントラキノン

キノンについてはノート 16.1 を参照すること.

9,10−フェナントラキノン
9,10−phenanthraquinone

19.2 芳香族ヘテロ環化合物の構造

芳香族ヘテロ環化合物のおもなものは不飽和五員環と六員環を含む. 5.6 節でみたように, 環状 6π 電子系をもつ芳香族炭化水素としてシクロペンタジエニドイオンとベンゼンがある. それぞれの CH の一つ(またはそれ以上)をヘテロ原子(N, O, S)に置き換えて等電子構造をもつヘテロ環にすると, 芳香族化合物ができる. 図 19.1 に代表的な芳香族ヘテロ環化合物の構造を示す. 芳香族ヘテロ五員環ではヘテロ原子の非共有電子対が芳香族 6π 電子系に含まれてシクロペンタジエニドと等電子構造をつくっている. 一方, 芳香族ヘテロ六員環ではヘテロ原子の非共有電子対は共役には関係しない. さらにベンゾノイド環と縮合したものもある.

芳香族ヘテロ環化合物
heterocyclic aromatic compound
ヘテロ芳香族化合物(heteroaromatic compound)または芳香族ヘテロ環(aromatic heterocycle)ともいう. ヘテロ環は複素環ともよばれる.

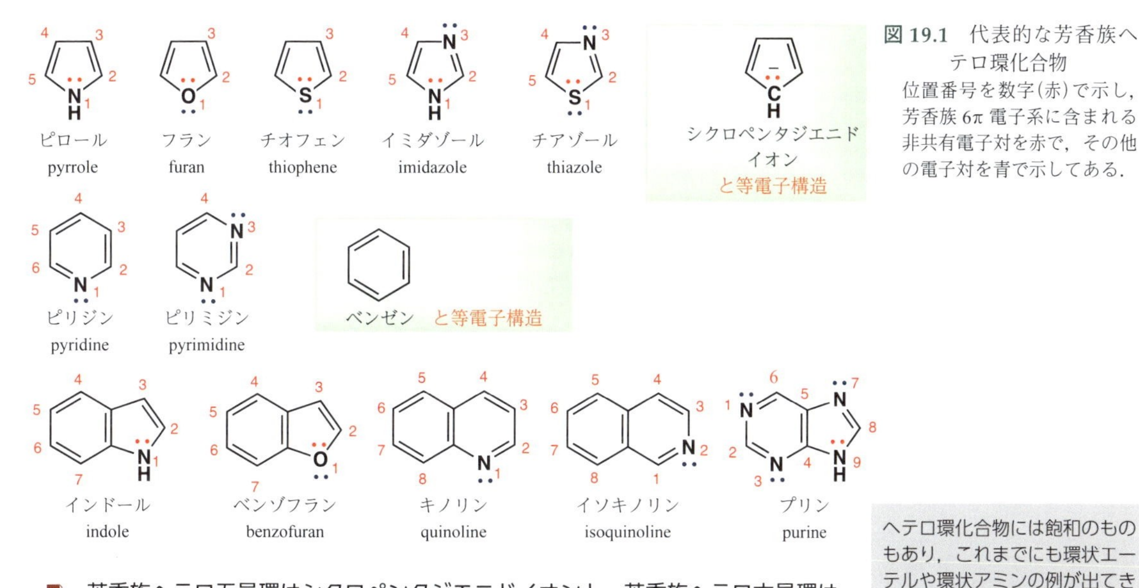

図 19.1 代表的な芳香族ヘテロ環化合物
位置番号を数字(赤)で示し, 芳香族 6π 電子系に含まれる非共有電子対を赤で, その他の電子対を青で示してある.

- **芳香族ヘテロ五員環はシクロペンタジエニドイオンと, 芳香族ヘテロ六員環はベンゼンと等電子構造である.**

ヘテロ環化合物には飽和のものもあり, これまでにも環状エーテルや環状アミンの例が出てきたが, 三員環のように環ひずみをもつもの(エポキシドの反応については 14.5 節参照)以外は, 非環状化合物と同じような性質を示す.

ピロール(芳香族ヘテロ五員環の代表)とピリジン(芳香族ヘテロ六員環の代表)の軌道図を模式的に図 19.2 に示して, N の非共有電子対を比較している.

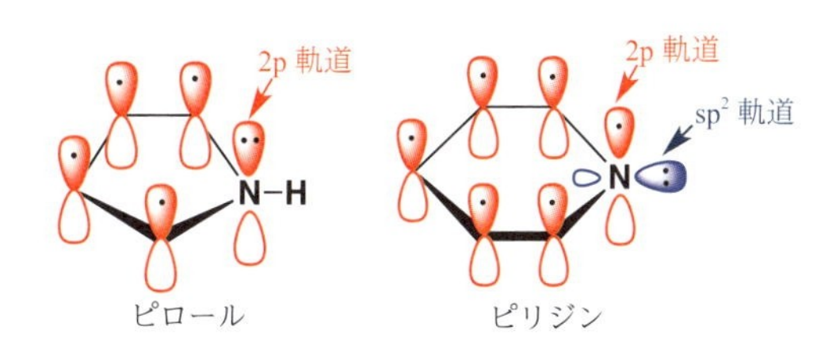

図 19.2 ピロールとピリジンの N 上の非共有電子対と 2p 軌道

ピロールの非共有電子対は N の混成していない 2p 軌道に入っていて, 芳香族

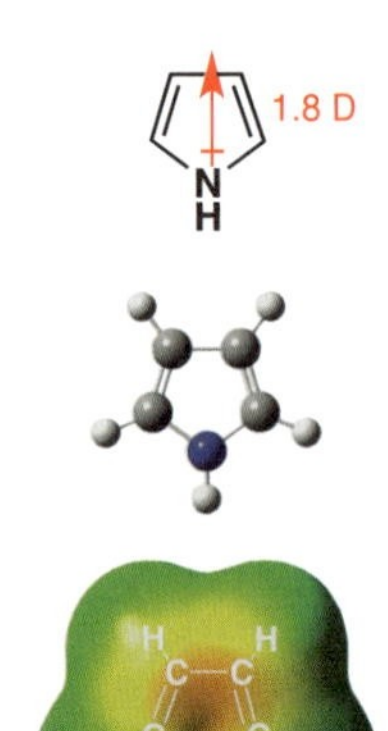

ピロールの双極子，
分子模型と EPM

6π 電子系の一部を形成しているのに対して，ピリジンの非共有電子対は N の sp^2 混成軌道に入っていて，π 電子系とは直交している．すなわち，ピロールの N の電子は環全体に非局在化し，環のほうに供与されたかたちになっている．これは共鳴構造によっても表すことができる．

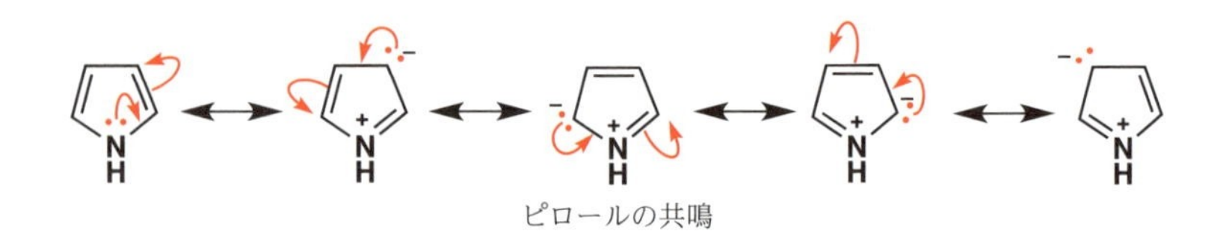

ピロールの共鳴

ピロールの電荷分布は EPM からもわかるし，双極子をみると実際に N のほうが正電荷末端になっている．

一方，ピリジン環の電子は電気陰性度の大きい N のほうに偏っている．すなわち，双極子はピロールとは逆に N が負電荷末端になっている．

■ **ピロール環は電子豊富であるのに対してピリジン環は電子不足になっている．**

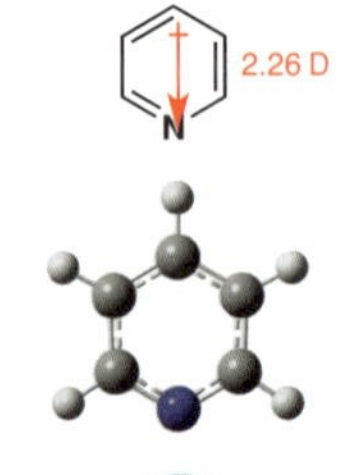

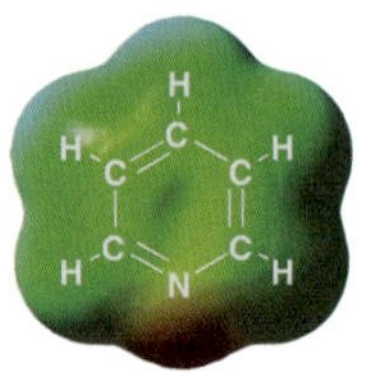

ピリジンの双極子，
分子模型と EPM

問題 19.4　フランの共鳴構造を書いて，フランの双極子がテトラヒドロフランの双極子より小さいことを説明せよ．

19.3　酸・塩基としての含窒素芳香族ヘテロ環化合物

ヘテロ環化合物に含まれる窒素は通常塩基中心になる．飽和の環状アミンの塩基性は通常のアルキルアミンとあまり違わない(pK_{BH^+} ～11)．しかし，含窒素芳香族ヘテロ環の塩基性は含まれる N の電子状態に大きく依存する．5 章の例題 5.3 でもみたように，ピロールはほとんど塩基性を示さない．それはプロトン化されるとその原子が sp^3 混成になり芳香族性を失うからである．pK_{BH^+} ～ −3.8 と推定されており，プロトン化は N でなく C2 に起こることがわかっている．

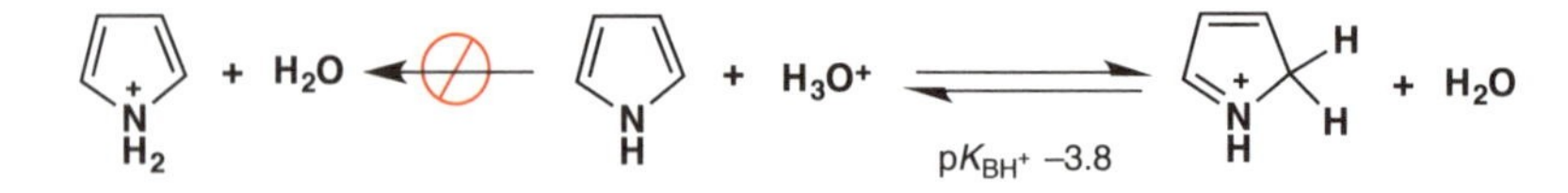

イミダゾールはアミノ酸のヒスチジンに含まれ，酵素(タンパク質)の中で pH 7 に近い水溶液中で求核触媒として作用する(23 章参照)．

イミダゾールは，2 個の窒素のうちの一つの N の非共有電子対が芳香族 6π 電子系に含まれていないので弱い塩基になる(pK_{BH^+} ～7)．

HN　N: + H_3O^+ ⇌ (pK_{BH^+} 7.0) HN　NH + H_2O

イミダゾール　　　　イミダゾリウムイオン

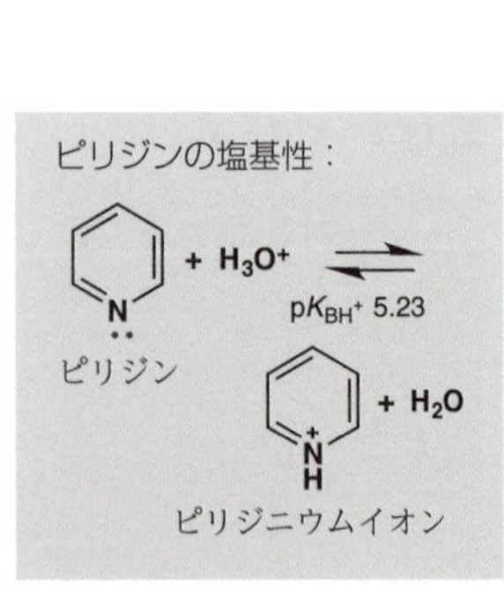

問題 19.5　イミダゾールの 2 個の窒素のうちの一方にプロトン化が起こる(上式)のはなぜか説明せよ．

ピリジンの非共有電子対も π 電子系に直交しているので，弱塩基性を示す(pK_{BH^+} 5.23)．しかし，アルキルアミン(pK_{BH^+} ～10)に比べれば塩基性は弱い．

これはアルキルアミンの非共有電子対が N の sp^3 混成軌道に入っているのに対して，不飽和 N の非共有電子対が sp^2 軌道に入っていることによる．s 性の大きい軌道の電子はより強く原子核に引きつけられてプロトン化されにくいのである（例題 6.4 参照）．

例題 19.1

ピリジンの塩基性がイミダゾールよりもさらに低いのはなぜか．

解 答　共役酸の共鳴構造をみると，イミダゾリウムイオンでは等価な二つの共鳴構造式により正電荷が 2 個の N に分散しているのに対して，ピリジニウムイオンでは正電荷の分散はみられない．イミダゾールの共役酸が，より安定化されるのでプロトン化されやすい．

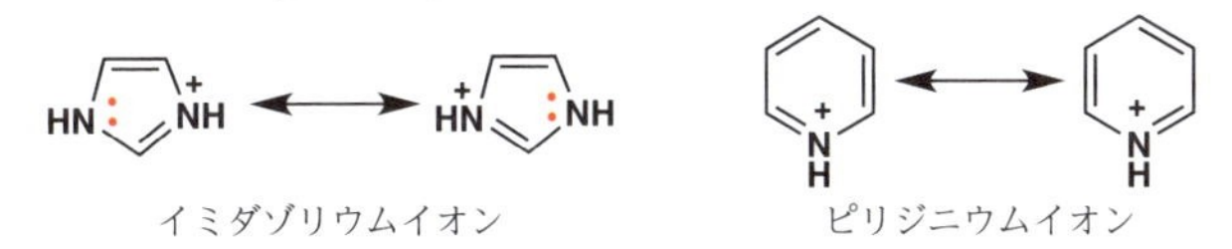

イミダゾリウムイオン　　ピリジニウムイオン

ピロールとイミダゾールは N−H 結合をもつので，この解離は酸性度に対応する．NH_3 の pK_a ~35 であるのに対して，ピロールとイミダゾールの pK_a ~16.5 と 14.5 である．これも窒素の混成の違いがおもな原因である．

19.4　芳香族ヘテロ環化合物の反応

19.4.1　芳香族ヘテロ五員環の反応

a.　求電子置換反応

上で述べたように芳香族ヘテロ五員環は，電子豊富であり求電子種に対する反応性が高い．反応は芳香族性のために置換になる．

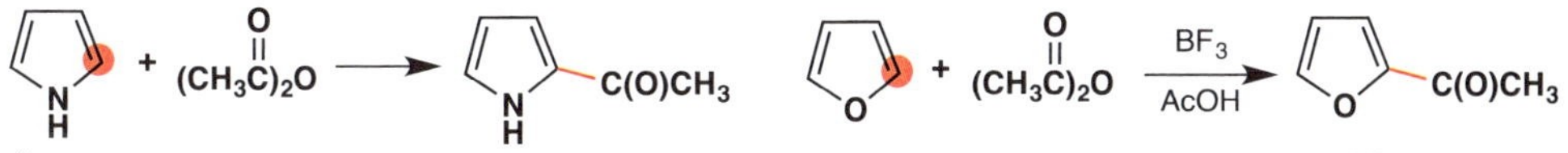

ピロール + $(CH_3C(O))_2O$ → 2-C(O)CH₃ ピロール　60%

フラン + $(CH_3C(O))_2O$ (BF_3, AcOH) → 2-C(O)CH₃ フラン　75～90%

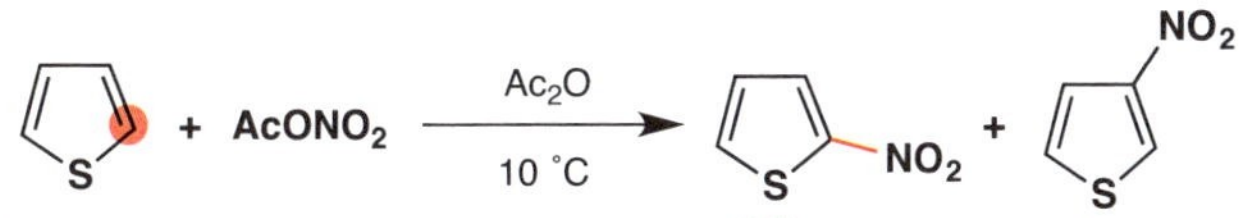

チオフェン + $AcONO_2$ (Ac_2O, 10 °C) → 2-NO_2 チオフェン 70% + 3-NO_2 チオフェン 5%

■　**芳香族ヘテロ五員環の求電子置換反応は選択的に C2 で起こる．**

この C2 選択性は，カチオン中間体の安定性から説明できる．C2 に求電子種が付加して生じたカチオンは三つの共鳴構造式で表されるが，C3 付加中間体には共鳴構造式が二つしか書けない．

問題 19.6　ピロールの求電子置換反応の位置選択性を説明するために，共鳴を使って求電子種 E^+ の付加中間体の安定性を比較せよ．

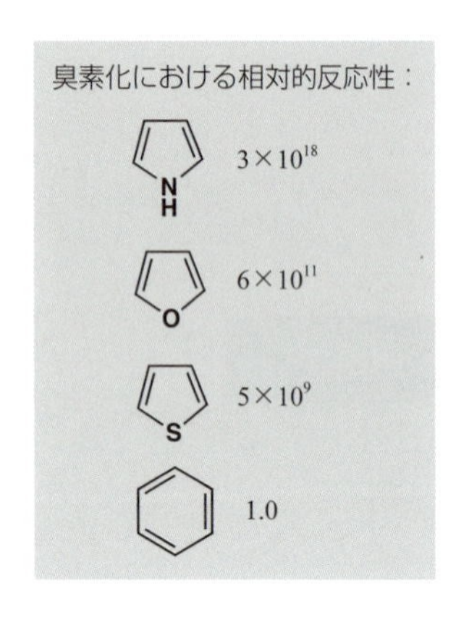

求電子置換に対する反応性はベンゼンよりも高く，欄外に示すような序列になっている．

■ **芳香族ヘテロ五員環の高反応性は，ベンゼンに比べて芳香族安定化が小さいこととヘテロ原子の非共有電子対が遷移構造（あるいはカチオン中間体）の安定化に寄与していることによる．**

非共有電子対の共鳴への寄与は電気陰性度の小さいほうが大きいので，ピロールのほうがフランよりも高反応性である．チオフェンのSの非共有電子対は3p軌道にあるために，炭素の2p軌道との相互作用が小さくなっている．

ベンゾ縮環誘導体のインドール，ベンゾフラン，ベンゾチオフェンはいずれもヘテロ環で反応する．しかし，位置選択性は単純ではない．インドールではC3に，ベンゾフランではC2に，ベンゾチオフェンでは両方に起こる．

ノート 19.2　アルカロイド：天然のアミン

植物から酸で抽出される“アルカリ様”の化合物をアルカロイド(alkaloid)という．窒素を含み，ほとんどはヘテロ環化合物であり，動物に対して強い生理活性を示す．すでにキニーネとコニイン(序章)，モルヒネとコデイン(ノート6.2)にふれた．ノート16.2でみたエフェドリンやメスカリンはヘテロ環をもたないアルカロイドの例である．100年にわたって何千ものアルカロイドが調べられてきたが，その代表的なものをもう少し下にあげておこう．

お茶，コーヒーやチョコレートに含まれるカフェインとテオブロミンは核酸塩基のプリンの誘導体であり，興奮作用をもつ．ニコチンはタバコに含まれるが常習性になる．コカの葉からとれるコカインは中枢神経作用薬で快感をもたらすが，依存症の強い麻薬の一つである．構造のよく似たアトロピンはナス科の植物の一種に含まれる有毒物質であるが，副交感神経の作用を抑制するので，けいれんの抑制，手術時の筋肉の弛緩，瞳孔を開かせるためや，神経ガス被害の治療に用いられるほか，瞳を大きく見せるために使われたこともある．ストリキニーネとブルシンはマチンという樹木(東南アジアに生育する)の種子に含まれる強力な毒薬である．レセルピンはインドジャボクというキョウチクトウ科の一種の根から抽出され，降圧作用と鎮静作用をもつ．

カフェイン
caffeine (R＝Me)
テオブロミン
theobromine (R＝H)

ニコチン
nicotine

コカイン
cocaine

アトロピン
atropine

ストリキニーネ
strychnine (R＝H)
ブルシン
brucine (R＝MeO)

レセルピン
reserpine

インドール + Br_2 —ピリジン, 0 °C→ 3-ブロモインドール (Br, N, H)

ベンゾフラン + $(CH_3C)_2O$ (O) —$SnCl_4$→ 2-アセチルベンゾフラン (O, CCH_3)

問題 19.7 インドールの求電子置換反応の位置選択性を説明せよ.

---

b. その他の反応

フランの芳香族性はとくに小さく，反応性の高いジエンとして Diels–Alder 反応をよく起こす．また，エノールエーテルとして酸触媒加水分解を受ける.

Diels–Alder 反応：フラン (O) + CO_2Me–C≡C–CO_2Me —加熱→ (O, CO_2Me, CO_2Me)

加水分解：2,5-ジメチルフラン (O) + H_2O —H_2SO_4 触媒, H_2O, AcOH→ (O, O)

問題 19.8 フランの酸触媒加水分解の反応機構を書け.

19.4.2 ピリジンとその誘導体の反応

a. 求電子置換反応

ピリジンはベンゼンと等電子構造をもっているので求電子置換反応を起こし得る．しかし，その反応性はきわめて低く，求電子置換に対する反応性はニトロベンゼンよりも低い．環内の N の電気陰性度のために π 電子系の軌道エネルギーが下げられ，HOMO も低いので求電子種の LUMO との相互作用が小さくなっているのである．酸性条件では，*N*-プロトン化(あるいは Lewis 酸の結合)のために反応はいっそう阻害される.

b. 求核置換反応

ピリジンの N の電気陰性度は LUMO のエネルギーも下げているので，求核種に対する反応性は高くなっている．したがって，C2 または C4 に脱離基があると求核置換反応が起こる.

2-クロロピリジン (N, Cl) —R_2NH, $-H^+$→ [(N, NR_2, Cl, −)] —$-Cl^-$→ (N, NR_2)

4-クロロピリジン (Cl, N) —RSH, NaOH→ (SR, N)

求電子置換における反応性：ピリジン (N) < ニトロベンゼン (NO_2)

ピリジンは S_N2 反応における求核種として反応できる．N の非共有電子対が π 電子系の一部になっていないので，塩基性であるのと同様に求核性も示す.

ピリジン (N) + $PhCH_2Br$ → (N^+, Ph, Br^-)

ハロベンゼンの求核付加-脱離による置換反応には強い電子求引基が必要である(18.6 節)が，ピリジンの N が置換ベンゼンの NO_2 基に匹敵する電子求引性を示すことを考えれば，この求核置換反応が理解できる.

問題 19.9 2-クロロピリジンと 3-クロロピリジンに求核種 Nu^- が付加して生じる中間体の共鳴構造を書いて，その安定性を比較せよ.

＊　この反応は Chichibabin（チチバビン）反応として知られている．アミドイオンが付加して生じたアニオン中間体からヒドリドが外れ，ヒドリドと H_2O との反応で H_2 が発生する．

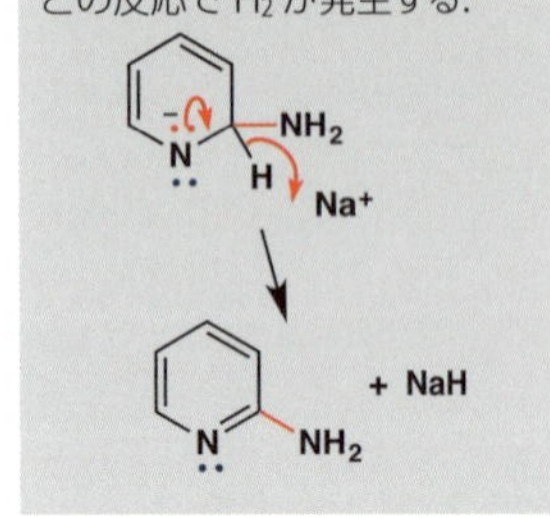

無置換のピリジンを液体アンモニア中ナトリウムアミドの強塩基性条件で反応させると，C2 の水素がヒドリドとして脱離して置換される＊．

1) $NaNH_2$, 液体 NH_3 2) H_2O → 2-アミノピリジン 75% + H_2

2-アミノピリジンを水溶液中でジアゾ化すると 2-ピリドンが生成する．この生成物は 2-ヒドロキシピリジンの互変異性体であり，反応はアニリンのジアゾ化によるフェノールの生成（18.8 節）に似ている．

2-アミノピリジン —($NaNO_2$, HCl / H_2O)→ 2-ヒドロキシピリジン ⇌ 2-ピリドン

例題 19.2

フェノールのケト互変異性体の不安定性と比較して，2-ピリドンが 2-ヒドロキシピリジンよりも安定である理由を説明せよ．

解 答　2-ピリドンは強い C=O 結合をもつだけでなく，共鳴式からわかるように 6π 電子系を保っている．しかし，フェノールのケト形は芳香族性を失っているので不安定である．

2-ピリドンの共鳴　　フェノール　　フェノールのケト形

c.　ピリジン *N*-オキシド

ピリジンは過酸化水素あるいは過酸と反応して，ピリジン *N*-オキシドを与える．この反応は酸素における S_N2 反応である．

ピリジン + HO−OAc —(− AcO^- / AcOH)→ N−OH (pK_a 0.79) ⇌(− H^+) ピリジン *N*-オキシド

ピリジン *N*-オキシドは，フェノキシドイオンと同じように，酸素アニオンの電子対が環に非局在化しているため，求電子種に対する反応性が高くなっている．

■　**ピリジン *N*-オキシドは求電子種に対して高い反応性を示す．**

2-ピリドン 2-pyridone
ピリジン *N*-オキシド pyridine *N*-oxide

反応はおもに C4 で起こる．*N*-オキシドの酸素は PCl_3 や $P(OMe)_3$ を用いて外すことができ，ピリジンに戻すことができるので，ピリジンの求電子置換反応を行ったのと同じ結果になる．

NO_2
1) HNO_3, H_2SO_4 90 °C, 14 h
2) NaOH, H_2O
90%
$+ PCl_3$
$- P(O)Cl_3$

d.　側鎖の反応

ピリジンの窒素は電子求引性であり，アルキル側鎖の反応性にも影響を及ぼす．ピリジン環のC2とC4のアルキル置換基のα水素は，ケトンのα水素に匹敵する酸性度を示す．脱プロトンで生じたカルボアニオンは，ベンジルアニオンよりも安定で，たとえばアルデヒドと，アルドール反応と同じように反応する．

NaOH, H_2O
PhCHO

問題 19.10　2-メチルピリジンの脱プロトンで生じたカルボアニオンを共鳴構造式で表し，上の反応の機構を書け．

e.　キノリンとイソキノリンの反応

キノリンとイソキノリンはベンゾピリジンの位置異性体であるが，求電子置換は予想通り(反応性の低いピリジン環ではなく)ベンゼン環に起こる．

HNO_3, H_2SO_4 15 ~ 20 °C
キノリン　35%　43%

HNO_3, H_2SO_4 0 °C
イソキノリン　72%　8%

➡ ウェブノート 19.2　芳香族ヘテロ環化合物の合成

ま と め

- 多環芳香族化合物は二つ以上のベンゼノイド環からなり，場合によっては非ベンゼノイド環も含む．
- 最も一般的な芳香族ヘテロ環化合物はN，O，Sを含む五員環と六員環であり，ベンゼノイド環が縮合したものもある．
- 芳香族ヘテロ五員環の代表はピロール，フラン，チオフェンであり，その構造はシクロペンタジエニドイオンと等電子的である．芳香族ヘテロ六員環の代表はピリジンで，ベンゼンと等電子的である．
- 芳香族ヘテロ五員環ではヘテロ原子の非共有電子対が供与的にはたらくので，求電子置換に対して高い反応性をもつ．ピリジンではNが電子求引的にはたらくので，求電子種に対する反応性が低く，脱離基をもつ誘導体は求核置換反応を受けやすい．

章末問題

問題 19.11　次の化合物の求電子的モノニトロ化によって得られる主生成物は何か．

(a)　(b) OMe　(c) NO_2　(d) OH

問題 19.12　次の反応の主生成物は何か．

(a) + PhCOCl $\xrightarrow[CS_2]{AlCl_3}$

(b) + CH_3I ⟶

(c) Me N Me $\xrightarrow[H_2SO_4]{HNO_3}$

(d) N Cl $\xrightarrow[MeOH]{NaOMe}$

問題 19.13　ピロールの共役酸として *C*2-プロトン化構造が *N*-プロトン化構造よりも安定であることを，共鳴を使って説明せよ．

問題 19.14　4-ジメチルアミノピリジン(DMAP)は二つの塩基性窒素をもっているが，その塩基性(pK_{BH^+} 9.9)はピリジン(pK_{BH^+} 5.25)とアニリン(pK_{BH^+} 5.07)のどちらよりもずっと強い．DMAP の共役酸の構造を示し，塩基性がとくに強い理由を説明せよ．

NMe_2　N　4-ジメチルアミノピリジン (pK_{BH^+} 9.9)

問題 19.15　次の反応の主生成物を予想し，その選択性を説明せよ．

N $\xrightarrow[H_2SO_4]{HNO_3}$

問題 19.16　2-メチルピリジン *N*-オキシドを無水酢酸と反応させると，*O*-アセチル化に続いて転位が起こり，2-(アセトキシメチル)ピリジンになる．この転位反応の機構を書け．

$\overset{+}{N}$ CH_3 O^- $\xrightarrow{Ac_2O}$ $\overset{+}{N}$ CH_3 OAc ⟶ N OAc

問題 19.17　フランの芳香族性はあまり高くないので，付加反応が起こることもある．メタノール中における Br_2 との反応は次のような生成物を与える．この反応の機構を示せ．

O + Br_2 + 2 MeOH $\xrightarrow{MeOH}$ MeO O OMe + 2 HBr

問題 19.18　次の反応経路でナフタレンからフェナントレンを合成することができる．反応式中の中間体 **A**～**J** の構造式を書け．ただし，**A** と **B**(とそれに続く対になった中間体)は異性体であり，56：44 の比率で **A** のほうが多く生成する．

+ O O O $\xrightarrow[2)\ H_3O^+]{1)\ AlCl_3}$ **A** + **B**

$\xrightarrow[HCl]{Zn(Hg)}$ **C** + **D** $\xrightarrow{SnCl_4}$ **E** + **F** $\xrightarrow[2)\ H_3O^+]{1)\ LiAlH_4,\ Et_2O}$

G + **H** $\xrightarrow[加熱]{TsOH}$ **I** + **J** $\xrightarrow[加熱]{Pd/C}$

問題 19.19　ヘテロ環の合成法の一つはジケトンの環化によるものである．ピロール誘導体は 1,4-ジケトンと第一級アミンかアンモニアの反応で得られる．この反応の機構を示せ．

O O $\xrightarrow[AcOH]{RNH_2}$ N R

問題 19.20　キノリンは次に示すような環化反応を経て合成できる．この環化反応の機構を示せ．

NH_2 + O H $\xrightarrow{H^+}$ N H

$\xrightarrow{酸化}$ N

20 ラジカル反応

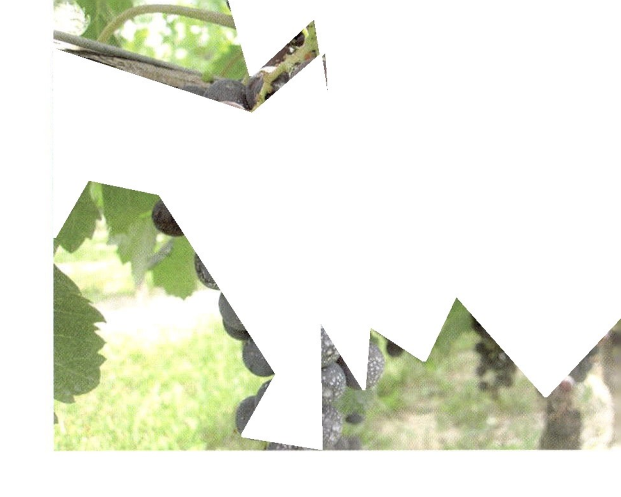

【基礎となる事項】
- 化学結合(1章)
- アリルラジカル(5.3節)
- 有機反応の素過程と巻矢印による反応の表し方(7.2節)
- 飽和炭素での求核置換反応(12章)
- アルケンへの付加反応(15章)

【本章で学ぶこと】
- ホモリシスによるラジカルの生成
- ラジカルの安定性
- ラジカル連鎖反応
- 一電子移動によるラジカル種の生成と反応

これまで学んできた反応のほとんどは極性反応であり，カチオンやアニオンを含むことが多かった．あるいは，少なくとも極性の遷移状態を経て進行するものであった．反応には求電子種と求核種がかかわり，電子対(2電子)の動きで反応が説明された．それとはまったく異なるタイプの反応として，対になっていない電子(不対電子)をもつ**ラジカル**の関与する反応があることを7.2節で指摘した．ラジカル反応の機構は極性反応とは異なり1電子ずつの動きで説明され，ほとんどの反応は**ラジカル連鎖機構**によって起こる．この章では，このようなラジカルとその反応の特徴について説明する．

とはいっても，ラジカルは特殊なものではなく，私たちのまわりに満ちあふれている．通常の酸素分子(·O−O·)はジラジカルであり，ラジカルは生体反応でも重要である．活性酸素といわれるスーパーオキシドアニオン(O_2^{-}·)，ヒドロペルオキシルラジカル(HOO·)，ヒドロキシルラジカル(HO·)は免疫系にも関係し，老化現象とも関係している．一酸化窒素(N=O·)もよくみられるラジカルであり，血圧調節に関係し，神経伝達物質としてもはたらく．ニトログリセリンを心臓病の治療に用いるのはNOの供給のためであり，ED治療薬として用いられるシルデナフィル(バイアグラ®)や発毛剤のミノキシジル(リアップ®)はNOの効果を持続させる作用をもつ．

シルデナフィル（バイアグラ®）
sildenafil（Viagra®）

ミノキシジル（リアップ®）
minoxidil（Rogaine®）

ラジカル重合はポリエチレン，ポリスチレン，ポリ塩化ビニル，テフロン®（ポリテトラフルオロエテン)などの汎用ポリマーを生産する重要な工業プロセスになっている．石油工業における熱分解プロセスもアルカンのホモリシスを含み，燃料の燃焼にもラジカル反応が含まれている．

ブドウの皮に含まれるレスベラトロールのようなポリフェノール類は健康によいとされる

20.1　ホモリシス

ラジカル radical
　ラジカルはフリーラジカルあるいは遊離基(free radical)ともいわれる．“ラジカル”という用語はもともとLiebigらによって分子内の基をさして用いられた(序章)のに対して，遊離したラジカルという意味で“フリーラジカル”という用語が用いられるようになった．しかし，現在では分子内に結合している基をラジカルということはないので，“フリー”をつける意味はない．

IUPAC規則によると，ラジカル名は基名と同じであることが多いが，基名がヒドロキシ(hydroxy)のように-yで終わるときには“l”をつけることになっている．すなわち，HOはヒドロキシ(hydroxy)基でヒドロキシル(hydroxyl)ラジカルという．ROはアルコキシ(alkoxy)基で，アルコキシル(alkoxyl)ラジカルである．

7.2節で結合の切断にホモリシスとヘテロリシスがあることを述べた．

- **ホモリシスでは結合電子対が1電子ずつ均等に分かれるので，不対電子をもつラジカルが生成する．**

ホモリシスに必要なエネルギーは**結合解離エネルギー**といわれるが，これ以上のエネルギーを加えると，その結合の開裂が起こる．裏表紙裏の付表にみられるようにC－H結合やC－C結合はふつう350 kJ mol^{-1}(85 kcal mol^{-1})以上の結合エネルギーをもっているので，アルカンは高温に加熱しないとホモリシスを受けない．石油の熱分解は約500 °Cで行われる．

$$H_3C{-}CH_3 \longrightarrow 2\ {\cdot}CH_3 \qquad \Delta H = 375\ \mathrm{kJ\ mol^{-1}}$$

もっと弱い結合をもつ分子はたやすく開裂する．代表的なものは**過酸化物**であり，そのO－O結合解離エネルギーは200 kJ mol^{-1}以下になる．とくにジアシルペルオキシド(たとえば，過酸化ベンゾイル，BPO)は分解しやすく，アシルオキシルラジカルを生成する．このラジカルは，さらにCO_2を発生してアルキルあるいはアリールラジカルを生じる．ここで発生するCO_2ガスの安定性が，脱炭酸の推進力になっている．

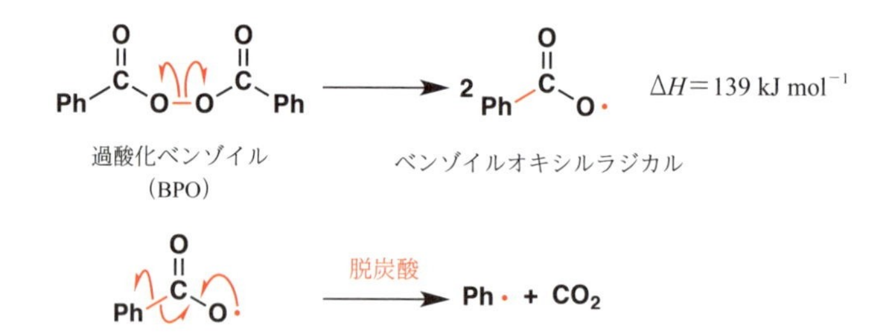

ラジカル反応機構において1電子の動きを表すときには，片羽の巻矢印(釣針形矢印 fishhook arrow ともいう)を用いる(7.2節)．この章では，不対電子を見やすくするために，反応に関係ない非共有電子対を省略している．

アゾビスイソブチロニトリル(AIBN)のようなアゾ化合物のホモリシスは，安定な窒素ガスN_2の発生を伴って起こるので容易に進行する．

$$Me_2C(CN){-}N{=}N{-}C(CN)Me_2 \longrightarrow 2\ Me_2\dot{C}(CN) + N_2 \qquad \Delta H = 133\ \mathrm{kJ\ mol^{-1}}$$

アゾビスイソブチロニトリル
(AIBN)

問題 20.1　共鳴を用いてベンゾイルオキシルラジカルとシアノイソプロピルラジカルを表せ．

- **過酸化物やAIBNのように容易にラジカルを生成する物質は，ラジカル開始剤としてラジカル連鎖反応の開始のために使われる．**

光を吸収できるような分子は，光照射によってエネルギーを得，励起状態を経

ラジカル連鎖機構　radical chain mechanism
結合解離エネルギー　bond dissociation energy(*DH*で表す)
過酸化物　peroxide
ジアシルペルオキシド　diacyl peroxide
過酸化ベンゾイル　dibenzoyl peroxide(BPO)
アゾビスイソブチロニトリル　azobisisobutyronitrile(AIBN)
ラジカル開始剤　radical initiator

てホモリシスでラジカルを生じる．その代表例は塩素や臭素であり，光分解でも熱分解でもラジカルを生成する．

$$\mathrm{Cl{-}Cl} \xrightarrow{h\nu} 2\,\mathrm{Cl}\cdot \qquad \Delta H = 243\ \mathrm{kJ\ mol^{-1}}$$

$h\nu$ は光を表す．ここでは光を照射することを示す．

Br_2 の結合解離エネルギーは 193 kJ mol^{-1} である．

20.2 ラジカルの構造と安定性

カルボカチオンの炭素は sp^2 混成で平面形であり，空の p 軌道をもっている．ラジカルの炭素もほぼ平面形であり，非結合性の不対電子は p 軌道に入っている*(図 20.1)．

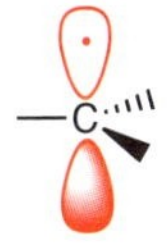

ラジカル

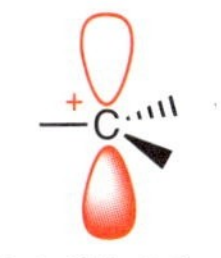

カルボカチオン

図 20.1 単純な炭素ラジカルとカルボカチオンの構造

* メチルラジカルは平面形と考えられているが，置換基によっては浅い三角錐形になる．しかし，通常速い反転を起こしているので，時間平均では平面とみなせる．

■ **アルキルラジカルの相対的な安定性は，カルボカチオンの場合とよく似ている．**

すなわち，カルボカチオンと同じように共役による安定化だけでなく超共役による安定化も受けている(12.4.3 項参照)．その安定性は，表 20.1 の C－H 結合解離エネルギー(*DH*)の値にも反映され，安定なラジカルを生成する結合解離のエネルギーは小さくてすむ．

表 20.1 代表的な炭化水素の C－H 結合解離エネルギーとラジカルの安定性

	$H_3C{-}H$	$CH_3CH_2{-}H$	$(CH_3)_2CH{-}H$	$(CH_3)_3C{-}H$	$H_2C{=}CH{-}CH_2{-}H$	$C_6H_5CH_2{-}H$
DH /kJ mol^{-1}	438	419	402	390	369	356
ラジカルの安定性	$\cdot CH_3$ <	$CH_3\dot{C}H_2$ <	$(CH_3)_2\dot{C}H$ <	$(CH_3)_3\dot{C}$ <	$H_2C{=}CH{-}\dot{C}H_2$ <	$C_6H_5\dot{C}H_2$
	メチル	第一級	第二級	第三級	アリル	ベンジル

ラジカルは電子供与基によっても電子求引基によっても共役による安定化を受ける．これは上でみたアシルオキシルラジカルやシアノアルキルラジカルが生成しやすい理由の一つになっている．

例題 20.1

アルキルラジカルの安定性には超共役も関与しているといわれる．エチルラジカルがメチルラジカルよりも安定である理由を，不対電子が関係する軌道を書いて説明せよ．

解 答 ラジカル中心の炭素はほぼ平面であり，不対電子は 2p 軌道に入っている．エチルラジカルにおいては，不対電子 1 個だけを収容している 2p 軌道と隣接 C－H 結合の結合性 σ 軌道との相互作用(超共役)による安定化がある．

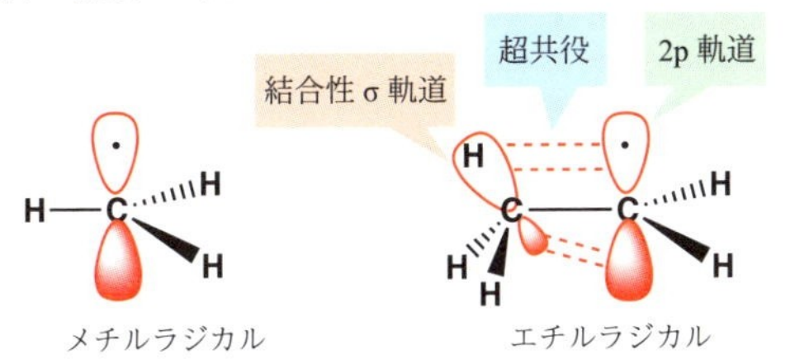

1 電子だけを収容している分子軌道は一般に半占分子軌道(singly occupied molecular orbital：SOMO)といわれる(5.3.1 項)．

問題 20.2　次のラジカルを，安定性が減少する順に並べよ．

$H_3C\cdot$　　$CH_3CH{=}CH\dot{C}H_2$　　$CH_3\overset{CH_3}{C}HCH_2\cdot$　　$CH_3CH_2\dot{C}HCH_3$　　$CH_3CH_2\overset{CH_3}{C}CH_3\cdot$

20.3　アルキル基のハロゲン化

20.3.1　メタンの塩素化

ホモリシスで生成したラジカルは不対電子をもつために活性であり，不活性なアルカンとも反応して，C−H 結合から**水素引抜き**を起こす．たとえば，塩素とメタンの共存下に光照射すると，反応 20.1 に示すように**ラジカル連鎖機構**によって反応が進み，H が Cl に置き換わった置換生成物クロロメタンを与える．

反応 20.1　メタンの塩素化のラジカル連鎖機構

全反応：　$CH_4 + Cl_2 \xrightarrow{\text{ラジカル置換}} CH_3Cl + HCl$

開始段階：　$Cl_2 \xrightarrow{h\nu} 2\ Cl\cdot$　　(a)

連鎖成長段階：　$Cl\cdot\ \ H{-}CH_3 \xrightarrow{\text{水素引抜き}} Cl{-}H + \cdot CH_3$　　(b)

$H_3C\cdot\ \ Cl{-}Cl \longrightarrow H_3C{-}Cl + Cl\cdot$　　(c)

停止段階：　$H_3C\cdot\ \ \cdot CH_3 \longrightarrow H_3C{-}CH_3$　　(d)

ハロゲン化 halogenation
塩素化 chlorination
臭素化 bromination
水素引抜き（反応） hydrogen abstraction

ノート 20.1　ラジカルの発見

塩化トリフェニルメチルを空気（酸素）中で金属銀粉（あるいは亜鉛）と反応させてヘキサフェニルエタンをつくろうとしていたミシガン大学の M. Gomberg（ゴンバーグ）は，黄色い溶液を得たが温度を上げると可逆的に色が消えた．1900 年のことである．この溶液から無色の結晶性化合物が単離され，分子式が $C_{38}H_{30}$ だったことから，ヘキサフェニルエタンが得られたものと考えた．しかし，1950 年代になって，単離された二量体は一つのパラ位にもう一つのトリフェニルメチルラジカルが結合して生成したものであることが確認された．この二量体の生成はトリフェニルメチルラジカルの安定性のために可逆であり，黄色い溶液はこのラジカルに基づくものと考えられる．

この黄色い溶液を空気（酸素）に曝すと反応して過酸化物が生成することもわかった．この過酸化物を還元するとよく知られているトリフェニルメタノールになる．これらのことは，Gomberg がはじめてラジカルを観測していたことを証明するものであり，彼はラジカル化学の父とよばれることもある．

Moses Gomberg
（1866～1947）
ウクライナに生まれ，1884 年に米国へ移住．ミシガン大学で学び，同大学で教授を務めた．

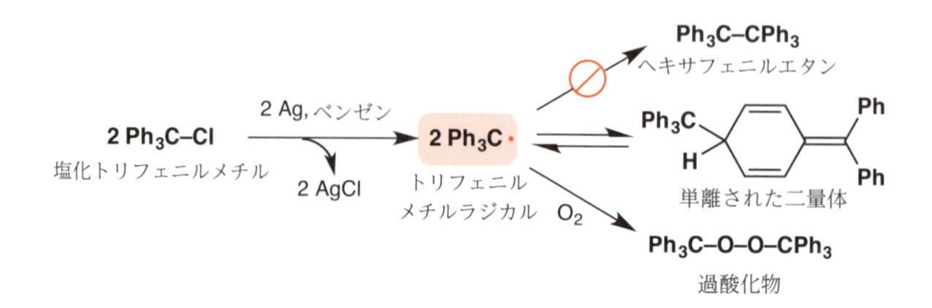

このラジカル置換反応（反応 20.1）では，開始段階でいったんラジカルが生成する(a)と，水素引抜きで炭素ラジカルを生じ(b)，このラジカルが塩素を攻撃してクロロメタンを生じるとともに塩素原子(Cl·ラジカル)を再生する(c)．Cl·の水素引抜き(b)とCl·の再生(c)の二つの反応が繰返しサイクルになるので連鎖成長段階とよばれ，塩素が消費されるまで続く．最後にラジカルどうしの反応でラジカルが消滅すると反応は停止する．停止段階の反応は複数あるが，その一つは(d)で示すようなラジカルカップリングである．

- ホモリシスでラジカルを生成する段階は開始段階とよばれ，この段階で少数のラジカルが発生すれば，成長段階の反応サイクルを繰り返すことによって多数の生成物が得られる．このような反応過程をラジカル連鎖反応といい，ラジカル反応の特徴となっている．連鎖反応の化学量論関係は成長段階だけで決まる．
- Cl·が再生されることで連鎖がつながっていく．このようなラジカルを連鎖伝達体という．

塩素が過剰にあれば塩素化はさらに進み，ジクロロメタン（塩化メチレン），トリクロロメタン（クロロホルム），テトラクロロメタン（四塩化炭素）まで生成する．

$$CH_3Cl \xrightarrow[-HCl]{Cl_2} CH_2Cl_2 \xrightarrow[-HCl]{Cl_2} CHCl_3 \xrightarrow[-HCl]{Cl_2} CCl_4$$

クロロメタン（塩化メチル）　ジクロロメタン（塩化メチレン）　トリクロロメタン（クロロホルム）　テトラクロロメタン（四塩化炭素）

20.3.2 アルカンのハロゲン化における位置選択性

他のアルカンも同じようなラジカル連鎖反応で塩素化や臭素化を起こす．アルカンは一般に何種類かのC−H結合をもつので，どの水素が引き抜かれるかによって異性体のハロアルカンが生成してくる．たとえば，ブタンの反応では，2-ハロブタンと1-ハロブタンが反応20.2に示すような比率で生成する．第二級生成物が選択的に得られており，臭素化のほうが（この例では高温であるにもかかわらず）優れた選択性を示す．

アルカンのハロゲン化における位置選択性はHammondの仮説（ノート7.1）で説明できる．反応物の反応性が高い（エネルギーが高い）ほど，遷移構造が反応原系に近く活性化エネルギーの差が現れにくい．

$$CH_3CH_2CH_2CH_3 \xrightarrow[-HX]{X_2\ h\nu} CH_3CH_2CH(X)CH_3 + CH_3CH_2CH_2CH_2X$$

ブタン		2-ハロブタン	1-ハロブタン
	Cl_2, 35 °C	72%	28%
	Br_2, 127 °C	98%	2%

反応 20.2 ブタンの塩素化と臭素化における位置選択性

第二級アルキルラジカルが第一級アルキルラジカルよりも安定であるために，水素引抜き段階で前者のほうが選択的に生成し，2-ハロブタンが選択的に得られる．またBr·のほうがCl·よりも反応性が低いので，より高い選択性を示すと考えられている．

- アルカンのハロゲン化では，より安定なラジカルを生成するように水素引抜きが起こり，それによって位置選択性が決まる．

ラジカル置換（反応） radical substitution
開始段階 initiation step
連鎖成長段階 chain propagation step
停止段階 termination step
連鎖伝達体 chain carrier
位置選択性 regioselectivity

例題 20.2

ラジカル停止反応にはラジカルカップリングのほかに，不均化とよばれる反応がある．その一例は，次のようにアルキルラジカル二つからアルカンとアルケンが生成する反応である．この反応がどのように進むのか巻矢印で示せ．

$$2\ CH_3CH_2CH_2CH_2\cdot \longrightarrow CH_3CH_2CH_2CH_3 + CH_3CH_2CH{=}CH_2$$

解 答　ラジカルの一つがもう一つのラジカルのβ水素を引き抜いてアルカンになると同時に，水素を引き抜かれたラジカルはアルケンになる．

$$CH_3CH_2CH(H)\text{–}\dot{C}H_2 + \cdot CH_2CH_2CH_2CH_3 \longrightarrow CH_3CH_2C(H){=}CH_2 + H\text{–}CH_2CH_2CH_2CH_3$$

問題 20.3　2-メチルプロパンと Br_2 との共存下に光照射したとき，得られる主生成物は何か．連鎖成長反応を書き，その選択性を説明せよ．

20.3.3　ベンジル位とアリル位のハロゲン化

ベンジルラジカルとアリルラジカルは，不対電子の非局在化によって安定化されている（表 20.1）．したがって，アルキルベンゼンとアルケンのハロゲン化はベンジル位とアリル位で選択的に起こる．この位置で水素引抜きが起こりやすいからである．しかし，塩素化は臭素化ほど選択性がよくない．

ベンジル位臭素化

$$C_6H_5CH_2CH_3 + Br_2 \xrightarrow{h\nu} C_6H_5CHBrCH_3 \quad (-HBr)$$

アリル位臭素化

$$\text{シクロヘキセン} + Br_2 \xrightarrow{h\nu} \text{3-ブロモシクロヘキセン} \quad (-HBr)$$

問題 20.4　上のエチルベンゼンのベンジル位臭素化の連鎖成長反応を書け．

また，アルケンのアリル位臭素化には二重結合への付加が副反応として起こるという問題がある．付加反応は通常極性反応として起こるので，非極性溶媒（CH_2Cl_2 や CCl_4 など）中で Br_2 濃度を低く保つと付加反応が抑えられる．

非極性溶媒中におけるアルケンへの求電子的な Br_2 の付加では，律速段階で Br_2 が 2 分子関与し，ブロモニウムイオン中間体の対イオンが Br_3^- になるので，反応速度＝k[アルケン] $[Br_2]^2$となる．すなわち，付加速度が Br_2 濃度の二次に依存するので，低濃度ではアリル位置換が優先される．

$$\text{シクロヘキセン} + Br_2 \xrightarrow[\text{加熱}]{CH_2Cl_2} \text{trans-1,2-ジブロモシクロヘキサン}$$

不均化 disproportionation
ベンジル位ハロゲン化 benzylic halogenation
アリル位ハロゲン化 allylic halogenation

Br_2 濃度を低く抑えて反応を進めるためには，*N*-ブロモスクシンイミド(NBS)がよく用いられる．HBr が NBS と反応して Br_2 を生成するので，Br_2 濃度が低く抑えられる．

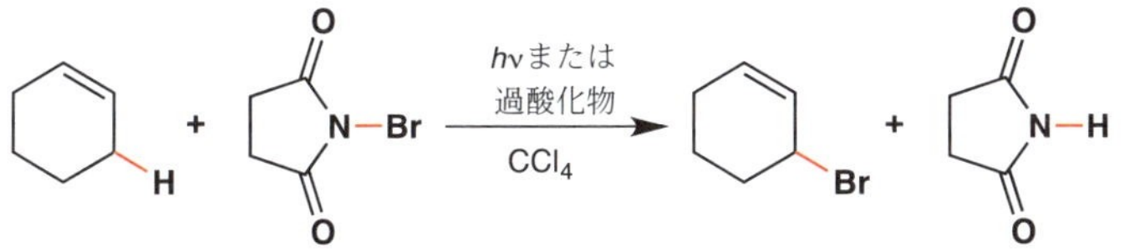

反応 20.3　NBS によるアリル位臭素化

N-ブロモスクシンイミド (NBS)　$h\nu$ または 過酸化物　CCl_4　スクシンイミド

反応 20.3 は反応 20.4 に示すように，最初の NBS の分解で生じた Br・がアルケンのアリル位水素を引き抜いて HBr ができると(a)，NBS と HBr の極性反応で Br_2 が生成し(b)，アリル位臭素化が連鎖的に進む(c)．

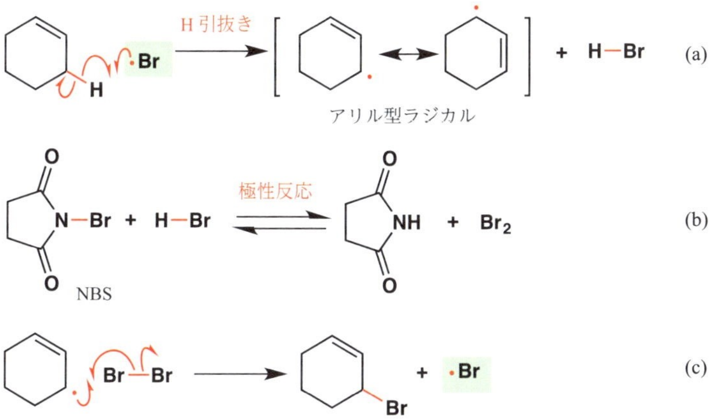

反応 20.4　反応 20.3 の連鎖成長反応

(a) H 引抜き　+ H—Br　アリル型ラジカル

(b) N—Br + H—Br　極性反応　NH + Br_2　NBS

(c) Br—Br　+ ・Br

例題 20.3

次の反応の主生成物は何か．

$$CH_3CH_2CH_2CH{=}CH_2 + NBS \xrightarrow[CCl_4]{h\nu}$$

解 答　アリル位水素の引抜きで生成したアリル型ラジカルは非局在化しているので，位置異性体が生成する．そのうち内部アルケンが主生成物となる．

$$\left[CH_3CH_2\dot{C}H-CH{=}CH_2 \longleftrightarrow CH_3CH_2CH{=}CH-\dot{C}H_2\right] \longrightarrow$$

$$CH_3CH_2CH(Br)-CH{=}CH_2 + CH_3CH_2CH{=}CH-CH_2Br$$

(主生成物：*E*/*Z* 混合物)

問題 20.5　次のアルケンと NBS を過酸化物存在下に反応させたとき得られる主生成物は何か．

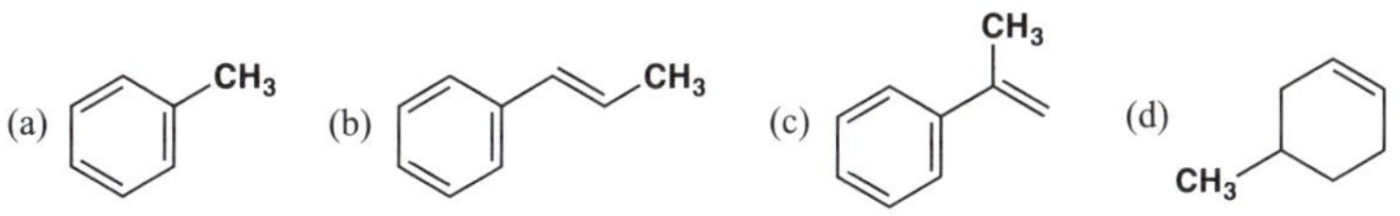

(a) CH_3　(b) CH_3　(c) CH_3　(d) CH_3

N-ブロモスクシンイミド
N-bromosuccinimide (NBS)

20.4　ハロアルカンの脱ハロゲン

前節では，ラジカル機構でアルカンのハロゲン化が起こることを説明した．逆反応のハロアルカンのハロゲンを水素で置換する反応も，**水素化スズ**(Bu_3SnH)を用いればラジカル機構で起こすことができる．

$$PhCH_2CH_2X + Bu_3SnH \xrightarrow{AIBN} PhCH_2CH_3 + Bu_3SnX$$

この反応は反応 20.5 に示すようにラジカル連鎖機構で進む．Sn−H 結合が弱い(DH＝308 kJ mol^{-1})ので，ラジカル開始剤(AIBN など)を用いると，水素化スズから水素が簡単に引き抜かれる(b)．生じたスズラジカルはハロアルカン RX からハロゲンを引き抜き(c)，アルキルラジカルが水素化スズから H を引き抜いて RH を生じるとともにスズラジカルを出す(d)．したがって，スズラジカルが連鎖伝達体になってラジカル連鎖反応となり，RX から RH への脱ハロゲンが達成される．

反応 20.5　Bu_3SnH によるハロアルカンの脱ハロゲンのラジカル連鎖機構

開始段階：

$$Me_2C(CN)-N{=}N-C(CN)Me_2\ (\text{AIBN}) \xrightarrow{\text{加熱}} 2\ Me_2\dot{C}(CN) + N_2 \quad (a)$$

$$Me_2\dot{C}(CN) + H-SnBu_3 \longrightarrow Me_2C(CN)-H + \cdot SnBu_3 \quad (b)$$

成長段階：

$$Bu_3Sn\cdot + X-R \longrightarrow Bu_3Sn-X + \cdot R \quad (c)$$

$$R\cdot + H-SnBu_3 \longrightarrow R-H + \cdot SnBu_3 \quad (d)$$

スズ-ハロゲン結合は強い．Sn−Br 結合の場合，DH＝552 kJ mol^{-1}．

反応 20.5c で RX から生成したアルキルラジカル(R･)は水素化スズから H を引き抜いて RH になるが，アルケン(CH_2＝CHY)存在下に反応させると，R･はアルケンに付加する．結果的に RH がアルケンに付加したことになる(反応 20.6)．

反応 20.6　Bu_3SnH によるアルケンへのアルキルラジカルの付加

$$R-I + CH_2{=}CH-CN + Bu_3Sn-H \xrightarrow{AIBN} R-CH_2-CH(H)-CN + Bu_3Sn-I$$

問題 20.6　反応 20.6 のラジカル連鎖成長反応を書け．

20.5　アルケンへの HBr のラジカル付加

15 章でみたように，ハロゲン化水素は H^+ を出して，アルケンに求電子付加し，Markovnikov 配向の生成物を与える．しかし，HBr に限って**逆 Markovnikov 配向**の生成物を生じることがあり，この異常付加は過酸化物存在下に起こるラジカル機構の結果であることが明らかにされた．HCl や HI ではそのような傾向はみられない．

脱ハロゲン　dehalogenation
水素化トリブチルスズ　tributyltin hydride
逆 Markovnikov 配向　anti-Markovnikov orientaion

求電子付加反応：

$$CH_3(H)C{=}CH_2 + HBr \xrightarrow[\text{極性溶媒}]{} CH_3{-}CBr(H){-}CH_3$$

Markovnikov 付加物

ラジカル付加反応：

$$CH_3(H)C{=}CH_2 + HBr \xrightarrow[\text{非極性溶媒}]{\text{過酸化物}} CH_3{-}CH_2{-}CH_2Br$$

逆 Markovnikov 付加物

■ **HBr の異常な付加反応は不純物として過酸化物が共存するとき，とくに非極性溶媒中で起こりやすい．**

過酸化物を添加すると，プロペンへの HBr の付加はラジカル連鎖反応として反応 20.7 のように進む．

開始段階：

$$RO{-}OR \xrightarrow{\text{加熱}} 2\,RO\cdot \quad (a)$$

$$RO\cdot + H{-}Br \longrightarrow RO{-}H + \cdot Br \quad (b)$$

成長段階：

$$CH_3(H)C{=}CH_2 + \cdot Br \longrightarrow CH_3(H)\dot{C}{-}CH_2Br \quad (c)$$

$$CH_3(H)\dot{C}{-}CH_2Br + H{-}Br \longrightarrow CH_3{-}CH_2{-}CH_2Br + \cdot Br \quad (d)$$

反応 20.7　プロペンへの HBr 付加のラジカル連鎖機構

HI と HCl が逆 Markovnikov 付加を起こさないのは，ラジカル連鎖成長段階の反応 20.7c と 20.7d に相当する反応が，それぞれエネルギー的に不利で進行しないためである．

反応 20.7 の連鎖反応では，過酸化物のホモリシス(a)で生じたアルコキシルラジカルが HBr から水素を引き抜いて Br・を生成し(b)，ラジカル連鎖反応を開始する．Br・のアルケンへの付加(c)によって炭素ラジカルが生じ，それが HBr と反応し，反応(c)と(d)で成長段階を形成する．付加の配向性はラジカル付加(c)によって決まる．ここで生成するラジカルの安定性は，カルボカチオンと同じように，第二級のほうが大きいために，求電子付加の場合とは逆の配向になる(欄外)．

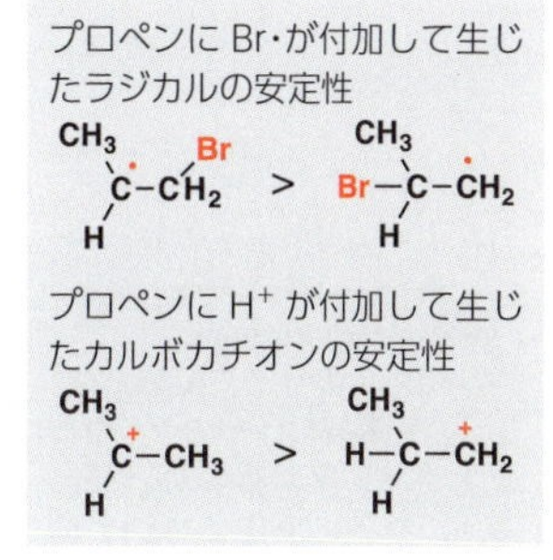

プロペンに Br・が付加して生じたラジカルの安定性
プロペンに H⁺ が付加して生じたカルボカチオンの安定性

問題 20.7　過酸化物存在下における次のアルケンと HBr の反応の主生成物は何か．

(a)　(b)　(c) Ph　(d)

20.6　アルケンのラジカル重合

アルケンのラジカル付加において成長段階における二つ目の反応，水素引抜きが起こりにくく，ラジカル付加がとくに有利であれば，付加反応が繰り返し起こり，アルケンの重合が進む．たとえば，過酸化物を開始剤に用いたアルケンの重合は，反応 20.8 のように進む．最終的に水素引抜きなどの停止反応によってポリマーが生成する．

ラジカル重合 radical polymerization

反応 20.8　ラジカル重合の連鎖機構

開始段階：

$$RO-OR \xrightarrow{加熱} 2\,RO\cdot \quad (a)$$

$$RO\cdot + CH_2=CH(Z) \longrightarrow RO-CH_2\dot{C}H(Z) \quad (b)$$

成長段階：

$$RO-CH_2\dot{C}H(Z) + CH_2=CH(Z) \longrightarrow RO-CH_2CH(Z)-CH_2\dot{C}H(Z) \longrightarrow RO\!\left(CH_2CH(Z)\right)_n CH_2\dot{C}H(Z) \quad (c)$$

このようなラジカル重合を起こすアルケンには次のようなものがある．いずれもラジカル付加によって安定なラジカルを生成できる．

ラジカル重合性モノマー：

スチレン（Ph），1,3-ブタジエン，塩化ビニル（Cl），酢酸ビニル（OAc）

アクリロニトリル（CN），アクリル酸メチル（CO_2Me），メタクリル酸メチル（Me，CO_2Me），テトラフルオロエテン（$F_2C=CF_2$）

20.7　ラジカルの開裂

20.1 節で過酸化ベンゾイル(BPO)のホモリシスで生成したカルボキシルラジカルが容易に脱炭酸を起こすことを示した．この分子内反応は反応 20.9a のように書け，ラジカル開裂の一つである．

反応 20.9　β開裂の反応例

$$R-C(=O)-O\cdot \xrightarrow{脱炭酸} R\cdot + CO_2 \quad (a)$$

$$R-C(CH_3)_2-O\cdot \longrightarrow R\cdot + (CH_3)_2C=O \quad (b)$$

β開裂 β fragmentation
ラジカルの分子内反応には，ラジカル開裂のほかにラジカル環化や 1,5-水素移動などがある．これらの反応についてはウェブノート 20.1 を参照のこと．

➡ ウェブノート 20.1　ラジカルの分子内反応：環化と 1,5-水素移動

第三級アルコキシルラジカルも反応 20.9b のように類似の開裂を起こす．この場合，アルキルラジカルとケトンが生成する．これらの反応では，ラジカル中心からβの位置で結合開裂を起こし新しいラジカルと安定な分子(二酸化炭素やケトン)を生成しており，**β開裂**と総称されることもある．

炭素ラジカルでも反応 20.10 のように，環ひずみの解消のような十分な推進力があればβ開裂を起こす．

反応 20.10　シクロプロピルメチルラジカルのβ開裂

$$c\text{-}C_3H_5-\dot{C}H_2 \longrightarrow \dot{C}H_2CH_2CH=CH_2$$

20.8　自 動 酸 化

■　**空気中の酸素でゆっくりと起こる酸化を自動酸化という．**

ラジカル開裂 radical fragmentation

酸素分子はジラジカルであり，水素引抜き反応を起こし得るがその速度は非常に遅い．しかし，太陽光などでラジカルが発生し，連鎖反応を起こすと，成長段

階に酸素が関与する．油脂の不飽和脂肪酸などの食物に含まれる不飽和結合の隣接位（アリル位）で酸化が起こりやすく，劣化の原因にもなる．反応 20.11 にリノール酸エステルの自動酸化の機構を示す．ヒドロペルオキシドから生成した酸素ラジカルが β 開裂を起こし，アルデヒドやカルボン酸を生成する．

自動酸化 autoxidation
この日本語の用語には異論もある．"auto–" がここでは「動き」とは関係ないからであり，「自然酸化」といったほうがよいかもしれない．

反応 20.11　リノール酸エステルの自動酸化

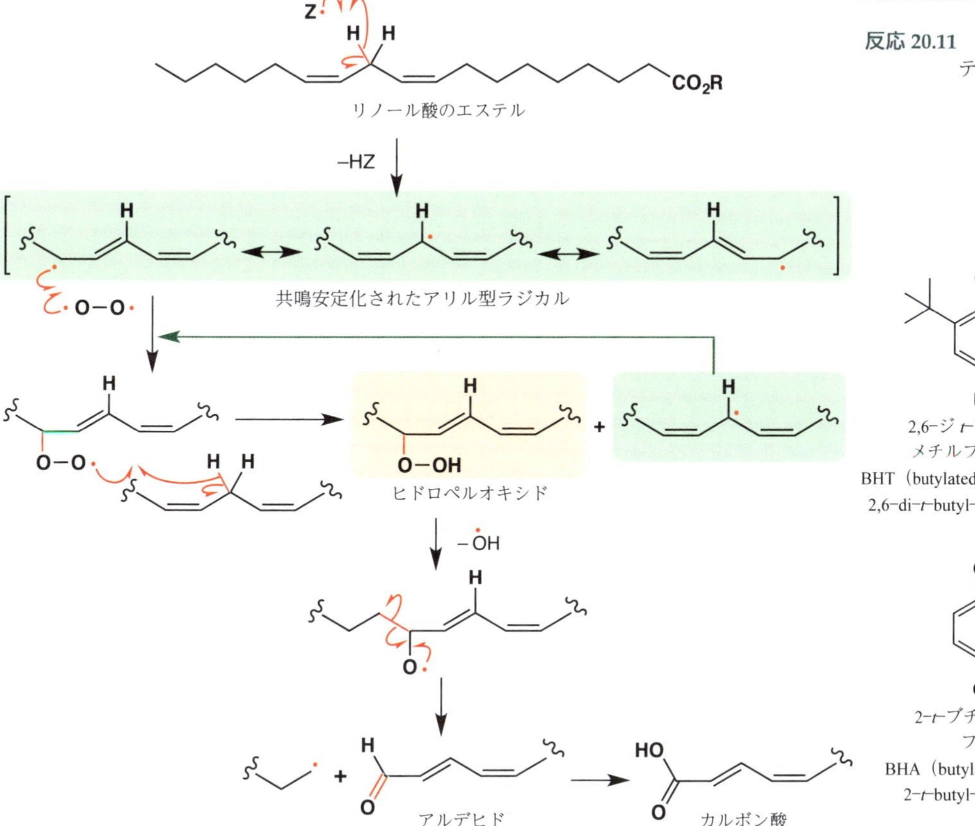

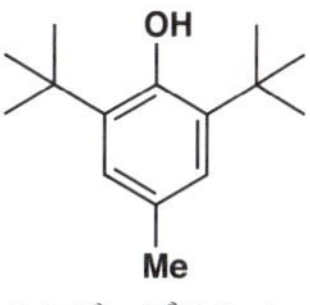

2,6–ジ-*t*-ブチル–4–メチルフェノール
BHT（butylated hydroxytoluene）
2,6–di–*t*–butyl–4–methylphenol

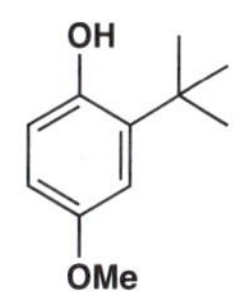

2–*t*–ブチル–4–メトキシフェノール
BHA（butylated hydroxyanisole）
2–*t*–butyl–4–methoxyphenol

自動酸化は制御することがむずかしく，自然界で広くみられる現象である．プラスチック，ゴム，ペンキ，油など有機物質が長年の間に徐々に劣化するのは自動酸化によるものである．

食品添加物として，BHT あるいは BHA のようなフェノール類の**抗酸化剤**が用いられる．これは，次のように R· と反応して安定なラジカルを生成することにより自動酸化を抑えている．体内では，ビタミン C やビタミン E（ウェブノート 23.4 参照），補酵素のグルタチオン（14.7.2 項）が抗酸化剤としてはたらいているし，"ポリフェノール類" もその作用をもつ（ウェブノート 16.3）．

$$\mathrm{R\cdot + Ar{-}OH \longrightarrow Ar{-}O\cdot + R{-}H}$$

安定ラジカル

エーテルの O の隣の C–H はとくに自動酸化されやすいので，エーテルの蒸留のとき最後まで加熱すると爆発する恐れがある．

CH_3CH_2OR
エーテル
$\xrightarrow{O_2}$ $CH_3CH(OOH)OR$
ヒドロペルオキシド
爆発性

しかし，自動酸化を応用した化学工業プロセスもある．イソプロピルベンゼン（クメン）からラジカル開始剤を用いた空気酸化で生じるヒドロペルオキシドの酸触媒転位（21 章参照）を用いてフェノールとプロパノン（アセトン）が生産されている（クメン法，反応 20.12）．

イソプロピルベンゼン（クメン）はプロペンを用いるベンゼンのアルキル化によって容易に合成できる．

抗酸化剤 antioxidant

反応 20.12　クメンの空気酸化によるフェノールとプロパノンの製造

➡ ウェブノート 20.2　ポリハロアルカンによるオゾン層破壊

イソプロピルベンゼン（クメン） $\xrightarrow[\text{BPO}]{O_2}$ OOH $\xrightarrow[\text{転位と加水分解}]{\text{酸}}$ フェノール ＋ プロパノン（アセトン）

20.9　一電子移動によるラジカル種の生成と反応

ラジカル種は，すべての電子が対になった分子やイオンに電子を1個ずつ加えたり，取り除いたりすることによってもつくることができる．電子の移動は酸化還元に相当するが，**一電子移動**(SET)の結果，不対電子をもつラジカルやラジカルイオンが生成する．

1電子を出す**電子供与体**(還元剤)としては，イオン化エネルギーの小さい金属(Li，Na，Mg，Al，Ti)や低酸化状態の金属塩[Fe(II)，Cu(I)，Ti(III)]が用いられる．逆に電子親和力の大きい金属イオン[Fe(III)，Cu(II)，Mn(III)，Ag(I)]や電子不足の化合物(キノンなど)が**電子受容体**(酸化剤)になる．また，電気分解のように電極で電子の授受を行うこともでき，この方法は電極反応といわれる．

20.9.1　溶解金属還元

ナトリウムやリチウムを液体アンモニアやアルコールに溶かすと，1電子を放出してカチオンになる(反応 20.13a)．この電子は，カルボニル化合物や芳香族化合物のLUMO(π* 軌道)に入り**ラジカルアニオン**を生成する(反応 20.13b)．ラジカルアニオンは，溶媒からプロトンを引き抜きラジカルになる(反応 20.13c)．ラジカルに電子移動がもう一度起こり，さらにプロトンを引き抜くと還元生成物が生じる(反応 20.13d)．ベンゼンの場合には，非共役の1,4-シクロヘキサジエンになる(反応 20.13)．

反応 20.13　ベンゼンの溶解金属還元

反応 20.13 のような溶解金属による芳香族化合物の還元は，Birch(バーチ)還元とよばれる．ベンゼンのBirch還元で選択的に非共役の1,4-シクロヘキサジエンが生成するのは，中間体のシクロペンタジエニルアニオンにおいて中央の炭素上でHOMOの係数あるいは電子密度が大きいためであり，プロトン化が速度支配で起こっていることを示している．

(a)　Na ⟶ Na^+ ＋ e^-

(b)　ベンゼン ＋ e^- ⟶ ラジカルアニオン

(c)　ラジカルアニオン ＋ H–OEt ⟶ (H H) ＋ EtO^-

(d)　＋ e^- $\xrightarrow{\text{SET}}$ $\xrightarrow{\text{EtOH}}$ (H H / H H)

全反応：ベンゼン $\xrightarrow[NH_3,\ EtOH]{Na}$ 1,4-シクロヘキサジエン

一電子移動　single electron transfer(SET)
電子供与体　electron donor
電子受容体　electron acceptor
溶解金属還元　dissolving metal reduction
ラジカルアニオン　radical anion

問題 20.8　1,2-ジメチルベンゼンの溶解金属還元の生成物は，1,2-ジメチル-1,4-シクロヘキサジエンである．この反応を反応式で示せ．

エタノール中におけるケトンの溶解金属還元も同じように進む（反応 20.14）．ケトンのラジカルアニオンは**ケチル**とよばれ，同じように電子移動とプロトン化を経てアルコールを与える．この還元反応をよくみると，一電子移動 2 回とプロトン（H^+）移動で，合わせてヒドリド（H^-）移動と同じ結果になっているのは興味深い．

この反応は Bouveault-Blanc（ブーボー・ブラン）還元ともよばれるが，カルボニル還元はヒドリドを使って容易に行うことができる（10 章参照）ので，今では使われない．

Na や Li を液体アンモニアに溶かすと，金属から電子が放出され強い青色を呈する．これは**溶媒和電子**（solvated electron）によるものであり，電子は徐々に NH_3 を還元して NH_2^- と H_2 を与える．

$$\mathrm{Na} \xrightarrow[\text{速い}]{\text{液体 }NH_3} \mathrm{Na^+} + \underset{\text{青色}}{e^-(NH_3)_n} \xrightarrow[\text{遅い}]{} \underset{\text{無色}}{NaNH_2 + (1/2)H_2}$$

ケトン　+ Na　SET→　ケチル　+ Na^+

[ケチルの共鳴構造] —H^+移動, EtOH, $+H^+$→ —SET, $+e^-$→ —酸, $+H^+$→ アルコール

反応 20.14　ケトンの溶解金属還元

20.9.2　カルボニル化合物の一電子還元とラジカルカップリング

プロトン性溶媒中では，ケチルはプロトン化されて還元生成物を与えるが，非プロトン性溶媒中ではプロトン化されないので，ラジカルカップリングが起こり二量化する．アニオンどうしでは静電反発もあるが，金属として Mg や Al を用いると，金属イオンに酸素が配位して，速やかに二量化が進む（反応 20.15）．

反応 20.15 はピナコール反応（pinacol reaction）とよばれる．

2 ケトン —Mg, C_6H_6, 80 °C→ 2 ケチル Mg^{2+} → → —H_3O^+→ 1,2-ジオール

反応 20.15　Mg によるケトンの還元的二量化

エステルも同じように反応して二量化するが，ジオールは四面体中間体と同じ構造をもっており，アルコキシドを脱離して 1,2-ジケトンになる．ジケトンは，さらに一電子移動を受けて還元され，エンジオールの互変異性体として α-ヒドロキシケトン（アシロイン）が最終生成物となる（反応 20.16）．

この反応は一般にアシロイン縮合（acyloin condensation）とよばれる．

2 エステル —2Na, Et_2O→ 2 ラジカルアニオン —ラジカルカップリング→ —$-2EtO^-$→

1,2-ジケトン —2Na→ —H_3O^+→ エンジオール → α-ヒドロキシケトン（アシロイン）

反応 20.16　エステルの還元的二量化

ケチル ketyl

問題 20.9　次の反応の主生成物は何か．

(a) $\mathrm{PhC(O)CH_3} \xrightarrow[\mathrm{NH_3,\ EtOH}]{\mathrm{Na}}$　　(b) $\mathrm{PhC(O)CH_3} \xrightarrow[\mathrm{2)\ H_3O^+}]{\mathrm{1)\ Mg,\ C_6H_6}}$

(c) $\mathrm{PhCO_2Et} \xrightarrow[\mathrm{2)\ H_3O^+}]{\mathrm{1)\ Na,\ Et_2O}}$

20.9.3　求核置換反応のラジカル機構

極性反応における求核種と求電子種は，電子対供与体と電子対受容体ということができる．求核置換反応において，ふつう求核種は電子対を出して求電子種と共有し，結合をつくるが，求核種が 1 電子を完全に求電子種に渡して（一電子供与体としてはたらき），ラジカルアニオンを生成し，それを中間体として進む置換反応（$S_{RN}1$ 反応という）がある．

一般式として示すと，全反応は求核置換反応になっている（反応 20.17）が，一電子移動（SET）によって開始され，ラジカル連鎖反応として進行する（反応 20.17a～d）．電子移動には光照射を使ってもよい．

反応 20.17
$S_{RN}1$ 求核置換反応

全反応：　$\mathrm{R{-}Y + Nu^- \longrightarrow R{-}Nu + Y^-}$

開始段階：　$\mathrm{R{-}Y + Nu^- \xrightarrow{SET} R{-}Y^{\cdot -} + Nu^{\cdot}}$　(a)

連鎖成長段階：　$\mathrm{R{-}Y^{\cdot -} \longrightarrow R^{\cdot} + Y^-}$　(b)

$\mathrm{R^{\cdot} + Nu^- \longrightarrow R{-}Nu^{\cdot -}}$　(c)

$\mathrm{R{-}Nu^{\cdot -} + R{-}Y \xrightarrow{SET} R{-}Nu + R{-}Y^{\cdot -}}$　(d)

反応例として，飽和炭素における求核置換と芳香族求核置換の両方が知られている．

$\mathrm{O_2N{-}C_6H_4{-}CMe_2Cl + Me_2CNO_2^-\,Li^+ \xrightarrow{DMF} O_2N{-}C_6H_4{-}CMe_2{-}CMe_2NO_2 + Li^+\,Cl^-}$

$\mathrm{C_6H_4Br_2 + 2\,PhS^- \xrightarrow[\text{液体}NH_3]{h\nu} C_6H_4(SPh)_2 + 2\,Br^-}$

一つ目の例では，基質が第三級ハロゲン化物でニトロ基をもつので S_N2 も S_N1 機構も阻害されている．一方，二つ目の反応の基質は芳香族ハロゲン化物であるが付加-脱離機構を起こすような電子求引基をもっていない．

20.9.4　電 極 反 応

カルボン酸塩から陽極で電子を取り去って酸化すると，カルボキシルラジカルが生じ，脱炭酸を経て，ラジカル二量化を起こす*．

電極反応 electrode reaction
陽極酸化（anodic oxidation）と陰極還元（cathodic reduction）が可能である．

* この反応は，Kolbe（コルベ）電解酸化として古くから知られている．

$$RCO_2^- \xrightarrow[\text{陽極酸化}]{-e^-} RCO_2\cdot \xrightarrow[\text{脱炭酸}]{-CO_2} R\cdot \xrightarrow[\text{ラジカルカップリング}]{} (1/2)\ R{-}R$$

2-プロペンニトリル(アクリロニトリル)に陰極から電子を与えて還元すると，生じたラジカルアニオンがもう 1 分子の 2-プロペンニトリルに付加して二量化し，ヘキサンジニトリル(アジポニトリル)を生成する．これはナイロン 66 (p. 160 参照)の原料製造のために，工業的に行われている電解合成である．

$$H_2C{=}CH{-}CN \xrightarrow[H_2O]{\text{陰極還元}\ +e^-} [H_2C{=}CH{-}CN]^{\cdot -} \longrightarrow \longrightarrow NC{-}CH_2CH_2{-}CH_2CH_2{-}CN$$

2-プロペンニトリル
(アクリロニトリル)

ヘキサンジニトリル
(アジポニトリル)

このように，電気化学的に電子の授受を行うことによって，新しい反応活性種を発生させて有機反応を進める方法が有機合成にも応用されている．

ま と め

- 共有結合の**ホモリシス**によって**不対電子**をもつラジカルが生じる．
- 過酸化物のような弱い結合をもつ化合物は，**ラジカル連鎖反応**の開始剤に用いられる．
- ラジカル連鎖反応には，アルカンのハロゲン化(置換)，アルケンへの付加，ラジカル重合，自動酸化などがある．
- アルケンへの HBr のラジカル付加は**逆 Markovnikov 配向**になる．
- アリル位とベンジル位のハロゲン化と，Bu_3SnH による脱ハロゲンはとくに有用なラジカル反応である．
- β 開裂はラジカルの分子内反応の一つである．
- **自動酸化**は空気中の酸素による酸化であり，アリル位で起こりやすい．
- ラジカル種は**一電子移動**によっても生成する．

章末問題

問題 20.10　(a)～(c)の組合せの化合物について，線で示した C−H あるいは C−ハロゲン結合の結合解離エネルギーの順を予想し，その理由を説明せよ．

(a)　$H{-}CH_3$　$H{-}CH_2CH_3$　$H{-}CH(CH_3)_2$　$H{-}C(CH_3)_3$

(b)　$(CH_3)_2C(H)CH_2CH_3$　$(CH_3)_2CHCH(H)CH_3$　$(CH_3)_2CHCH_2CH_2(H)$

(c)　$H_3C{-}F$　$H_3C{-}Cl$　$H_3C{-}Br$　$H_3C{-}I$

問題 20.11　エタンと臭素に光照射してブロモエタンを生成する反応のおもな反応過程を反応式で示せ．

問題 20.12　光照射によるプロパンの塩素化の生成物比から，第一級炭素と第二級炭素に結合した水素の反応性比を計算せよ．

$$CH_3CH_2CH_3 \xrightarrow[h\nu]{Cl_2} \underset{43\%}{CH_3CH_2CH_2Cl} + \underset{57\%}{CH_3CH(Cl)CH_3}$$

問題 20.13　光照射下にプロパンを Br_2 と Cl_2 の等モル混合物と反応させたところ，モノブロモ生成物の比は Cl_2 が存在しないときとは異なっていた．この選択性の違いを説明せよ．

問題 20.14　次の化合物のラジカル的臭素化により生成するモノブロモ化合物の構造をすべて示し，主生成物はどれか予想せよ．

(a) $CH_3CH_2CH_2CH_2CH_3$　　(b) 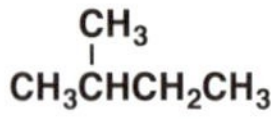 $CH_3CH(CH_3)CH_2CH_3$

(c) 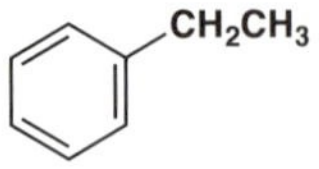 $C_6H_5CH_2CH_3$　　(d) 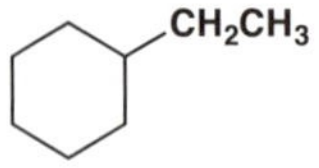 シクロヘキシルCH_2CH_3

問題 20.15　次の反応の主生成物は何か．

(a)  Ph–CH=CH–CH$_3$ + HBr $\xrightarrow[CCl_4]{BPO}$

(b) 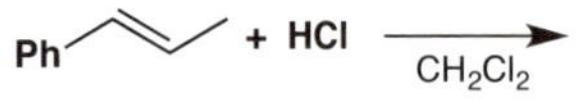 Ph–CH=CH–CH$_3$ + HCl $\xrightarrow[CH_2Cl_2]{}$

(c) 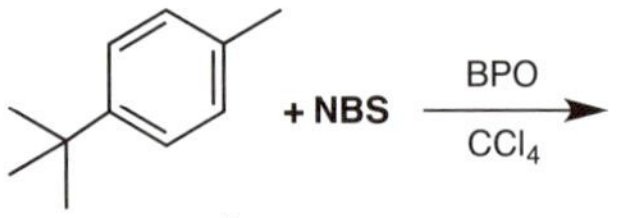 + NBS $\xrightarrow[CCl_4]{BPO}$

(d) 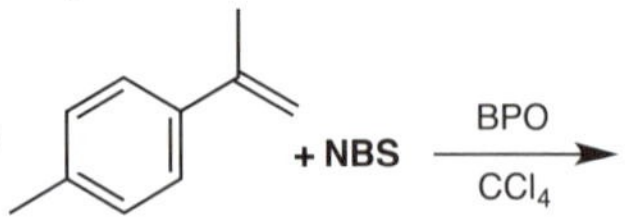 + NBS $\xrightarrow[CCl_4]{BPO}$

(e)  + NBS $\xrightarrow[CCl_4]{h\nu}$

問題 20.16　次の反応の機構を書いて主生成物の構造を示せ．チオールはラジカル開始剤によってアルケンに付加する．

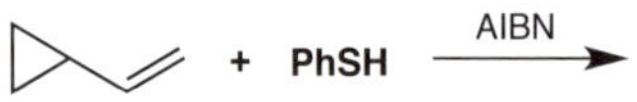

+ PhSH $\xrightarrow{AIBN}$

問題 20.17　ヒドロキノンは 2 分子のラジカルと反応してキノンになる．このようにラジカルと反応して連鎖反応を阻害するような化合物はラジカル阻害剤とよばれる．ヒドロキノンとラジカルとの反応がどのように起こるか，巻矢印を用いて示せ．

ヒドロキノン + 2 R· ⟶ キノン + 2 RH

問題 20.18　シクロペンタノンをベンゼン中マグネシウムと反応させ，ついでその生成物を硫酸水溶液中で加熱すると転位が起こった．この反応の全過程を段階的な反応式で示せ．

問題 20.19　紫外線照射下に，光学的に純粋な(*R*)-2,2,3-トリメチルペンタンに塩素を反応させたところ，さまざまなモノクロロ生成物の構造異性体と立体異性体が得られた．生成可能なすべての異性体を次の分類に従って示せ．

(a) 単一エナンチオマー　　(b) ジアステレオマー対

(c) エナンチオマー対

問題 20.20　シクロヘキサンと塩化ニトロシルの光反応によってシクロヘキサノンのオキシムが生成する．(a)ニトロソ化，(b)ニトロソ化合物のオキシムへの転位反応機構を書け(21.3 節参照)．

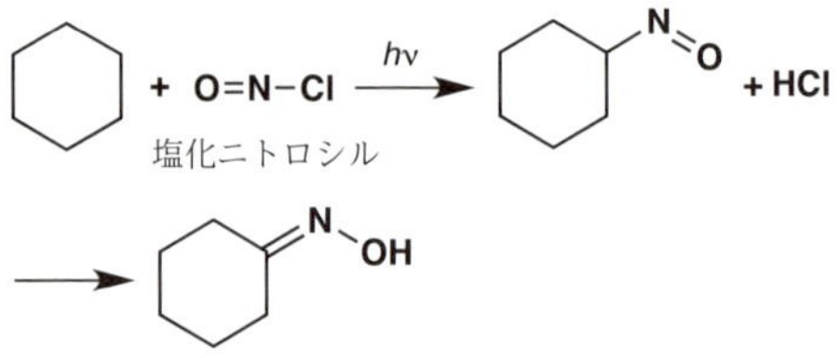

+ O=N–Cl (塩化ニトロシル) $\xrightarrow{h\nu}$ (ニトロソシクロヘキサン) + HCl

⟶ (シクロヘキサノンオキシム, =N–OH)

21 転位反応

【基礎となる事項】
- 芳香族性（5.6 節）
- 巻矢印による反応の表し方（7.2 節）
- 反応における軌道相互作用（7.3 節）
- カルボカチオンの安定性（12.4.3 項）
- カルボカチオンの転位（14.2 節）

【本章で学ぶこと】
- カルボカチオンの 1,2-転位
- 電子不足の炭素，酸素，窒素への転位
- カルベンとニトレンの転位
- シグマトロピー転位と電子環状反応

カルボカチオンを中間体とする反応を，これまでにいくつ見てきただろう．S_N1 求核置換反応と E1 脱離反応が共通のカルボカチオン中間体を経て進むことを 12 章と 13 章で学んだ．アルケンへの求電子付加は E1 脱離の逆反応として同じ中間体を通る．芳香族求電子置換反応も類似の反応であり，Friedel-Crafts 反応はカルボカチオンが求電子種として反応する．これらの反応過程において，カルボカチオンの転位が起こる可能性があることを説明した．正電荷をもつ炭素へ，隣接の炭素から水素やアルキル基が移動するという **1,2-転位**が典型的な例であり，最も単純な反応は次のように表される（14.2 節）．

1,2-転位はカルボカチオンだけでなく，電子不足中心への移動反応として炭素のほか酸素や窒素においてもみられる．この章では，これらの転位反応が共通の反応原理に基づいて起こっていることを説明する．さらに，シグマトロピー転位と電子環状反応とよばれる反応についても述べる．これらはすべて芳香族性遷移状態を経て協奏的に進む特徴的な反応である．

羽化するチョウのように，転位反応により分子が姿を変える

21.1 炭素への 1,2-転位

21.1.1 カルボカチオンの転位

S_N1 反応において，中間体の第二級カルボカチオンが 1,2-水素移動によって，より安定な第三級カルボカチオンに転位する可能性があることを述べた（14.2 節）．このような転位はカルボカチオン中間体に共通の現象であり，反応 21.1 に示すのは，アルケンへの HCl 付加における転位の例である．最初に生成した第二級カルボカチオンが Cl^- で捕捉されるよりも効率よくメチル移動を起こし，

カルボカチオンの 1,2-転位は，Wagner-Meerwein（ワグナー・メーヤワイン）転位ともよばれる．

1,2-転位 1,2-rearrangement
1,2-水素移動 1,2-hydrogen shift

第三級カルボカチオンになっている．

反応 21.1　アルケンの求電子付加反応における 1,2-メチル移動

第二級 C^+

1,2-メチル移動

CH_3NO_2

17%　83%

例題 21.1

次の反応がどのように進むか示せ．

H_2O

解 答　第二級ハロゲン化アルキルは求核性の弱い溶媒中で S_N1 反応を起こすと考えられる．第二級カルボカチオンが 1,2-水素移動によって第三級カチオンに転位する．

$-Cl^-$　$-H^+$

1,2-転位では，カルボカチオンがより安定になる場合でなくても，強酸中のように求核性の低い条件では，第二級や第一級の不安定なカルボカチオンを経る転位も起こり得る．

21.1.2 カルボカチオン生成における転位

第一級アルキル誘導体からは通常第一級カルボカチオンの生成はみられないが，求核性の低い反応条件では，脱離基が外れるとともに電子不足になってくる炭素へ隣接基が転位して，より安定なカルボカチオンを生成する．14.2 節でもそのような例をみたが，ネオペンチル(2,2-ジメチルプロピル)誘導体の加溶媒分解における転位が，その典型的な例である．ネオペンチル化合物は第一級アルキル化合物ではあるが，枝分れのために立体障害が大きく S_N2 反応は起こしにくい．

HCO_2H　$-TsO^-$　E1　$-H^+$

ネオペンチルトシラート　第三級 C^+

Ts = Me–C_6H_4–SO_2

1,2-転位において移動する基は水素，メチル基と他のアルキル(R)基，フェニル基であり，これらの移動しやすさ(転位傾向)は一般的に次のようになる．

■　**転位傾向：H ＞ 第三級 R ＞ フェニル ～ 第二級 R ＞ 第一級 R ＞ メチル**

トシラート tosylate
(*p*-トルエンスルホン酸エステルの略称)
転位傾向 migratory aptitude

例題 21.2

カルボカチオンあるいは電子不足の炭素を発生させる一つの方法は，第一級アミンをジアゾ化する方法である．次のような光学活性なアミンを水溶液中でジアゾ化するとキラルなアルキル基の転位したアルケンが生成する．このときキラル中心の立体配置は保持される．この 1,2-転位の立体化学を説明せよ．

$NaNO_2$, HCl / H_2O

解 答　下に示すようにジアゾ化されたあと，不安定な第一級カルボカチオンを生成しないで，N_2 脱離基の切断と協奏的に 1,2-転位を起こす．その遷移構造は三員環型であり，1,2-移動するアルキル基はもとの結合が切れる側から新しい結合をつくっていくので，立体配置は保持される．

1,2-移動　遷移構造　$-N_2$　第三級 C^+　$-H_3O^+$

問題 21.1　次の反応がどのように進むか示せ．

$AgNO_3$ / H_2O

21.1.3 カルボカチオンの転位の遷移状態

1,2-移動の移動基は結合電子対とともに移動しており，その三員環状の遷移構造をみると，三中心二電子系になっている．したがって，この移動反応の遷移構造(TS)は図 21.1 に示すようにエテンの HOMO(π)に対して H^+ の空の 1s 軌道が相互作用(a)あるいはカルボカチオンの LUMO(空の 2p 軌道)が相互作用(b)したかたちで表すことができる．

1,2-水素移動は 1,2-ヒドリド移動(1,2-hydride shift)といわれることが多い．

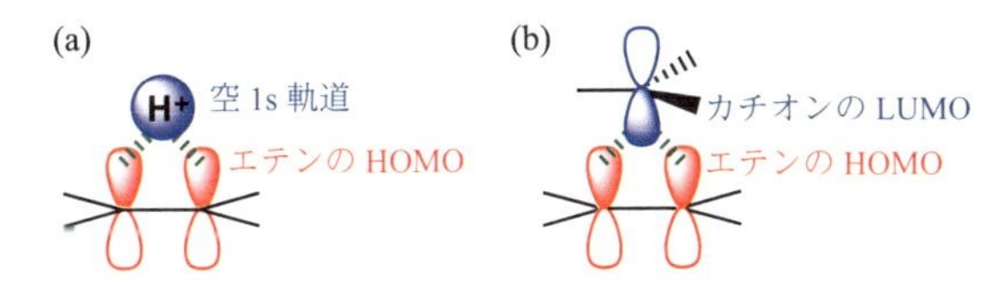

図 21.1　カルボカチオンにおける 1,2-移動の軌道相互作用
(a) 水素移動
(b) アルキル移動

移動する基がエテン骨格の同じ面でスライドするように起こっている．これはキラルなアルキル基の移動が立体化学保持で起こることを示しており，実験的にも確かめられている(例題 21.2 にカチオン生成における転位の例を示した)．

21.1.4 ピナコール転位

ピナコールとよばれるジオールは，酸性条件でケトン(ピナコロン)に転位する．酸触媒によって生成した第三級カルボカチオンは，さらに安定なヒドロキシカルボカチオン(オキソニウムイオン)に転位する．OH 基の非共有電子対の押込み効果(プッシュ)がこの転位を推進しているといってもよい．このようなジオールの転位反応を一般的にピナコール転位という．

三中心二電子系 three-center two-electron system
ピナコール転位 pinacol rearrangement

反応 21.2　ピナコール転位

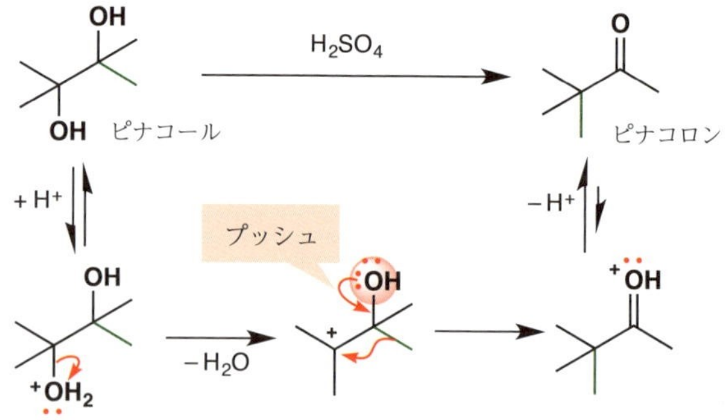

次に示す非対称なジオールの二つの転位反応(反応 21.3)をみると，(a)酸性条件ではアルデヒドが生成するが，(b)トシラートに変換してから中性条件で反応させるとケトンが得られる．

反応 21.3
非対称ジオールのピナコール転位(a)と，セミピナコール転位(b)

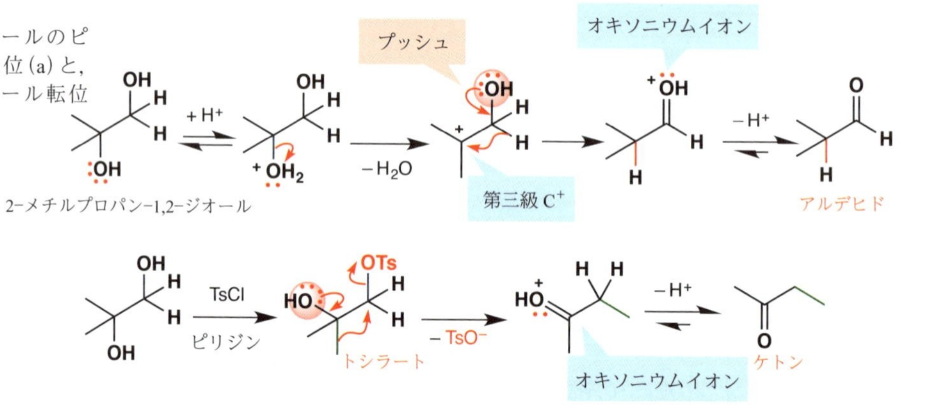

酸触媒による H_2O の脱離は，より安定な第三級カルボカチオンを生成するように起こるので，第一級炭素側に OH が残るが，さらに H がオキソニウムイオンを生成するように転位してアルデヒドになる(a)．一方，トシル化は立体障害の小さい第一級炭素側で選択的に起こり，中性条件におけるトシラートの脱離は協奏的な 1,2-メチル移動を伴い，オキソニウムイオン(プロトン化ケトン)を生成する(b)．このようなジオール以外のピナコール型転位は**セミピナコール転位**とよばれる．

■　**ピナコール型転位はオキソニウムイオンの生成が推進力になっている．**

問題 21.2　次の転位反応がどのように進むか示せ．

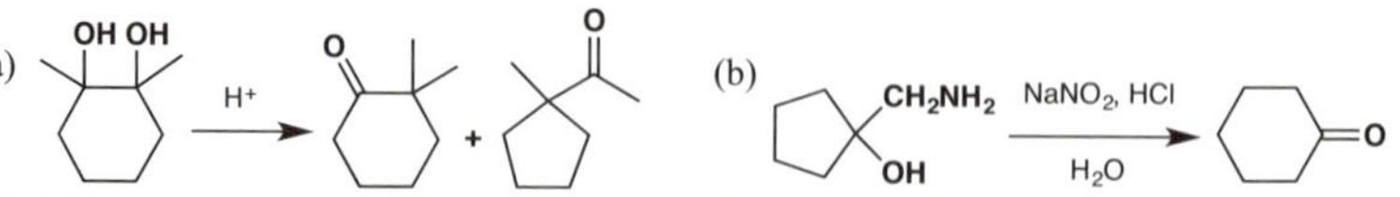

21.1.5　カルボニル化合物の 1,2-転位

α-ヒドロキシケトンは酸あるいは塩基触媒によって転位する．酸触媒があるとカルボニルプロトン化が起こるが，このプロトン化ケトンはヒドロキシカルボカチオンとみなせる*．したがって，ピナコール転位と同じように，1,2-転位を起こし異性体のケトンになる．この場合には，プロトン化カルボニル基がプルし，OH 基がプッシュすることによって転位を促進している．

＊　共鳴構造式を書いてみるとわかる．

セミピナコール転位 semi-pinacol rearrangement

このピナコール転位に似たカルボニル転位には，プロトン化カルボニル基からのプルに加えて，OH のプッシュも推進力になっている．

塩基性条件における転位は，アニオン中間体を経て進み，一見カチオン転位とは別の反応のようにみえるが，酸素アニオンの強い押込み効果(プッシュ)を受けてアルキル基がカルボニル炭素へ移動する．カルボニル炭素は電子不足であり，C−O π 結合が切れながら 1,2-移動が起こるようすはカルボカチオン生成における転位と似ている．

このカルボニル転位では酸素アニオンからのプッシュが推進力になっている．

ベンジル酸転位とよばれる反応 21.4 はジケトンの転位であるが，これもよく似ている．この反応は，カルボニル基への求核付加から始まり，酸素アニオンにプッシュされてフェニル基が隣接カルボニル炭素へ移動する．

反応 21.4　ベンジル酸転位

21.2 酸素への転位

ケトンと過酸を反応させると，カルボニル基に過酸が求核付加したあと，カルボキシラートの脱離とともに酸素原子へのアルキル基やフェニル基の移動が起こり，エステルを生じる(反応 21.5)．この反応は Baeyer-Villiger(バイヤー・ビリガー)酸化とよばれ，1,2-アルキル移動を含む．

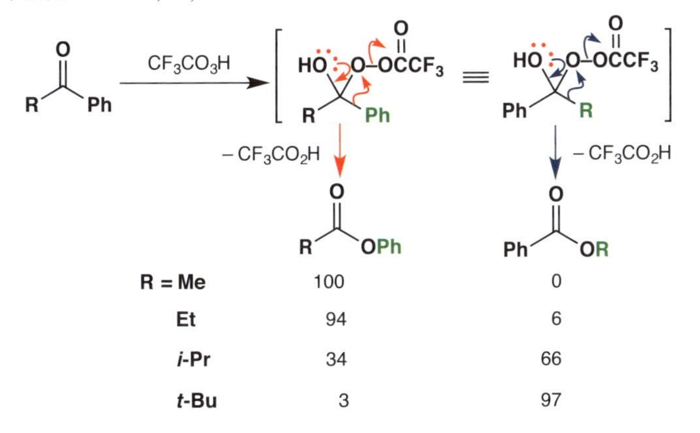

R	RCO–OPh	PhCO–OR
R = Me	100	0
Et	94	6
i-Pr	34	66
t-Bu	3	97

反応 21.5
Baeyer–Villiger 酸化

ベンジル benzil
ベンジル酸転位 benzilic acid rearrangement

過酸は酸としては非常に弱く，求核性は高い．反応 21.5 の四面体中間体では，CF_3COO^- が優れた脱離基であり酸素原子が電子不足になるとともに，フェニルケトンのフェニル基かアルキル基が移動する．OH 基によるプッシュも 1,2-移動を促進している．生成物比は，アルキル基の移動しやすさ(第一級＜第二級＜第三級アルキル)により大きく変化することを示している．この傾向はカルボカチオン転位においてもみられる．

ノート 21.1　Favorskii 転位

α-ハロケトンをアルコキシドまたは水酸化物イオンで処理すると，エステルあるいはカルボン酸が得られる．

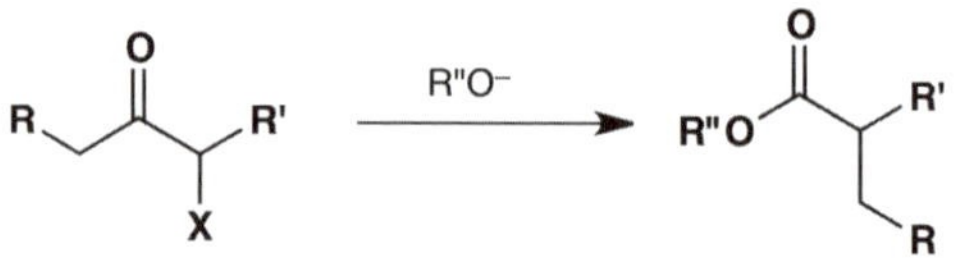

この反応は一見ベンジル酸転位と似ているが，まったく異なる反応機構で起こっており，Favorskii (ファボルスキー)転位とよばれている．次のような反応例がある．

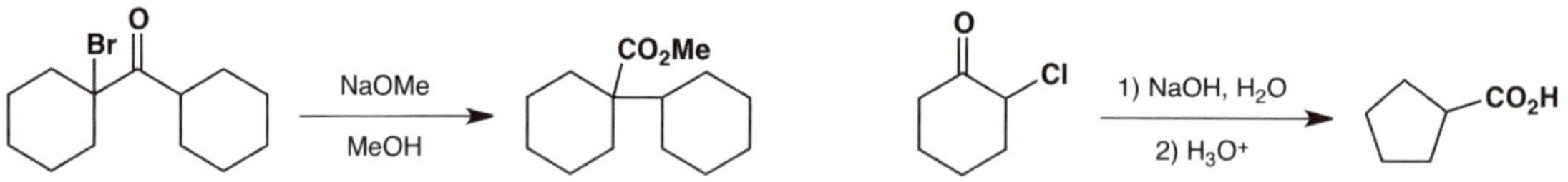

二つ目の反応を，放射性同位体 ^{14}C で 1 位と 2 位を標識した基質を用いて行うと，同位体がカルボニル炭素に加えて，シクロペンタン環の 1 位だけでなく 2 位にも分布していることがわかった．

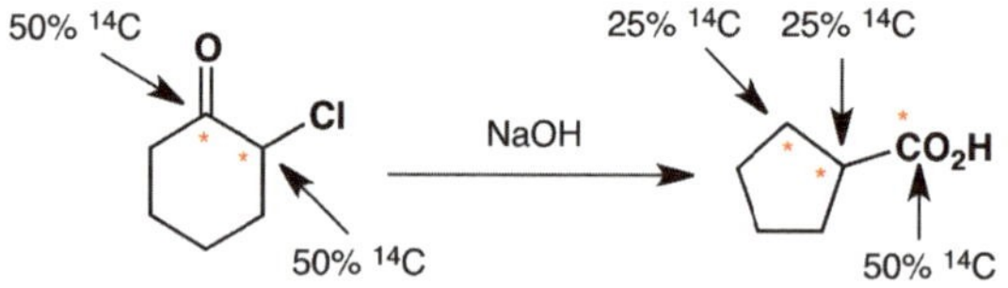

この結果は，単純に *α* 炭素が移動する機構では説明できない．エノラートから生じる対称なシクロプロパノンを中間体とする反応機構が提案されている．

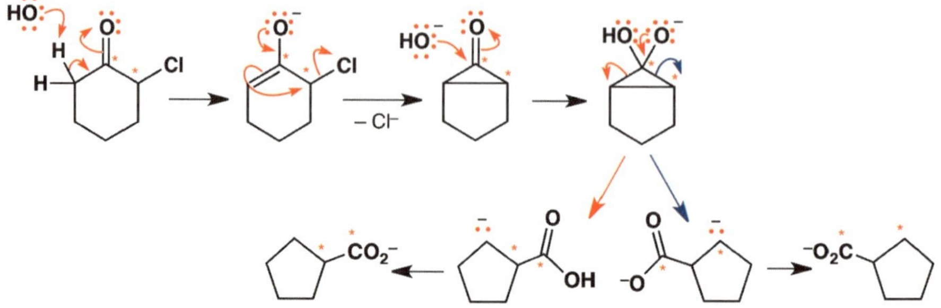

例題 21.3

イソプロピルベンゼン(クメン)を酸素酸化してヒドロペルオキシドに変換し，酸で処理すると転位してフェノールとプロパノンになる．この転位反応がどのように起こるか巻矢印を用いて示せ．この反応はクメン法といわれ，フェノールの製造法の一つとして応用されている．

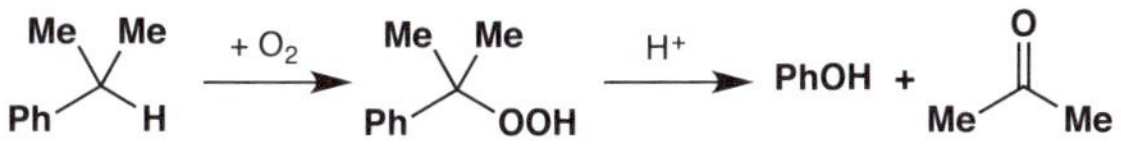

解 答 ヒドロペルオキシ基の酸素がプロトン化されて，H_2O が脱離するとともに電子不足になってくる O にフェニル基が移動する．

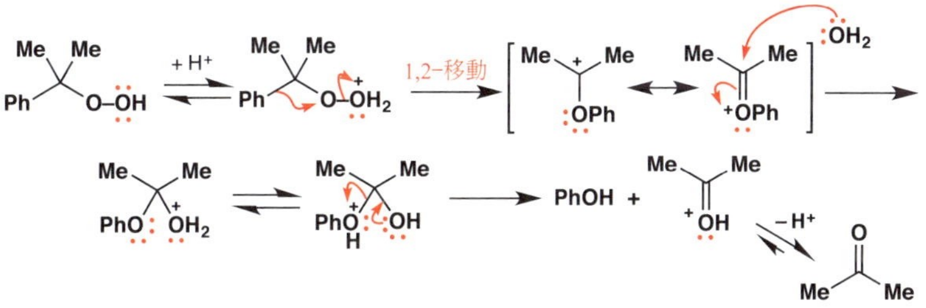

問題 21.3 シクロヘキサノンに過酢酸を作用させるとどのような転位生成物が得られるか．反応式を書いて説明せよ．

21.3 窒素への転位

カルボニル化合物とヒドロキシルアミンから生成したオキシム(8.5.1 項参照)は，酸の作用によってアミドに異性化する．この反応は Beckmann(ベックマン)転位とよばれ，プロトン化されたヒドロキシ基(H_2O^+-)の脱離とともに電子不足になってくる窒素にトランス側からアルキル基が移動する．

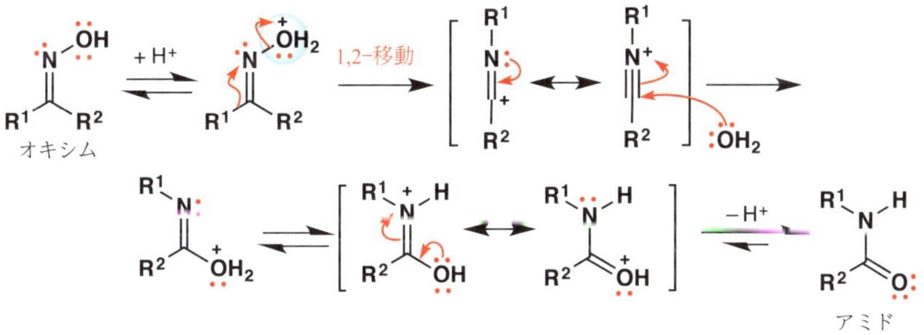

反応 21.6 Beckmann 転位

オキシムにはシス・トランス異性があるので，非対称なケトンのオキシムの転位では，トランス位のアルキル基が立体特異的に転位することを確かめることができる*.

* しかし，プロトン酸を用いるとシス・トランス異性化が速いので，転位するアルキル基は立体配置よりもアルキル基の転位しやすさによって決まる．

問題 21.4　シクロヘキサノンオキシムから ε-カプロラクタム(6-ナイロンの工業原料)を生成する Beckmann 転位がどのように進むか，巻矢印を用いて示せ.

H_2SO_4

シクロヘキサノンオキシム　　ε-カプロラクタム

21.4　カルベンとニトレンの転位

21.4.1　カルベンの転位

カルベン carbene
カルベンの生成法の一つは α 脱離であり，15.6 節でアルケンへの付加について述べた.

カルベン(R_2C：)は 2 価炭素をもつ反応性の高い中間体である．その炭素は原子価殻に電子を 6 個しかもたないので電子不足であり，カルボカチオンのように 1,2-転位を起こす.

α 脱離　t-BuOK　−t-BuOH　−KCl　カルベン　1,2-移動

カルボニル基に隣接するカルベン(α-ケトカルベン)の転位は Wolff(ウォルフ)転位とよばれ，ケテンを生成する．α-ケトカルベンの優れた前駆体としてジアゾケトンが用いられ，転位の初期生成物であるケテンはただちに水やアルコールと反応してカルボン酸やエステルになる.

反応 21.7　Wolff(ウォルフ)転位

ジアゾケトン　$-N_2$ 加熱　ケトカルベン　1,2-移動

ケテン　$-H^+$　$-HO^-$　カルボン酸　水和

ジアゾケトンは塩化アシルとジアゾメタンの反応で得られるので，カルボン酸を出発物とするとカルボン酸の炭素数を一つ増やす合成反応(増炭反応)として用いられる．この増炭反応は Arndt-Eistert(アルント・アイステルト)合成(反応 21.8)として知られている.

反応 21.8　Arndt-Eistert 合成

RCO_2H —($SOCl_2$)→ $RC(O)Cl$ —(CH_2N_2)→ $RC(O)CHN_2$ —($-N_2$)→ $RC(O)\ddot{C}H$ → $RCH{=}C{=}O$ —(H_2O, 水和)→ RCH_2CO_2H

カルボン酸　塩化アシル　ジアゾケトン　ケトカルベン　ケテン　カルボン酸

21.4 節で述べるカルベンとニトレンの転位は，反応の進行を理解しやすくするためにいずれもカルベンやニトレンを中間体とするかたちで反応機構を書いている．しかし，例にあげている α-ケトカルベンや α-ケトニトレンの転位反応は，反応速度同位体効果(^{14}C と ^{15}N が反応速度に及ぼす効果)の研究結果から，実際には反応は協奏的に起こっていると結論されている．すなわち，アニオン中間体からカルベンやニトレンを生成する場合には，1,2-転位は脱離基の切断と同時に起こっている.

21.4.2　ニトレンの転位

アミドに塩基性条件で臭素を作用させると，窒素の臭素化で生成したブロモアミドからニトレンとよばれる中間体が生じる．ニトレンはカルベンと等電子構造をもち，Wolff 転位と同じような転位反応を起こす．アシルニトレンの転位の初期生成物はイソシアナートであり，ただちに水和と脱炭酸によりアミンを生成する．この転位反応は Hofmann（ホフマン）転位とよばれ，アミドから CO 部分が抜けたアミンを生成する反応になる．

反応 21.9　Hofmann 転位

Br_2 の NaOH 水溶液は次亜臭素酸ナトリウム（NaOBr）水溶液と書かれることも多い．これは次のような平衡反応に基づいている．

$$HO^- + Br_2 \rightleftharpoons HOBr + Br^-$$

$$HOBr + NaOH \rightleftharpoons NaOBr + H_2O$$

問題 21.5　ブタンアミドを Br_2 の NaOH 水溶液中で処理したときに得られるアミンは何か．*N*-メチルブタンアミドは同じように処理しても転位を起こさないのはなぜか．

ニトレンはアジドの熱分解によっても発生できる．アシルアジドは塩化アシルとナトリウムアジドの反応で容易に合成できるので，これを加熱すれば，N_2 を発生して分解しニトレンを生じる．この過程はジアゾケトンの熱分解とよく似ている．ニトレンは Hofmann 転位と同じように反応してイソシアナートからアミンにまで分解する．この転位反応は Curtius（クルチウス）転位として知られている．

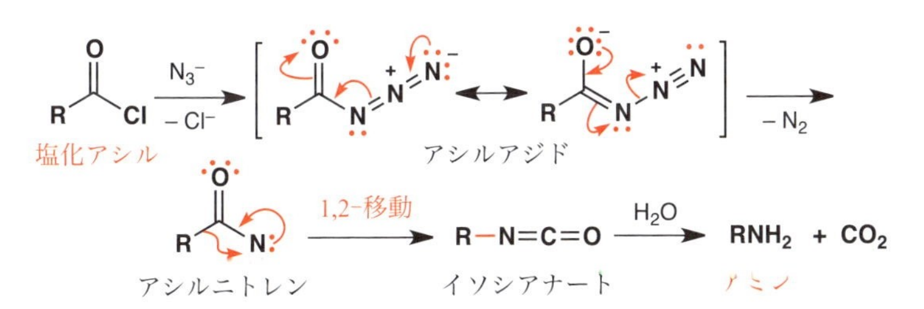

反応 21.10　Curtius 転位

21.5　シグマトロピー転位と電子環状反応

これまで，もっぱら電子不足の原子への 1,2-転位について考えてきた．これらの転位では，結合の切断と生成が協奏的に起こっている．このように協奏的に起こるけれども，1,2-転位とはまったく様相の異なる 2 種類の転位反応，シグマトロピー転位と電子環状反応，が知られている．

シグマトロピー転位の典型的な例は，Cope（コープ）転位と Claisen（クライゼン）転位であり，前者は 1,5-ヘキサジエンが六員環状遷移構造を経て一挙に結合の組換えを行う反応であり，σ 結合が移動している．後者は，Cope 転位の構

ニトレン nitrene
イソシアナート isocyanate
シグマトロピー転位
sigmatropic rearrangement

成原子が一つ酸素に置き換わったものである．

反応 21.11　二つのシグマトロピー転位

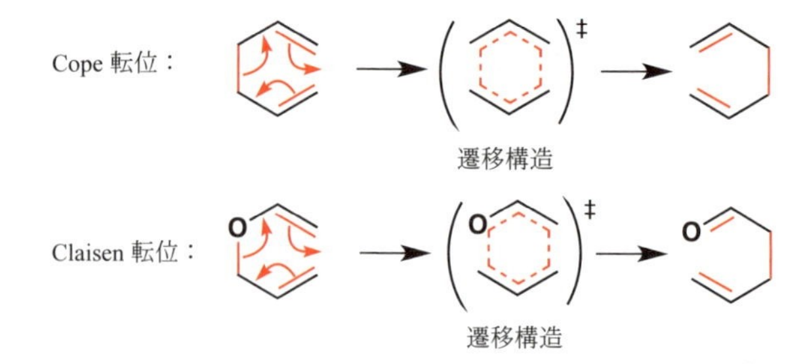

いずれも 6 電子が非局在化した環状遷移構造を経て反応しており，そのために活性化エネルギーが小さくなっている．この遷移構造は**芳香族性遷移構造**といえる．

Claisen 転位のよく知られている反応例は，アリルフェニルエーテルの転位であり，転位したあと，エノール化が起こる(反応 21.12)．

反応 21.12　芳香族 Claisen 転位
(a) 典型的な反応，(b) 同位体標識した基質の転位．＊は ^{14}C を示す．

加熱
アリルフェニルエーテル
2-アリルフェノール
(a)

Claisen 転位
エノール化
(b)

Claisen 転位では，反応機構(反応 21.12b)からわかるように，出発物のアリル基の末端炭素が生成物のベンゼン環と結合しているはずである．このことは，炭素を同位体 ^{14}C(＊印)で標識した基質を用いて，実験的に確かめられている．

21.1.1 項でみたカルボカチオンの 1,2-転位では，環状三中心二電子系の遷移構造を経て進んでいることを指摘した．三中心二電子の環状非局在化が芳香族性($4n+2$ 則)を示すことを考えれば，1,2-転位も同じ反応原理に基づくシグマトロピー転位の一つとみなしてよい．他の 1,2-転位も同じように考えられる．

反応 21.13　カルボカチオンの 1,2-転位

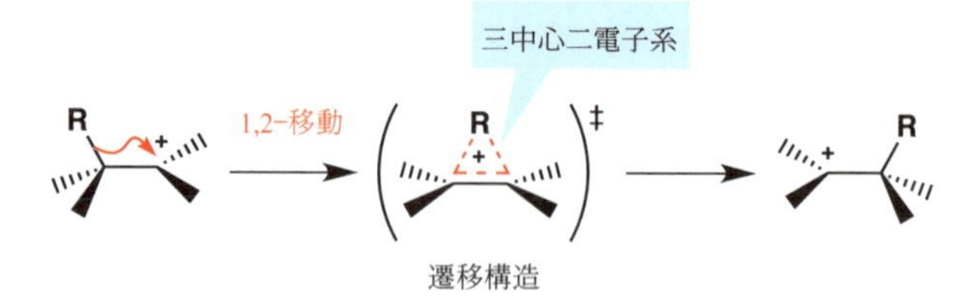

芳香族性遷移構造 aromatic transition structure
電子環状反応 electrocyclic reaction

電子環状反応は，共役ポリエンの π 結合が移動し，両端で新しい σ 結合をつくって環化する反応とその逆反応である．この転位反応も芳香族性遷移状態を経て進む協奏反応である．

反応 21.14　電子環状反応

以上のような協奏反応は分子軌道の相互作用が反応推進に大きくかかわっており，15.9 節で学んだ Diels–Alder 反応(付加環化反応)とともに，ペリ環状反応という一群の反応として分類される．

協奏反応
協奏反応は(立体化学が関与する場合には)立体特異的に進行するので，電子環状反応でも立体化学が問題になる．

ペリ環状反応(pericyclic reaction)については，ウェブチャプター 24 を参照すること．

問題 21.6 次のフェニルエーテルを加熱すると転位生成物が得られる．段階的な反応式を書いて，生成物の構造を示せ．

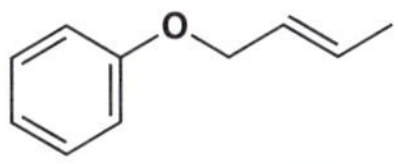

➡ ウェブノート 21.1　隣接基関与による転位

転位反応には，ほかにも，隣接基関与(12.5 節)によって起こるものや，結合の切断と再結合あるいは付加と脱離によって段階的に起こるものもある．

まとめ

- 1,2-転位は，電子不足な原子に向けて隣接位から H，アルキル，アリール基が結合電子対とともに 1,2-移動することで起こる．
- 電子不足の炭素としては，カルボカチオン，生成過程にあるカルボカチオン，カルボニル炭素，カルベンがある．
- 窒素や酸素への 1,2-移動も可能であり，Baeyer-Villiger 転位や Beckmann 転位，そしてニトレンを含む転位がある．
- これらの 1,2-転位は 2 電子系の芳香族性遷移構造を経て協奏的に進んでいる．
- シグマトロピー転位と電子環状反応はおもに 6 電子芳香族性遷移構造の関与する協奏反応である．

章末問題

問題 21.7 1-フルオロブタンを低温で超強酸媒質(SbF_5–SO_2ClF)に溶かすと *t*-ブチルカチオンになる．この変換の機構を書け．

問題 21.8 ネオペンチルアルコール(2,2-ジメチル-1-プロパノール)を HBr で処理すると 3 種類の臭化物が得られる．これらがどのように生成するか反応式で示せ．

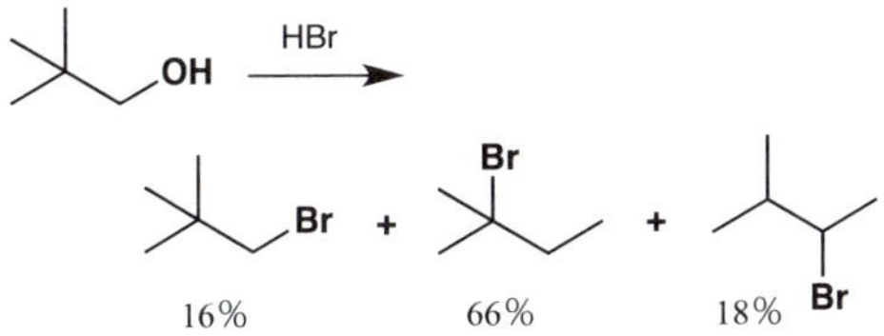
OH
HBr
Br
Br
Br
16%
66%
18%

問題 21.9 次のジオールを酸で処理したときに起こる反応の機構を書いて，転位生成物の構造を示せ．

(a)
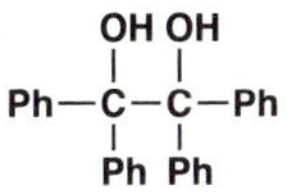
OH OH
Ph—C—C—Ph
Ph Ph

(b)
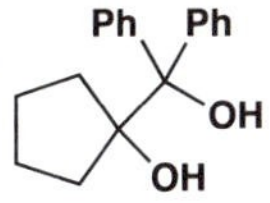
Ph
Ph
OH
OH

問題 21.10 次の転位反応の機構を示せ．

(a)
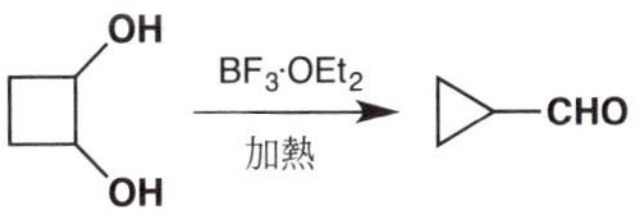
OH
OH
BF3·OEt2
加熱
CHO

(b)
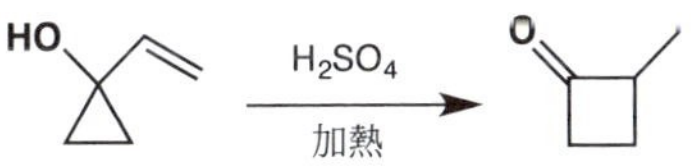
HO
H2SO4
加熱
O

問題 21.11 3 位が重水素化された 3-メチル-2-ブタノール-3-d_1 を希硫酸水溶液で処理すると，重水素をほとんど完全に保持した転位アルコール，2-メチル-2-ブタノール-3-d_1 が得られた．このことは転位反応の機構について何を意味するか説明せよ．

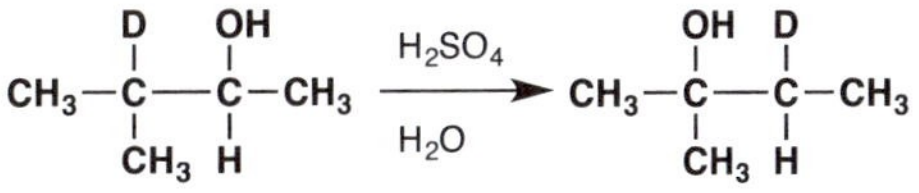
D OH
CH3—C—C—CH3
CH3 H
H2SO4
H2O
OH D
CH3—C—C—CH3
CH3 H

問題 21.12　次の反応の主生成物は何か．

(a) 　CF_3CO_3H

(b) 　1) $HONH_2$, H^+　2) H_2SO_4

(c) 　1) $SOCl_2$　2) NaN_3　3) H_2O, 加熱

(d) 　1) $SOCl_2$　2) CH_2N_2　3) H_2O, 加熱

問題 21.13　次の反応がどのように進むか反応式で示せ．

H^+

問題 21.14　次の転位反応はジエノン-フェノール転位ともよばれているが，電子不足炭素への 1,2-転位として理解できる．反応がどのように進むか巻矢印を用いて示せ．

H^+

問題 21.15　第三級アルキル基をもつオキシム 2 種類の混合物を酸で処理すると，アルキル基が交差したアミドが生成してきた．この反応は Beckmann 開裂ともよばれるが，Beckmann 転位とどのように異なるのか説明せよ．

H^+

問題 21.16　次の化合物を加熱したときに得られる転位生成物の構造を示せ．

(a)　(b)

(c)　(d)

問題 21.17　2,6 位の二つのメチル基をもつアリルフェニルエーテルを加熱すると，アリル基が 4 位に転位した生成物が得られる．この転位反応の機構を示せ．

加熱

問題 21.18　次の反応がどのように進むか，巻矢印を用いて全過程を段階的に示せ．

H^+　H^+　加熱

22 有機合成

【基礎となる事項】
- 有機合成入門(10.5 節)
- 置換ベンゼンの合成(16.7 節)
- 官能基相互変換反応(付録 1 と 2)
- 炭素-炭素結合生成反応(付録 3)

【本章で学ぶこと】
- 有機合成に使う反応
- 有機合成計画の考え方：逆合成解析
- 反応選択性
- 保護と脱保護
- 有機合成の効率
- 有機合成の例

有機合成は，入手容易な有機化合物から価値の高い化合物(標的化合物)を得るための手法である．天然からはごく微量しか得られない有用な化合物を，合成によって大量に得たり，天然には存在しないものを合成して，新しい機能をもつ有用な物質をつくり出したりすることもできる．

このような有機化合物の合成が多段階の反応で構成される場合，より経済的で環境に配慮された方法を確立することが必要である．そのような多段階合成の合理的な反応経路を見つける方法として，標的化合物から逆向きに一つずつ前駆体を見つけていく逆合成解析について 10.5 節で簡単に説明した．この章では，これまで各章で学んだ有機反応を応用し，標的化合物をどのように合成するか，逆合成の考え方をさらに詳しく説明する．

数多くの可能性の中から適切な化学反応を組み合わせて複雑な分子を効率よく構築する作業は，有機化学の集大成といえ，有機化学の究極的な目的の一つである．このような挑戦の中から新しい化合物，そして新しい反応が見つけられ，さらに新しい合成戦略が開発されてきた．この化学者の仕事は芸術にも例えられる創造的なものであり，天然の美しい成り立ちを求めて探究が続けられている．

猛毒のパリトキシンはマウイイワスナギンチャクから単離された

22.1 有機合成に使う反応

有機合成はその計画を立てるところから始まる．単純な化合物から複雑な化合物を合成するために使う反応には，炭素-炭素結合生成反応による基本骨格の構築と官能基相互変換反応がある．これまでに学んだ反応は，巻末付録に官能基合成反応，官能基の反応，および C−C 結合生成反応としてまとめてある．

有機合成計画において炭素骨格を構築する作業はとくに重要である．それによって出発物の構造が大きく変わるからである．C−C 結合生成反応の中心にな

炭素-炭素結合生成反応
carbon–carbon bond formation
官能基相互変換(反応)
functional group interconversion
(FGI)

るのは，炭素求核種（カルボアニオン，有機金属，芳香族化合物など）と炭素求電子種（カルボカチオン，カルボニル基，求電子性アルケンなど）との反応であり，それに加えて協奏的な付加（15 章）や転位反応（21 章）がある．カルボアニオンはカルボニル基の α 位に発生でき（17 章），カルボカチオンはハロアルカン（12 章），アルコール（14 章）あるいはアルケンから発生できる（15 章）．

C−C 結合生成反応には構造的な特徴があるので，その特徴を認識できることが重要であり，付録 3 のまとめを参考にしてそのパターンを頭に入れておこう．官能基相互変換によって C−C 結合生成の別の方法が見つかることもある．

22.2　逆合成解析による有機合成計画

逆合成の段階は白抜きの矢印で表す（末尾が閉じていないことに注意）．

標的化合物を合成するためには，出発物を選択し，それをどのように変換して目的化合物に導くか，まず合成経路を設計する．**標的化合物**から適切な反応を想定して合成経路を逆にたどり，出発物に到達する計画の立て方を**逆合成**という（10.5 節）．一例として，逆合成解析 22.1 に Robinson 環化（18.4.2 項参照）を想定した二環性化合物の合成計画を示す．

逆合成解析 22.1
Robinson 環化反応

問題 22.1　逆合成解析 22.1 に対応する合成反応を式で示せ．

22.2.1　結合切断：シントンと対応する反応剤

合成等価体 synthetic equivalent
一般的に，信頼性の高い反応によって相互に変換可能な官能基をもっている化合物を合成等価体という．

逆合成解析においては，C−C 結合を切断して直前の前駆体に導く．大きい分子の合成を計画するときには，結合切断の位置を決めることが重要になる．逆合成解析 22.1（あるいは 10.5 節の逆合成解析）では，逆合成矢印で目的生成物と前駆体（具体的反応物分子）を直接つないでいた．しかし，もっと一般的には逆合成解析 22.2 の結合切断に示すように，結合切断でできる化学種（イオンなど）の構造を直接書く．このような仮想的な構造を**シントン**という．それに対応する合成

逆合成解析 22.2
エチルフェニルケトンの結合切断とシントン

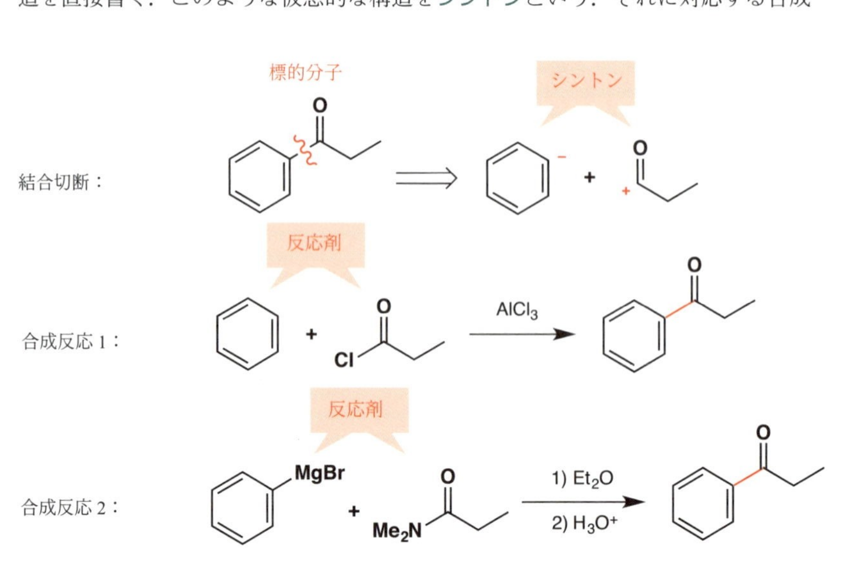

標的化合物 target compound
逆合成 retrosynthesis
逆合成解析 retrosynthetic analysis
結合切断 disconnection
シントン synthon

反応は，合成反応 1 と 2 のように複数可能である．すなわち，シントンに対応する反応剤(合成等価体ともいう)は一般的に複数可能である．

問題 22.2 逆合成解析 22.2 における合成反応 1 と 2 がどのように進むか段階的な式で示せ．

逆合成解析 22.2 では，シントンとしてフェニルアニオンとアシルカチオンの組合せが得られたが，逆のヘテロリシスでフェニルカチオンとアシルアニオンあるいはホモリシスで生じる二つのラジカルもシントンとして考えられる．さらに，カルボニル基のアルキル基側で切断して，ベンゾイルカチオンとエチルアニオンのようなシントン対に導くことも可能である．このように簡単な標的分子でもさまざまな結合切断が可能であり，合成反応は多くの可能性が考えられる．さらに複雑な分子になれば，多段階反応の各段階に複数の可能性が出てくるので，原理的に可能な合成反応経路はきわめて多数に上る．これらの中から，実際的でないものを除外し，合理的で効率的な合成経路を選び出すことが合成化学者の仕事になる．そのためには，一般的なシントンと対応する反応剤に関する知識が必要である．表 22.1 に代表的なものをまとめる．

ヘテロリシスによる結合切断は，表 22.1 のカチオン性シントンとアニオン性シントンを生成するように行えばよい．ヘテロ原子で二つの炭素鎖がつながれた分子は，ふつうヘテロ原子の隣接位で結合切断を考える(問題 22.11 で取り上げるような例)．

表 22.1 代表的なシントンと対応する反応剤の例

シントン	反応剤	シントン	反応剤
R^+	R–Y (Y＝ハロゲン, OSO_2R', OH)	R^-	R-MgX, R-Li
		Ar^-	Ar-MgX, Ar-Li, Ar-H
OH, +	O	−	MgX
OH, +	O	−	H
O, R, +	O, R, Y	O, R, −	S, H, R, S
O, R, +	O, R	O, R, −	O, R, H
$^+CO_2H$	CO_2	$^-CO_2H$	^-CN

問題 22.3 逆合成解析 22.2 に示した標的分子のカルボニル基のエチル基側での結合切断で得られるシントンを示し，対応する合成反応を書け．

22.2.2 官能基相互変換の利用：代表的な第二級アルコールの合成

もう一つの例として 1-フェニル-2-ペンタノールの合成を考えよう．逆合成解析 22.3 に示すように三つの結合切断 ①～③ が考えられ，それぞれに対応して Grignard 反応を用いる合成反応 1～3 が可能である．このうちどの反応を選ぶかは，出発物の入手しやすさのほか，反応の信頼性や操作の簡便性などによる．たとえば，合成反応 2 のベンジル Grignard 反応剤は副反応を起こしやすく扱いにくいので，よい選択にはならない．

逆合成解析 22.3
1-フェニル-2-ペンタノールの結合切断と合成反応

結合切断：

1-フェニル-2-ペンタノール

合成反応 1：Ph–CH_2–CHO ＋ $CH_3CH_2CH_2MgBr$ → 1) Et_2O　2) H_3O^+

合成反応 2：$PhCH_2MgBr$ ＋ $CH_3CH_2CH_2CHO$ → 1) Et_2O　2) H_3O^+

合成反応 3：Ph–MgBr ＋ エポキシド → 1) Et_2O　2) H_3O^+

第二級アルコールはケトンの還元によって簡単に得られるので，この標的化合物はケトンに置き換えることができる(官能基相互変換)．すなわち，官能基相互変換により新しい標的分子としてケトン，ここでは 1-フェニル-2-ペンタノンを合成することが代わりの課題となる(逆合成解析 22.4)．この場合，結合切断は①～③ に加えて ④ と ⑤ が可能になり，対応する合成反応として 4 と 5 を提案できる．

逆合成解析 22.4
官能基相互変換を使う例

官能基相互変換により新しい標的分子をつくる．
合成反応 5 には Me_2CuLi を用いてもよい．

1-フェニル-2-ペンタノール　FGI ⟹　1-フェニル-2-ペンタノン

合成反応 4：$PhCH_2COCH_2COOMe$ ＋ CH_3CH_2Br → 1) NaH　2) H_3O^+, 加熱

合成反応 5：$PhCH_2COCH{=}CH_2$ ＋ CH_3MgBr → 1) CuBr 触媒 Et_2O　2) H_3O^+

合成反応 4 では，エノラートイオンとブロモエタンの S_N2 反応でエチル基を導入したあと，加水分解と脱炭酸が必要となる．合成反応 5 では，Grignard 反応剤の共役付加を選択的に起こすために Cu(I)触媒を用いている(18.1.3 項)．

問題 22.4　合成反応 4 の機構を書け．結合切断④で得られるシントンの単純な合成等価体としてフェニルプロパノンが考えられるが，それを反応剤として使う合成は収率がよくない．それはなぜか．

結合切断によってイオン性のシントンが得られる場合，その極性は二通り可能である．たとえば，1-フェニル-2-ペンタノンの結合切断 ① は次のように二つ書

け，対応する合成反応 1a と 1b が考えられる(逆合成解析 22.5)．

結合切断：Ph–CH₂–C(=O)–①–CH₂CH₂CH₃ 1-フェニル-2-ペンタノン
a ⇒ $PhCH_2C^{+}(=O)$ + $^{-}CH_2CH_2CH_3$
b ⇒ $PhCH_2C^{-}(=O)$ + $^{+}CH_2CH_2CH_3$

逆合成解析 22.5
1-フェニル-2-ペンタノンの結合切断における逆の極性

合成反応 1a： $PhCH_2C(=O)NMe_2$ + $CH_3CH_2CH_2MgBr$ —1) Et_2O, 2) H_3O^+→ $PhCH_2C(=O)CH_2CH_2CH_3$

合成反応 1b： 2-ベンジル-1,3-ジチアン + $CH_3CH_2CH_2Br$ —1) BuLi, 2) HgO, H_3O^+→ $PhCH_2C(=O)CH_2CH_2CH_3$

一つ目のシントン対(1a)には Grignard 反応が考えられるが，二つ目(1b)のアニオン性の C＝O シントンにも信頼性の高い合成反応がある．合成反応 1b に使われるジチオアセタール(ジチアン，$pK_a \sim 31$)は容易にカルボアニオンを生成し，アルキル化できる(14.7.3 項)．アルデヒドは簡単にジチオアセタールに変換でき(8.4.2 項)，加水分解でカルボニル化合物に戻せる(10.5.3 項)．

求電子的なカルボニル基をジチオアセタールに変換してカルボアニオンにすれば，求核的な反応剤になる．この変換は反応剤の極性を逆転するので，極性転換 (umpolung) とよばれる (14.7.3 項参照)．ハロアルカン RX から Grignard 反応剤 RMgX への変換も極性転換といえる．

問題 22.5 逆合成解析 22.3 の合成反応 1 で使ったアルデヒドから逆合成解析 22.5 の合成反応 1b で使うジチオアセタールを合成するための反応を段階的な式で示し，さらに合成反応 1b の機構を示せ．

問題 22.6 逆合成解析 22.4 に示した 1-フェニル-2-ペンタノンの結合切断②について，極性の異なる 2 種類のシントン対を示し，それぞれに対応する合成反応を書け．

22.3 位置選択性と保護基の利用

22.3.1 反応選択性

合成反応経路が決まると，次に個々の段階で用いる試薬(反応剤)や反応条件を選定する．そのとき最も重要なのは反応選択性である．多くの有機化合物が二つ以上の官能基をもっているので，それらがどう反応するか，そしてその相対的反応性が問題になる．また，一つの官能基が異なった反応を起こすこともある．いずれの場合にも，ある特定の反応条件で反応物がどう反応するか予想できることが必要であり，反応条件を制御して目的の反応を起こすことができればなおよい．はじめて出合う反応の場合には，文献で反応例を調べたり，類似の化合物の反応を実際に行ってみたりして予想を確かなものにする必要がある．

反応剤は反応する化学種であり，試薬は瓶に入っている化学物質をさす．

反応選択性 reaction selectivity
反応選択性には 3 種類あることを思い出そう．官能基選択性(chemoselectivity)は一つの分子の中に二つ以上の反応位置(官能基)があるときどれがより速く反応するか，あるいは二つ以上の反応剤があるときどれと反応しやすいかをいう．位置選択性(regioselectivity)は一つの官能基の中で(二つ以上の反応位置があるとき)どのように反応が起こるかをいう．立体選択性(stereoselectivity)は一つの反応物から立体異性体が生成するときどれが生成しやすいかをいう．

すでに，アルコールの酸化(14.4 節)やカルボニル化合物の還元反応(10.1，10.2 節)における**官能基選択性**をみた．脱離反応における配向性(13.4 節)，アルケンへの付加反応(15.2 節)，芳香族化合物の置換反応(16.4 節)，エノラートイオンの生成における速度支配と熱力学支配(17.9.2 項)，共役化合物への 1,4-付加と 1,2-付加(15.8 節，18.1 節)など多くの**位置選択性**の例をみてきた．**立体選択性**には，立体効果(立体障害)だけでなく，軌道相互作用(立体電子効果)が問題になる．S_N2 反応における立体反転(12.2 節)，E2 反応におけるアンチ脱離(13.2 節)，アルケンに対するアンチ付加とシン付加の問題(15 章)，協奏反応における立体的な要請(15.9 節，21.5 節)などがその例である．

22.3.2 保護と脱保護

相対的反応性だけでは解決できない選択性の問題もある．より反応性の高い官能基を残して反応性の低い官能基だけを反応させたいときには，**保護基**を用いる必要がある．10.5.3 項でカルボニル基の Grignard 反応やヒドリド還元において保護基を用いる例を紹介した．たとえば，ケトエステルのケトンを残してエステルを還元するためには，ケトンをアセタール(またはジチオアセタール)として保護し，エステルの反応後に脱保護してもとに戻した．このように保護のために用いる基を保護基とよぶ．保護基は簡単に導入できて，簡単にもとに戻すことができなければならない．アセタールは保護も脱保護も温和な酸触媒で行うことができる(反応 22.1)．

反応 22.1　アルデヒドまたはケトンの保護と脱保護

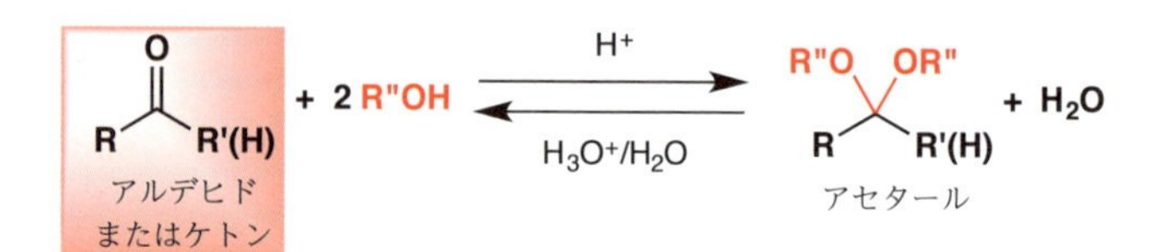

OH や NH のようなプロトン性官能基は，プロトン供与体として Grignard 反応剤や金属ヒドリドと反応しやすい．したがって，このような反応を行うときには保護する必要がある．反応 22.2 と 22.3 に OH と NH の主要な保護と脱保護の反応をまとめた．

反応 22.2　アルコールの保護と脱保護

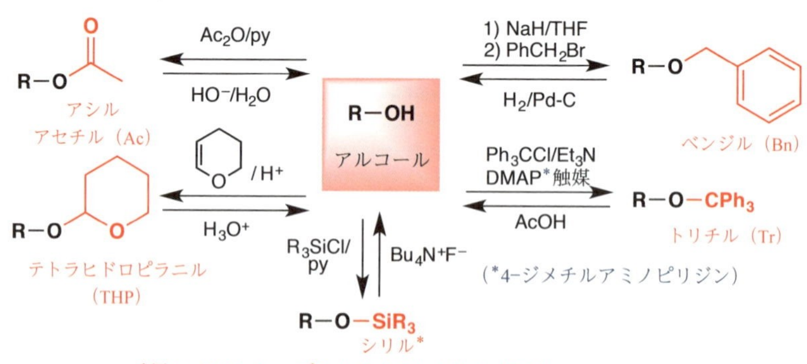

問題 22.7　反応 22.3 で使われる(a)R_2N-Boc を酸で脱保護する反応と，(b)R_2N-Fmoc を Et_3N で脱保護する反応の機構を書け．

保護 protection
脱保護 deprotection
保護基 protecting group

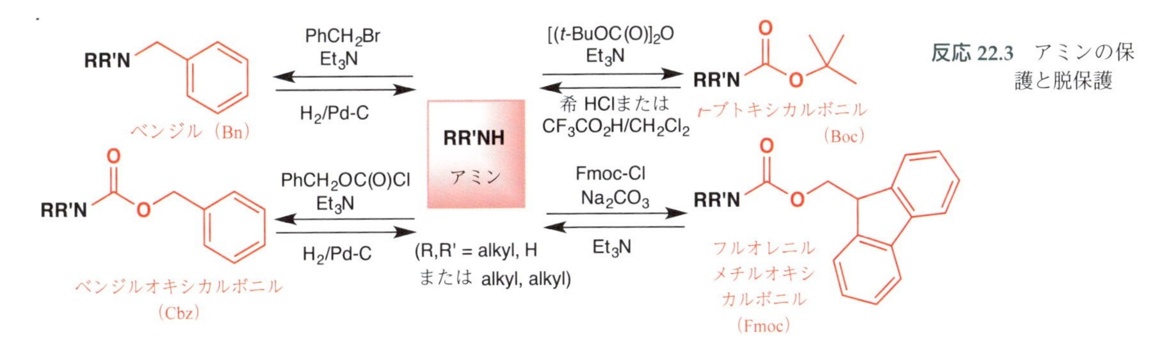

反応 22.3 アミンの保護と脱保護

保護基の選び方は，必要な変換反応の反応条件による．たとえば，2-プロピン-1-オール(プロパルギルアルコール)はアルコールとしては酸性が強く(pK_a 13.1)，塩基を作用させるとアセチレン水素（pK_a 25)よりも先に反応する．アセチレン水素のみを反応させるためには，OH を塩基に強い保護基のテトラヒドロピラニル(THP)基で保護するとよい．反応 22.4 に示すように，THP 基は必要な反応を行ったあと酸性にして脱保護できる．

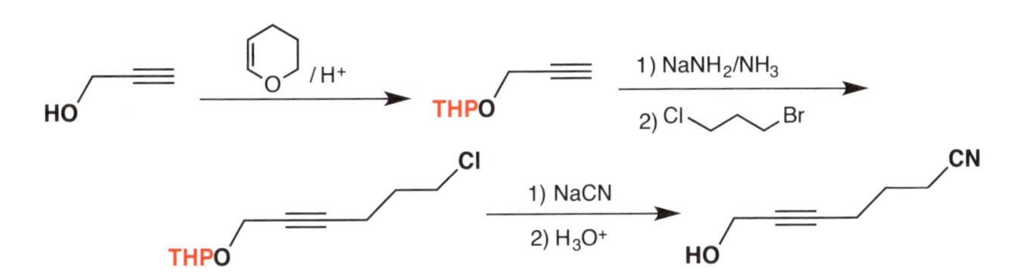

反応 22.4 アルコールの保護を用いる合成反応例

問題 22.8 アルコール ROH への THP 基の導入と脱保護の反応の機構を示せ．

保護基の利用は，多官能性化合物の合成にとくに重要である．その典型的な例はペプチドや糖の合成にみられる(23 章)．反応 22.5 はガラクトースとラムノースを保護して，グリコシル化(アセタール化)する例を示している．ヒドロキシ基を保護することにより，ラムノースの 4-OH でのみ反応が起こる．4 種類の保護基を使っているが，これらはいずれもグリコシル化の条件では反応せず，また反応を阻害することもないので，引き続いて行う反応も選択的に進めることができる．

反応 22.5 ガラクトースとラムノースのグリコシル化

L-ラムノースは天然のデオキシ糖で L 配置をもつ点でも異常な糖の一つである．

AcO OTr AcO O BnO Br + HO OBn O O O $HgBr_2$

保護されたガラクトース

保護されたラムノース

ジオールはプロパノンのアセタールとして保護

反応 22.5 では 4 種類の保護基が使われているが，生成物のベンジル基(Bn)は水素化により選択的に脱保護して OH に戻すことができる．トリフェニルメチル基(Tr)は酢酸程度の弱い酸性条件で脱保護されるのに対し，アセタールにはもっと強い酸性が必要である．一方，アセチル基(Ac)は塩基性で簡単に脱保護され，他の保護基はそのままである．このように保護基を使い分けることにより，次に反応させるヒドロキシ基が特定でき，位置選択的合成が可能になる．

22.4 有機合成の効率

有機合成の効率を決めるおもな因子は，(a)反応の段階数，(b)出発物質や必要な試薬の入手しやすさ，(c)反応の容易さ，(d)各段階の収率，(e)単離と精製の容易さ，(f)廃棄物が少なく処理しやすいこと，などである．これらの基準は状況により異なり変動するため，最善の合成法は一つとは限らない．とくに新しい反応の発見により，それを鍵反応として新しい合成経路が開発され，合成の効率が飛躍的に向上することもしばしばある．したがって，確立された方法も常に見直す必要がある．

各段階の効率に加えて，全体の結果に大きく影響する二つの合成戦略がある．それは，直線型合成法と収束型合成法である．たとえば，仮想的な標的分子 ABCDEF の 5 段階合成を考え，各段階の収率が 90% であるとしよう．**直線型合成**において連続的に反応を行うと全収率は約 59%（$=0.9^5\times100$）になる（図 22.1a）．一方，標的分子を 2 成分（ABC と DEF）に分け，別々に合成して最終段階で二つをつなぐ**収束型合成**では全収率は約 73%（$=0.9^3\times100$）になる（図 22.1b）．反応回数も各段階の収率も同じであるにもかかわらず，連続的な反応段階の数が少なくなるために全収率は収束型合成のほうがずっと高くなるのである．

図 22.1 直線型合成と収束型合成における全収率

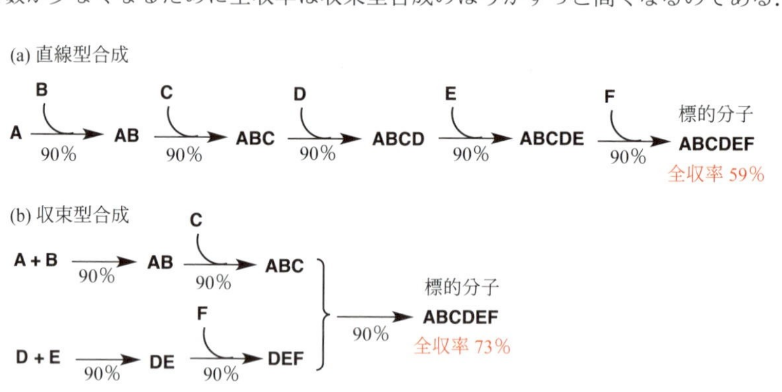

二つの合成戦略によるプロスタグランジン E_2（PGE_2）の全合成は歴史的にも重要である．1969 年に E. J. Corey（コーリー）らは，シクロペンタジエンを出発物として次ページに示す 21 段階（反応経路を一部省略）の直線型合成を（反応 22.6）達成した．

約 20 年後（1988 年）に野依良治らは，3 成分を別々に合成する収束的戦略に基づく改良法（反応 22.7）を発表した．この方法では，シクロペンタジエンから 5 段階で合成した 4-ヒドロキシ-2-シクロペンテノンのアルコールを保護し，有機リチウム化合物（**A**）を（CuI/PBu_3 を使って）共役付加させ，リチウムエノラート（**B**）を得る．ついで，**B** をスズエノラート（**C**）に変換し，アリル型ヨウ化物と反応させて得られる **E** から 2 段階で PGE_2 を合成できる．この改良法では，最も長い連続的な段階は 11 段階になっている．

収束型合成は連続する段階数が少なくなるだけでなく，他のいくつかの点でも有利である．同じ量の標的化合物を得るための実験スケールが小さくてすむので実験操作が簡単になる．また，ある段階がうまくいかなかった場合にも，その損失は小さくてすむ．直線型合成ではすべての前段階が失われ，戦略全体に影響を及ぼすが，収束型合成ではいくつかの分岐した経路の一分岐だけが影響を受ける

直線型合成　linear synthesis
収束型合成　convergent synthesis

9 段階　酸化　Wittig 反応
AcO　OH
Corey lactone
AcO　CHO
AcO　O
還元　脱保護と保護　還元　Wittig 反応
AcO　OH
THPO　OTHP　OH
OH　CO_2H　酸化　脱保護　O　CO_2H
THPO　OTHP　HO　OH
プロスタグランジン E_2
(PGE_2)

反応 22.6　Corey による PGE_2 の合成（1969）

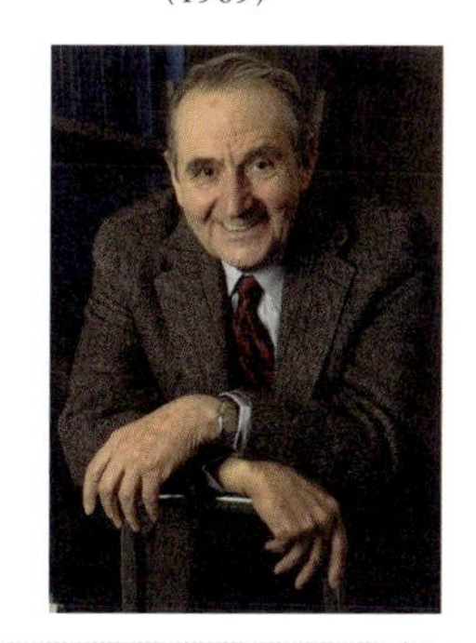

Elias. J. Corey（1928〜）
米国・ハーバード大学教授．逆合成の考え方を推進し，この用語をはじめて使った．有機合成化学に対する貢献により1990年ノーベル化学賞を受賞した．

5 段階　CuI/PBu_3　B　Ph_3SnCl　C　E　2 段階　PGE_2
TBSO
(TBS = $SiMe_2t$-Bu)
CHO　6 段階　Li　OTBS　A
HO　4 段階　反応 22.6　HO　CN　3 段階　I　CO_2Me　D

反応 22.7　野依による PGE_2 の合成（1988）

野依良治（1938〜）
名古屋大学特別教授．兵庫県出身．京都大学で学位を取得した後，名古屋大学教授，理化学研究所理事長を務めた．不斉水素化の業績によって2001年ノーベル化学賞を受賞した．

ので，その分岐経路だけを再検討すればよいことになる．

22.5　立体選択性と不斉合成

プロスタグランジンの例でみたように，生理活性化合物にはキラルなものが多く，光学的に純粋なものをつくることが重要な課題になる．光学活性物質を得る方法には，生物がつくった天然に得られる光学活性物質を利用する方法，ラセミ体から光学分割により一方のエナンチオマーを得る方法，そしてアキラルな化合物から立体選択的に光学活性物質を合成する方法があり，最後の方法を**不斉合成**という．不斉合成には**キラル源**(不斉源)が必要になるが，それは**キラル触媒**あるいは**キラル補助剤**として用いられる．

たとえば，反応 22.8 に示すように，(*R*)-3-ヒドロキシブタン酸メチルは，細菌がつくる天然ポリマーを加溶媒分解(この反応ではメタノリシス)すれば，ほぼ 100% の光学純度で得られる．ラセミ体の光学分割法も種々知られているが，最大でも 50% 収率でしか得られず，*S* 異性体は不要物として残る．キラルな還元剤やキラル触媒を用いて 3-オキソブタン酸メチルを還元してもよい．不斉還元の一例は，BINAP-Ru(II)錯体を触媒として用いる水素化である．

キラル補助剤はキラルな化合物が基質と共有結合中間体をつくって不斉合成を達成するキラル源である．キラル補助剤は通常再使用され(反応例 22.10)，触媒的に使われることも多い(反応例 22.11)．

不斉合成　asymmetric synthesis
キラル源　chiral source
不斉源　asymmetric source
キラル触媒　chiral catalyst
キラル補助剤　chiral auxiliary

反応 22.8 (*R*)-3-ヒドロキシブタン酸メチルを得る方法

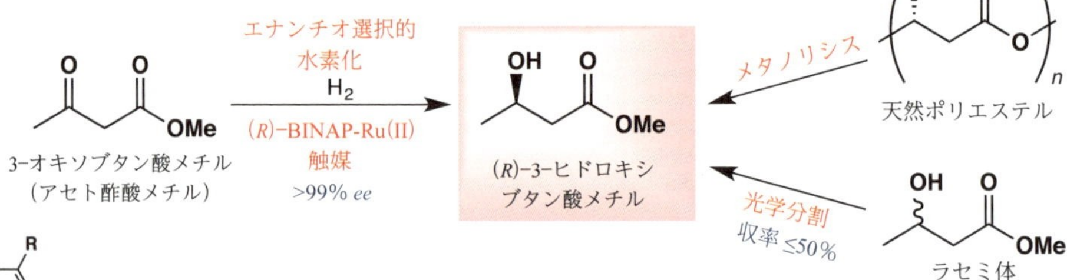

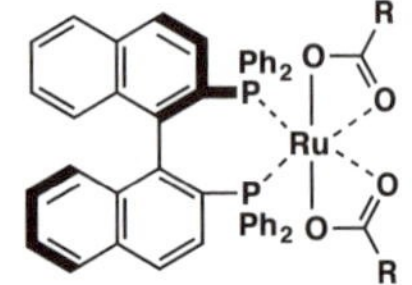

(*R*)-(+)-BINAP-Ru(II)触媒

ee：エナンチオマー過剰率(p. 189 参照)

不斉合成には**エナンチオ選択的反応**が必要である．ケトンの水素化の場合，図22.2 のように 3-オキソブタン酸メチルのカルボニル基平面の上側から水素が付加すると *R* 体が生成するが，下から反応すると *S* 体になる．キラル触媒である(*R*)-BINAP は，このエナンチオ面を区別するはたらきをしている．

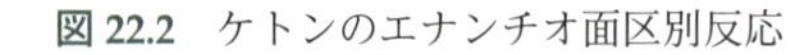
図 22.2　ケトンのエナンチオ面区別反応

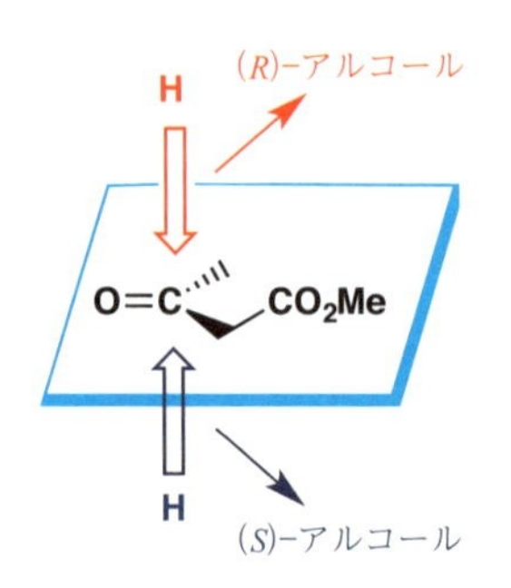

K. Barry Sharpless (1941〜)
米国 Scripps 研究所
2001 年，2022 年ノーベル化学賞受賞者

不斉酸化反応の例としては，K.B. Sharpless(シャープレス)の開発したエポキシ化がよく知られている(反応 22.9)．Ti(IV)と光学活性な酒石酸ジエチルからなる触媒を用いてアリル型アルコールを酸化し，90% *ee* 以上の光学純度でエポキシドを得ている．

反応 22.9　アリル型アルコールの Sharpless 酸化

t-BuOOH, $(i\text{-PrO})_4$Ti, (*R,R*)-(+)-酒石酸ジエチル；収率 85%，94% *ee*

(*R,R*)-(+)-酒石酸ジエチル

有機分子触媒 organocatalyst
この反応は，共有結合中間体を経る反応として，H_3O^+, HO^-, 金属触媒などとは区別されるが，酵素反応における補酵素の作用と類似性をもっている．

もう一つの不斉合成の戦略はキラル補助剤を用いる方法である．次ページに示す反応 22.10 の例では，オキサゾリジノン(赤色)誘導体の単一エナンチオマーを用いている．アシル化されたオキサゾリジノンが求電子的なホウ素反応剤と反応してホウ素エノラート **A** を生成し，ホウ素が配位状態を変えて TS で示すような遷移構造を経てベンズアルデヒドと反応し，単一の立体異性体として **B** を与える．塩基性メタノールで処理するとアルドール型生成物が立体選択的に得られるとともにキラル補助剤が再生される．

最近は，キラル補助剤を触媒的に用いる合成が発展している．第二級アミノ基をもつ天然のアミノ酸の L-プロリンや類似のキラルな第二級アミンがその目的に用いられている．反応 22.11 はアルドール反応に適用した例である．この反応は，一つのフラスコで，一度の操作で行うことができる．このような触媒は**有機分子触媒**とよばれ，最近大きく進展している分野である．

エナンチオ選択的反応 enantioselective reaction
エナンチオ面区別反応 enantioface-differentiating reaction

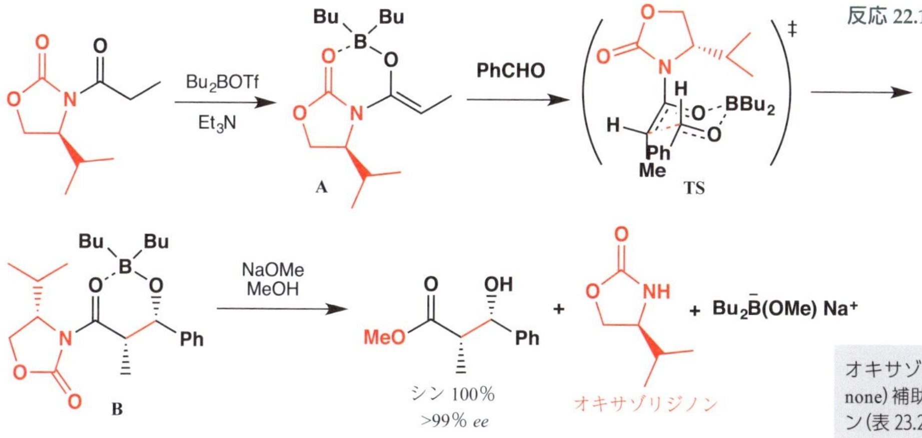

反応 22.10　キラル補助剤を用いる不斉合成

シン 100%
>99% *ee*

オキサゾリジノン

オキサゾリジノン (oxazolidinone) 補助剤はアミノ酸のバリン (表 23.2) から合成される.

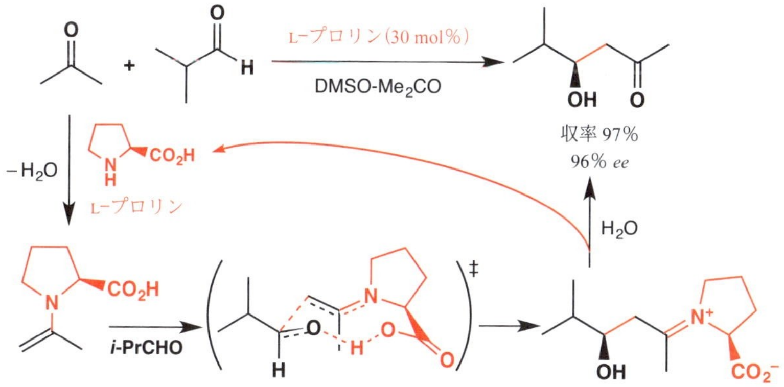

反応 22.11　キラルなエナミンを中間体とするアルドールの触媒的不斉合成

L-プロリン (30 mol%)
$DMSO\text{-}Me_2CO$

収率 97%
96% *ee*

L-プロリン

問題 22.9　L-プロリンがキラル補助触媒として次の立体選択的反応に用いられる. この反応の出発物の合成と L-プロリンによる変換反応を段階的な式で示せ.

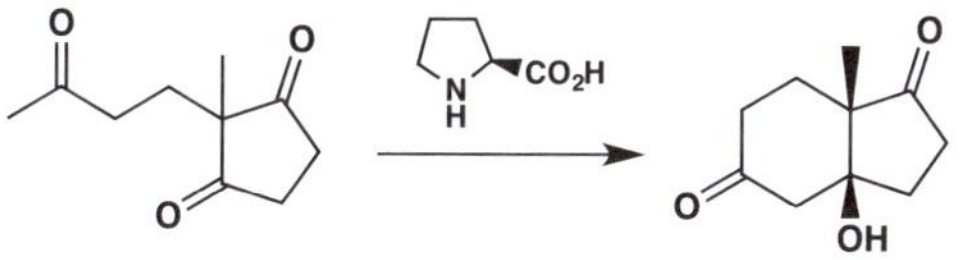

22.6　多段階合成の例

実際の医薬品の合成を例にとって, 多段階合成について考えてみよう. ここでは, 抗腫瘍薬のベキサロテンの合成を取り上げる. この化合物は, これまでに学習した知識を使って, 入手可能な化合物から目的化合物に至る合成経路を考えることができる. この標的分子は二つのアリール基をもっており, 官能基変換でカルボニル化合物 **A** に導けば容易に合理的な結合切断がみえてくる (反応 22.12).

ベキサロテン (bexarotene) はタルグレチン (Targretin®) の商品名で市販されている.

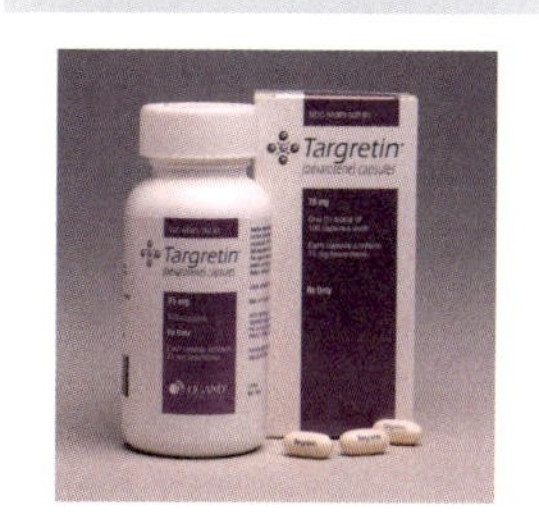

反応 22.12 ベキサロテンの逆合成解析と合成反応

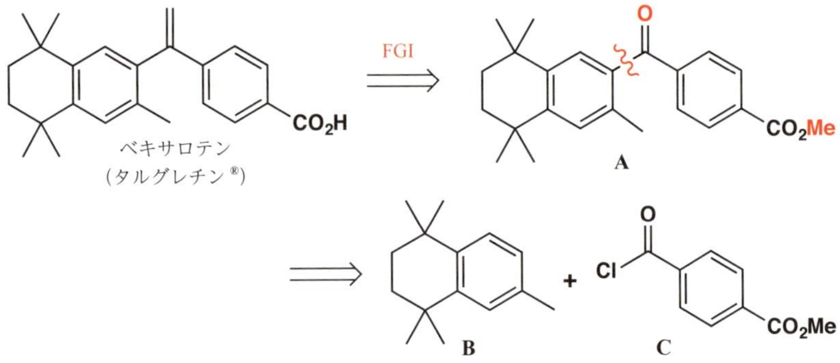

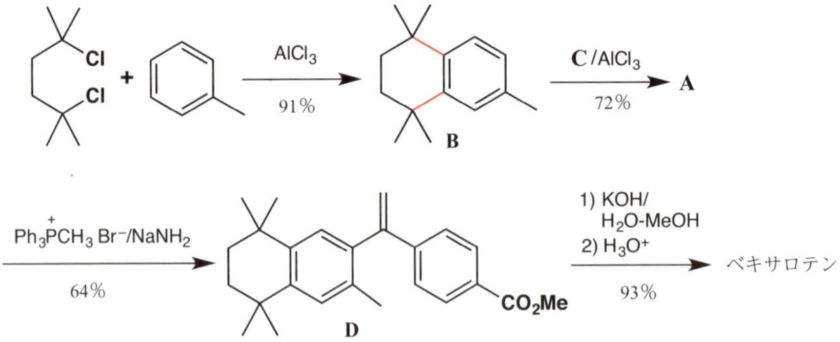

ベキサロテン（タルグレチン®）
FGI
CO_2H
CO_2Me
A
B
C
Cl
$AlCl_3$ 91%
C/$AlCl_3$ 72%
$Ph_3\overset{+}{P}CH_3\ Br^-/NaNH_2$ 64%
D
1) KOH/H_2O-MeOH 2) H_3O^+ 93%
ベキサロテン

➡ ウェブノート 22.1　有機金属触媒を用いる新しい C−C 結合生成反応

合成反応では，芳香族成分 **B** を Friedel–Crafts アルキル化でつくり，塩化アシル **C** で Friedel–Crafts アシル化すれば **A** が得られ，Wittig 反応とエステル加水分解によってベキサロテンに変換できる．塩化アシル **C** はベンゼン-1,4-ジカルボン酸のモノエステルから容易につくることができる．

問題 22.10　ベキサロテンを下のように略記したとき，次の類似化合物 **E**～**G** の生理活性が検討されている．それぞれの合成反応を示せ．

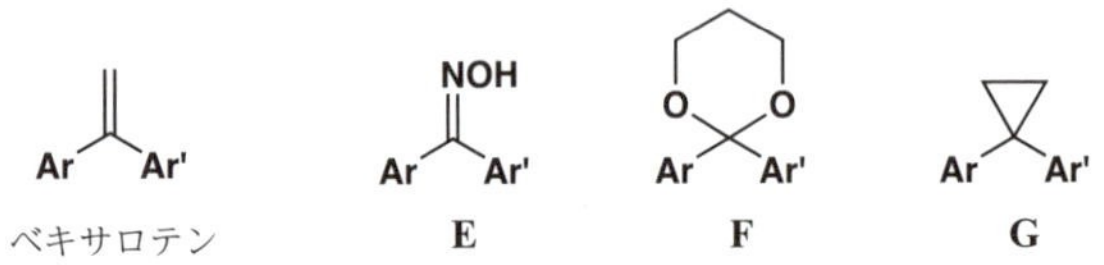

Ar　Ar'　ベキサロテン
NOH　Ar　Ar'　**E**
O　O　Ar　Ar'　**F**
Ar　Ar'　**G**

ま と め

- 有機合成は標的化合物をつくるための有機反応の設計とその実施である．
- 逆合成解析は，官能基相互変換と結合切断によって，標的分子から前駆体へと逆にたどっていく有機合成計画の手法である．
- シントンは結合切断によって得られる仮想的な構造単位であり，対応する合成等価体（反応剤）を見つけて合成反応を構築する．
- 効率的な有機合成には反応選択性が重要であり，キラルな化合物の合成には立体選択性が問題になる．
- 多官能性化合物を反応させるときには，官能基の保護が必要になる．
- 一般に収束型合成が直線型合成よりも優れている．

章末問題

問題 22.11　次の化合物の逆合成解析と合成反応を示せ．

(a) 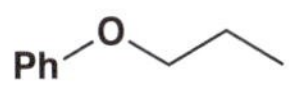 Ph–O　(b) 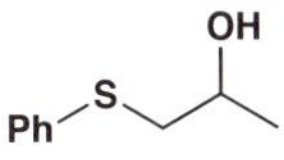 Ph–S　OH

(c) 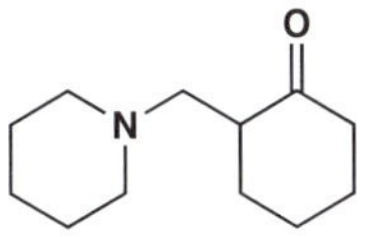 N　O

問題 22.12　次の化合物の逆合成解析と合成反応を示せ．

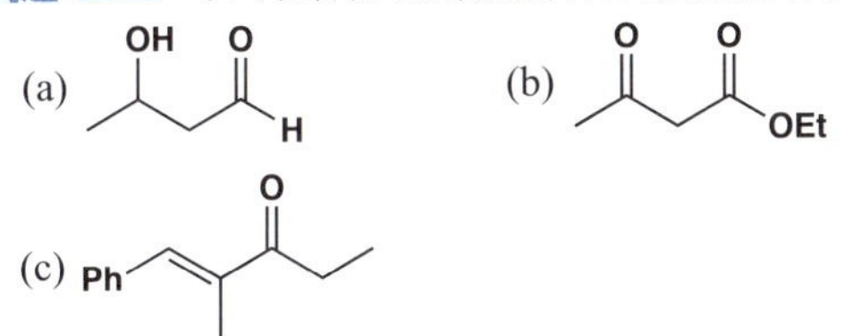

問題 22.13　次の標的分子について，波線のところで結合切断して得られる合理的なシントンと対応する合成反応を示せ．

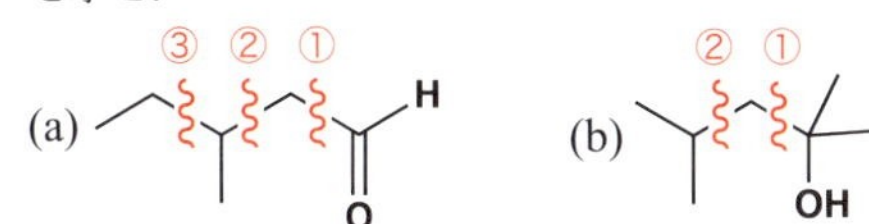

問題 22.14　次に示す 4-オキソペンタン酸の結合切断による逆の極性のシントン対を 2 組書き，それぞれに対応する合成反応を提案せよ．

O　CO_2H

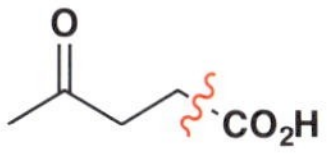

問題 22.15　次の逆合成に対応する合成反応を示せ．適当な保護基が必要になる．

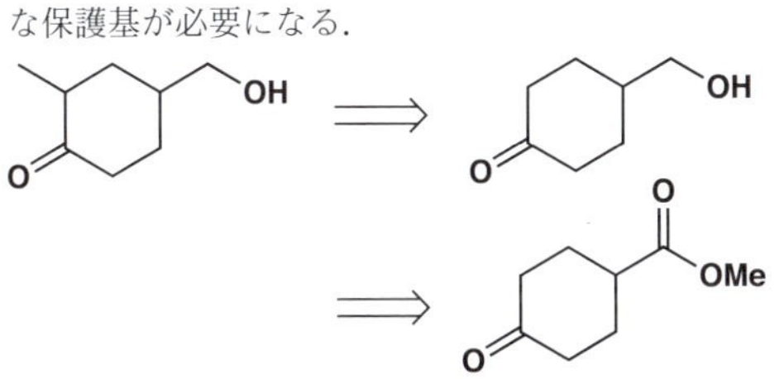

O　OH　⟹　O　OH

⟹　O　O　OMe

問題 22.16　プロプラノロールはβ遮断薬として血圧を下げる効果があり高血圧や心臓病の治療に使われている．ヘテロ原子の隣で結合切断する逆合成を示し，対応する合成反応を提案せよ．

O　OH　N H

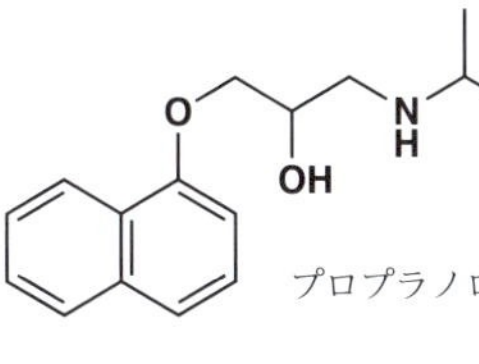

プロプラノロール

問題 22.17　ヌシフェラールはカヤの木に含まれる香気成分の一つである．この化合物の逆合成を次のように計画した．

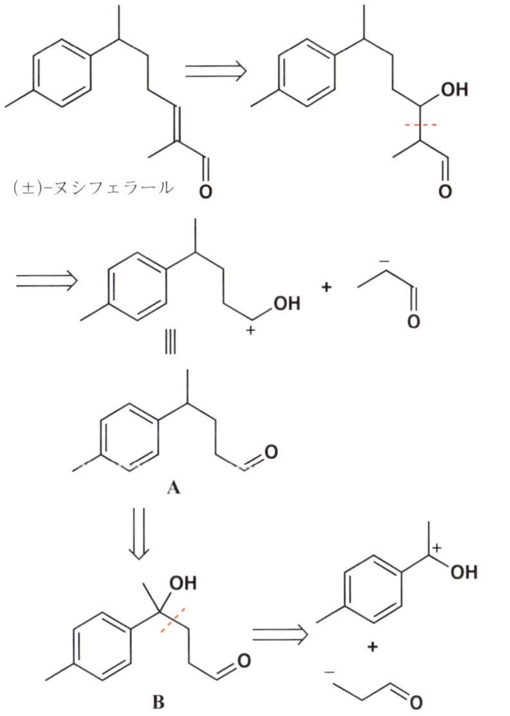

(±)-ヌシフェラール　O　⟹　OH　O

⟹　+ OH　+　− O

‖

O

A

⟹

OH　O　⟹　+ OH　+　− O

B

(a)　トルエンから **B** を合成する反応を示せ．

(b)　**B** から **A** への変換反応を書け．

(c)　**A** からヌシフェラールを合成するための反応を書け．

問題 22.18　反応 22.6 に Corey の PGE_2 全合成の概略を示した．シクロペンタジエンからいわゆる Corey ラクトンをつくりアルデヒドに酸化する前半部分は下に示すように行われた．

(a)　段階(1)と(2)の反応を書け．

(b)　段階(3)の反応機構を書け．

(c)　段階(4)の反応機構を書け．

(d)　段階(5)の反応機構を書いて，中間体 **A** の構造を推定せよ．

(e)　段階(6)の反応機構を書け．この反応はヨードラクトン化ともよばれる．

(f)　2 段階の変換反応(7)は保護と脱ヨウ素からなる．必要な反応剤は何か．

(g)　段階(8)で脱メチルすると Corey ラクトンになるが，次の酸化(段階 9)に適した反応剤は何か．

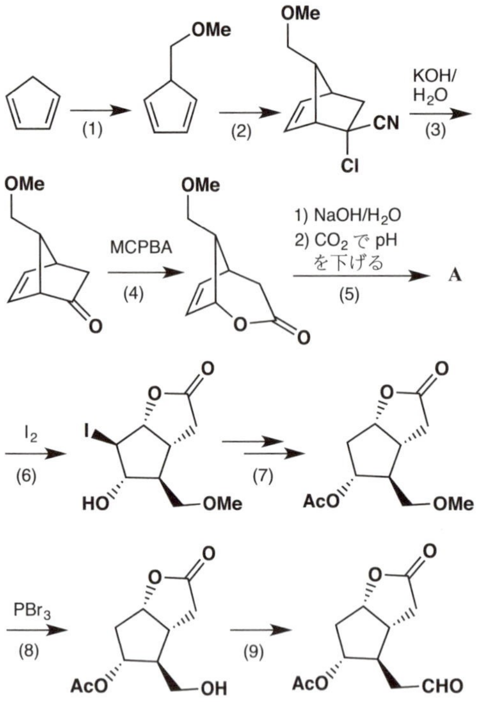

Corey ラクトン

問題 22.19　次に示す環化反応は，キラルな第二級アミン触媒(有機分子触媒)により，3 成分(**1**～**3**)を非常に高い立体選択性でつなぐことによって達成された．この変換反応は，**1** のエナミンが **2** に共役付加し，さらにその生成物のアニオンが **3** のイミニウム塩に共役付加・環化することによって進むと考えられる．この全過程を段階的な反応式で示せ．立体化学を示す必要はない．

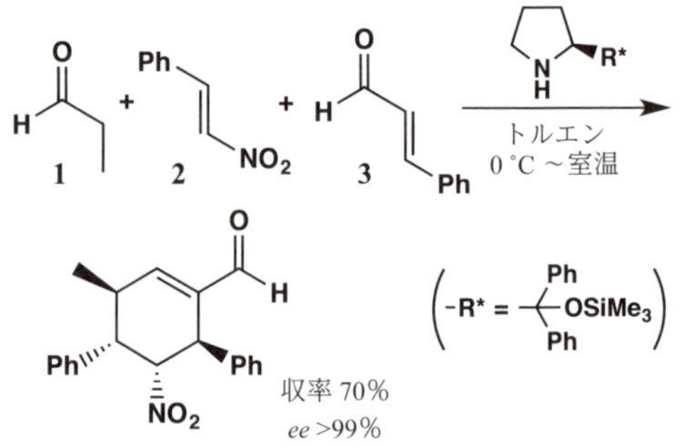

トルエン 0 ˚C ～室温

収率 70%
ee >99%

問題 22.20　インフルエンザ治療薬として知られるオセルタミビル(oseltamivir，商品名タミフル®(Tamiflu®))の Corey らによる全合成の概略を下に示す．最終段階では銅触媒を用いて 3-ペンタノールで含窒素三員環を開環し，リン酸で Boc を脱保護し，リン酸塩として目的化合物を得ている．

(a) ここで示す出発物のシクロヘキセン誘導体はキラル触媒を用いるエナンチオ選択的 Diels-Alder 反応で合成している．ジエンとジエノフィルの構造を示せ．

(b) 段階(1)の反応機構を書け．

(c) 段階(2)はシリル基で保護されたアミドのヨードラクタム化とよばれる反応である．この環化反応の機構を書け．反応中にシリル基は溶媒の THF と結合する．

(d) 段階(3)は NH の保護と脱離反応を含む．この脱離反応の機構を書け．

(e) 段階(4)の反応機構を書け．

(f) 段階(5)の反応機構を書け．

(g) 段階(6)の反応機構を説明せよ．

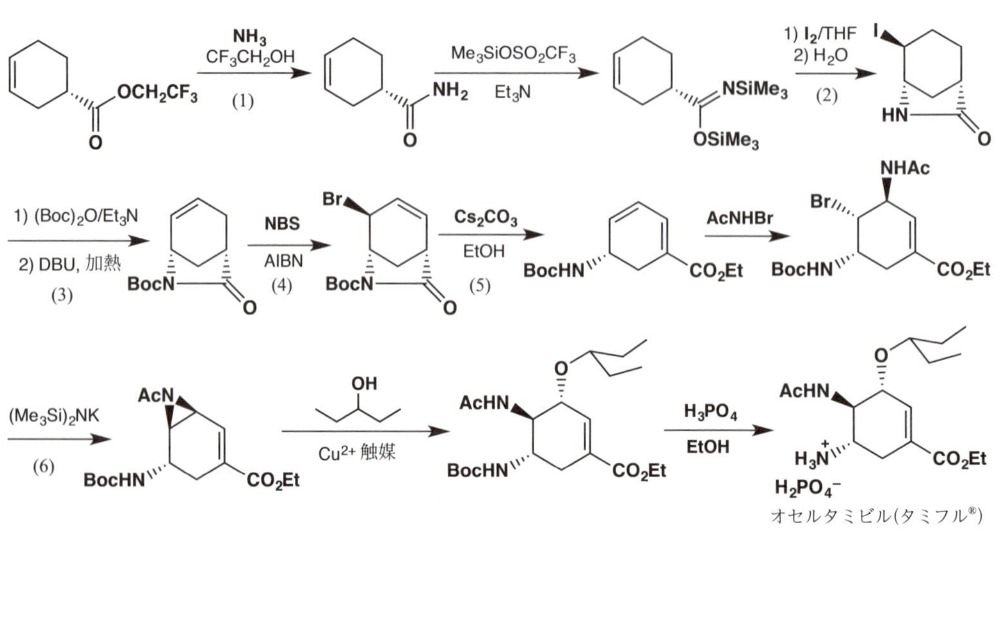

オセルタミビル(タミフル®)

23 生体物質の化学

【基礎となる事項】
・立体配置と立体配座（4 章，11 章）
・酸と塩基（6 章）
・カルボニル化合物とカルボン酸誘導体の化学（8 章，9 章，10 章）
・アルコール，硫黄化合物とアミン（14 章）
・芳香族ヘテロ環化合物（19.4 節）

【この章で学ぶこと】
・炭水化物
・ヌクレオチドと核酸
・アミノ酸，ペプチドとタンパク質
・油脂とリン脂質
・テルペン，ステロイド，プロスタグランジン

かつては有機化学が生体物質の化学を意味していたように，天然にある有機化合物は，石油や石炭まで含めて，もともと生物がつくり出したものである．しかし，有機化学の発展とともにフラスコの中の有機化学や化学工場における有機化学が大きな分野を占めるようになり，生体であるか人工であるかにとらわれず，有機化学が体系化されてきた．

本書では，そのような有機化学を，反応を中心において学んできた．その集大成の一つとして 22 章で有機合成について考えたが，もう一つの有機化学の重要な一面は生命のしくみを解き明かす基礎となっているところにある．これまでも折に触れて生体物質や生体反応とのかかわりを指摘してきたが，この章では，簡単に生命の化学の基礎となる生体物質についてまとめておく．

23.1 炭 水 化 物

23.1.1 炭水化物の分類

炭水化物は，基本的なものは炭素の水和物の組成 $C_n(H_2O)_m$ をもっており，二酸化炭素と水から光合成によって植物がつくり出したものである．炭水化物は糖質ともよばれ，単糖とよばれる基本単位からなり，それが二つ連結した二糖，三つ連結した三糖，さらにオリゴ糖，多糖と分類される．代表的な多糖にデンプンとセルロースがある．

核酸は遺伝情報の担い手として重要な生体物質であるが，その構造はリボースという単糖を基本にして組み立てられた高分子である．

炭水化物 carbohydrate
糖質 saccharide
単糖 monosaccharide
二糖 disaccharide
オリゴ糖 oligosaccharide
多糖 polysaccharide
アルドース aldose

23.1.2　単　糖　類

単糖はポリヒドロキシアルデヒド(**アルドース**という)あるいはポリヒドロキシケトン(**ケトース**という)の構造をもっており，五員環あるいは六員環を形成できるときには**環状ヘミアセタール**構造で存在する(8.4.1 項)．単糖の五員環ヘミアセタール形は**フラノース**とよばれ，六員環ヘミアセタール形は**ピラノース**とよばれる．

フラノースとピラノースの名称は，ヘテロ環化合物のフランとピランから来ている．

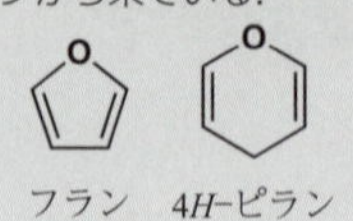

フラン　furan　　4*H*-ピラン　4*H*-pyran

炭素数 6 の単糖を総称してヘキソース(hexose)といい，炭素数 5 の単糖をペントース(pentose)という．

一般に複数のキラル炭素をもっているので，鎖状構造は Fischer 投影式で表すのが便利である．たとえば，炭素数 6 のアルドースは 4 個のキラル炭素をもつので，16 個の立体異性体が可能だが，天然に存在するのは D 糖とよばれるエナンチオマーだけであり(ノート 11.2)，8 種類のジアステレオマーがある．

それぞれのジアステレオマーは別の名称でよばれる．その一つが D-グルコースであり，C2 あるいは C4 の立体配置だけが違うものは D-マンノースと D-ガラクトースである(図 23.1)．ケトースの例として D-フルクトースをあげておく．炭素数 5 の単糖で重要なものは核酸の構成単位となる D-リボースである．

図 23.1　代表的な単糖

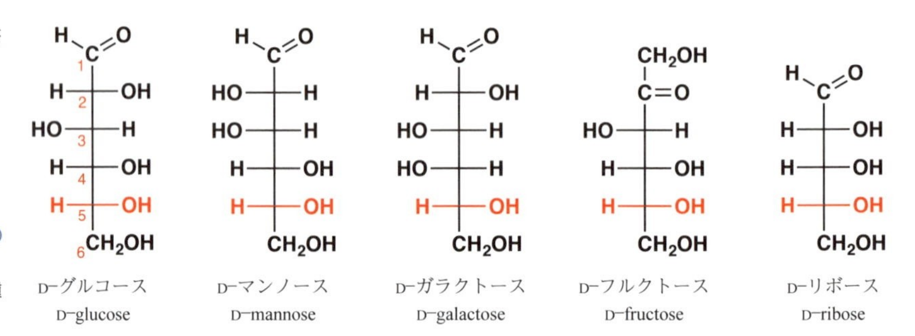

➡ ウェブノート 23.1　単糖の種類
炭素数 3~6 のアルドースの種類をまとめた．

D-グルコースの環状構造(ヘミアセタール)は 8.4.1 項でも述べたように，いす形の六員環構造をもっており，四つのキラル炭素に結合した OH と CH_2OH 基はエクアトリアル位にある(反応 23.1)．ヘミアセタールを形成するときに，鎖状構造におけるカルボニル炭素もキラル中心になるが，この炭素は**アノマー炭素**とよばれる．生成した 2 種類の D-グルコースの異性体のうち，アノマー炭素が *S* 配置のものは **α アノマー**，*R* 配置のものは **β アノマー**とよばれる．

反応 23.1
D-グルコースの開環形とピラノース形の平衡：変旋光

アノマー炭素

$[\alpha]_D$ +112
α-D-グルコピラノース
36%

鎖状 D-グルコース
< 0.1%

$[\alpha]_D$ +19
β-D-グルコピラノース
64%

α 形と β 形の相互変換は鎖状構造を経て容易に起こり，それに伴って旋光度が変化するので，この現象は**変旋光**とよばれる．水溶液中では，α 形 36%，β 形 64% の平衡混合物となり，比旋光度は +53 に落ちつく．

ケトース　ketose
フラノース　furanose
ピラノース　pyranose
アノマー　anomer
アノマー炭素　anomeric carbon
変旋光　mutarotation
グルコピラノース　glucopyranose

■　**グルコースの環状構造(グルコピラノース)の C1 はキラル中心になりアノマー炭素とよばれる．**

問題 23.1　11.3.1 項でジアステレオマーの例としてエリトロースとトレオースをみた．これらは C_4 の単糖である．四つのジアステレオマーを D,L 表示で命名せよ．

問題 23.2　D-マンノースの六員環ヘミアセタール構造をいす形配座で示せ．

23.1.3 グリコシド

ヘミアセタールがアルコールと反応してアセタールになるように，単糖の環状ヘミアセタールもアセタールを生じる．

■ **単糖のアセタールをグリコシドといい，ここに生成する O−C 結合をグリコシド結合という．**

グリコシドのアノマー炭素に結合しているグループはアグリコンとよばれる．なお，酸触媒の存在下に D-グルコースとアルコールを加熱すると *α*-グリコシドに偏った混合物が得られる（反応 23.2）．*α*-グリコシド結合はアキシアルになっているので，1,3-ジアキシアル相互作用から予想される傾向には反する．グリコシド結合がアキシアルになる傾向をアノマー効果という．

➡ウェブノート 23.2　アノマー効果

反応 23.2　グリコシドの生成

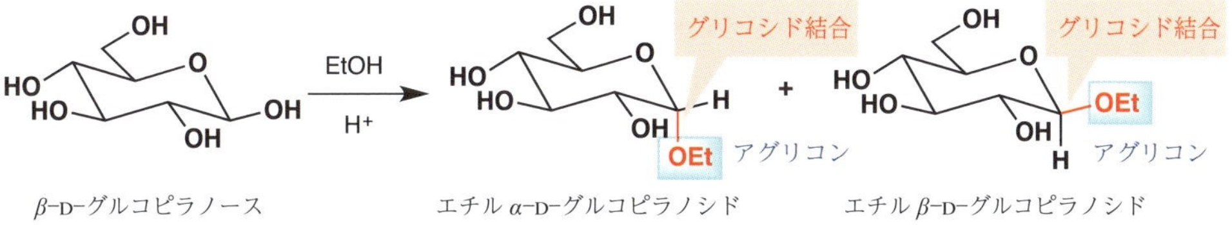

単糖とアミンを反応させると，*N*-グリコシドが生成する．ヌクレオシドは D-リボース（またはデオキシリボース）の *β*-*N*-グリコシドの例である（23.2.1 項参照）．

グリコシドは，天然にも広くみられ，その一例はサリシン（ヤナギの樹皮に含まれ解熱作用をもつ）であり，この構造からサリチル酸に導かれ，アスピリンの開発につながった（序章）．

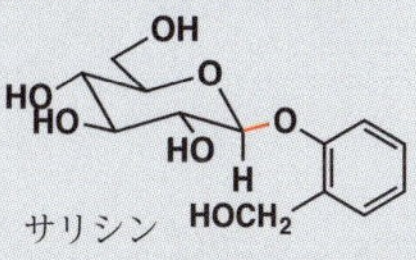

問題 23.3　酸触媒によって D-グルコースとメタノールからグリコシドが生成する反応の機構を示せ．

23.1.4 二糖類と多糖類

二糖は，一つの単糖のアノマー炭素に別の単糖がグリコシド結合でつながったものである．グルコース 2 分子がグリコシド結合でつながったものに，マルトースとセロビオースがある．

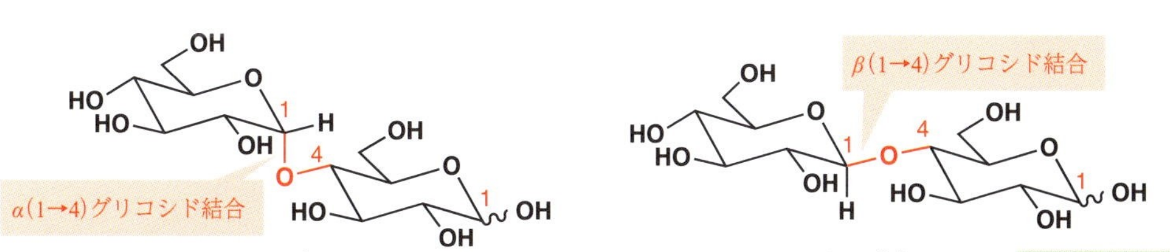

マルトースは，一方のグルコースが *α* グリコシド結合でもう一方のアグリコンとなるグルコースの C4 で結合している．このように *α*(1 → 4) グリコシド結合で多数のグルコースがつながった多糖がデンプンである．セロビオースは

グリコシド glycoside
（配糖体ともいう）
アグリコン aglycone
アノマー効果 anomeric effect
マルトース maltose
デンプン starch
セロビオース cellobiose

β(1→4)グリコシド結合でグルコースがつながった二糖である．このようにグルコースがつながると**セルロース**になる．

すなわち，デンプンとセルロースはいずれもグルコースのポリマーであるが，前者は α アノマーが，後者は β アノマーが構成単位になっている．その結果両者はまったく異なる性質をもっており，ヒトのもっている消化酵素は α グリコシド結合しか分解できないので，デンプンだけが栄養になる．

■　**デンプンは α グリコシド結合をもち，セルロースは β グリコシド結合をもつ．**

ラクトースはほ乳動物の乳中に含まれ，一般に乳糖とよばれる．ガラクトースとグルコースが β(1 → 4)グリコシド結合でつながった構造をもっており，セロビオースの構造に似ているが，ガラクトースの C4 位の OH 基はアキシアル位をとる．

スクロースは，砂糖としてなじみ深いものである．これは，グルコースとフルクトースのアノマー炭素どうしがグリコシド結合でつながった構造をもっている．フルクトースはケトースの一つであり，五員環構造になっている．

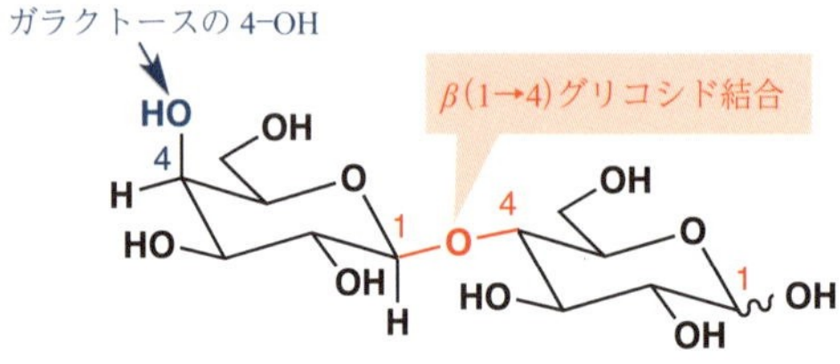

ラクトース 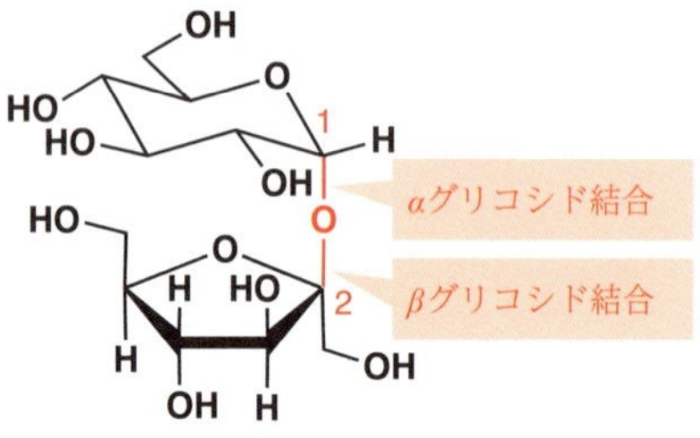　　　　スクロース

例題 23.1

デンプンは α(1 → 4)グリコシド結合で D-グルコースがつながった多糖である．このように結合すると枝分れのない糖鎖になり，この糖鎖はアミロースとよばれるが，実際には α(1 → 6)グリコシド結合をつくって枝分れをもつ領域がある．この枝分れした糖鎖はアミロペクチンとよばれる．アミロペクチンの構造を示せ．

解 答

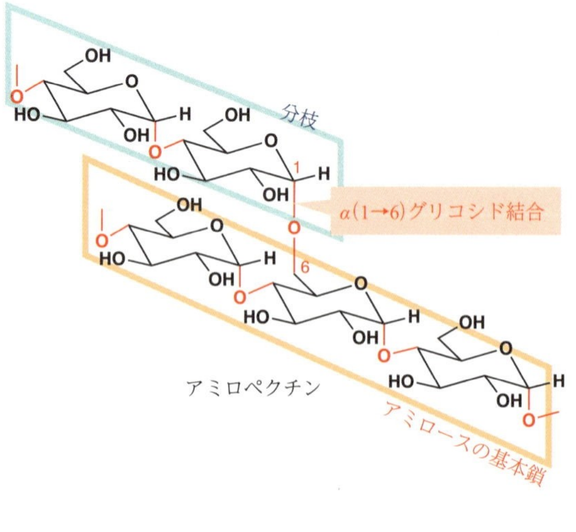

アミロペクチン

還元糖 reducing sugar
アルドースはアルデヒドの官能基をもち，ケトースも容易にアルドースに異性化できるので還元作用を示す（8 章，p. 136 およびノート 17.1 参照）．環状ヘミアセタール構造をもつ糖も，アルドースまたはケトース単位と平衡状態になるので，還元作用を示す．このように酸化されやすく，還元作用を示す糖を還元糖という．しかし，グリコシドは容易に酸化されないので非還元糖であり，スクロースも非還元糖の一つである．

セルロース　cellulose
ラクトース　lactose
スクロース　sucrose

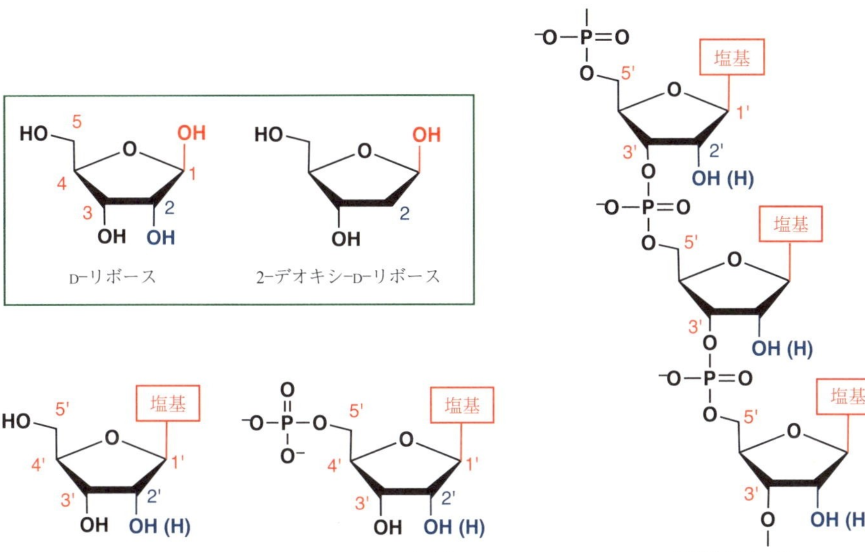

D-リボース　2-デオキシ-D-リボース

ヌクレオシド　ヌクレオチド　核酸(RNA, DNA)

図 23.2　ヌクレオシド，ヌクレオチドと核酸の構造

23.2 核　酸

23.2.1 ヌクレオシド，ヌクレオチドと核酸

核酸の構成要素となる**ヌクレオシド**は，D-リボース(あるいは 2-デオキシ-D-リボース)のアノマー炭素にアグリコンとして核酸塩基とよばれるヘテロ環が窒素原子の位置で結合した ***N*-グリコシド**である(図 23.2)．

ヌクレオシドの 5′-リン酸エステルが**ヌクレオチド**とよばれ，このリン酸エステルを介してポリマーになったものが核酸である．**核酸**には，D-リボースからなる**リボ核酸**(**RNA**)と 2-デオキシ-D-リボースからなる**デオキシリボ核酸**(**DNA**)がある．

ヌクレオチドは，核酸の構成要素になるだけでなく，生体の化学エネルギー輸送体となる ATP(アデノシン 5′-三リン酸)や種々の補酵素などの重要な生体物質にもみられる．

ヌクレオシド nucleoside
ヌクレオチド nucleotide
核酸 nucleic acid
リボ核酸 ribonucleic acid (RNA)
デオキシリボ核酸 deoxyribonucleic acid (DNA)

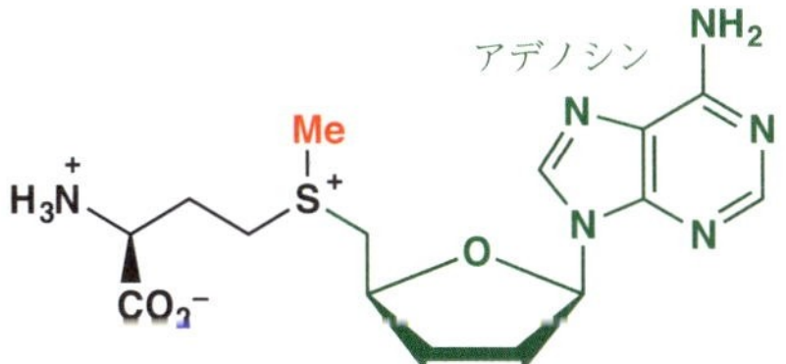

S-アデノシルメチオニン
S-adenosylmethionine
(SAM)

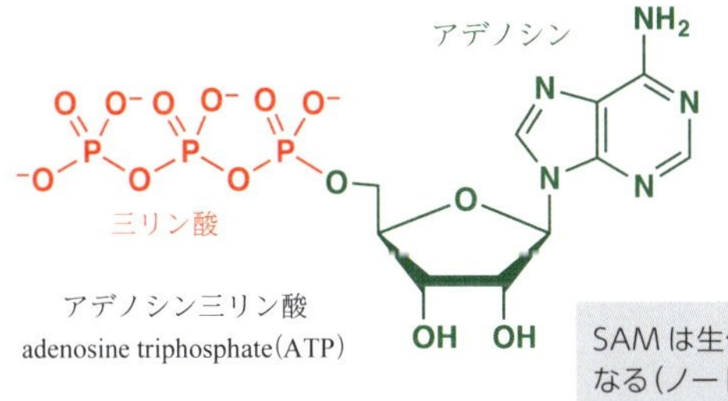

アデノシン三リン酸
adenosine triphosphate(ATP)

SAM は生体内でメチル化剤になる(ノート 12.1 参照)．

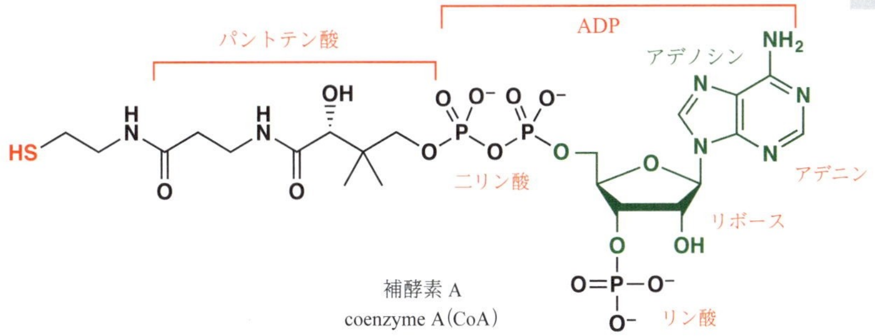

補酵素 A
coenzyme A(CoA)

23.2.2　核酸塩基と塩基対

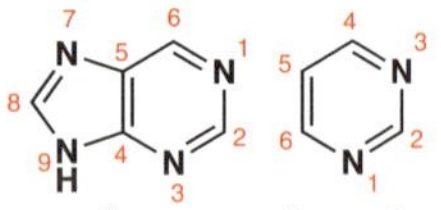

プリン purine　　ピリミジン pyrimidine

核酸塩基には図 23.3 に示すようにプリンとピリミジン環をもつ 5 種類がある．そのうち，ウラシルは RNA に，チミンは DNA にのみみられる．これらの塩基は，水素結合で**アデニン(A)**と**チミン(T)**［またはウラシル(U)］，**グアニン(G)**と**シトシン(C)**の組合せで特異的に塩基対をつくることができる．

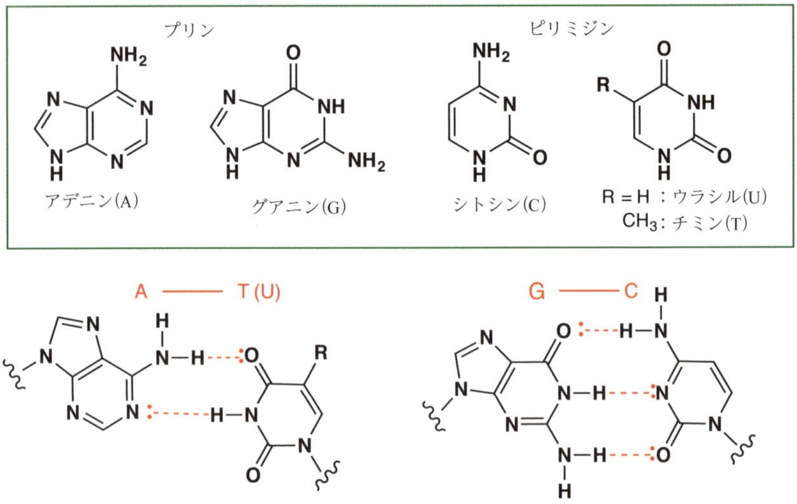

図 23.3　核酸塩基の構造と水素結合による核酸塩基対

プリン：アデニン(A)，グアニン(G)
ピリミジン：シトシン(C)，R = H：ウラシル(U)，CH_3：チミン(T)

A —— T(U)　　G —— C

DNA 鎖は，その塩基配列によって遺伝情報をもっており，その情報を A−T と G−C の塩基対によって新しい DNA 鎖に伝達する．DNA は塩基対の水素結合によって**二重らせん**を形成しているが，らせんを形成している 2 本の DNA 鎖は**相補的**であるといわれ，同じ情報をもっている．これらはともに相補的な新しい DNA 鎖を合成するための鋳型としてはたらく(図 23.4)．

■ **相補的な塩基対の水素結合によって核酸の二重らせんが形成され，遺伝情報の伝達を担っている．**

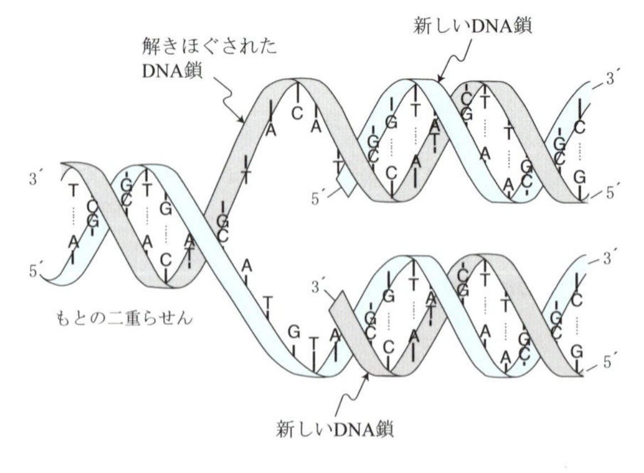

図 23.4　DNA の複製

DNA 鎖のヌクレオチド 4 個のうち 3 個ずつがセットになり，その並び方(64 種類可能)で 20 種のアミノ酸を指定する暗号になっている．核酸は，この暗号を使って細胞でタンパク質を合成するときに，アミノ酸の配列を決める．

DNA の塩基配列によって貯えられている**遺伝情報**は，メッセンジャー RNA に転写されてリボソームに運ばれ，その情報に基づいてタンパク質の合成が行わ

アデニン adenine
グアニン guanine
シトシン cytosine
チミン thymine
ウラシル uracil
二重らせん double helix
相補的 complementary

れる．メッセンジャー RNA における塩基の**トリプレットコード**は**コドン**とよばれ，表 23.1 にまとめたようになっている．64 個のトリプレットコードのうち 3 個はペプチド鎖合成の停止命令になっており，残りの 61 個がアミノ酸を暗号化している．複数のトリプレットコードがいくつかの同じアミノ酸の暗号になっている．この暗号はすべての生物に，ウイルス，細菌からヒトにまで共通である．

表 23.1　メッセンジャー RNA のトリプレットコード

第一塩基（5′ 末端）	第二塩基								第三塩基（3′ 末端）
	U		C		A		G		
U	UUU	Phe	UCU	Ser	UAU	Tyr	UGU	Cys	U
	UUC	Phe	UCC	Ser	UAC	Tyr	UGC	Cys	C
	UUA	Leu	UCA	Ser	UAA	Stop	UGA	Stop	A
	UUG	Leu	UCG	Ser	UAG	Stop	UGG	Trp	G
C	CUU	Leu	CCU	Pro	CAU	His	CGU	Arg	U
	CUC	Leu	CCC	Pro	CAC	His	CGC	Arg	C
	CUA	Leu	CCA	Pro	CAA	Gln	CGA	Arg	A
	CUG	Leu	CCG	Pro	CAG	Gln	CGG	Arg	G
A	AUU	Ile	ACU	Thr	AAU	Asn	AGU	Ser	U
	AUC	Ile	ACC	Thr	AAC	Asn	AGC	Ser	C
	AUA	Ile	ACA	Thr	AAA	Lys	AGA	Arg	A
	AUG[b]	Met	ACG	Thr	AAG	Lys	AGG	Arg	G
G	GUU	Val	GCU	Ala	GAU	Asp	GGU	Gly	U
	GUC	Val	GCC	Ala	GAC	Asp	GGC	Gly	C
	GUA	Val	GCA	Ala	GAA	Glu	GGA	Gly	A
	GUG	Val	GCG	Ala	GAG	Glu	GGG	Gly	G

[a] Stop は停止命令．
[b] AUG は開始暗号にもなる．

問題 23.4　DNA の部分構造－ACGT－に相補的な DNA 鎖の構造を示せ．

23.3　アミノ酸とタンパク質

■ **タンパク質はアミノ酸がアミド結合（ペプチド結合）でつながってできた高分子である．**

アミド結合(ペプチド結合)

$n H_2N$–CH(R)–COOH $\xrightarrow{-n H_2O}$ タンパク質

α-アミノ酸　　タンパク質

タンパク質は，生体の構造をつくるだけでなく，酵素として生体反応の触媒になったり，ヘモグロビンのように酸素輸送体になったりして，生命維持に重要な機能をもっている．

23.3.1　アミノ酸

アミノ酸は，アミノ基とカルボキシ基の塩基と酸を両方もっているので，双性

トリプレットコード triplet code
コドン codon

イオンのかたちで存在する．天然の**α-アミノ酸**は，グリシンを除いてすべてキラルであり，Fischer 投影式で表すとアミノ基が左に出た L 系列とよばれる立体配置をもっている(ノート 11.2)．ただ，微生物には例外的に D 系列のアミノ酸をもつものがある．表 23.2 にタンパク質の加水分解で得られる 20 種のアミノ酸を示す．

α-アミノ酸　α-amino acid
タンパク質　protein

H_2N, H, C, R, CO_2H ≡ CO_2H, H_2N–C–H, R ≡ CO_2H, H_2N–+–H, R　　CO_2^-, $H_3\overset{+}{N}$–+–H, R

L-α-アミノ酸の構造　　双性イオン構造

表 23.2　α-アミノ酸の構造と pK_a 値

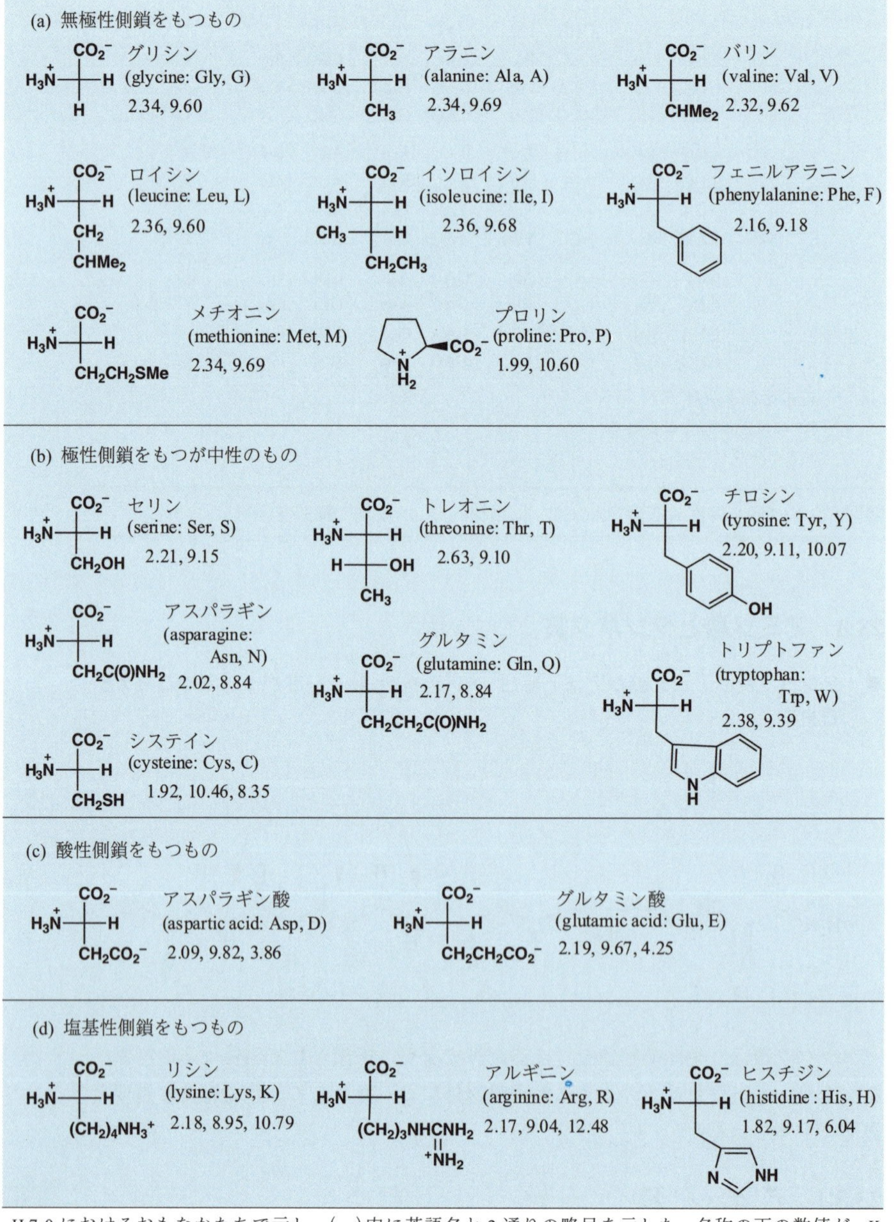

pH 7.0 におけるおもなかたちで示し，(　)内に英語名と 2 通りの略号を示した．名称の下の数値が pK_a (pK_{BH^+})値であり，カルボキシ基，アミノ基，側鎖の順に示してある．

問題 23.5　アラニン，セリン，およびシステインの立体配置を R, S 表示で示せ．

例題 23.2

アミノ酸は水溶液中で，pH によってイオン化状態が変化する．

(a) pH 2.0，7.0，10.0 におけるセリンの主要なかたちを書け．

(b) 分子全体として電荷をもたない中性形が最も多くなる pH を等電点という．セリンの等電点を計算せよ．

解 答

(a) セリンは水溶液中で次のような平衡状態にあり，各 pH における主要なかたちは下に示したようになる．

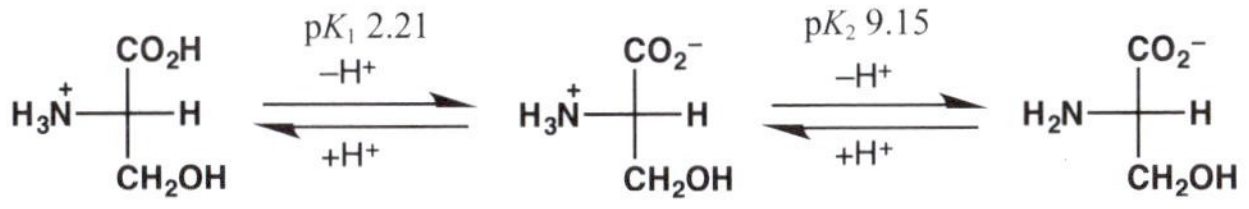

$$H_3\overset{+}{N}-C(CO_2H)(H)(CH_2OH) \underset{+H^+}{\overset{pK_1\ 2.21,\ -H^+}{\rightleftharpoons}} H_3\overset{+}{N}-C(CO_2^-)(H)(CH_2OH) \underset{+H^+}{\overset{pK_2\ 9.15,\ -H^+}{\rightleftharpoons}} H_2N-C(CO_2^-)(H)(CH_2OH)$$

pH 2.0　　pH 7.0　　pH 10.0

(b) 電気的に中性の分子のかたちは，双性イオン構造である．pK_1 でカチオン形から双性イオンになり，pK_2 でアニオン形になるので，ちょうどその中間の pH で電気的に中性になる．したがって，等電点 pI は pK_1 と pK_2 の平均値として表される．

$$pI = (pK_1 + pK_2)/2 = 5.68$$

問題 23.6　(a) アラニン，(b) アスパラギン，および (c) アスパラギン酸の等電点を計算せよ．

23.3.2　ペ プ チ ド

アミノ酸のアミノ基が別のアミノ酸のカルボキシ基とアミド結合をつくって生成する化合物を**ペプチド**という．このアミド結合は**ペプチド結合**ということが多い．たとえば，合成甘味料のアスパルテームはアスパラギン酸とフェニルアラニンからなるジペプチドのメチルエステルであり，生体内の還元剤となるグルタチオンはトリペプチドである．ペプチドにおいて遊離のアミノ基をもつアミノ酸を**N 末端アミノ酸残基**，遊離のカルボキシル基をもつアミノ酸を **C 末端アミノ酸残基**という．

> ペプチドやタンパク質の構造は N 末端を左側から示し，アミノ酸の略号で表す．アスパルテームは Asp-Phe と表せ，エンケファリンには Tyr-Gly-Gly-Phe-Met と Tyr-Gly-Gly-Phe-Leu がある．

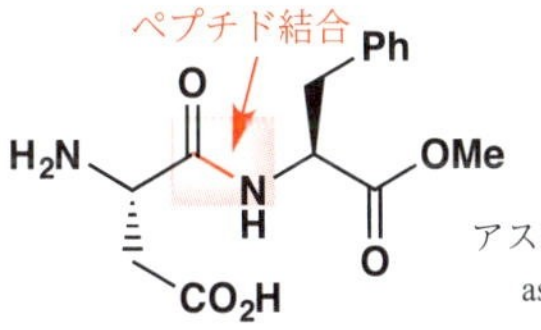

ペプチド結合

アスパルテーム
aspartame

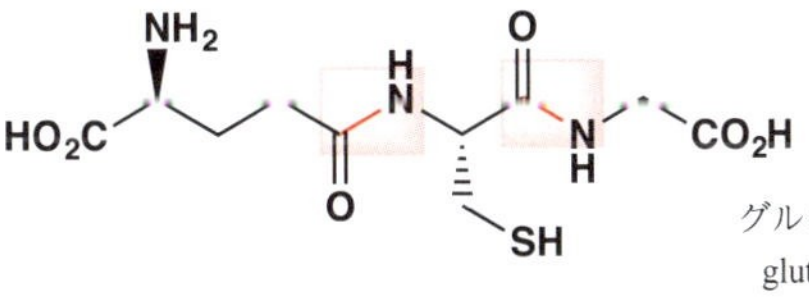

グルタチオン
glutathione

問題 23.7　グルタチオンを構成するアミノ酸の名称を書け．

ペプチドには，ホルモンとして作用するものも多い．たとえば，脳内物質のエンケファリンはペンタペプチドであり，鎮痛作用をもつ．血糖値を調節しているインスリンは，21 個のアミノ酸からなるペプチド鎖と 30 個のアミノ酸からなるペプチド鎖がシステイン残基間の S−S 結合によって橋かけされた構造をもつ．

> 等電点　isoelectric point
> ペプチド　peptide
> ペプチド結合　peptide bond

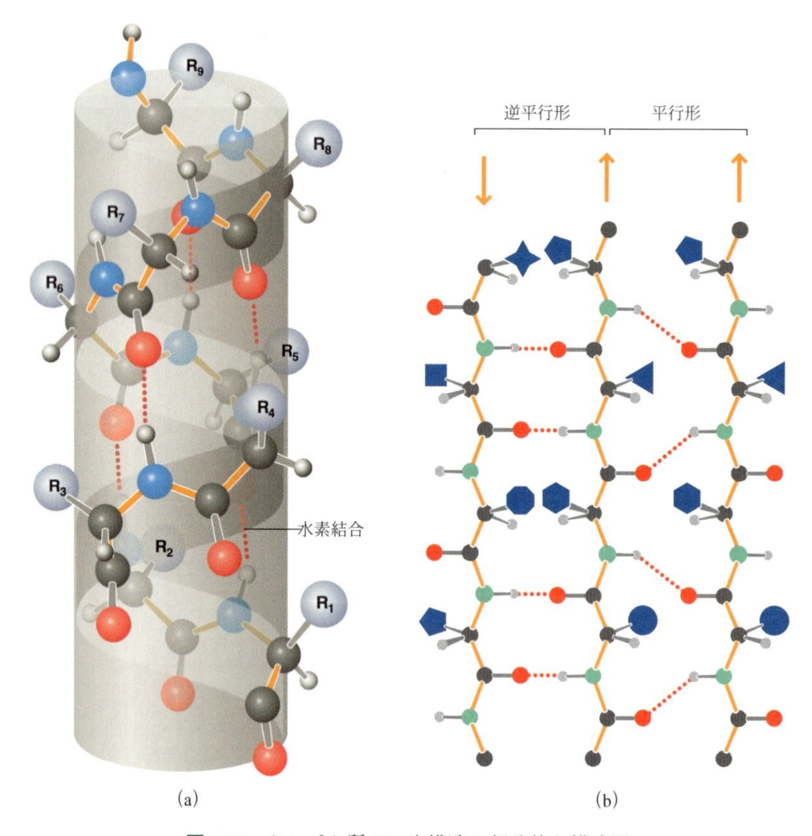

図 23.5　タンパク質の二次構造の部分的な模式図
(a) α ヘリックスは右巻きらせんであり，4 残基離れたペプチド結合が水素結合を形成している．
(b) β プリーツシート構造には逆平行形と平行形がある．

23.3.3 タンパク質

タンパク質は，分子量数千～数百万におよぶ巨大ペプチド(ポリペプチド)であり，核酸の暗号によって特定のアミノ酸配列(**一次構造**)につくり上げられ，さらに決まった三次元構造を形成して機能を発揮する．

タンパク質の立体的構造は，ペプチド結合の平面性と水素結合の形成によるところが大きい．ペプチド結合のアミド水素とカルボニル基が水素結合をつくる．この水素結合によって，ペプチド鎖は **α ヘリックス**と **β プリーツシート**(または **β シート**)という 2 種類の**二次構造**を形成している(図 23.5)．

さらに水素結合，静電力や van der Waals 力，そしてシステイン残基間でつくられる S－S 結合によって，折れ曲がった**三次構造**を形成している．こうしてできたタンパク質分子が集合体をつくって(**四次構造**)，種々の機能を発揮する．

一次構造 primary structure
α ヘリックス α helix
β プリーツシート β-pleated sheet
二次構造 secondary structure
三次構造 tertiary structure
四次構造 quaternary structure
脂質 lipid

23.4 脂　質

脂質は，無極性有機溶媒で抽出できる天然有機化合物である．溶解性に基づいて分類されているので，さまざまな化学構造のものを含む．おもなものは，油脂とリン脂質であり，それにステロイドやテルペン，エイコサノイドがある．

23.4.1 油　脂

■ 油脂は，脂肪酸とグリセリンのエステルであり，トリグリセリドとよばれる．

脂肪酸の生合成が Claisen 縮合で行われることについては，ノート 17.3 で述べた．

室温で固体のものは脂肪とよばれ，動物脂肪として得られる．液体の油はおもに植物から得られる．脂肪酸は炭素数 12～20 の偶数炭素からなる直鎖状のカルボン酸であり，飽和脂肪酸と二重結合をもつ不飽和脂肪酸がある（表 23.3）．不飽和脂肪酸は，下に示すように，二重結合のところで分子構造に曲がりができて結晶を形成しにくくなり，融点が下がる．たとえば，炭素数 18 のステアリン酸の融点は 70 °Cであるが，シス二重結合を二つもつリノール酸の融点は－5 °Cである．

$$
\begin{array}{l}
CH_2OC(=O)-R \\
| \\
CHOC(=O)-R \\
| \\
CH_2OC(=O)-R
\end{array}
$$

トリグリセリド
triglyceride
（triacylglycerol）

ステアリン酸
stearic acid

リノール酸
linoleic acid

植物油は成分としてより多くの不飽和脂肪酸を含むので融点が低い．これを部分的に水素化して，融点を高くすることにより，マーガリンが製造される*．

＊ この際，二重結合の異性化を伴い，トランス二重結合をもつ脂肪ができることが健康上の問題になっている．

表 23.3 おもな脂肪酸

飽和脂肪酸			mp/°C
ラウリン酸（lauric acid）	C_{12}	$CH_3(CH_2)_{10}CO_2H$	44
ミリスチン酸（myristic acid）	C_{14}	$CH_3(CH_2)_{12}CO_2H$	58
パルミチン酸（palmitic acid）	C_{16}	$CH_3(CH_2)_{14}CO_2H$	63
ステアリン酸（stearic acid）	C_{18}	$CH_3(CH_2)_{16}CO_2H$	70
アラキン酸（arachic acid）	C_{20}	$CH_3(CH_2)_{18}CO_2H$	77
不飽和脂肪酸[a]			
オレイン酸（oleic acid）	C_{18}	$CH_3(CH_2)_7CH=CH(CH_2)_7CO_2H$	13
リノール酸（linoleic acid）	C_{18}	$CH_3(CH_2)_3(CH_2CH=CH)_2(CH_2)_7CO_2H$	－5
リノレン酸（linolenic acid）	C_{18}	$CH_3(CH_2CH=CH)_3(CH_2)_7CO_2H$	－11

[a] ここにあげた不飽和脂肪酸の二重結合はすべてシス配置である．

キキョウには天然の界面活性剤となるサポニンが含まれ，去痰鎮咳作用をもつ．

➡ ウェブノート 23.3　サポニン：天然の界面活性剤

油脂をアルカリ加水分解（けん化）するとせっけんが得られることについて，9.2.2 項で述べた．せっけんはミセル（ノート 23.1）を形成して洗浄作用を示す．

23.4.2 リ ン 脂 質

リン脂質は，極性のリン酸エステルと 2 本の炭化水素鎖をもっており，ホスホグリセリドとスフィンゴ脂質の 2 種類がある．

ホスホグリセリドは，グリセリンに二つの脂肪酸と一つのリン酸がエステル結合でつながった構造をもっており，リン酸エステルにはさらにエステル結合でコリン $HOCH_2CH_2N^+(CH_3)_3$ や 2-アミノエタノールと結合して極性の強い領域を形成している．最も重要なホスホグリセリドは，レシチンとセファリンであり，その母体はホスファチジン酸とよばれる．

油脂 fat and oil
脂肪 fat
油 oil
リン脂質 phospholipid
ホスホグリセリド phosphoglyceride

ホスファチジン酸
（R は飽和で，R′は不飽和）

ホスファチジルコリン
（レシチン）

ホスファチジルエタノールアミン
（セファリン）

ノート 23.1　ミセル

脂肪のアルカリ加水分解で得られる脂肪酸のナトリウム塩あるいはカリウム塩がせっけんであり，水溶液中では集合して**ミセル**（micelle）をつくる．脂肪酸の長いアルキル鎖は極性の水を避けて分散力によって集まる傾向がある（この傾向を**疎水性**という）．その結果球状になり，イオン性のカルボキシラート基は水と水素結合をもってその表面を形づくる（このようなカルボキシラート基は**親水性**であるという）．せっけんは脂肪などの油汚れのもとになる分子をミセルの内部に取り込んで洗浄効果を発揮する．また，せっけんは水の表面で薄膜をつくり，水の表面張力を減少させる効果をもつので，布や繊維に浸透でき，泡立ちを生じる．せっけんは界面活性剤でもある．

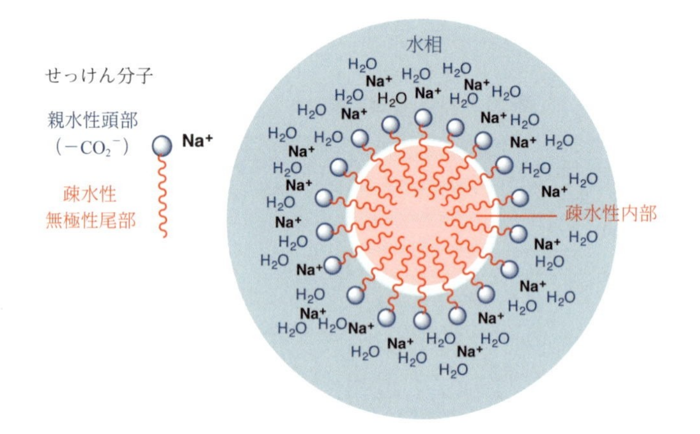

せっけんのミセル

カルボン酸塩であるせっけんがもつ問題点の一つは，水に含まれる Mg^{2+} や Ca^{2+} と塩をつくって沈殿を形成することである．これが硬水によるせっけんの洗浄力の低下や，浴槽の汚れ，布の黄ばみなどの原因になる．このようなせっけんの欠点を克服したスルホン酸塩や硫酸アルキルエステル塩が合成洗剤として開発された．しかし，初期の合成洗剤は分枝したアルキル鎖をもち生物で分解されないものであったために，河川や湖の汚染問題をもたらした．微生物は直鎖のアルキル化合物しか分解できない．現在最も広く用いられている合成洗剤は直鎖アルキルベンゼンスルホン酸塩（LAS）である．このようなアニオン界面活性剤のほかに，親水性部がカチオン（アンモニウムイオン）のカチオン界面活性剤（逆性せっけんともよばれる）やポリエーテルの中性洗剤もある．

4-ドデシルベンゼンスルホン酸ナトリウム
LAS の一つ

カチオン界面活性剤の一つ

$CH_3(CH_2)_{11}O(CH_2CH_2O)_7CH_2CH_2OH$

中性洗剤の一つ（ポリエーテル）

スフィンゴ脂質の代表例は，スフィンゴミエリンであり，スフィンゴシンがその母体骨格になっている．

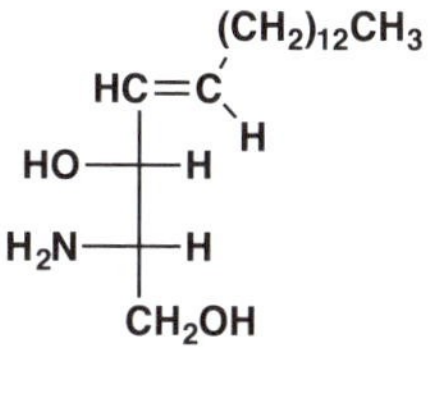

スフィンゴシン

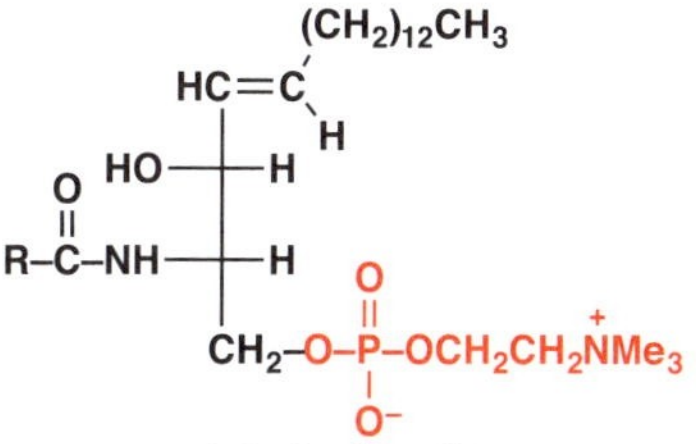

スフィンゴミエリン

リン脂質の分子は，せっけん分子と似て，イオン性の頭部と無極性尾部(ただし，せっけん分子と違って 2 本になっている)をもっている．

■ **リン脂質は 2 本の無極性尾部をもつ特徴があり，会合して二重層をつくり，細胞膜を形成する．**

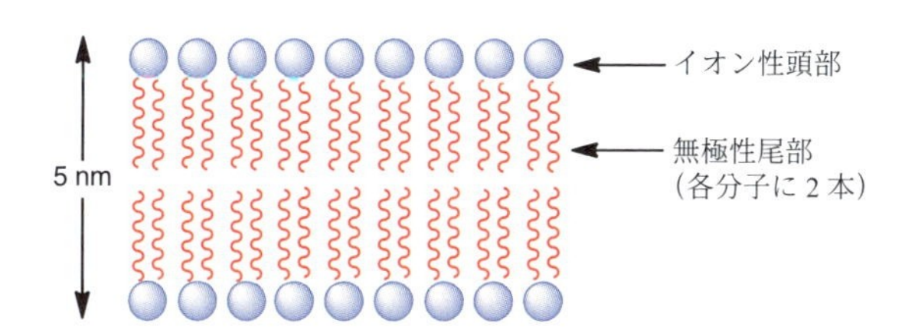

図 23.6 ホスホグリセリドの会合によって形成された細胞膜の脂質二重層の模式図

問題 23.8 L-セリンから生成するホスファチジルセリンの構造を示せ．

23.4.3 テルペンとステロイド

■ **テルペンとステロイドはイソプレン単位からなる．**

テルペンは植物の精油に含まれ，特有の香りと風味をもっている．その構造は特徴的であり，炭素数 5 のイソプレン単位から構成されている．したがって，5 の倍数の炭素原子を含む．炭素数 10 のものをモノテルペン，15 のものをセスキテルペン，20 のものをジテルペンというように総称する．酸素を含むものはテルペノイドという．次ページに代表的なテルペンの構造を示し，イソプレン単位をつなぐ結合を赤色で示している．

イソプレン
isoprene

イソプレン単位

天然ゴム
(ポリイソプレン)

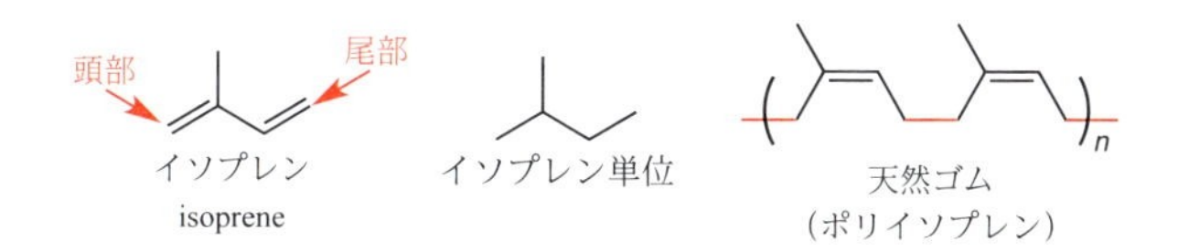

ホスファチジン酸 phsphatidic acid
レシチン lecithin
セファリン cephalin
スフィンゴシン sphingocin
スフィンゴミエリン sphingomyelin
二重層 bilayer
細胞膜 cell membrane
テルペン terpene
モノテルペン monoterpene
セスキテルペン sesquiterpene
ジテルペン diterpene
テルペノイド terpenoid

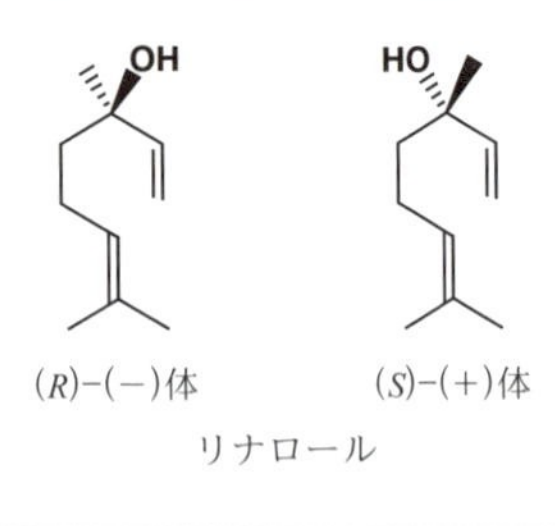

リナロールは数多くの植物の精油に含まれ，ラベンダーやユリの芳香成分である．*R*, *S* 混合物の場合が多いが，ある香料会社の研究によると，柑橘類の温州ミカンやユズでは *R* 体，伊予柑やスダチでは *S* 体が主成分であるという．

➡ウェブノート 23.4　ビタミンのはたらき

ステロイドの B，C，D 環はトランス縮合してシクロヘキサン環が平面的につながっているが，A，B 環がシス縮合しているものもある．その例としてコール酸があるが，二つの環が直交したようなかたちになる．

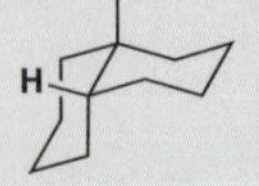

トランス縮合した A，B 環は，多くのステロイドの前駆体となるコレスタン（一般的構造で $R=C_8H_{17}$）とその誘導体などにみられる．

ステロイド　steroid
性ホルモン　sex hormone
エストロゲン　estrogen
アンドロゲン　androgen
プロゲスチン　progestin
副腎皮質ホルモン　adrenal cortical hormone

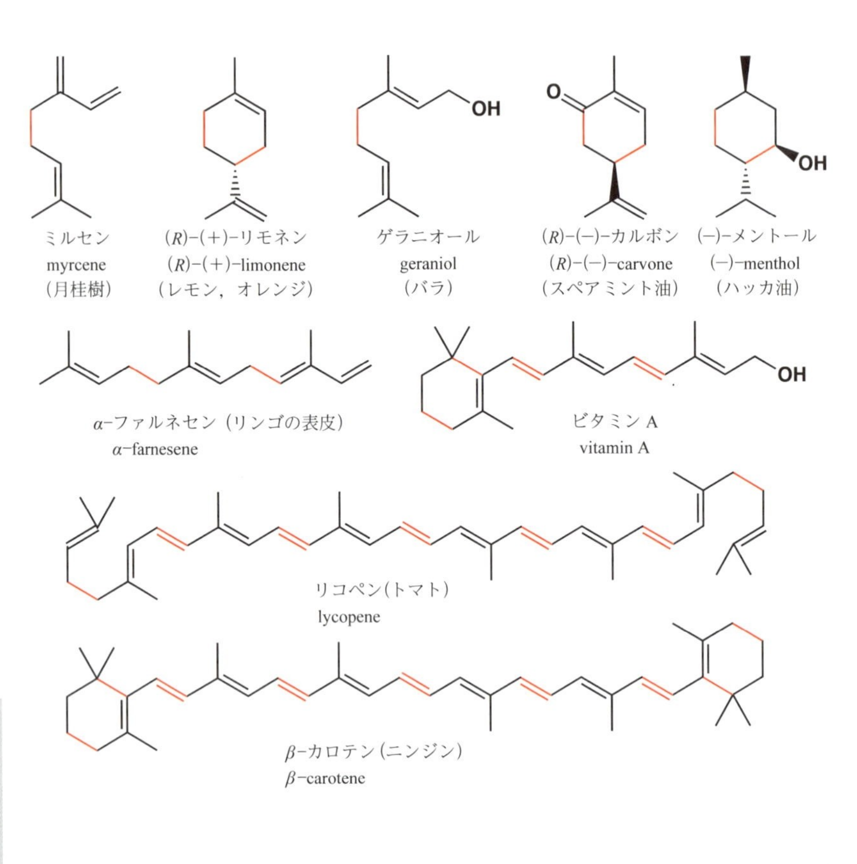

問題 23.9　上にあげたテルペンは，それぞれモノテルペン，セスキテルペンのように分類すると，どういう名称で分類されるか．

ステロイドは，動植物に含まれる脂質の一種で，特徴的な四環性の構造をもち，生体内ではテルペンの一つスクアレンから合成される（ウェブノート 23.4）．

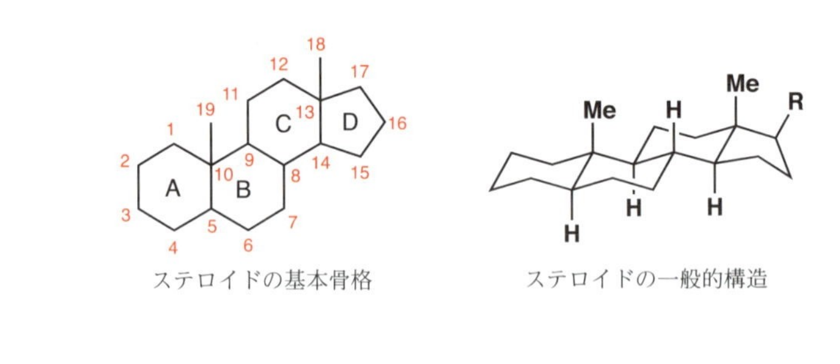

ステロイドの基本骨格　　ステロイドの一般的構造

HO　H　H　H　H

コレステロール
cholesterol

OH　O　H　Y　H　H　H　H　HO　OH　H

コール酸（Y＝OH）
cholic acid
タウロコール酸
（$Y=NHCH_2CH_2SO_3H$）
taurocholic acid

コレステロールはすべての動物の細胞に存在し，生体膜の構成成分であり，他のステロイドやビタミンDの前駆体となる．ヒトの胆汁成分である胆汁酸にはコール酸とそのアミド誘導体やそのデオキシ体があり，塩として界面活性剤となり，脂肪を乳化して吸収と消化を助ける．

性ホルモンには3種類あり，女性ホルモンはエストロゲン，男性ホルモンはアンドロゲン，妊娠ホルモンはプロゲスチンと総称され，重要な生理作用をもつ．また，副腎皮質ホルモンは，消炎作用，糖代謝や血圧の調節に関係している．これらの例を次ページに示している．

ビタミンD_3は7-デヒドロコレステロールの光化学的な開環で生成する（ウェブチャプター24）．

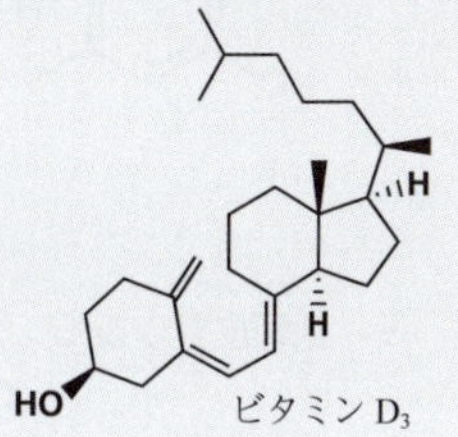

HO H H

ビタミンD_3

ノート 23.2 テルペンのイソプレン単位の生合成

アセチルCoAのClaisen縮合（ノート17.2参照）で生成したアセトアセチルCoAのケトン部分はアセチルCoAとアルドール反応を起こすことができる．その生成物を部分還元して生成するメバロン酸がテルペン合成のイソプレン単位となるイソペンテニル二リン酸を提供する．これからテルペン，さらにステロイドが合成されている．

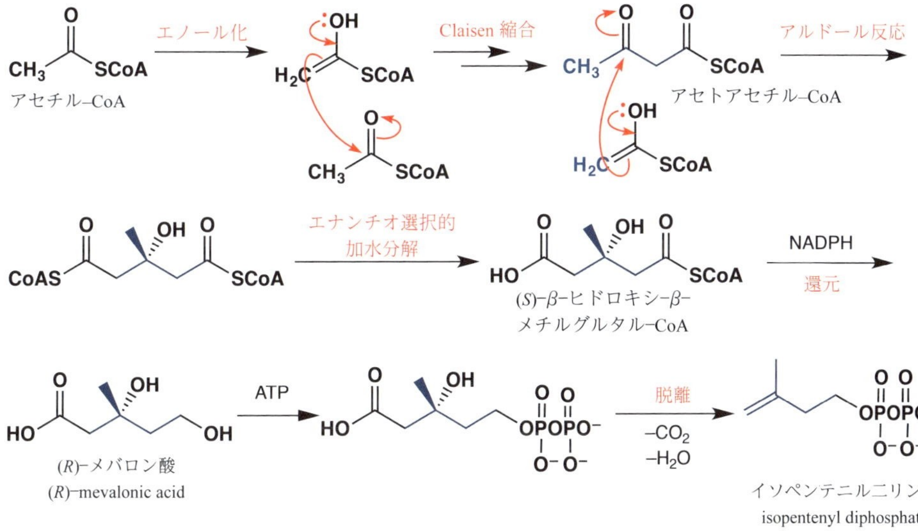

$CH_3COSCoA$ アセチル–CoA → エノール化 → $H_2C{=}C(OH)SCoA$ + $CH_3COSCoA$ → Claisen縮合 → $CH_3COCH_2COSCoA$ アセトアセチル–CoA + $H_2C{=}C(OH)SCoA$ → アルドール反応 →

CoAS–C(O)–CH_2–C(CH_3)(OH)–CH_2–C(O)–SCoA → エナンチオ選択的加水分解 → HO–C(O)–CH_2–C(CH_3)(OH)–CH_2–C(O)–SCoA (*S*)-β-ヒドロキシ-β-メチルグルタル-CoA → NADPH 還元 →

HO–C(O)–CH_2–C(CH_3)(OH)–CH_2CH_2–OH (*R*)-メバロン酸 (*R*)-mevalonic acid → ATP → HO–C(O)–CH_2–C(CH_3)(OH)–CH_2CH_2–OPOPO$^-$ → 脱離 $-CO_2$ $-H_2O$ → イソペンテニル二リン酸 isopentenyl diphosphate

近年，生活習慣病として高脂血症が問題になっている．その治療薬として，(*S*)-ヒドロキシメチルグルタリルCoAを還元してメバロン酸をつくる酵素の阻害剤が有効であり，メバロチン®やリピトール®の商品名で巨大な売り上げを記録している．この阻害剤により体内でのコレステロールの生成が抑制される．

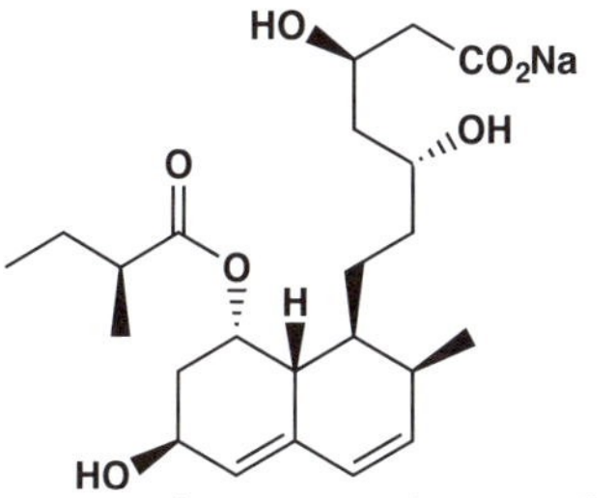

HO CO_2Na OH O O H HO

プラバスタチン（メバロチン®）
pravastatin (Mevalotin®)

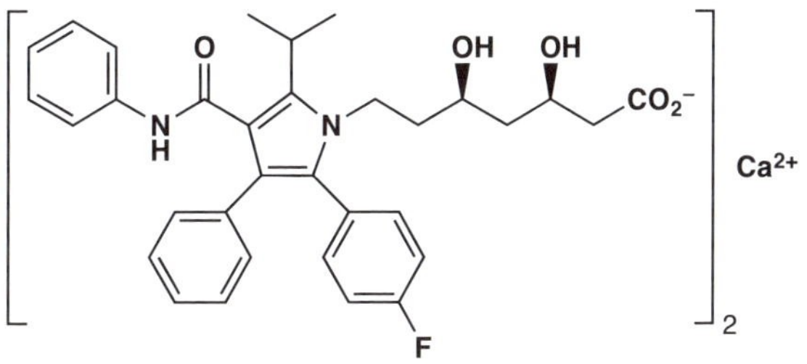

O N H N OH OH CO_2^- F Ca^{2+} 2

アトルバスタチン（リピトール®）
atorvastatin (Lipitor®)

性ホルモン：

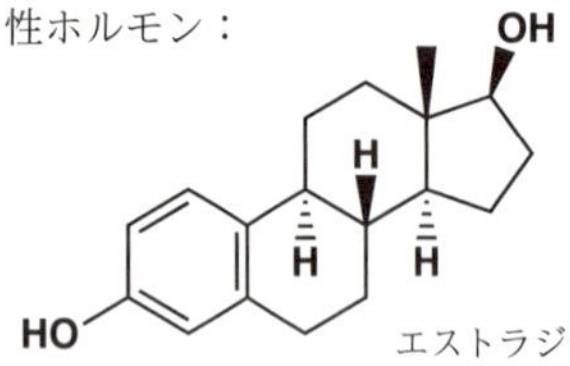

エストラジオール
estradiol
（女性ホルモン）

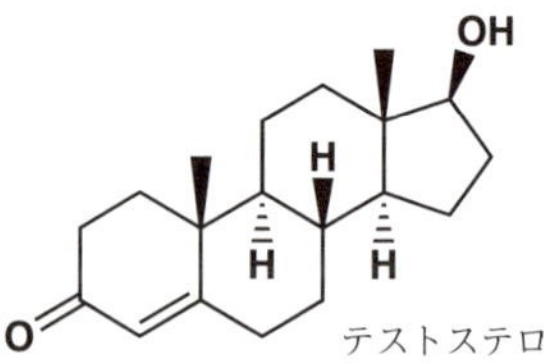

テストステロン
testosterone
（男性ホルモン）

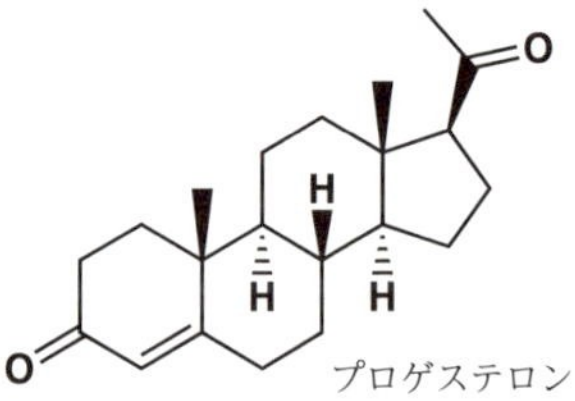

プロゲステロン
progesterone
（妊娠ホルモン）

副腎皮質ホルモン：

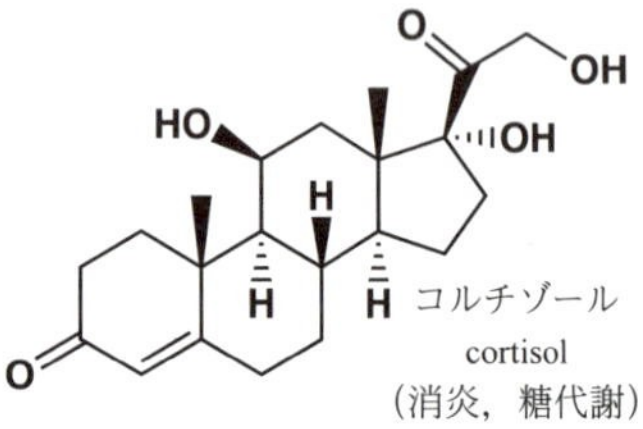

コルチゾール
cortisol
（消炎，糖代謝）

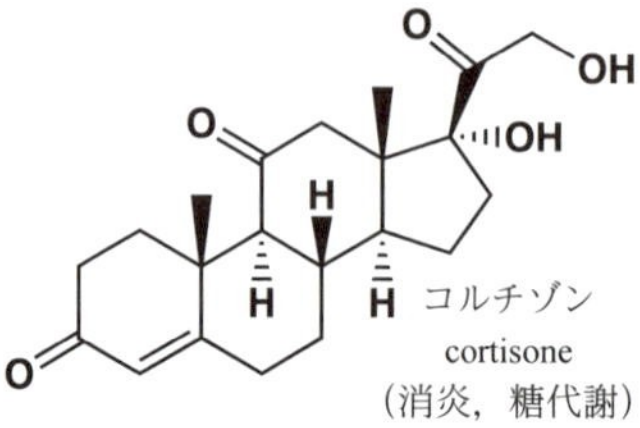

コルチゾン
cortisone
（消炎，糖代謝）

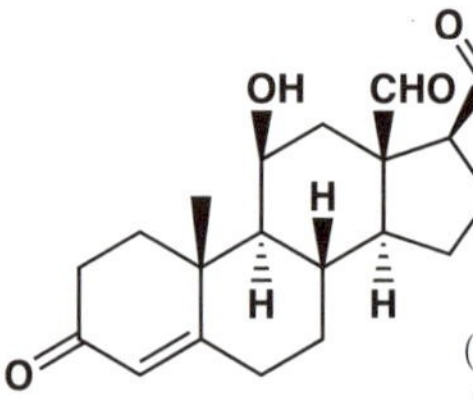

アルドステロン
aldosterone
（Na^+, K^+濃度制御による血圧調節）

➡ ウェブノート 23.5　スクアレンからのステロイドの生合成

問題 23.10　エストラジオールとテストステロンには，それぞれいくつのキラル中心があるか．また，立体異性体はそれぞれ何種類可能か．

23.4.4　エイコサノイド

エイコサノイドの語源
$C_{20}H_{44}$のアルカンはイコサン(icosane)であるが，かつてはエイコサン(eicosane)とよばれていた．したがって，C_{20}の飽和カルボン酸の旧名はエイコサン酸ということになる．この二つの名称はギリシャ語由来の用語を英語に直したときの混乱からきている．

■ **エイコサノイドは，アラキドン酸という炭素数 20 の不飽和カルボン酸から誘導された C_{20} 化合物である．**

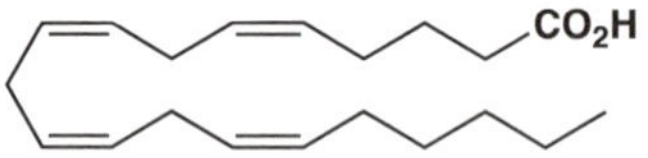

アラキドン酸
arachidonic acid

エイコサノイド eicosanoid

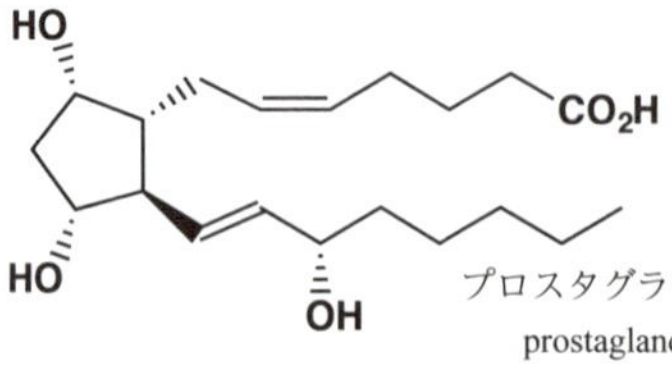

プロスタグランジン，プロスタサイクリン，トロンボキサン，ロイコトリエンの 4 種類があり，ごく微量で強い生理活性を示す．これらの化合物はいずれも不安定であり，局所的に細胞でつくられ，脈拍，血圧，凝血，受精，免疫，消炎反応などに関係している．医薬としての有用性が注目され，合成プロスタグランジン(22.4 節参照)や関連化合物の開発が活発に進められている．

プロスタグランジン $F_{2\alpha}$
prostaglandin $F_{2\alpha}$

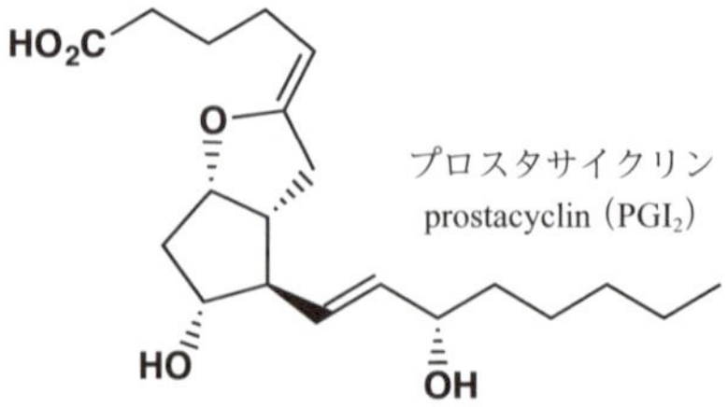

プロスタサイクリン
prostacyclin (PGI_2)

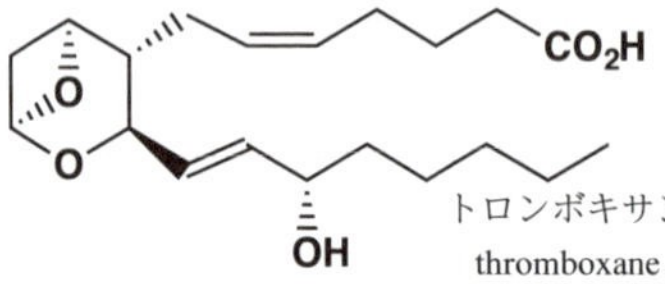

トロンボキサン A_2
thromboxane A_2

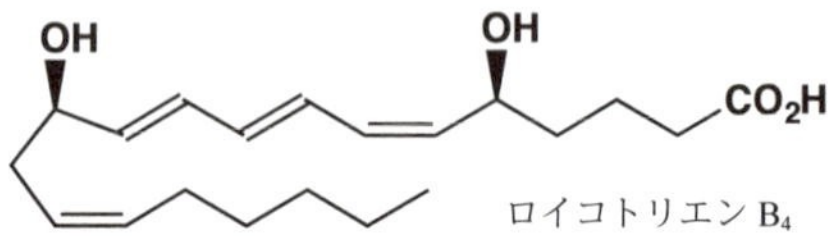

ロイコトリエン B_4
leukotriene B_4

まとめ

- 炭水化物(糖)は単糖を単位とし，二糖，…，多糖があり，最も広くみられるのはデンプンとセルロースである．
- 糖の C1(アノマー炭素)で他のヒドロキシ化合物と反応したものがグリコシド(アセタール)であり，アミンと反応したものが *N*-グリコシドである．
- 核酸(RNA と DNA)はヌクレオチドの高分子であり，ヌクレオチドは D-リボースまたは 2-デオキシ-D-リボースと核酸塩基(プリンとピリミジン)からなるヌクレオシドにリン酸が結合したものである．
- 核酸は相補的な核酸塩基対の水素結合によって二重らせんを形成し，遺伝情報の伝達を担っている．
- タンパク質は α-アミノ酸がアミド結合でつながった高分子で，α ヘリックスあるいは β プリーツシート構造からなる．
- 油脂とリン脂質はいずれも脂肪酸のエステルであるが，後者は極性のリン酸部位をもち二重層として細胞膜をつくっている．
- テルペンは植物の精油成分であり，ステロイドはホルモンとしてはたらく．
- エイコサノイドは C_{20} の不飽和脂肪酸であるアラキドン酸の誘導体であり，強い生理作用をもつ．

章末問題

問題 23.11　反応 23.1 に示したグルコースのアノマー化は酸または塩基触媒によって促進される．HO^- によるこのアノマー化反応の機構を書け．

問題 23.12　単糖を $NaBH_4$ で還元して得られる生成物は，アルジトールと総称される．(a) D-グルコースと (b) D-ガラクトースについて，アルジトールの構造を Fischer 投影式で示し，それぞれが光学活性であるかどうか述べよ．

問題 23.13　D-グルコースのような還元糖は，温和な酸化剤(たとえば，Ag^+)でアルデヒド部位だけが酸化されて，アルドン酸と総称されるカルボン酸になる．一方，硝酸のようなより強い酸化剤を用いると第一級アルコール部位も酸化されてジカルボン酸のアルダル酸になる．D-グルコースの酸化で生成する (a) アルドン酸 (D-グルコン酸) と (b) アルダル酸 (グルカル酸) の構造を Fischer 投影式で示し，キラル中心の立体配置を *R*, *S* で表示せよ．

問題 23.14　アルドースのアルデヒド部位をシアノヒドリンに変換し，CN 基を部分水素化した後に加水分解すると，炭素数が一つ増えたアルドースが 2 種類得られる．この Kiliani-Fischer 合成とよばれる反応を，ペントースの D-アラビノースを出発物として，段階的な反応式で示せ．

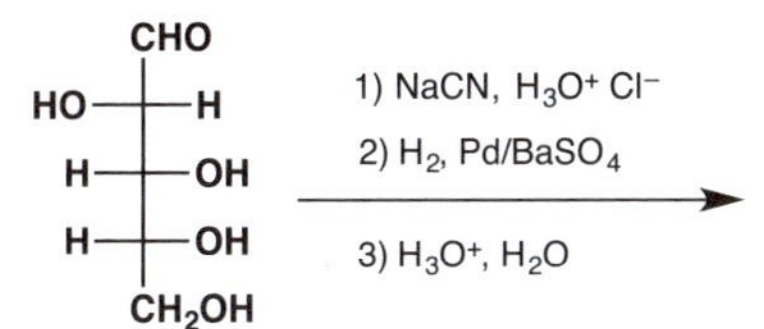

D-アラビノース

問題 23.15　シトシンと D-リボースからできたヌクレオシドはシチジンとよばれる．シチジンの構造を示せ．さらに，5 位にリン酸エステルが一つ結合するとシチジン 5′-一リン酸というヌクレオチドになる．その構造を示せ．

問題 23.16　(応用問題)　アミノ酸を合成する方法の一つとして，アルデヒド (RCHO) をアンモニアとシアン化水素で処理したのち，得られたアミノニトリルを加水分解する方法がある．この Strecker (ストレッカー) 合成とよばれる方法を，反応式で示せ．

問題 23.17　トリペプチド Ser-Ala-Asp の構造を，pH 6 におけるイオン化状態で示せ．

問題 23.18　(応用問題)　ブロモアルカンとアンモニアの反応は収率が悪いので，第一級アミンの合成にはあまり使われない．しかし，α-アミノ酸は類似の反応で合成される．二つの反応の違いを説明せよ．

$$RBr + 2NH_3 \xrightarrow{H_2O} RNH_2 + NH_4^+Br^-$$

低収率

$$RCH(Br)CO_2H + 2NH_3 \xrightarrow{H_2O} RCH(\overset{+}{N}H_3)CO_2^- + NH_4^+Br^-$$

問題 23.19　リノレン酸 $CH_3CH_2(CH{=}CHCH_2)_3(CH_2)_6$-$CO_2H$ をオゾン分解した後，ジメチルスルフィドで還元的に処理して得られる生成物は何か．

問題 23.20　卵白に含まれるレシチンはマヨネーズをつくる際に乳化剤として作用する．レシチン分子が親油性と親水性を示すのはどの部分か．

付録1　官能基合成反応

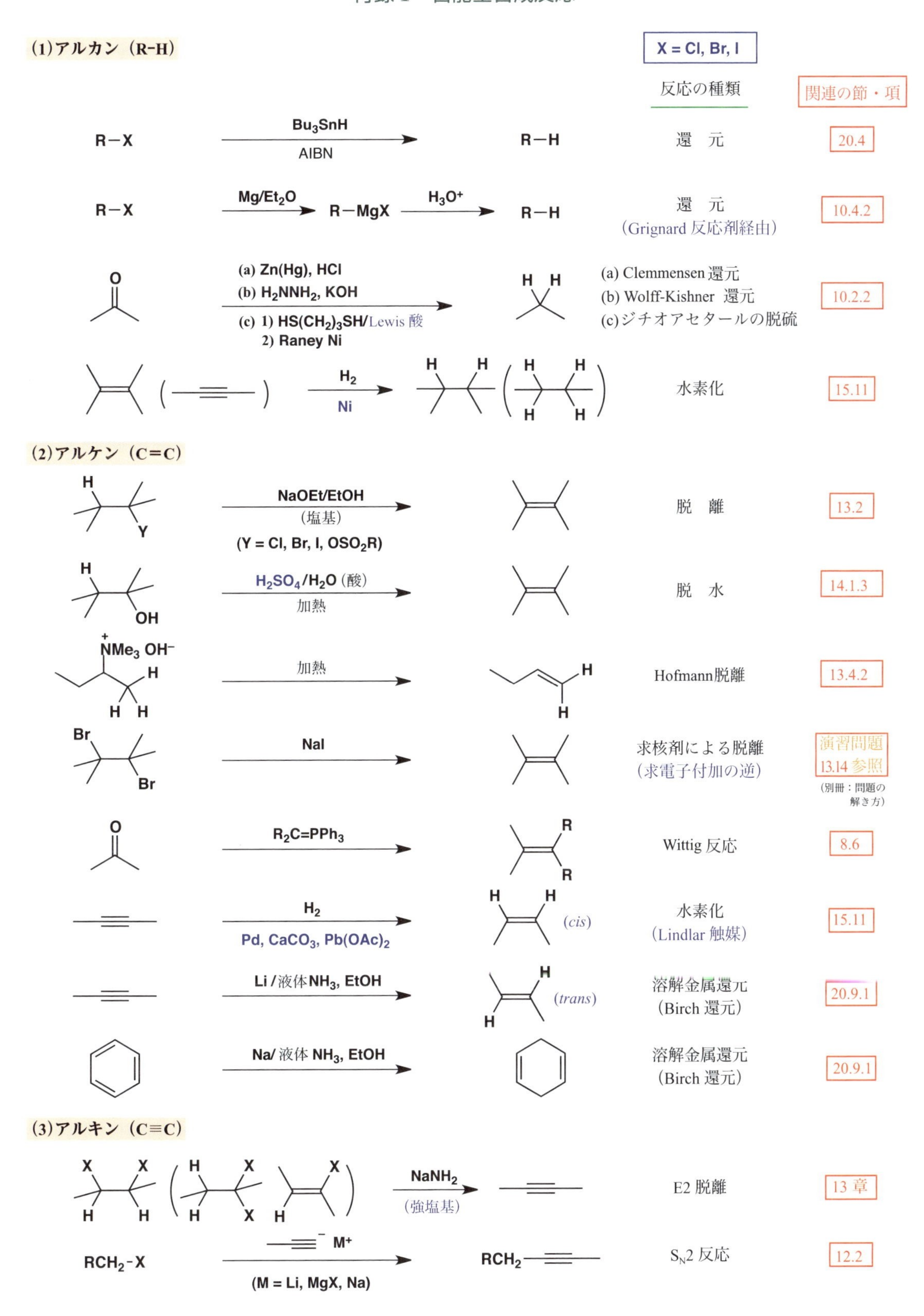

(1)アルカン（R-H）
X = Cl, Br, I
反応の種類
関連の節・項
R−X
Bu3SnH
AIBN
R−H
還　元
20.4
R−X
Mg/Et2O
R−MgX
H3O+
R−H
還　元
（Grignard 反応剤経由）
10.4.2
O
(a) Zn(Hg), HCl
(b) H2NNH2, KOH
(c) 1) HS(CH2)3SH/Lewis 酸
2) Raney Ni
H H
(a) Clemmensen 還元
(b) Wolff-Kishner 還元
(c) ジチオアセタールの脱硫
10.2.2
H2
Ni
H H H H
H H
水素化
15.11
(2)アルケン（C=C）
H
Y
NaOEt/EtOH
（塩基）
(Y = Cl, Br, I, OSO2R)
脱　離
13.2
H
OH
H2SO4/H2O（酸）
加熱
脱　水
14.1.3
+
NMe3 OH−
H
H H
加熱
H
H
Hofmann脱離
13.4.2
Br
Br
NaI
求核剤による脱離
（求電子付加の逆）
演習問題
13.14 参照
（別冊：問題の解き方）
O
R2C=PPh3
R
R
Wittig 反応
8.6
H2
Pd, CaCO3, Pb(OAc)2
H H
(cis)
水素化
（Lindlar 触媒）
15.11
Li / 液体 NH3, EtOH
H
H
(trans)
溶解金属還元
（Birch 還元）
20.9.1
Na/ 液体 NH3, EtOH
溶解金属還元
（Birch 還元）
20.9.1
(3)アルキン（C≡C）
X X
H H
H X
H X
X
H
NaNH2
（強塩基）
E2 脱離
13 章
RCH2-X
M+
(M = Li, MgX, Na)
RCH2
SN2 反応
12.2

(4) ハロアルカン (R-X)

出発物	試薬・条件	生成物	反応	節
R—H	X_2 / $h\nu$ または加熱	R—X	ラジカル置換（低選択性）	20.3
R—OH	(a) HX (b) PX_3（または PX_5）(c) SOX_2	R—X	ハロゲン化	14.1.2, 14.3.2
R—OSO_2R'	NaX	R—X	S_N2 反応（スルホナート）	14.3.1
アルケン	HX	H, X 付加体	求電子付加	15.2
アルケン	X_2	X, X 付加体	求電子付加	15.4

ハロアレーン (Ar-X)

出発物	試薬・条件	生成物	反応	節
Ar—H	X_2 / AlX_3	Ar—X	芳香族求電子置換	16.3.1
Ar—NH_2	$NaNO_2$ / H_3O^+ → Ar—N_2^+；KI → Ar—I；CuX → Ar—X (X = Cl, Br)；HBF_4 → Ar—N_2^+ BF_4^- → 加熱 → Ar—F	Ar—I, Ar—X, Ar—F	ジアゾニウム塩の反応	18.8

(5) アルコール (R-OH)

出発物	試薬・条件	生成物	反応	節
R—X	NaOH	R—OH	S_N2 反応	12.2
アルケン	(a) H_2O, H_2SO_4 (b) 1) $Hg(OAc)_2/H_2O$ 2) $NaBH_4$	H, OH 付加体	水　和（Markovnikov）	15.3
アルケン	1) BH_3/THF 2) H_2O_2/NaOH	HO, H 付加体	ヒドロホウ素化-酸化（逆 Markovnikov）	15.3.3
ケトン	(a) $NaBH_4$/MeOH (b) 1) $LiAlH_4/Et_2O$ 2) H_3O^+	H—C—OH	ヒドリド還元	10.1.1
RC(=O)Y (Y = OR', X, OH)	1) $LiAlH_4/Et_2O$ 2) H_3O^+	H_2C—OH	ヒドリド還元	10.1.2
ケトン	1) $RMgX/Et_2O$ 2) H_3O^+	R—C—OH	Grignard 反応	10.4.2
エステル (OR')	1) $RMgX/Et_2O$ 2) H_3O^+	R_2C—OH（第三級アルコール）	Grignard 反応	10.4.2
エポキシド	1) $RMgX/Et_2O$ 2) H_3O^+	RCH_2CH_2OH	Grignard 反応	10.4.2

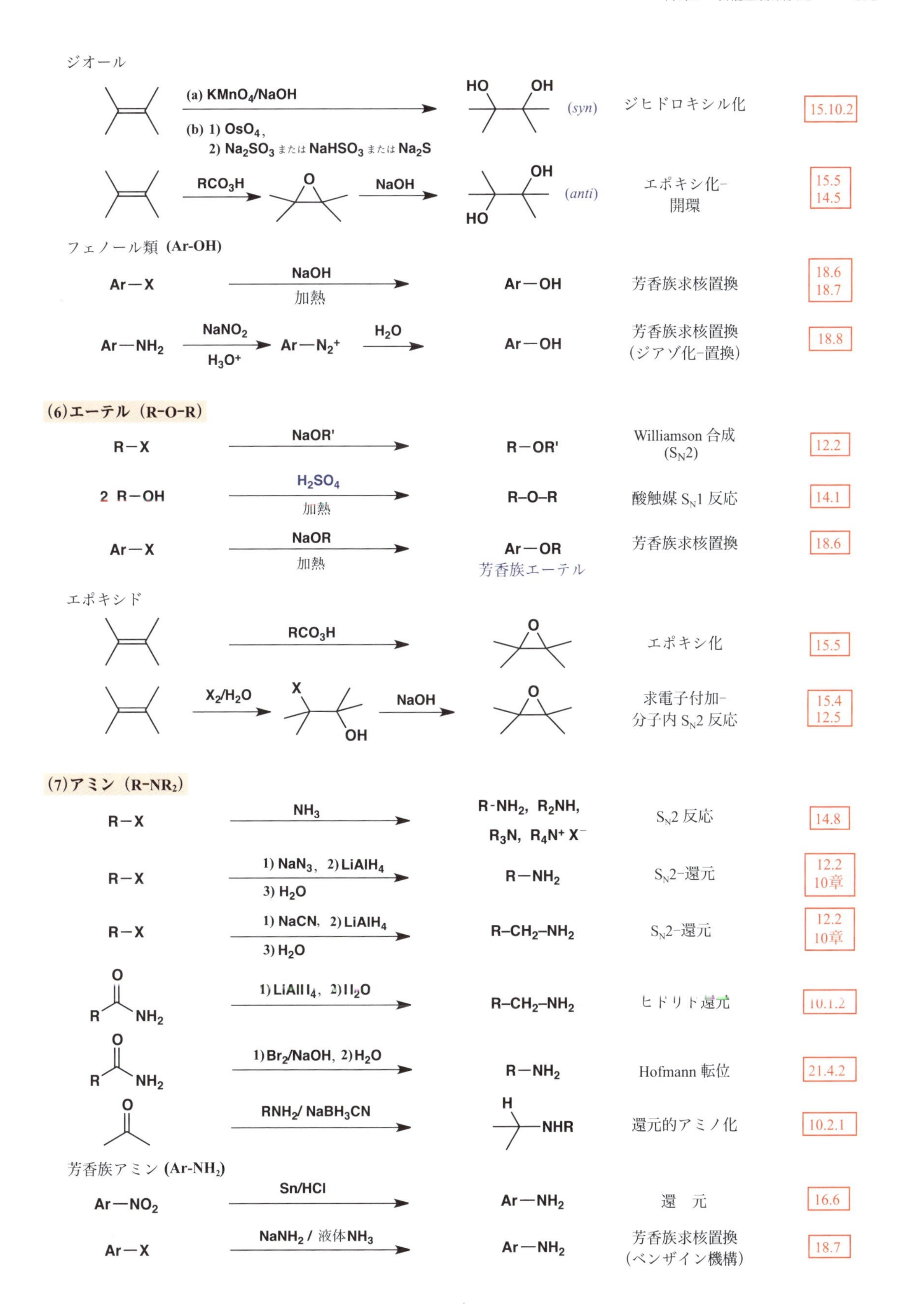
ジオール
(a) KMnO4/NaOH
(b) 1) OsO4,
2) Na2SO3 または NaHSO3 または Na2S
HO
OH
(syn)
ジヒドロキシル化
15.10.2
RCO3H
O
NaOH
OH
HO
(anti)
エポキシ化-
開環
15.5
14.5
フェノール類 (Ar-OH)
Ar—X
NaOH
加熱
Ar—OH
芳香族求核置換
18.6
18.7
Ar—NH2
NaNO2
H3O+
Ar—N2+
H2O
Ar—OH
芳香族求核置換
(ジアゾ化-置換)
18.8
(6)エーテル (R-O-R)
R—X
NaOR'
R—OR'
Williamson 合成
(SN2)
12.2
2 R—OH
H2SO4
加熱
R–O–R
酸触媒 SN1 反応
14.1
Ar—X
NaOR
加熱
Ar—OR
芳香族エーテル
芳香族求核置換
18.6
エポキシド
RCO3H
O
エポキシ化
15.5
X2/H2O
X
OH
NaOH
O
求電子付加-
分子内 SN2 反応
15.4
12.5
(7)アミン (R-NR2)
R—X
NH3
R-NH2, R2NH,
R3N, R4N+ X−
SN2 反応
14.8
R—X
1) NaN3, 2) LiAlH4
3) H2O
R—NH2
SN2-還元
12.2
10章
R—X
1) NaCN, 2) LiAlH4
3) H2O
R–CH2–NH2
SN2-還元
12.2
10章
O
R
NH2
1) LiAlH4, 2) H2O
R–CH2–NH2
ヒドリド還元
10.1.2
O
R
NH2
1) Br2/NaOH, 2) H2O
R—NH2
Hofmann 転位
21.4.2
O
RNH2/ NaBH3CN
H
NHR
還元的アミノ化
10.2.1
芳香族アミン (Ar-NH2)
Ar—NO2
Sn/HCl
Ar—NH2
還　元
16.6
Ar—X
NaNH2 / 液体NH3
Ar—NH2
芳香族求核置換
(ベンザイン機構)
18.7

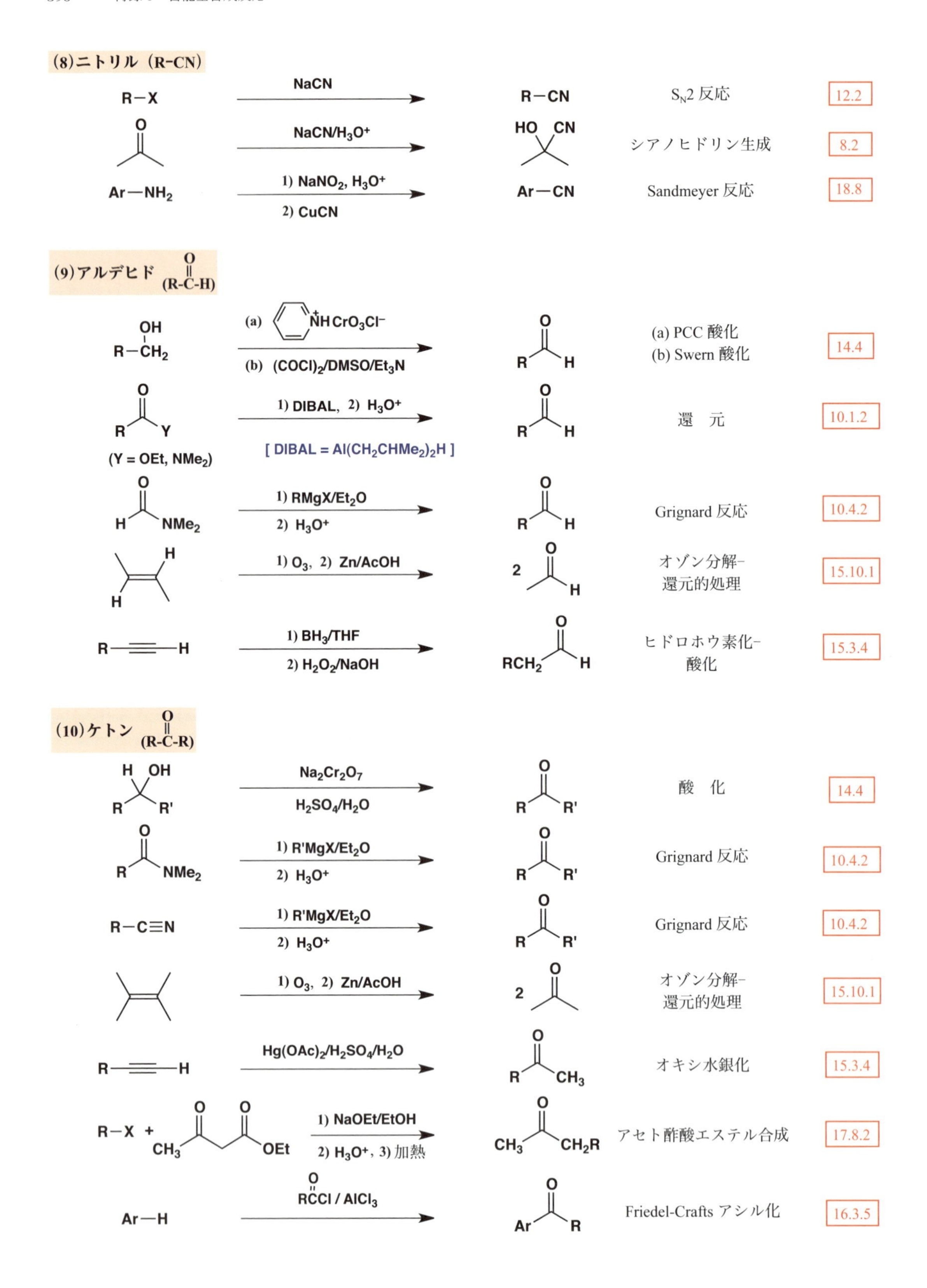
(8)ニトリル（R-CN）
R−X
NaCN
R−CN
SN2 反応
12.2
NaCN/H3O+
HO CN
シアノヒドリン生成
8.2
Ar−NH2
1) NaNO2, H3O+
2) CuCN
Ar−CN
Sandmeyer 反応
18.8
(9)アルデヒド (R-C-H)
OH
R−CH2
(a) NH CrO3Cl−
(b) (COCl)2/DMSO/Et3N
R H
(a) PCC 酸化
(b) Swern 酸化
14.4
R Y
(Y = OEt, NMe2)
1) DIBAL, 2) H3O+
[DIBAL = Al(CH2CHMe2)2H]
還　元
10.1.2
H NMe2
1) RMgX/Et2O
2) H3O+
Grignard 反応
10.4.2
1) O3, 2) Zn/AcOH
2
オゾン分解-
還元的処理
15.10.1
R−H
1) BH3/THF
2) H2O2/NaOH
RCH2 H
ヒドロホウ素化-
酸化
15.3.4
(10)ケトン (R-C-R)
H OH
R R'
Na2Cr2O7
H2SO4/H2O
酸　化
14.4
R NMe2
1) R'MgX/Et2O
2) H3O+
Grignard 反応
10.4.2
R−C≡N
1) R'MgX/Et2O
2) H3O+
Grignard 反応
10.4.2
1) O3, 2) Zn/AcOH
オゾン分解-
還元的処理
15.10.1
Hg(OAc)2/H2SO4/H2O
R CH3
オキシ水銀化
15.3.4
R−X +
CH3 OEt
1) NaOEt/EtOH
2) H3O+, 3) 加熱
CH3 CH2R
アセト酢酸エステル合成
17.8.2
Ar−H
RCCl / AlCl3
Ar R
Friedel-Crafts アシル化
16.3.5

(11) カルボン酸 (R-C(=O)OH)

出発物	試薬・条件	生成物	反応	節
$R-CH_2OH$ ($RCHO$)	$Na_2Cr_2O_7$ / H_2SO_4/H_2O	$RCOOH$	酸　化	14.4
$R-X$	Mg/Et_2O → $R-MgX$；1) CO_2　2) H_3O^+	$R-CO_2H$	Grignard 反応	10.4.2
$R-CN$	(a) $NaOH/H_2O$　(b) H_2SO_4/H_2O	$R-CO_2H$	加水分解	9 章
$RCOCH_3$	1) $X_2/NaOH$, 2) H_3O^+	$RCOOH$	ハロホルム反応	17.4.2
$R-X$ + $EtOCOCH_2COOEt$	1) $NaOEt/EtOH$　2) H_3O^+, 3) 加熱	$R-CH_2CO_2H$	マロン酸エステル合成	17.8.2
$Ar-CHR_2$	(a) 1) $KMnO_4/OH^-/H_2O$, 2) H_3O^+　(b) $Na_2Cr_2O_7/H_2SO_4/H_2O$	$Ar-CO_2H$	酸　化	16.7.2

(12) カルボン酸誘導体 (R-C(=O)-Y)

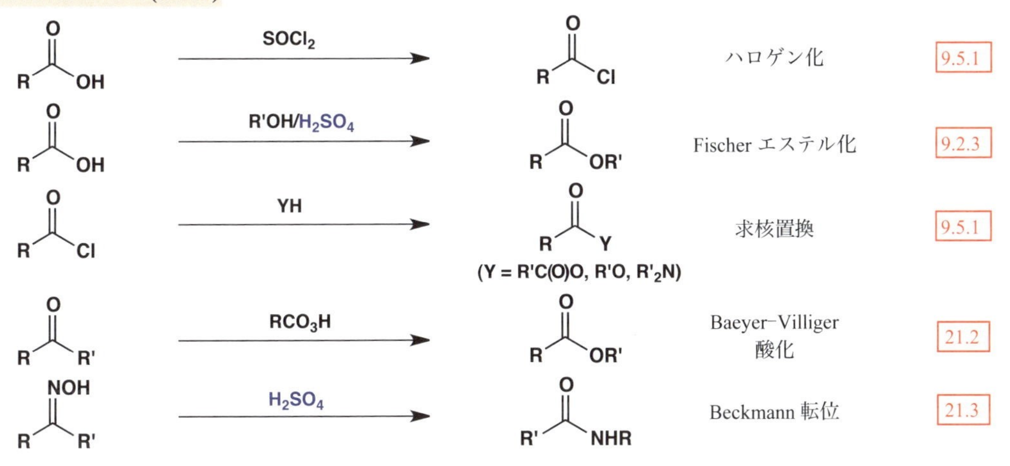

付録2　官能基の反応

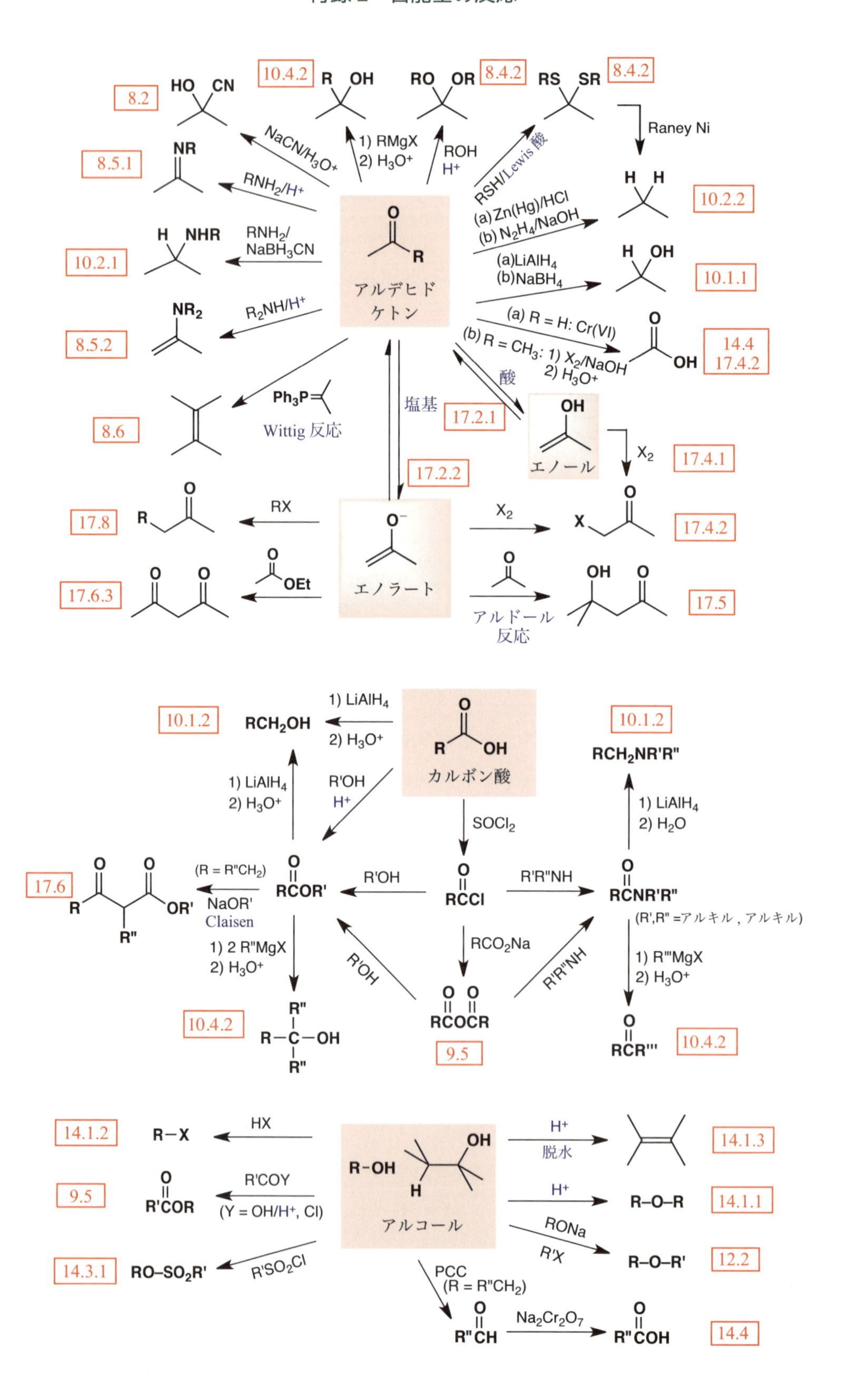

アルデヒド
ケトン
8.2
HO CN
NaCN/H3O+
10.4.2
R OH
1) RMgX
2) H3O+
RO OR
8.4.2
ROH
H+
RS SR
8.4.2
RSH/Lewis 酸
Raney Ni
8.5.1
NR
RNH2/H+
H H
10.2.2
(a) Zn(Hg)/HCl
(b) N2H4/NaOH
H NHR
RNH2/
NaBH3CN
10.2.1
H OH
(a)LiAlH4
(b)NaBH4
10.1.1
NR2
R2NH/H+
8.5.2
(a) R = H: Cr(VI)
(b) R = CH3: 1) X2/NaOH
2) H3O+
OH
14.4
17.4.2
酸
Ph3P
Wittig 反応
8.6
塩基
17.2.1
OH
エノール
X2
17.4.1
17.2.2
O−
エノラート
RX
R
17.8
X2
X
17.4.2
OEt
17.6.3
アルドール
反応
OH
17.5
カルボン酸
R OH
1) LiAlH4
2) H3O+
RCH2OH
10.1.2
10.1.2
RCH2NR'R"
1) LiAlH4
2) H3O+
R'OH
H+
SOCl2
1) LiAlH4
2) H2O
(R = R"CH2)
NaOR'
Claisen
RCOR'
R'OH
RCCl
R'R"NH
RCNR'R"
17.6
R
OR'
R"
(R',R" =アルキル , アルキル)
1) 2 R"MgX
2) H3O+
R'OH
RCO2Na
R'R"NH
1) R'"MgX
2) H3O+
10.4.2
R"
R—C—OH
R"
RCOCR
9.5
RCR'"
10.4.2
14.1.2
R—X
HX
R-OH
OH
H
アルコール
H+
脱水
14.1.3
9.5
R'COR
R'COY
(Y = OH/H+, Cl)
H+
R–O–R
14.1.1
RONa
R'X
R–O–R'
12.2
14.3.1
RO–SO2R'
R'SO2Cl
PCC
(R = R"CH2)
R" CH
Na2Cr2O7
R" COH
14.4

14.7.3　RS SR ← (ketone) Lewis 酸 ← **R-SH** チオール → $R'Y$ / S_N2 → **R−S−R'** → $R'Y$ → $R-\overset{+}{S}R'_2Y^-$ 14.7.1

14.7.4 $R-SO_3H$ ← [O] ← $R-SO_2H$ ← [O] ← R-SH

R−S−R' → [O] → $R-S(=O)-R'$ → [O] → $R-SO_2-R'$ 14.7.4

12.2/12.4 **R−Y** ← S_N1/S_N2 ← **R−X** ハロアルカン

(Y^- = HO^-, H_2O, RO^-, ROH, RS^-, RSH, CN^-, R_2NH, N_3^-)

R−X → 脱離 → (alkene) 13章

R−X → Mg/Et_2O → **R−MgX** 10.4.1

$S_N1/E1$ ← $R-N_2^+$ ← HNO_2 ← $R-NH_2$ アミン（第一級） → R'X / S_N2 → R-NHR' → R'X → $R-NR'_2$ → R'X → $R-\overset{+}{N}R'_3\ X^-$

14.8.2　14.8.1

$R-CO_2H$ ← (a) $NaOH/H_2O$ (b) H_3O^+/H_2O ← **R-CN** ニトリル　9 章

R-CN → 1) $LiAlH_4$, 2) H_3O^+ → $R-CH_2NH_2$

R-CN → 1) $R'MgX/Et_2O$, 2) H_3O^+ → R(C=O)R'　10 章

アルケン:

- HX → (X, H adduct) 15.2
- H_2/Ni → (H, H adduct) 15.11
- RCO_3H → (epoxide, O) 15.5
- X_2 → (X, X adduct) 15.4
- (a) 1) OsO_4, 2) Na_2SO_3 または $NaHSO_3$ または Na_2S → HO, OH 15.10.2
- (a) H_2O/H_2SO_4 (b) 1) $Hg(OAc)_2/H_2O$ 2) $NaBH_4$ → HO, H（Markovnikov） 15.3.1 15.3.2
- (b) $KMnO_4$; 1) O_3 2) Zn/AcOH → =O + O= 15.10.1
- 1) BH_3/THF 2) $H_2O_2/NaOH$ → H, OH（逆 Markovnikov） 15.3.3
- (diene) → Diels−Alder 15.9
- $X=\overset{+}{Y}-Z^-$ → (X, Y, Z ring) 1,3−双極付加環化 15.10

アルキン（R—≡—H）:

- H_2 / Lindlar 触媒 → H, H *cis* 15.11
- Li / 液体 NH_3 / *t*-BuOH → H, H *trans* 20.9.1
- HX → RCX_2-CH_3 ($RCX=CH_2$) 15.2.3
- X_2 → R, X, X, H *trans* 15.4
- $Hg(OAc)_2/H_2O/H_2SO_4$ → $RCCH_3$ (C=O) 15.3.4
- 1) BH_3/THF 2) $H_2O_2/NaOH$ → RCH_2CH (C=O) 15.3.4
- (a) BuLi (b) RMgX (c) $NaNH_2$ → R—≡—$^-$ M^+ 10.4.1 → R'X / S_N2 → R—≡—R' 12.2

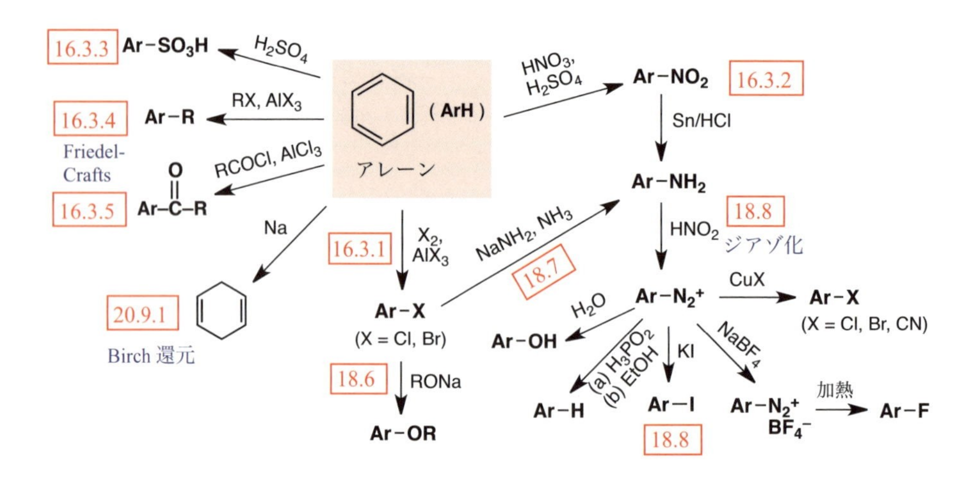
16.3.3 Ar−SO3H
H2SO4
16.3.4 Ar−R
RX, AlX3
Friedel-Crafts
RCOCl, AlCl3
16.3.5 Ar−C(=O)−R
(ArH)
アレーン
HNO3, H2SO4
Ar−NO2 16.3.2
Sn/HCl
Ar−NH2
HNO2
18.8
ジアゾ化
Na
20.9.1
Birch 還元
16.3.1
X2, AlX3
Ar−X
(X = Cl, Br)
NaNH2, NH3
18.7
18.6
RONa
Ar−OR
Ar−N2+
CuX
Ar−X
(X = Cl, Br, CN)
H2O
Ar−OH
(a) H3PO2
(b) EtOH
Ar−H
KI
Ar−I
18.8
NaBF4
Ar−N2+ BF4−
加熱
Ar−F

付録3　炭素-炭素結合生成反応

	逆合成	求電子種	求核種	反応の種類	関連の節・項
有機金属化合物の反応	OH, C, R ⟹	O	RMgX	Grignard 反応	10.4.2
	OH, C, R, R ⟹	O, OEt	RMgX	Grignard 反応	10.4.2
	HO, R ⟹	O	RMgX	Grignard 反応	10.4.2
	O, C, R ⟹	O, NMe_2 (—CN)	RMgX	Grignard 反応	10.4.2
	HO—C(=O)—R ⟹	CO_2	RMgX	Grignard 反応	10.4.2
	O, R ⟹	O	R_2CuLi	有機銅の共役付加	18.1.3
エノラートとその等価体の反応	OH, O ⟹	O	O^-	アルドール反応	17.5
	O, O ⟹	O, OEt	O^-	Claisen 縮合	17.6
	R, O ⟹	RX	OLi	リチウムエノラートのアルキル化	17.9
	R, O ⟹	RX	N	エナミンのアルキル化	17.10.1
	R, O ⟹	RX	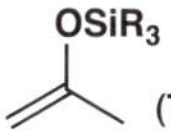 $OSiR_3$ ($TiCl_4$)	エノールシリルエーテルのアルキル化	17.10.2
	R, O ⟹	RX	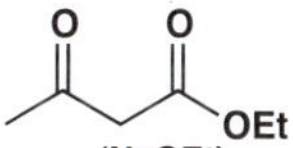 O, O, OEt (NaOEt)	アセト酢酸エステル合成	17.8.2
	R, O, OH ⟹	RX	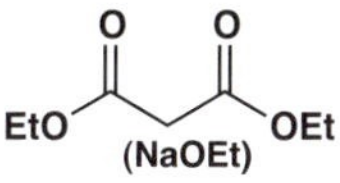 O, O, EtO, OEt (NaOEt)	マロン酸エステル合成	17.8.2
	O, O, O ⟹	O	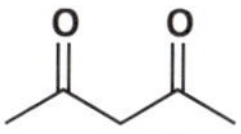 O, O (NaOEt)	Michael 反応	18.4.1

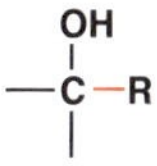

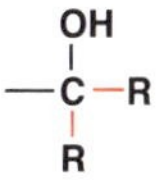

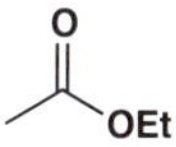

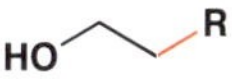

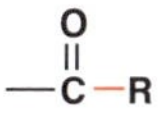

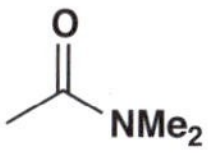

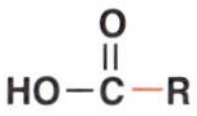

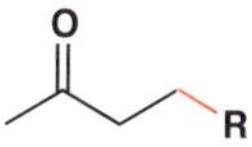

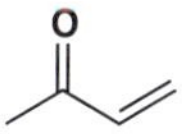

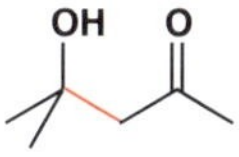

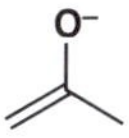

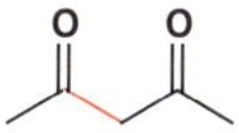

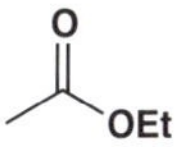

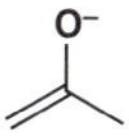

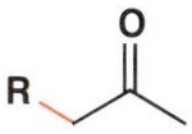

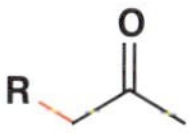

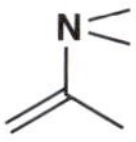

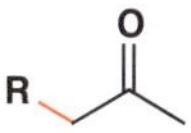

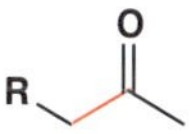

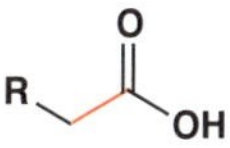

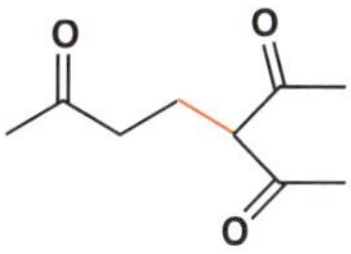

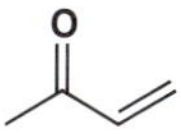

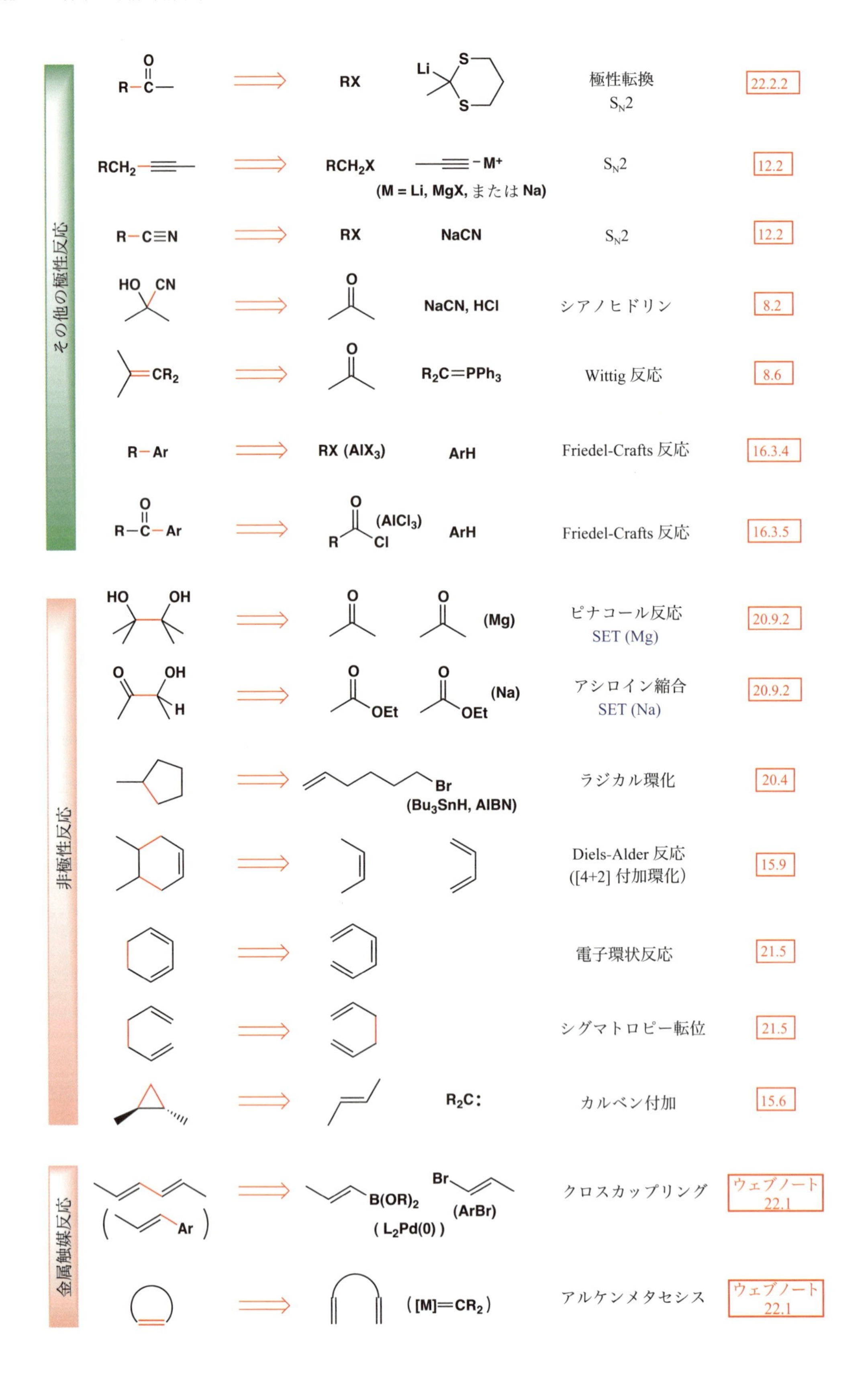

その他の極性反応
RX
極性転換
S_N2
22.2.2
RCH_2
RCH_2X
(M = Li, MgX, または Na)
S_N2
12.2
RX
NaCN
S_N2
12.2
NaCN, HCl
シアノヒドリン
8.2
CR_2
$R_2C{=}PPh_3$
Wittig 反応
8.6
R−Ar
$RX (AlX_3)$
ArH
Friedel-Crafts 反応
16.3.4
$(AlCl_3)$
ArH
Friedel-Crafts 反応
16.3.5
非極性反応
(Mg)
ピナコール反応
SET (Mg)
20.9.2
(Na)
アシロイン縮合
SET (Na)
20.9.2
Br
$(Bu_3SnH, AIBN)$
ラジカル環化
20.4
Diels-Alder 反応
([4+2] 付加環化)
15.9
電子環状反応
21.5
シグマトロピー転位
21.5
$R_2C:$
カルベン付加
15.6
金属触媒反応
$B(OR)_2$
$(L_2Pd(0))$
(ArBr)
クロスカップリング
ウェブノート 22.1
$([M]{=}CR_2)$
アルケンメタセシス
ウェブノート 22.1

付録 4　酸性度定数 (pK_a)[a]

無機酸

H_2O	14.00[b]
H_3O^+	0.00[b]
HI	−10*
HBr	−9*
HCl	−7*
HF	3.17
$HClO_4$	−10*
HOCl	7.5
H_2SO_4	−3*
HSO_4^-	1.99
H_2SO_3	1.76
HSO_3^-	7.21
HNO_3	−1.64
HNO_2	3.29
H_3PO_4	1.97
$H_2PO_4^-$	6.82
HPO_4^{2-}	12.3
H_2CO_3	6.37
HCO_3^-	10.33
$B(OH)_3$	9.23
HOOH	11.6
H_2S	7.0
NH_4^+	9.24
$HONH_3^+$	6.0
$H_2NNH_3^+$	8.07
NH_3	35*
HCN	9.1

有機酸

(アルコール)

CH_3OH	15.5
CH_3CH_2OH	15.9
$(CH_3)_2CHOH$	17.1
$(CH_3)_3COH$	19.2
$CH_2{=}CHCH_2OH$	15.5
$HC{\equiv}CCH_2OH$	13.6
$HOCH_2CH_2OH$	15.4
$ClCH_2CH_2OH$	14.3
CF_3CH_2OH	12.4
$(CF_3)_2CHOH$	9.3
$(CF_3)_3COH$	5.1

(フェノール)

C_6H_5OH	9.99
$4\text{-}CH_3C_6H_4OH$	10.28
$4\text{-}NO_2C_6H_4OH$	7.14
$2,4\text{-}(NO_2)_2C_6H_3OH$	4.1
$2,4,6\text{-}(NO_2)_3C_6H_2OH$	0.3

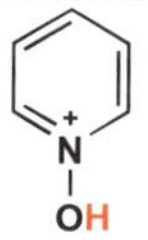 $\overset{+}{N}$–OH	0.79

(カルボン酸)

HCO_2H	3.75
CH_3CO_2H	4.76
$(CH_3)_3CCO_2H$	5.03
$HOCH_2CO_2H$	3.83
$ClCH_2CO_2H$	2.86
FCH_2CO_2H	2.59
CF_3CO_2H	−0.6
$H_3N^+CH_2CO_2H$	2.34
$CH_2{=}CHCO_2H$	4.25
$C_6H_5CO_2H$	4.20
$4\text{-}CH_3C_6H_4CO_2H$	4.37
$4\text{-}NO_2C_6H_4CO_2H$	3.44
$HO_2CCH_2CO_2H$	2.85
$^-O_2CCH_2CO_2H$	5.70

(スルホン酸・スルフィン酸)

$C_6H_5SO_3H$	−2.8
$4\text{-}CH_3C_6H_4SO_3H$	−2.7
CH_3SO_3H	−1.9
CF_3SO_3H	−5.5
FSO_3H	−5.6
$C_6H_5SO_2H$	1.21

(リン酸エステル・ホスホン酸・ホスフィン酸)

$MeOP(O)(OH)_2$	1.54, 6.31
$(MeO)_2P(O)OH$	1.29
$MeP(O)(OH)_2$	2.38, 7.74
$PhP(O)(OH)_2$	1.83, 7.07
$Me_2P(O)OH$	3.1

(ヒドロペルオキシ化合物)

$CH_3C(O)OOH$	8.2
$3\text{-}ClC_6H_4C(O)OOH$ (MCPBA)	7.57
CH_3OOH	11.5
$(CH_3)_3COOH$	12.8

(チオール・チオ酸)

CH_3SH	10.33
C_6H_5SH	6.61
$CH_3C(O)SH$	3.43
$CH_3C(S)SH$	2.57

(アミン・アミド)

$(Me_2CH)_2NH$	38*
$C_6H_5NH_2$	27.7
$CH_3C(O)NH_2$	15.1

(アンモニウムイオン)

$CH_3NH_3^+$	10.64
$(CH_3)_2NH_2^+$	10.73
$(C_2H_5)_3NH^+$	10.75
$(CH_3)_3NH^+$	9.75
$CH_3CH_2NH_3^+$	10.63
$HOCH_2CH_2NH_3^+$	9.50
$H_2NCH_2CH_2NH_3^+$	9.98
$H_3N^+CH_2CH_2NH_3^+$	7.52
$^-OC(O)CH_2NH_3^+$	9.60
$C_6H_5NH_3^+$	4.60
$4\text{-}CH_3C_6H_4NH_3^+$	5.08
$4\text{-}NO_2C_6H_4NH_3^+$	0.99
$2,4\text{-}(NO_2)_2C_6H_3NH_3^+$	−4.31
$2,4,6\text{-}(NO_2)_3C_6H_2NH_3^+$	−10.04
 $\overset{+}{N}H_2$	11.30
 $\overset{+}{N}H_2$	11.12
 O　$\overset{+}{N}H_2$	8.4
 $\overset{+}{N}H$	11.0
 N　$\overset{+}{N}H$ (DABCO)	8.4*
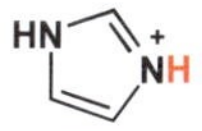 HN　$\overset{+}{N}H$	6.99
 $\overset{+}{N}H$	5.25
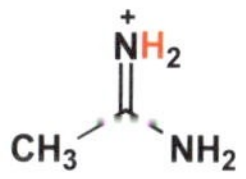 $\overset{+}{N}H_2$　CH_3　NH_2	12.4
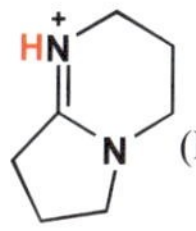 H$\overset{+}{N}$　N (DBN)	13.5*
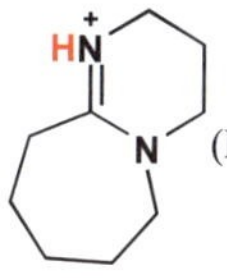 H$\overset{+}{N}$　N (DBU)	12.5*

a　*印のついた値は概略値である．

b　溶媒としての H_2O と対応する H_3O^+ の pK_a．溶質としての H_2O と対応する H_3O^+ に pK_a＝15.74 と−1.74 を使うことがある（ウェブノート 6.2 参照）．

化合物	pK_a
$(H_2N)_2C{=}\overset{+}{N}H_2$	13.6
1-$Me_2\overset{+}{N}H$-8-NMe_2-ナフタレン	12.1
1-$Et_2\overset{+}{N}H$-8-NEt_2-2,7-(MeO)$_2$-ナフタレン	16.3
$H_2NC(=O)\overset{+}{N}H_3$	0.18

（炭素酸）

化合物	pK_a
$HC{\equiv}N$	9.1
$HC{\equiv}CH$	25*
$H_2C{=}CH_2$	44*
C_6H_6	43*
$H_3C{-}CH_3$	50*
$H_2C{=}CHCH_3$	43*
$C_6H_5CH_3$	41*
シクロペンタジエン（CH_2）	16
$CH_3C(=O)CH_3$	19.3
$CH_3C(=O)OEt$	25.6
$CH_3C(=O)CH_2C(=O)CH_3$	8.84
$CH_3C(=O)CH_2C(=O)OEt$	10.7
$EtOC(=O)CH_2C(=O)OEt$	13.3
CH_3CN	28.9
CH_3NO_2	10.2
1,3-ジチアン（2位 CH_2）	31*
$CH_3S(=O)CH_3$	33*
$CHCl_3$	24*

（有機基質の共役酸）

化合物	pK_a
$CH_3\overset{+}{O}H_2$	−2.05
$(CH_3)_2\overset{+}{O}H$	−2.48
$(CH_3)_2\overset{+}{S}H$	−6.99
$CH_3C(={}^{+}OH)CH_3$	−3.06
$CH_3C(={}^{+}OH)OMe$	−3.90
$CH_3C(={}^{+}OH)NMe_2$	−0.21
$CH_3S(={}^{+}OH)CH_3$	−1.54
$CH_3{-}\overset{+}{N}(=O)OH$	−12*
$Ph_2C{=}\overset{+}{N}HCH_2CH_2CH_3$	−7*
$CH_3{-}C{\equiv}\overset{+}{N}{-}H$	−10*

図・写真の出典

序章
p. 1　アカキナノキ　東京生薬協会
p. 1　インジゴの染色写真　沖　和行
p. 1　アカネの染色写真　沖　和行
p. 1　タデアイ　沖　和行
p. 1　アカネ　末広秀一郎
p. 1　シリアツブリボラ　山田まち子
p. 2　ドクニンジン　日本新薬(株)
p. 2　ジキタリス　川端啓二
p. 3　Friedrich Wohler　Wikimedia Commons
p. 3　A.W. Hermann Kolbe　Wikimedia Commons
p. 3　Justus von Liebig　Wikimedia Commons
p. 4　Sir Willian H. Perkin　Wikimedia Commons
p. 4　Wallace H. Catothers　デュポン株式会社
p. 4　Robert B. Woodward　追悼記念誌“Robert Burns Woodward”(1979)
p. 5　マウイイワスナギンチャク　Sei Watanabe
1 章
p. 10　Gilbet N. Lewis　Edward Lewis
2 章
p. 25　油井　© Paul Fleet-stock.foto
p. 28　石油プラント　© Dmitry Lavrenyuk-stock.foto
p. 33　Alfred B. Nobel　Wikimedia Commons
p. 42　J.D. van der Waals　Wikimedia Commons
3 章
p. 47　ダイアモンド構造　キャドキール日記
p. 54　Pauling　Ana Helen and Linus Pauling Papers, Oregon State University Special Collections
p. 58　Cahn, Ingold, Prelog　A. Horeau & J. Seeman
4 章
p. 62　M.S. Newman　Ohio State University Library
p. 67　ビーチチェア　© Ipstudio-stock.foto
5 章
p. 75　果物と野菜　© Julian Rovagnati-stock.foto
p. 85　August Kekulé　Wikimedia Commons
p. 87　ルリハツタケ　糟谷大河
p. 87　Erich A.A.J. Hückel　Udo Anders(www.quantum-history.com)
p. 87　野副鐵男　村田一郎
6 章
p. 93　アジサイ　神戸観光協会
p. 94　Johannes N. Bronsted　Wikimedia Commons
p. 101　ケシの花　末広秀一郎
7 章
p. 111　歯車　© Frank Peters-stock.foto
p. 112　Sir Robert Robinson　Wikimedia Commons
p. 120　福井謙一　福井友栄夫人
p. 125　G.S. Hammond　C. Wamser
8 章
p. 133　キャッサバ　© pixbox77-stock.foto
p. 133　アンズ　末広秀一郎
p. 141　Hugo(Ugo) Schiff　Firenze 大学化学科
9 章
p. 145　マダガスカルジャスミン　末広秀一郎
10 章
p. 163　F.A. Victor Grignard　Wikimedia Commons
p. 168　Stanislao Cannizzaro　Wikimedia Commons
11 章
p. 177　アサガオ　八木亜夫
p. 180　ネジバナ　長坂正博
p. 186　H. Emil Fischer　Wikimedia Commons
p. 190　Louis Pasteur　Wikimedia Commons
12 章
p. 197　Sir Christopher Ingold　Wikimedia
13 章
p. 220　August W. von Hofmann　Wikimedia Commons
15 章
p. 243　オレンジ　© John McCabe-stock.foto
p. 246　Vladimir V. Markovnikov　Wikimedia Commons
16 章
p. 263　ウルシノキ　末広秀一郎
p. 270　Charles Friedel　Wikimedia Commons
p. 270　James Mason Crafts　Wikimedia Commons
p. 280　ペヨーテ・サボテン　U.S. Fish and Wildlife Service
17 章
p. 294　A. P Borodin　Wikimedia Commons
p. 297　Ludwig Claisen　Wikimedia Commons
18 章
p. 307　水族館　© sumire8-stock.foto
p. 313　Arthur Michael　Tufts 大学化学科
19 章
p. 321　タバコ　末広秀一郎
p. 322　グラフェン　nobeastsofierce/istockphoto
p. 322　炭素ナノチューブ　nobeastsofierce/istockphoto
p. 323　バックミンスターフラーレン　nobeastsofierce/istockphoto
20 章
p. 336　Moses Gomberg　Wikimedia Commons
22 章
p. 361　マウイイワスナギンチャク　Sei Watanabe
p. 369　Elias J. Corey　E.J. Corey
p. 369　野依良治　野依良治
p. 371　Targretin　エーザイ(株)
23 章
p. 375　パンと穀物　© Elena Schweitzer-stock.foto
p. 384　タンパク質の二次構造　Craig et al, *Molecular Biology : Principles of Genome Function*, Oxford University Press, 2010.
p. 385　キキョウ　沖　和行

索　引

あ

I.E. ➡ イオン化エネルギー
IUPAC 規則　36
IUPAC 名
　——の成り立ち　37 (図 2.1)
　炭素アニオンの——　87
　炭素カチオンの——　87, 264
　ラジカルの——　334
IUPAC 命名法 (nomenclature)　36
アキシアル (axial)　67
アキシアル結合　67
アキラル (achiral)　178
アグリコン (aglycone)　377
アクリロニトリル (acrylonitrile)
　312, 347
アジド (azide)
　——の熱分解　357
アジポニトリル (adiponitrile)　347
亜硝酸 (nitrous acid)　241
アシリウムイオン (acylium ion)　269
アジリジン (aziridine)　192
アシル化 (acylation)　269
　——の反応機構　270
　ベンゼンの——　270
アシル化合物 (acyl compound)
　➡ カルボン酸誘導体
アシル基 (acyl group)　145, 146
アシロイン縮合 (acyloin condensation)
　345
アスコルビン酸 (ascorbic acid)　159
アスパルテーム (aspartame)　383
アスピリン (aspirin)　2, 277
アズレン (azulene)　87, 322
アセタール (acetal)　138, 366
　——による保護　174
　——の加水分解　139
　——の酸触媒加水分解　139
アセタール化 (acetalization)　138
アセチルアミノ基 (acetylamino group)
　278
N-アセチル化 (N-acetylation)　278
アセチル CoA (acetyl CoA)　298, 389
アセチレン水素 (acetylenic hydrogen)
　170
アセトアセチル CoA (acetoacetyl CoA)
　389
アセトアニリド (acetanilide)　278
アセトアルデヒド (acetaldehyde)
　➡ エタナール
アセト酢酸エステル合成
　(acetacetic ester synthesis)　302
アセト酢酸エチル (ethyl acetacetate)
　297
アセトン (acetone)
　➡ プロパノン
アセナフチレン (acenaphthylene)　322
アゾビスイソブチロニトリル
　(azobisisobutyronitrile)　334
アデニン (adenine)　321, 380
S-アデノシルメチオニン
　(S-adenosylmethionine)　200, 379
アデノシン三リン酸
　(adenosine triphosphate)　379
アドレナリン (adrenaline)　200, 281
アトロピン (atropine)　328
アトロプ異性体 (atropisomer)　192
アニオン (anion)　11
　——の溶媒和　45, 203
アニオン界面活性剤 (anionic surfactant)
　386
アニオン重合 (anionic polymerization)
　312
　——性モノマー　312
アニソール (anisole)　271
アニリン (aniline)　108, 277
　——の反応性　277
アヌレン (annulene)　86
　——の π 分子軌道　86
アノマー (anomer)　376
アノマー効果 (anomeric effect)　377
アノマー炭素 (anomeric carbon)　376
油 (oil)　385
アミグダリン (amygdalin)　133
アミジン (amidine)　109
アミド (amide)　80
　——の加水分解　156
　——の還元　165
　——の Grignard 反応　172
　——の臭素化　357
　アルデヒドから——　165
　エステルから——　152
　塩化アシルから——　155
　酸無水物から——　156
アミド結合 (amide bond)　381
α-アミノ酸 (α-amino acid)
　160, 186, 382
　——の暗号　381
　——の pK_a 値　382 (表 23.2)
アミノ酸配列 (amino acid sequence)
　384
1-アミノシクロプロパンカルボン酸
　(1-aminocyclopropanecarboxylic acid)
　244
アミロース (amylose)　378
アミロペクチン (amylopectine)
　378
アミン (amine)　32
　——の求核性　240
　——の共役付加　312
　——の保護　367
アライン (aryne)　317
アラキドン酸 (arachidonic acid)
　390
アラニン (alanine)　179
　——の分子模型　179
アリザリン (alizarin)　1
亜硫酸水素塩付加物 (bisulfite adduct)
　140
アリル(型)アニオン (allyl (allylic) anion)
　78, 79, 106, 286
アリルアニオン類似系 (allyl anion analog)
　79, 80
アリル位 (allylic position)　338
　不飽和脂肪酸の——　343
アリル位臭素化 (allylic bromination)
　339
　——の連鎖成長反応　339
　NBS による　338
アリル位水素 (allylic hydrogen)　286
アリル位ハロゲン化 (allylic halogenation)
　338
2-アリールエチルアミン類
　(2-arylethylamines)　280
アリル型アニオン (allylic anion)　286
アリル型アルコール (allylic alcohol)
　370
アリル(型)カチオン (allyl (allylic) cation)
　78, 79, 254
アリル系 (allylic system)　78
　——の共鳴　79
　——の分子軌道　78
　——の分子模型　78

アリル(型)ラジカル (allyl (allylic) radical)
78, 79, 338
——の電子状態　78
R, *S* 表示法　182
RNA　379
アルカリ加水分解 (alkaline hydrolysis)
エステルの——　148
アルカロイド (alkaloid)　32, 101, 328
アルカン (alkane)　27
ハロゲン化の位置選択性　337
——の名称と沸点　26 (表 2.2)
——の命名　37
アルギニン (arginine)　109
アルキルアミン (alkylamine)　108
1,2-アルキル移動(1,2-alkyl shift)　353
——における立体化学保持　351
アルキル化 (alkylation)　268, 301
エノラートイオンの——　301
1,3-ジカルボニル化合物の——　301
ベンゼンの——　268
リチウムエノラートの——　302
C-アルキル化と *N*-アルキル化
エナミンの——　304
アルキル化剤 (alkylating agent)　200
アルキル基 (alkyl group)
——の慣用名　38 (表 2.5)
——のハロゲン化　336
——の名称　38
アルキルチオ基 (alkylthio group)　239
4-アルキルベンゼンスルホン酸塩
(4-alkylbenzenesulfonate(salt))　268
アルキルラジカル (alkyl radical)
——の付加　340
アルキルリチウム (alkyllithium)
——のカルボニル付加　311
アルキン (alkyne)　29
——のオキシ水銀化　250
——の水和反応　250
——のヒドロホウ素化　250
——の命名　37
——への求電子付加　247
——への臭化水素付加　247
——への臭素付加　251
アルケン (alkene)　29
——の安定性　218
——のオゾン分解　258, 259
——のカチオン重合　254
——の構造決定　259
——の酸触媒水和反応　247
——の水素化　261
——の水素化熱　260 (表)
——の水素化熱と安定性　260
——の水和反応　247
——の反応性　245
——の分子軌道　244
——の命名　37
——への塩化水素付加　117
——への臭化水素のラジカル付加
340
——への臭素付加　251
——へのハロゲン化水素付加　245
アルコキシドイオン (alkoxido ion)
——の脱離能　226
アルコール (alcohol)　30
ハロゲン化水素との反応　227
——の塩基触媒共役付加　310
——のクロム酸酸化　233
——の工業的製法　228
——の酸化　232
——の酸触媒共役付加　310
——の酸触媒反応　226
——の水素結合　42
——の脱水反応　229
——の保護　366
——の名称と沸点　31 (表 2.2)
アルダル酸 (aldaric acid)　391
アルデヒド (aldehyde)　34
——からアミド　165
——の還元　163, 164
——の Grignard 反応　170
——のヒドリド還元　118
——の保護　366
アルドース (aldose)　375
アルドステロン (aldosterone)　390
アルドール (aldol)
——の脱水反応　217, 294
アルドール縮合 (aldol condensation)
294
アルドール反応 (aldol reaction)　293
——の反応機構　293
交差——　295
生体内の——　296
アルドール付加(aldol addition)
➡ アルドール反応
アルドン酸 (aldonic acid)　391
R 配置 (*R* configuration)　182
α アノマー (α anomer)　376, 377
α グリコシド結合　377
α 水素 (α-hydrogen)　286
α 脱離 (α-elimination)　253
α ヘリックス (α helix)　384
アルミニウムアルコキシド
——による還元　169
Arndt-Eistert 合成　356
アレン(allene)
➡ プロパジエン
アレーン (arene)　30
アレーンジアゾニウム塩
(arenediazonium salt)　318
暗　号
アミノ酸の——　381
安息香酸 (benzoic acid)　105
アンチ (*anti*)　63
アンチ形(配座) (*anti* form(conformation))
64
アンチ共平面 (anti-coplanar)　216
アンチ脱離 (*anti* elimination)　216
アンチ付加 (*anti* addition)　251
アンチペリプラナー (antiperiplanar)
216
安定化 (stabilization)　76
カルボアニオン——　239
カルボカチオン——　239
安定化エネルギー (stabilization energy)
76, 81
ベンゼンの——　84
安定性
アルケンの——　218
カルボアニオンの——　218
カルボカチオンの——
205, 206, 218, 245, 246
ブテン異性体の——　260
ベンゼニウムイオンの——　270, 271
ラジカルの——　335, 341
アントシアニン (anthocyanin)　91, 100
アントラセン (anthracene)　322
——の Diels-Alder 反応　324
——の反応　324
アンドロゲン (androgen)　388
アンフェタミン (amphetamine)　281
アンモニア (ammonia)
——の EPM　15, 49
——の分子模型　49
アンモニウムイオン (ammonium ion)
——の Lewis 構造式　18

E.A. ➡ 電子親和力
硫黄 (sulfur)　237
硫黄化合物 (sulfur compound)　237
高酸化状態の——　240
イオノホア (ionophore)　235
α-イオノン (α-ionone)　129
イオン (ion)
——の生成　10
イオン化エネルギー (ionization energy)
11
原子の——　11 (表 1.3)
イオン化電位 (ionization potential)
➡ イオン化エネルギー
イオン化ポテンシャル
➡ イオン化電位
イオン結合 (ionic bond)　12, 13
イオン対 (ion pair)　45, 205
イオン半径 (ionic radius)　24
イオン反応 (ionic reaction)　113
イクチオテレオール (ichthyothereol)　243
いす形シクロヘキサン (chair cyclohexane)
67
——の環反転　68
いす形(立体)配座
(chair form(conformation))　67
シクロヘキサンの——　67
異性化 (isomerization)　290
異性体 (isomer)　178
——の種類　178
E, *Z* 命名法 (*E*,*Z* nomenclature)　58
位相 (phase)　50
イソキノリン (isoquinoline)　325, 331
イソシアナート (isocyanate)　357
イソプレノイド (isoprenoid)　208
イソプレン単位 (isoprene unit)　387
——の生合成　389
イソプロピルアルコール(isopropyl alcohol)
➡ 2-プロパノール
イソペンテニル二リン酸
(isopentenyl diphosphate)　389
一酸化窒素 (nitric oxide)　333
一次構造 (primary structure)　384
一次反応 (first-order reaction)　203, 205

エチレングリコール (ethylene glycol)
　➡ 1,2-エタンジオール
エチン (ethyne)
　——の EPM　*49, 56*
　——の結合　*56*
　——の π 軌道　*56*
　——の分子軌道　*56*
　——の分子模型　*49, 56*
X 線結晶構造解析法
　(X-ray crystallographic analysis)　*92*
ATP　*379*
エテホン (ethephon)　*244*
エーテル (ether)　*30, 31*
　——による溶媒和　*170*
　——の合成　*200*
　——の酸触媒反応　*226, 227*
エテン (ethene)
　——の EPM　*48, 55*
　——の結合　*54*
　——の生合成　*244*
　——の π 分子軌道　*55*
　——の分子模型　*48, 55*
　——の励起状態　*89*
　工業原料としての——　*30*
　植物ホルモンとしての——　*244*
エトキシエタン (ethoxyethane)
　——の分子模型　*31, 225*
エナミン (enamine)　*80, 142, 304*
　——の *C*-アルキル化　*304*
　——の *N*-アルキル化　*304*
エナンチオ選択性 (enantioselectivity)
　193
エナンチオ選択的水素化
　(enantioselective hydrogenation)　*370*
エナンチオ選択的反応
　(enantioselective reaction)　*370*
エナンチオトピック (enantiotopic)　*192*
エナンチオマー (enantiomer)　*178, 179*
　——の性質　*187*
エナンチオマー過剰率
　(enantiomeric excess (*ee*))　*189*
エナンチオ面区別反応
　(enantioface-differentiating reaction)
　370
NAD^+　*168*
NADH　*168*
$NaBH_3CN$　*166*
$NaBH_4$ ➡ 水素化ホウ素ナトリウム
NMR スペクトル　*92*
NMO ➡ *N*-メチルモルホリン *N*-オキシド
NBS ➡ *N*-ブロモスクシンイミド
N 末端アミノ酸残基
　(*N*-terminus amino acid residue)　*383*
エネルギー (energy)
　混成軌道の——　*53*
エネルギー準位 (energy level)　*8*
　——と節面　*76*
　原子軌道の——　*8*
エネルギー障壁 (energy barrier)　*63*
　回転の——　*63*
エネルギー断面図 (energy profile)　*111*
エネルギー変化
　水和反応の——　*135*
エノラートイオン (enolate ion)
　80, 108, 285, 286, 300, 308
　——のアルキル化　*301*
　——の EPM　*286*
　——の共役付加　*313*
　速度支配——　*303*
　熱力学支配——　*303*
エノラート等価体 (enolate equivalent)
　304
エノール (enol)　*250, 286*
　——の pK_a　*286*
エノールエーテル
　⇨ ビニルエーテルもみよ
　——の酸触媒加水分解　*329*
エノール化 (enolization)　*288, 291*
　塩基触媒——　*288*
　酸触媒——　*288*
エノール形 (enol form)　*286*
エノールシリルエーテル (enol silyl ether)
　304
エノール等価体(enol equivalent)
　➡ エノラート等価体
エノン (enone)　*308*
　——の金属触媒水素化　*311*
　——の Grignard 反応　*311*
　——へのカルボニル付加　*309*
　——への共役付加　*309*
　——へのハロゲン化水素付加　*310*
ABS ➡ 4-アルキルベンゼンスルホン酸
エピネフリン (epinephrine)
　➡ アドレナリン
エフェドリン (ephedrine)　*280, 328*
FGI ➡ 官能基相互変換
エポキシ化 (epoxidation)　*252*
エポキシド (epoxide)　*252*
　——の塩基触媒開環反応　*234*
　——の酸触媒開環反応　*233*
MO ➡ 分子軌道
MCPBA ➡ *m*-クロロ過安息香酸
エリスロマイシン A (erythromycin A)
　159
エリトロース (erythrose)　*184*
$LiAlH_4$ ➡ 水素化アルミニウムリチウム
LAS
　➡ 直鎖アルキルベンゼンスルホン酸塩
LUMO ➡ 最低空分子軌道
LDA ➡ リチウムジイソプロピルアミド
塩化アシル (acyl chloride)　*155*
　——からアミド　*155*
　——から酸無水物　*155*
　——の合成　*156*
塩化エタノイル
　——の EPM　*155*
　——の分子模型　*155*
塩化水素　*14*
　——の EPM　*14*
　——の分子模型　*14*
塩化水素付加
　アルケンへの——　*117*
　——の配向性　*245*
　——の反応機構　*245*
塩化セリウム　*311*
塩化チオニル (thionyl chloride)　*231*
塩　基 (base)
　求核種としての——　*214*
塩基触媒 (base catalyst, base-catalyzed)
　136, 137, 151, 234
　——アルコール付加　*138*
　——エステル交換　*152*
　——エノール化　*288*
　——開環反応(エポキシドの)　*234*
　——共役付加(アルコールの)　*310*
　——水和反応　*136*
　——反応　*136*
塩基性 (basicity)　*199*
　——と求核性　*199*
　イミダゾールの——　*326*
　求核種の——　*220*
　ピリジンの——　*326*
　ピロールの——　*326*
　Hofmann 選択性と——　*220*
塩基性度
　——の定義　*108*
塩基促進エノール化
　(base-promoted enolization)　*288*
塩基促進 α-ハロゲン化
　(base-promoted α-halogenation)　*292*
塩基対 (base pair)
　相補的な——　*380*
エンケファリン (enkephalin)　*383*
塩素化 (chlorination)　*267, 336*
　——のラジカル連鎖機構　*336*
　ブタンの——　*337*
　ベンゼンの——　*267*
　メタンの——　*336*
エンド体 (*endo* isomer)　*257*
エントロピー (entropy)　*124*

オキサゾリジノン (oxazolidinone)　*370*
オキサホスフェタン (oxaphosphetane)
　142
オキシ水銀化 (oxymercuration)　*248*
　アルキンの——　*250*
オキシ水銀化-脱水銀
　(oxymercuration-demercuration)　*249*
オキシム (oxime)　*141*
　——の加水分解　*141*
　——の Beckmann 開裂　*360*
　——の Beckmann 転位　*355*
オキシラン(oxirane)　*233, 252*
　⇨ エポキシドもみよ
　——の Grignard 反応　*172*
オキソニウムイオン (oxonium ion)
　98, 352
　——の EPM　*16*
　——の Lewis 構造式　*15*
オクタン価 (octane rating)　*28*
オクテット則 (octet rule)　*4, 11*
オセルタミビル (oseltamivir)　*374*
オゾニド (ozonide)　*258, 259*
オゾン (ozone)　*258*
　——の EPM　*258*
オゾン層破壊 (ozone layer depletion)
　223
オゾン分解 (ozonolysis)　*258*
　アルケンの——　*258, 259*

Oppenauer 酸化　168
オリゴ糖 (oligosaccharide)　375
オルト (*ortho* (*o*)) (位)　264
　——の立体障害　275
オルト・パラ配向基
　(*ortho*, *para*-directing group)　273
オルト・パラ配向性
　(*ortho*, *para* orientaion)　272

か

会合 (association)　43
開始段階 (initiation step)　337
改質 (reforming)　28
回　転
　——のエネルギー障壁　63
　エタンの——　63
　単結合の——　61
回転異性体 (rotational isomer)　62
回転角 (angle of rotation)　63
回転障壁 (rotational barrier)
　エタンの——　63
　ブタンの——　64
貝　紫　1
界面活性剤 (surfactant)　386
解離イオン (dissociated ion)　45
過塩素酸イオン (perchlorate ion)
　103
香り成分
　エステル　145, 150
殻 (shell)　8
核酸 (nucleic acid)　379
核酸塩基　379, 380
核磁気共鳴スペクトル
　(nuclear magnetic resonance spectrum)
　➡ NMR スペクトル
重なり形(配座)
　(eclipsed form (conformation))
　61, 62
　エタンの——　62
過酸 (peracid)　252
過酸化物 (peroxide)　334
過酸化ベンゾイル (dibenzoyl peroxide)
　334
可視光 (visible light)　91
加水分解 (hydrolysis)　147
　アセタールの——　139
　アミドの——　156
　エステルの——　147
　オキシムの——　141
　ニトリルの——　157
　ハロゲン化アシルの——　155
　標識エステルの——　151
ガソリン (gasoline)　28
カチオン (cation)　11
　——の IUPAC 名　264
　——の溶媒和　45, 203
カチオン界面活性剤 (cationic surfactant)
　386
カチオン重合 (cationic polymerization)
　253
　アルケンの——　254
　ビニルエーテルの——　254

活性化エネルギー (activation energy)
　➡ 活性化エンタルピー
活性化エンタルピー (enthalpy of activation)
　123
活性化オルト・パラ配向基
　(activating *ortho*, *para*-directing group)
　273
活性化基 (activating group)　270
活性化 Gibbs エネルギー
　(Gibbs energy of activation)　124
活性酸素 (active oxygen)　333
活性水素 (active hydrogen)　170
活性メチレン化合物
　(active methylene compound)　300
　——の pK_a　300
カテコール (catechol)　276
価電子 (valence electron)　10
Cannizzaro 反応　167
　——の反応機構　167
カフェイン (caffeine)　328
ε-カプロラクタム (caprolactam)
　159, 348, 356
加溶媒分解 (solvolysis)　210
ガラクトース (galactose)　367, 376
カルベノイド (carbenoid)　253
カルベン (carbene)　252, 356
　——の転位　356
　一重項——　252
カルボアニオン (carbanion)　106, 217
　——安定化　239
カルボアニオン安定性　218
　Hofmann 選択性と——　220
カルボアニオン中間体　217
カルボカチオン (carbocation)　114
　——安定化　239
　——からの脱プロトン　120
　——の安定性
　205, 206, 218, 245, 246
　——の 1,2-水素移動　230
　——の 1,2-転位　230, 349
カルボカチオン中間体
　205, 214, 217, 227, 230, 244
カルボキシ基 (carboxy group)
　34, 145, 146
カルボニル化合物 (carbonyl compound)
　34
　——の一電子還元　345
　——の水和反応(機構)　136
　——の水和反応(平衡定数)
　134 (表 8.2)
カルボニル基 (carbonyl group)
　34, 130
　——の求電子性　154
　——の保護と脱保護　174
　——の HOMO　130
　——の LUMO　130
　——への求核付加反応　129
カルボニル結合　130
　——の共鳴　130
　——の極性　130
　——の π 分子軌道　130
　——の分極　130
　——への求核攻撃　130, 131

カルボニル付加 (carbonyl addition)
　308
　アルキルリチウムの——　311
　エノンへの——　309
カルボン (carvone)　177, 388
カルボン酸 (carboxylic acid)　34, 145
　——の還元　165
　——の慣用名　146 (表)
　——の Fischer エステル化　157
カルボン酸誘導体 (carboxylic acid
　derivative)　34, 145, 146
　——の求核置換反応　153
　——の求核付加-脱離反応　153
　——の相対的反応性
　157, 158 (図 9.1)
　——の反応性　154
β-カロテン (β-carotene)　91, 143, 388
Cahn-Ingold-Prelog 順位則 (priority rule)
　58, 182
環境問題
　——とポリハロゲン化合物　223
還元 (reduction)　236
　アミドの——　165
　アルデヒドの——　163, 164
　アルミニウムアルコキシドによる——
　169
　エステルの——　165
　カルボン酸の——　165
　ケトンの——　163
　水素化アルミニウムリチウムによる——
　165
　水素化ホウ素ナトリウムによる——
　165
　メチレン基への——　279
還元剤 (reducing agent)　236
　——の適用範囲　165
還元的アミノ化 (reductive amination)
　166
還元的二量化 (reductive dimerization)
　エステルの——　345
　ケトンの——　345
還元糖 (reducing sugar)　378, 391
環状ヘミアセタール (cyclic hemiacetal)
　138, 376
官能基 (functional group)
　25, 26 (表 2.1)
　——の酸化状態　35, 36 (表 2.4)
　——の分類　35
　——の優先順と命名法　38 (表 2.6)
官能基選択性 (chemoselectivity)
　365, 366
官能基相互変換(反応)
　(functional group interconversion)
　173, 361
　ケトンへの——　363
　第二級アルコールへの——　363
環反転 (ring flip (inversion))　68
　いす形シクロヘキサンの——　68
　メチルシクロヘキサンの——　68
環ひずみ (ring strain)　66
　シクロプロパンの——　65
簡略化式 (condensed formula)　21

貴ガス元素（noble gas element）　*9*
基底(電子)状態（ground state）　*89*
基底状態電子配置
　（ground-state electronic configuration）
　9
　ベンゼンの――　*84*
軌道（orbital）　*8*
軌道エネルギー
　ピリジンの――　*329*
軌道図
　アリル系の――　*78*
　エチンの――　*56*
　エテンの――　*55*
　ピリジンの――　*325*
　ピロールの――　*325*
　ブタジエンの――　*77*
　プロパジエンの――　*57, 77*
　ベンゼンの――　*84*
軌道相互作用（orbital interaction）
　120, 121, 131, 198, 244
　⇨ HOMO-LUMO 相互作用もみよ
　E2 脱離における――　*216*
　1,2-移動の――　*351*
　極性反応の――　*121*
　ラジカルカップリングの――　*121*
　立体特異的反応における――　*216*
軌道配向（orientation of orbital）　*122*
軌道モデル
　共有結合の――　*49*
キニーネ（quinine）　*2, 328*
キノリン（quinoline）　*325, 331*
キノン（quinone）　*276, 324*
Gibbs エネルギー　*124*
逆アルドール反応（retro-aldol reaction）
　296
逆位相（out-of-phase）　*50, 51*
逆 Claisen 反応（retro-Claisen reaction）
　298
逆合成（retrosynthesis）　*362*
　第三級アルコールの――　*173*
　第二級アルコールの――　*174*
逆合成解析（retrosynthetic analysis）
　173, 361, 362
　――と合成反応　*364*
逆合成矢印　*362*
逆スピン（inverse spin）　*8*
逆 Markovnikov アルコール　*249*
逆 Markovnikov 配向
　（anti-Markovnikov orientation）
　246, 249, 340
吸エルゴン反応（endergonic reaction）
　124
求核攻撃
　――の位置　*116*
　――の方向　*130*
　カルボニル炭素への――　*130*
求核剤（nucleophilic reagent）　*114*
求核種（nucleophile）　*114, 195, 196, 199*
　――の塩基性　*220*
　塩基としての――　*214*
求核性（nucleophilicity）　*154, 199*
　――と塩基性　*199*
　――と立体障害　*199*
　アミンの――　*240*
　チオールの――　*238*
　ハロゲン化物イオンの――　*199*
求核性脱離基（nucleotuge）　*154, 199*
求核置換(反応)（nucleophilic substitution）
　147, 195, 196
　⇨ $S_{RN}1$, $S_{N}i$, $S_{N}2$, $S_{N}1$ 反応もみよ
　――のラジカル機構　*346*
　カルボン酸誘導体の――　*146*
　ハロアルカンの――　*195*
　ピリジンの――　*329*
　芳香族――　*307*
　芳香族ジアゾニウム塩の――　*318*
求核中心（nucleophilic center）　*117*
　――としての σ 結合と π 結合　*117*
求核付加(反応)（nucleophilic addition）
　130, 136
　カルボニル基への――　*129*
求核付加-脱離反応
　カルボン酸誘導体の――　*153*
求電子剤（electrophilic reagent）　*114*
求電子種（electrophile）　*114*
求電子性（electrophilicity）
　カルボニル基の――　*154*
求電子性アルケン（electrophilic alkene）
　308, 312
求電子置換(反応)（electrophilic substitution）
　⇨ 芳香族求電子置換反応もみよ
　――と求電子付加　*264*
　――に対する置換基効果　*273*
　――の種類　*266*
　求電子付加-脱離による――　*265*
　多環芳香族炭化水素の――　*323*
　二置換ベンゼンの――　*274*
　ピリジン *N*-オキシドの――　*330*
　ピリジンの――　*329*
　ベンゼンの――　*265*
　芳香族ヘテロ五員環の――　*327*
求電子付加(反応)（electrophilic addition）
　243, 244, 291
　――と求電子置換　*264*
　――の立体選択性　*246*
　アルキンへの――　*247*
　シクロヘキセンへの――　*265*
　ブタジエンへの――　*254*
求電子付加-脱離
　――による求電子置換反応　*265*
吸入麻酔薬（inhalational anaesthetic）
　223
吸熱反応（endothermic reaction）　*123*
球棒分子模型
　（ball-and-stick molecular model）　*48*
強塩基性条件　*215, 316*
鏡像異性体 ➡ エナンチオマー
協奏反応（concerted reaction）
　115, 199, 216, 358, 359
共鳴（resononce）
　アリル系の――　*79*
　カルボニル結合の――　*130*
共鳴エネルギー（resonance energy）　*81*
共鳴寄与式（resonance contributor）
　➡ 共鳴構造式
共鳴効果（resonance effect）➡ 共役効果
共鳴構造式（resonance structure）　*20, 80*
　――の書き方　*81*
　――の重要度　*81*
共鳴混成体（resonance hybrid）　*20, 80*
共鳴法（resonance theory, resonance method）
　20, 80
鏡面（mirror plane）　*178*
共役（conjugation）　*75, 94*
　――と π 結合　*75*
共役安定化（conjugative stabilization）
　135, 207, 272
共役塩基（conjugate base）　*94, 95*
共役系（conjugated system）　*76*
共役効果（conjugative effect）
　104, 135, 273
共役酸（conjugate acid）　*94, 95*
共役ジエン（conjugated diene）　*76, 256*
共役付加（conjugate addition）
　254, 307, 308
　アミンの――　*312*
　エノラートイオンの――　*313*
　エノンへの――　*309*
　ジアルキル銅リチウムの――　*311*
　α,β-不飽和カルボニル化合物への――
　308
共役付加-脱離機構
　（conjugate addition-elimination
　mechanism）　*314*
共有結合（covalent bond）　*13*
　――の軌道モデル　*49*
共有結合半径（covalent radius）　*24*
共有電子対（shared(electron)pair）
　13, 115
極限構造式（canonical structure）
　➡ 共鳴構造式
極性（polarity）　*13*
　カルボニル結合の――　*130*
極性結合（polar bond）　*13*
極性転換（umpolung）　*239, 365*
極性反応（polar reaction）　*113*
　――と酸化還元　*237*
　――における軌道相互作用　*121*
極性分子（polar molecule）　*14*
極性溶媒（polar solvent）　*201, 202*
キラリティー（chirality）　*177, 178*
キラル（chiral）　*178*
　――な分子　*179*
キラル源（chiral source）　*369*
キラル触媒（chiral catalyst）　*369*
キラル中心（chirality center）　*181*
　複数の――　*183*
キラル補助剤（chiral auxiliary）
　369, 370
キラル補助触媒（chiral auxiliary catalyst）
　371
銀鏡反応（silver mirror reaction）　*136*
金属結合半径（metallic radius）　*24*
金属触媒水素化　*261*
　エノンの――　*311*
金属水素化物（metal hydride）　*163*
金属-炭素結合（metal-carbon bond）
　169
均等開裂 ➡ ホモリシス

キンヒドロン電極 (quinhydrone electrode)
276

グアニジン (guanidine)　109
グアニン (guanine)　380
空間充填模型
(space-filling molecular model)　48
空気酸化 (air oxidation)　343
空軌道 (unoccupied orbital, vacant orbital)
51, 121
クエン酸 (citric acid)　93
くさび形結合　22
クメン法 (cumene process)
132, 343, 355
Claisen 縮合 (condensation)　297
——の反応機構　298
交差——　300
生体内の——　298
チオエステルの——　298
分子内——　299
Claisen 転位 (rearrangement)　357, 358
18-クラウン-6　234
——の分子模型　234
クラウンエーテル (crown ether)　234
クラッキング (cracking)　28
グラファイト (graphite)　322
グラフェン (graphene)　322
グリコシド (glycoside)　377
N-グリコシド　377, 379
グリコシド結合 (glycosidic bond)　377
グリコシル化 (glycosylation)　367
クリスタルバイオレット (crystal violet)
91
グリセリン (glycerol)　385
グリセルアルデヒド (glyceraldehyde)
296
Grignard 反応　170
——の副反応　172
——のまとめ　172
アミドの——　172
アルデヒドの——　170
エステルの——　171
エノンの——　311
オキシランの——　172
ケトンの——　171
ニトリルの——　172
クリーニング用溶剤　223
クリプタンド (cryptand)　331
グルコース (glucose)　67, 138, 376
グルコピラノース (glucopyranose)
376
グルタチオン (glutathione)
238, 343, 383
Curtius 転位　357
Clemmensen 還元　167
クロマトグラフィー (chromatography)
45
クロム酸 (chromic acid)　232
クロム酸酸化 (chromic acid oxidation)
232
——の機構　233
クロラール (chloral)
——の水和反応　134
クロロエタナール (chloroethanal)
——の EPM　136
——の水和反応　135
——の分子模型　136
m-クロロ過安息香酸
(*m*-chloroperoxybenzoic acid)　252
クロロクロム酸ピリジニウム
(pyridinium chlorochromate)　233
クロロフィル *a* (chlorophill *a*)　5, 91
2-クロロプロパン (2-chloropropane)
——の分子模型　32
クロロメタン (chloromethane)
——の EPM　169
——の分子模型　169
クーロン相互作用 (Coulombic interaction)
42

形式電荷 (formal charge)　16
Kekulé の夢　85
Kekulé 構造式　83, 264
ケチル (ketyl)　345
結　合 (bond)
エチンの——　56
エテンの——　54
プロパジエンの——　57
メタンの——　54
結合解離エネルギー
(bond dissociation energy)　334
結合角 (bond angle)　47, 134
結合角ひずみ (angle strain)　65, 66
シクロブタンの——　66
シクロプロパンの——　65
ベンザインの——　316
結合距離 (bond distance)　52, 76
——と s 性　53
エタン酸アニオンの——　20
ニトロメタンの——　21
ベンゼンの——　83
結合性(分子)軌道
(bonding(molecular) orbital)
49, 51
結合性 σ MO　54
結合切断 (disconnection)　173, 362
——と合成反応　362, 363
——とシントン　362
結合長 (bond length) ➡ 結合距離
結合電子対 (bonding(electron)pair)
13, 115
結合モーメント (bond moment)　14
結合力 (bond strength)　102
ケテン (ketene)　356
β-ケトエステル (*β*-keto ester)　297
——の選択的還元　165, 175
ケト-エノール互変異性
(keto-enol tautomerism)　286
——の平衡定数　287 (表 17.1)
ケト化 (ketonization)　250, 288
ケト形 (keto form)　286
α-ケトカルベン (*α*-ketocarbene)
356
β-ケト酸 (*β*-keto acid)
——の脱炭酸　299
ケトース (ketose)　376
ケトン (ketone)　34
——の還元　163
——の還元的二量化　345
——の Grignard 反応　171
——の保護　366
——の溶解金属還元　345
——への官能基相互変換　363
ゲラニオール (geraniol)　208, 388
けん化 (saponification)　148, 385
油脂の——　148
検光子 (analyzer)　188
原子 (atom)　8
——の構造　7
原子価殻 (valence shell)　10
原子価殻電子対反発モデル (valence-shell
electron-pair repulsion model)　47, 48
原子核 (nucleus)　8
原子価電子 (valence electron) ➡ 価電子
原子軌道 (atomic orbital)　8, 50
——の重なり　50
原子質量 (atomic mass)　7
原子質量単位 (atomic mass unit)　7, 8
原子指定の巻矢印
(atom-specific curly arrow)　118
原子半径 (atomic radius)　24
原子番号 (atomic number)　7, 8
原子量 (atomic weight)　7, 8

光学活性 (optical activity)　188
光学純度 (optical purity)　189
光学分割 ((optical) resolution)　189, 370
酒石酸の——　190
交差アルドール (crossed aldol)　305
リチウムエノラートから——　302
交差アルドール反応 (crossed aldol reaction)
295
交差 Claisen 縮合　300
交差反応 (crossed reaction)　295
抗酸化剤 (antioxidant)　343
甲状腺ホルモン (thyroid hormone)　263
合成ガス (synthesis gas)　228
向精神薬 (psychoactive drug)　280
合成洗剤 (synthetic detergent)　386
合成等価体 (synthetic equivalent)　362
合成反応
——と逆合成解析　364
——と結合切断　362, 363
抗生物質 (antibiotics)　2
構造異性体
(constitutional isomer, structural isomer)
27, 57, 178
構造決定
アルケンの——　259
構造式 (structural formula)　21
CoA ➡ 補酵素 A
コカイン (cocaine)　328
ゴーシュ形(配座)
(gauche form(conformation))　64
コデイン (codeine)　101, 328
コドン (codon)　381
コニイン (coniine)　2, 328
Cope 転位　357
コプラナー PCB (coplanar PCB)　224

互変異性 (tautomerism)　*286*
互変異性化 (tautomerization)　*288*
互変異性体 (tautomer)　*286*
孤立電子対 (lone pair) ➡ 非共有電子対
コール酸 (cholic acid)　*389*
コルチゾール (cortisol)　*390*
コルチゾン (cortisone)　*390*
Kolbe–Schmitt 反応　*276*
Kolbe 電解酸化 (electrolytic oxidation)
　346
コレステロール (cholesterol)　*5, 389*
混成 (hybridization)　*52*
混成軌道 (hybrid orbital)　*52*
　——の s 性　*53*
　——のエネルギー　*53*
混成状態 (hybridization state)　*102*
　——と電気陰性度　*102*
コンホマー (conformer)　*62*

さ

最外殻 (outermost shell) ➡ 原子価殻
最高被占分子軌道
　(highest occupied molecular orbital)
　76
　カルボニル基の——　*130*
Zaitsev 則　*218, 229*
最低空分子軌道
　(lowest unoccupied molecular orbital)
　77
　カルボニル基の——　*130*
　ブロモメタンの——　*198*
細胞膜 (cell membrane)　*387*
サイロキシン (thyroxine) ➡ チロキシン
酢酸 (acetic acid) ➡ エタン酸
左旋性 (levorotatory)　*186, 189*
殺虫剤 (insecticide)　*224*
砂糖 (sugar)　*378*
サポニン (saponine)　*385*
左右性 (handedness)　*178*
サリシン (salicin)　*2, 377*
サリチルアルデヒド (salicylaldehyde)
　277
サリチル酸 (salicylic acid)　*276*
サルブタモール (salbutamol)　*281*
酸塩基反応 (acid–base reaction)
　94, 95, 112
酸塩基平衡 (acid–base equilibrium)　*98*
酸化 (oxidation)　*236*
酸解離(反応) (acid dissociation)　*94, 97*
酸解離定数 (acid dissociation constant)
　97
酸化還元反応 (oxidation–reduction reaction)
　236, 276
　——と極性反応　*237*
酸化剤 (oxidizing agent)　*236*
酸化状態 (oxidation state)　*35*
　官能基の——　*35, 36* (表 2.4)
酸化数 (oxidation number)　*35, 236*
三酸化硫黄 (sulfur trioxide)　*268*
三次元式 (three-dimensional formula)
　22
三次構造 (tertiary structure)　*384*
三重結合 (triple bond)　*56*
酸触媒 (acid catalyst, acid–catalyzed)
　136, 137, 139, 149, 150, 151,
　153, 226, 229, 233, 247
　——アルコール付加　*137*
　——エステル化　*150*
　——エステル交換　*152*
　——エノール化　*288*
　——開環反応(エポキシドの)　*233*
　——求核置換　*153*
　——共役付加(アルコールの)　*310*
　——脱水反応　*229*
　——α-ハロゲン化　*291*
酸触媒加水分解 (acid–catalyzed hydrolysis)
　149
　アセタールの——　*139*
　エステルの——　*149*
　エノールエーテルの——　*329*
　ビニルエーテルの——　*248*
酸触媒水和反応 (acid–catalyzed hydration)
　136
　アルケンの——　*247*
　アルデヒドの——　*136*
酸触媒反応 (acid–catalyzed reaction)
　アルコールの——　*226*
　アルデヒドの——　*136*
　エタノールの——　*226*
　エーテルの——　*226, 227*
酸性度 (acidity)　*97*
　——の決定因子　*102*
　エタン酸エチルの——　*108*
　エタンニトリルの——　*108*
　エタンの——　*106*
　トリフェニルメタンの——　*107*
　トルエンの——　*106*
　ニトロメタンの——　*107*
　プロパノンの——　*108*
　プロペンの——　*106*
酸性度定数 (acidity constant)　*97*
酸素への 1,2-移動　*354*
酸素分子 (oxygen molecule)　*333*
三中心二電子系
　(three–center two–electron system)
　79, 351, 358
三中心四電子系
　(three–center four–electron system)
　79
Sandmeyer 反応　*318*
酸ハロゲン化物 (acid halide)
　➡ ハロゲン化アシル
三フッ化ホウ素 (boron trifluoride)　*18*
　——の Lewis 構造式　*17*
酸無水物
　——からアミド　*156*
　——からエステル　*156*
　塩化アシルから——　*155*
　混合——　*155*

GIN ➡ 一般 IUPAC 名
CIP 順位則
　➡ Cahn–Ingold–Prelog 順位則
1,3-ジアキシアル相互作用
　(1,3-diaxial interaction)　*68*
ジアシルペルオキシド (diacyl peroxide)
　334
ジアステレオ異性 (diastereoisomerism)
　217
ジアステレオマー (diastereomer)
　178, 184
ジアゾ化 (diazotization)　*318, 351*
ジアゾケトン (diazoketone)　*356*
ジアゾニウム塩 (diazonium salt)　*241*
ジアゾメタン (daizomethane)　*253*
α-シアノアクリル酸 (cyanoacrylic acid)
　313
シアノエチル化 (cyanoethylation)　*312*
シアノヒドリン (cyanohydrin)　*131, 310*
　——の分子模型　*134*
シアノヒドリン生成(反応)
　(cyanohydrin formation)　*126, 131*
　——の平衡定数　*133* (表 8.1)
2-シアノプロペン酸
　(2-cyanopropenoic acid)　*313*
次亜リン酸 (hypophosphorous acid)
　318
　——の共役付加　*311*
シアン化物イオン (cyanide ion)　*131*
ジエノフィル (dienophile)　*256*
ジオキシン (dioxin)　*224*
紫外可視吸収スペクトル
　(ultraviolet–visible absorption spectrum)
　92
紫外線 (ultraviolet)　*91*
β-ジカルボニル化合物
　➡ 1,3-ジカルボニル化合物
1,3-ジカルボニル化合物
　(1,3-dicarbonyl compound)　*300*
　——のアルキル化　*301*
　——の pK_a　*300*
脂環系炭化水素 (alicyclic hydrocarbon)
　37
軸性キラリティー (axial chirality)　*191*
σ 軌道 (σ orbital)　*51*
σ 結合 (σ bond)　*51, 61*
　求核中心としての——　*117*
シグマトロピー転位
　(sigmatropic rearrangement)　*357*
シクロアルカン (cycloalkane)　*29, 65*
　——のシス・トランス異性　*70*
　——の燃焼熱　*71* (表 4.1)
　——のひずみエネルギー　*71*
シクロオクタテトラエン
　バスタブ形　*88*
シクロブタン (cyclobutane)　*66*
　——の構造　*66*
　——の分子模型　*66*
シクロプロパノン中間体
　(cyclopropanone intermediate)　*354*
シクロプロパン (cyclopropane)　*65, 252*
　——の環ひずみ　*65*
　——の軌道の重なり　*65*
　——の分子模型　*29, 65*
シクロプロピルメチルラジカル
　——の β 開裂　*342*
シクロプロペニリウムイオン
　(cyclopropenylium ion)　*87*

シクロヘキサノール（cyclohexanol）
　──の pK_a　*103*
シクロヘキサノンオキシム
　（cyclohexanone oxime）
　──の Beckmann 転位　*356*
シクロヘキサン（cyclohexane）
　──のいす形立体配座　*67*
　──の分子模型　*29*
シクロヘキセン（cyclohexene）
　──の求電子付加反応　*265*
シクロヘプタトリエニリウムイオン
　（cycloheptatrienylium ion）　*87*
シクロペンタジエニドイオン
　（cyclopentadienide ion）　*87, 325*
シクロペンタジエン（cyclopentadiene）
　107
シクロペンタン（cyclopentane）
　──の構造　*66*
　──の分子模型　*66*
ジクロロカルベン（dichlorocarbene）
　253, 277
ジゴキシン（digoxin）　*2*
四酸化オスミウム（osmium tetroxide）
　259
脂質（lipid）　*384*
s-シス（s-*cis*）　*256*
シス異性体（*cis* isomer）　*57*
システイン（cysteine）　*238*
シス・トランス異性（*cis-trans* isomerism）
　57, 217
　アルケンの──　*57*
　シクロアルカンの──　*70*
シス・トランス異性化
　（*cis-trans* isomerization）　*89*
シス付加（*cis* addition）➡ シン付加
ジスルフィド（disulfide）　*238*
ジチアン（dithiane）　*239, 365*
ジチオアセタール（dithioacetal）
　140, 167, 239, 365
　──合成　*140*
　──による保護　*175*
Schiff 塩基　*141*
質量数（mass number）　*7, 8*
質量分析法（mass spectrometry）　*92*
ジテルペン（diterpene）　*387*
自動酸化（autoxidation）　*342, 343*
　リノール酸エステルの──　*343*
シトシン（cytosine）　*380*
シトラール（citral）　*129*
cine（シネ）位　*316*
ジヒドロキシアセトン（dihydroxyacetone）
　296
2,3-ジヒドロキシブタン二酸
　➡ 酒石酸
ジヒドロキシル化（dihydroxylation）　*259*
ジフェニルメタン（diphenylmethane）　*106*
脂肪（fat）　*385*
脂肪酸（fatty acid）　*385*（表 23.2）
　──の生合成　*298*
脂肪族化合物（aliphatic compound）　*30*
脂肪族炭化水素（aliphatic hydrocarbon）
　37
ジボラン（diborane）　*249*
C 末端アミノ酸残基
　（*C*-terminus amino acid residue）　*383*
Schiemann 反応　*318*
四面体形（tetrahedral）　*48*
四面体中間体（tetrahedral intermediate）
　147, 226
　──の証明　*150*
　──の分子模型　*146*
Simmons-Smith 反応　*253*
弱塩基性有機反応基質　*108*
ジャスモン（jasmone）　*129, 145*
ジャスモン酸メチル（methyl jasmate）
　145
臭化水素付加
　アルケンへのラジカル付加　*340*
　──のラジカル連鎖機構　*341*
　アルキンへの──　*247*
重合（polymerization）
　アニオン──　*312*
　カチオン──　*253*
　縮合──　*159*
　ラジカル──　*333, 341*
重合体 ➡ ポリマー
重縮合（polycondensation）➡ 縮合重合
重水素（同位体）交換
　（deuterium（isotope）exchange）
　289
臭素化（bromination）　*265, 336*
　ベンゼン臭素化の反応機構　*265*
　アミドの──　*357*
　ブタンの──　*337*
　ベンゼンの──　*264, 267*
α-臭素化（*α*-bromination）　*291*
　──の反応機構　*291*
　塩基促進──　*292*
収束型合成（convergent synthesis）　*368*
臭素付加
　アルキンへの──　*251*
　アルケンへの──　*251*
主官能基（main functional group）　*39*
縮合（condensation）　*294*
縮合重合（polycondensation）　*159*
縮合多環芳香族化合物
　（fused polycyclic aromatic compound）
　321
縮重（degenerate）➡ 縮退
縮退（degenerate）　*8*
酒石酸（tartaric acid）　*185, 187*
　──の光学分割　*190*
　──の分子模型　*185*
　──の立体異性体　*187*（表 11.1）
酒石酸ジエチル（diethyl tartrate）　*370*
瞬間接着剤（instant glue）　*313*
障害斥力（repulsive force）　*42*
消火剤（fire extinguishing agent）　*223*
ショウノウ（camphor）　*129*
触媒（catalyst）　*136*
　⇨ 塩基触媒，酸触媒もみよ
　キラル──　*369*
　金属──　*261*
　有機分子──　*370*
　Lewis 酸──　*140, 267, 268*
食品添加物（food additive）　*343*
植物ホルモン
　──としてのエテン　*244*
除光液（remover）　*132*
女性ホルモン（female hormone）　*389*
除草剤（herbicide）　*224*
Jones 酸化　*232*
ジラジカル（diradical）　*333*
シルデナフィル（sildenafil）　*333*
C_{60}　*323*
シン（*syn*）　*63*
ジンギベレン（zingiberene）　*243*
人工血液（artificial blood または
　blood substitute）　*223*
伸縮振動（stretching vibration）　*74*
親水性（hydrophilicity）　*386*
シントン（synthon）　*362*
　──と結合切断　*362*
　──と反応剤　*363*（表 22.1）
シン付加（*syn* addition）　*249, 259, 261*

水酸化物イオン（hydroxide ion）
　──の脱離能　*226*
推進力（反応推進力）（driving force）　*119*
1,2-水素移動（1,2-hydrogen shift）
　349, 351
　カルボカチオンの──　*230*
水素化（hydrogenation）
　アルケンの──　*261*
水素化アルミニウムリチウム
　（lithium aluminum hydride）　*163*
　──による還元　*165*
水素化トリブチルスズ（tributyltin hydride）
　340
水素化トリ（*s*-ブチル）ホウ素カリウム
　（potassium tri-*s*-butylboron hydride）
　311
水素化熱（heat of hydrogenation）　*84, 260*
　アルケンの──　*260*（表）
水素化物イオン（hydride ion）
　➡ ヒドリドイオン
水素化分解（hydogenolysis）　*167*
水素化ホウ素ナトリウム
　（sodium borohydride）　*163*
　──による還元　*165*
水素結合（hydrogen bond）　*41, 42*
　アルコールの──　*42*
水素引抜き（反応）（hydrogen abstraction）
　336
水素分子
　──の MO　*50*
水和（反応）（hydration）　*134, 247*
　──のエネルギー変化　*135*
　アルキンの──　*250*
　アルケンの──　*247*
　エタナールの──　*134*
　カルボニル化合物の──（平衡定数）
　134（表 8.2）
　クロラールの──　*134*
　クロロエタナールの──　*135*
　メタナールの──　*134*
水和物（hydrate）　*134*
スクロース（sucrose）　*378*
ステアリン酸（stearic acid）　*385*

ステロイド (steroid)　388
——の(基本)骨格　67, 388
ストリキニーネ (strychnine)　328
ストレプトマイシン (streptomycin)　2
スーパーオキシドアニオン
(superoxide anion)　333
スピロ化合物 (spiro compound)　191
スピン (spin)
電子の——　8
スピン対 (spin paired)　8
スフィンゴ脂質 (sphingolipid)　387
スフィンゴシン (sphingocin)　387
スフィンゴミエリン (sphingomyelin)
387
スペクトル (spectrum)　92
スルフィド (sulfide)　30, 238
スルフィン酸 (sulfinic acid)　240
スルフォラファン (sulforaphane)　240
スルホキシド (sulfoxide)　240
キラルな——　192
スルホニウム塩 (sulfonium salt)　238
スルホン (sulfone)　240
スルホン化 (sulfonation)　268
ナフタレンの——　324
ベンゼンの——　268
スルホン酸 (sulfonic acid)　240
スルホン酸エステル (sulfonate ester)
231
Swern 酸化 (oxidation)　233

生気説 (vitalism)　3
生合成 (biosynthesis)
イソプレン単位の——　389
エテンの——　244
脂肪酸の——　298
正四面体形 (terahedral)　48, 54
生成物決定段階 (product-determining step)
255
生体反応
——におけるチオール　238
静電ポテンシャル図
(electrostatic potential map)
➡ EPM
静電力 (electrostatic force)　42
性ホルモン (sex hormone)　388
生命科学 (life scienece)　6
性誘引物質 (sex attractant)　243
赤外線 (infrared)　91
赤外線吸収スペクトル
(infrared absorption spectrum)　92
石炭 (coal)　28
石油 (petroleum)　28
石油成分 (fractions of crude oil)
27 (表)
セスキテルペン (sesquiterpene)　387
節 (node) ➡ 節面
せっけん (soap)　148, 385, 386
絶対配置 (absolute configuration)　186
絶対反応速度論 (absolute rate theory)
126
節面 (nodal plane)　50, 51
——とエネルギー準位　76
π 軌道の——　55, 56
セファリン (cephalin)　385, 387
セファロスポリン (cephalosporin)　159
セミカルバゾン (semicarbazone)　141
セミピナコール転位
(semi-pinacol rearrangement)　352
非対称ジオールの——　352
セルロース (cellulose)　377
セロトニン (serotonin)　281
セロビオース (cellobiose)　377
遷移構造 (transition structure)　122
遷移状態 (transition state)　122, 255
——の極性　201
前駆体 (precursor)　362
線形表記 (line-angle drawing)　21
旋光計 (polarimeter)　188
旋光度 (optical rotation)　188
選択的還元
ケトエステルの——　165, 175

相間移動触媒 (phase-transfer catalyst)
204, 235
双極子 (dipole)　14
ピロールの——　326
双極子-双極子相互作用
(dipole-dipole interaction)　42
双極子モーメント (dipole moment)　14
双極子-誘起双極子相互作用
(dipole-induced dipole interaction)
42
1,3-双極付加 (1,3-dipolar addition)
258, 259
相対原子質量 (relative atomic mass)　7, 8
カルボン酸誘導体の——　157
相補的 (complementary)　380
——な塩基対　380
——な DNA 鎖　380
速度支配 (kinetic control)
255, 303, 310, 324
速度支配エノラート (kinetic enolate)
303
速度定数 (rate constant)　126
速度論的安定性 (kinetic stability)　260
疎水性 (hydrophobicity)　386
SOMO ➡ 半占分子軌道

た

第一級 (primary)　28
第一級アミン (primary amine)　33
第一級水素 (primary hydrogen)　29
第一級炭素 (primary carbon)　29
ダイオキシン類 (dioxins)　224
第三級 (tertiary)　28
第三級アミン (tertiary amine)　33
——の反転　192
第三級アルコール (tertiary alcohol)
——の逆合成　173
第三級水素 (tertiary hydrogen)　29
第三級炭素 (tertiary carbon)　29
対称面 (plane of symmetry, symmetry plane)
178
第二級 (secondary)　28
第二級アミン (secondary amine)　33
第二級アルコール (secondary alcohol)
——の逆合成　174
——への官能基相互変換　363
第二級水素 (secondary hydrogen)　29
第二級炭素 (secondary carbon)　29
ダイヤモンド (diamond)
——の構造　67
第四級 (quaternary)　28
第四級アンモニウム塩
(quaternary ammonium salt)
204, 240
第四級炭素 (quaternary carbon)　29
多官能性化合物 (polyfunctional compound)
367
多環芳香族化合物
(polycyclic aromatic compound)
86, 321, 322
多環芳香族炭化水素
——の求電子置換反応　323
多段階合成 (multi-step synthesis)　371
多段階反応 (multi-step reaction)　124
脱水 (反応) (dehydration)
229, 247, 294
アルコールの——　229
アルドールの——　217, 294
酸触媒——　229
脱スルホン化 (desulfonation)　268
脱炭酸 (decarboxylation)　299, 342
——の反応機構　299
β-ケト酸の——　299
脱ハロゲン (dehalogenation)　340
——のラジカル連鎖機構　340
ハロアルカンの——　340
脱プロトン (deprotonation)
カルボカチオンからの——　120
脱保護 (deprotection)　174, 366
——と保護　366
カルボニル基の——　174
脱離 (反応) (elimination)
112, 120, 195, 213
⇨ E2，E1，E1cB 反応もみよ
置換との競争　220
——と置換　221 (表 13.1), 226
——における立体効果　219
——の位置選択性　218
ハロアルカンの——　213
脱離基 (leaving group)
154, 195, 196, 199
脱離能 (leaving ability)　154, 199, 218
アルコキシドイオンの——　226
水酸化物イオンの——　226
ハロゲンの——　199
Hofmann 選択性と——　220
脱離-付加機構
(elimination-addition mechanism)
315, 316
——による芳香族求核置換反応　315
脱硫 (desulfurization)　167
多糖 (polysaccharide)　375
β-ダマスコン (β-damascone)　129
β-ダマセノン (β-damascenone)　129
タミフル (Tamiflu)　374
タルグレチン (Targretin)　371

炭化水素 (hydrocarbon)　27
　——の種類　27
単結合 (single bond)
　——の回転　61
胆汁酸 (bile acid)　389
炭水化物 (carbohydrate)　375
男性ホルモン (male hormone)　389
炭素アニオン
　——の名称　87
炭素カチオン
　——の名称　87
炭素求核種 (carbon nucleophile)
　170, 362
炭素求電子種 (carbon electrophile)　362
炭素骨格 (carbon skeleton)
　——の構築　173, 361
炭素酸 (carbon acid)　106
炭素-水素(C−H)結合解離エネルギー
　——とラジカル安定性
　335 (表 20.1)
炭素-炭素(C−C)結合生成(反応)
　(carbon-carbon bond formation)
　169, 361
炭素ナノチューブ (carbon nanotube)
　322
単糖 (monosaccharide)　375
タンパク質 (protein)　382, 384
単分子求核置換反応
　(unimolecular nucleophilic substitution)
　➡ S_N1 機構(反応)
単分子脱離(反応)
　(unimolecular elimination)
　➡ E1 機構(反応)
単分子反応 (unimolecular reaction)
　123, 203, 214
単量体 (monomer) ➡ モノマー

チアゾール (thiazole)　325
チアミン (thiamine)　321
チオエステル (thioester)　238
　——の Claisen 縮合　298
チオエーテル (thioether) ➡ スルフィド
チオフェン (thiophene)　325
チオラートイオン (thiolate ion)　238
チオール (thiol)　30, 32, 140, 238
　——の求核性　238
　生体反応における——　238
置　換
　脱離との競争　220
　——と脱離　221 (表 13.1), 226
置換基 (substituent)　104
　——の分類　272
　——の名称　39 (表 2.7)
　——の略号　39
置換基効果 (substituent effect)　104
　求電子置換反応に対する——
　273 (図 16.2)
置換反応 (substitution)　112
　付加-脱離機構による——　154
置換ベンゼン (substituted benzene)
　270
　——の置換基の反応　279
Chichibabin 反応　330

窒　素
　——への 1,2-移動　355
　——への転位　355
チミン (thymine)　380
中間体 (intermediate)　124
抽出 (extraction)　101
中性子 (neutron)　7
超共役 (hyperconjugation)　63, 206
　負の——　239
　ラジカルにおける——　335
超共役効果 (hyperconjugative effect)
　273
直鎖アルキルベンゼンスルホン酸塩
　(linear alkylbenzenesulfonate salt)
　386
直線形 (linear)　48
直線型合成 (linear synthesis)　368
チロキシン (thyroxine)　263
チロシン (tyrosine)　263

Dieckmann 縮合　299
停止段階 (termination step)　337
Diels-Alder 反応　256
　——における HOMO-LUMO 相互作用
　257
　——による捕捉　317
　アントラセンの——　324
　フランの——　329
DH ➡ 結合解離エネルギー
THP 基 ➡ テトラヒドロピラニル基
DNA ➡ デオキシリボ核酸
DNA 鎖
　相補的な——　380
デオキシリボ核酸 (deoxyribonucleic acid)
　379
2-デオキシ-D-リボース
　(2-deoxy-D-ribose)　379
テオブロミン (theobromine)　328
d 軌道　8
テストステロン (testosterone)　390
DDT　223
D 糖　376
テトラヒドロピラニル (tetrahydropiranyl)
　367
DBN　109
デヒドロベンゼン (dehydrobenzene)
　317
DBU　109
テルペノイド (terpenoid)　387
テルペン (terpene)　208, 243, 388
転位(反応) (rearrangement)
　112, 230, 349
　カルベンの——　356
　カルボカチオンの——　230, 349
　窒素への——　355
　ニトレンの——　357
　α-ヒドロキシケトンの——　352
1,2-転位 (1,2-rearrangement)　349
転位傾向 (migratory aptitude)　350
転位生成物 (rearranged product)
　207
　Friedel-Crafts アルキル化における——
　279

電気陰性度 (electronegativity)　12, 102
　——と混成状態　102
　元素の——　12 (表 1.4)
電気双極子モーメント
　(electric dipole moment)　14
電気的陰性 (eletrically positive)　11
電気的陽性 (eletrically negative)　11
電極反応 (electrode reaction)　346
典型元素 (main group element または
　typical element)　10
電子 (electron)
　——の質量　7
　——のスピン　8
　——の非局在化　103
電子雲 (electron cloud)　50
電子押込み効果 (electron pushing (effect))
　119, 120, 148, 151, 152,
　153, 226, 289, 352, 353
電子殻 (electron shell) ➡ 殻
電子環状反応 (electrocyclic reaction)
　357, 358
電子求引基 (electron-withdrawing
　(electron-attracting) group)
　104, 135
電子求引効果 (electron-withdrawing
　(electron-attracting) effect)　272
電子求引性 (electron-withdrawing
　(attracting) (ability))
　273
　ハロゲン原子の——　292
電子供与基 (electron-donating
　(electron-releasing) group)　105
電子供与性 (electron-donating-lability)
　273
電子供与体 (electron donor)　344
電子効果 (electronic effect)　135
電子受容体 (electron acceptor)　344
　アリルラジカルの——　78
電子親和力 (electron affinity)　11
　原子の——　11 (表 1.3)
電子配置 (electronic configuration)　9
電子引出し効果
　(electron pulling (effect))
　119, 120, 149, 152, 153, 288, 289, 352
電子不足中心 (electron-deficient center)
　——への移動反応　349
電子ボルト (electron volt)　11
天然ガス (natural gas)　28
デンプン (starch)　377

糖 (saccharide) ⇨ 糖質もみよ　186
同位元素 (isotope) ➡ 同位体
同位相 (in-phase)　50, 51
同位体 (isotope)　7, 8, 316
同位体交換 (isotope exchange)
　137, 150, 289
　標識エステルの——　151
糖質 (saccharide)　375
等電子構造 (isoelectronic structure)　325
等電子的 (isoelectronic)　19, 106
等電点 (isoelectric point)　383
東レ法 (Toray process)　348
トシラート (tosylate)　231, 350

ドーパミン (dopamine)　*281*
s-トランス (s-*trans*)　*256*
トランス異性体 (*trans* isomer)　*57*
トランス脱離(*trans* elimination)
　➡ アンチ脱離
トランス付加(*trans* addition)
　➡ アンチ付加
トリオキサン (trioxane)　*132*
トリグリセリド (triglyceride)　*385*
トリチル(trityl) ➡ トリフェニルメチル
トリトン B (Triton B)　*204*
トリハロゲン化 (trihalogenation)　*292*
2,3,4-トリヒドロキシブタナール
　(2,3,4-trihydroxybutanal)　*183*
トリフェニルホスフィン
　(triphenylphosphine)　*142*
トリフェニルメタン (triphenylmethane)
　106
　——の酸性度　*107*
トリフェニルメチルラジカル
　(triphenylmethyl radical)　*336*
トリプチセン (triptycene)　*107*
トリプトファン (tryptophan)　*321*
トリプレットコード (triplet code)
　381 (表 23.1)
トルエン (toluene)
　——の酸性度　*106*
トレオース (threose)　*184*
　——の分子模型　*184*
トロピリウムイオン (tropylium ion)
　➡ シクロヘプタトリエニリウム
　イオン
トロンボキサン (thromboxane)　*390*

な

内殻 (inner shell)　*9*
内部回転 (internal rotation)　*74*
ナイロン (nylon)　*160*
　——の発見　*4*
ナイロン 6 (nylon 6)　*160*
ナイロン 66 (nylon 66)　*160, 347*
ナフタレン (naphthalene)　*322*
　——のスルホン化　*324*
ナフタレン-1-スルホン酸
　(naphthalene-1-sulfonic acid)　*324*
ナフタレン-2-スルホン酸
　(naphthalene-2-sulfonic acid)　*324*

ニコチン (nicotine)　*321, 328*
ニコチンアミドアデニンジヌクレオチド
　(nicotinumide adenine dinucleotide
　(NAD^+, NADH))　*168*
二酸化炭素 (carbon dioxide)
　——の EPM　*49*
　——の分子模型　*49*
二次構造 (secondary structure)　*384*
二次的軌道相互作用
　(secondary obital interaction)
　258
二次反応 (second-order reaction)
　196, 215
西村-古川法　*253*
二重結合 (double bond)　*55*
　——の回転　*55*
二重層 (bilayer)　*387*
二重らせん (double helix)　*380*
二置換ベンゼン (disubstituted benzene)
　——の求電子置換反応　*274*
二糖 (disaccharide)　*375, 377*
ニトリル (nitrile)
　——の加水分解　*157*
　——の Grignard 反応　*172*
ニトレン (nitrene)　*357*
　——の転位　*357*
ニトロ (nitro)　*33*
ニトロ化 (nitration)　*267*
　ベンゼンの——　*267*
ニトロ化合物 (nitro compound)　*33*
ニトロ基 (nitro group)　*104, 272*
ニトログリセリン (nitroglycerin)
　33, 333
ニトロソアミン (nitrosoamine)　*241*
ニトロニウムイオン (nitronium ion)
　267
ニトロベンゼン (nitrobenzene)　*271*
ニトロメタン (nitromethane)
　19, 80
　——の EPM　*21*
　——の結合距離　*21*
　——の酸性度　*107*
　——の分子模型　*21*
　——の Lewis 構造式　*19*
二分子求核置換反応
　(bimolecular nucleophilic substitution)
　➡ S_N2 機構(反応)
二分子脱離反応 (bimolecular elimination)
　➡ E2 機構(反応)
二分子反応 (bimolecular reaction)
　123, 197
二面角 (dihedral angle)　*63*
乳酸 (lactic acid)　*189*
乳糖 (lactose)　*378*
Newman 投影式 (projection)　*61, 62*
尿素 (urea)　*3*
二量化 (dimerization)　*293*
二リン酸 (diphosphate)　*208*
妊娠ホルモン ➡ プロゲスチン
ニンヒドリン (ninhydrin)　*144*

ヌクレオシド (nucleoside)　*379*
ヌクレオチド (nucleotide)　*379*
ヌシフェラール (nuciferal)　*373*

ネオペンチルトシラート
　(neopentyl tosylate)　*350*
ねじれ角 (torsion angle)　*63*
ねじれ形(配座)
　(staggered form(conformation))
　61, 62
　エタンの——　*62*
　ブタンの——　*64*
ねじれひずみ (torsional strain)　*63, 70*
ねじれ舟形 (twist boat form)　*70*
熱化学的安定性 (thermochemical stability)
　260
熱分解 (pyrolysis または thermolysis)
　335
　アジドの——　*357*
熱力学サイクル (thermodynamic cycle)
　288
熱力学支配 (thermodynamic control)
　255, 258, 303, 310, 324
熱力学支配エノラート
　(thermodynamic enolate)　*303*
熱力学的安定性 (thermodynamic stability)
　260
燃焼熱 (heat of combustion)　*71*
　——とひずみエネルギー　*71*
　シクロアルカンの——　*71* (表 4.1)

ノナクチン (nonactin)　*235*
ノルアドレナリン (noradrenaline)　*281*
ノルエピネフリン (norepinenephrine)
　➡ ノルアドレナリン

は

バイアグラ (Viagra)　*333*
π(分子)軌道 (π orbital)　*55*
　——の節面　*55, 56*
　アヌレンの——　*86*
　エチンの——　*56*
　エテンの——　*55*
　カルボニル結合の——　*130*
π 結合 (π bond)　*55*
　——と共役　*75*
　——と二重結合　*55*
　求核中心としての——　*117*
配向性 (orientation)　*118, 245, 246, 270*
　——の制御　*281*
　塩化水素付加の——　*245*
配座異性体 (conformational isomer)
　62, 178
排他原理 (exclusion principle)　*9*
配置異性体 (configurational isomer)
　62, 70, 178
配糖体 (glycoside) ➡ グリコシド
背面攻撃 (rear-side attack)　*197, 198*
Baeyer-Villiger 酸化　*353*
Pauli の排他原理 ➡ 排他原理
旗ざお水素 (flag-pole hydrogen)　*69*
Birch 還元　*344*
発エルゴン反応 (exergonic reaction)
　124
発煙硫酸 (fuming sulfuric acid, oleum)
　268
発がん性 (carcinogenicity)　*321*
バックミンスターフラーレン
　(buckminsterfullerene)　*323*
発熱反応 (exothermic reaction)　*123*
バニリン (vanillin)　*129*
パープルベンゼン (purple benzene)
　235
Hammond の仮説 (postulate)　*125, 218*
パラ (*para*(*p*))(位)　*264*
パラホルムアルデヒド (paraformaldehyde)
　132
パリトキシン (palytoxin)　*5*

ハロアルカン (haloalkane)　*32*
　——の求核置換反応　*195*
　——の脱ハロゲン　*340*
　——の脱離反応　*213*
ハロカルベン (halocarbene)　*253*
α-ハロケトン
　——の Favorskii 転位　*354*
ハロゲン
　——の脱離能　*199*
ハロゲン化 (halogenation)　*267, 336*
　アルキル基の——　*336*
　ベンゼンの——　*267*
α-ハロゲン化 (α-halogenation)　*291*
　塩基促進——　*292*
　酸触媒——　*291*
ハロゲン化アシル (acyl halide)　*146*
　——のエステル化　*155*
　——の加水分解　*155*
ハロゲン化アルキル (alkyl halide)
　➡ ハロアルカン
ハロゲン化水素 (hydrogen halide)
　アルケンへの付加　*245*
　アルコールとの反応　*227*
　エノンへの付加　*310*
ハロゲン化物イオン
　——の求核性　*199*
ハロゲン化リン (phosophorus halide)
　232
ハロゲン原子
　——の電子求引性　*292*
ハロゲン付加 (halogen addition)　*250*
ハロホルム反応 (haloform reaction)　*292*
ハロモン (halomon)　*223*
半いす形 (half-chair form)　*70*
反結合性(分子)軌道 (antibonding (molecular) orbital)　*49, 51*
反結合性 σ* MO　*54*
半占(分子)軌道 (singly occupied (molecular) orbital)　*78, 121, 335*
反転 (inversion)
　第三級アミンの——　*192*
反応機構 (reaction mechanism)　*111*
反応剤 (reagent)
　——とシントン　*363* (表 22.1)
反応座標 (reaction coordinate)　*122*
反応進行度 (reaction progress)　*123*
反応推進力 (driving force)　*119*
反応性 (reactivity)　*136, 270*
　——の制御　*281*
　アニリンの——　*277*
　アルケンの——　*245*
　カルボン酸誘導体の——　*154*
　ピリジン *N*-オキシドの——　*330*
　フェノールの——　*275*
　ブロモアルカンの——　*196*
　芳香族ヘテロ五員環の——　*328*
反応性中間体 (reactive intermediate)
　124
反応選択性 (reaction selectivity)　*365*
反応速度 (reaction rate)　*126*
反応熱 (heat of reaction)　*123*
反応のエンタルピー (enthalpy of reaction)
　➡ 反応熱
反応の Gibbs エネルギー (Gibbs energy of reaction)　*124*
反芳香族 (anti-aromatic (compound))
　88

PIN ➡ 優先 IUPAC 名
pH　*99*
BHA　*343*
pH 指示薬 (indicator)　*100*
BH_3 ➡ ボラン
BHT　*343*
光化学 (photochemistry)　*89*
光化学反応 (photochemical reaction, photoreaction)　*89*
　——と色　*91*
光分解 (photolysis)　*335*
p 軌道 (p orbital)　*8, 50*
PQQ ➡ ピロロキノリンキノン
非共有電子対 (unshared electron pair)
　13, 113, 115
非局在化 (delocalization)　*20, 76*
　電子の——　*103*
非局在化エネルギー (delocalization energy)
　76
pK_a　*97*
　α-アミノ酸の——　*382* (表 23.2)
　エノールの——　*286*
　活性メチレン化合物の——　*300*
　1,3-ジカルボニル化合物の——
　300
非結合性相互作用 (non-bonded interaction)
　41
非結合性電子対 (nonbonding pair)
　➡ 非共有電子対
pK_{BH^+}　*108*
PGE_2 ➡ プロスタグランジン E_2
PCC ➡ クロロクロム酸ピリジニウム
微視的可逆性の原理 (principle of microscopic reversibility)
　137, 141
PCB　*224*
ビスフェノール A (bisphenol A)　*132*
ひずみエネルギー
　——と燃焼熱　*71*
　シクロアルカンの——　*71*
被占軌道 (occupied orbital, filled orbital)
　51, 121
比旋光度 (specific rotation)　*188*
非対称ジオール
　——のセミピナコール転位　*352*
　——のピナコール転位　*352*
ビタミン (vitamin)
　E　*343*
　A　*388*
　K_1　*276*
　C　*159, 343*
　D　*389*
　B_6　*143*
　B_{12}　*5*
ヒドラジン (hydrazine)　*141*
ヒドラゾン (hydrazone)　*141, 167*
ヒドリドイオン (hydride ion)　*163*
ヒドリド移動 (hydride transfer)　*167*
1,2-ヒドリド移動 (hydride shift)
　230, 351
ヒドリド還元 (hydride reduction)
　163, 309, 311
　アルデヒドの——　*118*
　生体内の——　*168*
ヒドロキシ基 (hydroxy group)　*30*
α-ヒドロキシケトン
　——の 1,2-転位　*352*
ヒドロキシルアミン (hydroxylamine)
　141
ヒドロキシルラジカル (hydroxyl radical)
　333
ヒドロキノン (hydroquinone)　*276*
ヒドロペルオキシド (hydroperoxide)
　343
ヒドロペルオキシルラジカル (hydroperoxyl radical)　*333*
ヒドロホウ素化 (hydroboration)　*249*
　アルキンの——　*250*
ヒドロホウ素化-酸化 (hydroboration-oxidation)　*249*
ヒドロホルミル化 (hydroformylation)
　228
ピナコール (pinacol)　*351*
　非対称ジオールの——　*352*
ピナコール転位 (pinacol rearrangement)
　351, 352
ピナコール反応 (pinacol reaction)　*345*
ピナコロン (pinacolone)　*351*
BINAP　*191*
BINAP モデル
　——の分子模型　*191*
BINAP-Ru(Ⅱ)触媒　*370*
ビナフチル (binaphthyl)　*191*
ビニルエーテル (vinyl ether)
　——のカチオン重合　*254*
　——の酸触媒加水分解　*248*
ビニルカチオン (vinyl cation)　*247*
ヒノキチオール (hinokitiol)　*87*
BPO ➡ 過酸化ベンゾイル
ビフェニル (biphenyl)　*191*
非プロトン性極性溶媒 (polar aprotic solvent)　*202*
非プロトン性溶媒 (aprotic solvent)
　199, 202
ピペリジン (piperidine)　*102*
　——の分子模型　*33*
非ベンゼノイド (nonbenzenoid)　*322*
非ベンゼン系芳香族化合物 (nonbenzenoid aromatic compound)
　87
Hückel($4n+2$)則　*86*
標識エステル (labeled ester)
　——の加水分解　*151*
　——の同位体交換　*151*
標識化合物 (labeled compound)　*150*
標的化合物 (target compound)　*362*
ピラノース (pyranose)　*376*
ピラミッド反転 (pyramidal inversion)
　アミンの——　*74*
ピリジニウムイオン (pyridinium ion)
　326

ピリジン (pyridine)　*88, 102, 325*
ベンゼンと等電子構造　*329*
——の EPM　*326*
——の塩基性　*326*
——の軌道エネルギー　*329*
——の軌道図　*325*
——の求核置換反応　*329*
——の求電子置換反応　*329*
——の分子模型　*326*
ピリジン *N*-オキシド (pyridine *N*-oxide)　*330*
——の求電子置換反応　*330*
——の反応性　*330*
ピリドキサール (pyridoxal)　*143*
ピリドキサール 5'-リン酸 (pyridoxal 5'-phosphate)　*143*
2-ピリドン (2-pyridone)　*330*
ピリミジン (pyrimidine)　*325, 380*
ピレン (pyrene)　*322*
ピロリン酸 (pyrophosphate) ➡ 二リン酸
ピロール (pyrrole)　*88, 325*
——の EPM　*326*
——の塩基性　*326*
——の軌道図　*325*
——の双極子　*326*
——の分子模型　*326*
ピロロキノリンキノン (pyrroloquinoline quinone)　*276*

Favorskii 転位
α-ハロケトンの——　*354*
α-ファルネセン (α-farnesene)　*388*
ファルネソール (farnesol)　*208*
van der Waals 半径 (radius)　*24*
van der Waals 反発 (repulsion)　*42*
van der Waals 表面 (surface)　*14*
van der Waals 力 (force)　*41, 42*
VSEPR モデル
➡ 原子価殻電子対反発モデル
Fischer エステル化 (esterification)　*150*
カルボン酸の——　*157*
Fischer 投影式 (projection formula)　*181, 184*
封筒形 (envelope form)　*66*
フェナントレン (phenanthrene)　*322*
——の反応　*324*
フェニルカチオン (phenyl cation)　*318*
フェニルケトン (phenyl ketone)　*279*
フェノキシドイオン (phenoxide ion)　*103*
フェノール (phenol)　*103, 275, 344*
——の製造法　*355*
——の反応性　*275*
——の pK_a　*103*
フェノールフタレイン (phenolphthalein)　*100*
フェロモン (pheromone)　*243*
1,2-付加　*254, 308*
ブタジエンの——　*255*
1,4-付加　*254, 308*
ブタジエンの——　*255*
付加環化 (cycloaddition)　*256*
[4+2]付加環化反応　*256*
付加-脱離機構 (addition-elimination mechanism)　*147, 314*
——による置換反応　*154*
——による芳香族求核置換反応　*314*
不活性化オルト・パラ配向基 (deactivating *ortho-para* directing group)　*273*
不活性化基 (deactivating group)　*270*
不活性化メタ配向基 (deactivating *meta* directing group)　*273*
付加反応 (addition(reaction))　*112*
1,2-付加物 (1,2-adduct)　*254*
1,4-付加物 (1,4-adduct)　*254*
不均化 (disproportionation)　*338*
不均等開裂 ➡ ヘテロリシス
副腎皮質ホルモン (adrenal cortical hormone)　*388, 389*
複素環 (heterocycle)
➡ ヘテロ環
副反応
Grignard 反応の——　*172*
不斉還元 (asymmetric reduction)　*369*
不斉源 (asymmetric source)　*369*
不斉合成 (asymmetric synthesis)　*369*
不斉酸化反応 (asymmetric oxidation)　*370*
1,3-ブタジエン (buta-1,3-diene)　*76*
——の EPM　*76*
——の 1,2-付加と 1,4-付加　*255*
——の分子軌道　*77*
——の分子模型　*76*
——への求電子付加　*254*
2-ブタノール (2-butanol)
——の分子模型　*179*
ブタン (butane)
——の塩素化　*337*
——の回転障壁　*64*
——の臭素化　*337*
——の分子模型　*27*
——の立体配座　*64*
t-ブチルアルコール (*t*-butyl alcohol)
➡ 2-メチル-2-プロパノール
t-ブチルシクロヘキサン (*t*-butylcyclohexane)　*71*
不対電子 (unpaired electron)　*15, 113, 334*
プッシュ (push) ➡ 電子押込み効果
プッシュ・プル (push-pull)　*120*
フッ素 (fluorine)
——の EPM　*14*
沸点 (boiling point)　*42*
——と分子間引力　*42*
アルカンの——　*26* (表 2.2)
2-ブテン (but-2-ene)
——の分子模型　*57*
ブテン異性体
——の安定性　*260*
舟形立体配座 (boat form(conformation))　*69*
部分的ラセミ化 (partial racemization)　*205*
部分的立体反転 (partial inversion)　*205*
不飽和化合物 (unsaturated compound)　*27*
不飽和カルボニル化合物 (unsaturated carbonyl compound)
——への共役付加　*308*
α,β——　*290, 295, 307, 308*
β,γ——　*290*
不飽和五員環 (unsaturated five-membered ring)　*325*
不飽和脂肪酸 (unsaturated fatty acid)　*385*
——のアリル位酸化　*343*
不飽和六員環 (unsaturated six-membered ring)　*325*
Bouveault-Blanc 還元　*345*
プラスチック (plastic)
——のリサイクル　*162*
フラノース (furanose)　*376*
フラーレン (fullerene)　*323*
フラン (furan)　*325*
——の Diels-Alder 反応　*329*
Friedel-Crafts アシル化 (acylation)　*269, 279*
Friedel-Crafts アルキル化
多置換体の生成　*278*
——における転位生成物　*279*
ベンゼンの——　*268*
Friedel-Crafts 反応
——の問題点　*278*
プリン (purine)　*325, 380*
プル (pull) ➡ 電子引出し効果
フルオラデン (fluoradene)　*107*
フルオロベンゼン誘導体
——の芳香族求核置換反応　*315*
D-フルクトース (D-fructose)　*376*
ブルシン (brucine)　*328*
Brønsted 塩基　*94*
Brønsted 酸　*94*
プロキラル (prochiral)　*192*
プロゲスチン (progestin)　*388*
プロゲステロン (progesterone)　*390*
プロスタグランジン (prostagrandin)　*390*
——E_2　*368*
——$F_{2\alpha}$　*390*
プロスタサイクリン (prostacyclin)　*390*
Frost 円　*86*
プロトン移動(反応) (proton transfer)　*94, 95*
プロトン化 (protonation)　*226*
プロトン化中間体 (protonated intermediate)　*226*
プロトン酸 (proton acid)　*94*
プロトン性化合物 (protic compound)　*164*
プロトン性溶媒 (protic solvent)　*202*
プロパジエン (propadiene)　*57, 191*
——の EPM　*77*
——の結合　*57*
——の分子模型　*57, 77*

1-プロパノール(1-propanol)　228
2-プロパノール(2-propanol)　181, 228
プロパノン(propanone)　132
　——の酸性度　108
　——の分子模型　134
プロピレン(propylene)　29
プロプラノロール(propranolol)　373
プロペナール(propenal)
　——の EPM　308
　——の分子模型　308
プロペン(propene)
　——の酸性度　106
プロペンニトリル(propenenitrile)　312, 347
ブロモアミド(bromoamide)　356
ブロモアルカン
　——の S_N2 反応速度　196
ブロモエタン(bromoethane)
　——の分子模型　197
N-ブロモスクシンイミド(*N*-bromosuccinimide)　339
　——によるアリル位臭素化　339
ブロモニウムイオン(bromonium ion)　250, 251
　三員環——中間体　250
2-ブロモプロパン(2-bromopropane)
　——の分子模型　197
ブロモメタン(bromomethane)
　——の EPM　196
　——の分子模型　197
　——の LUMO　198
2-ブロモ-2-メチルプロパン(2-bromo-2-methylpropane)
　——の分子模型　32, 197
L-プロリン(L-proline)　370
フロン　223
分極(polarization)　13
　カルボニル結合の——　130
分光法(spectroscopy)　92
分散力(dispersion force)　42
分子エネルギー(molecular energy)　122
分子間引力(intermolecular attractive force)
　——と沸点　42
分子間相互作用(intermolecular interaction)　41
分子軌道(molecular orbital)　49, 50
　アリル系の——　78
　アルケンの　311
　エチンの——　56
　カルボニル結合の——　130
　水素分子の——　50
　バナナ形の——　65
　ブタジエンの——　77
　ベンゼンの——　83
　メタンの——　54
分子軌道法(molecular orbital method)　4
分子構造決定法(method of (molecular) structure determination)　92
分子式(molecular formula)　22
分子内アルドール反応(intramolecular aldol reaction)　313
分子内求核置換(intramolecular nucleophilic substitution)　207
分子内縮合(intramolecular condensation)　299
分子認識(molecular recognition)　235
分子模型(molecular model)　14
　アラニン　179
　アリル系　78
　アンモニア　49
　エタナール　136
　エタノール　31, 225
　エタン酸　34, 145
　エタン酸アニオン　21
　エタン酸アミド　155
　エタン酸メチル　147, 155
　エチルアミン　33
　エチン　49, 56
　エテン　48, 55
　エトキシエタン　31, 225
　塩化エタノイル　155
　塩化水素　14
　18-クラウン-6　234
　クロロエタナール　136
　2-クロロプロパン　32
　クロロメタン　169
　シアノヒドリン　134
　シクロブタン　66
　シクロプロパン　29, 65
　シクロヘキサン　29
　シクロペンタン　66
　四面体中間体　147
　臭化 *t*-ブチル　32, 197
　meso-酒石酸　185
　トレオース　184
　二酸化炭素　49
　ニトロメタン　21
　BINAP モデル　191
　ピペリジン　33
　ピリジン　326
　ピロール　326
　ブタジエン　76
　2-ブタノール　179
　ブタン　27
　2-ブテン　57
　プロパジエン　57, 77
　プロパノン　134
　プロペナール　308
　ブロモエタン　197
　2-ブロモプロパン　197
　ブロモメタン　197
　2-ブロモ-2-メチルプロパン　32, 197
　ヘキサヘリセン　180
　ベンゼン　30, 83
　水　14
　メタナール　48, 130
　メタノール　31
　メタン　14, 48, 54
　メチルシクロヘキサン　68
　2-メチルプロパン　27
　メチルリチウム　169
Hund の規則(Hund's rule)　9

平　衡

　酸塩基反応の——　97, 98
平衡定数(equilibrium constant)　97, 126
　ケト-エノール互変異性化の——　287(表 17.1)
　シアノヒドリン生成反応の——　133(表 8.1)
　水和反応の——　134(表 8.2)
並進エネルギー(translational energy)　122
平面三方形(trigonal planar)　48, 54
平面偏光(plane-polarized light)　188
ヘキサヘリセン
　——の分子模型　180
ベキサロテン(bexarotene)　371
ヘキサンジニトリル(hexanedinitrile)　347
ヘキソース(hexose)　376
ベーキングパウダー　93
βアノマー(β anomer)　376, 377
β開裂(β fragmentation)　342
　シクロプロピルメチルラジカルの——　342
βグリコシド結合(β glycosidic bond)　377
βシート ➡ βプリーツシート
βプリーツシート(β-pleated sheet)　384
Beckmann 開裂
　オキシムの——　360
Beckmann 転位
　オキシムの——　355
　シクロヘキサノンオキシムの——　356
PET ➡ ポリエチレンテレフタラート
　——のリサイクル　162
PET ボトル　159
ヘテロ環化合物(heterocyclic compound)　321, 325
ヘテロ原子(heteroatom)　108, 147
ヘテロ芳香族化合物(heteroaromatic compound)　325
ヘテロリシス(heterolysis)　113
ペニシリン(penicillin)　2, 159
ペプチド(peptide)　383
ペプチド結合(peptide bond)　381, 383
ヘミアセタール(hemiacetal)　137
ペリ位(*peri* position)　323
ヘリウム分子(helium molecule)　51
ペリ環状反応(pericyclic reaction)　359
ヘリックス(helix)　180
　⇨らせんもみよ
　α——　384
ペルオキシカルボン酸(peroxycarboxylic acid) ➡ 過酸
ヘロイン(heroin)　101
変角振動(bending vibration)　74
偏光子(polarlizer)　188
偏光面(polarized plane)　188
ベンザイン(benzyne)　316
　——の結合角ひずみ　316
　——の前駆体　317
　——の捕捉　317
ベンザイン機構(benzyne mechanism)　316
　——における位置選択性　317

ベンジル (benzil)　*353*
ベンジルアニオン (benzyl anion)　*106*
ベンジル位 (benzylic position)　*338*
ベンジル位臭素化 (benzylic bromination)　*338*
ベンジル位ハロゲン化 (benzylic halogenation)　*338*
ベンジル酸転位 (benzilic acid rearrangement)　*353*
ベンジルラジカル (benzyl radical)　*338*
ベンズアルデヒドシアノヒドリン (benzaldehyde cyanohydrin)　*133*
ベンゼニウムイオン (benzenium ion)　*265*
――の安定性　*271*
――中間体　*270*
ベンゼノイド (benzenoid)　*322*
ベンゼン (benzene)
――のアシル化　*270*
――の安定化エネルギー　*84*
――の EPM　*83*
――の塩素化　*267*
――の基底状態電子配置　*84*
――の求電子置換反応　*265*
――の結合距離　*83*
――の構造　*83*
――の臭素化　*265, 267*
――のスルホン化　*268*
――のニトロ化　*267*
――のハロゲン化　*267*
――の Friedel-Crafts アルキル化　*268*
――の分子軌道　*83*
――の分子模型　*30, 83*
――の溶解金属還元　*344*
――のヨウ素化　*267*
変旋光 (mutarotation)　*376*
ベンゾキノン (benzoquinone)　*276*
ベンゾチオフェン (benzothiophene)　*328*
ベンゾフラン (benzofuran)　*325*
1,4-ペンタジエン(1,4-pentadiene)　*107*
Henderson-Hasselbalch の式　*99*
ペントース (pentose)　*376*

芳香族　*86*
芳香族安定性 (aromatic stability)　*266*
芳香族化合物 (aromatic compound)　*30, 86, 264*
――の命名　*41*
芳香族求核置換反応 (nucleophilic aromatic substitution)　*307, 308*
ジアゾニウム塩の――　*318*
脱離-付加機構による――　*315*
付加-脱離機構による――　*314*
フルオロベンゼン誘導体の――　*315*
芳香族求電子置換反応 (electrophilic aromatic substitution)　*263, 264*
――の求電子種　*266* (表 16.1)
芳香族ジアゾニウム塩 (arenediazonium salt)　*318*
――の求核置換反応　*318*
芳香族性 (aromaticity)　*86, 264*
芳香族性遷移構造 (aromatic transition structure)　*257, 358*
芳香族ヘテロ環化合物 (aromatic heterocyclic compound)　*321, 325*
――の求電子置換反応　*327*
――の反応性　*328*
飽和化合物 (saturated compound)　*27*
飽和脂肪酸 (saturated fatty acid)　*385*
飽和炭化水素 (saturated hydrocarbon)　*27*
保護 (protection)　*174, 366*
――と脱保護　*366*
アセタールによる――　*174*
アミンの――　*367*
アルコールの――　*366*
アルデヒドの――　*366*
カルボニル基の――　*174*
ケトンの――　*366*
ジチオアセタールによる――　*175*
補酵素 A (coenzyme A)　*379*
補酵素 Q (coenzyme Q)　*276*
保護基 (protecting group)　*174, 366, 367*
ホスト-ゲスト相互作用 (host-guest interaction)　*235*
ホスファチジン酸 (phosphatidic acid)　*385, 387*
ホスフィン (phosphine)　*192*
ホスホグリセリド (phosphoglyceride)　*385*
ホスホニウムイリド (phosphonium ylide)　*142*
ホスホニウム塩 (phosphonium salt)　*142*
ポテンシャルエネルギー (potential energy)　*122*
Hofmann 選択性
――と塩基性　*220*
――とカルボアニオン安定性　*220*
――と脱離能　*220*
――と立体障害　*220*
Hofmann 則　*219*
Hofmann 転位　*357*
HOMO ➡ 最高被占分子軌道
ホモリシス (homolysis)　*113, 334*
HOMO-LUMO 相互作用　*121, 131*
アルケンと HCl の――　*244*
S_N2 反応における――　*199*
カルボニル付加における――　*131*
Diels-Alder 反応における――　*257*
ボラン(borane)　*249*
――の EPM　*15*
ポリアクリロニトリル (polyacrylonitrile)　*312*
ポリアミド (polyamide)　*159, 160*
ポリエステル (polyester)　*159*
ポリエチレンテレフタラート (poly(ethylene terephthalate))　*159*
――のリサイクル　*162*
ポリハロゲン化合物
――と環境問題　*223*
ポリフェノール類 (polyphenols)　*343*
ポリマー (polymer)　*253*
ポリメタクリル酸メチル (poly(methyl metacrylate))　*312*
Boltzmann 分布(distribution)　*63, 123*
ポルフィン (porphine)　*321*
ホルマリン (formalin)　*132*
ホルムアルデヒド (formaldehyde) ➡ メタナール
ボンビコール(bombykol)　*243*

ま

Michael 反応　*313*
Meisenheimer 錯体　*314*
マーガリン (margarine)　*385*
巻矢印 (curly arrow)　*81, 96, 113, 114*
原子指定の――　*118*
マススペクトル (mass spectrum)　*92*
マスタードガス (mustard gas)　*200*
Markovnikov アルコール　*249*
Markovnikov 則　*246*
マルトース (maltose)　*377*
マロン酸エステル合成 (malonic ester synthesis)　*302*
Mannich 反応　*297*
D-マンノース (D-mannose)　*376*

水 (water)
――の EPM　*14*
――の分子模型　*14*
ミセル (micelle)　*386*
光延反応　*232*
ミノキシジル (minoxidil)　*333*
ミルセン (myrcene)　*243, 388*

向山アルドール反応　*305*
無極性溶媒 (nonpolar solvent)　*201, 202*
ムスカルア (muscalure)　*29, 243*

命名法 (nomenclature)　*36*
官能基の優先順位　*39*
メスカリン (mescaline)　*280, 328*
メソ化合物 (*meso* compound)　*185*
メソ(異性)体 (*meso* isomer)　*185*
メタ (*meta*(*m*))(位)　*264*
メタナール (methanal)　*130, 132*
――の EPM　*48, 130*
――の水和反応　*134*
――の分子模型　*48, 130*
――の Lewis 構造式　*17*
メタノール (methanol)　*228*
――の分子模型　*31*
――の Lewis 構造式　*17*
メタ配向基 (*meta*-directing group)　*273*
メタ配向性 (*meta* orientation)　*272*
メタン (methane)
――の EPM　*14, 48, 54*
――の塩素化　*336*
――の結合　*54*
――の分子軌道　*54*
――の分子模型　*14, 48, 54*
メチルアニオン
――の Lewis 構造式　*18*

1,2-メチル移動 (1,2-methyl shift) *231, 350*
メチルシクロヘキサン (methylcyclohexane)
——の環反転 *68*
——の分子模型 *68*
メチルビニルエーテル (methyl vinyl ether)
——の共鳴 *80*
2-メチル-2-プロパノール (2-methyl-2-propanol) *228*
2-メチルプロパン (2-methylpropane)
——の分子模型 *27*
N-メチルモルホリン *N*-オキシド (*N*-methylmorpholine *N*-oxide) *259*
メチルリチウム (methyllithium)
——の EPM *169*
——の分子模型 *169*
メチレン (methylene) *253*
メチレン基
——への還元 *279*
メッセンジャー RNA (messenger RNA) *380*
メトキシ基 (methoxy group) *105, 272*
——の隣接基関与 *209*
メバロチン (Mevalotin) *388*
メバロン酸 (mevalonic acid) *389*
Meerwein-Ponndorf-Verley 還元 *169*
メラトニン (melatonine) *281*
メルカプタン (mercaptan) ➡ チオール
メントール (menthol) *388*

モノテルペン (monoterpene) *387*
モノマー (monomer) *253*
アニオン重合性—— *312*
カチオン重合性—— *254*
ラジカル重合性—— *341*
モーブ染料 (mauve dye) *4*
モルオゾニド (molozonide) *258, 259*
モルヒネ (morphine) *101, 328*

や

有機化学工業 (organic industry) *6*
有機化合物
——の種類 *26* (表 2.1)
有機ガラス (organic glass) *132, 312*
有機金属化合物 (organometalic compound) *163, 169, 311*
有機金属反応 (organometalic reaction) *309*
誘起効果 (inductive effect) *104*
電子求引性—— *273*
有機合成 (organic synthesis)
——の効率 *368*
有機合成計画 *173, 362*
誘起双極子 (induced dipole) *42*
有機反応基質
弱塩基性—— *108*
有機分子触媒 (organocatalyst) *370*
有機マグネシウム化合物 (organomagnesium compound) *170*
有機リチウム化合物 (organolithium compound) *170*
優先 IUPAC 名 *39*
誘電率 (dielectric constant) *45*
油脂 (fat and oil) *385*
——のけん化 *148*
ユビキノン (ubiquinone) *276*

溶液 (solution) *43*
溶解 (dissolution) *44*
溶解金属還元 (dissolving metal reduction) *344*
ケトンの—— *345*
ベンゼンの—— *344*
溶解度 (solubility) *43*
陽極酸化 (anodic oxidation) *346*
陽子 (proton) *7*
溶質 (solute) *43*
溶質-溶媒相互作用 (solute-solvent interaction) *201*
ヨウ素化 (iodination)
ベンゼンの—— *267*
溶媒 (solvent) *43*
——の種類 *202* (表)
溶媒効果 (solvent effect) *201*
S_N2 反応に対する—— *202*
反応に対する—— *201*
溶媒和 (solvation) *45, 170, 202*
アニオンの—— *45, 203*
エーテルによる—— *170*
カチオンの—— *45, 203*
溶媒和電子 (solvated electron) *344*
四次構造 (quaternary structure) *384*
ヨードホルム反応 (iodoform reaction) *292, 293*

ら

Reimer-Tiemann 反応 *277*
ラクタム (lactam) *158*
ラクトース (lactose) *378*
ラクトン (lactone) *158*
ラジカル (radical) *3, 15, 113, 333, 334*
——における超共役 *335*
——の IUPAC 名 *334*
——の安定性 *335, 341*
——の構造 *335*
——の発見 *336*
ラジカルアニオン (radical anion) *344*
ラジカル安定性
——と炭素-水素結合解離エネルギー *335* (表 20.1)
ラジカルイオン (radical ion) *344*
ラジカル開始剤 (radical initiator) *334*
ラジカル開裂 (radical fragmentation) *342*
ラジカルカップリング (radical coupling) *337, 345*
軌道相互作用 *121*
ラジカル機構 (radical mechanism)
求核置換反応の—— *346*
ラジカル重合 (radical polymerization) *333, 341*
——のラジカル連鎖機構 *342*
ラジカル阻害剤 (radical inhibitor) *348*
ラジカル置換(反応) (radical substitution) *337*
ラジカル二量化 (radical dimerization) *346*
ラジカル反応 (radical reaction) *113*
ラジカル連鎖機構 (radical chain mechanism) *334, 336*
$S_{RN}1$ 求核置換反応の—— *346*
塩素化の—— *336*
臭化水素付加の—— *341*
脱ハロゲンの—— *340*
ラジカル重合の—— *342*
ラジカル連鎖反応 (radical chain reaction) *337*
ラセミ化 (racemization) *205, 290*
ラセミ混合物 (racemic mixture) *189*
ラセミ体 (racemate) *189, 205*
らせん (helix)
二重—— *380*
左巻きと右巻きの—— *180*
Raney ニッケル *167*
ラムノース (ramnose) *367*

リコペン (lycopene) *75, 388*
リサイクル (recycling)
プラスチックの—— *162*
PET の—— *162*
リサイクルコード (recycling code) *162*
リチウムエノラート (lithium enolate) *302*
——から交差アルドール *302*
——のアルキル化 *302*
リチウムジイソプロピルアミド (lithium diisopropylamide) *302*
律速段階 (rate-determining step, rate-limiting step) *124, 196, 203*
立体異性体 (stereoisomer) *57, 178*
立体化学 (stereochemistry)
S_N1 反応の—— *205*
立体化学保持 (stereochemical retention)
1,2-アルキル移動における—— *351*
立体効果 (steric effect) *134, 199*
——と位置選択性 *311*
脱離反応における—— *219*
立体障害 (steric hindrance) *197, 219, 275*
——と求核性 *199*
オルト位の—— *275*
Hofmann 選択性と—— *220*
立体選択性 (steleoselectivity) *193, 198, 365, 366*
求電子付加の—— *246*
立体中心 (stereocenter) ➡ キラル中心
立体電子効果 (stereoelectronic effect) *216*
立体特異性 (stereospecificity) *193*
立体特異的シン付加 (stereospecific *syn* addition) *256*
立体特異的反応 (stereospecific reaction) *198*
——における軌道相互作用 *216*

立体配座 (conformation)　*61*
　ブタンの——　*64*
立体配置反転 (inversion of configuration)
　197
立体反転 (stereochemical inversion)
　197, 198
立体ひずみ (steric strain)
　64, 70, 134, 323
　——の解消　*207*
立体保持 (stereochemical retention)　*198*
立体保持生成物 (product of stereochemical retention)　*207*
リナマリン (linamarin)　*133*
リナロール (linalool)　*208, 388*
リノール酸 (linoleic acid)　*385*
リノール酸エステル
　——の自動酸化　*343*
リービッヒ冷却管 (Liebig condenser)　*3*
リピトール (Lipitor)　*389*
リボ核酸 (ribonucleic acid)　*379*
D-リボース (D-ribose)　*376, 379*
リモネン (limonene)　*177, 243, 388*
リン脂質 (phospholipid)　*385*
隣接基関与 (neighboring group participation)
　207, 209
　メトキシ基の——　*209*
Lindlar 触媒　*261*

Lewis 塩基　*95*
Lewis 構造式　*14*
　——の書き方　*15*
Lewis 酸　*95, 264*
　——触媒　*267, 268*
Lewis 表記 (representation)　*10*
Lewis 付加体 (adduct)　*96*
Lucas 反応剤 (reagent)　*227*
LUMO ➡ 最低空分子軌道

励起状態 (excited state)　*89, 91*
　エテンの——　*89*
冷媒 (refrigerant)　*223*
レシチン (lecithin)　*385, 387*
レセルピン (reserpine)　*328*
レチナール (retinal)　*143*
劣　化
　有機物質の——　*343*
レドックス反応 (redox reaction)　*276*
連鎖成長段階 (chain propagation steps)
　337
　アリル位臭素化の——　*339*
連鎖伝達体 (chain carrier)　*337*

ロイコトリエン (leukotriene)　*390*
ロイヤルパープル (royal purple)　*1*
ローズケトン (rose ketone)　*129*
Robinson 環化 (annulation)　*313, 362*
London 分散力 ➡ 分散力

わ

Wagner–Meerwein 転位　*349, 362*
Wacker 法　*132*

人名索引

B

Baeyer, J. F. W. A. von（バイヤー）　*4*
Bender, M. L.（ベンダー）　*150*
Borodin, A. P.（ボロディン）　*294*
Brønsted, Johannes N.（ブレンステッド）　*94*
Brown, H. C.（ブラウン）　*142*

C

Cahn, R. S.（カーン）　*58*
Cannizzaro, Stanislao（カニッツァロ）　*168*
Carothers, Wallace H.（カロザース）　*4*
Claisen, R. Ludwig（クライゼン）　*297*
Corey, Elias. J.（コーリー）　*369*
Couper, A.（クーパー）　*3*
Crafts, James Mason（クラフツ）　*270*

E

Eyring, Henry（アイリング）　*126*

F

Faraday, Michael（ファラデー）　*85*
Fischer, H. Emil（フィッシャー）　*186*
Fleming, Sir Alexander（フレミング）　*2*
Friedel, Charles（フリーデル）　*270*
福井謙一（フクイ　ケンイチ）　*4, 120*

G

Gomberg, Moses（ゴンバーグ）　*336*
Grignard, F. A. Victor（グリニャール）　*163*

H

Hammond, G. S.（ハモンド）　*125*
Hückel, Erich（ヒュッケル）　*4, 85, 86*
Hofmann, A. W.（ホフマン）　*220*

I

Ingold, Sir Christopher K.（インゴールド）　*4, 58, 197*

K

Kekulé, F. August（ケクレ）　*3, 85*
Kolbe, A. W. Hermann（コルベ）　*1, 3*

L

Langmuir, I.（ラングミュア）　*4*
Le Bel, J. A.（ル・ベル）　*3*
Lewis, Gilbert N.（ルイス）　*4, 10, 95*
Liebig, Justus von（リービッヒ）　*3*

M

Markovnikov, Vladimir V.（マルコフニコフ）　*246*
Michael, Arthur（マイケル）　*313*

N

根岸英一（ネギシ　エイイチ）　*6*
Newman, M. S.（ニューマン）　*62*
Nobel, Alfred B.（ノーベル）　*33*
野依良治（ノヨリ　リョウジ）　*6, 369*
野副鐵男（ノゾエ　テツオ）　*87*

P

Pasteur, Louis（パスツール）　*3, 190*
Pauling, Linus C.（ポーリング）　*4, 12, 52, 54*
Perkin, Sir William H.（パーキン）　*4*
Prelog, V.（プレローグ）　*58*

R

Robinson, Sir Robert（ロビンソン）　*4, 112*

S

Schiff, Hugo(Ugo)（シッフ）　*141*
Sharpless, K. Barry（シャープレス）　*370*
鈴木　章（スズキ　アキラ）　*6*

V

van't Hoff, J. H.（ファント・ホッフ）　*3*

W

Waksman, S.（ワックスマン）　*3*
Williamson, A. M.（ウィリアムソン）　*200*
Wittig, G.（ウィッティヒ）　*142*
Wöhler, Friedrich（ウェーラー）　*1, 3*
Woodward, Robert B.（ウッドワード）　*4*

Z

Zaitsev, A. M.（ザイツェフ）　*219*

著者紹介
奥山　格（おくやま　ただし）
1968年　京都大学大学院工学研究科博士課程修了（工学博士）
1968〜1999年　大阪大学基礎工学部
1999〜2006年　姫路工業大学・兵庫県立大学理学部
現　在　兵庫県立大学名誉教授
専　門　物理有機化学・ヘテロ原子化学

石井　昭彦（いしい　あきひこ）
1987年　東京大学大学院理学系研究科博士課程修了（理学博士）
1987〜2004年　埼玉大学理学部
2004年〜　埼玉大学大学院理工学研究科
現　在　埼玉大学大学院理工学研究科　教授
専　門　有機典型元素化学

箕浦　真生（みのうら　まお）
1995年　東京大学大学院理学系研究科博士課程修了（博士（理学））
1995〜1999年　広島大学理学部
1999〜2013年　北里大学理学部
2002〜2003年　コロンビア大学化学科
2013年〜　立教大学理学部
現　在　立教大学理学部　教授
専　門　有機元素化学・物理有機化学

有機化学 改訂3版

令和5年10月30日　発　行

著作者　奥　山　　格
　　　　石　井　昭　彦
　　　　箕　浦　真　生

発行者　池　田　和　博

発行所　丸善出版株式会社
〒101-0051 東京都千代田区神田神保町二丁目17番
編集：電話(03)3512-3266／FAX(03)3512-3272
営業：電話(03)3512-3256／FAX(03)3512-3270
https://www.maruzen-publishing.co.jp

組版印刷・製本／三美印刷株式会社

ISBN 978-4-621-30838-7 C 3043　Printed in Japan

代表的な結合距離(pm)

H−H	74	C_{sp^3}−H	109	C_{sp^3}−C_{sp^3}	154	C=C	133
H−N	101	C_{sp^2}−H	108	C_{sp^3}−C_{sp^2}	150	C=N	135
H−O	96	C_{sp}−H	106	C_{sp^2}−C_{sp^2}	146	C=O	121
H−F	92	C−F	140	C_{sp}−C_{sp}	138	C≡C	120
H−Cl	127	C−Cl	181	C_{sp^3}−N	147	C≡N	116
H−Br	141	C−Br	196	C_{sp^3}−O	143		
H−I	161	C−I	217				

1 pm＝10^{-12} m

結合解離エネルギー(kJ mol $^{-1}$)

X	H−X	CH_3−X	Ph−X	X−X
H	436	438	463	436
CH_3	438	375	432	375
NH_2	450	354	426	275
OH	499	386	464	210
F	568	(472)＊	523	158
Cl	432	349	398	243
Br	366	293	335	193
I	298	238	270	151

$H_2C=CH_2$	654
$H_2C=O$	750
HC≡CH	965
$H_2C=CH-H$	442
HC≡C−H	555

日本化学会編“化学便覧”およびNIST(National Institute of Standards and Technology) Chemistry WebBook(http://webbook.nist.gov/chemistry/)のデータに基づいて，25 ℃における標準生成エンタルピーから計算した.

＊ 0 K における値.

電気陰性度

族 1	2	13	14	15	16	17
H 2.20						
Li 0.98	Be 1.57	B 2.04	C 2.55	N 3.04	O 3.44	F 3.98
Na 0.93	Mg 1.31	Al 1.61	Si 1.90	P 2.19	S 2.58	Cl 3.16
K 0.82	Ca 1.00					Br 2.96
						I 2.66

数値は Allred と Rochow の改良値(1958)